Mynachlog-ddu, Llangolman a Llandeilo

O'R WITWG I'R WERN

ANCIENT WISDOM AND SACRED COWS

Golygydd / Editor: Hefin Wyn

Llun clawr / Cover photograph: Ann Lenny
Dylunio'r clawr / Cover design: Lisa Hellier

Cymdeithas Cwm Cerwyn
Argraffiad Cyntaf: 2011

ISBN 978-0-9549931-4-6

Cyhoeddwyd gyda chymorth Cronfa Treftadaeth y Loteri
Published with the aid of the Lottery Heritage Fund

Cyhoeddwyd gan
Cymdeithas Cwm Cerwyn

Argraffwyr E. L. Jones, Aberteifi

Foel Cwm Cerwyn
Bedd Arthur
PRESELAU
Afon Tewgyll
Cwmgarw
Cwmcerwyn
Dan-garn
Cerrig Meibion Arthur
MYNAC
Cofeb W.R.Evans
Iet-hen
Glynsaithmaen
Pantithel
Cofeb Waldo
Carnabwth
Llain
MAENCLOCHOG
Fronlas
Atsol-wen
Trallwyn
Afon Wern
Gors Fawr
Mynydd Bach
Trafel
Blaendyffryn
Pantygwynfyd
Pisga
Brynllechog
Rhos-fach
Cwmisaf
EGL
St.D
Pengawse
CAPEL Llandeilo
Pont
LLANDEILO
Dandderwen
LLANGOLMAN
EGLWYS St.Colman
Gilfach
Blaenllwydiarth
Ffynnon Samson
Pen-rhos
Troed-y-rhiw
CAPEL Rhydwilym
Ysgol Nant-y-cwm
Allt-y-pistyll
Canan
Sgwâr Eden
Rhos-y-gwydr
Maes-y-dderwen
Map drawn by Lisa Hellier

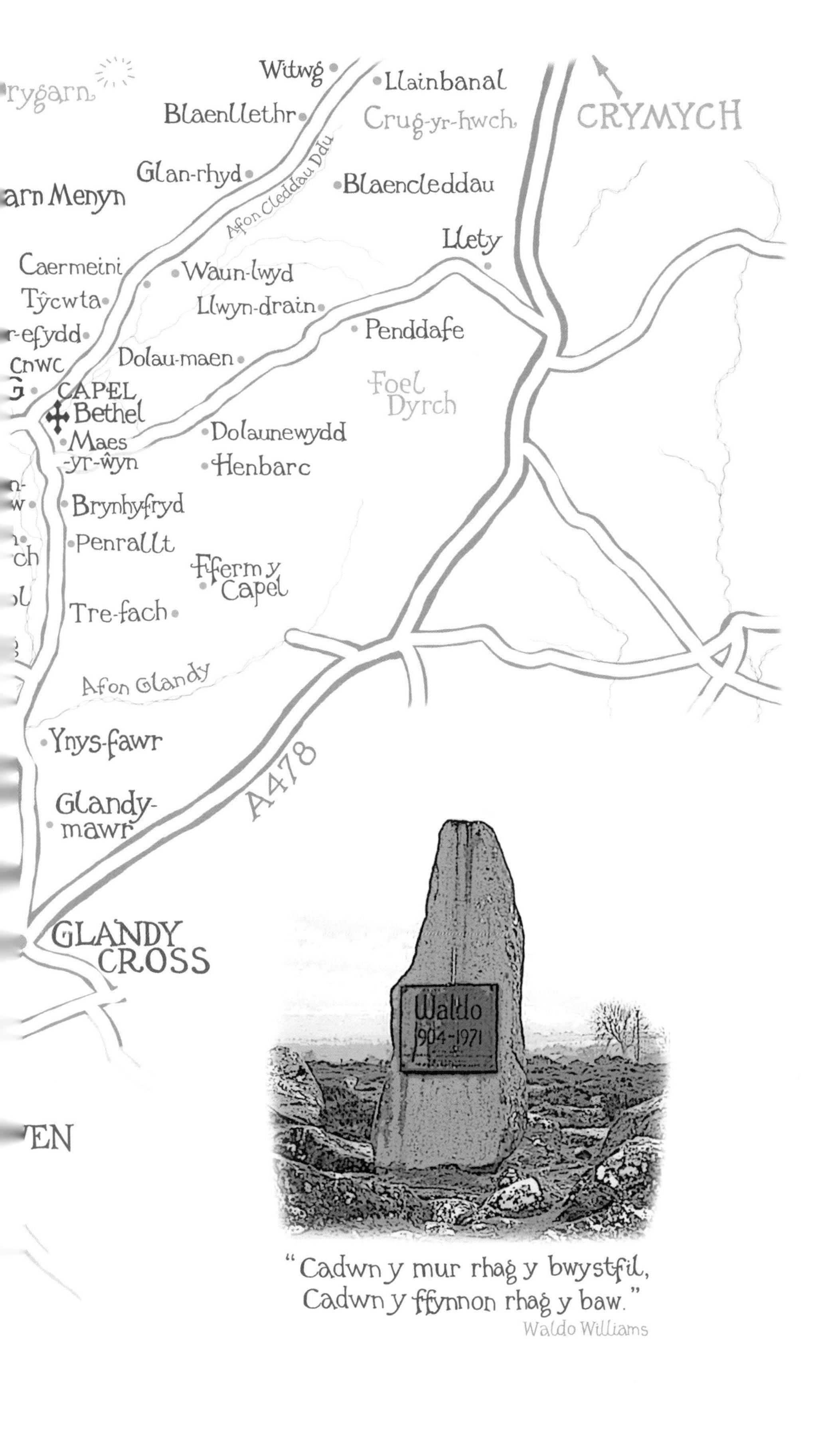

“Cadwn y mur rhag y bwystfil,
Cadwn y ffynnon rhag y baw.”
Waldo Williams

Cyflwynir y gyfrol
i genedlaethau'r dyfodol
fydd am werthfawrogi eu doe.

This volume is dedicated
to future generations
who might wish to appreciate
their yesterday.

Cynnwys / Contents

Rhagair

Fel un a anwyd ac sydd yn dal i fyw ym mhlwyf Llangolman ac sydd, fel mae'n digwydd, wedi treulio cryn amser ym Mynachlog-ddu dros y blynyddoedd, gan fynychu Aelwyd yr Urdd yno yn ystod fy llencyndod ac yna'n ddiweddarach fel aelod o'r Cyngor Cymuned a heb anghofio fy nghysylltiad â phlwyf Llandeilo a'r capel yn arbennig, mae'n bleser o'r mwyaf, felly, cael ysgrifennu ychydig o eiriau fel cyflwyniad i'r gyfrol arbennig hon.

Ym mis Rhagfyr 2002 gwahoddwyd PLANED (Rhwydwaith Gweithredu Lleol Sir Benfro Er Menter a Datblygu) gan Gyngor Cymuned Mynachlog-ddu a Llangolman i gydweithio ac i ffurfio Cynllun Gweithredu Cymunedol. Yna, ar ddechrau 2004, ffurfiwyd Cymdeithas Cwm Cerwyn, sy'n rhan o Gymdeithas Cleddau Ddu a sefydlwyd gan PLANED yn Ardal Gogledd Ddwyrain Canol Sir Benfro er mwyn hyrwyddo gweithgareddau diwylliannol, amgylcheddol a chynaliadwy. Fforwm cymunedol yw Cymdeithas Cwm Cerwyn sy'n agored i holl aelodau'r gymuned er mwyn datblygu'r Cynllun Gweithredu ac i gynorthwyo i weithredu'r prosiectau. Erbyn i'r Cynllun Gweithredu diwygiedig ymddangos yn 2007 roedd nifer o gynigion newydd wedi cael eu hychwanegu ac yn eu plith Llyfr Hanes ardal Mynachlog-ddu, Llangolman a Llandeilo, a dyna oedd cychwyn y cyfan.

Fy nyletswydd yn y lle cyntaf yw diolch i bawb sydd wedi cyfrannu at y gyfrol, sy'n cynnwys cyfraniadau yn y Gymraeg a'r Saesneg, gan drigolion sydd wedi byw yn yr ardal ar hyd eu hoes, y rhai hynny sydd wedi symud i'r plwyfi yn ogystal â'r Cymry brodorol sydd ar wasgar erbyn hyn. Rhaid cydnabod yn ddiolchgar y nawdd a gafwyd gan Gronfa Treftadaeth y Loteri a wnaeth y cyfan yn bosib. Yn ogystal â diolch i bawb a fynychodd y gyfres o gyfarfodydd a oedd yn rhan o'r prosiect rhaid diolch yn arbennig i Hefin Wyn, y golygydd, am ddwyn y maen i'r wal a sicrhau fod y gyfrol yn gweld golau dydd. Diolch i'r argraffwyr, E. L. Jones a'i Fab, Aberteifi, am eu gwaith glân arferol ond, yn bennaf, hyderaf y caiff y darllenydd oriau o bleser yn pori drwy'r gyfrol gan obeithio ar yr un pryd fod 'na

... whithryn bach o'r 'annibinieth barn'

In dala i lechu rhynt y weun a'r garn.'

Wyn Owens

Denzil Jenkins
Cadeirydd Cymdeithas Cwm Cerwyn

Preface

As someone who was born in the parish of Llangolman and still living here and, as it happens, who has spent a great deal of my time over the years in Mynachlog-ddu as a frequenter of Aelwyd yr Urdd in my youth and later as a member of the Parish Council, without forgetting my association with the parish of Llandeilo and, in particular, the chapel, it gives me great pleasure, therefore, to write these few words of introduction to this special volume.

In December 2002 PLANED (Pembrokeshire Local Action Network for Enterprise and Development) was invited by Mynachlog-ddu and Llangolman Community Council to jointly produce a Community Action Plan. Then, early in 2004, Cymdeithas Cwm Cerwyn was formed, which is part of Cymdeithas Cleddau Ddu formed by PLANED in North East Area of Mid-Pembrokeshire to promote cultural, environmental and sustainable activities. Cymdeithas Cwm Cerwyn is a community forum open to all members of the community in order to develop the Action Plan and to support the implementation of projects. When the revised Action Plan appeared in 2007 a number of new proposals had been added among which was a Historical Book for Mynachlog-ddu, Llangolman and Llandeilo and that is how it all started.

My initial duty is to thank everyone who has contributed to the volume, which includes contributions in Welsh and English by many who have lived their whole lives in the area, others who have moved to the area and even others who were brought up in the area but have since moved away. One must thankfully acknowledge the grant received from the Lottery Heritage Fund that made it all possible. As well as thanking everyone who attended the series of meetings that were a part of the project, one must thank Hefin Wyn, the editor, for ensuring the completion of the project. Thanks to E. L. Jones and Son, Cardigan, the printers, for their usual accomplished work but above all I hope the reader will have hours of pleasure when thumbing through the volume and will discover, at the same time, that

> ' ... a little of that 'independence of mind'
>
> Still lurks between the moor and the cairn'
>
> *Wyn Owens*

Denzil Jenkins
Chairman, Cymdeithas Cwm Cerwyn

Nochlog-ddu

W. R. Evans

Wêdd hi'n ddiddig ombeidus os lawer dy
Pan wên i in rhocyn in plwy Nochlog-ddu.
Wê'r cifan in tiddu obiti'ch tra'd,
A wê bwyd in garnedde i ga'l in y wlad.
Wê menyn gatre i ddechre'ch wês,
A wê Mam wrth 'i bodd in cimisgu twês.
Os wê'r bwyd in blaen, wêdd e'n rhifedd o neis,
A wê cosyn o ffest in dŵad ma's o'r peis.
Ond weles i ddim, chi, os lawer dy,
Y pethe mowr, in plwy Nochlog-ddu.

Wydden i ddim, ŵ, bo nudden fel sieced
In arwydd dichrinllyd o "hud ar Ddifed".
A wydden i ddim, chi, wrth bitsho llwyth,
Bo'r Fwêl in crinu 'da tra'd y Twrch Trwyth.
A phwy feddilie bo peil o enwogion
In martsho in rhebest rown "Cerrig Marchogion"?
Ond sena i'n cered Y Fwêl in ewn
Heb deimlo rhyw gered tu ôl i nghewn;
Blinidde o ddinion, â'u damshel twmpathog,
In hala isgrid o'r Fwêl i Garn Goedog.

In Praise of Mynachlog-ddu

Keith Skipper

Come to Mynachlog-ddu and what will you find? Six thousand acres of farm and common land, four miles by three miles, with a circumference of thirteen miles; lying in a valley in the shadow of the Preselau with six main hills around it, mainly agricultural on Ordovician and Silurian measures, with spotted dolorite (bluestone) and silica quartz found among volcanic rocks. Gorse, heather and bracken coat the higher parts with many trees and other plants giving a large variety of flora to the parish. With around 70 inches of rain each year it is wet, but the sun does shine a lot, and it is generally mild. Sometimes it has all four seasons in one day.

The village is small, about thirty houses in the centre and seventy more spread around housing approximately 250 people, with a church and chapel, playground and pub / caravan park. Farms scattered, many under 100 acres (40 ha), with cattle, sheep, horses, ponies, goats and deer utilising good, improved land with extensive grazing around.

Now there is no school, shop or post office. The mill, quarry, wool factory and various other trades have long disappeared. Even earlier the Black Monks of St. Dogmaels owned the land, and there were at least two other chapels, Cawey and St. Silin, used by pilgrims passing through. Drovers took cattle to the Midlands and Southern England for fattening while local slate, wool and hide were used by many a distant family.

Welsh and incoming families co-exist without any real differences. A thousand years this place has been home to saints and sinners, drovers and drivers, poets and peasants, rulers and rioters, builders and breeders, all enriching this friendly, clean and comfortable place.

Ein Hardal Ni

Rachel Owen

Wel nawr, beth am hanes hen blwy 'Nachlogddu
I chi'n nabod e'n dda bob un goelia i.
Mae'n lle iachus rhyfeddol
A wir, mae'n rhan o'r Parc Cenedlaethol.
Mae yno rai ffermydd, rhyw ddeugain, neu fwy.
A chapel, ag ysgol, ag eglwys y plwy.
Siop, a Llythyrdy, pregethwr, a sgwlyn,
Dim un yn gyfoethog, na neb chwaith yn dlotyn.
Dim un sgoler mawr, dim un reial dwpsyn.
Cymysgeth o bobol, rhyw shipris cyffredin.

A wir, mae hi'n ardal â thipyn o hanes
Ac ambell i storom ac ambell i sgarmes.
Wel dyna i chi'r stori amdano fe'r Brenin
Yn bwrw y garreg 'na lan o glos Dyffryn.
A honno yn hedfan fel brân ac yn disgyn
Ar gopa Garn Arthur, na ffling anghyffredin.
Os nad i chi'n coelio mae'r garreg na heddi
Ewch lan cael ei gweld hi, bob un prynhawn fory.

Ond nawr fe awn nôl at achos y ffermydd
Mae enwau go ddigri ar y rhain gyda'i gilydd.
Nawr ond i chi wrando am funud neu lai
Cewch enwau'r ffermydd, a hefyd y tai.
Tŷ Canol, Craiglea, Gorffwysfa a'r Cnwc,
Fronlasydd, Blaen-cwm, Llainbanal, White-hook,
Waunlwyd a Glanrhyd, a phedwar o Llethrau
Rhydfach, Nantycoi, Blaengors a Blaencleddau.
Blaenbanon, Tŷ'r Ysgol, Clun a'r Tŷ Capel,
Carnabwth, Yethen, Dangarn a Phantithel
Cwmgarw, a'r Atsol, Llainwen a Llainfach.
Plasdwbwl, Penrhos, Brynmelyn, Rhosfach,
Pantyrhug, Ffynnonwen, Llainucha a'r Bunglo.
Dwy Landre, Hillside, Trellan, Dyffryn Ffilbro
Blaenllethr, Blaenwaun, Tynewy, Tycwta
Maes-yr-efydd, Caermeini, Penrhiw, Llain Rhos Bica.
Maesyrwyn, a tair Dole, Penddafe, Llwyndrain,
Bryncleddau, Brynhyfryd, Bryn Arthur, Penllain.
Trefach, Penralltfach, Penrallt, Capel Cawy,
Tyrch Villa a'r Bronwydd, Allt-y-gog, a Chwrtnewydd.
Coinant, Y Gongol, Y Felin, Llwyneithin
Dau Trallwyn, Yr Henbarc, Blaenffynnon, Blaendyffryn.

Bro

Wyn Owens

Beth sydd ar ôl i'w ddweud,
Pan fo'r gwynt dros erwau'r rhos
Mor fain â iaith y chwarae
Ar yr iard?

Pa fodd y canfyddwn eto o dan y cegid,
Alaw yr afon hithau,
Tra bo grŵn y llanw'n corddi
Tros ein mynd a dod?

Beth sydd ar ôl i'w wneud,
Ond mwmial ein rhwystredigaeth,
I'w chwalu'n ddarnau gan y gwynt
Uwch erwau'r rhos.

-- Yno, lle mae blodau'r eithin
Yn eu miloedd
Eleni mor felyn ag erioed.

Ac yno lle pawr y ddafad mor ddi-hid
O'r cyfarth ym mharthau'r
'Bluestone View'.

Cyflwyniad

Byddai'r prosiect hwn wedi bod yn werth chweil pe bai dim ond am y cyfarfod hwnnw yn Festri Bethel rhywbryd yn nhrymder gaeaf. Doedd dim llawer wedi dod ynghyd. Doedd dim llawer o lewyrch ar y cyfarfod chwaith. Cadarnhawyd bod y prosiect yn rhygnu arni a gwnaed addewid niwlog y byddai pob dim yn siŵr o ddod i fwcwl erbyn y Nadolig. Ni chrybwyllwyd pa Nadolig. Wedi delio â'r materion o dan sylw aed ati'n jycôs i hel atgofion. Pwysais yn ôl yn fy nghadair, ymestyn fy nghoese i'w llawn hyd, plethu fy nwylo, a gwrando.

Yn ein plith roedd Alan Garnmenyn. O'i flaen ar y bwrdd roedd ces brown a welsai ddyddie gwell. Mae'n debyg ei fod yn llawn o hen lunie. Ymddangosai Alan John fel petai'n eiddgar i agor y ces ers meitin. Rhaid dweud ein bod ninne, y dyrnaid ohonom, yr un mor eiddgar i weld ei gynnwys. Ond bob tro y gwasgai Alan y glicied ac amneidio i agor y caead âi ei awydd i adrodd stori'n drech nag ef. Roedd y dweud yn orchestol. O fewn byr o dro credai nifer ohonom fod Alan yn meddu ar ddychymyg byw os nad cwbl afradlon.

Mynych y dywedem: 'O, dere nawr, synnot ti'n dishgwl i ni gredu 'na'; 'Gall honna byth bod yn wir 'chan' neu 'Ma' tipyn bach o'r Wil Canan yn perthyn i honna, gwlei.' Cyn amled atebai Alan; 'Bois, sdim pwynt i fi weud celwy, sdim pwynt i fi, mor wired â mod i'n ishte fan hyn, wi'n gweud wrthoch chi, sdim pwynt i fi weud celwy', cyn bwrw ati i adrodd stori orchestol arall a'r glicied yn dal heb ei hagor. Ymwneud â'i dad-cu, Ianto Garnmenyn, a wnâi'r rhelyw o'r straeon. Gwyddem am Ianto fel gŵr garw ei ffordd a lladdwr moch heb ei ail. Arferai danio ergydion y tu fas i Fethel pan fyddai priodase yno, ac oni wnaeth saethu un o'r weiers trydan yn yfflon rhywbryd gan ddiffodd cyflenwad yr ardal?

Gan ei nai cawsom wybod am helbulon y bugeiliaid pan fyddent yn bwrw lawr i Gastellmartin i weld eu preiddie ganol gaeaf a'r ddefod o alw mewn tri thafarn ar y ffordd adref. Roedd dylanwad Siôn Heidden yn drwm ar aml i stori. Dyna'r ymwelydd hwnnw adeg y Nadolig a oedd wedi difoli braidd ar y macsi a gynigid iddo. Mewn pwl o chwerthin fe saethodd ei ddannedd dodi o'i geg ar draws y llawr fflags o'r golwg o dan y ford. Alan gafodd y dasg o chwilio amdanyn nhw ac ynte'n ddim o beth ar y pryd. Daeth o hyd iddyn nhw yng nghanol y llwch a'r blew cŵn a'u hestyn i'w perchennog. Yr un mor ddidaro fe roes hwnnw nhw nôl yn ei geg yn ddiseremoni. Ond doedd y stori ddim yn dibennu yn y fan honno. Roedd rhaid ffarwelio a gyrru adref. Yn anffodus gyrru i'r ddomen a wnaeth y pwr dab a pho fwyaf y gwingai

Evan John –
Ianto Garnmenyn

i ddod mas, ymhellach i'r ddomen yr âi trwyn y car. Prin fod y car hwnnw gyda'r glanaf yn y fro wrth iddo fynd â'i berchennog sha thre'r noson honno wedi'i dractor ei dynnu o'r ddomen ar y clos.

Wel, odych chi'n credu hynna? Ond roedd mwy i ddod. Adeg cynhaeaf gwair fe rannwyd y macsi'n go hael drachefn nes i un o'r llafurwyr fynd i gysgu yn erbyn pige'r tröwr ar ganol y parc. Wir i chi, fe gysgodd mor drwm nes iddo gael ei droi gyda'r tröwr droeon heb yn wybod iddo. Pan ddihunodd doedd e damed callach o'r profiad a gafodd. Wel, doedd dim un diben i Alan ddweud celwydd, ch'wel. Ac fel petai am brofi'n hygoeledd ymhellach mynnodd ymledu'r straeon o glos Garnmenyn at sied ffowls Tycanol.

Rhyw whilgrwt tua 17 oed oedd Alan ar y pryd pan gafodd gais gan Idwal i waredu'r llygod mowr oedd yn y sied ffowls. Popeth yn iawn. Doedd yna'r un her na wnâi crwt yr oedran hwnnw ei gwrthod. Cydiodd mewn pastwn pwrpasol a bant ag e. Dyma Idwal Jenkins yn ei arwain at y sied ffowls, yn agor y drws ac yn ei gymell i mewn. Gynted ei fod i mewn a chyn ei fod wedi tynnu ei anadl yn yr hanner gwyll, roedd Idwal wedi cau'r drws yn glep holbidag. Doedd dim dianc rhag cyflawni'r dasg i fod nawr. Beth welodd Alan wrth i'w lygaid gyfarwyddo â'r goleuni prin ond llygod mowr, mowr yn llond eu crwyn, bron cymaint ag ŵyn, yn gorwedd yn braf yn y nythod. Roedd yn amlwg eu bod yn gwbl gartrefol ac wedi gwneud yn fowr o'r bwyd ffowls. Bu'n rhaid dechre ffusto a chafwyd cyflafan wrth i'r ieir a'r llygod sgidadlan i bob cyfeiriad. Am eu bod yn foldew credai Alan iddo ladd mwy o lygod nag oedd wedi jengyd. Mae'n rhaid bod y sŵn yn fyddarol yng nghanol y clochdar a'r gwichian.

Erbyn hynny doedd neb am amau cywirdeb y stori am fod y dagre'n powlio wrth ddychmygu'r sefyllfa. Doedd tonig meddyg ddim ynddi. Clywid dawn y cyfarwydd ar ei ore. Cafwyd cip ar gyfnod pan oedd pobl 'Nachlog-ddu yn creu eu difyrrwch eu hunain heb fod angen cyfeirio at yr un opera sebon na chyfres deledu i adrodd helyntion dynion. Petai rywun ddim ond yn medru potreli'r fath ddawn. Aeth y lluniau yn y ces brown yn angof. Trodd noson ddinod yn noson fowr. Prin y gellid cyfleu'r fath ddrama mewn geiriau o fewn clorie llyfr. Pan ddaw'r cyfle i'ch rhan i holi Alan, ac ynte mewn hwylie go lew, cishwch ganddo adrodd stori neu ddwy am yr hen amser. Bydd hynny'n atodiad gwerthfawr i'r profiad o ddarllen y llyfr hwn.

Cofiwch, roedd hi'n bleser mynd ynghyd â'r dasg o olygu *O'r Witwg i'r Wern* oherwydd y cof plentyn sydd gennyf am un o arwyr y fro. Cefais inne'r fraint, yng nghwmni fy nhad, o ymweld â'r Parchg R. Parri-Roberts, y Monwysyn gwargam, yn ei stydi ym Mrynhyfryd. Galw ar ryw berwyl yn ymwneud â'r Gymanfa Ddirwestol a wnaed ond yr hyn a gofiaf yn bennaf yw'r cwmwl o fwg a lenwai'r ystafell, a minne'n ceisio ymgadw rhag peswch yn sawr y tybaco cryf. Yn ddiweddarach y deuthum i glywed am y chwedloniaeth a amgylchynai 'Parri Bach'. O sôn am y 'Gymanfa Bop' onid sylw gweinidog Bethel wrth gyd-smygwr pibell wedi gwrando ar yr Athro Thomas Levi yn dannod tybaco'n gymaint o gyffur â'r ddiod fain oedd, 'wel, does dim amdani rŵan ond ei losgi fo', wrth iddo gynne ei bib gydag arddeliad y tu fas i'r capel?

Rheswm arall dros gofleidio'r cyfle i olygu'r gyfrol hon yw'r rhamant a deimlir, beunydd a beunos, wrth deithio ar hyd yr heol fynydd heibio Carreg Waldo, ar hyd Feidr Wilym, heibio Dan-garn, Tal Mynydd, Pantithel a Charnabwth i gyfeiriad Glynsaithmaen. Mae'n ffordd sy'n brin o gloddie, lle mae'r eithin a'r grug yn bwnge a'r meini'n amlwg. Dyma fy hoff daith i gyfeiriad Crymych ac yn ôl gan na wyddys pa brofiade a ddaw i'm rhan. Rhai o'r merlod mynydd yn rhythu arnoch o'r niwl ganol nos, march gwyn yn eu plith yn cyniwair delweddau Celtaidd, a thwr o ddefaid yn gorwedd ar y tarmac ar noson gynnes o haf, fel petawn nhw oll yn awyddus i bwysleisio mai tresmasu ar eu cynefin nhw a wna dyn mewn gwirionedd. Do, gwelais garafán sipsi ger Glynsaithmaen rhywbryd hefyd.

Ond nid rhamant yn unig a berthyn i'r parthau hyn ond synnwyr o ddur. Gwnaed hynny'n hysbys gan un y mae'r ardal yn ei hawlio fel un ohonyn nhw, sef Waldo Williams. Does yna'r un disgrifiad o dirwedd Cymru sy wedi mynegi'r cadernid a berthyn inni o ran cydymdreiddiad tir, pobl a hanes mewn modd mor gyfoethog a diamwys ag eiddo Waldo. Clodforwn Waldo o'r newydd a derbyniwn pa mor gysegredig yw'r llethrau ond heb hawlio nad oes eu cyffelyb mewn ardaloedd eraill.

Na hawliwn chwaith fod i'r ardal rinwedde na pherthyn i ardaloedd eraill. Nid ydym uwchlaw'r un gymuned arall heblaw am ein huchder daearyddol. Perthyn i'r ardal ei throseddwyr er digon diniwed fu eu cafflo ar y cyfan. Rhoddwyd dirwy o 10/- i David John Lewis, Maes-yr-efydd, Mynachlog-ddu yn Llys Ynadon Arberth ym mis Ebrill 1961 am beidio ag oedi wrth gyffordd rhywle'r ochr draw i'r dref. Dywedodd Mr Lewis ei fod wedi sylwi ar yr arwydd 'Halt' ond ei fod wedi sylwi ar y gair 'slow' wedi'i osod ar y tarmac hefyd, ac iddo droi i'r briffordd yn araf iawn yn unol â'r gorchymyn.

Ond arwydd o'r newid cymdeithasol a ddigwyddodd yn yr ardal yn raddol, ers chwarter olaf yr ugeinfed ganrif, oedd y cyhuddiade a ddygwyd yn 2004 yn erbyn gŵr a rannai ei amser rhwng Singapore a bwthyn lleol. Dywedwyd ei fod yn bartner yn un o brif gwmnïau broceriaeth ariannol y byd. Lluniau anweddus o blant a ganfuwyd ar ei gyfrifiadur yn y bwthyn. Ni fu cyrchoedd cyffuriau ar fythynnod diarffordd yn anghyffredin chwaith. Gwelwyd llawer o fynd a dod wrth i laweroedd gyfnewid bywyd y dinasoedd am fywyd cefn gwlad ond heb lwyddo bob amser i ddygymod â'r tawelwch ac yna codi pac drachefn.

Fe welwch, o bori trwy'r gyfrol, fod yna eraill wedi ymddangos mewn llysoedd barn hefyd, a hynny am botsian. Ond yn gyffredinol nid ystyrir potsian yn drosedd go iawn. Roedd samwnsa'n anghyfreithlon yn cael ei ystyried yn ffordd o fyw ar hyd Cleddau Ddu a hindrans oedd cael eich dal gan y beilïaid. Wedi'r cyfan cofnodir hanesion am ddiaconiaid a swyddogion blaenllaw capeli Anghydffurfiol yn cael eu dal. Dim ond crafu'r wyneb a wna erthygl ap Cleddau am fod hanesion diri am yr ymryson rhwng y potsiers a'r beiliaid yn dal heb eu cofnodi. Ar ben hynny, cyhoeddir drama un act, Samonsa, o waith gweinidog yr efengyl, y Parchg E. Llwyd Williams.

Dyledus ydym i Llwyd am ei bortreadau, na ellid peidio eu hailgyhoeddi, o'r gyfrol *Hen Ddwylo*. Yr hyn sy'n rhyfedd yw bod straeon yn dal i gael eu hadrodd am gymeriade megis Wil Canan a John Pen-rhos. Wyddech chi y byddai John yn towlu ei het i mewn trwy ddrws Penrhos pan ddeuai adref o dafarn Eden, a phe na bai'r het yn cael ei thowlu nôl mas byddai'n ystyried bod yna groeso iddo? Dro arall penderfynodd gael napyn ym môn clawdd ar ei ffordd adref. Wel, welsoch chi'r ffordd hir am i fyny sydd i Ben-rhos o Eden? Pwy ddaeth heibio ond un o'i gymdogion, Howells Pisga, a phenderfynu torri hanner ei fwstash godidog gyda'i gyllell boced tra roedd yn cysgu. Yn hytrach na siafio'r hanner arall ac ail-ddechre tyfu mwstash cyfan o'r newydd, penderfynodd John adael i'r hanner a gollodd dyfu yn ei ôl.

Gyda llaw, mae chwarter canrif o ddyddiaduron John Pen-rhos i'w gweld yn Archifdy Hwlffordd. Noda John Williams ansawdd y tywydd o ddydd i ddydd, y llefydd lle bu'n gweithio, marwolaethau ac angladde'r ardal ynghyd â'r ffeirie a chyrdde'r capeli y bu'n eu mynychu. Ond yn rhyfedd iawn ni sonia fyth am ei fynych ymweliade ag Eden chwaith. Pen-rhos, wrthgwrs, yw'r bwthyn to gwellt, ar ben feidr Blaensawd, sy'n dal ar ei draed, ac sy'n amgueddfa bellach.

Glywsoch chi am Wil Canan wedyn yn sôn fel y llwyddodd ei filgi i ddal dwy gwningen yr un pryd? Wel, fel hyn y buodd hi. Roedd Wil mas yn trasho rhyw ychydig gyda'i gryman rhyw ddiwrnod pan gododd y milgi ddwy gwningen. Dechreuodd eu cwrso ond fe redodd y ddwy i gyfeiriade gwahanol a'r ci mewn penbleth ynghylch pa un i ddilyn. Gwelodd Wil ei bicil a chan fod y cryman yn digwydd bod yn ei law dyma fe'n ei hyrddio i gyfeiriad y milgi nes ei hollti yn ei hanner. Dilynodd un hanner y ci un gwningen a hanner arall y ci y gwningen arall – a dal y ddwy. Does dim rhyfedd fod Waldo wedi llunio soned i Wil Canan lle awgryma'n gryf y bydd ei fabinogi fyw yn hwy o lawer na gwadnau'r clocs a wnâi ar gyfer trigolion yr ardal. Gwir y dywedodd.

Ond pwy oedd Wil Canan? Wel, bwthyn oedd Canan yng Nghwm Rhydwilym nid nepell o fwthyn arall o'r enw Yr Aifft. Dengys Cyfrifiad 1851 bod yna William Evans, 40 oed, yn byw yno ynghyd â'i wraig, Margaret, 41 oed a'u plant Mary, naw oed, Thomas, saith oed a John, tair oed. Erbyn 1861 roedden nhw'n byw yn Allt-y-pistyll gerllaw. Roedd Mary wedi gadael y nyth. Byddai'n 19 oed ac yn ôl pob tebyg wedi mynd i wasnaethu rhywle yn ôl arfer yr oes. Ond roedd yna Stephen, naw oed, yn ychwanegiad i'r teulu. Erbyn 1881 ymddengys bod William a Margaret wedi symud i Cwmcasgal, eto gerllaw, ac yn ôl y Cyfrifiad y flwyddyn honno roedd yna Daniel, 12 oed, ar yr aelwyd hefyd. Ŵyr efalle?

Yn ôl carreg fedd wrth dalcen Capel Rhydwilym bu farw Margaret ym mis Medi 1885 yn 76 oed. Nodir y llinell 'Gwysgwn arfau y goleuni' ar y garreg foel ond does dim yn awgrymu bod yna neb arall wedi'i gladdu yno er bod digon o le ar y garreg i gynnwys rhagor o enwau. Tybed a yw gweddillion Wil Canan yn gorwedd yno hefyd a neb wedi trafferthu i nodi hynny ar y garreg? Os felly pryd y bu e farw? Fe fyddai William Evans yn 28 oed adeg Terfysg y Beca ac efallai wedi cymryd rhan yn yr ymosodiad ar dollborth Efail-wen yn 1839. Wel, mae'n nhw'n dweud bod yna dorf enfawr wedi ymgynnull. Pan glywir llawer o'r hen do yn adrodd 'straeon Wil Canan', sonnir yn aml iawn ei fod yn was ar fferm Glandy Mawr rhwng Mynachlog-ddu a Sgwâr Glandy. Dyna lle gweithiai pan adroddai'r straeon amdano'n cyrchu calch o Eglwys-lwyd. Teg tybio bod hynny pan oedd yn ei ugeinie cynnar cyn codi tollborth Efail-wen.

Glywsoch chi amdano yn colli'r twlpyn lleiaf o galch mewn rhewyn dŵr ar y ffordd adre o'r odyn ac o fewn deng munud clywai'r morloi ar arfordir Gwlad yr Haf yn ubain mewn poen am fod y calch wedi mynd i'w llyged. Os ei dweud hi, ei dweud hi, gwlei. Feiddiai neb amau cywirdeb y dweud wrth gwrs. Mewn cyfnod diweddarach gellid yn hawdd dychmygu athrylith o'r fath yn sgriptio straeon cartŵn yn Hollywood. Oes yna ddisgynyddion gwaed iddo yn y cyffinie o hyd? A pha le bynnag y bo Wil Canan yn gorwedd, mae'n siŵr, pe cawn gyfle i'w holi, y byddai ganddo stori a fyddai'n brawf ar ein hygoeledd ynghylch ei ddiwedd ei hun.

Yr un modd anodd yw dod o hyd i ddisgynyddion uniongyrchol i Twm Carnabwth – Tomos Rees, Treial, arweinydd y Beca – er y gwyddys bod ganddo blant. Gall nifer o drigolion yr ardal, megis y brodyr Cerwyn a Dyfed Davies, nodi bod eu hen-hen-dad-cu yn un o nifer o gefnderwyr Twm, ond anodd yw mynd yn nes o ran y llinach uniongyrchol – er cyfeiria'r erthygl am Twm yn y gyfrol hon at or-or-wyres o Abertridwr, ger Caerffili, a gor-gor-ŵyr o Bort Talbot. Sonia E. Llwyd Williams yn ei gyfrol *Crwydro Sir Benfro* a gyhoeddwyd yn 1958 fod John, un o feibion Twm, yn byw yn Ffynhonau Bach, yn ardal Llandysilio, ar ryw adeg, a bod gor-wyres iddo, Martha Ena Edwards, yn gyd-ddisgybl ag wyrion Twm Bec, ceidwad y tollborth yn Efail-wen, yn Ysgol Brynconyn.

Cofia Llwyd am un o hen drigolion y pentref yn dynwared John Rees yn canu emyn ar y dôn Diadem. Ble mae'r achyddion? Mae lle i gredu bod John yn bum oed yn 1839 ac ar droad y ganrif byddai'n 66 oed. Roedd ganddo chwaer, Elizabeth, wyth mlynedd yn hŷn, a brawd, Daniel, bum mlynedd yn hŷn nag ef. Oes rhywun a all ein goleuo ynghylch bodolaeth disgynyddion 'arwr gwerin plwy Nachlog-ddu' chwedl y canwr gwerin, Tecwyn Ifan? Llwyddwyd i groniclo'r ychydig ffeithie a'r tybiaethau a wyddom amdano yn y gyfrol hon ond mae'r portread ymhell o fod yn gyflawn.

Rhoddir sylw i arwyr cyfoes hefyd. Cofir am Brian Williams am ei benderfyniad di-ildio ar y cae rygbi, boed yn cynrychioli ei hoff Gastell-nedd neu yn gwisgo crys Cymru fel y gwnaeth ar bum achlysur. Nid anghofir chwaith am Dai Evans, Pen-y-graig, y plisman cyntaf i chwarae rygbi dros Gymru. Cofir am Tonwen Adams am ei hynawsedd a'i hymroddiad fel athrawes bro yn yr ysgol ddyddiol ym Mynachlog-ddu, ac yn yr ysgol Sabothol yn Bethel gan ddylanwadu ar genedlaethau o blant y fro. Roedd Lloyd Davies yn gymwynaswr heb ei ail a wnâi'n siŵr fod yr olwynion yn troi heb wichian ymhob cylch o bwys. Edmygir Eric John am ei argyhoeddiad dwfn ac am y modd y bu iddo harddu pulpudau'r ardal fel pregethwr lleyg am drigain mlynedd. Cofir am Ben Owens, Allt-y-gog, a'i ysgolheictod, ac am W. R. Evans a'i ddifyrrwch.

Ni wnawn ymddiheuro am gyfeirio at T. E. Nicholas a fagwyd yn y Llety, a leolir rhwng Crugiau Dwy a Chrug yr Hwch, ar gyrion Pentregalar sydd, er ym mhlwyf Llanfyrnach, yn ddigon agos i fod o fewn tafliad carreg i'r ffin â phlwyf Mynachlog-ddu. Braint yw cael cynnwys ysgrif ddadlennol am Niclas y Glais gan ei or-nai, Glen George. Nac anghofiwn am y sgwlyn, E. T. Lewis a gyhoeddodd ddau lyfr am Fynachlog-ddu a'r cyffinie – *A Guide to its Antiquities* (1967) a *A Historical Survey of the Past Thousand Years* (1969) - dau lyfr anhepgorol i'r sawl sydd am drwytho ei hun yn hanes y fro. Dyfynnir darnau ohonynt hwnt ac yma yn y gyfrol hon.

O ystyried y mawrion uchod rhaid nodi mai aflwyddiannus fu ymdrechion Elizabeth Sherwood, a fu'n byw yn Ffynnon Samson, Llangolman, yn y 1980au, i'n hargyhoeddi trwy'r mudiad *Education First* mai rhwystr yw'r Gymraeg os am roi safon dda o addysg i blentyn. Doedd hynny yn ddim mwy na blip ar y ffurfafen. Anodd credu sut y gellir ymresymu mai rhwystr a niwsans yw'r defnydd o'r Gymraeg yn ein cyfundrefn addysg. Y Gymraeg yw cyfrwng mynegiant ein diwylliant. Ased yw ei defnyddio i sicrhau datblygiad cytbwys plentyn mewn bro Gymraeg. Mae mewnfudwyr ddoe bellach yn frodorion heddiw. Mae llawer o blith yr ail a'r drydedd genhedlaeth yn Gymry gloyw fel y tystia nifer o gyfraniade gwiw yn y gyfrol hon. Os nad yw pawb o blith y dynion dwâd diweddar yn llwyr werthfawrogi'r diwylliant sy'n gynhenid i'r ardal eto, yna mae ysgrif Ian Davies, perchennog un o'n tai haf, yn agoriad llygad. Ac fe ddyle ynte wybod beth yw gwerth iaith a diwylliant am iddo astudio Rwsieg yng Nghaergrawnt a meistroli nifer o ieithoedd Ewropeaidd.

Wedi dweud hynny rhaid cydnabod mai tua thraean o'r boblogaeth sy'n medru'r Gymraeg erbyn hyn o gymharu â thrigain mlynedd nôl pan fyddai'r trigolion prin eu Cymraeg yn eithriade. Arweiniodd hynny rhywun i holi a fyddai yna'r un gwrthwynebiad heddiw petai yna fygythiad drachefn i feddiannu'r llethrau ar gyfer ymarferion milwrol fel y bu yn 1946? Wel, rhaid cofio mai 'mewnfudwyr' oedd arweinwyr pennaf y frwydr honno, sef gweinidogion yr efengyl, yn Fonwysion ac yn Shonis. A theg nodi na fyddai'r llyfr hwn yn bosib heddiw petai'r frwydr honno wedi'i cholli am na fyddai ysbryd na hanfod y gymuned wedi goroesi. Rhaid cofio bod yr ysbryd cymunedol wedi ei amlygu ei hun yn ddiweddar pan gafwyd cyfarfod cyhoeddus, cyffelyb i gyfarfodydd niferus 1946-1948, i wrthwynebu'r bwriad i droi Plas-dwbl yn ganolfan ar gyfer adfer troseddwyr yn ddinasyddion cyfrifol. Gwrthwynebwyd y modd yr aed ati i orfodi menter busnes o'r fath ar yr ardal heb ymgynghori agored rhag blaen. Nid oedd y syniad wedi tyfu'n organig o blith y gymuned.

Menter arall nad oedd wedi deillio o'r gymuned ac a droes yn ffars a ffolineb oedd ceisio cludo carreg las o'r ardal i Gôr y Cewri yng Ngorllewin Lloegr, fel yr honnwyd i hynny gael ei wneud dros ddwy fil o flynyddoedd nôl, er mwyn dathlu dyfodiad yr ail filflwyddiant. Syrthio i'r môr yng nghyffinie Aberdaugleddau fu tynged y garreg a gludwyd o dir Tycwta heb fyth gyrraedd pen draw ei siwrne faith. Croniclir yr hanes gan Twm Menyn. Yr un modd rhyfedda'r brodorion at y modd y ceir dadlau chwyrn rhwng 'arbenigwyr', yn ddaearegwyr ac archeolegwyr blaenllaw, ynghylch p'un ai trwy gyfrwng rhewlif neu trwy nerth bôn braich dynion cyntefig y cludwyd dros ddeugain o gerrig gleision i Wastadeddau Caersallog. Digon i'r brodorion yw bod cwarre'r garreg las yn dal yno yn ei chynefin yng nghyffinie Carn Meini, neu Garn Menyn fel y dywedir yn lleol, heb ymgolli yng ngwres y ddadl.

Serch hynny, braint yw cael cyhoeddi ffrwyth ymchwil Geoff Wainwright a Timothy Darvill, sydd wedi treulio oriau ben bwygilydd ar y llethrau yn ddiweddar, a hynny hyd yn oed os oes yna garfan o 'arbenigwyr' sy'n ystyried eu damcaniaethau yn 'haeriadau ffansïol ac anwyddonol'. Ond cofier mai daearegwr blaenllaw o Gaerwysg o'r enw Herbert Thomas a haerodd yn 1923 nad wedi'u casglu o gyffinie'r allor oedd y cerrig gleision yng Nghôr y Cewri, ar ôl eu gollwng yno gan len iâ, ond iddyn nhw gael eu cludo'n fwriadol o'r Preselau dros fryn a dôl ac ar hyd y dyfroedd gan finte o ddynion. Felly y dechreuodd y gaseg eira. Pwy a ŵyr?

Un ffaith sy'n ddiymwad yw bod yna dri chapel yn yr ardal ac iddyn nhw fod yn llusernau o olau ers eu sefydlu. Yr hynaf o'r tri yw Rhydwilym ac o gofio i anghydffurfwyr fod yn addoli yn y dirgel, yn aml mewn ogofau, cyn codi'r capel yn 1701, ac o ystyried ei leoliad hudolus ar lan Cleddau Ddu, gwir ac addas yw'r teitl *Rhamant Rhydwilym* a roddwyd i'r llyfr yn olrhain hanes yr achos gan E. Llwyd Williams a John Absalom yn 1939. Yr un mor berthnasol yw cofiant Llwyd i'r Prifathro Thomas Phillips, Bloomsbury (1868–1936), un o wir hoelion wyth y Bedyddwyr, a fagwyd yn Llan-y-cefn. Os nad yw'r cyfrolau wrth eich penelin, yn ogystal â'r dyfyniade ohonynt a gynhwysir yn y gyfrol hon, ceir dyfyniade hefyd yn yr hyn a ellir ei hystyried yn chwaer gyfrol, *Mam-gu, Siân Hwêl a Naomi; Hanes a Hudoliaeth Bro Maenclochog* a gyhoeddwyd yn 2006.

Yn y dyddiau cynnar arferai Rhydwilym a Bethel rannu gweinidog ac erbyn hyn mae'r rhod wedi troi'n gyflawn gan fod yr un yn wir drachefn. Ai arwydd o'r amserau yw hynny am fod lleihad yn nifer yr addolwyr neu fater o hwylustod wrth gymryd mantais o gyfleusterau a chyfleoedd yr oes fodern? Cewch chi benderfynu. Rhoddir sylw helaeth i weinidogaeth gynnar William Griffith ym Methel, ac yn ogystal, wrth reswm, i deyrnasiad diweddar Robert Parri-Roberts. Oes gennych gopi o'r gyfrol *Ffarwel i'r Brenin* wrth law sy'n gyfrol goffa i 'Parri Bach'? Cofnodir y sylw a fu yn y *Western Telegraph* pan benderfynodd Bethel enwebu'r Parchg Lewis Valentine yn Llywydd Undeb y Bedyddwyr ac ynte newydd ei ollwng o garchar am ei ran yn 'llosgi'r ysgol fomio' yn Llŷn.

Mae Capel Llandeilo, yr Annibynwyr, a sefydlwyd yn 1714, yn un o chwech o eglwysi yn yr un ofalaeth bellach a cheir sylw helaethach i hanes yr achos yno yn y chwaer gyfrol. Yng nghyd-destun twf Anghydffurfiaeth yn yr ardal, teg nodi bod 'Helynt Brynllechog' yn rhan o'r anesmwythyd a welwyd ar draws Cymru, yn ystod Rhyfel y Degwm, pan wrthwynebai capelwyr yr orfodaeth oedd arnynt i gyfrannu tuag at gynnal a chadw eglwysi'r plwyf serch nad oedden nhw'n eu mynychu.

Chwith nodi fod y rheithor Anthony Bailey wedi ein gadael ers iddo lunio ei gyfraniade am eglwysi Sant Colman a Sant Dogmael. Cofiwn amdano fel awdur nifer o lyfrynnau gwerthfawr yn ymwneud â hanes yr ardal megis *Stories in Stone* (2000). Yn wir, un o nodweddion y gyfrol hon yw'r amrywiaeth agwedde – y persbectif unigol – sydd gan y cyfranwyr boed yn atgofion bore oes a rhai o'r rheiny wedi'u llunio o hirbell yn ddaearyddol, yn ogystal ag amseryddol, o lefydd megis Seland Newydd, Malvern, Aberhonddu, Llanuwchllyn a Phontarddulais.

Mae eraill sydd wedi byw yn y fro am getyn byr yn ymateb i ddarganfod y fro o'r newydd, ac mae hynny yn ei dro yn fodd i ninne werthfawrogi o'r newydd yr hyn a gymerwn yn ganiataol o ran y tirlun a gogoniant byd natur. Ac yn wir, bu'r dull amaethu amgen, blaengar a hen ffasiwn yr un pryd, ym Mhlasdwbl yn fodd i ninne ailystyried ein gwerthoedd am nad yw cynnydd o reidrwydd, bob amser, er lles dynoliaeth. Cyfarchwn Nim de Bruyne a dymuno'n dda iddi yn ei hymddeoliad yn Yr Iseldiroedd wedi'i gwaith arloesol, dygn ym Mhlasdwbl.

Yn gopsi ar y cwbl mae gennym fardd bro i ymhyfrydu ynddo sy'n driw i'w filltir sgwâr o ran ei gynnyrch a'i fydolwg a hynny yn olyniaeth eraill a'i blaenorodd megis W. R. Evans, Tomi Morris (ap Ianto) a Rachel Owen. Amheuthun yw cael cynganeddwr caboledig yn ein plith a fedr lunio englyn ar amrant i goffáu a chroniclo pob math o achlysuron. Mawrygwn bresenoldeb Wyn Owens gan gofio ei fod yn arlunydd medrus hefyd. Mawr obeithiwn nad crair fydd ei orchest o eiriadur tafodieithol ond adnodd defnyddiol i gadw'r hen eirie bach rhag troi'n anghofiedig. Mae bodolaeth y geiriadur yn glwm â gweledigaeth Waldo ynghylch cadernid y fro fel y'i mynegwyd mewn cerddi fel 'Preseli' a 'Cofio'. Gwerthfawrogwn gyfraniade dau o edmygwyr pennaf y crwt a ddysgodd Gymraeg ym Mynachlog-ddu, Hywel Teifi Edwards ac Ithel Parry-Roberts sydd ill dau wedi myfyrio'n ddwys uwchben ei fawredd. Galwch heibio gwefan cymdeithaswaldo.org.uk i wybod mwy am y gwron.

Yr un modd gwerthfawrogwn gyfraniade yr awduron hynny sy wedi symud i fyw yn ein plith ac sydd wedi gwneud eu marc yn eu hamryfal feysydd: Richard Cook, John Sharkey a Derek Webb. Diolch i Richard a Wyn yn arbennig, am fwrw golwg dros llawer o'r deunydd ac am eu hamryfal awgrymiade. Diolch i Lisa Hellier am baratoi'r map ac am ddylunio'r clawr a'r un modd diolch i Ann Lenny am ddarparu llun y clawr. A diolch i Argraffwyr E. L. Jones am eu hamynedd a'u trylwyredd arferol.

Fy mraint inne yw diolch i bawb sy wedi cyfrannu i greu cyfrol mor gyfoethog ei chynnwys gan obeithio y bydd yn fodd i genedlaethau'r dyfodol bori ynddi i ganfod haenau o wybodaeth am hanes eu cyndeidiau. Diolch i Gymdeithas Cwm Cerwyn am y cyfle i ddwyn y maen i'r wal a diolch yn arbennig i'r trysorydd, Hefin Parri-Roberts, a fu'n dynnwr llunie, yn gasglydd, yn brociwr, yn ysgogydd ac yn niwsans tra roedd y gyfrol ar y gweill. Diolch hefyd i Vernon Gibby, Muscott Terrace, Llangolman, am roi awch ar fy nghryman ac am gynrychioli'r gore a berthyn i'r ardal. Bu'n rhaid i mi drasho tipyn mewn hen bagans o dir wrth baratoi'r gyfrol hon. Ni fydde hynny'n bosib oni bai am yr hogfan o eiddo Vernon. Wyddech chi mai'r samwn mwya' a ddaliodd Vernon eriôd oedd un gwryw 33 pwys, adeg y Rhyfel, ym Mhwll y Blaidd o dan Pont Gilfach? Fe'i gwerthodd i brynwr o Abertawe ond ni fedrai Vernon, er crafu'i ben yn jogel, gofio'r pris a dalwyd.

Gyda llaw, mae'n bosib y bydd y mwyaf craff a phedantig yn eich plith yn nodi ein bod wedi crwydro y tu hwnt i ffiniau presennol y plwyf. Digon gwir fod Capel Rhydwilym ei hun, am ei fod yr ochr draw i'r afon, nid yn unig o fewn terfyne plwyf arall ond yn hanesyddol, tan yn ddiweddar, yn cael ei ystyried yn ddaearyddol o fewn ffinie sir arall. Ond ein hymateb ni fyddai nodi na wnaeth trigolion yr ardal erioed dalu sylw gormodol i ffinie wrth fyw eu bywyd beunyddiol. Byddai eu profiade wastad yn ymgordeddu a rhychwantu'r ffinie. Felly, er bod ffin gyfredol Cyngor Cymuned Mynachlog-ddu, Llangolman a Llandeilo yn ffurfio canllaw, fe gaiff holl ystod bywyd y tu fewn i'r fro ehangach ei gynrychioli hefyd.

Rhoddwyd gwahoddiad i bawb gyfrannu yn yr iaith o'u dewis. Er mwyn goleuo newydd-ddyfodiaid ynghylch gogoniant hanesyddol yr ardal aed ati i ddarparu crynodeb, os nad cyfieithiad Saesneg lled gyflawn, o'r cyfraniadau Cymraeg eu hiaith. Bod yn gynhwysol oedd y nod.

Gyda llaw, glywsoch chi'r stori am John Pen-rhos yn dod adre i'r ardal wedi bod yn gosod cledre rheilffordd yng nghyffinie Sgiwen? Roedd rhaid galw yn Eden i dorri syched ac i ddymuno'n dda i gwmni'r dafarn na welsai ers meitin. Cyn gadael bu'n rhaid iddo ofyn am fencyd swllt cyn mynd adre at y teulu 'er mwyn ca'l rhwbeth i'w dowlu fydde'n gwneud sŵn wrth fynd trw'r drws'. Ma'r chwedle'n fyw.

Wel, glywsoch chi wedyn am Wil Canan yn anfodlon gyda gwaith y glanhawr simdde ac yn mynd ati i wneud y gwaith ei hun? Pan gyneuodd ei wraig y tân y noson honno yr unig beth a welodd Wil oedd ei chlocs yn diflannu trwy'r simdde. Ie, os ei dweud hi, ei dweud hi, glei.

Gyda llaw, mae teitl Cymraeg y gyfrol, *O'r Witwg i'r Wern*, yn ddisgrifiad daearyddol o'r ardal dan sylw sy'n ymestyn o darddiad afon Witwg, a bwthyn o'r un enw slawer dydd, yng ngogledd ddwyrain y plwyf, draw at darddiad afon Wern, a bwthyn o'r un enw sy'n dal ar ei draed, yng ngorllewin y plwyf, ac sydd wedyn yn rhedeg lawr i gyfeiriad Rhydwilym i ymuno â Chleddau Ddu. Roedd gan Waldo Williams, y bardd a dreuliodd gyfnod o'i blentyndod yn yr ardal, linell yn ei gerdd 'Preseli' sy'n sôn am 'A'm llawr o'r Witwg i'r Wern ac i lawr i'r Efail'.

Mae'r teitl Saesneg wedyn, *Ancient Wisdom and Sacred Cows*, yn deitl erthygl gan Martin Gulbis, a dreuliodd gyfnod ar fferm Plas-dwbl, ac sy'n mynegi agwedd llawer a gaiff eu syfrdanu gan arwyddocâd rhai o gelfi'r mynyddoedd.

Pob hwyl gyda'r darllen a gwerthfawrogwn ein treftadaeth o'r newydd.

Hefin Wyn – Rhagfyr 2011

Introduction

This project would have been worthwhile even if it were only for that particular meeting held at Bethel Vestry sometime in the depths of winter. Only a few had gathered together. There was not much joy to be had in the meeting either. It was confirmed that the project was moving along albeit slowly and a hazy promise was made that everything would surely be in place by Christmas, without stipulating which Christmas. Once the matters on the agenda had been discussed someone began reminiscing. I sat back in my chair, stretched my legs to their full length, coupled my hands, and listened.

Alan Garnmenyn sat amongst us. He had a brown case that had seen better days on the table in front of him. It appeared that it was full of old photographs. Alan John seemed eager to open the case. It must be said that we all were, the few of us, just as eager to see its contents. But every time Alan pressed the latch and made to open the case his eagerness to relate a story got the better of him. The delivery was immaculate. Within no time many of us believed Alan possessed a lively if not a profligate imagination.

Often we said: 'O come now, you can't expect us to believe that'; 'That just can't be true,' or 'There seems to be a bit of Wil Canan about that one without a doubt'. Just as often Alan would reply, 'Boys, there is no point in my telling you lies, as surely as I'm sitting here, I'm telling you, there is no point in my telling any lies,' before launching on another fantastic story with the latch remaining unopened. Most of the stories were to do with his grandfather, Ianto Garnmenyn. We knew Ianto to be a fairly rough and ready character renowned for his ability to kill pigs. He would fire a gun outside Bethel whenever a wedding took place and did he not strike the electric wires on one occasion thus switching off the supply to the area?

It was his nephew who told us about the escapades of the shepherds when they went down to Castlemartin to inspect their flocks in wintertime and the ritual of calling in three pubs on the way home. John Barleycorn was a radiant influence on many a story. There was the visitor at Christmastime who had taken generous advantage of the hospitality in the guise of the potent homebrew on offer. In a sudden burst of hilarity his false teeth flew across the stone flagged floor underneath the table. Alan, who had hardly found his feet at the time, had the task of retrieving the molars. They were found amidst the dust and dog hairs and duly passed to their owner. Just as nonchalantly they were replaced in his mouth without any ado. The story did not end there. Farewells had to be made before driving home. Unfortunately the poor dab drove into the dung mound and however hard he tried to extricate himself the further into the dung went the nose of the car. The car was hardly among the cleanest in the neighbourhood that evening as it took its owner home, having been towed from the dung heap on the farmyard by a tractor.

Well, do you believe such a story? And there were more to come. During one particular harvest the homebrew was again liberally shared, with the result that one of the helpers fell asleep against the prongs of the swath turner in the middle of the hay field. He fell into such a deep sleep that he was not aware he had himself been turned with the hay. When he woke up he was none the wiser of his experience. Well, there was no point in Alan telling any lies now was there? As if to test our credulity further he relocated the stories from Garnmenyn farmyard to the chicken coop at Tycanol.

Alan was a juvenile around 17 years of age when he was invited by Idwal Jenkins to rid the hen shed of a plague of rats. No problem. There was no challenge a boy of that age would refuse. He took hold of an appropriate stick and off he went. Idwal led him to the hen house, opened the door and nudged him inside. As soon as he was inside and before he had drawn his breath in the half-light, Idwal shut the door steadfastly behind him. There would be no escape now until the task was completed. What Alan saw, as his eyes became accustomed to what little light there was, were large portly rats, almost as large as lambs, basking in the nests. It was obvious that they were quite at home and had helped themselves to the food thrown to the hens. Alan had to start thrashing. A massacre was witnessed as the chickens and rats scampered in all directions. As they were so fat, Alan thought he had killed far more rats than had escaped. The noise amidst the squealing and clucking must have been deafening.

By then nobody wished to question the accuracy of the story as tears began running down our cheeks as we imagined the scene. A doctor's tonic was immaterial. The talent of the storyteller had been heard at its best. We saw a glimpse of a period in time when the people of Mynachlog-ddu created their own entertainment without referring to any soap opera or television series to relate the plight of their fellow human beings. If only one could bottle such a talent. The photographs in the brown case were forgotten. A nondescript evening suddenly became an evening to be embellished. Such drama could hardly be conveyed in words within the covers of a book. When you do come across Alan do ask him, when he is in a compliant mood, to relate a story or two about the old days. Such an enriching experience will be a valuable addition to the contents of this book.

Nevertheless, it was a pleasure to take up the challenge of editing *Ancient Wisdoms and Sacred Cows* because of my boyhood memory of one of the neighbourhood heroes. I had the privilege, in my father's company, of visiting the Rev R. Parri-Roberts, the slightly hunch-backed Anglesey man, in his study at Brynhyfryd. The visit probably had something to do with the Temperance Festival, but my clear memory is of a cloud of smoke filling the room as I endeavoured not to cough in the presence of the strong tobacco odour. It was later that I became aware of the tales associated with 'Parri Bach'. On referring to the 'Pop Festival', did not the minister of Bethel inform a fellow pipe smoker, after they had listened to Professor Thomas Levi castigating tobacco as being as much of a drug as alcohol, 'Well, we have no choice now but to burn it,' as they lit their pipes with gusto outside the chapel?

Another reason for coveting the chance to edit this volume is the sense of romance felt whenever I travel along the mountain road past Carreg Waldo, along Feidr Wilym, past Dan-garn, Tal Mynydd, Pantithel and Carnabwth towards Glynsaithmaen. It is a road that is bereft of hedges, where the gorse and heather are in abundance and standing stones predominant. This is my favourite journey towards Crymych and back as I never know what experiences I will encounter. Some of the mountain ponies staring at me through the midnight fog, a white stallion in their midst awakening Celtic images, and a flock of sheep asleep on the tarmac road on a warm summer evening as if they were all keen to emphasise that it is man, in fact, who is trespassing on their territory.

However, it is not only romance that is part of this hinterland but a sense of steel as well. That was made obvious by someone the whole neighbourhood accepts as one of their own, namely Waldo Williams. There is no description of the Welsh landscape that has expressed the tenacity that belongs to us from the point of view of interpenetration of land, people and history in such a rich and unambiguous vein as that conveyed by Waldo. Let us salute Waldo anew and accept how sacred these slopes are, but without claiming that other areas are devoid of similar attributes.

Let us not assert either that the area possesses characteristics that are not to be found elsewhere. We are not superior to any other community apart from the sense of our geographical height. The neighbourhood has its criminals, though their transgressions have been minor on the whole. David John Lewis, Maes-yr-efydd, Mynachlog-ddu, was given a 10/- fine by Narberth Magistrate Court in April 1961 for failing to stop at a junction somewhere to the south of the town. Mr Lewis said he had seen the 'Halt' sign but that he had also noticed the word 'Slow' on the road itself, and that he did turn onto the main road in a slow and measured manner as requested to do.

However, a sign of the social change that gradually occurred in the area, since the last quarter of the twentieth century, were the allegations brought in 2004 against a man who shared his time between Singapore and a local cottage. It was said that he worked for a leading brokerage company in the financial world. Indecent images of children were found on his home computer. Drug raids on secluded cottages were not unusual either. At times a large number of people sought refuge in the area from city life, but were not always able to come to terms with life in the countryside, and would therefore pack up their bags and leave again.

You will see, on perusing through the book, that others have found themselves in law courts for poaching offences though, generally, poaching is not considered to be a criminal offence as such by the majority of rural dwellers. Illegal salmon fishing was accepted as a way of life along the Eastern Cleddau at one time and to be caught by bailiffs was just a hindrance. After all, deacons and leading officers of Nonconformist chapels were often caught. Ap Cleddau's article only touches the surface, as there are umpteen anecdotes based upon the rivalry between the poachers and bailiffs still to be noted. Furthermore, we publish a one-act drama, *Samonsa*, penned by a minister of religion, the Rev E. Llwyd Williams.

We are indebted to Llwyd for his portraits, which one could not resist re-printing, from his volume, *Hen Ddwylo (Old Hands)*. What is surprising is that stories are still being told about such characters as Wil Canan and John Pen-rhos. Did you know that John would throw his hat through the open door of Pen-rhos when he came home from Eden, the nearby pub, and if the hat remained inside he knew it was safe to venture inside himself? On another occasion he decided that forty winks in the hedgerow was well deserved. Well, have you seen the long and steep gradient from Eden to Pen-rhos? Who came by but one of his neighbours, Howells Pisgah, who decided to shave half of John's magnificent moustache with his penknife while he slept. Rather than shave the other half and grow a new moustache John was quite content to allow the shaven half to re-grow until it matched the other half.

By the way, John Williams' diaries, spanning over a quarter of a century, can be seen at the Record Office in Haverfordwest. He mentions the daily vagaries of the weather, the places where he worked, numerous deaths and funerals along with fairs and chapel services he attended. Oddly enough he does not mention his frequent visits to Eden. Pen-rhos, of course, is the thatched cottage at the lane entrance to Blaensawd, Llan-y-cefn, which is now a museum.

Did you then hear how Wil Canan's greyhound caught two rabbits at the same time? Well, this is how it happened. Wil was cutting some undergrowth with his sickle one day when the dog disturbed two rabbits. Off he went in pursuit, but they began running in different directions. The dog could not decide in which direction he should continue the chase. Wil saw its quandary, and as the sickle was in his hands, quick as a flash he hurled it towards the dog, whereby it was sliced in two halves. One half of the greyhound went after one rabbit and the other half went after the other rabbit – and both were caught. It is no surprise that Waldo penned a sonnet in memory of Wil Canan in which he strongly suggests his alleged escapades will long outlast the clogs he made for local inhabitants. That has proved so.

But who was Wil Canan? Well, Canan was a cottage in Rhydwilym not far from another cottage named Yr Aifft (Egypt). The 1851 census shows that William Evans, 40 years of age, lived there along with his wife, Margaret, 41 years old, and their children, Mary, nine, Thomas, seven and three year old John. By 1861 they had moved to another cottage nearby named Allt-y-pistyll. Mary had left by then. She would have been 19 and most likely would have been taken on as a servant on a local farm, as was the practice of the time. But nine year old Stephen was an addition to the family. By 1881, William and Margaret had moved to Cwmcasgal, and according to that year's census, 12 year old Daniel lived with them – a grandson perhaps?

According to a gravestone alongside Rhydwilym Chapel, Margaret died in September 1885, when she was 76 years of age. The inscription *'Gwysgwn arfau y goleuni'* (Let us wear the tools of light) can be seen on the bare stone but nothing to suggest others have been buried there, though there is ample space to denote other names. Would the remains of Wil Canan be there as well, though an inscription has not been added to the gravestone? And if so, when did he die? William Evans would have been 28 years of age at the time of the initial Rebecca Riots and possibly would have taken part in the destruction of the Efail-wen tollgate in 1839. Well, all the reports suggest that a large crowd had gathered there. When the older generation regale 'Wil Canan's Tales', they often refer to the fact that he was a servant at Glandy Mawr Farm, located between Mynachlog-ddu and Glandy Cross. That is where he worked when he spun those yarns about himself carrying lime from Ludchurch. Those were possibly the days when he was in his early twenties, before the tollgate had been erected at Efail-wen.

Did you hear about the smallest handful of lime spilt from Wil Canan's cart into a rivulet as he made his way home from the kiln? Within ten minutes he could hear the seals along the Somerset coast groaning in pain as their eyes burnt. If a yarn is to be spun it might as well be spun with much mirth. Of course, no one dared question the veracity of the tales. In a later age one could easily envisage such a genius scripting Hollywood cartoon films by the dozen. Are there any of his descendants still in the area? No doubt, wherever Wil Canan has been laid to rest, if we were able to ask him whatever became of him, he would test our credulity to the utmost with his answer.

It is just as difficult tracing the direct descendants of Twm Carnabwth – Tomos Rees, Treial, the leader of the Beca – though we know he had children. Several local inhabitants, including brothers Cerwyn and Dyfed Davies, can state their great-great-grandfather was one of Twm's many cousins but it has proved difficult to get closer to the direct lineage though the article about Twm in this book refers to a great-great-grand-daughter who lives at Abertridwr, near Caerphilly, and a great-great-grandson who resides in Port Talbot. E. Llwyd Williams in his book, *Crwydro Sir Benfro*, published in 1958, mentions that John, one of Twm's sons, lived at Ffynhonau Bach, in the Llandysilio area, at one time, and that Twm's great-grand-daughter, Martha Ena Edwards, attended Brynconin School at the same time as the grandsons of Twm Bec, the tollgate keeper at Efail-wen.

Llwyd remembers one of the older inhabitants of the village imitating John Rees singing a hymn to the tune Diadem. Where are the genealogists? One can safely surmise that John would have been five years of age in 1839 and would be 66 years of age at the turn of the century. He had a sister, Elisabeth, eight years older, and a brother, Daniel, five years his senior. Is there anyone who can enlighten us as to the whereabouts of the descendants of 'the folk hero of the parish of Mynachlog-ddu', as folk singer, Tecwyn Ifan, described him? We have managed to gather the few facts and assumptions known about him in this volume, but the portrait is far from complete.

Present day heroes are also mentioned. We remember Brian Williams for his indefatigable determination on the rugby field, whether representing his beloved Neath or wearing the Welsh jersey as he did on five occasions. Neither do we forget Dai Evans, Pen-y-graig, the first policeman to play rugby for Wales. We remember Tonwen Adams for her geniality and devotion as a neighbourhood teacher in the daily school at Mynachlog-ddu and the Sunday school at Bethel, leaving a lasting impression on generations of local children. Lloyd Davies was a ready benefactor of all worthwhile causes and would ensure the smooth running of all he was involved with. Eric John is admired for his deep convictions and for adorning local pulpits over a period of sixty years as a lay preacher. We remember Ben Owens, Allt-y-gog, for his scholarship, and W. R. Evans for his merriment.

We make no apologies for referring to T. E. Nicholas who was brought up at Llety, situated between Crugiau Dwy and Crug yr Hwch, on the outskirts of Pentregalar, which, though in the parish of Llanfyrnach, is close enough to be within a stone's throw to the boundary with the parish of Mynachlog-ddu. It is a privilege to be able to include a revealing article about Niclas y Glais by his great-nephew, Glen George. Let us not forget the schoolmaster, E. T. Lewis, either, who published two historical books about Mynachlog-ddu and the vicinity – *A Guide to its Antiquities (1967) and A Historical Survey of the Past Thousand Years* (1969) – two essential books for whoever wants to immerse himself in the history of the neighbourhood. Excerpts from both are quoted in this volume.

On mentioning the above stalwarts one must joyfully note that Elizabeth Sherwood's efforts, in the mid-1980s, to persuade us through the fledgling Education First organisation that knowledge of Welsh was an impediment to a child's education, did not materialise. At the time she resided at Ffynnon Samson, Llangolman. Happily such a notion was no more than a blip on the horizon. It is difficult to follow the reasoning that the use of Welsh is a hindrance and a nuisance within our educational system. Welsh is the means of expression of our culture. Its use is an asset to a child's balanced development within a Welsh-speaking heartland. Yesterday's immigrants are today's natives. Many from the second and third generation of immigrants are now ardent Welshmen, as witnessed by a number of glowing contributions in this volume. If not everyone among the recent incomers has fully appreciated the culture that is indigenous to the area, well, then, the essay contributed by Ian Davies, one of our second home owners, is a stimulating eye opener. And he should know what is the value of a language and culture because he read Russian at Cambridge and has mastered several other European languages.

Having said that, one must note that only about a third of the population are now able to speak Welsh compared to sixty years ago when a non-Welsh speaking resident was a rarity. The current linguistic make-up of the area recently made someone pose the question whether there would be the same opposition today if there was a threat to turn the mountain slopes into a permanent military training zone as was the case in 1946. Well, it must be remembered that the leaders on that occasion were 'incomers' in the guise of ministers of religion, from Anglesey and the industrial valleys. This book would probably never have been possible today if the battle had been lost, as the community fabric or spirit would not have survived. Community spirit still remains strong, as recently witnessed when a public meeting, akin to those numerous meetings held in 1946-48, was held to oppose adapting Plas-dwbl into a centre for nurturing criminals to become responsible citizens. The inhabitants were incensed by the way such a business venture was imposed on the community without prior open consultation. The enterprise had not grown organically from within the community.

Another enterprise that did not emanate from the community and became a farce and a folly was the attempt to transport a bluestone from the area all the way to Stonehenge, in the West Country, just as it is thought was done well over two thousand years ago, to celebrate the arrival of the second millennium. The plight of the bluestone taken from Tycwta, Mynachlog-ddu, was to fall into the sea off the coast of Milford Haven, never to reach its intended destination; Twm Menyn has chronicled its saga. Similarly, the natives are astonished at the verve shown in the prodigious arguments between 'experts', many of them leading archaeologists and geologists, as to whether over forty bluestones were moved to Salisbury Plain by an ice glacier or by man. Suffice to the needs of the natives is the fact that the bluestone quarry remains in its natural habitat in the vicinity of Carn Meini, or Carn Menyn as it is known locally, without becoming embroiled in the heated debate.

Nevertheless, it is a privilege to publish the research findings of Geoff Wainwright and Timothy Darvill, who have spent hours upon hours along the slopes over the last few years, even if there is a faction of 'experts' who condemn their theories as 'fanciful suppositions and totally unscientific'. Then again it must be stressed that it was an eminent geologist from Exeter by the name of Herbert R. Thomas who insisted in 1923 that the bluestones had not been collected from the vicinity of Stonehenge, having being left there by an ice glacier, but were brought directly from the Preselau, over hills and dales as well as on water, by an army of men. Thus the ball started rolling. Who knows?

However, one fact that cannot be denied is the presence of three chapels within the community, and all three have been beacons of light since their inception. Rhydwilym is the oldest of the three and on remembering the early nonconformists had to worship discreetly, often in caves, before the chapel was built in 1701, and on observing its magical location on the banks of the Eastern Cleddau, the title *Rhamant Rhydwilym* (The Romance of Rhydwilym) given to the book, written by E. Llwyd Williams and John Absalom, tracing the chapel's history, is totally apt. Just as relevant is the biography written by Llwyd of the life of *Professor Thomas Phillips, Bloomsbury* (1868-1936), one of the true acolytes of the Baptists, who was born in Llan-y-cefn. If the above volumes are not within your reach, as well as the extracts published in this book, other extracts are to be found in what can be described as this book's sister publication, *Grandma, Vicar Howells and Madame Tussauds*, published in 2006.

In the early days Rhydwilym and Bethel shared its ministry, and by now the rod has turned full circle as they again share the same minister. Would this be a sign of the times of dwindling congregations or is it a matter of convenience as use is made of modern facilities and opportunities? I will let the reader decide. Much space is given to William Griffith's early ministry at Bethel, and also, as expected, to the long reign of Robert Parri-Roberts. Do you have a copy of *Ffarwel i'r Brenin* (Farewell to the King), the volume of articles published in memory of 'Parri Bach' for further worthwhile reading? We reproduce the correspondence in the *Western Telegraph* when Bethel decided to nominate the Rev Lewis Valentine as President of the Baptist Union when he had just been released from jail for his part in 'burning the bombing school' in Lleyn.

Llandeilo Congregational Chapel, established in 1714, is now one of six chapels under a joint ministry, and further reference to its history can again be read in the sister publication. In the context of the growth of Nonconformity in the area it should be noted that the 'Brynllechog Affair' was part of a general dissatisfaction witnessed across Wales during the 'Tithe Wars', when chapel members objected to the compulsion upon them to pay for the upkeep of parish churches, which they did not attend.

It is with sadness we note the death of rector Anthony Bailey since he wrote his contributions on St Dogmaels and St Colman churches. We remember him as the author of several valuable booklets on various historical aspects of the area such as, *Stories in Stone* (2000). Indeed, one of the characteristics of this current volume is the variety of aspects – the individual perspective – offered by the contributors, be they reminiscences of childhood written from a geographical distance, as well as that of time, from places such as New Zealand, Malvern, Brecon, Llanuwchllyn and Pontarddulais. Others who have not lived in the neighbourhood for very long bring a fresh perspective as they respond to discovering the area anew, which in turn enables us to appreciate anew the beauty of the landscape and the diversity of nature which we have long taken for granted. Indeed, the alternative way of farming, both progressive and old fashioned at the same time, at Plas-dwbl, has been a means for us to reassess our values, as progress in itself is not always for the good of humanity. We salute Nim de Bruyne and wish her a happy retirement in her native Netherlands following her sterling pioneering work at Plas-dwbl.

Vernon Gibby in his workshop.

To cap it all we have a neighbourhood bard, in whom we can delight, who is true to his square mile in his output and outlook and very much in the tradition of those who preceded him, such as W. R. Evans, Tomi Morris (ap Ianto) and Rachel Owen. To have a polished strict metre poet in our midst who can compose an englyn in an instant, to commemorate and celebrate all occasions, is a bonus. We salute the presence of Wyn Owens without forgetting that he is an accomplished artist as well. We sincerely hope his accomplished dialect dictionary will not be regarded merely as a relic but as a useful resource that will keep those peculiar little words from disappearing. The completion of the dictionary is tied to Waldo's vision regarding the tenacity of the neighbourhood as conveyed in such poems as 'Preseli' and 'Cofio'. We also appreciate the contributions of two who are among the most ardent admirers of the boy who learned Welsh in Mynachlog-ddu, for Hywel Teifi Edwards and Ithel Parry-Roberts have meditated long and hard upon Waldo's majesty. Do pay a visit to the cymdeithaswaldosociety.org.uk website to learn more about the enigma.

Similarly we salute the valuable contributions of those authors who have settled in our midst and have already made their mark in their chosen fields: Richard Cook, John Sharkey and Derek Webb. A special thank you to Richard and Wyn for casting an eye over much of the content, and for their valuable suggestions. Thanks to Lisa Hellier for drawing the map and designing the cover, and to Ann Lenny for providing the cover photograph. Thank you to E. L. Jones Printers for their patience and usual thoroughness.

It is my privilege to thank all contributors for creating a volume so rich in its contents that it will hopefully contain layers of information for future generations who will be keen to acquire some knowledge about their forefathers. Thank you Cymdeithas Bro Cerwyn for the opportunity to edit the volume and special thanks to the treasurer, Hefin Parri-Roberts, who became a photographer, a compiler, an agitator, a motivator and a thorough nuisance during the gestation of this book. Thanks are also due to Vernon Gibby, Muscott Terrace, Llangolman, for honing the sharpness on my sickle and for representing the best attributes of the neighbourhood. I had to cut a great deal of brambles on unfertile ground when preparing this volume. Such a task would not have been possible without Vernon's whetstone. Did you know that the largest salmon he ever caught was a 33 pound male, during the War, at Pwll y Blaidd near Gilfach Bridge? It was sold to a buyer from Swansea but Vernon, for the life of him, could not remember the price paid.

Some of the most observant and pedantic readers amongst you might note that we have strayed beyond the parameters of the current parish boundary. Yes, Rhydwilym Chapel is not only within the confines of another parish, but historically, until recently, was regarded geographically as being within another county. However, our answer would be that people have lived their lives without too much recourse to boundaries and their experiences have always intertwined. Thus, though the current boundary of Mynachlog-ddu, Llangolman and Llandeilo Community Council forms a guideline, the wider spectrum of life within the broader neighbourhood is also facilitated.

All contributors were invited to write in the language of their choice. In order to enlighten settlers of the rich historical heritage of the area a précis, if not a full English translation, has been provided of the Welsh language contributions.

By the way, did you hear the one about John Pen-rhos coming home from Skewen where he had been laying railway tracks? He had to call in Eden to quench his thirst and greet all those he had not seen for a while. As he made to leave he asked if he could borrow a shilling to take home to the family 'So that I can have something to throw through the door that will make a bit of noise'. The tales are alive.

Did you then hear the one about Wil Canan not being happy with the work of the chimney sweep? He, therefore, decided to clean the chimney himself. When his wife lit the fire that evening all Wil saw were her clogs disappearing up the chimney. Well, if you are going to tell them, you might as well do so with bravado.

By the way, the English title of the book, *Ancient Wisdom and Sacred Cows*, is taken from the title of an article by Martin Gulbis, who spent some time at Plas-dwbl, and who conveys the way so many are smitten by the significance of much of the mountain furniture.

O'r *Witwg i'r Wern*, the Welsh language title of the book, is a geographical reference to the source of the river Witwg, and a cottage of the same name in bygone days, on the north eastern boundary of the parish, and the source of the river Wern, and a cottage of the same name that is still standing, on the western boundary of the parish, which then runs down towards Rhydwilym to join the Eastern Cleddau. The title is also a line from Waldo Williams' poem 'Preseli', and is a reminder that such Welsh place-names salute the longevity of the language and that the language itself, as described by Waldo, is nothing short of a 'pearl in infinity'.

May your reading be full of enjoyment and let us treasure our heritage anew.

Hefin Wyn – December 2011

Cylch Cerrig Gors Fawr

Cylch hirgrwn o 16 o gerrig igneaidd (llosgfeini) yw Gors Fawr. Mae'n ddiddorol sylwi fod y pellter neu'r mesuriadau sydd rhwng y cerrig yn amrywio o ryw wyth troedfedd i ddwy droedfedd ar bymtheg. Mae uchder y cerrig yn amrywio hefyd gyda'r talaf ohonynt tua 44 o fodfeddi uwchlaw'r ddaear. Sylwer hefyd fod dwy garreg arall tua chwe throedfedd o uchder a 16 o lathenni rhyngddynt wedi eu lleoli y tu allan i'r cylch i gyfeiriad y gogledd ddwyrain.

Ni wyddys i sicrwydd paham yr adeiladwyd y cylch deniadol hwn sy'n perthyn i gyfnod Oes yr Efydd. Ond mae'r rhan fwyaf o'r haneswyr a fu'n astudio ac yn archwilio'r safle yn argyhoeddedig mai math o galendr carreg ydyw. Gwyddom fod ein cyndeidiau cyntefig wedi dyfeisio a datblygu dulliau effeithiol o amaethu. Y mae lle i gredu hefyd eu bod wedi dyfeisio rhai o elfennau sylfaenol ffiseg a mathemateg at ddibenion eu gwaith fel amaethwyr yn trin y tir a thyfu cynaeafau. Yr oedd gwybod yr amser priodol i hau a medi ŷd yn hollbwysig iddynt. Arferent wylio'r haul yn codi ar y gorwel gan nodi'r union leoliad ar wahanol adegau o'r flwyddyn. Gwnaent yr un fath â'r lleuad a'r sêr a'r planedau. Astudiaeth hir a sylwgarwch manwl a roes iddynt wybodaeth eang o batrwm a threfn yr wybren.

Bu llawer o drafod a damcaniaethu ynglŷn â swyddogaeth Gors Fawr. Dangosodd yr hanesydd Roger Worsley fod amcan a diben i bob un o gerrig y cylch. Wrth sefyll i'r de o'r garreg fwyaf (sydd hefyd yn garreg bigfain) ac edrych tua'r gogledd dros y garreg sydd gyferbyn â hi yn y cylch, sylwodd fod meini eraill wedi eu gosod hwnt ac yma ar hyd y tirlun i ffurfio rhes neu linell o gerrig. Mae'r llinell hon yn anelu at fwlch yn y gorwel ar gopa Garn Meini. Y bwlch sy'n dynodi'r fan lle mae'r seren Deneb, a adwaenir fel seren ŵyna'r bugeiliaid, yn codi i'r ffurfafen.

Yn yr un modd wrth gadw gwyliadwriaeth ar draws canol (diamedr) Gors Fawr a dilyn rhes arall o gerrig i gyfeiriad Foel Dyrch fe fedrai'r seryddwyr cynnar nodi dydd cyntaf y flwyddyn ar ben y diwrnod; a dweud wrth eu cyd-bentrefwyr ei bod hi'n bryd mynd ati i hau gwenith, ceirch a barlys er mwyn i'r cnwd dyfu ac aeddfedu yn ei dymor. (Ymddangosiad y seren Spica yn cael ei dilyn gan yr haul yn yr union fan yn yr awyr oedd yr arwydd fod y gwanwyn wedi cyrraedd.)

Sylwodd Roger Worsley fod yr hen wyddonwyr wedi gosod safleoedd cerrig yn gyfewin fanwl ar grib y mynydd i ddal yr haul ar y dydd hwyaf a'r dydd byrraf o'r flwyddyn. Roedd y flwyddyn gron wedi ei rhannu yn 16 o fisoedd yn ôl ymddangosiad clystyrau o sêr ar adegau penodol. Felly, mae cylch Gors Fawr yn cynnwys un garreg ar gyfer pob un o fisoedd y flwyddyn.

Ni fedrwn ond rhyfeddu at gamp y seryddwyr cynnar yn creu calendr effeithiol heb unrhyw offer yn eu dwylo ond y cerrig garw ar y gweundir. Mae Gors Fawr yn deyrnged arhosol i'w dawn a'u crebwyll.

Eirwyn George, *Meini Nadd a Mynyddoedd (1999)*

The Gors Fawr Circle

Position

The Gors Fawr Stone Circle is situated approximately midway between the Post Office (*Llythyrdy*) and the parish church on the Mynachlog-ddu/Maenclochog road. To make its location quite clear, it can be added that it is placed about half a mile from either of these two points and on the right side of the road if proceeding from the Post Office. Entrance to it is just opposite a white-washed cottage, Penrhos, the circle being only about a hundred yards from the road.

Visitors need have no qualms concerning intrusion upon private property at this point, for it is common land and they will find the vast majority of local people helpful. Incidentally, local people frequently call the monument by another name, the Trallwyn Circle (*Cylch y Trallwyn*). Probably its location on common land has been the main factor responsible for its undisturbed condition, for during the centuries, many monuments have been disturbed by enterprising farmers whose zeal for cultivation has exceeded their respect for the past.

Description

The stones forming the circle number sixteen. They are all igneous boulders placed at intervals of about eight to seventeen feet apart. They do not form a true geometrical circle, the diameter from east to west being about four feet longer than the diameter from north to south, which is seventy feet, There is much variation in the height of the stones above ground, the tallest being about 44 inches. The circle has outliers to the north-east, these being two standing stones about 16 yards apart and which are approximately 6 feet high.

Archaeological Literature

Few archaeologists have written at any length about this circle. In 1911, The Rev. Done Bushell wrote an article on "The Prescelly Circles" in *Archaeologia Cambrensis. The Inventory of Ancient Momments (Pembrokeshire)* published in 1925 also gives a fair description. Since then, Professor W. F. Grimes has visited the site. His description and conclusions can be seen in a valuable chapter entitled "The Stone Circles and related monuments of Wales," included in that absorbing volume, *Culture and Environment*, edited by I. L. Foster and L. Alcock.

Done Bushell was a Harrow schoolmaster whose interest in the area was very commendable. Every serious student of local antiquities should, at least, read his contributions even if only to catch his enthusiasm. But it so happens that his description of circles in the vicinity cannot always be accepted as scrupulously correct. Professor Grimes, a native of Pembrokeshire and well-known to students of archaeology, is more cautious in his descriptions and assessments. The two writers are fairly representative of opinion during the past hundred years, the former school being inclined to romanticism, while the latter prefers patient spade work to a spate of theory.

The Builders

Years ago, almost any question regarding their construction would have been answered quite confidently by most amateurs. Nowadays, whatever the views of those bred on earlier hypotheses, the experts are not entirely unanimous. When experts differ there are clearly some reasons for their different conclusions. Having excavated extensively at Penmaenmawr in North Wales, W. E. Griffiths urges Wessex influence, while W. F. Grimes finds the evidence insufficient for a clear cut verdict at the present stage of archaeological research. As for megalithic structures generally, it is fairly safe to assume that they came under western influence. Communication from across the Irish Sea was probably far easier than landwards towards the east. At the time of building it was also far easier to reach the south-west of England and north-west of Wales by sea than by land. Whatever the prevailing influences, there is fair unanimity in declaring that they are of the Bronze Age.

Why Were They Built?

On the perplexing subject of the purpose we cannot be dogmatic. The view has been expressed that they were tribal meeting places; others have stressed their function as places of burial. While recognising that their function was basically religious, it would be unwise to conclude that they were generally associated with burial. Certainly burials have been found within some circles, but the evidence for considering them as normal graveyards of the people who erected them is inconclusive. As W. F. Grimes has pointed out, "such burials may be dedicatory rather than as pointers to the actual use of the circle as a funerary monument."

The next few years may bring an answer to the question. Meanwhile, we can conjecture, bearing in mind the evidence obtained from excavations here and there. Local tradition cannot be lightly thrown aside, neither can place-names. If local history studies have proved valuable in one sphere more than others, this value lies in conclusive proof of the longevity of place-names, their life-span frequently exceeding a thousand years.

The tradition of a thunderstorm disturbing a desecrator of some circles points to the sacredness of such structures in the mind of the public. At least one circle, named *Lled Croen yr Ych*, seems to suggest a world of measurement. Others, styled 'hurdlers' as in Cornwall, are naturally associated with the world of games. It appears that we would be more likely to envisage their purpose by thinking along these channels than by imagining them as being primarily places of burial. Sir Mortimer Wheeler has provided us with his view that "it is likely enough that some of the stone circles were, like mediaeval churches, used for communal secular no less than for religious purposes in an age when the two were essentially one and indivisible".

Some measure of their sacredness can be gained from a far later period than that of their construction. They were built long before the Christian era, yet when Christian churches were established it appears that many of them were sited within these ancient circles. Many churches in North Pembrokeshire are so sited.

One other possible reason for the location of stone circles is proximity to a valued mineral. Judged by the criteria of modern commercial needs this theory does not appear to possess great validity but such needs do vary from age to age. Some products valued even a century ago have no longer a public to demand them, while hundreds of other products satisfy our needs and whims at the present time. In this context, it can be added that an abundance of yellow ochre lies alongside the circle at Gors Fawr.

Thus, theories to explain the origin of stone circles are numerous; it is possible that all circles are not explicable on the same basis. It is the author's conviction that the theory which best fits the facts locally is that relative to the study of astronomy. One book well worth perusal by the serious student is *Megalithic Sites in Britain*, by Alexander Thom. Any of us who would ascertain the altitude of Gors Fawr Circle and, likewise, of the Preseli ridge at several points, would be amply rewarded. A lengthy exercise on the observation of sunrise and sunset on the hills from the circle could be fascinating. The correlations just cannot be merely accidental!

The Gors Fawr Circle

How far are the comments on circles generally applicable to the circle here? We cannot answer one query about burials, for, so far, it has not been excavated. As for outliers, there are two which are prominently placed. Whether it has avenues or not is not at present conclusive. When Done Bushell visited it in 1911 he believed that there was an avenue to the outliers, yet W. F. Grimes has observed that there is no sign on the ground today. On the other hand there is some slight evidence for the existence of an avenue to the south-east. At least a tonguc of land, projecting for about one-third of a mìle into enclosed fields appeared, according to an old map, to be quite distinct from the surrounding area.

Regarding the evidence of place-names, it can be pointed out that a neighbouring farm is called *Dyffryn Dwndwr*. The latter word was formerly used to mean hurler, which recalls a Cornish term for a circle.

A guide book on a part of West Wales published recently contained this sentence, "the only stone circle that remains clearly recognisable as such is in Mynachlog-ddu." On a later page, it is described as "very small beer." Possibly this is a correct verdict, but so is Westminster Abbey or Stonehenge to any tourist who wishes to do Europe in a week. At least its proximity to the road is an asset in modern terms; its intact state is another. For most of the other megalithic remains in this locality, a tramp over the hills is obligatory.

E. T. Lewis *Mynachlog-ddu – A Guide to its Antiquities (1967)*

Foel Drygarn Hill Fort

The fort has drawn more attention from writers and excavators than most hill sites in the area. It was described by Richard Fenton in his *Historical Tour Through Pembrokeshire* and James Fenton spent some days digging into one carn, but abandoned the work because of the expense involved. In 1899, The Rev. S. Baring Gould and others undertook the task of excavating about twenty seven hut sites, for which operation, at least fourteen men were occupied. The finds varied, being rich in some places, while proving negative in others. The most rewarding was a hut-site within the inner enclosure to the north-west of the carn.

Those keen students anxious to extend their knowledge of the excavations can consult the *Archaeologia Cambrensis* for the year 1900. There are some references to the fort, too, in the same publication for other years, and also in the *Inventary of Ancient Monuments* which assures us that there are traces of at least one hundred habitations within the inner enclosures, with about one hundred and twenty in another. These were based largely on the findings of Baring Gould and his companions. There are indications of hut circles also outside the main walls.

In *Prehistoric and Roman Wales* Sir R. E. Mortimer Wheeler wrote "the defences of this imposing site were formed by scarping the steep slope of the hill and surrounding the escarpment by two annexes on the less abrupt slopes towards the south-east. The entrances were formed by cutting inclined ways through the escarpments which were thus turned inwards to flank the approach."

The construction of these hill forts is interesting, for as we find at Foel Drygarn, the defences run more or less round the hill and frequently incorporate natural cliffs and crags. Some believe that the walls here were faced internally and externally. There appear to be a few features of great antiquity and others belong to a far later period. In some such forts, the walls were braced with timber to increase cohesion; many in Scotland were used well on to the Dark Ages. It is possible that this fort was used far later than the Iron Age period.

E. T. Lewis *Mynachlog-ddu - A Guide to its Antiquities*

Hanes Eglwys y Bedyddwyr Bethel, Mynachlog-ddu 1794 – 1994

Wyn Owens, Eirian Wyn Lewis ac Eifion Daniels

Plwyf Mynachlog-ddu

Tua'r gorllewin, Foel Cwm Cerwyn a Foel Feddau (Y Fwel a Foel Fedw ar lafar) ac i'r gogledd-orllewin, Talmynydd gyda Brynberian a Threfdraeth (Tidrath) y tu hwnt fel yr hed y frân. Yn union i'r gogledd, creigiau danheddog Carnmenyn, yn fur rhyngom a phlwyfi Meline ac Eglwys Wen. Ychydig wedyn tua'r dwyrain ac i gyfeiriad tref Aberteifi, Foel Drygarn a'i ffurf megis pyramid. Wrth droi oddi yma i gyfeiriad Crymych gwelwn Grug yr Hwch ar y dde inni a chan ymlwybro ymhellach tua'r de deuwn i Grugiau Dwy a Foel Dyrch. Gyda'r mur hwn o fynyddoedd yn ein lled-amgylchynu (mur mebyd Waldo), a chydag Afon Wern o gyfeiriad Foel Cwm Cerwyn ac Afon Glandy o du'r Foel Dyrch yn ein cadw rhag diengyd yn rhy hawdd dros y ffin tua'r de, ni fedrwn fod yn unman ond ym mhlwyf Mynachlog-ddu.

Bro moel a charn a gwaun a rhos.
Bro'r Brenin Arthur, ei feibion a'i farchogion
A thir hela Twrch Trwyth y Mabinogi;
Bro'r cylchoedd cerrig a'r meini hirion,
Bro Sant Dogfael a mynachod y cyfnod coll.
Bro'r ffermydd a'r bythynnod gwyngalch
A bro adfeilion y teuluoedd mawrion:
Bro'r gymdeithas glòs a'r 'annibyniaeth barn', bro Beca,
Bro gadarn ei Chymreictod. Bro Bethel.

Dyma'r nodweddion y carwn eu coleddu wrth feddwl am y plwyf hwn. Hwyrach ei fod yn ddarlun digon teg o fro'r galon a'r rhamantydd a fyn lechu ynom, ond sut fath o le yn union ydyw erbyn hyn? Erys y tirwedd heb ei newid, wrth gwrs, ac eithrio'r tai newydd a ymddangosodd bron mor sydyn â'r tai unnos gynt, yn ystod wythdegau'r ganrif hon o fewn arwyddbyst y 'pentref'.

"Plwyf ac nid pentref yw Mynachlog-ddu," medd E. Llwyd Williams yn *Crwydro Sir Benfro*, ac y mae hynny cystal gosodiad â dim i gyfleu agwedd y brodor tuag at ei fro enedigol.

Yn 1885 gallai 'Standly' ddweud fod yn y plwyf: "seiri coed, seiri meinu, gofiaid, cylchwyr, cryddion, dilladyddion, cloxwyr, cipwyr, ysgybellwyr, crogwyr gwahaddod, gwiniadesau, meddig anifailiaid ... melyn at falu yd, ffactri at waith gwlân, ysgol ddyddiol, dan ofal Mr Edwards, Sais o wailod Sir Benfro, lle ceir addysg dda yr plant am bris resymol iawn."

Dyma'r cyfnod pan oedd 'gorsaf ffordd haearn' yng Nghrymych a phoblogaeth y plwyf ymhell dros y pedwar cant (481 yn 1881 a 414 yn 1891).

Ganrif yn ddiweddarach gallai Eric John ddweud yn *Llawlyfr Undeb Godre'r Preseli Gorffennaf / Awst 1984 — Ein Hetifeddiaeth:*

"Erys o fewn cof amryw o'r trigolion heddiw y dyddiau y bu'r diwydiant llechi yn flodeuog iawn, a ffatri wlân yn troi allan frethynnau i gwrdd â'r angen; siop y teiliwr, a mwy nag un gwniadwraig oedd yn mynd o amgylch yr aelwydydd; gweithdy'r crydd, saer coed a saer meini, a'r gof yn ei efail i gwrdd â gofynion ardal amaethyddol, a melin i falu cynnyrch y fro i fod yn gynhaliaeth i ddyn ac anifail."

Erbyn heddiw rhaid cofnodi bod sgwâr y Cnwc gyda'i garej a'i siop gwerthu popeth wedi hen beidio â bod yn gyrchfan canol y plwyf. Fe'i caewyd ychydig cyn i'r perchennog, Mr Eifion Griffith, farw yn 1981, diacon, organydd ac ysgrifennydd gohebol ym Methel. Wrth ysgrifennu'r geiriau hyn, mae gennym Swyddfa Bost sydd ar werth ac Ysgol Gynradd, a fu'n gyrchfan i blant yr ardal ac yn ganolfan i weithgareddau'r gymdeithas ers dechrau'r ganrif hon, ar fin cau. Ar y llaw arall, mae eglwys y plwyf, Eglwys Sant Dogfael, wedi gweld adfywiad yn y blynyddoedd diweddar, yn dilyn cyfnod tawel iawn rhwng y chwedegau a'r wythdegau.

Mae sylfeini cymdeithas wedi newid yn llwyr er 1950 pan allai B. G. Owens orffen ei ysgrif ar hanes Bethel fel â ganlyn:

"Mewn gair, yr oedd Mynachlog-ddu cyn troad y ganrif yn ymylu ar fod yn drwyadl Fedyddiedig, ac ar waethaf y diboblogi a rhyw fesur o Seisnigeiddio erys y traddodiad mor iraidd ag erioed."

Gan ystyried y ffactorau cymhleth a berthyn i'r cyfnod ers y chwedegau ac oherwydd graddfa'r newid sydd wedi digwydd, rhaid bodloni yma ar roi argraff gyffredinol yn unig. Cyn iddo gael ei uno â phlwyf Llangolman, a cholli darn o'r gogledd-ddwyrain yn sgil newid y ffin yn 1987, roedd yn blwyf 6,089 o erwau, y mwyaf yn Sir Benfro. Ond gyda'r rhan helaethaf ohono yn dir comin, ni fu ei boblogaeth erioed yn niferus: 401 yn 1901, 282 yn 1951 a 232 yn 1971. Dengys y tabl isod y cynnydd yn aelodau Bethel sy'n byw y tu allan i'r plwyf, mewn cymhariaeth â chyfanswm aelodaeth yr eglwys.

Diwedd blwyddyn	Aelodau	Byw yn y plwyf	Byw y tu hwnt ac o gwmpas y ffin
1960	169	149	20
1970	154	126	28
1980	133	99	34
1990	113	62	51
2000	87	50	37
2010	76	44	32

Er i addysg fod o fudd personol i blant yr ardal, bu hefyd yn fodd i dlodi'r fro o nifer o'r doniau hynny, drwy iddynt ddilyn, yn ddigon naturiol, eu hamrywiol gyrfaoedd. Fel y bu yn y tridegau, gyda diffyg gwaith ar gyfer y to ifanc i'w galluogi i aros yn y gymuned, amddifadwyd yr ardal o'u gwasanaeth. Collwyd y genhedlaeth hŷn o un i un, ac wrth i nifer o'r brodorion symud i fyw mewn mannau mwy canolog, roedd y llwyfan yn barod ddigon i'r mewnfudo a ddigwyddodd yn niwedd y saithdegau ac yn gyson ers hynny trwy'r wythdegau. O'r 205 ar y Rhestr Etholwyr yn 1990, roedd 74 ohonynt yn Gymry Cymraeg, newid sobreiddiol ac ystyried taw un mewn un ar bymtheg yn unig o'r boblogaeth oedd heb fedru'r Gymraeg yn y chwedegau. (Mae'r sefyllfa wedi sefydlogi rhywfaint yn ddiweddar, yn bennaf oblegid y dirwasgiad yn y farchnad eiddo; y ffigurau cyfatebol yn 2000 oedd 56 o blith 202 yn medru'r Gymraeg a 53 o blith 203 yn 2010.)

Rydym wedi gweld cyfnod lle newidiodd Eglwys Bethel o fod yn un o ganolfannau pwysicaf Mynachlog-ddu, i fod yn gymdeithas sy'n cynrychioli carfan o'r plwyf yn unig. Fodd bynnag, er nad yr un yw'r plwyf heddiw ag a fu o ran cymdeithas, nid yw'r darlun yn dywyll drwyddo. Ceir teuluoedd ifanc yn dal i godi eu plant yma, yn cynnwys rhai a fu drwy'r gyfundrefn addysg. Ein braint ni heddiw yw ymateb mewn ysbryd cadarnhaol i'r sefyllfa y cawn ein hunain ynddi.

Pont Cnwc;
Credir mai Amadeus (Ama) Owens, Plas-dwbl yw'r crwt ar y bont.
Dymchwelwyd y bont tua'r 1920au

Hanes Bethel, Mynachlog-ddu
1794-2011

Ni ellir cyflwyno darlun cyflawn o ddechreuadau'r achos ym Methel heb eu gosod yng nghyd-destun y fam eglwys Rhydwilym, a phriodol felly yw nodi'n fras hanes cynnar yr eglwys honno.

Ceir cofnod o'r bedydd cyntaf yn llyfr yr eglwys ar 4 Awst, 1687. Ar 12 Gorffennaf, 1668, corfforwyd yr aelodau yn eglwys reolaidd. Blynyddoedd anodd fu'r ugain mlynedd ddilynol. Erbyn 1689 roedd y sefyllfa wedi gwella fel canlyniad i efengylu William Jones, a fu'n offeiriad Eglwys Cilymaenllwyd, ac a brofodd erledigaeth a charchar am iddo droi at y Bedyddwyr. Bellach roedd 113 o aelodau yn dod o ardal eang a ymestynnai o Rydsiacer ger Arberth i blwyfi mor bell â Llanarth yng Ngheredigion a Llanllwni a Llanfihangel-ar-arth yn Nyffryn Teifi, ond heb un aelod o Fynachlog-ddu. Er y byddai pawb o'r plwyf yn bedyddio eu plant yn ôl defod yr Eglwys esgobol, cyflwr truenus oedd i grefydd a diwylliant yr ardal. Plwyf heb elusendy, nac ysgol, na meddyg, na bydwraig, nac offeiriad llawn amser.

Ar 10 Mai, 1689, bu bedyddio yn yr Ynys-fach ar lan Afon Glandy, a sonnir yn fynych am y fan honno yng nghofnodion Rhydwilym. Rhwng 1689 a 2 Mai, 1702 bedyddiwyd 103 (88 ohonynt yn yr Ynys-fach), gyda deg ohonynt o Fynachlog-ddu. Y cyntaf o'r plwyf a fedyddiwyd oedd Elynor Lewis, Carnmenyn, ar 27 Awst, 1692.

Ar hyd y ddeunawfed ganrif roedd Bedyddwyr Mynachlog-ddu yn aelodau rheolaidd yn Rhydwilym ond cynhalient gyrddau yn ogystal yng nghartrefi'r plwyf. Enwir Carnmenyn, Clun-bach (Clun), Y Felin-dyrch, Pentrithel, Cwm Cerwyn, Rhosbica (Rhos-fach) a Phant-y-rhug gan Ben Jenkins yn ei draethawd, Hanes Eglwys Bethel o'i dechreuad hyd yn awr a gyflwynwyd i gwrdd cystadleuol yn Bethel yn 1885.

Am wybodaeth o'r cyfnod hwn rhaid dibynnu'n llwyr ar lyfr Rhydwilym ond oherwydd y cofnodi anghyflawn, yr unig ffeithiau cadarn am y cyfnod rhwng 1702 a 1794 yw bod 74 wedi cael eu bedyddio. Bedyddiwyd un yng Nghwmcerwyn, lle amlwg yn hanes cynnar Rhydwilym a sefydlu Bethel. Ar yr aelwyd gysegredig hon yr ysgrifennwyd cofnodion eglwys Rhydwilym o 1700-1733 gan Griffith Morris. Codwyd y ffermdy, yn ôl yr hanes, gan ddefnyddio cerrig o hen eglwys gerllaw a gredir iddi gael ei chysegru i Sant Silyn. Drylliwyd y fferm yn sarn fel canlyniad i ymarferiadau milwrol adeg yr Ail Ryfel Byd, a hynny ar ddydd Sul o bob diwrnod. Ond rhyfedd fel y mae'r rhod yn troi, oherwydd erbyn heddiw gwelir rhai o'r meini hynny fel meini coffa i wŷr amlwg yr ardal, yn eu mysg R. Parri-Roberts a W. R. Evans.

Erbyn 1794 roedd 84 o drigolion Mynachlog-ddu yn aelodau yn Rhydwilym, nifer digonol iddynt benderfynu troi'n annibynnol a chodi addoldy eu hunain.

Roedd y rhan fwyaf ohonynt yn cwrdd yn y Clun, ond gwrthododd y perchennog, John Evans, Glastir, Nanhyfer, ganiatâd iddynt adeiladu'r capel yno yn ôl eu bwriad. Clywodd Roger Griffiths, Castell Garw, Llanglydwen, perchennog Maes-yr-ŵyn, am hyn, a chan fod ei fferm yn ffinio â thir y Clun, cynigiodd iddynt unrhyw ran o dir fferm Maes-yr-ŵyn er mwyn adeiladu capel a mynwent i gladdu.

Bu aelwyd Maes-yr-ŵyn yn gyrchfan Pabyddion afreolaidd eu hofferen, a diddorol yw sylwi ar ddarn o draethawd gan 'Standly': 'Traithawd ar blwif Monachlogddu (1885) sy'n rhoi inni gipolwg ar feddylfryd y cyfnod hwnnw'. Wrth sôn am olion Capel Cawey a Chapel Cwmcerwyn, dywed:

"Nid oes gennym hanes y ba enwad o grefyddwyr oedd y capelau hyn yn perthyn. Mae rhai yn barnu mai capelau pabyddol oeddent. Mae yn wirionedd fod llawer o hen ddefodau pabyddol gwedi bod mewn bru yn y plwif yn yr hen amser. Megis cadw gwilnosau, lle byddau cyrff meirw. Cyfranu diodydd poeth ac oer mewn angladdau. Cof gennyf weled hyn rai gweithiau pan oiddwn yn blentyn, ond mae'r arferiad hyn gwedi darfod yn Monachlogddu er ys llawer blwyddyn bellach, mae yr holl ganwyllau cyrff gwedi diffodd gan awelon Dysgaidiaeth, a phob gwrach yn ribin, gwedi myned allan o'r plwif, a byth na dychwelont. Mae yr olaf o'r defodau pabyddol ai throed ar drothwi y plwif, ac yn mron a dywaid 'good by' Monachlogddu, a gorau gyd pa gyntaf, i gadewyr iddynt fyned y dir angof."

Y festri heddiw oedd safle'r capel cyntaf hwnnw. (Ceir plac uwchben y ffenestr sy'n wynebu'r heol gyda'r arysgrifen "Bethel Re-built 1821"). Adeilad diaddurn yn mesur 21 troedfedd o hyd wrth 15 troedfedd o led, gyda grisiau i'r llofft o'r tu allan. Corfforwyd Bethel yn Sesiwn Chwarter y Sir ar 15 Gorffennaf, 1795. Am y deng mlynedd ar hugain nesaf mae'r cofnodion yn fylchog ac anghyson. Bu'r cynnydd yn araf a digalon ar y dechrau, ni bu bedydd cyn 1797, ond cafwyd deunaw hyd 1808, ond neb eto rhwng 1808 a 1814. Yn 1814, bedyddiwyd 5 ac arweiniwyd 24 trwy ddyfroedd y bedydd y flwyddyn ganlynol.

Dechreuwyd cadw llyfr cyntaf Bethel yn 1815, ond mae'n cynnwys gwybodaeth sy'n ymestyn yn ôl i 1797. Erbyn 1821, gyda'r sefyllfa wedi goleuo, ailgodwyd y tŷ ar draul o £140. Tair blynedd yn ddiweddarach, corfforwyd yr eglwys ar wahân. Y flwyddyn ganlynol, yn 1825, cafodd Eglwys Bethel ei derbyn yn aelod o Gymanfa'r De-orllewin a gynhaliwyd y flwyddyn honno yng Nghwmifor ger Llandeilo, Sir Gaerfyrddin. Er yr ymwahanu â'r fam eglwys yn 1824, derbyniai weinidogaeth Rhydwilym hyd at 1841, blwyddyn a welodd fedyddio 54 aelod newydd.

Erbyn 1850 roedd nifer yr aelodau yn 150, a thrwyddedwyd Bethel i weinyddu priodasau yn 1852. Helaethwyd y tŷ-cwrdd drachefn yn 1855 er nad yw hynny wedi ei nodi ar garreg dalcen y capel presennol. Mae'r cofnodi yn dal yn anfanwl, ac o'r herwydd, mae darn helaeth o hanes bywyd yr eglwys a chymdeithas yr ardal wedi ei golli, a hynny yng nghyfnod y mudo i'r gweithfeydd glo a'r prysurdeb yn y chwareli llechi lleol. Credir i nifer y gweithwyr yng Nghwarre Tyrch fod ymhell dros gant ar un adeg yn y cyfnod hwn.

Yn 1860 estynnodd yr eglwys wahoddiad am y tro cyntaf i Gymanfa Penfro. Ar ymadawiad Daniel Davies i Bump-hewl yn 1867, penderfynodd yr eglwys gynnal gweinidog ei hun gan ddechrau ar gyfnod newydd yn ei hanes.

Ar 30 a 31 Rhagfyr, 1867, ordeiniwyd William Griffith, Blaencleddau, yn weinidog ar Fethel. Roedd ef yn un o blant Bethel, yn 23 oed, newydd orffen ei hyfforddiant yng Ngholeg Presbyteraidd Caerfyrddin. Mae'n debyg mai ei dad-cu, Thomas Griffith, Y Felin-dyrch, oedd un o'r rhai a fu'n bennaf gyfrifol am sefydlu'r achos ym Methel.

Yn ôl ei gofiant, roedd yn ŵr cymwynasgar a roes arweiniad ysbrydol ynghyd ag ymarferol i'w fro enedigol. Fe'i disgrifir fel meddyg clwyfau a ddaeth i wybod am y "secrets" wrth wylio meddyg yn trin cleifion. Yn ogystal â dal swyddi eraill, bu'n Gynghorwr Sir ac yn Ysgrifennydd y Gymanfa. Erbyn 1873 roedd nifer yr aelodau wedi codi i 187. Deng mlynedd wedi ei ordeinio, codwyd tŷ-cwrdd newydd sbon (yr adeilad presennol) ar gost ariannol o £865/13s/2c, ynghyd â llafur cariad yr aelodau. Er taw 1875 sydd ar y talcen, 1877 oedd y flwyddyn y'i agorwyd. Trowyd yr hen dŷ yn ysgol ddyddiol, ac yn ddiweddarach fe'i neilltuwyd at wasanaeth Ysgol Sul y plant a chyrddau'r wythnos.

Capel Bethel a'r Festri yn y 1930au

Manteisiwyd ar achlysur dathlu'r canmlwyddiant ar 29 a 30 Mai, 1894 i'w anrhegu ag anerchiad mewn ysgrifen cain a thysteb am ei yrfa a ymestynnai am yn agos i 27 mlynedd ar y pryd. Bu farw ar 31 Gorffennaf, 1906 wedi gwasanaeth a barhaodd 39 o flynyddoedd, ac a welodd fedyddio dros 300 o blant y plwyf. Yn llythyrwr a dyddiadurwr brwd, cofnodwyd hanes yr eglwys yn fanwl ganddo. Cyflwynwyd y dyddiaduron hyn yn ogystal â'i lyfrgell i'r Llyfrgell Genedlaethol yn Aberystwyth gan E. T. a Mrs M. A. Lewis, Bryncleddau. William Griffith fu'n gyfrifol am godi Bryncleddau, a bu yn dŷ i'r teulu tan i Mrs M. A. Lewis orfod gadael oblegid afiechyd yn y 1980au.

Am gyfnod o dair blynedd bu'r eglwys heb weinidog cyn rhoi galwad i Lewis Glasnant Young. Fe'i ordeiniwyd ym Mai 1909, ac yntau'n 26 oed, newydd orffen ei hyfforddiant fel myfyriwr yn Ysgol yr Hen Goleg, Caerfyrddin. Ganwyd ef ym Maenclochog, a symudodd y teulu i Aberafan pan oedd yn wyth mlwydd oed. Bu'n ddisgybl-athro ac yn saer coed cyn mynd i'r weinidogaeth. Ef a fu'n gyfrifol am ran o waith coed Mans Brynhyfryd pan godwyd hwnnw yn 1911. Yn blentyn y Diwygiad, roedd ganddo gyfoeth o gymwysterau, gwybodaeth Feiblaidd eang a dawn ymadrodd, ond heb ddim diddordeb mewn bywyd cyhoeddus na darlithio. Bu'n arbennig o weithgar gyda'r plant a'r ieuenctid yn yr Ysgol Sul. Yn 1923, symudodd i Beulah, Cwm-twrch, gan symud oddi yno yn 1930 i Ebeneser, Llanymddyfri, lle y bu farw ar 27 lonawr, 1942.

Y Parchg Glasnant Young a'r teulu. O'r chwith, tu blaen – Mrs Griffith o'r Barri, merch-yng-nghyfraith y Parchg William Griffith; Jane Griffith, gweddw'r Parchg W. Griffith; Mrs Jubilee Young a'r brodyr Glasnant a Jubilee yn y cefn.

Cyhoeddwyd Adroddiad cyntaf yr eglwys yn 1917. Cyn hynny, darllen y cyfrifon yng nghlyw'r gynulleidfa oedd yr arfer ar ddiwedd pob blwyddyn. Nifer yr aelodau ar ddiwedd 1916 oedd 222, ond wrth ganmol yr adfywiad ymysg y bobl ifanc, neges y gweinidog yn gyson wrth y canol oed oedd, "Y mae yr Ysgol Sul a'r Cwrdd Gweddi yn galw arnoch".

Pan sefydlwyd y Parchedig R. Parri-Roberts yn weinidog ar yr eglwys ar 4 a 5 Tachwedd, 1924, dechreuwyd ar gyfnod ym Methel a oedd i barhau am 44 mlynedd, ac a welodd fedyddio 193 aelod.

Ganed R. Parri-Roberts ym Mhen-y-lôn, Llanfaethlu, Ynys Môn, a'i fagu yng Nghastell, Bodedern. Treuliodd flynyddoedd cynnar ei blentyndod ar wely cystudd. Dysgodd ddarllen ac ysgrifennu drwy hyfforddiant ei chwaer, Leisa, a thrwy gymorth aberth y teulu cafodd gyfnod yn Ysgol Ramadeg, Llangefni. Wedi ymglywed â'r alwad i'r weinidogaeth, aeth i Ysgol yr Hen Goleg, Caerfyrddin, ac oddi yno i Goleg y Bedyddwyr, Bangor. Fe'i ordeiniwyd yn Salem, Ffordd-las, Glan Conwy, yn 1912.

Ar ôl cyfnod byr ym Mynachlog-ddu collodd ei briod. Yn 1927, ail-briododd â merch o'r ardal a oedd yn aelod yn yr eglwys, sef Mary Ann Gibby, un o ferched Glandy-mawr. (Bu hithau farw 13 Ebrill, 1993 wedi cyrraedd ei 94 mlwydd oed, aelod hynaf Bethel ar y pryd.)

Priodas y Parchg R. Parri-Roberts a Mary Ann Gibby ym 1927. O'r chwith – Frances Gibby, chwaer y briodferch; William Gibby, tad y briodferch; Y Parchg D. J. Michael; y priodfab a'r briodferch; Frances Gibby, mam y briodferch; Peg Griffiths; Ben Gibby, brawd y briodferch a Mona, merch y priodfab o'i briodas gyntaf.

Roedd ymroddiad R. Parri-Roberts i lwyddiant yr Efengyl yn gwbl ddiffuant. Dilynai gyfarfodydd yr Undeb a'r Gymanfa yn rheolaidd a phregethodd laweroedd o weithiau yn yr uchel wyliau, ond ymwrthododd â'r anrhydeddau.

Iddo ef, pregethu gair Duw oedd swyddogaeth bwysica'r eglwys, a'r pulpud yn ganolog i'r gwaith. Holl bwrpas pregethu'r Crist iddo oedd adeiladu a pherffeithio'r saint yng ngwaith y weinidogaeth, a'r hyn a'i bodlonai fwyaf oedd gweld bechgyn yn ymgyflwyno i'r gwaith.

Llafuriodd R. Parri-Roberts yn ddiarbed i ddiogelu traddodiadau gorau ei genedl. Pleidiodd dros yr achosion amhoblogaidd, bu'n heddychwr beiddgar a safodd yn ddewr yn erbyn pob gormes a thrais. Mynegodd ei wrthwynebiad heb flewyn ar dafod i ryfel a hynny ar lafar ac yn ysgrifenedig. Bu'n un o'r gwŷr amlwg a amddiffynnodd ardal y Preseli rhag cael ei llyncu gan y Swyddfa Ryfel yn 1946.

Yn ystod yr Ail Ryfel Byd bu milwyr Prydain a'r Unol Daleithiau yn gwersylla ar Fferm y Capel a Thre-fach. Byddent yn cynnal oedfa gyda'u caplan ym Methel yn dilyn Oedfa Hwyr yr aelodau. Mae'n debyg mai hwy a gyfrannodd y llestri cymun unigol i'r eglwys.

Er i frwydro'r Ail Ryfel Byd ddod i ben yn 1945, roedd brwydr arall yn wynebu trigolion y Preseli ymhen blwyddyn. Ym mis Tachwedd 1946 cyhoeddodd Swyddfa Ryfel Llywodraeth Prydain ei bwriad i hawlio 500,000 erw o dir mewn rhai o ardaloedd Cymreiciaf Cymru, a'u troi'n feysydd parhaol ar gyfer ymarferiadau milwrol. Ymysg y rhain roedd 16,000 o erwau'r Preseli.

Buasai'r cynllun wedi effeithio ar holl blwyfi a phentrefi'r fro. I Fynachlog-ddu golygai golli'r ysgol a'r siop a buasai 85 o aelodau Bethel wedi cael eu gorfodi i ymadael â'u cartrefi a'u tir.

Aed ati yn ddiymdroi i gynnal cyfarfodydd, ffurfio pwyllgorau ac agor cronfa apêl. Bu llythyru yn y wasg a chysylltwyd ag Aelodau Seneddol y dydd gan gynnwys y Prif Weinidog. Ymddangosodd llythyr o brotest yn erbyn y bwriad yn y *Cardigan & Tivy-Side Advertiser* ar 6 Rhagfyr, 1946 gydag E. T. Lewis yn cynnig, R. Parri-Roberts yn eilio a D. M. James fel Cadeirydd.

Ysgrifennai R. Parri-Roberts yn gyson i'r *Faner* a'r *Cymro* yn y cyfnod hwn. Dengys ei erthyglau ymwybyddiaeth o gymhellion dinistriol yr arglwyddi rhyfel a'r gwerthwyr arfau. Roedd ei neges yn gwbl glir bob tro: "Mae'n hwyrbryd i bob Cristion erbyn hyn sylweddoli nad oes le o gwbl yng nghrefydd Crist i unrhyw fath ar ryfel. Addolwr Moloch yw pob rhyfelgarwr".

Presely

Unwaith yn unig
Y dyrchefais fy llygaid i'r mynyddoedd
A gweled gwarth.
Yr oedd milwyr ar y moelydd
Yn bwrw'u prentisiaeth lladd.
Noethai'r cŵn eu dannedd arnynt,
A chrwydrodd y defaid ymaith
O olwg bugeiliaid newydd Garn Gyfrwy.
Ciliodd yr wylan i'r heli,
Ehedodd yr ehedydd o'i randir
A daeth y merlod-feirch yn ffrindiau
Dan y graig y dwthwn hwnnw.
Ni themtiwyd bytheiad i hela cadno
A goddefwyd i'r curyll hedfan
Uwchben yr ydlan.
Nid Cymry oedd milwyr y moelydd,
Ni wisgent ein brethyn
Na siarad iaith ein heddwch.
Daethant a rhwygo
Rhigol gorfoledd
A chwerthin byw diwyd
Doethineb daear.

Pan giliodd y milwyr,
Dychwelodd i'r moelydd
Hud a lledrith machlud a llwydrew;
Rhywbeth na wyddem ei gael
Cyn ei golli.
Gwelsom yr wylan eilwaith,
A darganfu'r ehedydd ei nyth
A'r wyau'n oer.

1946. *E. Llwyd Williams.*

Roedd yn ymwybodol o nerthoedd dinistriol y bom atom. O droi tir Cymru yn faes chwarae i'r milwyr, nid yn unig buasai hynny yn peryglu iaith, diwylliant a chrefydd Cymru, ond rhagwelai y byddai Cymru yn wlad rhy beryglus i fyw ynddi pe digwyddai rhyfel yn y dyfodol.

Rhoddwyd lle amlwg i'r Oedfa Weddi yn nhrefn y Sul ym Methel ers dechrau'r weinidogaeth annibynnol yn 1867 a'r drefn tan yn gymharol ddiweddar oedd cynnal Oedfa Weddi bob yn ail nos Sul gyda'r gweinidog yn bresennol. Fel yng nghyfnod y Parchedig Lewis Glasnant Young, apêl daer y Parchedig R. Parri-Roberts dro ar ôl tro oedd am fwy o ffyddlondeb i'r oedfa hon ac i'r Ysgol Sul yn ei anerchiad blynyddol yn yr adroddiadau. Cynhelir Cyrddau Pregethu Blynyddol Bethel yn niwedd Mai ers dechrau'r ganrif, ond yng nghyfnod R. Parri-Roberts y cynhaliwyd Cyfarfodydd Pregethu Blynyddol y Bobl Ifanc am y tro cyntaf yn 1932.

Yn 1939-1940, adnewyddwyd y capel presennol am y tro cyntaf a'i ail-agor ar ôl blwyddyn gyfan o waith, ar fore Sul, 8 Medi, 1940. Yn ôl B. J. Gibby, Ffynnon-lwyd, daeth cynulleidfaoedd lluosog ynghyd i ddathlu adnewyddu'r capel. Cynhaliwyd oedfaon pregethu ar nos Sul, Llun a Mawrth ac ar fore a nos Fercher gyda'r Cwrdd Dathlu ei hun yn cael ei gynnal ar brynhawn Mercher, 11 Medi, pan olrheiniwyd hanes Eglwys Bethel gan B. G. Owens, M.A., Aberystwyth. Bu'r cyfan yn "wledd feddyliol" yn ôl B. J. Gibby. Cafwyd pregethau gan y canlynol: Parchedigion D. L. Eckley, BA, Llandeilo: D. R. John, Rhydwilym, W. Davies, Merthyr (un o blant Bethel); D. J. Michael, B.A. Blaenconin; Sam Thomas, Blaengwynfi (cyn-aelod); John Morris, BA, Casgwent (un o blant Bethel); Gwynfor Bowen, Ffestiniog (brawd a godwyd i bregethu ym Methel); Huw Francis, BA, Hebron; T. M. Griffiths, Carmel, Llandybie (un o blant Bethel) yn ogystal ac L. Glasnant Young, Llanymddyfri (cyn-weinidog yr eglwys). Nodwyd bod 15 o weinidogion eraill wedi bod yn bresennol yn yr oedfaon hefyd.

Dathlwyd chwarter canrif gweinidogaeth R. Parri-Roberts ar 18 a 19 Hydref, 1949 a deugain miynedd ei weinidogaeth yn 1964. Oherwydd yr Ail Ryfel Byd ni ddathlwyd canmlwyddiant a hanner yr achos yn 1944, ond bu rhaid aros tan 30 a 31 Mai, 1950. Yn yr un flwyddyn prynwyd darn o dir y Llain a'i gysegru yn fynwent newydd — "Gardd gladdu" yn ôl y gweinidog.

Egwyddor a bwysleisiwyd gan R. Parri-Roberts oedd yr elfen wirfoddol o gyfrannu'n ariannol at gynnal yr achos. Ni chynhaliwyd erioed ym Methel unrhyw weithgarwch, fel sy'n ffasiynol bellach, i godi arian tuag at yr achos.

Yn ystod ei gyfnod, ar wahân i'r rhoddion arbennig oddi wrth garedigion Bethel, adnewyddwyd y Capel a'r Festri, prynwyd organ newydd ddwy waith, ailadeiladwyd y tŷ capel a gwelwyd gwelliannau ym Mrynhyfryd heb fynd o amgylch yr aelodau i gasglu, ond pawb i ddod â'i rodd yn wirfoddol ar adeg arbennig. Yn ei anerchiad olaf i'r eglwys yn adroddiad 1965-66, dywed:

"Deuwn â'n rhoddion gwirfoddol yn unig, cofier bod gan bob rhodd wirfoddol draed i gerdded. Perygl pob rhodd ydi troi yn gardod os na fydd ganddi draed."

Mewn teyrnged yn ei anerchiad yn Adroddiad yr eglwys 1967-68. crisialodd Eric John y parch dwfn oedd i'r Parchedig R. Parri-Roberts. Dywed :

"Sylweddolaf fod geiriau yn gwbl annigonol i gyfleu y serch a'r edmygedd a'r cariad oedd yn ffynnu rhwng yr eglwys a'i gweinidog annwyl; bu'n porthi

a bugeilio ei braidd yn hynod o ofalus ar hyd y blynyddoedd, ac nid oes aelwyd o fewn y gymdogaeth na fu ef yno, yn cyfranogi o'i llawenydd, neu i'w chynorthwyo i adnabod Un a fedrai ddwyn ei beichiau; a chyflawnodd y naill a'r llall yn gwbl urddasol, heb lychwino ei gymeriad na dwyn anfri ar Enw yr Arglwydd. Daliodd yn rhyfeddol o ifanc ei ysbryd a'i feddwl, ac nid oedd nam ar ei gof hyd yr awr olaf. Mor briodol y gellid dweud amdano, 'Ni thywyllasai ei lygaid. ac ni chiliodd ei ireidd-dra'."

Bu'r eglwys heb weinidog rhwng 1968 a 1974 ond cafwyd oedfaon cyson o Sul i Sul ac Eric John yn gwasanaethu fel pregethwr cynorthwyol gan fedyddio 26 o bobl ifanc yn ystod y cyfnod hwn.

Dosbarth Ysgol Sul Ben Gibby, Dosbarth y Gwragedd, ym 1961.
O'r chwith, cefn: Megan John, Elizabeth Griffith, Sally Lewis, Gertude Griffiths, Mary Jane Lewis, Margaret Davies, Nel Gibby, Rachel Owen, Cissie Griffiths, Evelyn Griffith, Morfudd Owens, Elizabeth Young, Sarah Ann Rees, Mary Anne Roberts, Ben Gibby, Jane Gibby, May Jenkins, Elizabeth Anne Davies, Martha Jane Lewis.

Yn y flwyddyn 1972-73 bu Ben G. Owens, M.A., un o blant yr eglwys. yn Llywydd Undeb Bedyddwyr Cymru. Testun ei araith a draddodwyd ym Methel, Aberystwyth yn 1972 oedd Ein Hetifeddiaeth.

Ar 2 a 3 Gorffennaf, 1974 ordeiniwyd Olaf Davies yn weinidog ar yr eglwys. Yn frodor o Garnant, ger Rhydaman ac yn fab i'r Parchedig a Mrs D. J. Davies, Calfaria, Garnant. Roedd yn fyfyriwr ar y pryd yng Ngholeg y Bedyddwyr, Bangor.

Treuliodd ef a'i briod bedair blynedd a hanner hapus a gweithgar ym Mynachlog-ddu a breintiwyd yr eglwys a gweinidogaeth gref a chyfoethog. Bedyddiwyd 14 ganddo yn ystod ei gyfnod ym Methel. Rhwng 1975 a 1976 adnewyddwyd Bwthyn Bethel a'i enwi yn Pen-y-lôn. Addurnwyd hefyd y Festri yn 1977 a'i chwblhau mewn pryd ar gyfer ymweliad cynrychiolwyr Undeb Bedyddwyr Cymru â'r ardal y flwyddyn honno. Cynhaliwyd y gynhadledd flynyddol ar y thema 'Grym ddoe a gobaith yfory' ym Mlaenconyn ar wahoddiad eglwysi Bethel, Blaenconin a Rhydwilym ar 28 Awst - 4 Medi. Llywydd yr Undeb am y flwyddyn oedd y Parchedig M. J. Williams, B.A., B.D., Abertawe. Ei briod oedd merch y diweddar Barchedig D. R. John a fu'n weinidog yn Rhydwilym.

Yng ngwanwyn 1978 codwyd cofeb ar Ros-fach i Waldo Williams (1904-1971) a fu'n ddisgybl yn Ysgol Gynradd Mynachlog-ddu pan oedd ei dad yn Brifathro'r ysgol. Cadeirydd y pwyllgor fu'n trefnu'r achlysur oedd y Parchedig Olaf Davies, ac fe ddadorchuddiwyd y gofeb pan ddaeth tua 600 ynghyd i wrando ar anerchiadau ac eitemau amrywiol ar 20 Mai, 1978. Perfformiwyd Rhaglen Deyrnged i Waldo yn yr hwyr yn Ysgol y Preseli.

Gweinidog a Diaconiaid Bethel yn 1978. o'r chwith, cefn: Hefin Roberts, Eric John, Lloyd Davies, Eifion Griffith, Arthur Lewis, David John Lewis, Ivor Griffiths, Parchg Olaf Davies, Idwal Jenkins, Amaziah Griffiths.

Gorffennodd y Parchedig Olaf Davies ei weinidogaeth ym Methel ddydd Sul, 15 Hydref, 1978 a'i sefydlu yn weinidog ar eglwys Aberduar, Llanybydder ar 25 Hydref, 1978. Symudodd o Lanybydder yn 1989 i fod yn weinidog ar gylch o eglwysi yn ardal Porthmadog. Ef, ers 1991, yw gweinidog Penuel, Bangor; Bethel, Caellwyn-grudd; Libanus, Clwt-y-bont a Sardis, Dinorwig.

Croesawyd Cymanfa Sir Benfro am y pedwerydd tro ar 5 a 6 Mehefin, 1979 i anrhydeddu Eric John fel llywydd. Y tro cyntaf y bu'r Gymanfa ym Methel oedd yn 1860 a'r ail dro yn 1905 pan enwebwyd y Parchedig Jacob John yn llywydd. Fe'i croesawyd am y trydydd tro yn 1943 gyda D. M. James, Cwmisaf, trysorydd a diacon yn yr eglwys, yn llywydd.

Ymhen blwyddyn wedi i'r Parchedig Olaf Davies adael, unodd Bethel a Horeb, Maenclochog i roi galwad i Eirian Wyn Lewis, myfyriwr yng Ngholeg y Bedyddwyr, Bangor, i weinidogaethu ar y ddwy eglwys. Cynhaliwyd y cyfarfodydd ordeinio a sefydlu ym Methel a Horeb ar 30 a 31 Hydref, 1979. Magwyd y Parchedig Eirian Wyn Lewis yn Llanybydder a'i godi i'r weinidogaeth yn eglwys Aberduar.

Amlygwyd brwdfrydedd yr aelodau tuag at yr achos ym Methel yn nechrau'r wythdegau wrth iddynt benderfynu gwneud gwelliannau sylweddol i adeilad y capel. Gorffennwyd y gwaith cyn i gyfarfodydd blynyddol Undeb Bedyddwyr Cymru gael eu cynnal yn yr ardal unwaith eto rhwng 29 Gorffennaf a 5 Awst, 1984. Gwahoddwyd yr Undeb gan eglwysi Bethel, Blaenconin, Y Gelli, Horeb, Rhydwilym a Castle Street, Llundain. Y llywydd oedd George John, Llundain, mab y diweddar Barchedig D. R. John, cyn-weinidog Rhydwilym, a'r thema oedd 'Ein Hetifeddiaeth'.

Ar wahoddiad Undeb Eglwysi'r Wladfa treuliodd y gweinidog dri mis ar ddechrau 1985 yn gwasanaethu eglwysi Dyffryn Camwy a Chwm Hyfryd, Yr Andes. Cafodd gefnogaeth parod y ddwy eglwys i fanteisio ar y cyfle arbennig hwn. Mae wedi dychwelyd yno droeon ers hynny.

Ychwanegwyd eglwys Rhydwilym at ofalaeth y gweinidog yn 1987. Cynhaliwyd y cyfarfod sefydlu ar 20 Mai. Croesawyd cyfarfodydd Cymanfa Sir Benfro unwaith eto i Fethel ar 13 a 14 Mehefin, 1989 gyda'r Parchedig Eirian Wyn Lewis yn llywydd. Cynhaliwyd cyfarfodydd blynyddol Undeb Bedyddwyr Cymru ym Mlaen-ffos 26-30 Awst, 1990 ar wahoddiad eglwysi Cwrdd Adran Gogledd Penfro. Y llywydd oedd James Nicholas, B.Sc., Bangor, cyn-brifathro Ysgol y Preseli. Y thema oedd 'Deled dy Deyrnas'. Ehangwyd cylch y weinidogaeth eto ar ddechrau 1991 pan gychwynnodd y gweinidog ofalu am Eglwys Carmel, Clarbeston Road.

Dan Evans wrth ei waith ymhlith y beddau

Mewn erthygl a gyhoeddwyd yn y *Western Mail* yn 1996 dywedodd Handel Jones bod mynwent Bethel "ymhlith mynwentydd taclusaf Cymru" wedi iddo sylwi ar y glendid a'r graen sydd mor nodweddiadol ohoni. Mae'r diolch am hynny i Daniel Evans, Tynewydd-pant, am ei lafur tawel, diffwdan a dirwgnach. Deil wrth y gwaith yn 2011 ac yntau bellach yn 82 oed. Diolch iddo am ei gymwynasau lu.

Yn 1996 hefyd y gwelwyd plant yr Ysgolion Sul yn cipio tarian y Gymanfa a'r Undeb o dan gyfarwyddyd eu hathrawon gweithgar, Llinos Penfold a Jill Lewis. Yr un flwyddyn, am y tro cyntaf erioed, enillwyd Tlws Coffa Merfyn Vaughan am y cywaith gorau.

Roedd dathlu'n nodwedd amlwg o waith yr eglwys yn 2001 wrth i Cymraes Davies gyflawni hanner can mlynedd fel organyddes ac fe'i hanrhegwyd â lamp drydan. Gwahoddwyd y Parchedig John Young, Rhydaman, i wasanaethu yn y Cwrdd Diolchgarwch er mwyn ei anrhegu â llun o Garreg Waldo wrth iddo ddathlu hanner can mlynedd yn y weinidogaeth. Yn Y Mans ym Mrynhyfryd y cafodd ei eni yn 1920. Yna, ar y Sul cyn y Nadolig anrhegwyd Eric John â chloc i nodi'r ffaith iddo yntau hefyd gyflawni hanner can mlynedd o bregethu'r efengyl.

Yn 2003 ychwanegwyd eglwys Calfaria, Login, at yr ofalaeth a oedd nawr yn cynnwys pump o gapeli. Yr un flwyddyn penderfynwyd derbyn aelodau o enwadau eraill heb eu bedyddio trwy drochiad ar yr amod eu bod yn aelodau gweithredol yn eu heglwysi pa bynnag enwad fo'r eglwysi rheiny.

Bethel – Bedydd 2005: O'r chwith – Lisa Haf, Mari Grug, Elan, Y Parchedig E. W. Lewis, Sara, Gwen, Catrin Elin.

Yn 2004 cynhaliwyd tri chyfarfod yn Bethel fel rhan o ddathliadau canmlwyddiant geni Waldo Williams: Talwrn y Beirdd pan oedd Dic Jones yn meuryna, darlith gan Emyr Llewelyn a chyngerdd gan ddoniau lleol. Yn ystod yr un cyfnod bu farw Ben Owens, Aberystwyth, cyn-lywydd Undeb y Bedyddwyr, un o blant y fro, a'r olaf a oedd yn fyw a fu'n cyd-ysgolia â Waldo yn Ysgol Mynachlog-ddu. Dathlodd y Parchedig Eirian Wyn Lewis y ffaith iddo dreulio 25 mlynedd yn y weinidogaeth ar ddydd Sul, Tachwedd 7 ac erbyn 2009 roedd wedi treulio 30 mlynedd yn fugail Bethel.

Wyn Owens yn dal llyfryn a phlat y dathlu ar achlysur daucanmlwyddiant yr achos ym Methel ym 1994.

Gwelwyd bedyddio'r chwiorydd Elin, Mari a Lisa Davies, Fferm y Capel ynghyd â'u cyfnitherod, Sara, Gwen ac Elan Davies, Pantithel yn 2005. Gwnâi hynny gyfanswm bedyddiadau'r Parchedig Eirian Wyn Lewis yn 33 yn ystod ei weinidogaeth yn Bethel hyd hynny. Gwnaed gwaith adnewyddu sylweddol i'r Festri yn ystod y flwyddyn gan yr adeiladwyr Phil Evans a'i Feibion, Aberteifi, ynghyd â'r trydanwyr, D. E. Phillips a'i Feibion, Crymych. Am fod grantiau wedi'u derbyn ar gyfer y gwaith cyhoeddwyd bod y Festri bellach ar gael at ddefnydd y gymuned. Gwnaed gwaith adnewyddu sylweddol i'r capel yn ystod 2008, unwaith eto gan Phil Evans a'i Feibion ac ariannwyd y gwaith yn rhannol gan y Cynulliad trwy asiantaeth Cadw am fod yr adeilad wedi'i gofrestru o werth pensaernïol a hanesyddol Gradd 2.

Mae'r Ysgol Sul wedi chwarae rhan flaenllaw yng ngweithrediadau'r eglwys ar hyd y blynyddoedd ac wedi dwyn ffrwyth ar lawer achlysur, ac wrth fwrw trem dros y blynyddoedd rhaid peidio ag anghofio'r anrhydeddau a ddaeth i ran aelodau o'r to hŷn. Derbyniodd Elizabeth Young Dystysgrif Anrhydedd Cyngor Eglwysi Rhyddion De Cymru am ffyddlondeb i'r Ysgol Sul yn 1988 ym Mhant-teg, Ystalyfera. Derbyniodd Morfudd Owens yr un anrhydedd ym Mwlch-gwynt, Tregaron, yn 1991 ac yn 2006 cyflwynwyd Medal Thomas Gee i Eric John, ym Methel, Mynachlog-ddu, yn gydnabyddiaeth am ei ffyddlondeb oes i'r Ysgol Sul. Derbyniodd Hefin Parri-Roberts yr un anrhydedd yn Seion Newydd, Treforys, yn 2011.

Yn y flwyddyn 2011 fe etholwyd pedwar diacon a phum ymddiriedolwr newydd i wasanaethu'r eglwys ym Methel. Fe gynhaliwyd oedfa arbennig ar ddydd Sul, 8 Mai pan gafwyd pregeth gan y Parchedig D. Carl Williams, BA, MTh, Llandybie. Y diaconiaid a etholwyd oedd Leonard John, Dyfed Davies,

Cymraes Davies ac Annette Jones. Yr Ymddiriedolwyr a etholwyd oedd Eifion Daniels, Islwyn Davies, Euros Griffiths, Andrew James a Leonard John.

Yn 2011 derbyniwyd nawdd ariannol drwy gymorth PLANED gyda chefnogaeth Awdurdod Parc Cenedlaethol Arfordir Sir Benfro ac Ysgol y Preseli tuag at y prosiect o atgyweirio'r maes parcio a'r fedyddfa ynghyd â glanhau'r tir lle bu Cabanau'r Aelwyd. Gosodwyd bwrdd picnic a dwy fainc yno i gofio am wasanaethau clodwiw'r Parchedig R. Parri-Roberts, E. T. Lewis a Tonwen Adams.

Yn 2010 roedd Annette Lewis wedi cyrraedd carreg filltir o wasanaethu wrth yr organ ers hanner can mlynedd. Erbyn hynny roedd Cymraes Davies wedi rhoi trigain mlynedd o wasanaeth fel organyddes ac Eric John yntau wedi bod wrthi'n pregethu am yr un nifer o flynyddoedd. Roedd Llinos a Jill wedi bod yn hyfforddi'r plant ers ugain mlynedd. Nodwyd eu camp mewn dull priodol gan Wyn Owens ar ffurf cyfres o englynion.

Plant Ysgol Sul Bethel yn 2010.
O'r chwith – Daniel Griffiths, Ioan Phillips, Lisa Penfold, Sioned Phillips, Ffion Phillips, Deio Phillips, Lowri James a Dyfan Penfold (mewnosodiad).

I Annette am ganu'r organ am 50 mlynedd

Annette, fe roddwn iti – gyfarchion
    Teg i ferch, dal ati!
  Gyda steil fe gyfeili,
  Dyro mwy o'r do rei mi.

Cei foli drwy'r cyfeiliant, – rhoi'r emyn
    Grymus mor ddiffuant.
  Yn y cwrdd mae'r hanner cant
  Yn dynodi dy nodiant.

I Cymraes am ganu'r organ am 60 mlynedd

Am wasanaeth mi seiniwn, – am ymroi,
    Rhan Cymraes a ddathlwn.
  Wrth ganu clod fe nodwn
  Siâr hael yr achlysur hwn.

Fe lwyddaist yr holl flwyddi – i'n harwain
    Yn ein hawr o foli.
  O'th wirfodd gwnaethost roddi,
  Ymdrech deg dy chwe deg di.

I Eric am bregethu 60 o flynyddoedd

Ei nef fu cynaeafu – tir y Gair,
    Cartre'r gwir a'i rannu.
  Crwydrodd wlad â'i Dad o'i du
  A gweithiodd i bregethu.

Dim ond ei holl ffyddlondeb, – o'i alw,
    A hawliai'i dduwioldeb.
  Er y trai ni allai neb
  Rannu yr un taerineb.

I Llinos a Jill yn athrawon am 20 mlynedd

Am waith y ddwy ym Methel, – yn y maes
    Dyma werth aruchel
  Oriau'r Suliau, am eu sêl
  Diolch a wnawn yn dawel.

Wrth wynebu'r presennol ac edrych i'r dyfodol bydd hi'n ofynnol i Fethel adolygu patrwm y weinidogaeth fel y gwnaeth yn y gorffennol. Ac wrth iddi fentro y tu hwnt i drothwy'r drydedd ganrif hyderwn y daw eraill eto i dystio yng ngorfoledd yr Efengyl ac i gadw fflam y ffydd ynghyn.

The introduction of the bicentenary booklet refers to Mynachlog-ddu as a parish rather than a village defined by the surrounding cairns that have remained unchanged for centuries, which Waldo Williams referred to as 'the wall of my boyhood'. The only recent topographical change has been the spate of houses built mainly in the 1980s within the parameters of the signposts to the 'village', almost as suddenly as those 'tai unnos' (houses built overnight in the sense that smoke should be seen coming through the chimney by daybreak) over a century earlier. In the late 19th century the community was well served by all manner of craftsmen. However, with the closure of the shop at Cnwc square in the early 1980s and later the Post Office and the primary school, the nature of the community changed and the population halved in almost a century from a peak of 481 in 1881 to 232 in 1971.

The cover of the bicentenary booklet published in 1994.

Bethel Baptist Chapel, the only Nonconformist chapel within the parish, has remained central to the lives of a large number of the inhabitants, though recent statistics show almost more of the members now live outside rather than inside the parish boundary; in 1960 only twenty of the 169 members lived outside the parish but by 1990 fifty-one of the 113 members lived outside the parish. By 2000 thirty-two of the 83 members lived outside the parish, and a further drop in the overall membership to 76 in 2010 showed that 32 of those lived outside the confines of the parish. The other startling statistical change has been the change in the number of Welsh speakers in the parish following the outward migration of young people who took advantage of the educational opportunities on offer and the inward migration of families buying comparatively cheap properties. In 1990, for example, of the 205 registered electors only 74 spoke Welsh whereas in the 1960s only one in every 16 was unable to speak the language. The corresponding figures for 2000 were 56 able to speak Welsh out of a total of 202 and 53 out of a total of 203 in 2010. Despite these changes there are young families within the parish whose children have received Welsh medium education and it is our duty to respond in an affirmative manner to the current situation.

Bethel, Mynachlog-ddu 1794-2011

Rhydwilym Chapel is one of the oldest Baptist chapels in West Wales, established in 1668, and within 11 years had a congregation of 113 members, many of whom would travel long distances to take communion. However, none of those members lived within the parish of Mynachlog-ddu. Later, according to the chapel records, 88 were baptised in the Glandy River at Ynys-fach between 1689 and 1702, of whom ten were from the parish. Elynor Lewis, Carnmenyn, is credited as the first from the parish to have taken a Nonconformist baptismal. During the 18th century many parishioners were registered members at Rhydwilym but also held regular meetings in local farmsteads such as Carnmenyn, Felin-dyrch, Pentrithel and Pant-y-rhug.

By 1794 the number of parishioners who were members at Rhydwilym had grown to 84 and they were now keen to build their own chapel, which they did the following year on the site of the present Vestry. Baptisms were few and far between during the following years. The chapel was rebuilt in 1821, and in 1824 the congregation broke away from Rhydwilym though they continued to share the same minister until 1841 when 54 new members were baptized. Membership had reached 150 by 1850 and two years later it was given the right to solemnize weddings. In 1855 the chapel was again enlarged and by 1867 the congregation had decided to induct its own minister in the person of William Griffith, Blaencleddau, a 23 year old student from the Presbyterian College, Carmarthen, whose grandfather, Thomas Griffith, Felin-dyrch, was among those who established the cause at Bethel.

By 1873 the membership rose to 187. Four years later the present chapel was built and the former chapel then became a day school. The Rev Griffith died in 1906 having served Bethel for 39 years, during which over 300 parishioners were baptized. His diaries can be seen at the National Library in Aberystwyth. The Rev Lewis Glasnant Young, a native of Maenclochog but brought up in the Afan Valley from the age of eight, was ordained in 1909. The membership grew to 222 in 1916. The Rev Young left to minister at Cwmtwrch in 1923 and was followed by the Rev R. Parri-Roberts in 1924, who remained in charge until his death in 1968.

The Rev Parri-Roberts was a native of Anglesey. Following the death of his first wife he remarried a local girl, Mary Ann Gibby, Glandy-mawr, who outlived him by 25 years. The Rev Parri-Roberts was held in high regard for his emphasis on the art of preaching, his strong pacifist

Bethel Chapel in 2011 following major restoration work.

convictions and for his part in thwarting the efforts of the War Office to take over the Preseli range for the purpose of military training. The present chapel was renovated in 1939-1940 with appropriate reopening services attended by a large congregation. Further celebrations were held in 1949 and 1964 on the occasions of the Rev Parri-Roberts' 25 years and 40 years in the ministry.

From 1968 until 1974 Eric John, a lay preacher who was a member of the congregation, regularly took the services, during which time 26 young people were baptized. The Rev Olaf Davies, a student from Garnant, Ammanford, was inducted in 1974 and remained in charge until 1978 when he moved to Aberduar, Llanybydder, to be followed in 1979 by another student, the present incumbent, the Rev Eirian Wyn Lewis, from Aberduar, Llanybydder. He also took charge of Horeb, Maenclochog, later Rhydwilym, and Carmel, Clarbeston Road, and lately Calfaria, Login in 2003. In 1985 he spent three months as a minister in Patagonia and has often returned there since.

By now Eric John has completed over 60 years as a lay preacher and has been honoured for his life long services to the Sunday School. Similarly, Cymraes Davies has completed 60 years as an organist, Annette Lewis, 50 years as an organist, Jill Lewis and Llinos Penfold 20 years as teachers in the children's Sunday School. In 2009 the Rev Eirian Wyn Lewis had completed 30 years as minister at Bethel. Several other milestones have been reached as well such as receiving a grant from Cadw, the Welsh government agency, to carry out major renovations to the chapel, which is a Grade 2 listed building, and following grant- aided work to the vestry it was declared a community facility.

Two sets of sisters who are also cousins – Elin, Mari, Lisa and Sara, Gwen and Elan – were baptised in 2005. The sterling work carried out by Daniel Evans in maintaining the cemetery and chapel grounds was acknowledged in a Western Mail article in 1996 as being 'one of the neatest and most well-kept cemeteries in Wales'. Dan Tynewydd-pant, though well into his eighties, continues with the work in 2011. A decision was made in 2003 to accept members from other denominations on the basis they were active members in their previous churches and thus a total immersion baptism was not a pre-requisite of full membership.

Mari Grug and Gareth James were married at Bethel in September 2010. Mari is a regular weather presenter on S4C and presents numerous other programmes as well. Her sister, Lisa Haf, is also a frequent presenter of 'Hacio', the S4C current affairs programme for youth.

Cofiant Y Parchedig William Griffith

W. D. Griffith

Ganwyd William Griffith ar yr 28ain Ebrill, 1844, mewn amaethdy o'r enw Blaencleddeu, yn agos i'r fan lle tardda afon Cleddeu. Mab ydoedd i Daniel a Margaret Griffith. Yr oedd Daniel yn fab i Thomas a Martha Griffith, Felindyrch a Blaencleddeu, – y rhai oeddynt aelodau ffyddlon a defnyddiol yn eglwys henafol Rhydwilym, ac a fuont yn ymdrechol i adeiladu yr addoldy cyntaf yn Bethel yn 1794. Bu Daniel Griffith pan yn hogyn yn gweithio ychydig yn chwarel Tyrch, yr hon ar yr amser hwnw a weithid dan ofal ac ar draul ei dad cyn iddo gymeryd fferm Blaencleddeu.

Ychydig iawn o fanteision addysg gafodd, gan fod yr holl gymydogaethau yn bur amddifad o ysgolion. Bu am beth amser mewn ysgol a gedwid gan un David Thomas—yr hwn oedd yn ysgrifenydd ac yn Sais rhagorol. Bu hefyd mewn ysgol yn Glandwr gyda'r Parchg W. Griffiths—yr hwn oedd yn weinidog yn y lle ac yn ysgolhaig gwych, ac am yr hwn y siaradai bob amser yn barchus a chydag edmygedd. Bedyddiwyd Daniel Griffith pan yn dra ieuanc, gan un o hen weinidogion Rhydwilym, yn y flwyddyn 1815, ac yn mhen ychydig amser ar ol hyn o herwydd rhyw anghydfod â gymerodd le yn Bethel ymadawodd y teulu â'r eglwys gan ymaelodi yn Hermon, Llanfyrnach, lle y buont yn ddefnyddiol iawn. Cafodd Daniel ei ddewis yn ddiacon, ac yn Ysgrifenydd yr Eglwys – yr hon swydd a ddaliodd tra y bu yn dal cysylltiad â'r lle. Torodd anghydfod drachefn allan yn eglwys Hermon, a chan ei fod yn un oedd yn hoffi tangnefedd ymadawodd â'r lle; ac yn mhen ychydig amser, gan fod ei feibion John a Thomas yn myned i Bethel ac wedi eu bedyddio yno gan y Parchg Isaac Jones, ymaelododd yno yr ail waith, lle y bu hyd ddydd ei farwolaeth.

Priododd â Margaret, merch John ac Elizabeth Daniel, Morfaisaf, yn mhlwyf Nevern, y rhai oeddynt yn bobl barchus iawn yn y gymydogaeth, ac yn Elwyswyr egwyddorol ond tra rhyddfrydig. Yr oedd Margaret Daniel yn un o'r gwragedd mwyaf pwyllog, darbodus, a charedig, ac iddi air da gan bawb y daeth i gysylltiad â hwynt. Ganwyd iddynt bedwar o blant sef Thomas, John, Rowland a William. Bu farw Rowland yn ei fabandod ar y 15fed Ebrill, 1841, pan yn 2 flwydd oed, a chladdwyd ef yng nghladdfa y teulu yn mynwent Eglwys y plwyf Mynachlogddu. Bu farw John ar y 19eg Gorphenaf, 1884, a chladdwyd ef yn mynwent Bethel. Trigai efe yn Blaencleddeu ar ol ei rieni— yr oedd yn aelod ffyddlon a pharchus o eglwys Bethel, ond cafodd ei dori i lawr tra yn gymharol ieuanc. Gadawodd weddw, un ferch (yr hon a'i dilynodd mewn ychydig flynyddoedd), a phump o feibion i alaru ar ei ol,—un o honynt—yr hwn adweinid fel "Daniel bach," a'i dilynodd yn mhen tua blwyddyn a haner.

Y mae Thomas yn awr wedi ei adael wrtho ei hun – ei holl frodyr wedi ei flaenu. Y mae efe yn trigo, er ys llawer o flynyddoedd, mewn ffermdy o'r enw Llethruchaf ger Blaencleddeu. Y mae yn ddiacon parchus hefyd yn Ysgrifenydd o eglwys Bethel, – swyddi a lanwodd yn anrhydeddus am amryw flynyddau. Y mae hefyd yn Ysgrifenydd i'r Cynghor Plwyfol, ac wedi bod yn Warcheidwad, ac yn Gynghorwr Dosparth dros y plwyf, a hefyd yn un o Oruchwylwyr yr Ysgolion Elfenol. Y mae hefyd yn Arolygwr; ac y mae y ffaith ei fod wedi bod ac yn llanw y gwahanol swyddi hyn yn brawf digonol o'i ddefnyddioldeb, ac o'r parch a delir iddo gan ei gyd-ddynion.

Yr ieuengaf o'r teulu oedd William, yr hwn ydyw gwrthddrych y cofiant hwn.

Cafodd ei addysg foreuol yn Ysgol Bethel, ond yr oedd yn fynych iawn yn gorfod gadael yr ysgol er mwyn cynorthwyo ar y fferm.

Y mae hen ysgoldy Bethel yn lle hynod o gysegredig ar gyfrif fod llawer wedi derbyn eu haddysg foreuol yno, rhai wedi bod yn gymeriadau dysglaer ac enwog yn y wlad, a rhai o honynt yn aros yn addurn i gymdeithas ac yn weision i'r Duw goruchaf; eraill wedi bod yn dal hen faner y Groes i chwifio ar furiau Seion am flynyddau lawer, ond erbyn hyn y maent wedi cael y goron dragywyddol gan y Brenin mawr ei hunan – wedi cael "Da, was da a ffyddlawn" y Meistr.

Athraw cyntaf William Griffith yn Bethel ydoedd Daniel John, Dredyrch, tad y Parchg Jacob John, Beulah, yr hwn oedd gryn dipyn o flaen ei oes mewn gwybodaeth, a chymhellyd ef gan drigolion y plwyf i gadw Ysgol i'r plant. Bu yn ddefnyddiol iawn yno am flynyddau. Wedi cael ychydig addysg yn Bethel, bu W.G. mewn ysgolion yn Mhenygroes ac Antioch a gedwid gan Mr John Davies, wedi hyny y Parchg John Davies, Soar, Aberdar. Ar ol gorphen yma aeth i Blaenconin at yr enwog Stephen Williams.

Dechreuodd gadw dydd-lyfr yn y flwyddyn 1859, cyn ei fod yn 15eg mlwydd oed, a thrwy hyny y cafwyd y rhan fwyaf o'r manylion sydd yn y gyfrol hon.

Ar y 16eg o Ionawr, 1860, prentisiwyd ef yn Fferyllydd yn High Street, Narberth, a bu yno hyd y 18fed o Fai o'r un flwyddyn. Nid oedd y gwaith hwn yn gydnaws a'i natur, felly penderfynodd ei adael er gorfod talu tua deuddeg punt am gael rhyddhad.

Pan yn hogyn ieuanc yr oedd yn mynychu yr Eglwys Sefydledig yn aml iawn gyda'i fam, yr hon oedd yn aelod yno. Yr oedd y rhan fwyaf o'r parthynasau o ochr ei fam yn aelodau o'r Eglwys, a bu cefnder iddi, sef Mr Daniel, yn offeiriad yn Tremarchog, Sir Benfro, am ryw amser. Tua'r amser hwn yr oedd yn arferiad cyffredin iawn i gynal cyfarfodydd ar nos Suliau mewn gwahanol anedd-dai, o herwydd y pellder oedd gan yr aelodau i fyned i'r capel – amryw o honynt yn dyfod dair a

Y Parchedig William Griffith

phedair milldir; a hefyd mewn tai lle buasai rhyw un wedi bod yn wael am amser maith, ac yn methu dod allan i foddion gras. Y mae yr arferiad i raddau yn para hyd heddyw. Cynelid y cyfarfodydd hyn yn fynych yn Blaencleddeu (y pellder i Bethel tua thair milldir), pryd y pregethid ambell waith gan weinidog Bethel, a phrydiau eraill gan weinidog yr Annibynwyr yn Antioch, ac yn ddiweddarach gan W.G. ei hun.

Nid oedd efe yn fachgen cryf – cafodd lawer o afiechyd, ond yr oedd yn dioddef y cwbl heb achwyn, ac yn ymdrechu dangos ar lawer adeg ei fod yn well nag ydoedd. Yn mis Mawrth, 1861, yr oedd ei fam a Thomas ei frawd yn wael iawn, ac yr oedd yn bryderus iawn yn eu cylch; ond cyn eu bod hwy wedi gwella cafodd ei daro ei hun yn wael, a bu yn dost am yn agos i bedair wythnos.

Bedyddiwyd ef ar ddydd Sabbath, y 18eg o Hydref, 1861, gan y Parchg Daniel Davies, gweinidog Bethel ar yr adeg hono, yr hwn sydd, yn mhrydnawnddydd ei oes, yn byw yn Llanelli. Nid oedd neb arall yn cael ei fedyddio ar yr un adeg. Yn fuan ar ol gwneyd proffes gyhoeddus o'i Waredwr, ymaflodd yn egniol yn ngwaith mawr ei fywyd: y gwaith gogoneddusaf a mwyaf ymddiriedol o bob gwaith, sef y gwaith o ddangos Ceidwad i fyd colledig – y gwaith o fod yn was i'r Meistr Mawr ei Hunan; ac yn gynar yn y flwyddyn 1862 y mae yn dechreu ar y gwaith. Ar nos Sadwrn, 25ain Ionawr, 1862, cawn iddo ddarllen y benod ddiweddaf o Malachi mewn dyledswydd Deulu-aidd.

Yr oedd ei awydd am wybodaeth yn fawr, ac yn enwedig gwybodaeth berthynol i'r Bedyddwyr. Ar un achlysur aeth i Aberteifi, pellder tua 12 milldir, erbyn saith o'r gloch yn y nos i glywed darlith ar " Christmas Evans." Yr oedd yn ddarllenwr mawr trwy ei holl oes; yr oedd hefyd yn fyfyriwr, ac yn feddyliwr mawr, a thybiwn ei fod yn credu yn y dywediad Seisnig hwnw, – *"Reading gathers the grapes, meditation crushes them".*

PENNOD X.

Ei Berthynas â Gwleidyddiaeth – Cael ei Ethol yn Gynghorwr Sirol.

Nid yn y pulpud yn unig y gwasanaethai efe ei bobl, ond cymerai ddyddordeb mawr mewn materion gwleidyddol, a theimlai fod gan Gristionogion ran fawr mewn perthynas â'r materion hyn, ac ofnwn hyd nes daw Cristionogion i gymeryd digon o ddyddordeb, ac i feddwl ac ystyried drostynt eu hunain mewn perthynas â materion gwleidyddol, na cheir llawer o lewyrch ar ein gwlad. Ond pan ddeuant i roddi dynion Cristionogol o fywydau pur, o rodiad cywir, ac o gymeriadau dysglaer, i lanw swyddau uchaf ein gwlad a'n cynrychioli ar y gwahanol Gynghorau; wedi hyny gellir dysgwyl i'n gwlad fyned rhagddi yn llwyddianus, ac y bydd rhyfeloedd a therfysgoedd yn peidio, a heddwch di-dor yn teyrnasu.

Yn y flwyddyn 1876, ar adeg yr Etholiad Gyffredinol yn Sir Benfro, yr oedd efe yn brysur iawn yn ymweled â'r etholwyr ac yn nghyfarfodydd yr ymgeisydd Rhyddfrydol. Ar ddydd yr etholiad, sef y 26ain o Fehefin, ceir y cofnodiad canlynol ganddo:— "County Election: Davies – Bowen. Polling at Maenclochog. Majority for Bowen (Con.), 274. Pity!"

Gan ei fod ef ei hun yn Rhyddfrydwr trwyadl, ac wedi bod yn gweithio mor egniol gyda Mr Davies, yr ymgeisydd Rhyddfrydol, nid rhyfedd ei fod yn dywedyd "Trueni!" ond erbyn hyn mae Sir Benfro wedi troi o gyfeiliorni ei ffyrdd ac yn ethol Rhyddfrydwr i'w chynrychioli i Senedd Brydain Fawr. Byddai yn brysur iawn ar adegau yr Etholiad, a llanwodd y swydd o "Personation Agent" i'r ymgeisydd Rhyddfrydol ar bob adeg ar ddydd yr Etholiad yn Maenclochog, oddiar 1885 hyd yr Etholiad diweddaf yn 1906, pan ddychwelwyd Wynford Philipps, Ysw., gyda'r fath fwyafrif ardderchog. Byddai hefyd yn llywyddu mewn amryw gyfarfodydd.

Tua diwedd 1888, pasiwyd deddf er ffurfio Cynghorau Sirol, a bu yn mynychu llawer o gyfarfodydd er egluro ac esbonio gweithrediadau y Cynghor. Dyma fraslun o'i araeth ar y pryd hwn, yr hon oedd wedi ei hysgrifenu ganddo mewn llyfr bychan o'i waith ei hun:—

Y Cynghor Sirol

Pwngc y dydd a'r nos. Wedi llyngcu pob pwngc arall, hyd yn oed yr Iwerddon a'r Aipht. Pwngc yn dod yn agos atom ni y bobl gyffredin. Pwngc sy'n gwneyd dynion bychain yn ddynion mawrion. Y Cynghor Sirol—mae iddo ei ragoriaethau a'i ddiffygion fel pob peth dynol arall. Rhydd awdurdod yn llaw y trethdalwyr nad oedd ganddynt o'r blaen mewn perthynas i:

1. Ysgolion diwygiadol a gweithfaol.
2. Dewis Crwneriaid.
3. Llygriad afonydd.
4. Y prif-ffyrdd, a dyma y prif beth yn awr.
5. Awdurdod orfodol i sicrhau tir at adeiladau cyhoeddus.
6. Ad-drefnu terfynau llywodraeth lleol.
7. Galluogir Bwrdd y Llywodraeth Lleol i drosglwyddo i'r Cynghorau Sirol, allu, dyledswyddau, a chyfrifoldeb sydd yn awr yn perthyn i'r Cyfrin Gynghor, y Swyddfa Gartrefol, Bwrdd Masnach, Bwrdd y Llywodraeth Lleol, a'r Bwrdd Addysg.

Cynwysa y rhai hyn faterion perthynol i Nwy (gas), Gweithiau Dwfr, Tramffyrdd, Porthladdoedd, Tai Gweithwyr, Claddu, Ffeiriau, iechyd Cyhoeddus, Gwaddoliadau ac Addysg. Bydd yn dda cael y pethau hyn; ond, beth am y draul? Dyna sydd yn bwysig. Sicr yw y bydd yn fwy nag ydyw yn ol y drefn bresenol.

Pob peiriant newydd yn sicr o gostio rhywfaint, ac y mae ei gadw mewn gwaith yn sicr o gostio.

Mae'n wir y ceir rhywfaint o arian oddiwrth wahanol drwyddedau a thollau; ond bydd raid cynal y llywodraeth yn mlaen. O ba le y daw yr arian at hyny? Ai oddiwrth ddosbarthiadau uchaf cymdeithas yn unig? Nage, ond oddiwrth y ffermwyr, y gweithwyr, y trethdalwyr, ie, a phob dyn yn gyffredinol.

Pwy ydynt y rhai goreu i ni ddanfon i mewn i'r Cynghorau Sirol? Y rhai sydd oreu oddiallan iddynt. Dynion wedi, ac yn foddlon i aberthu er mwyn eraill. Dynion boneddigaidd, hawdd eu trin. Dynion ewyllysgar i wneyd yr hyn a geisiwn ganddynt cyn myned i'r Cynghor. Os na wnant yr hyn a geisiwn ganddynt cyn myned, pa fodd y gallwn ddysgwyl ganddynt wneyd ar ol myned? Dynion sefydlog a ffyddlon; dynion y gallwch ymddiried ynddynt eu bod yn gwneyd eu goreu er lles pob dosbarth – yr isaf yn ogystal a'r uchaf o'u cyd-ddynion."

Rhag. 17, 1888. W. G.

Ar 28ain Tach, 1888, yr oedd cyfarfod cyhoeddus Rhyddfrydig yn Prisk er dewis ymgeisydd i gynrychioli y Dosbarth (sef Dosbarth Maenclochog) ar y Cynghor Sirol, ac efe a ddewiswyd i ymladd y frwydr dros y Rhyddfrydwyr. Bu cyfarfodydd ereill hefyd mewn gwahanol fanau a dewiswyd ef i sefyll. Cyd-syniodd yntau, a chafodd amser prysur iawn gydag argraffu ei anerchiad i'r etholwyr, a chynal cyfarfodydd, oblegid yr oedd y sefydliad hwn yn un hollol newydd i'r Sir. Ar yr 8fed o lonawr, 1889 yr oedd yn Castell-blaidd i fewn a phapyrau'r Nomination, ac ar nos Lun cyn yr Etholiad yr oedd yn cychwyn i Maenclochog, lle yr arosai gyda'i gyfaill hoff Mr Alfred Howells, yn ymweled a'r etholwyr.

Yr oedd tri ymgeisydd ar y maes, sef: Mr Bushell, ymgeisydd y Toriaid; Mr Davies, ymgeisydd arall Rhyddfrydol; a Mr Griffith, ymgeisydd penodedig y Rhyddfryd.wyr.

Ar ddiwedd y dydd yr oedd pryder mawr yn nghalonau llawer am y result, ond nid oedd y pleidleisiau i'w cyfrif hyd dranoeth yn Hwlffordd. Pan orphenwyd, gwelwyd fod Griffith ddigon yn mlaen ar ei ddau wrthwynebwr, ac wedi enill brwydr ardderchog. Rhoddodd y fath ergyd marwol i'w wrthwynebwyr yn yr Etholiad cyntaf fel na feiddiodd neb byth wedi hyny ddyfod allan yn ei erbyn.

Y mae y nodiad syml sydd ganddo yn ei ddyddlyfr ar yr achlysur pwysig hwn yn dangos nad oedd yn ewyllysio dangos na mawrhau ei hun yn y mesur lleiaf, a chanfyddwn mai enw y buddugoliaethus sydd olaf ganddo: – "Yr Etholiad (Cynghor Sirol)—Bushell, 85 ; Davies, 49 ; Griffith, 175 (mwyafrif mawr i mi)." Ar ddiwedd ei lyfr am y flwyddyn 1889, o dan y penawd "Pethau pwysig yn ystod y flwyddyn," cawn y canlynol: – "Gael fy ethol yn aelod o'r Cynghor Sirol gyda mwyafrif mawr ar fy nau wrthwynebydd."

Wele benillion a gyfansoddwyd gan Mrs Martha Thomas, Carmeini-uchaf, ar y bregeth a draddododd Griffith ar y Sul canlynol iddo enill y sedd:

Caed pregeth ragorol
Gan flaenor Rhyddfrydol
Ar destyn dyddorol,
Sylwadau oedd fanol.
Y Sabboth canlynol i'r poll.

Mewn geiriau cymharol
Am fara ysprydol
A gwin i'r diffygiol,
Heb werth nac aur bathol,
Ond rhaid i'r hwn ddelo i'w hol.

Gwrandawodd y bobl
Yn graffus a manol,
Wahoddiad oedd swynol
Gwir ddwys a difrifol
O! brysiwn. pa'm byddwn yn ol.

The above is an extract from the biography of the Rev William Griffith, written by his son, W. D. Griffith and published in 1908. It is probably the first publication offering an insight into the life and times of the Mynachlog-ddu area during a particular period. William Griffith was the youngest of four children born to Daniel and Margaret Griffith at Blaencleddau on April 23, 1844. Daniel's parents, Thomas and Martha Griffith, were staunch members of Rhydwilym chapel and were instrumental in building the first Bethel chapel in 1794. We are told that Daniel received a modicum of education from a Daniel Thomas who is described as 'an excellent Englishman' and also at a school in Glandwr kept by the Rev. W. Griffith, the local Congregationalist minister.

Daniel was baptized at an early age in 1815 but as a result of a dispute, upon which the author does not dwell, the family took their membership to Hermon Baptist chapel, Llanfyrnach, where Daniel was made a deacon and appointed Secretary. However, Daniel later left Hermon as a result of a dispute and soon rejoined Bethel where two of his sons, John and Thomas, had already been baptized. His wife, Margaret, was the daughter of John and Elizabeth Daniel, Morfa-isaf, Nevern, who though communicants of the parish church were, we are told, quite liberal in their views. Margaret was known for her genial nature and was highly regarded by all who met her. Their third son, Rowland, died in 1841 when only two years of age and the second son, John, died in 1884 leaving his wife widowed with five children, two of whom died soon after their father. When the book was written Thomas was the only surviving child, who had set up home at Llethruchaf near Blaencleddau. He was a deacon and

Secretary at Bethel as well as Secretary of the Parish Council, and held several other public offices.

William received his early education at Bethel School from Daniel John, Dredyrch, but would often have to stay at home to help with farmwork at Blaencleddau. He later attended schools at Penygroes and Antioch and later still at Blaenconin from Stephen Williams. We are told that William started keeping a diary well before reaching his fifteenth birthday in 1859 and much of the information in the biography has been gleaned from those diaries. He was apprenticed to a chemist in Narberth in 1860 but soon realized it was not his vocation and left within six months, having paid around £12 for his release.

As a child William would often accompany his mother to church services and he would be just as familiar with Sunday evening services held on the hearth at Blaencleddau when neighbours would also be invited to listen to a sermon by local preachers. This would be common practice on scattered farmsteads located beyond a reasonable travelling distance to and from the chapels at night. William was plagued by ill health and was severely ill for over a month in 1861. However, by October of the same year he was strong enough to be baptized by immersion by the Rev Daniel Davies at Bethel. His was the only baptism on October 13. Within a year he had read the last chapter from the book of Malachi at a family service, had ventured the 12 miles to Cardigan to hear an evening lecture on Christmas Evans and had begun reading voraciously, such was his yearning for knowledge, and in particular information about the Baptist cause.

We are told he did not believe in confining his Christian beliefs to the pulpit and was keen for all Christians to take part in public life, with the ultimate goal of thus bringing an end to all wars and upheavals in the name of everlasting peace. During the 1876 general election he actively supported the Liberal candidate and his diary entry on

The congregation by the baptistry in the early 1900s

noting a Tory victory by a 274-vote majority contains a cryptic 'Pity!'. From 1885 until his death he acted as the Liberal candidate's 'Personation Agent' in Maenclochog and would chair various political meetings.

The Rev. William Griffith was chosen as the Liberal candidate for the area when the county authorities were set up and he duly won a three-cornered fight against a Tory and an unofficial Liberal candidate by a handsome majority in January 1889. The two other candidates polled a total of 134 to the Rev Griffith's 175 votes. He was later returned unopposed at all forthcoming elections. The extract ends with a congratulatory poem composed by Martha Thomas, Caermeini Uchaf, following the resulting Sunday sermon delivered by her elected Liberal county councillor and minister.

Marwolaeth a Chladdedigaeth Y Parchg W. Griffith, Bethel, Mynachlog-ddu

Dydd Mawrth, Gorffennaf 31ain, 1906, wedi deng niwrnod o gystudd caled bu farw'r Parchg William Griffith, gweinidog eglwys Bethel am yn agos i ddeugain mlynedd, a chladdwyd ei weddillion ym mynwent y capel y dydd Sadwrn canlynol. Ni feddyliai neb ychydig wythnosau cyn hynny fod oes Mr Griffith mor agos i'r terfyn, a daeth y newydd annisgwyliadwy o'i farwolaeth i lu o'i gyfeillion a'i edmygwyr cyn iddynt glywed ei fod yn gystuddiedig gan ddolur poenus.

Fel Caleb Morris, Myfyr Emlyn, Mr Jenkins (Hill Park) a Mr Tyssul Evans, un o feibion mynyddoedd Penfro ydoedd, ac yno gyda'r grug a'r defaid mân oedd ei galon. Ym Mynachlog-ddu, rhwng y moelydd ysgythrog, yn sŵn murmur afon Cleddau, mewn ffermdy o'r enw Blaencleddau, y ganwyd ef yn 1844. Bu yn yr ysgol yn Bethel gyda Daniel John, Dredyrch, ym Mhenygroes gyda John Davies, ym Mlaenconin gyda Stephen Williams, ac yn Hermon, Llanfyrnach, gyda Mr Egerton. Bu wedi hynny am ryw flwyddyn a hanner mewn siop fferyllydd yn Arberth. Dychwelodd adref a dechreuodd bregethu. Aeth i ysgol ragbaratoawl Mr Palmer, Aberteifi ac oddi yno ar ei draul ei hun i Goleg Presbyteraidd Caerfyrddin, lle y bu am ddwy flynedd. Yn 1867 bwriadai fyned i athrofa Radon, ac aeth drwy'r arholiad yn llwyddiannus, ond tua'r amser hynny, ymadawodd y Parchg Daniel Davies, gweinidog Bethel (yr hwn a fedyddiodd Mr Griffith yn 1851) a chymhellwyd ef i ymsefydlu yn ei fam eglwys. Cydsyniodd yntau ac ordeiniwyd ef yn 1867. Anrhydeddwyd proffwyd yn ei wlad ei hun a chan ei bobol ei hun, a bu coron anrhydedd ar ei ben hyd ei fedd. Bu yn bopeth i bobl y "plwyf da", ar hyd y blynyddoedd, yn glerc, yn feddyg, yn gyfreithiwr, yn gynghorwr, yn fugail da. Nid oedd dim yn ormod na dim yn rhy fach ganddo wneud. Daeth efe, fel un mwy, i wasanaethu, ac nid i'w wasanaethu.

Jane Griffith, gweddw'r Parchg W. Griffith

Nid oedd yn bregethwr poblogaidd, ond meddai fwy o wybodaeth a meddwl mwy gwrteithiedig na llawer o rai sydd byth a hefyd yn swyno a synnu'r saint yn y 'cyfarfodydd mawr'. Yr oedd ei bregethau bob amser yn drefnus, ei Gymraeg yn bur, a byddai ganddo genadwri at ddyn. Nid oedd yn ddyn o athrylith, mae'n wir, ond yr oedd yn feddiannol ar synnwyr cyffredin anghyffredin o gryf. Nid oedd yn ymladdwr mawr, ond medrai ddioddef gryn dipyn dros yr hyn a gredai. Dyn tawel, diymhongar, dirodres, didwrw, dihunan oedd Mr Griffith. Llanwodd amryw swyddi pwysig mewn byd ac eglwys. Ar farwolaeth y Parchg Owen Griffiths, Blaenconin, yn 1886, penodwyd ef yn ysgrifennydd Cymanfa Sir Benfro, a llanwodd y swydd gydag ymroddiad a medr neilltuol am ugain mlynedd. Bu yn aelod o'r Cyngor Sir er y dechreuad. Efe hefyd oedd cadeirydd Cyngor Plwyf Mynachlog-ddu o'i sefydliad.

Yr Angladd

Y prif alarwyr oeddynt Mrs Griffith (gweddw), Mr William Daniel Griffith (mab), a Mr Thomas Griffith, Llether Uchaf (brawd). Trefnwyd yr angladd gan y Parchg Jacob John, Beulah. Gwasanaethwyd yn y tŷ (Bryn Cleddau) gan y Parchg'n. Ifan Dafis, Llangloffan a J. W. Maurice, Tabor. Yn y capel darllenwyd gan y Parchg T. E Gravell, Cold Inn; gweddïwyd gan y Parchg J. Williams, Aberteifi, a siaradwyd gan y Parchg'n. Jacob John, Beulah; W. S. Evans, Ffynnon; W. Evans, Cross Keys; J. Jenkins, Hill Park; Dr. Gomer Lewis; Aaron Morgan; E. Thomas, Penfro; D. S. Davies, Login, a D. Williams, (A) Llandeilo. Gweddïwyd gan y Parchg J. D. Hughes, Blaenywaen. Gwasanaethwyd ar lan y bedd gan y Parchg'n. B. Thomas, Treletert, ac R. H. Jones, Llangyndeyrn. Heblaw y rhai a enwyd yr oedd yn bresennol y Parchg'n. Joseph Jones, Hermon; B. O. James, Abertawe; J. G. Watkins, Cilgerran; Morgan Jones, B.A. Whitland; R. Griffith, Bethabara; D. J. Evans, Trefdraeth; Proff J. M. Davies, MA, Caerdydd; Lewis James (A) Brynbank; J. Cradoc Owen (A) Bethesda; J. T. Phillips (A), Tredeml; P. E. Price (A), Glandŵr, W. J. Rhys, Horeb; J. J. Evans, Rhydwilym; D. E. Williams (A) Henllan; D. W. Phillips, Blaenpant; D. James, Llandilo; J. Ll Morris, Jabez, a J. Evans (A) Penygroes; Mri E. H. James, Pontygafel; H. E. H. James, Cyfarwyddwr Addysg; Walter James, Narberth; T. Vaughan, Pistyllmeigian; Ivor Evans, Aberteifi; W. Melchior, Llandeilo; W. G. Rowlands, Hwlffordd, a J. Llewelyn, Cilgynnydd.

Derbyniwyd llythyrau yn datgan gofid nas gallant fod yn bresennol oddi wrth Mr James Rowlands, Hwlffordd; Parchg'n. E. Edmunds, Abertawe; D. Oliver Edwards; S. G. Bowen, Penuel; Dan Davies, Abergwaun; W. Rees (Arianglawdd); Evan Lewis, Trefforest, a J. Tegryn Phillips (A), Hebron.

The above is an obituary and funeral report published in a monthly magazine entitled Y Piwritan Newydd (The New Puritan) in August 1906, soon after the death of the Rev

W. Griffith, Bethel, Mynachlog-ddu. The magazine, published by the Baptists in the Cleddau area, ran for a period of four years between 1904 and 1908.

William Griffith was ordained at Bethel in 1867 when 23 years of age following the death of his predecessor, the Rev. Daniel Davies. A native of the area, born at Blaencleddau, he was persuaded to 'come home' when he had completed two years study at Carmarthen Presbyterian College at his own cost, and had successfully taken the examinations to enter Rawdon College. He was previously apprenticed with a pharmacist at Narberth for around eighteen months.

During his 39 years' ministry he also served the parish as its first representative on Pembrokeshire County Council, the first chairman of the parish council, and was secretary of the Baptist Association in Pembrokeshire for twenty years. He would advise his parishioners on medical and legal matters and was held in high esteem.

However, he was not regarded as a popular preacher in the sense that he was a great orator, but his sermons were always well structured, delivered with a mastery of language and with a message for the common man. He was of a quiet disposition, but prepared to stand for what he believed.

Fifteen ministers took part in his funeral, another eighteen were present and several had sent apologies for their absence.

Annerchiad y Gweinidog (1917)

Annwyl Frodyr a Chwiorydd, – Llywenydd gennyf eich annerch eleni etto drwy gyfrwng yr Adroddiad hwn. Diolchwn i'r Arglwydd am ei amddiffyn am flwyddyn arall. Deliodd yn dadol a thirion tuag atom. Ni chawsom bob peth fel y dymunem, ac eto nid oes le i gwyno. Llawn yw y flwyddyn ini o destynau diolch yn wyneb amgylchiadau anhydrin y presennol. Mawr yw yr arbed sydd wedi bod arnom mewn llawer ystyr. Talwn ein dyledion i'r Arglwydd mewn gweddi a mawl, ac ymroddiad llwyrach yn ei wasanaeth.

Cyd-ddeisyfasom o galon gyda'r holl saint am weled adferiad heddwch cyffredinol ar y ddaear, ond, ysywaeth, hyd yn hyn ni waredwyd y byd o'i gyfyngder na'r bobloedd o'u cyni. Er hynny, nid ofer ein gweddiau; y mae iddynt eu lle a'u hystyr yng nghyfrif ac ym mwriadau y Rheolwr Dwyfol. Gwyddom hyn y daw amseroedd hyfryd, orphwys o olwg yr Arglwydd yn ei amser da ei hun, pryd y bydd heddwch yn cartrefi yng ngwlad y ddaear, a phobloedd lawer yn gorfoleddu yng nghyfiawnder y deyrnas nad yw o'r byd hwn. Glynwn yn ein proffes.

Y Parchedig Glasnant Young

Cawsom brofiad cymysgryw yn ystod y flwyddyn sydd wedi cefnu arnom. Mwynhawyd gennym heulwen haf, a theimlasom erwinder gauaf. Daeth i'n rhan y melus a'r chwerw. Cawsom yr hyfrydwch o weled nifer o ddeiliaid yr Ysgol Sul yn dilyn y Gwaredwr trwy y Dyfrllyd Fedd, a llawenhawn eu gweled yn parhau yn ffyddlon ac ymdrechol gyda'r achos.

Gwelsom hefyd angau yn cyflawni ei waith yn ein plith. Syrthiodd dau o gedyrn y dyddiau gynt; brodyr annwyl a gweithgar, dau o swyddogion henaf yr eglwys. Aethant i'r bedd mor naturiol ag y 'cyfyd ysgafn o yd yn ei amser'. Teimlwn yn chwithig ar eu hol. Coded yr Arglwydd eraill teilwng i lanw'r gwagle. Hiraethwn wrth weled rhif Apostolaidd y gwyr urdd wedi ei ddarostwng i wyth.

Cawsom brofiad newydd a chwerw iawn hefyd—profiad na chawsom ei gyffelyb erioed o'r blaen—profiad a ddygodd y rhyfel erch yn nes atom. Yr oedd yn agos o'r blaen, ond daeth ei ystyr creulawn yn fyw i ni yn syrthiad ein hannwyl frawd ieuanc, Daniel Davies, Glynsaithmaen, yn merw'r gad, a'i gladdu yn naear gwlad estron. Amled a thryloewed ein dagrau yn wyneb hyn. Ymgysurwn, serch hynny, fod daear Ffrainc mor agos i'r Nef a daear Cymru, ac fod mynwent y wlad honno mor adnabyddus i'r Hwn ddywedodd 'Myfi yw yr adgyfodiad a'r bywyd' ag yw mynwent Bethel.

Cydymdeimlwn a'n brodyr ieuanc annwyl sydd ar wasgar ar for a thir yng ngerwinder y gyflafan. Cadwed yr Arglwydd hwynt yn eu peryglon corphorol, a gwareded hwynt rhag peryglon mwy a phwysicach. Gwawried y dydd y caffo'r bechgyn ddychwelyd yn ol, y naill i'w faes a'r llall i'w fasnach.

Chwaled yr Arglwydd gyndynrwydd y bobloedd, a dyged heddwch buan i deyrnasu. Hyn yw ein gweddi, ac er oedi o hono, fe ddaw. Ond a ydym yn barod ar ei gyfer? Mae gofynion rhyfel yn fawr, ond cawn ni gofio y bydd gofynion heddwch yn fawr hefyd. Bydd y gofynion yn drymion ym mhob ystyr, ac yn arbennig felly mewn ystyr grefyddol. A ydym yn barod i'w groesawu ?

Y mae yn llawen genym weled arwyddion sicr deffroad ym mhlith y bobl ieuanc. Tyfed yr arwyddion yn amlycach. Carem weled yr un arwyddion ym mhlith y canol oed. Y mae yr Ysgol Sul a'r Cwrdd Gweddi yn galw arnoch.

Y mae Ysbryd Duw yn llef yr oes yn galw arnom— YMEGNIWN, er mwyn Ei Enw Ef.

Yr eiddoch yn rhwymau'r Efengyl,

L. Glasnant Young.

(Adroddiad am y flwyddyn 1917)

Diaconiaid: Thomas Griffith Y.H., William John, Sem Davies, Jacob Phillips, Daniel Rees, Ezer Jenkins, Owain Mathias, William Gibby, D. M. James, Rowland Griffith (Ysgrifennydd).

Daniel Adams (Trysorydd)

The above is the address written by the Rev L. Glasnant Young to his chapel members at Bethel in the report of the year's activities in 1917. He refers to the loss of Daniel Davies, Glynsaithmaen, on the battlefields of France but stresses his resting place is just as close to heaven as is the soil of Wales and that the cemeteries of France are just as familiar to Him who said, "I am the resurrection and the life" as is the cemetery at Bethel.

He urges his congregation to maintain their belief that despite the present day woes and perils associated with war, there will come a day when peace will reign on earth, and people everywhere will rejoice in the justice of a kingdom that is not of this world. He stresses the need to be ready for such a day and in the meantime all should pray for its coming.

O Sir Benfro i Ynys Môn

Cyfarfod Ordeinio Emlyn John yng Nghemaes a Llanfechell, Môn, 1945

Y Parchedig Emlyn John

Er mai hanes gwŷr Sir Fôn yn ystod y blynyddoedd diwethaf ydoedd gadael yr hen ynys ac ymsefydlu fel bugeiliaid o gylch traed yr hen Breselau – onid hogiau yr hen sir ydyw'r gweinidogion a ganlyn – y Parchgedigion Wyn Owen, Abergwaun; H. J. Roberts Caersalem a Jabez; Llew Lloyd Jones, BA, Brynberian; R. Parri Roberts, Mynachlog-ddu; O. Ellis Roberts, Hermon a'r Star; A. H. Rogers, Cilgerran a G. Cyril Hughes BA, Aberteifi. Eithr ar Hydref 30ain a 31ain y flwyddyn hon daeth troad y rhod a gwelwyd lliaws o wŷr grymus Sir Benfro yn eu moduron wedi cyrraedd traethau pellaf Ynys Môn canys yno yr oedd y gŵr ifanc diymhongar, Mr Emlyn John BA, Dolaunewydd, Mynachlog-ddu yn cael ei ordeinio yn weinidog ar ddwy eglwys i'r Bedyddwyr, yn Cemaes a Llanfechell.

Nos Fawrth, Hydref 30ain yng Nghalfaria, Llanfechell, â'r capel o dan ei sang cynhaliwyd oedfa bregethu. Y llywydd oedd y Parchg Glyndwr Rees, BA, Rhydwyn, Is-lywydd Cymanfa Môn. Dechreuwyd gan y Parchg John Parry, gweinidog galluog y Trefnyddion Calfinaidd yn y pentref a phregethwyd gan y Parchg R. Parri Roberts, Mynachlog-ddu – tad yn y ffydd y gweinidog ifanc.

Erbyn 1.30 o'r gloch prynhawn Mercher yr oedd tyrfaoedd wedi ymgasglu ynghyd i Bethlehem, Cemaes – hyd na annent hyd yn oed yn y lleoedd ynghylch y drws. Ymysg y dyrfa fawr yr oedd llonaid bws cyfan o gyd-fyfyrwyr y gweinidog ifanc o golegau'r Bedyddwyr, yr Annibynwyr a'r Brifysgol ym Mangor. Llywyddwyd y cyfarfod yn ddoeth ac urddasol gan y Parchg Alwyn Owen, gweinidog y Bedyddwyr yn Ainon a Bodedern, ef yn fab teilwng i'r diweddar Barch. D. R. Owen, cyn-weinidog yr Eglwysi. Er mai brodor o Gemaes oedd Mr Owen eto derbyniai barch proffwyd gan werin a bonedd hyd yn oed yn ei wlad ei hun a gwerthfawrogwyd ei bregethau meddylgar. Cymerwyd at y rhannau arweiniol gan y Parchg R. E. Davies, Llannerchymedd (Ysgrifennydd y Gymanfa).

Darllenwyd hanes yr alwad yn ddoeth ac yn hollol i'r pwynt gan Miss Mair Thomas, ac atebwyd mewn geiriau byr a phwrpasol gan Mr Emlyn John. Oherwydd afiechyd y Prifathro, y Parchg, J. Williams Hughes, MA, BD, cymerid gofal yr ordeinio gan yr Athro T. Ellis Jones, MA, BD, Coleg Bangor, a chyflawnodd y gwaith gydag urddas apostol. Offrymwyd yr urdd weddi gan y Parchg W. Jenkins, Llangefni, Cyn-lywydd y Gymanfa. Wedi canu'r emyn urddo traddodwyd siars i'r gweinidog gan yr Athro T. Ellis Jones. Cafwyd oedfa eneiniedig. Treuliwyd gweddill y cyfarfod ordeinio trwy wrando anerchiadau hynod wresog mewn cyflwyno a chroesawu.

Gwŷr Penfro ydoedd pawb oedd yn cyflwyno a gwŷr Môn ar eu gorau i'n croesawu. Amlwg ydoedd wrth ddull y gwrando fod tafodiaith Dyfed yn saig flasus gan y Monwysiaid, oblegid gwelid hwy yn gwrando a'u genau yn ogystal ag a'u clustiau. Cynrychiolydd Coleg Bangor ydoedd Mr T. J. Morris BA, Horeb, Maenclochog, a chynrychiolwyd y fam Eglwys Bethel, Mynachlog-ddu gan Mr J. D. Mathias, Waunlwyd, a Mr Lloyd Davies, Glynsaithmaen; cyflwynodd yr olaf ar ran Bethel siec i'r gweinidog ifanc. Yn areithiau'r croesawu teimlwyd gennym ni wŷr Sir Benfro ddau beth, iaith Môn yn cyffwrdd â'r clustiau a chalon Môn yn cydio yn ein calonnau. O hyn allan tybiwn mai agos iawn yw Môn a Phenfro.

Cyflwynwyd croeso Bethlehem gan Mr Henry Hughes a Mr Lewis Owen, a Chalfaria gan Mr Morris Williams. Cynrychiolydd Cymanfa Môn ydoedd y Llywydd, y gwreiddiol Mr John Owen (Twrog). Cyflwynwyd yn fedrus ddymuniadau da Eglwysi'r Cylch gan y Parchg D. Wyn Aubrey, gweinidog yr Annibynwyr. Cyhoeddwyd y Fendith gan y Parchg W. Morris Jones. BA (Ficer). Ar ôl y cyfarfod llanwyd neuadd eang y pentref a chyfranogwyd yn helaeth o'r wledd flasus, a baratowyd mor chwaethus gan chwiorydd y ddwy Eglwys, a chasglwyd o'r gweddill ddigonedd i'r plant ar gyfer y dydd canlynol.

Yn yr hwyr cafwyd oedfa bregethu a llond capel drachefn o wrandawyr astud a defosiynol. Llywyddwyd gan y Parchg Emlyn John BA, a dechreuwyd yn raenus gan y Parchg Griffith Owen BA, BD, gweinidog y Trefnyddion Calfinaidd yng Nghemaes. Pregethwyd gan y Parchgedigion R. Parri Roberts (siars i'r Eglwys) a'r Athro T. Ellis Jones MA, BD. Cafwyd cyfarfod â'r eneiniad dwyfol yn amlwg arno. Gallwn sicrhau Eglwysi Cemaes a Llanfechell ddarfod iddynt ennill serch un o feibion anwylaf cylchoedd y Preselau. Ceir cyfuniad hapus o naturioldeb, cyfaredd a chadernid yr hen foelydd cysegredig yng nghymeriad ein cyfaill ifanc. Bydd ei ddyfodiad i Ynys Môn yn gyfraniad sylweddol o eiddo gwlad Dyfed i'r Monwysiaid er dileu ei ddyled iddynt oblegid denu o honni gymaint o'i phlant yn fugeiliaid i'w heglwysi. Llwyddiant i'w genhadaeth.

The above is a newspaper report published in the Narberth Weekly News on November 22 1945 relating to the induction of Emlyn John, Dolaunewydd, Mynachlog-ddu, as pastor of Baptist chapels at Cemaes and Llanfechell, Anglesey.

The report says that Mr John, by settling on Anglesey, was reversing a trend of ministers from the island taking up pastorates in Pembrokeshire, of which seven are mentioned as being in the county at the time. The report mentions all those who took part in the various services and how the island people listened with open mouths to the mellifluous sounds of the Pembrokeshire dialect. The Rev. Emlyn John later took charge of Horeb, Llanddeusant; Soar, Llanfaethlu and Rhyd-wyn as well, and remained on the island throughout his ministry. He passed away in 2009.

Ar Drywydd Paradwys

Y Parchedig Peter M. Thomas

"Noswyl Nadolig yn y 'George and Vulture' – dyna'r fan y cychwynnodd pethe Sam, y man y cychwynnodd popeth."

Fel yna y mae Mr Pickwick yng nghyfrol glasurol Charles Dickens, *The Pickwick Papers* yn sôn am gychwyn y gwmnïaeth nodedig honno a gafodd yr enw *The Pickwick Club*. Ac, yn ddi-os, y mae i gychwyn rhywbeth ei ramant a'i hynodrwydd, ei gyffro a'i wefr nodedig; mae'r man lle cychwynnir y fenter neu'r anturiaeth honno yn gallu bod yn dyngedfennol, a bydd, mi fydd cofio'r profiad a dwyn i gof y cychwyn hwnnw yn fodd i ysgogi a chadarnhau a chyfeirio ein taith yn gyson.

Mae cyfrol Llwyd Williams a John Absalom yn sôn am *Rhamant Rhydwilym,* a'r rhamant hwnnw a roes i'r lle ei arbenigrwydd a'i hynodrwydd. Dyma fan tanio'r weledigaeth a gwireddu'r freuddwyd, dyma'r lle y teimlwyd yr ias a gerdd drwy'r cnawd, wrth i gyffro'r Ysbryd chwythu Duw a dynion ynghyd.

Man anturiaeth yn anad dim yw Rhydwilym, dyna fu ei hanes o'r cychwyn a dyna a ysgogodd ei dystiolaeth ym mhob cenhedlaeth. Anturiaeth ffydd a berodd i William Jones, yn dilyn Deddf Unffurfiaeth 1662, i droi ei gefn ar y traddodiad offeiriadol ym mhlwyf Cilymaenllwyd a chymryd y daith hirbell i Olchon ar y ffin â Lloegr a derbyn ei fedyddio trwy drochiad gan Thomas Watkins, ar broffes o'i ffydd, ym mis Awst 1667, a dychwelyd yn weinidog cyntaf eglwys Rhydwilym.

Ysbryd anturiaeth a berodd i'r eglwys fodoli heb gapel am dri deg a thair o flynyddoedd gan gyfarfod o'r neilltu mewn tai annedd, ogofâu a chilfachau er mwyn osgoi llid yr awdurdodau a chyfyngiadau cyfreithiol yr oes nes i John Evans (Gentleman) o Lwyndŵr, ganfod yn yr adnod honno yn Hebreaid 6:2 a'i chwe egwyddor ac a berodd iddo "gostio gwneuthur y tŷ hwn Anno Domini 1701 gan ddymuno y tŷ hwn at iws y bobl byth..." Ac o gychwyn yr achos yn 1668 tan heddiw, yr hyn a gawn yw tystiolaeth pobl a ymatebodd i her yr anturiaeth honno, gan gyfrannu'r gwaddol hwn a roes i'r eglwys hon ei hanes a'i rhamant unigryw.

Codi gweinidogion a phregethwyr y Gair o blith ei haelodaeth fu hanes Bedyddwyr Rhydwilym o'r cychwyn gan helaethu'r genhadaeth a sefydlu canghennau. Ond gyda dyfodiad y Parchg Thomas Jones o Lynceiriog torrwyd ar y traddodiad hwnnw a gwelwyd yr eglwys yn galw gweinidogion o'r tu allan i'r eglwys i'w gwasanaethu.

Sefydlwyd y Parchg Thomas Jones ym mis Gorffennaf 1808 a llafuriodd yn egnïol am dair blynedd a deugain. Yr oedd yn feddyliwr praff a chyfoes ei fynegiant heb fod yn hwyliog fel eraill o bregethwyr y cyfnod. Yr oedd iddo hefyd ddawn fel trefnydd – yr "organiser" fel y cyfeiria Myrddin John ato yn ei gyfarchiad ym mhamffledyn y Tri Chan Mlwyddiant. Yn ystod ei weinidogaeth, yn 1841, yr helaethwyd capel John Evans, Llwyndŵr. Yr oedd hefyd yn emynydd a'i emyn "Am Iesu Grist a'i farwol glwy' boed miloedd mwy o sôn," yn crynhoi neges ganolog yr Efengyl.

Gyda dyfodiad y Parchg Henry Price yn weinidog Rhydwilym, dychwelwyd eto i'r arfer o godi gweinidog o blith yr aelodaeth. Gweinidogaethodd am ddwy flynedd ar bymtheg ar hugain o flynyddoedd o 1850 i 1887. Yr oedd yn ŵr o gryn ddylanwad ac yn wrthrych parch. Yn ystod ei gyfnod yn Rhydwilym bu'n bwrw golwg hefyd dros Garmel ac yn teithio ar ei farch gwyn i bregethu yno'n gyson. Mae 'na stori am wŷr ifanc yr ardal yn dianc dros gloddiau pe digwyddai iddynt weld Henry Price ar ei ffordd i bregethu ar brynhawn Sul, – dyna fesur y parch oedd iddo yn ei fro. Gwelir ei fedd nid nepell o glos y capel.

Yn 1889 ordeiniwyd y Parchg John Jenkin Evans yn weinidog ar yr eglwys. Fe'i hyfforddwyd yng Ngholeg Hwlffordd a gwasanaethodd yr eglwys am bedair blynedd ar bymtheg ar hugain o flynyddoedd; cyfeiriwyd ato fel Ifans Coch oherwydd lliw ei wallt a'i farf. Y mae llawer i stori ddifyr amdano fel honno am y tro y cyfarfu'r diaconiaid i drafod ei arfer o yfed llymaid neu ddau neu dri yn Nhafarn Eden ar y sgwâr pum ffordd uwchlaw pentref Llan-cewn. Yn annisgwyl cyrhaeddodd yntau y cyfarfod hefyd ac wedi ysbaid o dawelwch sicrhaodd y llaw uchaf trwy ddyfynnu'r emyn: "Yn Eden cofiaf hynny byth. Bendithion gollais rif y gwlith, syrthiodd fy nghoron wiw. Ond buddugoliaeth Calfarî enillodd hon yn ôl i mi, mi ganaf tra bwyf fyw."

Yr oedd ganddo hefyd lygad sgwint ac wrth hela gyda'r Parchg Joseff James, Llandysilio, roedd hwnnw'n amau os oedd llygad J.J. ar y targed neu beidio. I Joseff James y priodolir y stori am y sylw a wnaed am rychiau tatws Ifans -"Ma' dy rychau tatws ddim yn streit!" – "Na," atebodd Ifans – "ma' nhw wedi warpo yn yr haul." Merch y Parchg J. J. Evans oedd Mrs Olwen Selina Thomas a mawr fu ei dylanwad hithau ar genedlaethau o blant y fro, yn arbennig felly ym myd y canu a'r eisteddfod. Bu farw'r Parchg J. J. Evans ar y 30ain Hydref, 1922 yn drigain ag un oed a'i gladdu yn y fynwent newydd

Dilynwyd ef gan y Parchg John Lewis, brodor o Gwmaman, Aberdâr, a oedd wedi'i ordeinio yn Rhydwyn, Sir Fôn, yn 1919, a threuliodd bum mlynedd yn Rhydwilym o 1925 tan 1930 pan symudodd i Ben-y-cae ger Wrecsam; ymwelodd Cymanfa Caerfyrddin a Cheredigion â'r eglwys yn 1928 a bedyddiwyd 50 yn ystod ei weinidogaeth egnïol.

Yn 1931 y sefydlwyd y Parchg D. R. John yn weinidog ar Rydwilym; gŵr o Ben-y-groes, Sir Gâr, a bu ei weinidogaeth yn adeiladol ac egnïol tan ei farw yn 1948. Mewn oedfa i ddadorchuddio maen coffa iddo dywedodd Dafi Jones, diacon hynaf yr eglwys ar y pryd, "Pan oedd D. R. John yn weinidog Rhydwilym, mi fyddech yn meddwl fod Iesu Grist yn y pulpud bob dydd Sul"; ac yr oedd hynny'n dystiolaeth ynddo'i hun.

Mab i'r Parchg D. R. John oedd y Parchg Walter P. John, Castle Street, Llundain, a mab arall iddo oedd Mr George John a ddyrchafwyd yn Llywydd yr Undeb ym mhulpud Rhydwilym. Tarwyd y Parchg D. R. John yn wael ym mhulpud Rhydwilym a bu farw yn 1948 a'i gladdu ym mynwent Calfaria, Pen-y-groes.

Fy rhagflaenydd yn Rhydwilym oedd yr annwyl Barchedig Haydn John Thomas a sefydlwyd yn 1950 wedi gweinidogaethu mewn eglwys Saesneg ei hiaith yng Nghaergybi; gŵr abl ei fynegiant yn y ddwy iaith ac yn bregethwr rhwydd ei barabl, yn gymwynaswr hael a charedig. Gwasanaethodd yr eglwys yn ffyddlon am ddeunaw mlynedd tan ei farw sydyn yn Hydref 1968 a rhoed ei gorff i orffwys yn y fynwent newydd. Yn niwedd mis Gorffennaf 1968 dathlwyd Tri Chan Mlwyddiant yr achos a gwahoddwyd Mr B. G. Owens, Ceidwad Llawysgrifau'r Llyfrgell Genedlaethol, i draddodi anerchiad ar yr hanes cynnar.

Aeth deng mlynedd ar hugain a mwy heibio bellach ers y prynhawn cyfareddol hwnnw ar ddydd Mercher, y 28ain Awst, 1974, pan gefais fy ordeinio yn weinidog i Iesu Grist ym mhulpud Capel Rhydwilym. Roedd y capel dan ei sang, a chymaint mwy tu fas ag oedd tu fewn, ac os buodd yna ambell awr fawr yn fy hanes erioed, roedd honno ymysg y mwyaf. Y Prifathro D. Eirwyn Morgan ar ei uchel fannau'r prynhawn hwnnw yn fy siarsio a'm cynghori ar gyfer fy ngweinidogaeth yno ac mae'r cynghorion hynny yn dal i ddiasbedain yn y meddwl ar hyd treigliad y blynyddoedd.

Mr Rhys Adams a rannodd Hanes yr Alwad ac ef oedd y cyntaf i roi'r teitl "Parchedig" i mi a hynny cyn i mi gael fy ordeinio a pheri i'r Prifathro ddweud - "nid oes yn rhaid i ni ordeinio Peter Thomas oherwydd mae Mr Rhys Adams wedi gwneud hynny'n barod wrth gyflwyno Hanes yr Alwad. Ond fe ges fy ordeinio a hynny o dan gawod o ddwylo dethol ac yn eu plith, yr Athro Mansel John, y cyn-brifathro G. R. M. Lloyd, y Parchg Mathias Davies a diacon hynaf Rhydwilym, Mr Tomi Thomas (Siop Llan-cewn) Ac yno ar fy ngliniau ym mhulpud Capel Rhydwilym y deuthum yn weinidog i Iesu Grist ac yn olynydd i'r Parchg Haydn John Thomas – Thomas arall.

Roedd golwg ifanc ar wrthrych y darlun a osodwyd ar y cerdyn ordeinio a minnau'n grwt ifanc pedair ar hugain mlwydd oed, yn ffres o'r coleg ac yn gwbl ddibrofiad. Ond braint nodedig oedd cael cychwyn fy ngweinidogaeth yno ac oedden, roedden nhw'n flynyddoedd da. Ac os oes yna ryw rinweddau sydd wedi dod i'r amlwg yn fy ngweinidogaeth ers i mi gamu o gyrion paradwys Rhydwilym a'r Gelli i wlad y Cardis a thref Prifysgol Aberystwyth, a bellach i swyddogaeth Ysgrifenyddiaeth yr Undeb, ma' gen i syniad mai'r gwaddol cychwynnol hwnnw a roes fod iddynt.

Pam dewis cael fy ordeinio a'm sefydlu yn Rhydwilym meddech chi? Wel, nid oedd dewis mewn gwirionedd am fy mod yn gwbl argyhoeddedig i mi gael fy arwain yno a bod hynny wedi bod yn rhan o drefniant dwyfol. Mae'n drawiadol fod pobl fel y Parchg Carl Williams a'r diweddar Eufryn Davies, Plas-y-meibion, wedi chwarae rhan allweddol yn fy nyfodiad. Ar brynhawn heulog ar Sul cyntaf mis Gorffennaf 1973 gofynnwyd i mi 'ddechrau'r cwrdd' mewn un o oedfaon Cyrddau Mawr Rhydwilym. O fewn pythefnos roeddwn wedi pregethu fy mhregeth brawf yno ar noson Ffair Crymych, ac o fewn y mis roeddwn wedi derbyn yr alwad i ddod yno i weinidogaethu ar derfyn fy nghwrs colegol ym Mhrifysgol Bangor.

Y Parchedig Peter Thomas

Rhoddodd y fro a'i chymdogaeth doreth o brofiadau cynnes a gwerthfawr imi yn ystod blynyddoedd cynnar fy ngweinidogaeth, pan oedd pob menter a phob gorchwyl yn cael ei hymarfer am y waith gyntaf megis. Fe redodd y gwin mas yn y cymun a ddilynodd fy medydd cyntaf a Mrs Ann James, Brynderi, yn rasio nôl a mlân i'r festri i lenwi'r gwydrau. Fe osododd y lle gynseiliau cadarn a digonol i'm gweinidogaeth – cynseiliau rwy'n parhau i adeiladu arnynt hyd yn oed heddiw.

Un o freintiau pennaf fy ngweinidogaeth yn Rhydwilym oedd cael mynd mewn ac allan ymhlith pobl; cael rhannu gyda hwy o'u hamrywiol brofiade a chael estyn cysur a diddanwch ar ambell awr anodd a thywyll. Bu nifer o oriau felly yng nghwrs fy ngweinidogaeth yno – oriau dwys, oriau ffarwelio, ac ambell awr y tu hwnt i ddawn deall a rheswm i'w datrys. Meddyliaf am angladd Glynwen Thomas, Siop Llan-y-cefn, yn dilyn damwain, ac angladd brawd a chwaer Ffynnonsamson, yn dilyn yr hyn a amheuir o hyd oedd yn llofruddiaeth, yn brofiad dwys eithriadol.

Ond fe gafwyd hefyd oriau llawen – achlysuron priodas a chwmnïaeth a chymdeithas gwbl nodedig. Cynhaliwyd sawl garddwest yn y Mans ym Mryngwilym a hynny ar sgêl fawr a chael benthyg parc Tŷ Coch i barco'r ceir. Ambell brosiect wedyn fel ehangu'r festri ac adfer Tŷ Bet (yr hen dŷ capel) a chael gwario misoedd 'gweithio fy notis' yn paentio'r capel a lliwio'r nenfwd cyn mynd. Cafwyd ambell gwrdd dathlu nodedig â'r aelodau wedi eu gwisgo mewn dillad oes a fu i ddod i'r oedfa, a Mrs Ann John yn 'Feistres y Gwisgoedd' yn benthyg hen ddillad a hetiau ym Mryngwyn.

Cynhaliwyd dwy gynhadledd Undeb yma yn ystod yr un mlynedd ar ddeg y bûm i yno a'r rheini'n destun afiaith a chyffro. Rwy'n dal i deimlo gwallt fy ngwar yn codi wrth gofio'r pasiantau fel roedden nhw bryd hynny. Gerald Blane oedd yn chwarae rhan Crist yn dod lawr yr ale a chroes ar ei gefn ac yn rhyw wegian dan ei phwysau ac, yna'n sydyn, rhyw hen wraig fach oedd yn y gynulleidfa, o'i weld yn crymu dan ei groes yn codi o'i set ac yn rhoi braich i'w godi lan – fe a'th y peth fel trydan trwy'r lle. Wedi cyhoeddi'r fendith ar ddiwedd y cyflwyniad hwnnw ni symudodd neb am yn agos i ddeng munud cyn troi o'r oedfa. Ac fe ddigwyddodd lot o bethe tebyg yma a oedd yn gyffro enaid gwirioneddol.

Pasiant Rhydwilym 1997. O'r chwith – Melisa Rees, Susan Bryan, Gwen Davies, Mari Grug, Lisa Haf, Sara Bryan, Sara Davies, Gerallt Edwards, Manon Rees.

Cefais gyfle i ymarfer dawn ac i gyfathrebu â phobl fy ngofal ac fe ges i gynulleidfa a oedd yn barod i wrando ac i ymateb – yn barod i rannu'n frwd y weledigaeth a oedd gennyf i'w chyflwyno iddynt yn y cyfnod hwnnw. Cesum i griw o ddiaconiaid teyrngar fel Danon Evans, Glyn Absalom, Eurfryn Davies, Ifor Rees, Jac John, Dennis Lewis, Griff Eynon, Rhys Adams a Russell Evans ac un ferch, Hafwen John (a ddiengodd i'r Bala ymhen rhai blynyddoedd i fod yn Brifathrawes Ysgol y Berwyn). Do, fe fuont yn ffrindie cywir a chalonogwyr cyson. Fe ges i'r fraint o godi'r Parchg Llinos Edwards i'r weinidogaeth a chael rhannu afiaith plant a phobl ifanc yr eglwys yn eu magwrfa hwy.

Fe brofais i a'm teulu garedigrwydd mawr yn Rhydwilym gan bobl oedd yn gymharol gyffredin eu byd yn ariannol, ond yn gyfoethog o ran eu ffydd a'u diwylliant. Fe ges i ddege o ffowls ac ambell samwn mewn "seson" ac allan o "seson" a digon o wye i agor ffatri. Ac yna bob Nadolig tra roeddem yno roedd 'na dwrci mawr ar gyfer 'teulu Mans Bryngwilym' o fferm Plas-y-meibion gan Eufryn ac Annie.

Fe gafwyd ambell gwrdd
a ddaeth â'i bwythau aur i'r patrwm,
a dwyn elfennau coeth i'r rhannu a'r dyheu,
a phrofwyd dwyster syn wrth dorri bara –
yn sŵn rhaeadrau dŵr a'r gwaed a lifodd ar y groes.
A gwelais yma rin y glòs gymdeithas
yng ngoruwchystafell y Lofft fach –
a chael o gwmni'r Crist ar fore'r bedydd
yn nhrochion clir y Cleddau ar ei thaith.
A chyda'r hwyr ei gael yn camu wedyn
dros weundir Troed-y-rhiw i ardd Pensarn
A minne gyda Brynmor wrthi'n grac wrth Judas
am fradu'r Crist am bitants mewn shwd fan.
A fry ar fryncyn moel Dolfelfed
fe godwyd croes a'i sangu'n gadarn yn ei lle.
Ac yno bu yn hongian am ryw dridie
nes torrodd gwawr, a choncwest yn ei sgil;
a daeth y Pasg i gerdded Cwm Rhydwilym
gan dreiglo maen y bedd a herio'n byd.

Dyma'r fan y cafodd Meryl a finne gychwyn byw, yma y magwyd ein plant, Owain a Nia, ar aelwyd gynnes Bryngwilym, ac fe bery'r cwm a'r bröydd cyfagos yn fan cwbl arbennig inni ac yn lle y mae'n braf cael dychwelyd iddo.

A bob tro y byddaf yn dychwelyd i Gwm Rhydwilym, mi fydd fel agor cist o hen drysorau, ac yn ddieithriad wrth wneud, yn disgwyl canfod yno'r un wynebau a gafwyd yno gynt â'u lleisiau cyfarwydd yn cyfarch ac yn croesawu. Ond mi fydd rhyw chwithdod anorfod hefyd yn tymheru'r gwneud gan fod rhai o'r cymeriadau teyrngar hynny oedd yno bryd hynny ar gychwyn y daith, wedi'n blaenori bellach, ac wedi esgyn i rengoedd yr orymdaith honno 'ar y rhiwiau garw' y soniodd Llwyd amdanynt, "Gorymdaith gain y gwŷr sy'n gwrthod marw."

Ond bob tro y byddaf yn mynd nôl i Rydwilym mi fyddaf yn rhyw synhwyro eu bod nhw yno o hyd ymhlith cwmni'r cwmwl tystion ac yn parhau i rannu fel cynt y gwaddol Cristnogol cynnes a brofwyd yno 'slawer dydd:

"Cerddwn ymlaen i'r yfory, chwifiwn faner yn y gwynt,
Am y rhai fi yma'n sefyll ac yn brwydro dros y gwir
Seiniwn glod a cherddwn ymlaen."

A phan fydd pobl Aberystwyth a Phenrhyn-coch yn fy nghlywed yn mynd ymlaen ac ymlaen am Rydwilym, falle, erbyn hyn, eu bod yn dechrau deall y rheswm pam – am mai yno y dechreuodd pethe a'm bod yn hynod ddyledus am y gwaddol hwnnw a gyfrannwyd i mi yno – "dyna'r fan y cychwynnodd pethe Sam, y man y cychwynnodd popeth."

In his article entitled 'In Pursuit of Paradise' the Rev Peter M. Thomas relates the high points of his eleven year ministry at Rhydwilym Baptist Chapel from 1974 to 1985. He refers to the strong faith of the early fathers in the 1660s, who broke free from the established church and held services in the scattered homesteads and even in a cave for a period of thirty-three years before the first chapel was built.

The early ministers were chosen from the congregation. However, this tradition was broken in 1808 when the Rev Thomas Jones from Glynceiriog near Denbigh was inducted. During his 43 year ministry he became known as a profound thinker and an astute organizer rather than a flamboyant preacher, as was the tendency among many of his compatriots at the time. His successor, the Rev Henry Price, was chosen from the congregation. His ministry lasted 37 years from 1850 to 1887. He was so revered that young men would disappear over a hedge rather than confront him if seen on his white stallion on his way to preach.

In 1889 the Rev J. J. Evans, known as 'Ifans Coch' (Red Evans) on account of his reddish hair and beard, began a 39 year ministry. On one occasion the deacons met to discuss his habit of spending much of his time in a local tavern known as Eden. 'Ifans Coch' unexpectedly turned up and following a period of silence he secured the upper hand by quoting a familiar hymn referring to Eden, implying that despite the loss of blessings the victory of Calvary was still within his grasp. J.J. was also squint-eyed, which led to a comment by the Rev Joseph James, Llandysilio, when they were both out hunting, that he was unsure whether J.J's eye was on the target or elsewhere when he pulled the trigger. And when Joseph remarked that his friend's potato rows were not straight he was told they had warped in the sun!

During the Rev John Lewis' short ministry, from 1925 to 1930, a total of fifty communicants were baptized by total immersion. His successor was the Rev D. R. John, whose 17 year ministry came to an end with his death in 1948. His son, Walter P., became minister of Castle Street, a Welsh chapel in London. Another son, George, was installed as President of the Baptist Union at a service held in Rhydwilym. Peter Thomas' immediate predecessor was the Rev Haydn J. Thomas, who had previously ministered at an English chapel in Holyhead and was adept at delivering sermons in both English and Welsh. His ministry lasted 18 years until his death in 1968.

The Rev Peter Thomas refers to the first baptism he officiated when the wine at the following communion ran out and Mrs Ann James, Brynderi, had to rush back and forth to the vestry to fill the cups. Perhaps the most poignant episode was a pageant when the tired Christ (Gerald Blane) carried his cross along the isle and an old lady in the congregation got up on her feet to assist the laboring saviour. When the benediction was announced at the end of the service no one moved for a full ten minutes, such was the heartfelt blessing felt among the congregation. As for the kindness and generosity of the people, he says that he and his wife, Meryl, and children, Owain and Nia, were never without eggs and chickens, the odd salmon (in and out of season) as well as an annual Christmas turkey delivered by Eufryn and Annie, Plas-y-meibion.

His present congregation at Aberystwyth and Penrhyncoch often hear about his experiences at Rhydwilym, for which he does not apologize because it was where everything began for him, in his first ministry, and for which enriching experiences he is forever grateful – just as Mr Pickwick mentions in Charles Dickens' classic – "Christmas Eve in the George and Vulture – that is where things started Sam, the place where everything began"

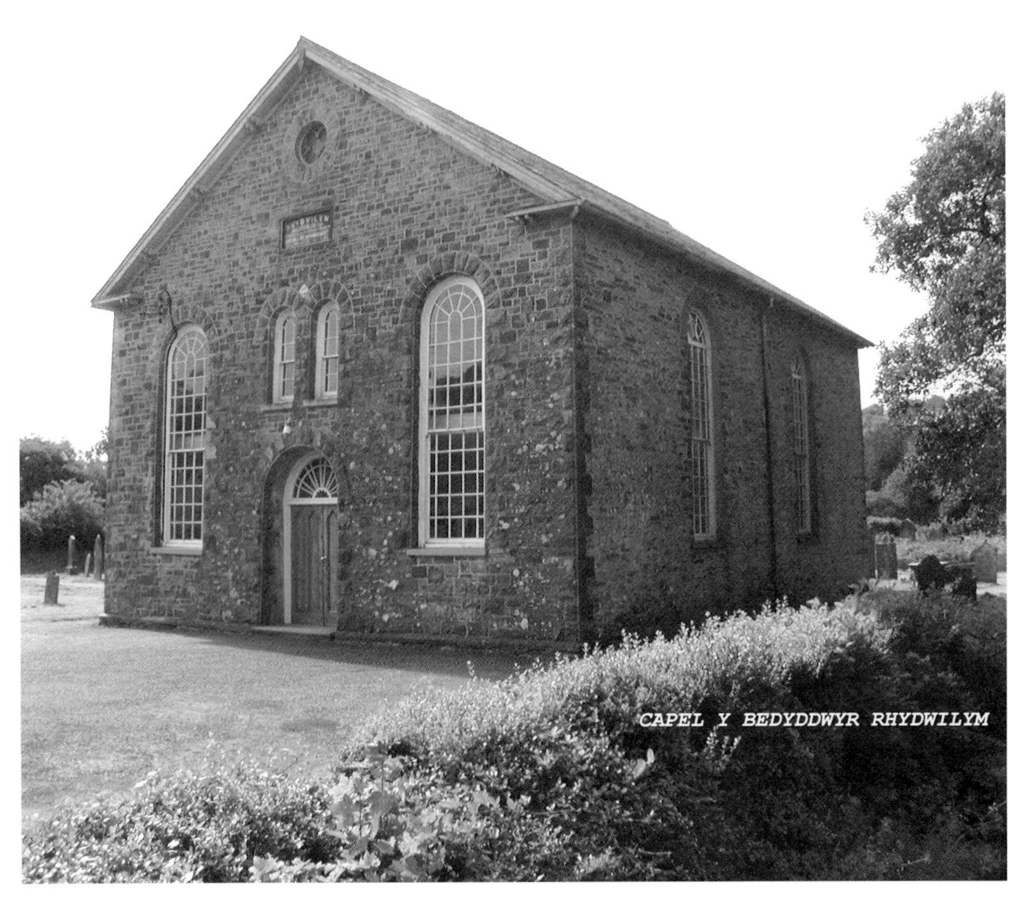

A recent photograph of Rhydwilym Chapel

Anerchiad y gweinidog

John Lewis

Annwyl Frodyr a Chwiorydd, – Wele Adroddiad o'r cyfrifon arianol, 1928-29, a chofnodion, 1926-1929, i law. Ceisiaf eich annerch fel brodyr a chwiorydd yng Nghrist gyda'r gobaith y bydd yr hyn o Annerch a'r Adroddiad brofi'n symbyliad o'r newydd i bawb o honom ymegnio'n fwyfwy gyda'i waith gogoneddus Ef. 'Rwyf bellach yn agosáu at ben pum mlynedd yn eich plith, a chredwn fod y cyfnod hwn wedi bod yn un o'r eithriadau ymhlith cyfnodau'n hanes fel eglwys.

Wrth edrych yn ôl dros y cyfnod hwn, gorchfygir ni gan deimlad o dristwch a hiraeth. Collasom 24 o aelodau, ac yn eu plith 4 o ddiaconiaid. Mae'r colledion hyn wedi gwneyd bwlch mawr yn yr eglwys, ac wedi gwneyd ein baich yn drymach a'n cyfrifoldeb yn fwy. Cydymdeimlwn yn fawr a theuluoedd y rhai hyn yn eu hiraeth a'u galar ar eu hôl. Ond er y colledion hyn nid ydym heb destun diolch. Cymysgir ein tristwch a'n hiraeth gan y melus lonna'n hysbryd. Cawsom yn helaeth gan yr Arglwydd ym mhob cyfeiriad. Gwelwn yn y prif gofnodion amlygiad o gydweithrediad a diddordeb mawr yng ngwaith yr Arglwydd a'i gysegr.

Sefydliad newydd yn ein plith yw'r Ysgol Haf, dan lywyddiaeth ein mab byd-enwog, y Parchg Tom Phillips, B.A., Bloomsbury. I'n llawenydd gwnawd ef yn Mehefin, 1928, yn D.D. pan ar ymweliad a Chyngrair Bedyddwyr y Byd yn Toronto, a'r un flwyddyn yn Llywydd Eglwysi Rhyddion Prydain Fawr; ac yn Medi 20, 1928, yn Brif Athro ar Athrofa'r Bedyddwyr, Caerdydd. Teimlaf yn wir ddiolchgar am y croesaw mawr a'r gefnogaeth frwd gafwyd i'r Ysgol Haf, a sicr ni anghofir dylanwad ysbrydol ei chyfarfodydd am flynyddoedd lawer.

Ym Mehefin, 1928, gwelwyd un arall o'n meibion yn llwyddo yn arholiad Athrofa'r Bedyddwyr, Bangor, sef Erni Williams, Lan. Mae yntau yn wir gymeradwy fel un a dyfodol gobeithiol.

Mis Mchcfin 22, 1929, cafwyd y fraint o weld un arall yn dechreu pregethu, sef Brynmor Davies, Alltypistyll. Fel un yn dechreu, mae yntau yn dderbyniol iawn.

Dymunwn i'r tri hyn bob bendith a llwyddiant mawr eto yn eu gyrfa gysegredig.

Mehefin 11-13, 1928, ymwelodd Cymanfa Siroedd Caerfyrddin ac Aberteifi a ni, a phwy a anghofia hyn. Yn wir, nid oes modd canmol gormod arnoch am eich cyd-weithrediad a'ch gwasanaeth diflino roddwyd er mwyn rhoddi croesaw urddasol iddi i'n plith. Yr oedd y croesaw a'r caredigrwydd rhoddwyd mewn llety a chyfeiriadau ereill gan deuluoedd o bob enwad yn yr ardal yn ddihafal. Defnyddiwn y cyfle hwn eto i ddatgan ein gwerthfawrogiad am eich llafur diflino ynglŷn â'r Gymanfa.

Anturiaeth fawr oedd ymgymeryd â dysgu Cantatawd, ond gwnawd hynny, a bu'n llwyddiant mawr, o dan arweiniad y brawd James Jones, Llwynbedw, arweinydd presennol y gân yn Rhyd-wilym. Ymdaflodd y Côr i'r gwaith a'i holl egni, a pherfformiwyd y Cantatawd cyntaf erioed yn Rhydwilym, "Mordaith Bywyd," i gymeradwyaeth uchel y dyrfa nos Wener, Ebrill 5, 1929.

Gallwn fynd ymlaen i gyfeirio at bethau ereill ddengys eich gweithgarwch mawr. Mae eich cefnogaeth ariannol i'r achos a'ch ffyddlondeb i'r cyfarfodydd yn deilwng o ganmoliaeth. Eto y mae lle i ragori llawer. Apeliwn am ystyriaeth uwchben ein colledion, y galwadau mwy i gynnal yr achos. O ystyried hyn yn ddifrifol, oni welwn fod ein cyfrifoldeb i'r Arglwydd yn fawr, ac fod angen cyfrannu yn ôl fel y llwydda yr Arglwydd ni. Oni arweina hyn ni i holi'n hunain, a ydym yn ymddwyn yn deilwng a'i Achos Ef. Apeliwn am gyfrannu cyson i'r drysorfa.

Cangen werthfawr yn yr eglwys yw Cymdeithas y Bobl Ifeinc. Teilwng yw canmol gwaith y Gymdeithas hon yn ein plith. Ymgymerodd a'r anturiaeth fawr o sicrhau goleuni trydan i oleuo a harddu'r capel. Trwy gydweithrediad a chefnogaeth yr eglwys sicrhawyd y nod. Mae'r Gymdeithas hon wedi gwneud gwaith teilwng mewn cyfeiriadau ereill yn ein plith.

Ond pwysicach na dim yw'r ddau sefydliad – yr Ysgol Sul a'r Cyfarfod Gweddi. Er cymaint o waith da a wna y ddau hyn, ysywaeth ni chant y gefnogaeth ddylent gael gan yr Eglwys. Ymddibynna dyfodol yr Eglwys, ei chymeriad, ei dylanwad, ei gwybodaeth ysgrythyrol, ei hysbrydolrwydd a natur ei pherthynas a'i Phen, yr Arglwydd Iesu, a pherthynas aelodau a'u gilydd ar y ddau hyn, a'r gefnogaeth roddir iddynt. Os bydd farw y rhai hyn ni fydd eglwys yn bod. Apeliwn felly am fwy o gefnogaeth a ffyddlondeb i'r Ysgol Sul a'r Cwrdd Gweddi, yn arbennig ymhlith rhieni'r Eglwys.

Diolchwn am bob caredigrwydd, cefnogaeth a ffyddlondeb yn y gorffennol, ond na foddlonwn ar hynny. Mae'r galwadau yn fwy, ein cyfrifoldeb yn fwy, ein breintiau yn fwy. Ymegniwn. Mynwn ragori ar bob dim yn y gorffennol. Meithrinwn a chynyddwn mewn ysbryd a chariad brawdol fel rhai yng Nghrist. Ofnwn Dduw, Rhoddwn gyfle iddo yn Ei Fab Iesu Grist ein llanw yn helaethach o'r Ysbryd Glân.

'Rym, ein Duw, yn ofni weithiau,
Mai rhy rwydd yw'n llwybrau ni,
Ac y dichon i ni golli
Awydd am Dy gwmni Di:
Gwna ni'n debyg
I'r ffyddloniaid dewrion gynt.
O ! Frodyr, gweddiwch drosof.
Ydwyf yn bur, eich Gweinidog yng Nghrist.

Rhai o Brif Gofnodion 1926-1929

1926

Mehefin 11.	Gosod Cof-golofn (gwerth £60) ar fedd y diweddar Barchg J. J. Evans, Rhydwilym.
Llungwyn	Cymanfa Ysgolion Blaenconin, Horeb a Rhydwilym. Hwyr, am 7, Darlith gan y Parchg Hermas Evans, Manselton. Testun, "Billy Bray." Llywydd, Parchg John Lewis.
Awst 17 a 18	Cyfarfodydd Pregethu. Pregethwyr, Parchgn Alfred Morris, Llangennech; a Ben Howells, Treletert.
Medi 27	Cymanfa Ganu Cylch Rhydwilym.
Hydref 18	Agoriad Cymdeithas y Bobl Ifeinc. Prynhawn, Pregeth; Hwyr, Darlith, "Will Bryan," gan y Parchg L. G. Lewis, Pontardawe.
Rhagfyr 19	Cadarnhau Owen Hughes, Rhywe, yn Ysgrifennydd Swyddogol yn olynydd i Daniel Wheeler.

Cynulleidfa Rhydwilym ym 1930 yng nghyfnod y Parchedig John Lewis

1927

Ebrill 14	Darlith gan y Parchg B. Howells, Treletert. Testun, "Sadhu Sindar Singh".

Awst 16 a 17	Cyfarfodydd Pregethu. Pregethwyr, Parchgn Humphrey Ellis, Treorci; a John Thomas, Blaenywaun.
Awst 29-31	Ysgol Haf; laf o dan lywyddiaeth y Parchg Thos. Phillips, B.A., Bloomsbury. Y tair noson Cyfarfodydd Pregethu a Darlith. Pregethwyr (Noson laf), Parchgn. W. H. Williams, Hill Park; D. Gwynfi Davies, Llantwit Vardre. (Noson 2il), Parchgn. Jubilee Young, Felinganol ; a T. Phillips, Bloomsbury. (Noson 3ydd), Darlith gan y Parchg Dan Davies, Abergwaun. Testun, "Robert Jones, Llanllyfni." Llywydd, Parchg T. Phillips, Bloomsbury.
Hydref 23	Sul o Fawl. Goleuo'r Capel a Goleuni Trydan y tro cyntaf.
Hydref 27 a 28	Dwy noson. Oedfaon Pregethu, dan nawdd Cymdeithas y Bobl Ifeinc. Pregethwr, Parchg R. B. Jones, Porth.
Rhagfyr 14	Darlith, "Diwygwyr a Diwygiadau," gan y Parchg Jubilee Young, Felinganol. Llywydd, Mr J. W. Thomas, C.C., Maenclochog.
Mai 15	Ethol Diaconiaid.
Mai 29	Ordeinio y brodyr William Thomas, Owen Hughes, Owen Phillips, James Jones a John Evans i'r swydd ddiaconaidd, gan y Gweinidog, Parchg John Lewis. Testun : 1 Timotheus, iii., 8, 9 a 10 adn.

1928

Mehefin 11-13	Cymanfa Bedyddwyr Siroedd Aberteifi a Chaerfyrddin. Llywydd, Parchg J. Price, Ferwig.
Mawrth 2	Cyflwyno Anrheg i Olwen S. Evans, organyddes, ar ei hymadawiad i fyw i Glynderwen.
Awst 21-23	Ysgol Haf, dan lywyddiaeth y Parchg Thos. Phillips, D.D., Bloomsbury. Pregethwyd y tair noson gan y Parchgn Gwilym Morris, Pencader; B. Howells, Treletert; M. Davies, Gelli; D. J. Michael, Blaenconin; Morgan Jones, Whitland; a T. Phillips, Bloomsbury.
Medi 30	Cyflwyno Beibl i Erni Williams ar ei ymadawiad i Athrofa, Bangor.
Rhagfyr 19	Y Berdoneg i'r Festri o Lanelli, gwerth £40.

1929

Chwefror 3	Ymddiswyddiad Mr W. Thomas, Y.H., Llan-y-cefn, o arweinyddiaeth y gân.
Mawrth 10	Ethol James Jones, Llwynbedw, Llan-y-cefn, yn arweinydd. Dechreu ar ei waith Mawrth 17.

Ebrill 5	Perfformiad cyntaf o Cantata yn Rhydwilym, gan Gôr, o dan arweiniad James Jones. Cantata, "Mordaith Bywyd." Llywydd, Col, W. N. Jones, A.S. Arweinydd, Parchg John Lewis.
Llungwyn	Cymanfa Ysgolion Blaenconin, Horeb a Rhydwilym. Hwyr, am 7, Ail berfformiad o'r Cantata, dan arweiniad James Jones. Llywydd, Major C. W. M. Price, A.S. Arweinydd, H. Hughes, Ysw. Gilfach Quarry.
Awst 13-15	Ysgol Haf, dan lywyddiaeth Prif Athro T. Phillips, D.D., Caerdydd. Pregethwyd y tair noson gan y Parchgn W. H. Jones, Milford; A. G. Davies, Beulah; J. Thomas, Mardy; T. J. Hughes, Treforris; a'r Prif Athro T. Phillips, Caerdydd.
Rhag. 13	Pregeth y prynhawn ac Anerchiad yn yr hwyr gan y Parchg T. Ellis Jones. B.A., B.D., Llwynhendy, dan nawdd Cymdeithas y Bobl Ifeinc.

Rhif yr Eglwys ar ddiwedd 1929 — 243.

Priodasau yn Rhydwilym

Tach. 6, 1926	Ann Evans, Bryngolman, Llangolman, a Gwilym Scourfield, Crug y Deri, Llandissilio. Gweinyddwyd gan y Parchgn John Lewis, Rhydwilym; a Joseph James, Bethesda; a'r Cofrestrvdd.
Hyd. 6, 1928	Frances Llewelyn, Cefnmwynant; a John Thomas, Abbey, Whitland. Gweinyddwyd gan y Parchgn John Lewis, Rhydwilym; a Morgan Jones, Whitland; a'r Cofrestrydd.
Awst 10, 1929	Bridget Llewelyn, Cefnmwynant, a Daniel Rees Richards, East Regwin, Whitland. Gweinyddwyd gan y Parchg John Lewis, Rhydwilym, a'r Cofrestrydd.
Hyd. 19, 1929	Margaret Thomas, Llandre Uchaf, a Thomas Jones, Pengawse. Gweinyddwyd gan y Parchg John Lewis a'r Cofrestrvdd.

Cyfarwyddiadau i Aelodau'r Eglwys

1. Rhodded yr Aelodau eu cyfraniadau yn gyson yn yr Amlenni fel offrwm i'r Arglwydd. Apeliwn yn daer am y cysondeb hwn.
2. Gofaled yr Aelodau :—
   "Gadw eu cydgynhulliad." (Heb. x., 24, 25.)
   Fod yn ffyddlon i holl gyfarfodydd yr Eglwys, yn arbennig y Cyfarfodydd Parotoad a'r CYMUNDEB.
   Cyfrannu fel y'u llwyddir gan yr Arglwydd.
   Peidio esgeuluso dau Gymundeb yn olynol heb reswm boddhaol am eu hymddygiad.

Hysbysu'r Gweinidog yn bersonol, neu drwy'r Dosbarthwr, am gleifion neu ryw rai ereill, y bydd angen ymweled â hwy.

3. Nid yw'r Eglwys i ymyryd mewn unrhyw achos o anghydwelediad rhwng aelodau hyd nes y byddont wedi gweithredu yn ôl gorchymyn Pen Mawr yr Eglwys. (Matt, xviii, 15.17.)
4. Erfynir i'r Aelodau ymostwng i lywodraeth y mwyafrif.
5. Taer erfynir ar yr holl aelodau gadw holl faterion yr Eglwys yn gyfrinachol iddynt eu hunain. Cofied pob un ei adduned pan dderbyniwyd amodau aelodaeth

"Cadw pethau'r tŷ yn y tŷ."

In his address to chapel members, along with the detailed accounts for the latter years of the 1920s, the Rev John Lewis hopes all Rhydwilym members will be inspired to intensify their efforts to bring His work to fruition. During the previous five years 24 members died including four deacons. At the same time he says that the sadness and longing is tinged with the sweetness that adorns the spirit, as there is ample proof of God's sustenance in all directions.

Rev Lewis refers to the accolades given to the Rev Thomas Phillips, BA, Bloomsbury, – a local boy – in 1928, when made President of the Association of the Free Churches of Great Britain, Principal of the Baptist College at Cardiff and honoured with a D.D. degree at the World Baptist Conference in Toronto. In the same year Erni Williams, Lan, was successful in his examinations at the Baptist College in Bangor and he reports that Benjamin Davies, Alltypistyll, began preaching in 1929. The Three Counties Festival was held at Rhydwilym in 1928 and in 1929 the chapel choir performed a cantata under the baton of James Jones, Llwynbedw. Every August, during the previous three years, a three day Summer School was held at Rhydwilym presided over by Thomas Phillips at which many of the denomination's best known preachers delivered sermons.

The Young People's Association was responsible for modernising the chapel by introducing electric light. Rev John Lewis stresses the importance of the Sunday School and Prayer Meetings as the core activities of the chapel, which should be better supported, for without them there would be no chapel. The list of events highlights the rare quality of the religious and cultural life of Rhydwilym Chapel in those days. Total membership at the end of 1929 was 243. As well as noting the marriages confirmed during the previous three years, the five directives of chapel membership are also published. All members are expected to contribute regularly to the expenses, not to be absent from two consecutive communions without a reasonable explanation, to observe the decisions of the majority, to keep all chapel matters to themselves, and to behave with decorum towards each other.

Cyfnod Henry Price (Rhamant Rhydwilym)

John Absalom / Y Parchg E. Llwyd Williams

Ganed Henry Price yn Llandilo-isaf, ger Maenclochog, yn 1815. Yr oedd ei dad yn ddiacon gyda'r Annibynwyr yn Hen Gapel, Maenclochog, eithr ei fam yn aelod yn Rhydwilym. Cefndyr iddi hi oedd y Parchgn J. E. Thomas, Trehale ; Theophilus Thomas, a George Thomas, Pontypŵl. Symudodd y teulu i'r Gilfach-isaf, Llan-y-cefn, ymhen ychydig amser ar ôl geni Henry. Cafodd yntau ei addysg elfennol yn yr hen Ysgoldy yn Rhydwilym. Bedyddiwyd ef yn un ar ddeg oed gan y Parchg Thomas Jones. Fel bachgen ifanc yr oedd yn llawn direidi, ac yn grefftwr yn y ddawn o ddynwared pregethwyr — hen arfer plant y wlad. Cafodd well cyfle na'r cyffredin mewn addysg, a dechreuodd bregethu yn ddwy ar bymtheg oed. Bu am dymor mewn Ysgol Ramadegol yn Arberth, ac aeth oddi yno i Goleg Bradford.

Yn ystod un o wyliau'r Coleg, priododd â merch o'r enw Martha Rogers o Arberth. A dyna dorri rheol Coleg ! Galwyd ef i gyfrif, a dyma'i ateb ysmala i'r prifathro, "yr oedd yn ferch mor brydferth, pe buasech chi wedi ei gweled, buasech wedi gwneuthur yr un fath â mi." Ganed iddynt ddeg o blant, ac y mae un ohonynt, Roger, yn byw heddiw yng Nghlynderwen. Gŵr adnabyddus am ei ergyd mewn stori ac englyn yw ef. Bu Henry Price yn cadw ysgol yn 'hen' gapel Llandilo wedi cyfnod Coleg Bradford, ac yn gynorthwywr yn eglwys Rhydwilym. Bu hefyd yn cadw ysgol am dymor ym Mhenffordd. Ordeiniwyd ef yn weinidog Carmel yn 1840.

Bu farw'r Parchg Thomas Jones yn 1850, a chan fod y Parchg John Llewelyn yn hen a llesg, estynnodd eglwys Rhydwilym alwad i weinidog Carmel. Sefydlwyd ef yno yn niwedd y flwyddyn honno. Gwasanaethwyd yn y Cyfarfodydd Sefydlu gan y Parchgn Ben Thomas (Myfyr Emlyn) ; Davies Llangloffan ; George, Jabes, a Williams, Blaenwaun. Bu'r ddwy eglwys o dan ei ofal am ddeng mlynedd ar hugain. Trigai yr adeg hon yn Llogin, Llan-y-cefn, ond pan gymerodd ofal Rhydwilym, aeth i fyw i dyddyn y gweinidogion, sef Tirbach. Pregethai yn y ddwy eglwys ar y Sul, ac ni bu urddasolach pregethwr ar geffyl erioed na Henry Price ar siwrnai'r Sul, rhwng Rhydwilym a Charmel.

Gŵr diwyd yn y weinidogaeth ydoedd, a gellir tybied gyda hyder, bod deuparth o ysbryd Thomas Jones wedi disgyn arno. Llwyddodd i ddeffro bywyd ysbrydol yr eglwys a chreu gweithgarwch brwd. Codwyd y capel presennol yn 1875, a bu yntau'n tramwy'r wlad yn pregethu a chasglu at hwnnw. Casglodd dros fil o bunnoedd yng nghymdogaethau Rhydwilym. Yr oedd ganddo'r ddawn i gyffwrdd â chalon a phoced dynion. Helaethwyd yr hen fynwent tua 1858, a thowyd y bwthyn to gwellt am y tro diwethaf yr un pryd. Tynnwyd ef i lawr yn 1860, ac adeiladwyd y tŷ capel presennol yn 1861. Tynnwyd yr hen gapel i lawr yn 1874, a chodwyd y stabal a'r llofft (yr hen Festri fach) o nwyddau'r hen gapel, a symudwyd yr ysgol bob-dydd o'r hen ysgoldy i'r llofft newydd.

Cedwid ysgol bob-dydd ar y llofft fach. O dan y llofft y cedwid yr elor ac offer torri bedd. Hawdd ydoedd i'r sgwlyn gadw disgyblaeth berffaith ar y plant, yn unig trwy gyfeirio'i fys at y lle hwnnw: *'the Black Hole of Rhydwilym.'* Yma y bu Twmi Jâms, Login, yn ysgolfeistr. Yr oedd ef yn gerddor gwych, a gwnâi ganwr o bob disgybl. Unai'r plant o bob enwad i gymryd rhan yn y Gymanfa Bwnc. Deil yr eglwys i ymffrostio yn ei Chymanfa Bwnc hyd heddiw, ac yma y clywir yr oedolion o hyd yn adrodd y bennod ar dôn. Athro arall a fu yma oedd Isac Davies, gŵr o ardal y Ffynnon. Bu Thomas Rees yma hefyd, gŵr a ddaeth ar ôl hyn yn *'Excise Officer'* yn Abertawe. Y sgwlyn enwocaf a fu yma oedd John Salmon, gŵr a adawodd argraff ei bersonoliaeth ar bob plentyn a fu o dan ei ofal. Gwelir cofgolofn iddo yn y fynwent newydd, wedi ei chodi gan ei hen ddisgyblion a phobl yr ardal. Dau Athro arall oedd Tom Morris y *'Moat'* a John John. Bu John John yn weinidog ym Marloes a Hirwaun ar ôl hyn. Y sgwlyn olaf yn yr ysgol fach oedd J. B. Harries, naturiaethwr a llysieuydd. Ef a gafodd yr anrhydedd o arwain y plant o'r llofft fach i ysgol newydd y bwrdd Cyngor yn 1876.

Bu'r capel newydd ar waith am ryw dair blynedd, ac wedi ei agor, galwyd *'roll-call'* o'r aelodau yn 1877, ac atebwyd gan 260. Gwelir bod rhif yr aelodau wedi lleihau yn y cyfnod hwn, eithr cynnydd y canghennau sydd i gyfrif am hynny, ac nid unrhyw ddiffyg ym mywyd yr eglwys.

Dyn tal, tenau ac esgyrnog oedd Henry Price. Yr oedd ganddo dalcen llydan, wyneb cryf a gên gul. Gwelid ef bob amser wedi ei wisgo'n drwsiadus, gan gerdded yn hamddenol gydag osgo uchelwr. Boneddwr gwlad ydoedd ef yn ei allanolion. Esgynnai'n urddasol i'r pulpud, a gwelid pob llygad yn y gynulleidfa yn craffu arno. Yr oedd yn fwrlwm o hiwmor mewn ymgom, eithr yn ddarn o ddifrifwch gyda'i bregeth. Byddai'n codi a gostwng ei lais gydag effaith ryfeddol, ac weithiau clywid y gwirionedd yn torri'n floedd hir syfrdan ar ei enau.

Hen arfer yr ardal yw beirniadu a chymharu pregethwyr eglwysi'r cylch, a dyma'r feirniadaeth yn ei ddyddiau ef ... 'Y mae Griffiths Bethel yn pregethu â'i draed (rhodiad) ; Thomas Llandysilio yn drwm iawn gydag athrawiaethau Paul; Simon Evans, Nebo yn ddychryn gyda dyletswyddau ; Griffiths, Blaenconin yn pregethu'r Farn bob Sul, a Henry Price yn esbonio pob adnod.' Dyna nodweddion amlycaf pregethu'r hen frodyr. Pregethwr esboniadol oedd Henry Price, a rhannu adnod a chodi gwersi ohoni, oedd ei ogoniant fel pregethwr bob Sul. Gan ei fod yn weinidog Carmel a Rhydwilym, câi ddwy Gymanfa bob blwyddyn. Codwyd ef ar adenydd yr awelon dwyfol yng Nghymanfa Aberteifi yn 1858, ac yn Llangloffan yn 1868. Bu ei bregethau yn y ddwy Gymanfa hyn yn troi ym meddyliau'r gwrandawyr am flynyddoedd maith.

Perchid ef fel ysgolor a sant yn ardal Rhydwilym, er bod ambell un â rhyw duedd i edrych arno fel plisman, gan ei osgoi ar y ffordd. Ni ellir beio'r pregethwr am hynny. Ni bu ei urddasolach fel gweinyddwr bedydd. Sonnir llawer am un bedydd rhyfedd, pan fu rhaid torri'r iâ cyn myned i'r dŵr, gan fod yr afon wedi rhewi o lan i lan. Eithr nid rhy annymunol hyn ar dywydd oer i bobl yn gweithredu yng ngwres argyhoeddiad.

Nid segur mohono fel llenor a hanesydd. Ysgrifennodd nifer o lyfrynnau, megis, *Esboniad ar adnodau dyrus y Testament Newydd; Cofiant Thomas Jones; Hanes Eglwys Rhydwilym; Hanes Crefyddau y Byd; Cant o resymau dros lwyr ymwrthod â diodydd meddwol; Hanes Gardd Gladdu Trefangor.* Ni synnwn iddo osod hanes Gardd Gladdu Trefangor ar gadw, gan ei fod ef yn un o brif amddiffynwyr y Bedyddwyr yn y praw yn 1861. Cyfansoddodd farwnad hefyd i Thomas Jones, a gwelir iddo blethu enwau gweinidogion yr eglwys yn ddoniol iawn drwy'r penillion, yn null y ganrif o'r blaen. Heblaw hyn, ceir ugeiniau o benillion o'i eiddo ar gerrig beddau mynwentydd yr henfro heddiw.

Rhoes heibio ofal Carmel yn 1881, ac ymddeolodd o'r weinidogaeth sefydlog yn Rhydwilym yn Rhagfyr 1887. Derbyniodd dysteb gan y ddwy eglwys ar adeg ei ymddiswyddo. Bu farw yn 1892, ac wele'r ysgrifen ar garreg ei fedd yn ymyl y capel ... 'In loying memory of Henry Price, pastor of Carmel and Rhydwilym Churches, who died March 10, 1892, after 52 years faithful service in the ministry. Aged 77 years. Blessed are the pure in heart for they shall see God."

Yr oedd ef yn weinidog yma pryd nad oedd na sŵn trên na motor yn yr ardal; ni welodd ef na phapur bob dydd na phostman swyddogol. Gyrrid llythyrau o law i law o Landysilio, a rhennid pob newyddion ar y Sul. Dyma gyfnod y teithio mewn ceirt neu ar gefn ceffylau, a dyddiau'r malu a'r byw ar gynnyrch erwau'r fro. Dyma ddyddiau'r gyflog fach a'r oriau hir, a nosau'r toili a'r gannwyll gorff. Dyma gyfnod hyfryd y cyrddau bach. Cynhelid cwrdd yn Rhydwilym bob bore dydd Mercher, yn ogystal ag ar y Sul. Trefnid Cyfarfodydd hefyd ar hyd y ffermdai, a braint oedd myned â chrefydd i gartrefi'r bobl, a chael y plant i 'aros ar ôl,' – i ymofyn am le yn yr eglwys, ar yr aelwyd ... Daeth dyddiau gwell a phethau gwaeth, a phwy a ŵyr na bydd rhywrai eto yn dychwelyd at rai o'r hen arferion hyn.

The above excerpt from 'Rhamant Rhydwilym' – Rhydwilym Romance – the book that traces the history of Rhydwilym Chapel until the late 1930s, refers to the ministry of the Rev Henry Price from 1850 to 1887. He was born in 1815 at Llandeilo Isaf. His father was a deacon at Hen Gapel Congregational Chapel in Maenclochog, while his mother attended the Baptist cause at Rhydwilym. Three of her cousins were ministers. The family moved to Gilfach Isaf, Llan-y-cefn, soon after Henry's birth and he later received elementary education at the schoolhouse next to the chapel. He was baptised when only 11 years of age and attended Narberth Grammar School for a term before enrolling at Bradford College. He married a Narberth girl, Martha Rogers, during a college vacation and they had ten children.

After leaving college Henry kept a school in the old Llandeilo chapel building for a while and also assisted at Rhydwilym. He also kept a school at Penffordd and was ordained a minister at Carmel, Clarbeston, in 1840. In 1850 he was made minister of Rhydwilym and both chapels were under his guidance for the next 30 years. He was a familiar figure on his horse on Sundays on his way to and from both chapels. The present chapel at Rhydwilym was built in 1875 and, thanks to the minister's efforts, over £1,000 was raised locally to pay for the costs. In 1874 the old chapel building was taken down and the materials used to build the stable and loft that are still to be seen today. The daily school was then moved from the old schoolroom to the loft. But by 1876 the school was moved to the new purpose-built local authority school at Nant-y-cwm nearby.

When the new chapel was opened the membership had declined to 260 because several chapel branches had been established by now. Henry Price was always well dressed and walked leisurely with the gait of an aristocrat. In conversation he was full of humour but solemn when in the pulpit, as he often dropped his voice only to soar again to announce the truth in a long sustained dramatic roar. He was regarded as a preacher who would dissect verses before announcing the lessons derived thereof. Henry Price was regarded as a scholar and a saint by most people and some – such was their reverence towards him – would rather venture over the hedge than pass him on the road. He published several books that were mainly historical, as well as a biography of his predecessor, the Rev Thomas Jones. In 1881, when 66 years of age, he gave up ministering Carmel, and six years later he retired. He died in 1892. During his tenure at Rhydwilym a service was held every Wednesday morning as well as on Sundays, in an age when horse and cart were the means of transport, and when there would be much talk about will-o'-the-wisp and such folk traditions during the long dark winter nights.

Dyddiadur Lamech Cwm-mowr

Rachel Owen

Jiw, pan wên i ar lofft gewn pwy ddwarnod, digwyddes ga'l gafel ar hen ddiddiadur Lamech Cwm-mowr. Shwt in i byd da'th e fan 'na, sana i'n gwbod dim, shŵr bo Mam wedi pyrnu rhyw focsed o sothach ar hen acshon, weden i, a da'th i mhen i 'te bidde chi'n lico darllen tamed ohono. Dima fi'n mynd ati i gopïo peth ma's i *"Wês Wês Wedyn Wêth"*, ac os ca' i amser, falle hala i damed 'to, ond cofiwch ma' ishe amser jogel, wa'th ma' 'rhen Lamech in sgrifennu in weddol sbagal. Dima fe, i tri mis cinta o 1910 – 'joiwch.

1910

Llun, Ionawr 1	Wêr felltigedig, gwynt o'r îst. Ca'l cino fowr in Plas-heddwch, gŵydd a cig tarw, plwm pwdin a tablen.
Mawrth, Ion 2	Pen tost, effeth i dablen. Mam in 'maco i ma's i neud rwbeth, trw' lwc da'th i'r glaw. Cisgu sbel fach ar dowlad ceffile, godro'n ginnar, bara lla'th i swper a gwely wedyn (Mam yn well 'i hwyl).
Mercher, Ion 3	Llo bach 'da Penwen, un fach fenyw 'fyd, ombeidus o neis.
Iau, Ion. 4	Tewy' damed in well.
Gwener, Ion. 5	Agor trensh in Parc-i-Buarth, wedi cau lan o ffrwcs.
Sadwrn, Ion. 6	Mynd i'r dre â Mam in trap. Jewel mor ddwl â rhaca.
Sul, Ion. 7	Cimundeb – mynd i'r cwrdd bore. 'Rhen Jeremeia in 'i golchi 'ddi, pregethu ar ir helfa bisgod. Fe ddalodd bob pisgodyn wê'n i môr, weden i. Dim in i casglad, hala'r cwbwl in dre dwê. Cwrdd whech – cwrdd gweddi. Casglu at blant heb gatre 'clo, ffeindo whech in i 'moced.
Llun, Ion. 8	Rhewi'n gorcyn.
Mawrth, Ion. 9	Hala dom i Parc-dan-ir-iglan.
Mercher, Ion. 10	Un ddafad dorddu wedi trigo.
Iau, Ion. 11	Ma's in sgwaru.
Gwener, Ion. 12	Bwdlan 'biti'r clôs, cario gwair a phethe. Claddu 'rhen Farged Hafodigoilan in i prynawn. Dwarnod uffachol o wêr. Hen fenyw stambar wê 'rhen Farged, 'fyd.
Sadwrn, Ion. 13	Hen Galan. Mynd i'r Cwm ar gewn Jewel. Swper ffein a digon o dablen. Ffansio Blodwen Cornelucha, winco arni, a jawst i, fe wincodd nôl; addo cwrdd Nos Fercher.

Sul, Ion. 14	Cwrdd prynawn, a 'na gyd (cisgu).
Llun, Ion. 15	Slip i'r shop i hôl baco heb wbod i Mam. Gweld Martha Pant-i-gors wedi pango in gelen ar i ffordd. Ca'l jobyn 'i chodi wa'th wêdd 'i shwt sopen.
Mawrth, Ion. 16	Ffeilu deg gwitho, dishgwil Nos Fercher ca'l gweld Blodwen. Mam in meddwl bo fi'n sâl (a wên i fyd).
Mercher, Ion. 17	Cl'au a sgrafello Jewel, sheino'r harness a rwbo Brasso ar i bwcle. Cwrdd â Blod am saith.
Iau, Ion. 18	Codi'n ffwl stîm, ond hen fenyw Pantyllyffan' in dod i'r clôs – in gweiddi a sgradan bo defed ni in 'i pherci hi. Damo, dim ond brwsyn s'da hi ar 'i thir, 'rhen sachabwnden fel yw hi.
Gwener, Ion. 19	Bwrw eira. Shopa fflŵr a berem i Mam.
Sadwrn, Ion. 20	Dim ond sgimen o eira, wir. Hwch â naw o foch bach a un credidwyn.
Sul, Ion. 21	Gatre trw'r dy'. Rhy wêr i newid.
Llun, Ion. 22	Mam in golchi. Parchg Jeremeia Huws in galw, meddwl bo ni'n sâl (ma' ishe gwaith ar hwnnw 'fyd).
Mawrth, Ion. 23	Whilibowan 'biti'r clôs.
Mercher, Ion. 24	Tarw Penwen in Berllanucha – short-horn.
Iau, Ion. 25	Gwel' Blodwen; roi cusan ar 'i boch; jawst, wêdd hi'n lico 'fyd.
Gwener, Ion. 26	Torri cwêd ffwrna i Mam, bwns ffresh i de.
Sadwrn, Ion. 27	Mynd i'r dre, ca'l amser reit 'da'r hen gloc – sdim iws bod in hwyr i gwrdd â Blodwen. Pyrnu beic-pedlo secondand (£2)
Sul, Ion. 28	Mynd i cwrdd bore. Mam, miwn stampen obiti'r beic, in sgothi'r cifan 'biti'r gegin 'co.
Llun, Ion. 29	'Rhen gredidwyn druan miwn byd arall.
Mawrth, Ion. 30	Ffair Crimych. Gatre in disgu reido'r beic.
Mercher, Ion. 31	Rhedig tir tato – Parc-calch.
Iau, Chwefror 1	Brithen in rhoi cic wrth i fi odro, towlad iawn i'r shodren, in swabar in ganol lla'th a pishwel.
Gwener, Chwef. 2	Dwarnod uffachol o wêr, rhew, eira, glaw, gwynt a stania. Ffeilu mynd i weld Blodwen.
Sadwrn, Chwef. 3	Dwarnod bishi; cered in ddi-ben-draw obiti'r defed. Dadleth.

Sul, Chwef. 4 Mentro i'r cwrdd prynawn ar gewn i beic. Hen gi Jim Llysiwennol in tasgu ma's, ca'l cwdwm, rhico trowser Dy' Sul. Halibalŵ 'da Mam.

Llun, Chwef. 5 Pelîn in achwyn wedi towlad. Cwato'r bwên wrth Mam. Mentro mynd i weld Blodwen. Jewel. Beic in ormod o foi, wir.

Mawrth, Chwef. 6 Ma's ar tir, rhedig tamed.

Mercher, Chwef. 7 Ma's ar tir heddi wêth.

Iau, Chwef. 8 Niwl a glaw mân, carthu catsh isha.

Gwener, Chwef. 9 Mam in ffwrna, i gegin in shwldimwl. Mrs Morgan i ffeirad o bob un in galw, ca'l te in Parlwr bach (ma' Mwrc i ffeirad in gwd hen foi).

Sadwrn, Chwef. 10 Mynd â'r hen Focser i'r efel, ishe pedol nôl arno.

Clawr cyfrol o farddoniaeth o waith Rachel Owen

Sul, Chwef. 11 Cwrdd bore. Cimundeb. 5/- ar i plat.

Llun, Chwef. 12 Fflei ast ifanc wedi dod rhydd, torri'r tshain. Wedi briwo a shangarthan pethe'n ifflon racs.

Mawrth, Chwef. 13 Dwarnod da ar tir, godro'n ginnar. Mam in holi fel cifreithwr: "Lle ti'n mind heno 'to? Wês menyw 'da ti rwle? Wit ti'n ifanc i ddechre caru, cofia, pump-ar-hugen wit ti. Deui di ddim a menyw arall i'r tŷ 'ma cyd bydd in lliged i'n 'gored, cofia! Watsha di hi hunan, machan i, ma' ambell i hen roces felltigedig i ga'l! Wê di Dad druan a finne in ddeg-ar-hugen in priodi, a ceson ni ddigon o amser i ddifaru wêth." Ond mi es i i weld Blodwen 'ta beth, ar i beic 'fyd. Towlu hwnnw i'r claw' a ca'l gwd sbwnad in talcen glowty.

Mercher, Chwef. 14 Codi'n bore bach. Mynd lan â dished i Mam, trio ca'l hi nôl i hwyl (a mi weithodd 'fyd).

Iau, Chwef. 15 Llo bach 'da Cochen, gwryw.

Gwener, Chwef. 16 I cloc in stopo. Howyr bach, 'na 'nibendod. Dim ges o amser cino, dishgwil Post i alw (dim 'te, wir).

Sadwrn, Chwef. 17 Mynd i'r dre, ca'l amser reit, â Mam in trap. Pyrnu cilleth boced erbyn nodi'r ŵyn.

Sul Chwef. 18 Mam a fi in cwrdd prynawn. Stiwdent o Ga'fyrddin, nid drwg i gyd, pregethu ar droi'r dŵr in win. Jwst iddo hala siched arna i. Roi douswllt ar i plat.

Llun, Chwef. 19 Boddi cathe bach in bwced, peder, un ddu, un ddu a gwyn, a dwy dri lliw. Wê trueni 'da fi, wha'th ma'u mam nhw in ligotreg heb 'i hail, ond bidde ishe shwt lot o la'th arnyn nhw.

Mawrth, Chwef. 20 Ca'l llithyr o Rhondda. Tom, cender Mam, wedi 'i ladd dan ddeiar. Stirics mowr am sbel.

Mercher, Chwef 21 Mam in fishi, brwsho, tw'mo, crasu dillad duon. Ni'n dou in whilo a holi amser i traine. Stico neud pob jobyn 'mla'n ca'l mynd i gladdu Tom Dy' Sadwrn.

Iau, Chwef. 22 Meri Godre'r-weun in ca'l babi (crwt), 'i nawfed.

Gwener, Chwef. 23 Mam in ffwrna, neud cace i fynd i Phebi Rhondda. Ceith hi ddim un diolch, hen shabwchen wê Phebi ario'd.

Sadwrn, Chwef. 24 Codi am bedwar (ombeidus o fore). Whys drabŵd wrth odro, bwydo 'rhen gre'duried i gyd, bita dou wi wedi ferwi i frecwast. Dachre am wyth, cered i'r stashon, cawed nes wê ni'n dou in sopas stecs. Angla Tom am ddou, jentelmen only. 'Na'r tro cinta i fi ga'l ing ngalw in enw fel 'na. Mam in aros in tŷ 'da Phebi a Megan a Morfydd, merched Phebi, a lot o fenwotach arall. Gatre 'biti saith. 'Tawn i galler canu busen i'n canu honna "Do's unman in debyg i gatre". Pob cr'adur â'i ben in 'gored a finne wedi blino. Cwmpo i'r gwely a cisgu swp.

Sul, Chwef. 25 Gatre'n gorwe' a cisgu. Mam in cwrdd in mwrno Tom.

Llun, Chwef. 26 Mam in 'hwrnu bo cwêd ffwrna in bring. Torri coeden in Parc-dan-tŷ.

Mawrth, Chwef. 27 Torri tanwent.

Mercher, Chwef. 28 Gweld Blodwen, ca'l gwd hwyl ar garu, nosweth o lapswcho.

Iau, Maw. 1 Dwarnod garw a wêr – dod miwn fel llew, ma's fel wên gobeitho. Cochen at i tarw, wasto amser (ddim in barod).

Gwener, Maw. 2	Wi cwannen i frecwast (cinta 'leni).
Sadwrn, Maw. 3	Wên cinta, un fach ddu, fenyw. 'Rhen ddafad gornog (gwd lwc heddi')
Sul, Maw. 4	Ffan â whech ci bach, pedwar ci a dwy ast. Gobeitho gwerthu nhw, ma' 'i mam in gwd bitsh. Cwrdd whech.
Llun, Maw. 5	Lligoden fowr wedi briwo stond bwyd geir. Hala orie i gwmwyso honno. Cau'r gath 'na heno.
Mawrth, Maw. 6	Cwrdd â Blodwen, ishe fi ddod i'r tŷ i weld 'i mam a'i thad. Palles i, wên i'n shei. Cath wedi dala 'rhen ligoden.
Mercher, Maw. 7	'Rhen ŵydd in dechre dedwi.
Iau, Maw. 8	Hen jipo'n galw, gwerthu sached o rawn ceffile, 6/-.
Gwener, Maw. 9	Dwarnod bach ffein, gwanwyn ar 'i ffordd.
Sadwrn, Maw. 10	Rhoces Twm teilwr in priodi Ben, gwas Brynhelyg.
Sul, Maw. 11	Cwrdd trw'r dy', ryw hen foi o Drewyddel in pregethu (dishmol – hen wyddel wêdd e 'clo, 'fyd).
Llun, Maw. 12	Dou wên 'da'r hen ddafad fowr, un gwryw a un fenyw.
Mawrth, Maw. 13	Sosban gawl Mam wedi mynd in dwll. Bara te i gino.
Mercher, Maw. 14	Cimenu'r iglan. Mynd i garu ar gewn beic. Blodwen in diclish.
Iau, Maw. 15	Pishyn o ric wair in slipo. Cario a stwffo fe i'r wâc. Blino fel ci.
Gwener, Maw. 16	Defed in wyna ffwl-pelt, dou wedi trigo.
Sadwrn, Maw. 17	Ffani'r Hendy in galw, aros ca'l te a swper (hen sopen o gloncen).
Sul, Maw. 18	Ffowlyn i gino. Mynd i cwrdd whech. Jeremeia in pregethu ar i moch a'r cithreuled. 'Dwi'n gwbod faint o'r cithrel sy'n mochyn, cistel ag e.
Llun, Maw. 19	Glyb aflan.
Mawrth, Maw. 20	Shwps o annwyd in tŷ wrth tân drw'r dy'. Ifed dŵr jam cwrens du.
Mercher, Maw. 21	Ddim in dda heddi' 'to. Llusgo ma's tamed bach.
Iau, Maw. 22	Damed in well. Dim whant gw'itho.
Gwener, Maw. 23	Well, tam bach. Pethe'n bendramwgwl, i glowty'n llawn dom.

Sadwrn, Maw. 24 Rhy simpil wsnoth hon i garu.

Sul, Maw. 25 Ofon newid i ddillad cwrdd. Mam in cwrdd, fi gatre, 'neud ffest-i-cibydd i gino.

Llun, Maw. 26 Helpu Mam i gorddi, hwnnw mor ddiffeth â molwaden gloff. Corddi am ddwy awr.

Mawrth, Maw. 27 Mynd i ffair Crimych â Mam i hôl sosban gawl. Pyrnu pisgod 'da Dai Wilson – gwd swper.

Mercher, Maw. 28 Caru. Mynd ar beic. Blodwen miwn gwell hwyl, ar nail wthnos ragor 'te. Ca'l pwnsher.

Iau, Maw. 29 Dwarnod ffein, ma's ar tir.

Gwener, Maw. 30 Dachre llawnu.

Sadwrn, Maw. 31 Llawnu. 'Itha gwir, Mowrth in mynd ma's fel wên. Mynd lawr at Dai 'ngender i gwro pwnsher. Fflirto tamed 'da rhoces Jos i Siop.

The above is a fictitious diary penned by Rachel Owen and deemed to be that of a farm servant, Lamech, who lived with his widowed mother at Cwm-mowr, in 1910. The weather, farm chores, chapel services, a Rhondda funeral and Blodwen, Cornelucha, are among his subjects of interest. Several of these diaries were published in the 'Wes, Wes' series of books, which highlighted the Pembrokeshire dialect.

Local Slate Quarries

There were at one time as many as 16 quarries in the Mynachlog-ddu, Llangolman and Llandeilo district namely Temple Druid, Llandeilo, Llandeilo South, Noble Court, Teilo Vale, Lily, Llyn, Llangolman Farm, Pencraig, Clyngwyn, Dandderwen, Cnwc y Deryn, Gilfach, Llwyn-yr-ebol, Tyrch and Klondyke. Alun John Richards has researched their backgrounds and published his findings in a book entitled *The Slate Quarries of Pembrokeshire*. With the author's permission we reproduce the notes referring to the two most productive quarries, Tyrch at Mynachlog-ddu and Gilfach on the outskirts of Llangolman.

Gilfach Quarry, Llangolman

By far the largest and most successful of the eastern Cleddau quarries which reputedly dates from the 16th century. Slate from this area was shipped from the nearby Blackpool quay at that time but it cannot be specifically linked to this quarry. It is claimed that it supplied some of the roofing when the Houses of Parliament were rebuilt in the 1830s.

It may have been idle when it was leased in the mid 1860s by a Mr Goodwin, a Whitland architect. It was said in 1866 that a 'tough, durable slate' was being produced which, it was dubiously claimed, 'fetched nearly double North Wales prices'. It clearly flourished, the early workings near the river bank being abandoned and development made eastward, with a tramway from the working to the river bank where dressing sheds and other buildings were erected. There was also a subsidiary working, Bach, a little to the south which also had buildings and a short tramway.

In 1875 a dispute over tipping on adjacent Garn land indicates it was then being worked by W. H. Yelverton; but by the late 1870s it had succumbed to the slate slump and rail-borne competition. The press reported in late 1880 that Gilfach was 'now changing hands, with a view to working on a large scale and constructing a railway to the Maenclochog Railway 4 miles distant, for which wayleases have been obtained'. This reference is obscure but might indicate that moves were being made by Muscott of Dandderwen, as it is believed that his Whitland Abbey Company of 1883 did take an interest in this site. By 1890 the quarry had been inactive for some time and the lease was for sale.

In 1896 with the slate market improving, but Rosebush being beyond hope of revival, Alfred Pritchard bought the lease, relaid the rails, installed dressers (probably from Rosebush) and reopened with some of his ex-Rosebush men. In spite of the rock being slightly different on this, the Carmarthen side of the river, he hijacked the name 'Whitland Abbey Green Slate Quarries', from the then moribund Dandderwern.

Pritchard's aunt had married into the Davies family of Porthmadog. His cousins, Jonathan and Richard Davies trading as Davies Bros., were large and influential slate merchants as well as having interests in several Blaenau quarries, so it was natural that Pritchard should seek their help in peddling his wares.

By the early 1900s the 'Whitland Abbey' name having been dropped, Precelly Green', was a well established speciality product. Additional skilled labour was found by recruiting from among Penrhyn men made idle by the 1900-1903 stoppage there. Two galleries were developed, each with tramways, and by 1906 60 men were producing well over 2,000 tons p.a.

Quarrymen at Gilfach in 1906

In 1907 Davies Bros., now headed by Jonathan's son Ithel, won the contract for the supply and laying of slates for Bangor University. The architect having specified 'South Wales' slate, Gilfach material was offered. This caused a storm of protest, which was understandable since several Caernarfonshire quarry owners and indeed the north Wales quarrymen themselves, many of whom were by now unemployed, had contributed generously to the college's foundation. Davies Bros. wishing to avoid antagonising their north Wales suppliers, were minded to withdraw, but incensed by allegations of poor quality of Gilfach product made by the north Wales producers, went ahead with the contract.

The furore, which rumbled on for years, was widely reported in the London press. This publicity made 'Precelly Green Slates', now registered as a Trademark, nationally known, and resulted in slate irom this hitherto obscure hole in the ground being specified for a number of prestigious buildings throughout Britain.

Unfortunately the benefit was not immediate, and in fact in 1908 tonnage was down to little more than 1,000 and manning had to be cut to 49.

By 1910 sales of 'Sized' slates had been abandoned, all being offered in Lake District style as Randoms and Peggies. Sold by the ton in mixed widths, they were classified in lots according to maximum and minimum length. 'Green' slates were classified as Light, Dark, Bright, Olive & Khaki, graded as 'Best' and 'Second Bests'. Slates of mixed colour were sold as 'Rustics'. Slates of ¼" thickness were called 'Ordinary Thickness', those of 3/8", 'Specially Thick'. F.O.R. prices ranged from 87/6 (£4.37) per ton down to 45/-. This move out of 'Sizes' not only gave a substantially enhanced revenue per ton, but also reduced slate-making costs. This undoubtedly helped them to ride out the continuing bad times which by 1912, cut output further and saw manning down to 35.

In 1913 trade picked up, prices were advanced by over 10%, but before the recovery had fully taken hold, the outbreak of war in 1914 led to a collapse into closure.

In 1919, Pritchard and Davies reopened, forming the Precelly Green and Rustic Slate Company with a capital of £5,000. They sold the quarry to the new company for £2,100. Davies had the controlling interest which, following Pritchard's death shortly afterwards, became sole ownership.

In the immediate post WW1 years when even Pembrokeshire County Council was rejecting the local product as too costly, Gilfach was awarded several lucrative contracts by Government Departments. These included in 1919 60 tons of Rustic Peggies 8" to 12" long for the Guildford Housing Scheme.

Davies successfully rode out the 1922 slump which followed the post-war boom and in 1925 bought Gilfach Ddofn farm, ridding the company of royalties. This gave it ownership of the tiny Gilfach Ddofn digging but it was not worked. Later that year P. F. Campbell who was now working Tyrch quarry, offered to buy Gilfach, but he wisely jibbed at Davies' £16,000 estimate of its worth.

By now strict adherence to Lake District classifications had been abandoned, all roofing product being sold 'Randoms', but still priced in numbered groups according to maximum and minimum sizes. 'Green' slates were classed as 'Bests', 'Second Bests' and 'Stout'. The latter term be appropriate as they were ¾" thick!

Throughout the 20s and 30s almost 30 men were kept in steady employment and although they only produced around 700 tons p.a., almost every year showed a modest profit – a record that very few other quarries could match. In 1931 a haulage incline powered by a Commer lorry engine replaced the tunnel access to the main working, the tunnel remaining as a drain. Fuel for the engine and a portable air compressor were almost the only non-wage outgoings apart from cartage to Llanglydwen station. For this, one contractor with a lorry was paid by the ton/mile, the other up to 1936, had a team of two horses, on a daily retainer of 12/- (almost as much as Hugh Hughes, the Manager was earning!)

Quarrymen at Gilfach in the mid-1920s.

Not having a blacksmith, the men sharpened their own tools and Hughes had difficulty in getting them to correctly re-form cruciform bits for the pneumatic drill. In 1936, in apparent desperation, a bit was sent to Oakeley quarry in Blaenau Ffestiniog for sharpening. Oakeley charged 13/8 (68p) plus 1/3 (6p) carriage (and added 1/- (5p) to the bill for telephone calls!)

At this time their promotional literature named over one hundred public buildings roofed with Precelly slates and cited as customers, government agencies, local authorities and banks.

By 1939, when many prestigious quarries had fallen into bankruptcy, Ithel Davies still maintained a steady and modestly profitable pace as virtually the sole south Wales producer. His payroll of 39 was only exceeded by about a score of slate quarries in the whole country, a remarkable achievement, particularly when using technology little changed from that of the 18th century. It is also remarkable that in the late 1930s, Davies was able to retain his workforce in competition with better paid and lighter work at Trecwn Armaments Depot.

Production ceased in 1940, but sales continued from stock and from neighbouring closed quarries such as Tyrch, selling the Best Randoms at up to £10 per ton. In 1941 they bought (for £30) Tyrch's two saw tables and a saw sharpening machine, but declined to buy either of the two oil engines offered. It appears that the saws were never installed.

In 1947, Ithel Davies having died, the quarry including a cottage and a manager's house was bought by Mr Plosker, a Swansea Draper. He did not work it and in 1954 Glyn Absalom took over and incorporated it with his Pembroke Slates operation at Cnwc y Derin.

Using a fork truck and digger, he produced roofing slate which was trimmed with a Lister powered dressing machine. Other unpowered dressers were on site but not normally used. A second Lister generated 110v electricity to power the disc cutter used for sawing slab. Contracts were secured for several important buildings, including the Victoria & Albert Museum and Aberystwyth University as well as the Gogerddan Plant Breeding Station and the Esso refinery at Milford Haven. Slab for ornamental and sculptural purposes was also produced as well as fireplaces etc. One of their last major contracts before disposing of the site in 1987 was for cladding the control room, valve tower and entrance way for the Llys y Frân reservoir.

The quarry is now in the hands of an owner who bought it mainly for his own private use.

The early riverside operation has been tipped over and bulk worked. The newer site to the north east comprises a lofty face, deepened into a pit, having some evidence of gallery working with rubbish runs off. There are vestiges of the tunnel and at the head of the incline which superseded it, is the base for the haulage engine. There are the formations of several tramways, which as in most small quarries, never entirely displaced wheelbarrows.

Nearby is an office and a CGI machinery building and also the ruins of a smithy. There are traces of other buildings including dressing sheds.

A few yards to the south is the little Bach pit, now blocked by subsequent tipping which covers the site of its buildings and most of the short tramway. The little Gilfach Ddofn pit has been filled and of a tiny riverside working called Cwar Glas, nothing is known.

Up to c1990 there was a short length of 6' gauge track in the dressing area. Whilst it would be highly speculative to identify this as the remains of a powered sandsaw, the ditch which skirts the southernmost tips is shown on a mid 19th century map as 'Tailrace for watercourse', which gives rise to the possibility of power sawing having been used at an early date.

Cware Tyrch, Mynachlog-ddu

It is probable that the Foel Dyrch quarry leased in 1780 by William Marsden of Llanglydwen at a royalty of 6d (2½p) on each 1,000 slates or flags raised was the Lower site (145294 grid reference). The earliest record of the Upper site, a little pit high on open hillside, is that it and possibly also the tiny trial at 152297 were being worked by Thomas Griffith in 1798.

The history of both the Upper and the Lower is obscure until the 1860s, when both were being worked by the Turke Quarries Slate & Slab Co., in which John Davies had an interest. The manager was James Charles and it was probably they who first installed water-wheel powered sawing at the Lower site, taking over an ancient flour mill. Local legend has it that over one hundred men were employed, but this is highly unlikely. Although the press reported in 1864 the customary 'extraordinary demand', the company was wound up in 1868, but John Davies still had a hand in things in the 1870s.

Workers at Tyrch Quarry in 1920

Succumbing to the late 1870s slump, both sites became idle. They were bought by John Muscott of Dandderwen around 1890 who seems to have let them to a syndicate of 4 workmen, Sam Tudor, Thomas Evans, Griffith Evans and Dan Nicholas. In 1895 F. J. Sellick took over, forming the Tyrch Silver Grey Slate Co. in 1899, with G. B. Thomas managing. Up to 30 men were employed, most if not all at the Lower quarry, diverting the road to allow development and re-aligning the river to expand the working area. They closed in 1908 when they were down to 5 men, Thomas having left to manage Cefn at Cilgerran. Alfred Pritchard of Gilfach bought up the unsold stock.

Shortly afterwards H. L. Lewis reopened the Lower quarry as Tyrch Quarry Co., with James Jeffs managing. They offered Enamelled Slate which they presumably bought in. They closed about 2 years later.

Peter Forbes Campbell (later M.C. J.P.), a native of Manchester, moved to the area to take up potato farming. Having married into the much slate-involved Muscott family, he re-opened the quarry in 1921 trading as P. F. Campbell. He re-equipped the Lower quarry where up to 40 men were employed and used the Upper as an occasional source of rock. The water-powered mill was abandoned, the 16.5 hp Lunedale turbine by Gilkes of Rendall operating at 233 rpm on a 13' head, which Sellick had installed, was used to drive a generator. The two saws were powered by an 8 hp Diesel engine in a new brick structure. A 50hp oil engine drove a compressor. As the lower working had deepened below the level of the access tunnel through the road embankment, presumably pumping was required, details of this have not been ascertained.

He vigorously marketed the 'Silver Grey' slate from the Lower quarry as a premium product, as well as some 'Green', 'Rustic' and slab from the Upper.

Tyrch Quarry in its heyday

Like his main competitor Gilfach, he was selling 'Randoms' in mixed sizes grouped according to maxima and minima, which in 1923 were listed at prices ranging from £9 down to £2 per ton, but unlike Gilfach, his main trade was in Sized slates. For these he asked, for example, £42 per 1,200 for 24 x 12s down to £4 for 10 x 6s. Although their thickness of 1/4" corresponded with second or third grade north Wales slates, Tyrch's prices were up to 15% more than north Wales Bests. Unusually for the time a pre-holing service was offered, charged at from 10/- (50p) to 12/6 (65p) per ton. Also listed was Crazy Paving, 2" thick @ £1 and 1½" @ £1 and 1½" @ £1/5/- (£1.25) per ton.

By 1924 total output settled down to a fairly steady annual tonnage of just under 400 which was maintained through the late 1920s and early 1930s, but by the mid 1930s output was down to little more than 200 tons, not enough to cover the payroll of almost 20.

All sales were now in lotted mixed sizes; marketed as 'Tyrch Slates', graded according to thickness, 'Bests' being 1/4", 'Seconds' 3/8" and 'Thirds' ½" and as well as 'Silver Grey', 'Mottled Grey' 'Green' and 'Rustic' were offered. In 1936, prices for these ranged from £9/10/- (£9.50) per ton down to £4/10/- (£4.50). The next year they were advertising prices in terms of area covered at 3" lap; which ranged from 7/- (35p) to 9/- (45p) per square yard, competitive with Lake District ofierings, slightly dearer than sized slates from north Wales but much dearer than imports.

Like much Gilfach product, 'Tyrch Slates' had the top corners cropped in Lakeland style, which slightly reduced weight and could give a larger yield from a block.

Crazy Paving was still listed either in 1-1½" or 1½-2" thickness, all priced at 10/- (50p) per ton. Marketing literature showed eminent architects such as Sir Reginald Bloomfield and Sir Charles Gilbert Scott as specifying Tyrch slate for numerous public buildings, schools, churches etc. throughout Britain.

In 1938 sagging sales had a big boost when the order was obtained for the roofing of the new County Hall at Carmarthen, which with its large, steeply pitched roof accounted for much of the 300 ton output for the year. It is possible that concentration on this important contract caused them to neglect their routine customers, as shortly after its completion lack of orders forced closure.

Y Badell Pwdin Reis

May Morris

Cefais fy magu yng Nghwmisaf, o dan yr eglwys, ym mhlwyf Mynachlog-ddu, yn ystod y 1920au a'r 1930au. Roedd fy nheulu'n cadw melin wlân yno ac mae'r carthenni a wnaed yno yn dal gen i ar fy ngwely. Er fy mod wedi byw nawr yn Meridien, ger Coventry, yng Nghanolbarth Lloegr, er 1941, pan oeddwn i'n bedair ar hugain oed, rwy'n dal i feddwl am Fynachlog-ddu fel fy nghartref a does dim wythnos wedi mynd heibio heb fy mod yn cysylltu â rhai o'r hen ffrindie a pherthnase.

Nôl yn yr hen ddyddie roedd pob ardal yn blwyfol iawn heb fawr o drafaelu a byddem yn dibynnu ar dair oedfa ar y Sul yn Bethel, yr ysgol ddyddiol, a chyfarfodydd yn y Festri ar hyd yr wythnos er mwyn cwrdd â'n gilydd. Byddai E. T. Lewis, y prifathro – a oedd yn fonheddwr o ddyn – yn cynnal grŵp drama yn yr ysgol. Byddai'r *Band of Hope* neu'r Gobeithlu wedyn, ar gyfer y plant, yn cyfarfod yn y Festri a byddai sawl ysgol gân yn y capel i baratoi erbyn y Gymanfa Bwnc ar y Sulgwyn. Rhywbeth yn debyg oedd hi ymhob ardal a chyda phob enwad wrth i'r gweithgareddau droi o amgylch y capel.

Byddem yn dod i adnabod pobl o ardaloedd eraill yn y Cymanfaoedd trwy eu cysylltu â gwahanol gapeli. Yr unig Gymanfa fyddai'n denu cantorion o bob enwad oedd y Gymanfa Ddirwest pan welem bobol Maenclochog, Llandysilio, Gelli a Llanddewi yn cymysgu gyda phobl Mynachlog-ddu. Mae gen i bictiwr clir yn fy meddwl o hyd o glywed canu "I bob un sy'n ffyddlon"; dwi'n gweld Arthur Williams, Maenclochog a John Morris, Pensarn, Rhydwilym, yn morio canu ar ffrynt y galeri gyda'r baswyr, y naill yn whampyn o ddyn a'r llall yn bitw fach. Roedd cartŵn yn y *Daily Express* cyn y rhyfel o ddau gymeriad o'r enw Cyrnol Up a Mr Down ac roedden nhw'n debyg iawn i'r ddau ar y galeri. Mae gen i gof da hefyd o Mr Thomas, Castle Hotel – 'Brenin Maenclochog'.

Roedd fy ewythr, Bill George, yn cadw'r 'Railway Stores' ym Maenclochog yn gwerthu tipyn o bopeth yn fwydydd i'r teulu ac i greaduriaid. Am fod pawb yn pobi bara'r adeg hynny byddai'n gwerthu llawer o flawd a fflŵr. Roedd Wncwl Bill yn byw gyda 'mam-gu Plasdwbwl' (Mari George), hynny yw ei fam, mewn byngalo ar glos Allt-y-gog, Mynachlog-ddu, lle'r oedd ei chwaer, Martha, a'i frawd-yng-nghyfraith, Ama Owens, yn byw hefyd.

Yn ystod y 1930au, cyn cyfnod yr Ail Ryfel Byd, byddai llawer o 'gerddwyr y ffordd fawr' yn galw heibio Cwmisaf; doedd dim iws eu galw'n dramps. Deuai Twm Martha Fach o Faenclochog a bydde Ben Abergweun, a arferai fod yn deiliwr, yn siŵr o alw am fod mam-gu'n hanu o Gwmgwaun. Un arall wedyn oedd Twm 'Barrels' a fyddai'n galw ymhob tŷ yn cynnig cyweirio ymbrelas. Ond y ffefryn oedd Twm Shot o Sir Aberteifi 'yn cered yr hewl' yn yr haf ond yn mynd nôl i gyfeiriad Llanybydder, dwi'n meddwl, yn y gaeaf.

Mae gen i gof clir hefyd o garafán yn cael ei gosod dros y gaeaf ar bwys croesffordd Plas-y-blodau lle byddai Mrs Evans a'i phlant yn cartrefu. Byddai'n galw ymhobman â'i basged ac yn begian am wair i'r ceffyl a thato a llysie iddyn nhw. Roedd ganddi ddwy ferch hyfryd o'r enw Annie a Jenny a chrwt bach hefyd er na weles i erioed mohono. Yr hyn oedd yn hynod am Mrs Evans oedd ei bod hi'n smoco pib â'i llond hi o dybaco *Ringers Shag*. Byddai pawb yn gwybod o ba gyfeiriad fyddai'n dod o ddilyn y cymyle mwg; byddai'n treulio bob nos Sadwrn yn nhafarn Glandy Cross.

Ffatri Wlân Cwmisaf yn nyddiau Ben John

Dyna chi beth rhyfedd, ar ddydd fy mhriodas i a Griff yn Bethel ar Awst 14, 1941, pwy oedd ar y galeri ond Annie a Jenny. Rhaid dweud fy mod i'n hoff iawn o'r ddwy ferch a Mrs Evans ac fe ges i badell digon mawr i wneud pwdin reis i'r ddau ohonom yn anrheg priodas ganddyn nhw. Hwnnw oedd y tro diwethaf i fi eu gweld nhw.

Dwi'n ddiolchgar iawn am yr atgofion sy gen i ac fel y bydde Twm Shot wastad yn dweud wrth dderbyn pob haelioni, 'o, na dda nawr', a bydde llawer o bobl yn ei ddynwared yn dweud hynny.

May Morris moved to Meridien in the Midlands in 1941, when she was 24 years of age, with her husband, Griff, to work in the manufacturing industry. But hardly a week has gone by since then when she hasn't spoken to her friends and relatives in the area. She was brought up at Cwmisaf, near the parish church at Mynachlog-ddu, where her family had kept a woollen mill. She still has an overblanket made at the mill on her bed.

She relates that life was very parochial in the 1920s and 1930s as almost all social interaction evolved around the three Sunday services at Bethel, the daily school and week-night meetings in the vestry. The headmaster, E. T. Lewis, organised a drama group, there was the Band of Hope and regular singing practices prior to the Whitsun Pwnc Festival.

The various chapel singing festivals were a means of meeting people from other areas particularly the Temperance Festival when members of all denominations would join in the singing. She well remembers two deep voiced choristers, Arthur Williams and John Morris, on the gallery as they reminded her of two cartoon characters in the 'Daily Express' at the time, Colonel Up and Mr Down, as one was large and the other small.

Many 'gentlemen of the road' would call at Cwmisaf during the years before the Second World War; Twm Martha Fach, Ben Abergweun, Twm Barrels and Twm Shot. The latter apparently hailed from the Llanybydder area and would return there over the winter months.

She also clearly remembers the gypsy lady, Mrs Evans, and her daughters, Annie and Jenny, who would set up a winter camp near Plas-y-blodau. Mrs Evans would smoke a pipe and everyone would know she was on her way by following the cloud of smoke. They would sell their basket wares and beg hay for the pony and vegetables for themselves. Mrs Evans would spend Saturday nights in the Glandy Cross pub.

When May and Gruff married at Bethel Chapel, who should be in the gallery but the two daughters and the Evans family gave them a treasured wedding present of a pan large enough to bake rice pudding. She never saw the gypsy family after that day. Nonagenarian May says she is grateful for all her memories of Mynachlog-ddu.

Gruff and May on their wedding day in 1941

Ysgol Mynachlog-ddu School

Sgolor

Caewyd Ysgol Gynradd Mynachlog-ddu yn 1995 ar ôl 125 o flynyddoedd o wasanaeth i'r gymuned. Barnwyd ar y pryd fod cyn lleied o blant yno a fawr o obaith o weld y nifer yn cynyddu fel mai doethach, er lles addysg y plant, fyddai ei chau ac anfon plant y dyfodol i ysgolion cyfagos Crymych a Maenclochog. Deg o ddisgyblion oedd ar y gofrestr pan wnaed y penderfyniad i gau ac erbyn y diwrnod olaf un, ar ddiwedd tymor yr haf, dim ond pump oedd ar ôl, o dan ofal y brifathrawes, Eilyr Thomas. Y pum plentyn olaf oedd Joe a Ruth Tebbett, Dave Dearden, Kylie Watts a Francesca Rowley.

Yn yr adeilad a adwaenir fel Festri Bethel y cynhaliwyd yr ysgol ddyddiol – Bethel British School – o 1870 tan Hydref 1903 pan symudwyd i adeilad pwrpasol yn ochr Clun. Cyn 1870 deallir bod yna ysgol ddyddiol yn cael ei chynnal yn eglwys y plwyf gan ŵr o'r enw John Morris a oedd yn gredwr cryf mewn defnyddio'r wialen fedw.

Y pum disgybl olaf ar y diwrnod olaf – Jac a Ruth Tebbett, Dave Dearden, Kylie Watts, Francesca Rowley a'r pennaeth Eilyr Thomas.

Mae darllen llyfrau log y dyddie cynnar yn ddadlennol o ran natur yr addysg, arferion cymdeithasol yr ardal ac yn fwy na dim o ran effaith y tywydd. Ymddengys fod presenoldeb y plant yn gwbl ddibynnol ar ansawdd y tywydd. Mynych y sonnir am gau'r ysgol oherwydd glaw ac anfon plant adref am eu bod wedi gwlychu. Roedd salwch yn ffactor arall a gadwai'r plant adref a byddai ambell salwch difrifol yn arwain at gau'r ysgol am gyfnodau meithion. Pryd bynnag y byddai yna Gymanfaoedd yn lleol yn gysylltiedig â Bethel byddai'n ddiwrnod o wyliau o'r ysgol. Ar un adeg ni fyddai'r plant yn mynychu'r ysgol ar ddiwrnod Hen Galan chwaith. Roedd dilyn Ffeiriau yn hytrach na mynychu ysgol yn rheidrwydd i laweroedd.

Gwelir rhwystredigaeth y prifathrawon yn brigo i'r wyneb weithiau o ddeall y byddai'r bechgyn hynaf yn gyson absennol ar adeg cynaeafau. Rhoddir yr argraff nad oedd y rhieni oll yn rhoi llawer o bwys ar anfon eu plant i'r ysgol chwaith. A doedd yr athrawesau cynorthwyol fawr gwell na rhai o'r plant o ran eu presenoldeb na'u prydlondeb ar adegau. Doedd hi ddim yn hawdd cyflawni gofynion unrhyw faes llafur.

Un o'r prifathrawon, Ben Williams

Cedwir y llyfrau log yn Archifdy Sir Benfro, yn Hwlffordd, ond, yn anffodus, ni chaniateir darllen y llyfrau sy'n dyddio o 1934 tan 1995, ar hyn o bryd. Mae hynny'n biti oherwydd yn 1933 y penodwyd E. T. Lewis, brodor o Login, yn brifathro, ac a fu yno yn fawr ei ddylanwad am 30 mlynedd. Ymhlith ei ddisgyblion roedd Lloyd Davies, Fferm y Capel, a roddodd deyrnged haeddiannol iddo ar achlysur cau'r ysgol: "Mae dyled ein cenhedlaeth ni yn amhrisiadwy i'r gŵr hwn. Gwasanaethodd yr ysgol a'r ardal am flynyddoedd maith heb gyfrif dim o'r gost," meddai.

Yn sicr, byddai darllen cofnodion E. T. Lewis yn agoriad llygad o ran datblygiad yr ysgol o dan ei ddwylo yntau gyda chymorth Tonwen Adams. Hwn oedd cyfnod gweithgarwch yr Urdd o ran steddfota, a phob math o weithgareddau a oedd yn cryfhau Cymreictod, o gymharu â diffyg Cymreictod y gyfundrefn addysg ar droad y ganrif. Yr un mor ddadlennol fyddai darllen cofnodion Ben Williams, olynydd E.T., ac yn ddiweddarach, yn ystod y pymtheng mlynedd olaf o dan deyrnasiad Eilyr Thomas.

Yn Saesneg yr ysgrifennwyd y cofnodion cynnar a hynny yn ei dro yn adlewyrchu'r ffaith mai'r Saesneg ac nid y Gymraeg oedd prif gyfrwng y dysgu. Ymddengys hynny'n hurt heddiw o ystyried mai Cymraeg oedd iaith gyntaf pob un o'r disgyblion. Ond doedd dim llyfrau gosod Cymraeg ar gael, wrth gwrs, ar gyfer y prif bynciau, a pha ryfedd fod y disgrifiad *'backward'* yn cael ei ddefnyddio i gyfeirio at rai o'r plant yn fynych.

Mae cefndir rhai o'r prifathrawon hefyd yn ddiddorol. Dyna chi J. R. Jones o Drefdraeth a benodwyd yn 1901 ac a ddioddefai o salwch byth a hefyd. Os nad oedd *fflebitis* yn ei gadw o'r ysgol yna roedd *catarrh* neu *thrombosis* yn ei boeni. J. Edwal Williams oedd y nesaf a ddaeth o Ysgol Prendergast, Hwlffordd, yn 1911. Yn sicr os yw llawysgrifen yn unrhyw adlewyrchiad o natur dyn, yna, mae'n rhaid bod safon yr addysg a gyflwynwyd gan J. Edwal, tad Waldo, yn ystod pedair blynedd ei deyrnasiad wedi bod yn nodedig. Yn ogystal ag ysgrifennu'n ddestlus roedd ei sylwadau hefyd yn finiog. Mynnai fod rhai o'r disgyblion disgleiriaf yn sefyll arholiad ar gyfer mynediad i Ysgol Sirol Arberth. Llwyddodd ei ferch ei hun, Morvydd, yn eithriadol gan sicrhau 525 o farciau o'r 600 posib.

Dyna chi'r prifathro nesaf wedyn, J. Henry Davies, a fu'n athro yn Kensington, Llundain; Severn Road, Caerdydd a Machen, ger Caerffili. Roedd

W. J. Phillips wedi bod yn dysgu yn Ferndale, yn y Rhondda, pan gafodd ei benodi yn 1919. Cafwyd cyfraniad gan ei ferch, Anne Gruffydd Richards, ar gyfer y llyfr hwn, sy'n sôn yn annwyl iawn am eu pedair blynedd yn yr ardal. Brodor o Gilgerran oedd W. J. Parry a fu'n brifathro o 1925 tan 1933.

Mae ambell gofnod yn dal sylw ac yn cyffroi'r dychymyg. O ystyried yr absenoldeb a oedd yn rhemp nodir nad oedd Emlyn John, Dolaunewydd, wedi colli'r un diwrnod o ysgol rhwng 1924 a 1930. Treuliodd yntau ei yrfa yn ddiweddarach yn weinidog gyda'r Bedyddwyr ar Ynys Môn. Ac mae'n rhaid bod John Edwal wedi nodi gyda chryn falchder fod y Parchedig Dr Thomas Rees, Prifathro Coleg yr Annibynwyr, Bangor, wedi galw heibio ym mis Medi 1912. Roedd Tom Blaen-cwm wedi mynychu'r *British School* rhwng 1878-80. Mae'n rhaid mai'r ysgolhaig a'r diwinydd oedd y cyn-ddisgybl mwyaf nodedig tan hynny. Ond fel y dywedodd Lloyd Davies wrth gloriannu Ysgol Mynachlog-ddu roedd yr addysg ar gyfer pawb: "Rhaid cofio hefyd am y plant hynny a gafodd eu hunig addysg yn yr ysgol hon ac a arhosodd yn yr ardal i fod yn bileri'r gymdeithas yn y plwyf a'r capel. Ganddynt hwy y mae allwedd dyfodol ein cymdeithas yn ardal Mynachlog-ddu."

Y disgyblion yn 'Ysgol y Festri' yn 1890

Mynachlog-ddu Primary School was closed in 1995 following 125 years of service to the community. It was decided at the time, as there were so few pupils on the register, and little likelihood of a substantial increase in numbers it would be wise, for the sake of the children's education, to close, and send future children to either Crymych or Maenclochog schools. Only ten pupils were on the register when the decision to close was made, and by the time the last day approached only five remained, under the tutelage of Eilyr Thomas. The last five were Joe and Ruth Tebbett, Dave Dearden, Kylie Watts and Francesca Rowley.

The initial school was held in the building now known as Bethel Vestry, where a day school known as the Bethel British School ran from 1870 until Autumn 1903, when it was moved to a purpose built building near Clun. Before 1870 a day school was held at the parish church, kept by a man called John Morris, who was a firm believer in corporal punishment.

Reading the logbooks for the early years reveals a great deal about the nature of education at the time, the social manners of the area, and the effect of the weather on the children's education. It appears that the presence of the pupils was almost wholly dependent on the vagaries of the weather. The school was often closed because of heavy rain, and pupils were sent home when they arrived drenched to the skin. Poor health was another factor that kept children at home, and epidemics meant school closure for several weeks. Festivals associated with the local Bethel Chapel meant a day's holiday for the pupils. At one time the children were kept home to celebrate *Hen Galan* (The Old New Year's Day) as well. Attending Fairs rather than attending school seemed a must for the majority of scholars.

The frustration of head teachers can be clearly seen at times when the older boys would be kept home to help with all the harvests. It appears that not all the parents took their responsibility of sending their children to school all that seriously either. And even the supporting teachers were not much better than their pupils for their attendance and punctuality. Delivering the basic essentials of the curriculum was no mean task.

The logbooks are kept in the Pembrokeshire Archives, in Haverfordwest, but, unfortunately, those kept after 1934 are not available for public scrutiny presently. Such a pity because E. T. Lewis, a native of Login, was appointed head teacher in 1933, and over the next thirty years his influence on several generations of pupils was immense. Amongst his pupils was Lloyd Davies, Fferm y Capel, who paid a deserving tribute to E.T. on the occasion of the school's closure: "Our generation's debt to this man is immeasurable. He served the school and the neighbourhood for many years without ever contemplating the cost."

Undoubtedly, reading E. T. Lewis' comments would shed light on the school's development under his guidance, with the aid of Tonwen Adams. This was the period of the tremendous Urdd activity, especially on the Eisteddfod stage, and numerous other activities as well that strengthened the sense of Welshness, as compared to the distinct lack of Welshness in the early years at the turn of the century. It would be just as revealing to read the logbooks kept by Ben Williams, E.T's successor, and during the fifteen years of Eilyr Thomas's tenure.

The early logbooks were kept in English, which itself mirrored the fact that English and not Welsh was the main medium of instruction. Such a situation seems absurd today on realising that Welsh was the first – and only – language of all the pupils. But, of course, there were no set books available in Welsh to teach the majority of subjects. It was no surprise that the term 'backward' was often used to describe some of the pupils.

The background of some of the head teachers is interesting. J. R. Jones, from Newport, on the other side of the mountain, was appointed in 1901 and was forever suffering some ailment or other. If it wasn't phlebitis that kept him from school then it was catarrh or thrombosis. J. Edwal Williams, who was previously head teacher of Prendergast Boys School, Haverfordwest, was J. R. Jones' successor in 1911. If a man's handwriting should be a reflection of his personality, then the standard of education provided by J. Edwal, Waldo's father, must have been exemplary during his four years tenure. As well as writing neatly his comments were also incisive. He insisted that the most able scholars sat the entrance examination to Narberth County School. J. Edwal's daughter, Morvydd, succeeded with distinction as she obtained 525 marks out of a possible 600.

Pupils of Mynachlog-ddu School at the Vestry in 1897.

The next head teacher was J. Henry Davies, who had previously taught at Kensington, London; Severn Road, Cardiff and Machen near Caerphilly. W. J. Phillips taught at Ferndale, in the Rhondda, when he was appointed head teacher in 1919. His daughter, Anne Gruffydd Richards, contributes to this volume with her warm memories of the family's stay in the neighbourhood. W. J. Parry, a native of Cilgerran, was the head teacher from 1925 until 1933.

The odd comment commands attention, stirring the imagination. On considering that absenteeism was such an issue it is worth noting that Emlyn John, Dolaunewydd, never missed a single day of school between 1924 and 1930. He later spent his entire career in the ministry with the Baptists on Anglesey. And John Edwal must have noted with pride the occasion when the Rev Dr Thomas Rees, Principal of Bangor Independent Theological College, called by in September 1912. Tom Blaen-cwm was a pupil at the British School between 1878 and 1880. The academic and theologian must have been the most notable ex-pupil at that time. But as Lloyd Davies said, on evaluating the contribution of Ysgol Mynachlog-ddu, the education on offer was there for everybody: "We must also remember those pupils whose education was confined to the local school, and who remained in the neighbourhood to be the pillars of their community within the parish and chapel. It is they who hold the key to the future of our community in the Mynachlog-ddu area".

H.M. Inspector's Report 1901 – Mynachlog-ddu Bethel Board School

There has been a change in the mastership lately. The work seems to be on the whole very fair. The building is in a very bad state and it is much to be regretted that the School Board has not even begun to build a new school. No further grant will be paid to the school in the present premises. A separate communication is being addressed to the School Board with regard to the provision of the new buildings.

Staff: Josiah R. Jones Certificated, Winifred Priscilla Jones (Art 68), Anne Llewellyn, Sewing Mistress.

January 17 1902 — Average attendance 46.3. There is no end of holidays and feasting with the farmers here, and many of them keep their children home, visiting one another's houses, hence the poor attendance this week. Three girls in first class left school this week. Two of them having finished and the other on account of continued illness of mother and not likely to return for some time. Very wet on Monday especially in afternoon when very few put in an appearance and registers were not marked in afternoon. 26 were present in morning. Many did not return for afternoon.

January 24 1902 — Average 53.2. I have just had an intimation from the father of Mary Blodwen Jenkins – who is a monitress at present – that she wishes to be a teacher and to present her as a candidate near March (or April). He left it late before telling me as time is short for preparing her.

H.M. Inspector's Report 1902

The school continues to be taught under considerable difficulties. The work of the children varies greatly in the different classes. The younger children are exceedingly well taught, but the work of the older children lacks thoroughness and intelligence. Discipline and general tone should improve. No attempt has been made to keep syllabus and record books. The suggestion made at the visits of inspection should receive careful attention from the Master, and the School Board should see that there is no negelct of any of the work. The Board of Education will expect to receive a better report next year.

No grant is payable under Article 105 of the Code since H.M. Inspector is unable to report that the school is well taught or the staff efficient within the meaning of that article. In view of the fact that a new school room is being built, and on the understanding that the work is being pushed on as rapidly as possible, the Board of Education consent to pay the grant this year in spite of the remarks made in the previous report. The School Board are reminded that they have not yet answered the letter of the Board of Education dated 30th December 1901. W. P. Jones is recognised under Article 68.

Tuesday, May 24 1904 – Very wet morning. No school. Not a single boy attended, and only two girls but were dismissed at 10.

May 27, Friday – Average attendance 39.1. Only 24 attended on Wednesday. Singing Cantata 'John Bull and his Trades' was practised each day this week at the end of the sittings.

June 3, Friday – Average 43.9. There was no school on Wednesday. The Annual Meetings at Bethel were held on that day. The weather is now fine, and the attendance is very low considering the weather.

June 10, Friday – Average 42.1. One cause of the low attendance this week was the unexpected death of the father of five children attending this school and the brother of three other children. Both were buried today and there were only 31 in school today. One boy and two girls were admitted this week. There was no school on Monday. Bethel Sunday School were saying 'pwnc' at Hermon.

June 13, Monday – Very wet. Not one scholar attended. Registers, therefore, were not marked.

January 6, Friday 1905 – Average 44.2. Re-opened on Tuesday, the number of scholars was small. I promised on Tuesday to give a few tunes on the phonograph on Friday afternoon for those who attended regularly. There were many more present on Wednesday and kept pretty well to the end. Some of my sons gave lessons this week. My son, Edwin, taught all the week except on Thursday.

January 13, Friday — Average 42.2. Mr T. Griffiths – one of the managers – thought it advisable not to keep school today the 13th being kept as a holiday in this neighbourhood. So, notice was sent to Inspector. Mr Thomas, the attendance officer, called yesterday, and took a list of some of the worst attenders. A special meeting of the new managers was held here this afternoon at which it was unanimously resolved to recommend my son, Edwin Jones, as a teacher for the school.

September 16, Monday 1907 — Owing to Maenclochog fair, only 22 scholars attended today and registers were cancelled.

September 20, Friday — Average 51.6. Commenced explaining the decimal notation to Standards IV and V. Expressive reading also received particular attention in those standards paying particular attention to the two backward boys in Standard 4

October 4 Friday — Average 51.1. Some days were rather wet and were the cause of reduced average. On Thursday I took great pains with the reading and spelling of the most backward boy in Standard IV – Thomas Griffiths of Capel. I could not get him to spell the word 'special' and one or two others, so I asked him to write those words a number of times on the slate with the view of making him learn the spelling of them and not as punishment but about 6 o'clock his father came to me in an angry mood and insulted me by saying thay I gave those words to revenge upon the boy for something, and used other nasty expressions. And of course I denied the insinuations. None of his children attended today. He is one of and the only Manager from this parish.

Pupils of Mynachlog-ddu School in 1910 at the new purpose-built building.

May 20, Friday 1910 — Average 44.4. There was no school on Monday being Whitmonday. The attendance was small on Tuesday, there was a fair at Maenclochog. There is no school today on account of the burial of the late King Edward VII. The fires were not lit this week. It was warm on Tuesday but became cool and damp end of week.

June 3, Friday — Average 49.3. There was no school on Tuesday morning on account of heavy rain. The weather turned colder this week and we had to get fires again. Mr Bancroft at his visit yesterday suggested that a washing stand should be provided and placed inside the school and a thermometer should be provided.

June 10, Friday — Average 47.5. Unsatisfactory attendance. Very wet today. Only 30 present in afternoon.

June 17, Friday — Average 50.1. Very fine and warm, especially the latter part. No school on Wednesday. The annual temperance 'Cymanfa' of the Cleddau District was held at Bethel all day. Owing to the serious illness of my son, Willie, I have not been able lately to work energetically for the last few weeks.

Aug 28 – Sept 1, 1911 — I, John Edwal Williams (Bangor Normal College 1887-8 – Registered Number 25000 – late Headmaster of Prendergast School Boys) take charge of this school. Owing to a misunderstanding about the length of the holiday there was but a meagre gathering on Monday, and as there was general unreadiness to begin, I announced that the school would be reopened on the following day. On Tuesday (Crymmych Fair) about 75% of number on books were present, but during the remainder of the week, attendance was very good. Percentage of average for whole week 86.4. 59 on books. 3 left during holidays. 3 admitted. Average 51 Attendance Officer visited school on Tuesday 9.30 - 9.50.

I find many of the books etc antiquated and in bad condition. I propose drawing up scheme of work etc by October 10. I find the scholars very weak in Arithmetic, Reading and general Geographical Knowledge, very fair in Spelling (upper classes) and good in Writing. English is as might be expected very backward. The timetable in use will be generally adhered to for a short time.

September 8 — Attendance Officer 11 50 - 12 on Monday. Average 50.4

September 15 — Owing to Sheep Dipping Order the attendance on Tuesday was 50% of number on books. Monday's attendance also was low on account of a funeral. Average 44.4.

September 22 — Attendance excellent this week except on Tuesday when it was very low owing to the Hiring Fair at Maenclochog.

October 13 — School was closed on Monday on account of a Singing Festival at Cwmfelin which was attended by the majority of the pupils. Harvest

Thanksgiving Services were held at Bethel on Friday afternoon. It is usual to grant a half holiday on this occasion, but owing to the large number of closures in the early part of the year I deemed it advisable not to close school. We assembled at 1 o'clock and dismissed soon after 3. Attendance on Thursday morning was only 24. This was due to heavy rain in the morning. In the afternnon there were 45 present.

October 27 — Attendances for the week 54, 56, 24, 46, 55, 55, 17.35. 54, 54. Tuesday and Thursday mornings were very wet and stormy. There was a lull about mid-day and the afternoon attendance was about double that of the morning. The average distance to school is over 1½ miles and a considerable number come across an open common and others along shelterless roads. It is very gratifying to find taught the afternoons showed an increase so marked which I am told is a new feature. I should have closed school on Thursday but for the fact that it seems to have been closed so many times more than usual during the Spring of this year.

I am spending a considerable proportion of the time in trying to get the pupils to form elementary and basic conception of numbers. To proceed to written work without this is to play with pen and ink – and the result, vanity and vexation of spirit. For years I have been driven more and more firmly and surely to the conclusion that 'figuring' is in the early stages an obstacle to Arithmetic – and that the idolatory of figures should be discouraged until the pupil can deal easily with numbers up to 30 (at least). English is, of course, very weak. I was not unprepared to find this to be the case, but I am disappointed at finding the reading of Welsh so very backward.

May 8 1912 — This week again has been much broken up. On Monday morning there was an exceptionally heavy downpour of rain – 1.23 inches falling in about six hours. Not one came to school. The rain ceased before noon. There were 20 present in the afternoon. Thursday afternoon there was a funeral on account of which a few scholars were not in attendance. On Friday morning again there was terrific rain which began about an hour before school time. Six children and both teachers were wet and had to go home. Twelve scholars were retained – registers not marked. A few came during 11-12 ready for the afternoon. 30 present in the afternoon although I deemed it advisable to send five home who had got wet in a sudden heavy shower. Attendances 0, 20, 38, 38, 46, 48, 43, 48 0, 30.

September 26, 1913 — I had occasion to deal on the last day before the holidays with a case of persistent disobedience and obstinancy. I told the boy amongst other things that he could not remain in this school and persist in disobedience. I spoke to him again by himself at noon and emphasised this. The boy was absent in the afternoon. The father came to me inquiring whether I wanted the three children to leave. I pointed out to him the necessity of obedience, and assured him that if he decided to send the boy to any school whatever obedience would be necessary. He thereupon accused me of having punished the boy for inability to pronounce the word (It was the Welsh word 'elw'). I knew this was a fabrication and a subterfuge on the part of someone – probably the father had been misinformed. But lest there should be any mistake, as the boy came next morning, I put the matter to the test, and as I expected, the word was pronounced clearly, and without difficulty. I spoke to him about having misinformed his father, and told him to explain matters at home. The three were away in the afternoon. But they came next morning and the boy expressed regret at having told an untruth in addition to disobedience and promised not to do so again

December 12, 1913 — Mabel Griffiths in reading *Old Welsh Stories* discovered an error – a wrong reference on page 47 ('Pryderi and Rhiannon' given as 'Pwyll and Rhiannon'). She was instructed to write to the Publishing Manager from whom she received a letter of thanks and a Story Book. Attendances for the week: 22, 26, 40, 41, 45, 47, 45, 45, 42, 43.

December 1914 — As I am leaving for Brynconin School, a list of books etc in each cupboard for the convenience of the Head Master to be appointed has been drawn up. In leaving I must again point out the difficulties with which most of the scholars have to contend in having exposed roads and considerable distance to come to school. Those who are able to attend regularly take great interest in their work, and I have had much pleasure in teaching in this school. By Friday afternoon I was presented by Teachers, Scholars and Friends with a very handsome clock, and Mrs Williams with a dinner cruet stand.

March 12, 1915 — School open only nine times this week owing to the funeral of little Morvydd Williams, the eldest daughter of the late schoolmaster. She was the brightest child I ever met.

April 12 — It was very pleasing to the Staff to note that all the children were present yesterday afternoon. This is a record for this school it seems. The Attendance Officer has only been here three times since April 1.

April 28 — Medical Officer called and examined newcomers and those between 8-9 years. Dr Davies, at my request, gave a very instructive address to the children on 'cleanliness'. Such addresses are badly needed in a locality such as Mynachlog-ddu.

April 30 — The percentage for month of April was 84%. Rainfall for March 1.94. Rainfall for April 3.33

May 3 — I have had on occasion of cautioning the pupils of this school concerning their language. I have made a thorough inquiry into the matter and found out that this is a very old practice. Severe steps will be taken to out-root this habit.

September 20, 1918 — The attendance this week has been very unsatisfactory. Owing to the exposed roads many children are unable to be present when it is raining. On fine days again many of the children are kept home to assist with the harvest. I also find that several children are absent and are unable to give even a legitimate excuse for their absence. Under these circumstances it is impossible to proceed satisfactorily with the work and in several of the subjects the pupils are very backward.

September 23 — Only 14 pupils came to school in the morning. This is due to the fact that the weather is cold, wet, and stormy. I deemed it advisable to mark the registers although the Average Attendance will be considerably reduced. In the afternoon the attendance is a little better.

September 24 — The attendance is very low again today. Many of the children have gone to Crymych Fair. I am told that this is always the case.

September 26 — An exceedingly wet morning and I did not expect that many scholars would be present. Nearly thirty came but two or three who were very wet were sent home.

September 30 — Today again was an exceedingly wet day especially the morning. It cleared by the afternoon. Attendance adversely affected – 12 present in the morning and 24 in the afternoon. In accordance with local custom and to meet the wishes of several parents, school will be opened at 9.30 during the next six months.

October 25, 1918 — Today I have worked the monthly accounts and have forwarded copies per post to the Director of Education and the Attendance Officer. Attendance continues very disappointing. As far as I can make out the bad attendance is mostly due to the parents who seem to have no enthusiasm for education and are of the opinion that the school is a kind of necessary evil. I have been talking to many parents and have tried to point out their responsibilities. I have been driven to the conclusion that most of the parents are looking forward to the time when their children will attain the age of fourteen. This week nine pupils have been absent throughout the week. Today we assembled for the afternoon session at one and consequently the children will be dismissed earlier.

October 29 — Attendance today is again very low and disappointing. Most of the absentees are today in Crymych Fair. The attendance question should receive the attention of the L.E.A. and drastic measures taken to enforce the attendance. It was very disappointing to the staff to see the children and their parents passing the school to the fair.

January 1, 1919 — The attendance today again very poor. It is disappointing to see children walking past the school – going to the shop. The weather was quite favourable and there should have been a far better attendance.

School pupils in 1920 under the headmastership of W. J. Phillips.
Blodwen Jenkins stands in the back on the far right.

June 29, 1923 — I am leaving today for Stepaside School and I wish to record the fact that I have had such pleasure in teaching in this school. Those children who are able to attend regularly take great interest in their work. I have been presented by scholars and friends with an 'Oak Extending Dining Table'. The discipline here is very good indeed and I have had no trouble at all in this respect. The greatest obstacle to progress in this school has been the attendance. The majority of the children have to traverse open marshes and exposed and shelterless roads but the attendance has made steady progress during the time I have had charge.

September 9, 1924 — This remote but romantically situated school is well conducted in all respects. The staff work with much enthusiasm and ability, and both control and tone are excellent. The attendance, considering the widely-scattered area from which the children are drawn, is very good, and the children generally show a pleasing responsiveness and intelligence. The schemes of work for all sections are thoughtfully drawn up and notes of lessons are carefully prepared. Thorough training is given in the foundational subjects, and much of the work reaches a very satisfactory standard. The children are learning to express themselves with commendable ability in both languages; progress in Arithmetic is good; and the appearance of written exercises generally is neat and attractive. Some interesting specimens of handwork were seen during the inspection. The school interiors are well-cared for, and an abundance of illustrations and pictures – especially in the Infants room – testifies to the initiative and energy of the staff. A very favourable impression of the school's activities and possibilities was formed during the inspection.

April 12, 1928 — The scheme of work for this year will in many respects be on the same lines as those of last year. The changes will chiefly affect the 3rd Class i.e. History, the Social Life of Wales and of England from early times to 1485 and in Geography, when a general survey of the world will be attempted. Welsh, thoroughout the school, will receive special attention, and in the Requisition sent in a number of suitable books in Welsh have been ordered. Scripture Lessons should be given entirely in Welsh, and an effort will be made to create a Welsh atmosphere in other subjects, such as Reading, Writing, Recitation, Folksongs, Airs and Hymns. Children will be encouraged to express themselves freely before the written work.

My Four Years

Anne Gruffydd Richards

Thomas and Rachel Phillips, Dan-garn

Once upon a time I was known as Nani Phillips, the daughter of William and Mary Ann Phillips and brother of Aeron, who lived at School House, Mynachlog-ddu. Even though I only lived there for the first four years of my life, between 1919 and 1923, I have always regarded Mynachlog-ddu as a place of wonder and enchantment.

My father was brought up in the Rhondda Valley but his forefathers, on both sides of the family, were firmly from Mynachlog-ddu. His grandparents on his father's side were Thomas and Rachel Phillips, who brought up a large family at Dan-garn and later moved to Tycwta where they both lived until well in their eighties. Rachel died in 1899 and her husband in 1907 and are buried in Bethel cemetery.

Their eldest son, Jacob, was my grandfather, who married Ann Davies at Nazareth, Whitland, in 1887 and died at Ferndale in 1912. Ann Davies' grandparents were William and Rachel Davies of Penrallt, Capel Cawy, Mynachlog-ddu. William died in 1863 and his son, William – my grandfather – married Ann Morgan from Llandysilio in 1843. She died in 1863 and he died in 1885.

My mother, Mary Anne, was also of Pembrokeshire stock. Her mother, Martha Ann, was a member of the well-known George family, who considered David Lloyd George, the Liberal Prime Minister, as one of their own. She died in 1915. Around 1891 she had married David Rees Davies from Cilwenen, Dinas, who later became known as Capt Davies. I must mention some of his exploits.

David Davies went to sea in 1879 when he was 13 years of age. He won a Lloyd's medal and was presented with a gold watch by Kaiser Wilhelm of Germany in 1899. He was the first captain to take a steamship into the Hudson Bay and was reported missing when he became stuck in the ice for six months along with his crew. He also charted the upper reaches of the Amazon Basin.

Now back to Mynachlog-ddu via the Rhondda, where my mother was a teacher. When she and my father married in 1917 they were both keen to return to Pembrokeshire. My father was an accomplished musician, had been involved in forming the Pendyrus Choir in his native Rhondda, and played the organ at Bethel Chapel, Mynachlog-ddu. My mother was fond of all aspects of Welsh culture and often wrote poetry. In the poem quoted below she laments how the cottage she knew as a child is now derelict.

What I remember of Mynachlog-ddu of my early childhood is the well near Clun from where we carried water, the grocer's shop at Cnwc and the Post Office at Tycanol. When Aeron and I later returned to spend a few days at Tycanol I remember being taken by Idwal in his horse and trap to Ffair Crymych. What a joy!

My father was transferred to teach at Stepaside in the south of the county where there was no Welsh spoken. Unfortunately, despite our parent's efforts, Aeron and I lost our fluency in Welsh, much to our regret later on. By now, my grasp of the language can only be described as 'kitchen Welsh'. However, I am glad to say that some of my grandchildren are struggling to regain the language.

Carrying water from the well in the old days – a daily chore – here carried out by Mrs Ben Jenkins

What gave me much joy recently was returning to Mynachlog-ddu after spending most of my working life in Buckinghamshire and Middlesex before retiring to Brecon. We visited the graves of our ancestors at Bethel cemetery and even found Dan-garn, a beautifully restored cottage with views of the whole of the south of the county and even over towards Somerset and the Devon coastline on a fine day. All the memories flowed back on that day.

Even though we spent most of our formative years at Stepaside, we attended Narberth County School and were in touch with many pupils from the Mynachlog-ddu area. I remember Mair James, Bethesda; George John, Rhydwilym and Elonwy Michael,

Blaenconin – all children of the manse. But one matter that has eluded me so far is how exactly Twm Carnabwth – Thomas Rees – featured in my father's family tree. I would love to know.

Cyfnewidiad

Fy mebyd a dreuliais mewn bwthyn
  Bach prydferth yn ymyl y môr,
Fy myd oedd o amgylch y tyddyn,
  Fy mron – o obeithion, - yn 'stôr.

Rhosynnau a blygai eu blodau
  I gyfarch rhosynnau fy ngrudd,
A glesni fy llygaid a ddenai
  Ddawns rhwyfus y pelydr rhudd.

To'r bwthyn oedd orchudd melynwellt
  Ynghydwedd â'r aur yn fy ngwallt,
Pan ddawnsiwn ar lecyn o laswellt
  Yng nghysgod hen dderw yr allt.

Ymhen llawer blwyddyn y tynnais
  Tua'r bwthyn bach prydferth a thlws,
Ôl amser ymhobman a welais –
  Neb yno yn agor y drws.

Gwyllt anial oedd yn lle rhosynnau,
  A minnau yn llwydaidd fy ngwedd,
A'm llygaid edrychai drwy ddagrau
  Fel 'bawn i yn edrych ar fedd.

Fy ngwallt oedd fel arian a thenau,
  To'r bwthyn yn yfflon o'r bron,
Hiraethais am ddyddiau fy morau
  A phwysais yn drwm ar fy ffon.

A dyma fy meddwl mewn geiriau
  Gan sefyll a synnu yn fud –
All ddigwydd adfeilio'th hen furiau
  A'm hesgyrn falurio'r un pryd.

Mary Anne Phillips

Dyddiau Ysgol

W. R. Evans

Mae hanes fy nyddiau ysgol a choleg yn stori go hir. Gan imi dreulio cymaint o'm hoes ym myd addysg, mae bron yn anhygoel fod fy nheulu wedi cael cymaint o drafferth i'm cael i fynd i'r ysgol o gwbwl. Bu hyn yn hedin caled am wythnosau. Yr oedd rhai rhesymau teg am hyn. 'Roedd hi bron bod yn dair milltir o Lynsaithmaen i Ysgol Mynachlog-ddu, a'r ffordd yn go agored mewn tywydd garw. Ar ben hyn i gyd 'roedd Dacu a Mam-gu, trwy eu cariad a'u gofal, wedi fy sbwylio i eithafion. "'Roedd cerdded i Ysgol Bethel, mewn tywydd drwg, yn ormod i Willie Bach." Felly, gohiriwyd y dechrau tan y munud olaf. 'Doedd y ffaith fod y bechgyn ifanc yn galw ysgol yn garchar yn ddim help chwaith.

'Rwy'n cael fod yna arogl rhyfedd o gwmpas ysgol; rhyw gymysgaeth o arogl inc, sialc, llechi sgrifennu, polish a phaent. Rhowch ar ben hyn i gyd dipyn o sent dillad gwlyb yn sychu amdanoch chi, ac mae'r darlun bron yn gyfan, heb gynnwys yr hyn a ddygid ar yr awel o'r tai bach hen-ffasiwn, bob hyn a hyn. Cyfaill y defaid a'r ponis a'r cŵn a'r ceffylau oeddwn i. Gwastraff amser oedd mynd i ganol yr arogleuon yna. Gwell oedd gen i awel Cnwc Yr Hwrdd ar fy moch, a gwynt Moel Fedw yn fy ngwallt. Felly, euthum yn styfnig ac yn 'ddiffaith' yn erbyn y busnes. 'Roedd Dan Tŷ Newy yn galw amdana' i bob bore, ond mawr oedd y sterics wrth geisio fy nhynnu i'r ysgol; mam-gu yn rhoi ŵy wedi' i ferwi i mi bob bore; hwnnw'n rhowlio fel cwrwgl ar eigion fy stumog. Yna gwella tipyn bach, nes i awel ddychmygol o 'sent yr hen ysgol 'na' ddod i'm ffroenau unwaith eto. A dyna'i diwedd hi!

Yr unig obaith wedyn oedd cael Dacu i fynd â fi ar gefn ceffyl, bob cam i'r ysgol. Wedi iddo wneud hyn, ar un adeg, a galw wedyn yn y siop am dybaco, 'rown i wedi cyrraedd fy nghartref yng Nglynsaithmaen o'i flaen! Ond, cofier mai diwrnod cneifio oedd hi, a minnau yn gweld colli Mort Iet Hen. Dro arall, bu Wncwl Tomi yn fy erlid trwy Barc Clos, Parc Cerrig a'r Rofft Fawr, cyn troi yn ôl yn swp o ddagrau yn ei gôl. Caled oedd hi, ac fe ddylai'r sawl a basiodd Ddeddf Addysg 1870 gael eu taflu i'r tân mawr.

'Roedd Mr Edwal Williams, tad Waldo, newydd adel Ysgol Mynachlog-ddu a symud i Landysilio. Buasai Lis, fy chwaer hynaf, a Stan a Dai, fy mrodyr, yn yr ysgol gydag ef. 'Roedd Lis, fy chwaer, a oedd yn ymhyfrydu mewn gwaith ysgol, yn hoff iawn o Mr Williams. Diddorol yw nodi wrth basio, fod Lis a Morvydd, chwaer Waldo, wedi pasio'r arholiad i Ysgol Uwchradd Arberth yr un pryd. Dyddiau cyhoeddi'r marciau yn y papur lleol oedd hi. Cafodd Morvydd, sylwer, bedwar cant allan o bedwar cant. Yn dair ar ddeg oed bu farw o lid yr ymennydd. Wedi i'm mam innau farw, bu'n rhaid i Lis fynd yn ôl i Dan-garn i helpu 'Nhad a'r plant eraill.

Ysgol-dri-athro oedd Ysgol Mynachlog-ddu yr adeg honno. Mr Henry Davies oedd y prifathro. Dilynwyd ef gan ryw Mr Lewis o Sir Aberteifi, cyn i Mr Phillips, gŵr o Ferndale, gyrraedd.

W. R. Evans

'Roedd y ddwy athrawes yn lleol, Miss Blodwen Jenkins, Tŷ Canol, a Miss Peg Griffiths, Penrhiw. Mae'r olaf, dan yr enw 'Mrs Lewis' yn fyw o hyd, ac mor addfwyn a serchog ag erioed. Bu'r ddwy yma yn sefydliad yn yr ysgol am flynyddoedd lawer. Mr Phillips a fu'n llywio'r llong yn fy amser i, gŵr cydwybodol ond llym ei ddisgyblaeth. Rhaid diolch iddo am osod y seiliau'n gadarn. 'Chefais i ddim trafferth i ddysgu, dan 'i arweiniad ef. 'Roedd yn perthyn i'r hen ysgol o athrawon a fynnai ichi ddysgu pethau ar eich cof, rhan o'r hen gyfundrefn. Nid ei fai ef oedd hynny ond bai rhyw awdurdod uwch. 'Roeddem yn rhaffo enwau afonydd o Loegr ar ein cof fel rhaff o wynwns. 'Roedd yna fapiau yn dangos ysmotiau duon o lo tua Chanoldir Lloegr, a Swydd Efrog. 'Roedd y *Manchester and Liverpool Ship Canal* yn bwysig dros ben. Pwy ddiawl oedd yn trafaelu arno, 'wn i ddim. Ond dim sôn am y llongau a groesai o Abergwaun i Iwerddon. 'Roedd Clive of Inda a Captain Cook yn enwau mawr, ond Mam-gu, yn unig, a soniodd wrthyf am Twm Carnabwth a ddaeth yn arweinydd Rhyfel Beca. Dim si amdano yn yr ysgol.

A meddwl fod tyddyn bach Carnabwth ar waelod tir Glynsaithmaen ac mai tŷ unnos, ar ganol y gors, oedd hwnnw ar y dechrau! 'Roedd gan Mam-gu lawer o storïau am Twm. Mae'n debyg y byddai'n meddwi'n drwm ar adegau, a rhaid oedd ei dorri ma's o Eglwys Bethel lle'r oedd yn arwain y gân. Ond pan ddeuai'r 'Gymanfa Bwnc' heibio, rhaid oedd ei dderbyn yn ôl at y canu. 'Roeddem yn byw yng nghysgod Carn Arthur a Cherrig Marchogion. 'Roedd Carn Caer Meini, a roes y meini gleision i Gôr y Cewri yn pwyso ar yr ysgol, bron. Ond 'doedd y gyfundrefn addysg ddim yn cyfeirio at y pethau hyn. Pwyll Pendefig Dyfed? Na, boi dierth, dibwys oedd hwnnw. 'Does ryfedd fod Lloegr wedi llwyddo i adeiladu ymerodraeth mor eang a thrawiadol, oblegid 'roedd ganddi'r ddawn i wneud defnydd o'i phlant a oedd yn afreolus ac yn ddiffaith yn yr ysgol, trwy eu danfon i rywle pell fel India lle y deuent yn *Viceroy* neu rywun pwysig; ffordd wych o ddelio â'r *problem child*.

Ychydig o Gymraeg oedd yn yr ysgol, ac 'roedd Gweddi'r Arglwydd yn llawer mwy effeithiol yn Saesneg nag yn y Gymraeg. Mae'n debyg i Wncwl Arthur, flynyddoedd cyn hyn, gael trafferth gyda Gweddi'r Arglwydd yn yr iaith fain. Ar ôl mynd adre, ar ddiwedd ei ddiwrnod cyntaf yn yr ysgol, gofynnodd ei fam iddo:

“Beth ddysgest ti yn yr ysgol?”

“Dim byd.”

“Do, do, fe ddysgest rywbeth. Fuon nhw ddim yn siarad â chi am ryw ddynion enwog neu rywbeth?”

“Naddo ... O, do, y peth cynta’r bore ’ma fe ddwedon rywbeth am ryw Dai Kindon Cam.”

Deled Dy Deyrnas, yn wir.

Yr unig Gymraeg a gofiaf oedd un wers yr wythnos ar Geiriog. ’Roedd set o *Gemau Ceiriog* yn yr ysgol. Euthum i gredu mai Ceiriog oedd yr unig fardd yn y byd, ar wahân i Thomas Hood, a sgrifennodd:

I remember, I remember,
The house where I was born;
The little window where the sun
Came peeping in at morn.

Chwarae teg i’r hen gyfundrefn. O leiaf, ’rwy’n cofio’r llinellau yna ar ôl trigain mlynedd. Tua’r un adeg daeth set newydd sbon o *Teulu Bach Nant Oer* (Moelona) i’r ysgol, a chefais flas anghyffredin ar y stori honno. Ond, i fod yn deg â’r ysgol, ’rwy’n cofio gweld copi newydd o ryw alawon gwerin. Ymhlith yr alawon a ddysgwyd oedd ‘Un frân ddu, daw anlwc eto’ a’r ‘Pren Ar Y Bryn’. ’Roedd Mr Phillips wedi etifeddu tipyn o draddodiad cerddorol y Rhondda, ac yr oedd yn lew ar y piano. Ar y cyfan, ’rown i’n gallu gwneud fy ngwaith ysgol yn go lew, ac fe’m symudwyd i fyny drwy Ysgol y Babanod yn weddol gyflym. Felly, yr oeddwn ar delerau go dda â’m hathrawon.

Mae fy nghalon yn gwaedu, hyd y dydd heddiw, dros y plant hynny a oedd yn llai abal. ’Roedd y gosb a gâi rhai ohonyn nhw yn annynol, ac yn gwbwl giaidd. Fe gosbid, bryd hynny, yn ôl rheolau’r pechod gwreiddiol. Cosbid plentyn, a’i wawdio am ei anallu, ac ni châi ei ddyrchafu i ddosbarth uwch oni chyrhaeddai’r safon yn ei waith. Cofiaf am un teulu arbennig yn yr ysgol. ’Roedd dysgu yn beth anodd i bob un o’r plant hynny. Erbyn diwedd ei yrfa yn yr ysgol, yn bedair ar ddeg oed, ’roedd un ohonyn nhw wedi cyrraedd Safon 2. Hwnnw oedd y gorau o’r teulu.

’Roedd chwarae ‘cadnoid’ a chwarae ceffylau yn boblogaidd iawn yn yr ysgol. Troid bachgen yn geffyl trwy roi awenau o gordyn am ei ddwy fraich, a’r gyrrwr o’r tu ôl. Ar adegau, byddem yn dianc i Garn Caer Meini i chwarae cadnoid. Ond byddai yna rai gweithgareddau mwy anwaraidd megis mynd fewn i ran isa’r tai bach, lle cedwid y pridd, a goglais penolau’r merched a eisteddai yn y tai bach â brwsh. Y bechgyn hynaf a mwyaf beiddgar a fyddai’n gyfrifol am bethau felly. Arfer arall oedd mynd i fyny i do’r tai bach, a thorri’r plwm ymaith. I ba beth, wn i ddim. Ond dyna ran o ddireidi Mynachlog-ddu. Gwelais rai yn cipio wyau o Lyn y Clun, a'u gwerthu yn Siop y Cnwc er mwyn prynu darn o spanish.

'Roeddem yn cario'n cinio mewn bag bach ar ein cefnau. Bara menyn sych oedd hwnnw, gan amlaf. Byddai ambell sangwej ŵy, yn ei thro, yn wledd. Bryd hynny, byddem yn cario te oer mewn potel. Yn ddiweddarach byddem yn mynd â the mewn 'jac' fach. Rhoid honno, gyda'r jacs eraill, ar ben yr hen stôf fawr yn y dosbarth, i'w thwymo. Byddai gwer fawr, weithiau, pan fyddai ambell gorcyn yn tasgu allan o'r ystên gan daro'r nenfwd. Cyn diwedd fy ngyrfa yn yr ysgol honno, trwy gymorth yr athrawon, byddem yn cael coco twym gyda'r bara menyn. 'Roedd hynny bron â bod yn 'fyw fel y gwŷr mawr'. Difyr iawn oedd y daith adref o'r ysgol, ar ôl ein rhyddhau o'r carchar, yng nghwmni plant Y Cwm, Iet-hen, Iet Wilym a Chlun Coch. 'Roedd y broses, weithiau, yn cymryd oriau lawer, trwy sglefrio ar rew'r llynnoedd, ar Ros-fach, pysgota, neu geisio dal rhyw boni gwyllt a'i farchogaeth. Bu llawer sgarmes nas recordiwyd yn y llyfrau.

Cofeb W. R. wrth fynedfa feidr Glynsaithmaen

Cyn diwedd cyfnod Ysgol Mynachlog-ddu fe brynais feic-menyw am ddwybunt, i'm cludo i'r ysgol. Arian yr oeddwn wedi ei gynilo oedd hwnnw, gan gynnwys un bunt a ddarganfuaswn ar lawr yn Ffair Maenclochog rywbryd, pan ddywedodd Dacu ...: "Rhaid i fi fynd a dangos hwn i'r plismon, twel. Mae rhywun, rywle yn gweld ei eisiau." Felly y gwnaed, ond medde'r hen P.C Henton, a oedd yno bryd hynny: ...

"Os clywa' i am rywun sy wedi ei cholli, mi ro' i wybod i ti. Os na chlywi di ddim . . . cadw hi." A chadw'r bunt fu'r hanes. Daeth yn ddefnyddiol iawn i brynu'r beic oddi wrth Anti Lis ac Anti Mari, yn y Wern. Gyda llaw, mae Anti Lis yn fyw o hyd, yng Nghlunderwen. Beic rhyfedd oedd hwnnw. 'Doedd ei olwyn gêr ddim mwy na soser, a rhaid oedd pedlo fel ffŵl i'w gadw i fynd. Ond beic diguro am ddringo rhiw, heb orfod cerdded. Cafodd yr hen feic dipyn o gam, gan fy mod yn ei yrru dros ben bencydd Rhos-fach, er mwyn tipyn o *show-off* o flaen fy nghyfoedion. Ond fe arbedodd dipyn ar fy nhraed blinedig. Beth bynnag, cerdded adref yr oeddwn rywbryd, dros ben clawdd Feidir Wilym, pan welais, ar y llawr, ddarn o bren golosg, eithin wedi'i losgi, mi dybiwn i. 'Roeddwn ar roi fy llaw arno i'w godi, pan sylweddolais mai neidr fraith oedd yno! Mi redais ac mi redais ac mi redais, am filltir gyfan, mae'n siŵr, cyn gweithio'r braw allan o'm corff. Rhyfedd fel y mae profiadau felly yn glynu yn y cof. Mae rhan o'r ofn ynof o hyd.

Yn y dyddiau hynny, yng Nglynsaithmaen, ymhlith nifer o gŵn eraill, 'roedd yna ast ddefaid lwydlas, o'r enw Lass. Hi oedd fy ffefryn i, a chredaf fy mod innau yn dipyn o ffefryn ganddi hithau. Byddai'n dod bob nos i ben Feidir Wilym (filltir o Lynsaithmaen) i'm cyfarfod o'r ysgol. Gorweddai ar y borfa nes imi gyrraedd, ac wedyn âi adref, drot-drot o'm blaen, bob cam. 'Roedd hyn yn digwydd yn gyson, fel y cloc. Rai blynyddoedd yn ddiweddarach, pan oeddem i gyd yn torri llafur ym Mharc Mawr, Glynsaithmaen, digwyddodd tro ofnadwy. Byddai Lass, bob amser, yn hela cwningod o gwmpas y caeau. Y dydd arbennig hwn, 'roedd hi'n chwilota yng nghanol y llafur, pan gerddodd, yn ei chyfer, i gyfeiriad y gyllell a oedd ar y peiriant-lladd-gwair. Rhoddodd un sgrech, a daeth allan i sefyll yn fy ymyl, gan edrych yn ymbilgar arnaf. 'Roedd ei choes ôl wedi'i thorri i ffwrdd yn y bôn! Gwnaeth Wncwl Tomi amnaid ar un o'r gweision. Clymodd hwnnw ddarn o gortyn am ei gwddw, a'i chrogi, yn fy ngŵydd, ar goeden yn y clawdd! Teimlais mai dyna un o droeon tristaf fy mywyd. Teimlais hefyd mai fi oedd yn gyfrifol, yn fwy na neb, am wneud iddi hela cwningod. Oedd, 'roedd llawer o'r bai arna' i. Mae yna rai pethau trist sy'n glynu yn y cof am byth. Y dydd hwnnw, yn y Parc Mawr, diflannodd cyfran helaeth o'r diddanwch a wybuaswn ar gaeau Glynsaithmaen.

Daeth yn amser imi ymadael ag athrofa Mynachlog-ddu, a mynd i ysgol y dref, sef Ysgol Uwchradd Aberteifi. Bu dau ohonom o'r ardal, sef Hughie James, Llandre Isa', a minnau, yn llwyddiannus yn yr arholiad, gan gyrraedd brig y rhestr. Ond 'doeddwn i ddim eisiau mynd i Aberteifi. Dyn y cŵn a'r defaid a'r gwartheg a'r ceffylau oeddwn i, yn dysgu bod yn ffermwr (ffermwr go anobeithiol hefyd) wrth draed Dacu. Bu ffraeo a dadlau hir, nes i fam a thad Hughie James fy mherswadio i fynd yn gwmni i'w mab. I mi, 'roedd Aberteifi yn dref fawr iawn. Tref ryfedd hefyd, oblegid yno, mewn rhyw siop, y gwelais i *prunes* gyntaf erioed, gan gredu mai plwms wedi cael cam oedden nhw!

Ond y mae ymateb fy nhad-cu i'r holl fusnes yn aros yn glir iawn yn fy nghof. Dichon mai bryd hynny y dangosodd e'r rhan fwyaf o'i gariad tuag ata' i. Fe aeth â fi i'r llety yn Aberteifi am y tro cyntaf. 'Roedd wedi gofalu bod sachaid anferth o dato i mi. Yn y dref, cyn mynd i'r llety, fe brynodd stoc ddiwaelod o wynwns i fi, ac medde fe wrth wraig y llety: "Rhowch ddigon o wynwns a thato iddo, ac fe fydd e'n olreit".

Mae'n ddiddorol sylwi mai pedwar swllt a chwech yr wythnos oedd y tâl am lety (pum swllt pan fyddem yn aros dros y Sul). Byddem yn mynd â'n bwyd ein hunain, wrth gwrs. Cafodd Tad-cu waith caled i ffarwelio â mi y diwrnod cyntaf hwnnw, heb sôn am fy nheimladau tyner i. Wedi'r cwbwl, pa ddiben gadel Mynachlog-ddu, lle'r oedd paradwys i bawb, a mynd i ganol strydoedd

Aberteifi? Euthum i'w hebrwng i'r dref, cyn iddo fynd adref yn ôl. Bob hyn a hyn, byddai'n troi'n ôl gan ofyn ...

"Wes digon o arian 'da ti'n awr?" Rhoi hanner coron. Cam arall ymlaen, wedyn,

"Wyt ti'n siŵr fod digon o arian 'da ti?" Hanner coron arall.

"Hen beth cas fydde i ti fod ymhell o gatre, heb ddigon o arian. Hanner coron arall, ac yr oedd hanner coron yn arian mawr i Dacu, yn y flwyddyn 1923. Bu'n troi a phetruso a stablan gryn dipyn cyn ymadael.

"Dyna fe. Mae'n well iti fynd 'nôl i'r llety nawr." Ond nid oedd llawer o argyhoeddiad yn ei lais, a bu awr yr ymadael yn hir cyn dod. Gan nesu ataf unwaith eto, taflodd hanner coron arall ar y llawr yn fy ymyl.

"Dyna fe, cer nawr ... c cc - er nawr." Trodd yn sydyn, ac i ffwrdd ag ef ar garlam y tro hwn. Coffa da amdano!

Though W. R. Evans spent his working life in the field of education, his grandparents, with whom he was brought up following the death of his mother, found it difficult to persuade him to go to school. W.R. recalls the occasion his grandfather took him to school on horseback, and by the time he had bought his tobacco at the local shop, gossiped and trotted home, his young grandson had already returned to Glynsaithmaen. When Will finally settled at Ysgol Mynachlog-ddu he pays tribute to the headmaster, a Mr Phillips from Ferndale, for his strict discipline and his conscientious manner, who insisted that all knowledge had to be memorised as was the fashion at the time. Names of rivers and places in far off lands had to be reeled off by heart, but local history and geography were not part of the curriculum.

It was his grandmother who told him stories about Twm Carnabwth and his role in the Rebecca Riots some 80 years prior to W.R.'s birth in 1910. Neither did the education system of the time allow him to be told about the exploits of Pwyll Pendefig Dyfed along the mountain cairns that were W.R.'s playground. Even the Lord's Prayer would usually be said in English, which had prompted his Uncle Arthur on arriving home one day, in a previous era, and being asked the usual question 'What did you learn today?' to pronounce they had been told something about a man called 'Dai Kindon Cam'. However Will does remember a new set of Moelona's popular novel, Teulu Bach Nantoer arriving at the school. Also, Mr Phillips, in tune with the musical traditions of the Rhondda, was keen to teach his pupils to sing folksongs. W.R. berates the practice of punishing those less able children and recalls how some children were kept in Standard Two until they left school.

The long drawn out walk home would often entail numerous stops, as a mountain pony had to be caught and ridden or frozen pools had to be slid upon. A lady's bike that he bought from his aunties meant he could explore the world beyond the confines of Glynsaithmaen and Mynachlog-ddu. When he picked up a lost pound at Maenclochog Fair, his grandfather advised him to take it to the local policeman. This he did, to be told by PC Henton that he would inform him if he heard of anyone who had lost a pound, but if he did not hear from anyone then the pound was his for keeping. The money was later used to pay for the bicycle. Will well remembers his first sense of tragedy when his favourite sheepdog, Lass, was lassoed and hung from a tree. One of her legs had been torn off by a hay-cutter as she darted here and there in pursuit of rabbits in the long grass. She whimpered towards him and he felt as if he was to blame for her misfortune.

Again the transfer to Cardigan County School was not an easy passage. Will initially steadfastly refused to go, as his wish was to stay at home to become a farmer under the tuition of his grandfather. And after all, Cardigan was something of a metropolis. When grandfather took him to his lodgings a large sack of potatoes and a sack of onions were given to the landlady to ensure his grandson would be well fed. The parting of ways was painful as every few yards Dacu gave his young protégé half a crown before he finally ran away towards Mynachlog-ddu.

Wil Glynsaithmaen

Ond ma'i houl e'n dwym o hyd – in gifoth
O atgofion hifryd,
Mae'r Nef yn wherthin hefyd,
Lle buo Wil ma' gwell byd.

Dic Jones

'Tir Cyfrif'

One such tenure is called, as in many Welsh areas, 'tir cyfrif' and applies to that type of common land around Trallwyn and Dyffryn. In other words, such is the land surrounding the stone circle, where rights of pasture are not as general as in the case of common lands in the strictest sense. Originally it was the land of the bond community which lived in the adjoining township or 'tre'. Rights of land were shared equally among the adult males who lived in the nucleated village, and the people were subject to some labour services on the cultivated strips or 'lleiniau' more towards the east. There they had also their own portions of land, communally cultivated. A somewhat similar tenure must have held for Foel Dyrch based on a 'tre' on its southern flank. Other names for this tenure are 'tir cyllid ' and register land.

Another type of tenure was termed tir 'gwelyog'. This tenure included some additional rights over the common pastures, over the arable land and also some rights of turbary. This encouraged a wider dlspersal of homestead over the early period, and in course of time led to the development of compact farms according to the modern pattern. In the first-named tenure, rents and services were imposed on the hamlet as a communal obligation.

It is difficult to assess what were the exact limits of the authority of the Lord Marcher in this district as the lands were donated to the monastery of St. Dogmaels. Probably some rights regarding knight's service were retained as well as some over the common land. In the list of knights' fees given by George Owen, Cassia or Castra appears among the first and apparently refers to the lands on Preseli held by the monastery.

The name *Nigra Grangia* also appears and is stated to be worth half a knight's fee.

E. T. Lewis *A Historical Survey of the Last Thousand Years*

Whilber Rowland Penrhiw

Y Parchedig John Young

John Young a anwyd ar ddydd Sul cymundeb ym mis Hydref, 1920.

Yn ôl y sôn, dim ond i gneud hi o drwch blewyn i oedfa cymundeb ar b'nawn Sul, Hydref 3, 1920, wna'th 'Iwng', y Gweinidog.

Cofiwch, sana i'n gwbod, ond mae'n hen bryd, gwlei, i fi gyfadde'r gwir i gyd a dim ond y gwir mai arna i wêdd y bai; bydded hysbys bod yn agos i naw deg o flynyddoedd wedi mynd heibio cyn i mi gyfaddef y gwir. Ie, fi wê'r drwg yn y caws gan i mi benderfynu dod i'r hen fyd 'ma ar yr amser mwya anghyfleus i Weinidog.

Yn ôl a ddeallaf roedd disgwyl rhyw drafferthion i fod ar fy llwybr ac yr oedd y meddyg wedi ei alw, ac fe ddaeth y meddyg ar gewn poni, os gwelwch yn dda, o Arberth. Blinais aros amdano a chyrhaeddais o'i flaen yn ddiogel os nad yn ddidrafferth. Da cofnodi i'r Gweinidog gyrraedd yr oedfa mewn pryd i weinyddu'r cymundeb a bu gorfoledd mawr am fod 'Iwng' wedi cael rocyn o fab.

Glaniais ym Mrynhyfryd a darganfod ymhen y rhawg bod gennyf Dad a Mam a chwaer, Eluned, oedd yn rhyw chwech blynedd yn hŷn na mi. Mae'n debyg bod ci anferth, St Bernard (o bopeth!) yn perthyn i'r teulu. A chwedl y cymdogion 'wêdd e'n byta cyment â dou fochyn'. Cerwyn wê i enw fe a'i dasg wê gofalu na chai'r babi gam; dywedid ei fod yn gamster ar y gwaith. Ni chai Rowland Griffith, Penrhiw, ein cymydog agosaf, hyd yn oed ddod o fewn hyd braich i fi; Gelert go iawn, mae'n debyg.

Wê Mam-gu a Dat-cu ar ochr Mam yn byw ym Mhorth-cawl a Mam-gu ar ochr fy nhad yn byw yn Caerau, Maesteg, er mai o Faenclochog wêdd hi'n wreiddiol. Hynny yw, wê'n 'mherthnase yn byw 'mhell ond weles i mo'u heisie nhw achos wê da fi ddigon o 'berthnase' o nghwmpas i 'mhob man a wê'n ni'n dwli am ein gily. Anti Bryncledde wê'r pwysicaf, gweddw Mr Griffiths a fu'n weinidog Bethel o flaen fy nhad. Trigai Peg gyda hi. Deuai ei mab a'i wraig heibio ar dro ar wylie o'r Banc a wên i'n ei alw fe'n Wncwl Bill. Yr ochr draw i Frynhyfryd wêdd Penrhiw ac yno y trigai Wncwl a Anti Penrhiw a'u merch, Jane, a lawr y rhiw wedyn roedd Daniel Rees, tad-cu Teifion Rees, yn teyrnasu yn y Felin. Yn siop y Cnwc, lle y deuthum i gredu ei fod yn ogof Aladin, yr oedd Rowland Griffith yn llywodraethu, tad Eifion, Dilwyn a Mair, wrth gwrs.

O fynd yn ôl ar wylie a dal y trên bach o Glynderwen i Faenclochog fe ddarganfyddes fod y siop yn berchen ar lori *Model T Ford*. Braint oedd cael eistedd ar y sache siwgwr gan osgoi'r sache blawd rhag cael penole gwyn, braint ogoneddus, ac ar ben hynny wedyn wê llond capel o bobol annwyl wê'n ddigon parod i garu'r babi; beth mwy sydd ar ddyn ei eisiau gwedwch? Mae yna berthynas ddyfnach na pherthynas gwaed i'w gael a doedd dim rhaid i mi chwilio amdano. Fel yna y treuliais fy nhair blynedd cyntaf.

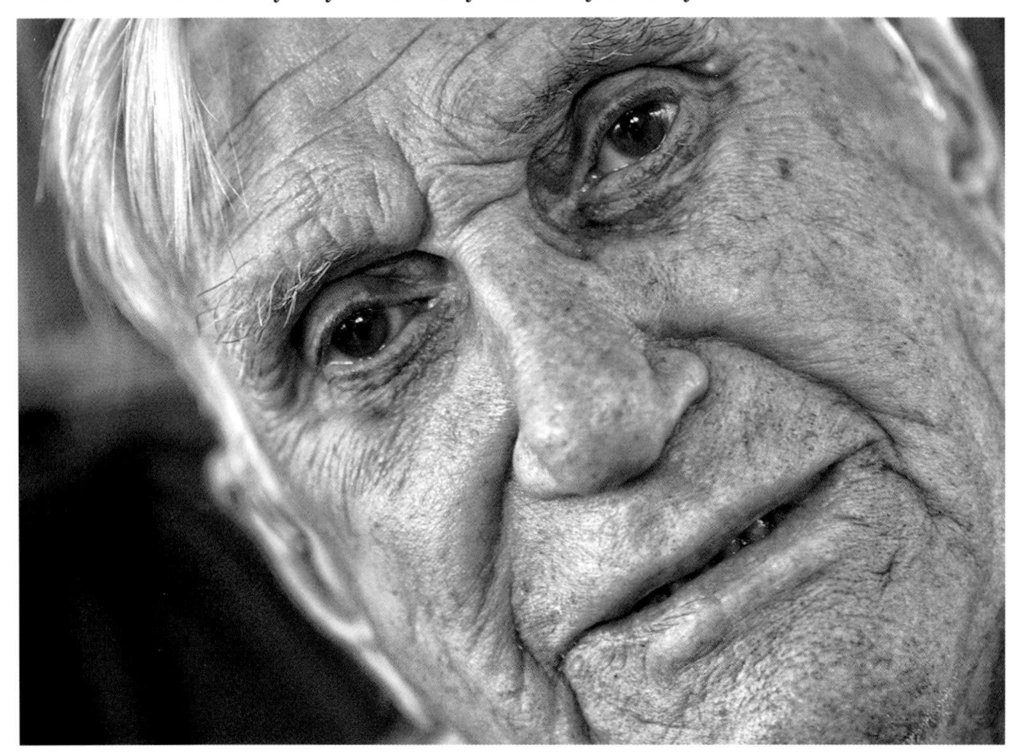

Y Parchedig John Young yn 91 oed.

Och fi, daeth fy mhenblwydd ac yna trychineb alaethus. Credaf fy mod yn cofio'r bore yn iawn. Wê'n chwaer a minne ym Mhenrhiw a thu fas i Frynhyfryd wê injen stêm a threiler. Ymhen blynyddoedd des i wybod mai eiddo Bater Sciwen wê'r tacle. Dyna lle wê dynion yn perthyn i'r cwmni yn llwytho'n celfi ni ar y treiler. Odi, mae'n ffaith, mod i wedi gweld a chofio'r digwyddiad, beth bynnag a ddywed neb, oblegid yr oedd yn greisis arnaf. Ymhen diwrnod neu ddau wê'n ni tu fas i dŷ dieithr yng nghanol tai eraill a'r un dynion fu'n llwytho'r treiler yn dadlwytho'r un treiler a wê'n celfi ni'r oll gread i gyd.

Yn waeth na'r cyfan wê dynion du yn browlan â ni mewn Cwmrâg od. Dyna'r tro cyntaf i fi weld dynion du, a wê ofon arna i, ofon y dynion wêdd â llyged gwyn, gwefuse coch a chrwên du. Y peth ryfedd amdanynt oedd wê'n nhw'n troi'n wyn ar y Sul a finne ddim yn ei nabod nhw er ei bod nhw'n fy nabod i. Des i ddeall yn y man mai 'arwyr erwau'r glo' oeddent, cyn bod baddon pen pwll'; hen fois nobl Cwm-twrch ger Cwm Tawe.

Nawr, gallwch chi, ddoethion o wybodaeth, ddweud wrtho'i am gau ngheg oblegid sda fi ddim i ddweud am Fynachlog-ddu. Doethinebwch faint a fynnoch ond os oes gennyf 'filltir sgwâr' yn rhywle ym Mynachlog-ddu y mae honno. Wê ni'n bod yn y gweithe ond wê'n ni'n byw ym Mryncledde bob mis Awst. Wê rhyddid ym Mryncledde, dim ond i ni ofalu peidio â styrbio Mr Campbell wê pia Cware Tyrch. Cawn whare cwch bach yn y bedyddfan a hela pysgod gyda'm cyfaill Ben yng Nghwmisaf, wedi i ni droi'r dŵr wê'n rhedeg y felin bant. Wê'r pysgod yn dal i fflapan yn y pylle bach a wê' da ni ddim i neud ond gafael hol-bi-dag ynddyn nhw a'u towlu i'r pail.

Wêdd ci defed deallus ym Mhenrhiw a daethom yn ffrindie mowr. Medrai Fflei gydio'n dynn mewn darn o bren a disgwyl i fi gydio yn y pen arall i gael tynnu'n gily o gwmpas siop y saer os wêdd hi'n bwrw glaw. Wêdd e'n tynnu nes bod 'i ddannedd e'n gwaedu a'n nwylo inne yn gweiddi am gael gollwng gafael.

Bu Wncwl Penrhiw yn ddigon dwl i aros ar i drâd yn hwyr iawn ryw noswaith i weitho whilber fach i fi, ac mae hi gyda fi o hyd yn un o'm trysore penna. Peidwch â treio dweud yn ots wrtho i. Rwy'n siŵr bod hen frynie'r Preseli ym mêr fy esgyrn fel wê'n nhw i Waldo a byddaf yn barod iawn i frolio hyd fy medd mod i'n enedigol o Fynachlog-ddu. Do, fe'm ganwyd yn freiniol.

The Rev John Young writes from Ammanford with a confession. On Sunday, October 3, 1920, his father, the Rev Glasnant Young, almost failed to officiate the communion service at Bethel Chapel that afternoon and it was he, in his innocence and ignorance, who was to blame. He entered this world at a most inconvenient time for a minister. A doctor had to be summoned from Narberth because of complications at the birth. However, by the time the GP arrived on his pony the young John had been delivered safely and his father was able to announce the birth of a son to a delighted congregation.

There was also a St Bernard called Cerwyn at the manse, who 'ate as much as two pigs' according to the neighbours. His job was to protect the young baby, which he did so assiduously that even the nearest neighbour, Rowland Griffith, Penrhiw, could not get within an arm's reach of the newly born. Though his grandparents lived at Porthcawl and Maesteg, he felt he was always surrounded by numerous 'relatives', such was the daily concern of neighbours in the close-knit community. Those early years proved to him that there is an even stronger affiliation than blood relations.

In his third year the family moved to Cwm-twrch in the Swansea Valley, where he met black men speaking a strange kind of Welsh. They had white eyes, red lips and black skin, but their skin turned white on Sundays; they were the colliers in the pre-pithead baths days. Holidays were still spent in the Mynachlog-ddu area, as the family arrived at Maenclochog by train and were then taken on the back of Rowland Griffith's Model T Ford lorry to their destination. They would be careful to sit on the sugar sacks rather than the flour sacks or else their bottoms would soon be white.

Those carefree months were spent in the company of Ben James, Cwmisaf, mostly involved with water activities; boats were sent sailing in the baptism pool, fish were caught in the small pools once the water to the mill wheel had been diverted, and an intelligent sheepdog at Penrhiw would spend hours challenging the young John to pull a piece of wood from its jaws. The dog would pull until its teeth were stained with blood and similarly John's arms would ache with pain, such was the ferocity of the challenge.

'Uncle Penrhiw' once stayed down late to make a small wheelbarrow for the young holidaymaker. The wheelbarrow remains among his life's treasures. John Young says his 'square mile' always has been in Mynachlog-ddu. He shares the conviction of Waldo Williams that the hills are a part of his bone marrow.

Saint Dogmael, Mynachlog-ddu

Anthony Bailey

By 1982 the congregation of Mynachlog-ddu Church consisted of only three people who attended the monthly service. There was neither heating nor electricity in the church so it was decided to close it for the time being. Over the next few years the condition of the fabric, already in a poor state of repair, deteriorated rapidly as part of the internal wall under the west window collapsed, the guttering rusted, flashing leaked, dry rot infested the floor and plaster and paint fell from the walls.

The Re-opening of the Church

The revival of the church community at Christmas in 1988 was an occasion which will be remembered by many people from the area. As the festival approached and as some people had expressed an interest in the Church, and as I had taken responsibility for the group of churches to which Mynachlog-ddu belonged, I decided to hold a Midnight Mass in the Church. A clean-up took place, the wall was repaired, portable gas heaters were imported and the service was advertised throughout the area. Over a hundred people filled the church with many of them having to stand, and we were particularly grateful to the minister, the Rev Eirian Wyn Lewis, and members of Bethel Chapel who supported us so well.

So began a tradition, which lasted for many years, and gave the incentive to reopen the Church for regular worship in 1989. Much restoration work took place, slates were replaced, guttering and flashing renewed, flooring was made safe and the churchyard was put in order. Members of the community enthusiastically took on voluntary duties to help with the smooth running of

the services, providing flowers, keeping the church clean and replacing old Altar frontals and linen cloths. The only object from the past that survived was a pewter chalice and paten.

The Earliest Celtic Churches

Their commitment was remarkable for a church which is over two miles away from what is now the centre of the village. So how did it come about that the Church was built at the southernmost tip of the parish, which stretches seven miles as far as Crymych? To answer this question we must go back to the pre-Christian era when our forebears built many sacred edifices in the area where some are still in evidence today. Very often they became meeting places for local tribes, where, as well as being used for religious services, they became centres of trade and community activities. As Christianity in the fourth and fifth centuries AD replaced the ancient religions, so their hallowed sites were often taken over by the Christian church, and no doubt they continued to be the centres of community life and religion. Celtic Christianity flourished in the Wales at the time of the departure of the Roman armies.

There was many saints from the period, who were often tribal leaders and who sometimes, lived as hermits: David, Teilo, Brynach, Tysilio, Dogmael and Cledwyn are some of the saints of the locality who readily spring to mind. These and other monastic communities and churches were established throughout west Wales, many of which were chapelries situated on the pilgrimage routes. For example, Brynach, a visionary who spent much time as a hermit on Carn Ingli, established a community in Nevern where pilgrims from the north could spend a night before the final stage of their journey to the Shrine of Saint David.

George Owen, the famous historian of the 17th Century, claims that there were two such chapelries in his own parish of Nevern. Some historians also believe that there were several such buildings within the locality of Mynachlog-ddu. A present day leaflet names three: Capel Saint Silyn, Capel Cawy and Croes Mihangel (this was a Bronze Age burial site excavated in the 1950s and its finds can be found in Tenby Museum.)

The Medieval Church

Little, therefore, is known about a Church in Mynachlog-ddu before the western form of Christianity superseded Celtic Christianity, a movement which began with the arrival of Saint Augustine in this country in 596 and was completed by the Normans in their conquest of Great Britain. There is, however, little written evidence of a church community existing in Mynachlog-ddu before the Conquest, but most scholars believe that many communities in the area had their own rudimentary churches. The name "Mynachlog-ddu" could denote a monastery but, because of questions about its spelling, an element of doubt still remains. However, like many solitary parts of the area local community leaders became known as saints and established local churches some of which would have centred on pre-Christian sites that were considered holy, or at wells known for their healing properties.

We do not know when Mynachlog-ddu Church was first built and given its dedication to Saint Dogmael, but it is believed that he was a sixth century saint who also gave his name to Meline church and to Saint Dogfael's church at Saint Dogwells near Sealyham. According to E. T. Lewis in his book published in 1969 entitled *Mynachlog-ddu, a Historical Survey of the Past Thousand Years* he had some association with Brittany, but his activities were largely in Pembrokeshire. Saints of the Celtic period are often given a lineage connected with princely houses and Dogmael is thought to be the great grandson of Prince Cunedda who was the leader of the North Britons who invaded Wales. Many other saints to whom local churches are dedicated were the children of Brychan who ruled the area during the fifth and sixth centuries.

The Abbey at Llandudoch

The Norman monastic foundation of Saint Dogmael took place around 1113, when Robert Fitz Martin, the Lord Marcher, went to Bernard of Tiron and asked for twelve monks under the abbot Fuchard to be settled in an Abbey, which was to be built on the banks of the Teifi at Llandudoch. Bernard was born in 1050 in a small village near Abbeville in Picardy. When he was twenty years old he was admitted into the Order of Saint Benedict at the Abbey of Saint-Cyprien-lès-Poitiers. He left the order in 1101 at a time when the Benedictines who had become lax in keeping their rule, needed reforming, and, after living as a hermit for some years, he founded the Abbey of Tiron named after the forest of Tiron near Chartres. Though based on the Benedictine rule that Saint Bernard at Tiron was much stricter and laid much more emphasis on asceticism. The Abbey at Llandudoch was dedicated to Saint Dogmael and was the only branch of the Tironian order in England and Wales.

The building of St Dogmael's Abbey was begun as early as 1120 but was not completed until the fourteenth century. We do not know the exact relationship with the barony which later became known as the hundred of Cemaes, but Robert Fitz Martin whose responsibility it was would have had some say in the oversight of the Abbey and its lands. Perhaps, as E. T. Lewis suggests, the rights to the common lands were shared between the local tenants and the Abbey. During the expansion of the Abbey in the area it established cells at Caldey Island and at Pill near Milford, but its influence bore no comparison with that of the Cistercian Abbey at Whitland. However, it did acquire many churches and farms together with rights in commons in North Pembrokeshire.

The Dissolution of the Monasteries

When Henry VIII dissolved the monasteries in 1536 their monastic lands were vested in the crown. A John Bradshaw of Presteigne who bought monastic lands in many places acquired many of the former Abbey of Saint Dogmael's lands. Tenancies were given to a number of local people and in many cases some features of feudal tenure of an earlier period were replaced by a commutation of some services into a rental in cash or kind.

Parishes

We are not sure when Mynachlog-ddu became a parish in the sense that that word is used today but it was probably with the reorganisation due to the Dissolution. It then began to be a unit of local government and a person became known as belonging to a certain parish and Mynachlog-ddu was no longer regarded as part of Saint Dogmael's but became an entity in its own right. It covered a large area stretching from where Crymych is now situated to the Church that stands at its southernmost point. The Church itself was probably a fourteenth century building consisting of a nave and sanctuary and within that is an aumbrey where the Reserved Sacrament was kept. The font is very plain with the bowl of Norman origin standing on a pedestal from later times.

No doubt the church has undergone restoration work on many occasions, but in 1888 a restoration began which altered the character of the building. Two cottages belonging to the living and adjacent to the church were pulled down and replaced with a second aisle built on to the church, which gave room for 120 seats. The two parts were separated by a row of pillars and the altar was moved to the new aisle. The cost of this work was £800 and although application was made to the Incorporated Church Building Society for a grant, this application was refused; as there seems to be no record of how the money was raised we can speculate that this was a period of growth in the membership.

Incumbents

According to E. T. Lewis, the first Vicar that is known was Thomas Jenks, who was appointed in 1674. He added the names of those appointed in the eighteenth and nineteenth centuries including, in 1824, Thomas Brigstocke who was also vicar of Llawhaden with Bletherston. Those appointed in the twentieth century and whom the older members of the community may remember were as follows:

1925 William Evans
1939 J. E. Davies
1949 J. Morris
1957 R. L. M. Jones who was also Rector of New Moat and Clarbeston, in the same year also became responsible for Llangolman, but in the 1970s with a reorganisation of parishes, the Rev T. Hamer, Vicar of Maenclochog and Rector of Henry's Moat, took over the responsibility of both churches. Following his retirement and when I myself had retired from Bristol Cathedral and its school I became priest-in-charge of the four parishes. The Rev Simon Hapgood was inducted as the incumbent in 1994 and he added New Moat and Llys-y-frân to

his charge. The Rev Michael Grainger followed him in 1995. Today the same six churches are the responsibility of the Rev Rebecca Davies who became their Priest-in Charge in 2007.

Membership

Throughout the post reformation period the membership of Mynachlog-ddu Church was poor. This can be seen from the registers of the period. They date from 1671 when only 4 burials are recorded in that year. In other years numbers recorded are as follows: 1685 – 2 Baptisms; 1705 – 3 Baptisms, 2 Marriages, 2 Burials; 1802 – 8 Baptisms, 1 Marriage, 1 Burial. However, at the end of the eighteenth century, during the nineteenth century and the early part of the twentieth, there were a series of revivals in the Church. First there was the Evangelical revival with leaders such as William Wilberforce, one of those who fought against the slave trade.

In the mid nineteenth century the Oxford Movement was lead by Anglican priests like Manning and Newman (who later joined the Roman Catholic Church) and reintroduced an emphasis in the observance of the Sacraments. By the end of the century one reads in parish magazines of Pembrokeshire churches that there were many well attended churches, with outreach into nursing, libraries, meeting rooms, sporting facilities, clothing banks, schools, savings banks and other social needs. How far this kind of activity took place in Mynachlog-ddu we are not sure, but the extension of the Church in 1888 suggests that there was a growing congregation at the time.

The Disestablishment of the Church in Wales

By the end of the nineteenth century the churches of Wales were facing another problem. The growing non-conformist churches were pressing for the disestablishment and the disendowment of the established church.

We read in the parish magazines of the last decade of the nineteenth century and the first decade of the twentieth of local, diocesan and provincial meetings to rally opposition to this move. However this opposition was in vain, for the Welsh Churches Act was passed in 1914 at the instigation of the Liberal government but it had to invoke the Parliament Act in order do so. The First World War however delayed it from being put into effect until 1920, after a further act was passed in 1917.

A new organisation called The Representative Body then became responsible for the Church's property, and for funding many of the activities of the Church including support of clergy stipends. The Governing Body was elected from local parochial Church councils via Rural Deanery Conferences, and Diocesan Conferences. Parishes were encouraged to share in the financing of the Church in Wales and besides finding the funds to run their churches they were allocated quotas, which were levied largely to help with stipends and central administration costs.

The Future of the Church

Sadly the numbers attending Mynachlog-ddu have dwindled again and those who are left find the financial burden very heavy and it could become redundant like many others in the area. So what can happen to keep this church open for the use of future generations? It is at this point that it might be as well to remember the functions of the pre-Christian holy sites mentioned earlier in this article for worship as well as meeting places for the tribes with trade and social intercourse could take place. The early and medieval churches in Great Britain followed the same pattern and so they became hubs of community life.

Today, many churches, particularly in urban areas but an increasing number in rural areas, are trying to follow the same pattern. With the closure of schools and pubs this role of the churches is becoming increasingly important not only for bringing the community together, but also for helping with the financial pressures of keeping churches financially solvent.

Such an experiment was being planned in the interregnum between the departure of the Rev Michael Grainger and the appointment of the Rev Rebecca Davies. During that time the six parishes were looked after by a part time priest-in-charge, the Rev Jonathan Copus, who was also a trustee of an organisation, which had been set up with the name ARCH (arts in churches) that speaks of its purpose. He made plans for the possible use of Mynachlog-ddu Church as a centre for the arts while still using it for worship. Before he had time to bring his plans to fruition a full-time incumbent was appointed and the plans were dropped. This widening of the use of churches, particularly urban ones, making them into centres of community life is happening in many places.

Perhaps this kind of use of expensive plant in the ways of the pre-Christian era, the Celtic period and the pre-reformation years would bring back the idea of community, and at the same time make the church more relevant in the lives of its inhabitants and to save the buildings for future generations.

The Brynllechog Mob

Y Cynhyrfwr

Rural hardship along the Preseli hinterland during the late 1880s was no different to that of other areas across Wales. After the anti-tithe war had broken out in Llanarmon-yn-Ial, Denbighshire, in July 1886, it was no surprise that similar discontent was witnessed in Pembrokeshire and specifically in Llangolman. Two farmers were brought to justice at Narberth following a disturbance that saw a mob assault tithe collectors at Brynllechog. So widespread was the protest movement in Pembrokeshire, that it warranted a booklet entitled *The Tithe War in Pembrokeshire* written by Pamela Horn and published in 1982. Let Pamela Horn set the scene as to why local farmers were reluctant to pay tithes to the established church:

> *To many people, the Church seemed irrelevant – an alien English intrusion, which was associated in their minds with the power and authority of the landlords, who were themselves mainly English in sentiment and attitudes, if not by birth.*
>
> *To add to the general sense of grievance was the fact that, thanks to the tithe system, Nonconformist farmers, who never set foot inside a church, were forced to pay towards its support. Tithes had been the traditional method of financing the Christian religion from its earliest days, with those who cultivated land supposed to set aside one-tenth of their produce each year for the purpose. Over the centuries that principle was distorted, with payments sometimes going to lay impropriators, like the Oxford and Cambridge colleges, or even to individuals who had secured the right to impose the levies.*
>
> *In 1836 the system was extensively overhauled, with payment in goods no longer permitted and a set formula drawn up for the calculation of the cash tithe rent charge which is now payable. In theory, responsibility for the handing over of all tithes was to be transferred from the tenants to landlords, though in practice most landlords continued to use their tenants as their agents in this matter. Inevitably, the arrangement gave rise to complaints like that put forward by one South Wales farmer, who calculated that over the course of four years he had paid £800 in tithes to a church he had never entered.*

The discontent manifested itself in Pembrokeshire at Llandysilio, Whitchurch, Crymych and along the coast from Fishguard to St Davids particularly at Trevigan and Fagwreilw farms in the Solva area, where bailiffs had to abandon tithe sales because of the ferocity of the gathered crowd in

September 1890. The ill-feeling had festered for over four years and had manifested itself in a threatening letter sent to Mr Muscott, the owner of a large quarry at Llangolman and therefore an employer of a large workforce. The letter had been posted at Clarbeston and the signatory was 'Mark Twain', the American writer who campaigned for civil rights. A report in the *Pembrokeshire Herald* on November 11, 1886, says the letter "Was written by a person of more than average education". The threat was to destroy the new house being built by the quarry owner with dynamite and nytro-glycerine if he paid his tithe to the rector. However, the anti-tithers claimed this was a hoax, and even if it was so, it undoubtedly caused some anxiety to those involved. Pamela Horn shows that the anti-tithers had adopted a responsible attitude:

> *The farmers demanded a ten per cent reduction in their tithes and that the vicar flatly refused to allow. It is significant that this parish had been chosen, for the incumbent also held the neighbouring livings of Maenclochog and Llandilo, where the church building was in ruins and there had been no services held since 1845. The previous incumbent had also been non-resident, and in these circumstances, Nonconformity had flourished. In the parishes of Llandilo and Llangolman, plus that of Maenclochog, there were said to be only thirty-five Anglican communicants out of a population of 871.*

The combined value of the three livings was apparently £284. But it was not until September 1890 that the growing resentment spilled over into a standoff between a crowd of well over a hundred people and tithe collectors at Brynllechog farm. This is how the incident was reported in the *Pembrokeshire Herald* on October 3, 1890 under the banner headline:

OUTRAGE NEAR NARBERTH

> *While on their way from Maenclochog to Narberth on Friday evening last Mr Heighly, a friend, and the confidential clerk of Mr T. D. Lewis, solicitor, Narberth, who had been engaged in the collection of tithe, were set upon by a large mob. A bonfire was lighted on the highway by the latter, and a load of thorns was used to obstruct the passage of the trap which contained the three men. The victims of the outrage were pelted with filth, lime, and rotten eggs for more than a mile. Not satisfied with this, the crowd, made up of about 300 men, women, and children, took away the horse and trap. When subsequently restored outside the parish boundaries, it was found that the vehicle had been broken and the harness so mutilated that ropes had to be used to enable the trio to drive to Narberth. On Sunday the Superintendent of police*

initiated an investigation into the affair, and it is to be earnestly hoped that the culprits will be brought to justice. This supplies the best possible reply to the Rev W. Thomas's contention that the movement is conducted peaceably and without the violation of the law. Should it be found necessary to call upon the Government for aid in preserving the peace, no difficulty will be experienced in locating the responsibility for bringing about an event disgraceful to Wales.

Presumably, the afore-mentioned Rev W. Thomas was a Nonconformist minister. However, the outcome was that two farmers – David Davies, Brynllechog and Ben Davies, Llyn – were summoned before Narberth County Court the following month to answer a claim of £50 damages made by Ben Evans for assault and injuries caused and damages to his trap and harness. Newly elected Liberal MP, Abel Thomas, whose party was in the vanguard of the anti-tithe movement, represented the defendants. Twenty witnesses were called and the case was heard over two days before the defendants were given what can be described as summary Pembrokeshire justice, by the local jurors, when ordered to pay £25 costs rather than the £50 that had been demanded. The case was reported in full in the *Pembrokeshire Herald* firstly on October 17 1890 under the banner heading:

THE RECENT AFFRAY IN NORTH PEMBROKESHIRE

At the Narberth County Court on Tuesday (before his Honour Judge Beresford) the court was occupied for nearly six hours by the hearing of the action brought by Mr Ben Evans, clerk to Mr D. T. Lewis, solicitor, Narberth, against two farmers, named David Davies, Brynllechog, and Ben Davies, Llyn, both of the parish of Llangolman. Mr Glascodine was for the Plaintiff, and Mr Abel Thomas for the defendants.

A jury was empanelled to try the case. The plaintiff claimed £50 damages for assault and injury done to his clothes and damage done to a trap and harness, which were in his possession as bailee. The witnesses, twenty in number, were ordered out of court.

The plaintiff's story was that he as representing the agent of the tithe owner, went to Maenclochog on the 26th ult, in company with Mr Hiley, of Abertillery, auctioneer, and Mr Morgan, Abergavenny, bailiff, to receive tithes. He went to get tithes from parties who were willing to pay, and the bailiff and auctioneer were there with the intention of making certain distraints before leaving the district. The bailiff and the auctioneer accompanied him back in his trap to Narberth. They left about five, and the defendant David Davies followed them on horseback, soon passing them on the road. A short way out they met a crowd of about 70, who howled and jeered at them, but did not do any material injury. They, however, pursued them until they got to Brynllechog, where a crowd of several hundreds had collected. There they found that a fire of some very inflammable material was lighted to receive them, the flames reaching 6 ft or 7 ft high. The crowd gathered behind them, and commenced pelting them with rotten eggs, mud, and other missiles.

While they were shut in by the crowd and fire on one side they found their way barred on the other side by a cart filled with an immense load of thorns, so that the trap could not get past. Two of the party got out of the trap, and the other managed to drive out, but was thrown out through the vehicle getting into a rut. The crowd, who were armed with pitchforks and sticks, still followed and pelted them with missiles of every kind, and only let them escape when Mr Hiley promised not to come back to the parish in connection with the tithe business again. Plaintiff refused to promise. Mr Hiley gave the crowd a four-shilling piece for beer, and the defendant David Davies, taking the money in his hand, said: "Now boys, he gives you this for beer, and promises not to come back." Then they were conducted to their trap, outside the parish boundary, and allowed to go home.

Both the plaintiff and Mr Hiley swore that they saw the two defendants amongst the crowd several times while they were being assaulted, and David Davies seemed to enjoy it, frequently asking them to promise not to come back.

The two defendants, being sworn, positively denied the several statements of complainant and his witnesses. Benjamin Davies declared that he did all in his power to prevent them being abused, and that he could not have done more for himself than he did to protect them from the crowd. David Davies deposed that the plaintiff sent a man named Gibby for him, asking him to hurry up and prevent his being ill-treated. He went to the crowd and urged them to desist from annoying the plaintiff and his party. He admitted that he was afraid to go too close to them, as he had his Sunday clothes on. He positively swore that he did not follow the party to the place where the four shilling piece scene was said to have taken place, and that, consequently, he never saw the money or took it in his hand.

The second report was published on November 21 1890 under the banner heading:

THE TITHE WAR

At Narberth County Court on Tuesday (before Judge Beresford and a jury) the adjourned case of Evans v Davies was heard. This was an action brought by Benjamin Evans (clerk in the employ of Mr Lewis, solicitor, Narberth) to recover £50 from David Davies, Brynllechog, and Benjamin Davies, Llwyn, for damages in respect of an assault and injury to plaintiff's clothes and a trap and harness. The case was commenced at the last Narberth County Court on October 14, when the plaintiff's case was heard. The plaintiff alleged that on the 26th of September he was at Maenclochog to collect certain tithe rents, and a row took place, in the course of which the alleged injury was inflicted. The hearing was adjourned just after the defendants' case had been opened. At the hearing on Tuesday a great deal of interest was manifested in the proceedings. Mr R. Glascodine (instructed by Mr Lewis, Narberth) was for the plaintiff, and Mr Abel Thomas, M.P. (instructed by Messrs Asa and Ivor Evans, Cardigan) for the defendants.

John Thomas, farmer, Penlan, Whitchurch, examined by Mr A. Thomas, said that on the 26th of September he was collecting sale moneys, and called at Brynllechog. While there Benjamin Davies came up on pony back alone. Soon after a trap with one man came from the direction of Maenclochog, and two men rushing after it. A crowd followed. None of the women living at Brynllechog threw lime at the plaintiff. There was a little dirt on plaintiff's clothes. Afterwards he saw the defendant David Davies pushing the people and telling them to go home.

Benjamin Gibby, slater, Llangolman Mill (examined by Mr A Thomas) said that on the 26th of September he was at Yet Fawr Sale and hearing something, about 5.30 he went towards Brynllechog. He passed a man whom he thought was a bailiff, and then a load of thorns. Then he passed a trap with someone in it, and then he passed the plaintiff. The plaintiff seemed to be in a quarrel with three men. Witness took plaintiff by the arm and drew him away. As far as he could judge, neither of the defendants was present then. Plaintiff's hat fell off, and witness put it on his head. Plaintiff requested him to go and ask David Davies to come up and quiet the crowd. He found David Davies close to his own gate, and gave him the message. David Davies went with witness as fast as he could to the plaintiff. Davies told the crowd to be quiet, and asked plaintiff to come to his house, where he should have shelter, or, if he did not like to do so, David advised plaintiff to go back to Maenclochog. Davies said nothing about his own horse and trap.

Mrs Mary Davies, wife of David Davies, one of the defendants, said that when the crowd passed Brynllechog her daughter and the servant Dinah, who were the only women in the house, were upstairs, and remained there till after the crowd passed. Her husband came up the road on the pony's back after the crowd. Gibby came up and asked him to come to Benjamin Evans, who begged him to come. Witness laid hold of her husband's arm and told him to come to the house and let them mind their own business. In spite of her request, her husband went to Evans, and she followed. She heard her husband ask Evans to his house and Evans said he could not, because his horse and trap were gone. Her husband said he would drive him to Narberth in his own trap. She told her husband to come back to the house and let Evans go about his business. Her husband said that several times to Evans, who did not come. There was no crowd in the road near witness's house the whole of the day till after Benjamin Davies arrived.

Rees Edwards, clogmaker, corroborated the previous witness.

Dinah Jenkins, aged 17, servant at Brynllechog, denied throwing lime at the time the crowd was there. She had no lime to throw.

The following witnesses having given evidence for the defence, Owen Griffiths, Ezer Davies, Thomas Lewis, John James, blacksmith, Rhos-fach; Mary Jones, Llan-y-cefn; and John Griffiths farmer, Chapel.

Mr Abel Thomas and Mr Glascodine addressed the jury on behalf of their respective clients.

The Judge, in a brief summing up, said that if the jury thought the defendants had any hand in getting the crowd together, and if they did not, long before the assault was committed, discountenance the proceedings of the crowd and do all they could to stop them, they would be liable for the result of the acts of that crowd. A great deal of the evidence given in the case was very immaterial, and the time of the jury had been occupied needlessly. A great point was made of the 4 shillings handed to B. Davies, but that was not material. It was not given till hours after the assault, and it was not the plaintiff who gave it at all. Not a tittle of evidence had been given to show that plaintiff was not assaulted at Llandilo Cross, or that he did not sustain damage there.

As to the invitation given by Davies to plaintiff to come into his house, that struck him (the judge) as rather cogent evidence that the defendant was alarmed at the aspect of the crowd and wanted to avoid the possibility of further harm. If they believed that the crowd was brought together by defendants and they did not interfere to prevent the assault at Llandilo Cross, the plaintiff would be entitled to a verdict, and it would be for them to say the amount of damages. The plaintiff had proved medical attendance costing one guinea, damage to the trap £7, and to his clothes £2. In assessing damages they should consider, not merely the actual loss, but estimate what was due on account of the interference with a respectable man in the execution of his duty. It was against the interests of society that men in the execution of their duty should be set upon by a howling mob. He did not think the facts as to the cart of thorns or the fire were material except that they were both close to Brynllechog, the farm of one of the defendants.

The jury, after an absence of twenty minutes returned into court with a verdict for the plaintiff, assessing damages at £25.

The judge, on the application of Mr Glascodine, allowed a 'conference' fee and a 'refresher.'

The descendants of many of those involved in the fracas remain in the area today. And it seems that tensions hardly subsided following the court case according to Pamela Horn:

Small wonder that the vicar of Llangolman wrote in November 1890 ; 'Sometimes here the tithe riots are so bad that they have broken the windows (of the Llangolman church) four times after mending them. It is a reign of terror just now'.

However, the farmers were justifiably incensed, had taken the precursory measure of lobbying the absent vicar for merely a reduction rather than an abolition of tithe payments, and the subsequent refusal had hardened their resolve to take matters into their own hands if necessary, when faced with the representatives of authority. This they did, as was often the case as a prerequisite of any social change. They were at the end of their tether and could not see the logic of paying for the upkeep of a church they did not attend, and whose vicar did not reside in the locality when they already contributed towards the upkeep of the burgeoning chapels, which they attended at Bethel, Llandeilo and Rhydwilym. Over fifty years had elapsed since the instigation of the Rebecca Riots in the area and fourteen years since the death of Twm Carnabwth, the recognised leader of those riots against the injustice of exorbitant tollgate payments; however, it seemed the spirit of Twm Carnabwth's yearning for social justice was still alive in the area.

Thomas Phillips – Y Llenor

E. Llwyd Williams

Yr oedd gan Thomas Phillips ysgrifbin buan a graenus. Cyhoeddwyd degau o'i bregethau ym mhapurau crefyddol Lloegr ac America. Fe dâl y ffordd i rywun gasglu'r rhain a'i cyhoeddi'n un gyfrol yn Saesneg. Diddorol hefyd y byddai cyhoeddi pamffledyn o'i atebion i ymholwyr craff a beirniadol y gwahanol newyddiaduron, o dan y teitl 'Answers to Correspondents.' Breintiwyd ef â dawn arbennig i drafod pynciau llosg y dydd. Gwyddai'r Wasg am ei fedr i lunio pregeth ac ysgrif, ac yr oedd mwy nag un golygydd wrth ei ddrws ar fore dydd Llun, yn gofyn am bregeth y Sul cynt.

Ysgrifennai'n gyson i'r *Baptist Times, British Weekly, Christian World* a'r *Canadian Baptist.* Wele restr o rai o'i destunau ... 'Christian Chivalry'; 'Social Unrest.' (Undeb Bedyddwyr Prydain Fawr 1912); 'Faith of our Fathers.' (Undeb Bedyddwyr Prydain Fawr 1916); 'The Gospel of our Lord Jesus Christ.' (*Christian Review 1935*); 'The Grace of God and Free Churchmanship'; 'The Old Fashioned Baptist Culture' (*Baptist Times, 1933*) 'How to Recapture the Gospel.' (*Canadian Baptist 1931*). 'The Appreciation of Values', (*Baptist Times 1931*). 'Comrades in the Trenches'; (*Canadian Baptist*, *1930*). 'The Cross and the Second Coming'; (*Canadian Baptist 1931*). 'On Re-reading the New Testament'; 'On preaching about Sin'; 'Wanted: A Spring Crop of Young Preachers'; (*Crusader 1931-32*). 'Trying to Preach about the Atonement'; (*Canadian Baptist 1932*). 'A Tonic for Hard Times'; 'Getting Answers to Prayer'; (*Home Messenger*). 'Three Baptist Catholics'; 'The Evangel and the Prayers'; (*Review of the Churches 1924-25*). 'Baptists I Should Like to have Been'; (*The Quest*).

Cyfres hynod o ddiddorol ydoedd hon yn y *Quest*, ac yntau'n sôn am ddynion fel Roger Williams a Lloyd George ac eraill. Yr oedd yn feistr ar y gelfyddyd o ddarlunio cymeriad mewn geiriau. Treiddiai drwy'r dillad a'r cnawd at enaid dyn. Daw hyn i'r golwg ym mhob ysgrif o'i eiddo ar bersonau fel y Doctor William Edwards a'r Doctor F. B. Meyer, y Prifathro Silas Morris, Syr Henry Jones ac eraill. Codai hwy'n fyw mewn brawddeg gofiadwy. A dyna'i gryfder fel llenor. Lluniwr brawddeg ydoedd. Tynnai ddarlun, ac yn ei ddarlun ef, pethau is-wasanaethgar ydoedd ffeithiau a manion. Lliw ac awyrgylch ydoedd y pethau pwysig.

Cyhoeddodd lyfr i blant — os plant hefyd. *Eric Strong: Not Forgetting his Sisters.* Thomas Phillips. Partridge and Co.' Er nad oes dyddiad arno, credaf iddo gael ei gyhoeddi yn 1908. Gresyn ei fod allan o brint erbyn hyn. Diau mai awyrgylch ac addysg ei aelwyd ef ei hun a bortreadir yn y llyfr hwn.

Nid gŵr i fyw'n ddi-sylw ymhlith ei blant oedd Thomas Phillips, a gellir dyfalu gyda chryn lawer o sicrwydd, iddo gael deunydd y gyfrol hon ar faes chwarae nwydau a greddfau ei deulu yn Llundain. Portreadir bywyd plentyn gyda chraffter anghyffredin, ac Eric yw'r arwr. Gwelwn ef yn gyntaf yn hawlio'i le ar yr aelwyd, a dilynwn ef i'r capel ar y Sul, gan ddychwelyd i'r aelwyd i ddysgu ysgrifennu, rheolau gramadeg a ffeithiau daearyddiaeth. Awn allan i'r awyr agored hefyd yn ei gwmni i hedfan barcutan a thynnu lluniau â chamera bach. Dyna ran o ramant y llyfr hwn. Ond y peth pwysig yw bod i bob gweithred a phob cyffro a digwyddiad ryw arwyddocâd arbennig. Y mae pob pennod yn y llyfr yn bregeth, heb fod ar lun pregeth. A dyna ddawn Thomas Phillips eto. Nid pregethau pregethwr oedd yr eiddo yntau, ond fe rydd y llyfr hwn amryw o bregethau plant i bregethwr.

Thomas Phillips, Bloomsbury

Dywedai'r Doctor Clifford am Thomas Phillips, ei fod yn darllen gormod ac yn ysgrifennu rhy fach. Apeliai ato beunydd i gyhoeddi llyfrau, am ei fod yn argyhoeddedig bod ganddo'r ddawn at y gwaith. Ond gŵr prysur gyda phethau eraill ydoedd ef. Fe'i cyfyngodd ei hun i'r bregeth a'r ysgrif am flynyddoedd lawer, gan fentro torri ar ei arfer yn 1928, a chyhoeddi llyfr *The Grace of God and a World Religion*: Carey Press. Cafodd hwn adolygiadau ffafriol iawn, ac ymhen rhyw ddwy flynedd fe'i cyfieithiwyd i iaith Tsieina. Gwelir ffresni yn y cynllun a'r arddull gain, a daw grym a chraffter ei feddwl i'r golwg yn ei ddadleuon. Ac nid y peth mwyaf dibwys yn y gyfrol hon yw'r cydymdeimlad byd-eang sy'n nodweddu ei feirniadaeth o grefyddau'r byd.

Pererindod ym myd Gras yw pwnc y llyfr, a thamwya'r awdur ag urddas ysgafndroed dros lwybrau'r Brahmin a'r Hindŵ gan sylwi ar gryfder a gwendid yr hen grefyddau cyfrin, hyd nes dyfod wyneb yn wyneb â Iesu Grist. Deil ef nad oes yr un grefydd heb ryw gymaint o Dduw ynddi, a bod y ffaith fod dyn yn chwilio am Dduw yn profi bod Duw yn chwilio am ddyn. Duw a ddechreuodd neu a drefnodd yr ymchwil yn gyntaf. Gras ydyw cefndir pob crefydd. Ceir ganddo bennod fawr ar ymgnawdoliad Duw yn ei Fab. Nodweddir pob pennod â rhyw ffresni synthetig, ac ergyd y cwbl yw dangos mai Gras Duw yw'r unig ddehongliad o fywyd ar y ddaear.

Llwyddodd Thomas Phillips i ysgrifennu'n ddiwinyddol heb fod yn sych, gan osgoi hyd y medrai, yr hen dermau technegol sy'n lladd ysbryd y peth byw. Trafodai ffeithiau fel y bydd bardd yn trafod ffeithiau, a phwy a warafunai'r hawl hon iddo mewn oes ryddieithol? Ceir hoen a rhamant yn ei arddull, ac eithriad yw'r frawddeg nad yw'n fachog. Yr oedd dawn y llenor ganddo, a diau bod Doctor Clifford yn llygad ei le wrth ei gyhuddo o ddarllen gormod ac ysgrifennu rhy fach.

Llundain

Symudodd Thomas Phillips i Lundain yn 1905. Gwahoddwyd ef yno i gynnal arbraw o eiddo'r Bedyddwyr i sefydlu math o eglwys newydd, yn cynnwys nifer o sefydliadau poblogaidd i gyfarfod ag angen y cyfnod. Yr oedd ymadael â Norwich yn ymddangos yn ffôl ar y pryd, ond iddo ef, yr oedd yr anturiaeth o Dduw. Rhamant yr anturiaeth a'i hudodd ef yno. Er ei fod ef yno yn was i'r Undeb, gwrthododd gydymffurfio â phob rheol gaeth; gwrthododd ei gyfyngu ei hun i unrhyw amodau, ac ni fynnai wasanaethu neb ond Crist. Mynnodd law rydd, ac fe'i cafodd. Ceisiodd ddiwallu angen y miloedd yn Llundain mewn llawer dull a llawer modd, weithiau'n llwyddiannus, weithiau'n aflwyddiannus. Profodd bopeth gan ddal yr hyn oedd dda.

Heblaw pregethu ar y Sul, trefnodd bob math o gyfarfodydd yn ystod yr wythnos a chyngerdd bob nos Sadwrn, gan roddi deng munud o sgwrs ar ryw fater o bwys ym mhob un ohonynt. Nid ef oedd y gŵr i anghofio'r plant ychwaith, a dyfeisiodd lawer bach i'w dal hwythau. 'Cynghrair y Cenhedloedd' oedd ei eglwys yn Bloomsbury. Yr oedd yno wŷr o Sweden, Denmarc, y Swisdir, Mecsico a'r India ym mhob oedfa. Yr oedd yno aelod o bron bob Sir yn Lloegr ynghyd â rhai o Ddulyn a Belfast. Cafodd gyfle yno i gwrdd â phob math o ddynion, a dyna ran o wefr y gwaith iddo. O fewn taith munud o'i gapel, yr oedd cilfachau trychineb a llochesau trueni. Ei ffrindiau oedd yr anffodusion. Croesawodd hwy i gelloedd tan-ddaear ei gapel yn ystod cyrchoedd bomio rhyfel 1914-18.

Fe'i dysgodd i ganu emynau yno o dan y ddaear, a chafodd yntau ambell gân boblogaidd o'r theatr fel math o ad-daliad. Danfonent eu plant ato i'r Ysgol Sul, a gwnaeth yntau ei orau i ddefnyddio'r plant fel cyfryngau i efengyleiddio eu rhieni. Dim ond ystafell neu ddwy o gartref oedd gan y mwyafrif ohonynt. Daeth o hyd unwaith i deulu o naw yn byw mewn tair ystafell ac yn talu £45 o rent am yr hofel. Gwelodd fwy nag un fam yn ceisio chwyddo enillion ei gŵr drwy werthu blodau ar y stryd. Cynhyrfid ef gan olygfeydd o'r fath, a threfnodd ginio bob dydd i blant y tlodion yn festri'r capel. "Gwn am eu gwendidau," meddai, " ond ni allaf beidio â'u caru." Trefnodd chwaraeon i'r plant a chymhellodd y mamau a'u babanod i gyrddau'r wythnos. " A dyma dwyll Llundain", meddai "parciau crand, siopau llawn, ond y tu cefn iddynt ddynion di-waith, gwragedd gofidus a phlant newynnog. Gellid cael rhyw fath o eglwys ac anwybyddu'r pethau hyn, ond ni byddai'r eglwys honno yn Eglwys Crist."

Eglwys o wŷr ifainc yn awyddus am fod yn ymarferol oedd ganddo yn Llundain. Gwasgarwyd y rhain adeg y Rhyfel Mawr, a bu'r golled yn enbyd. Ei nod yn Llundain oedd uno pob cenedl a dosbarth a chredo trwy gymell dynion i anghofio'u gwahaniaethau a chofio'u hunoliaeth. '"Dim ond un ffordd sydd i wneuthur hyn", meddai ef, "trwy fod yn garedig. Nid oes gennym amser i gyhuddo a cheryddu a di-aelodi. Nid oes gennym ond un amod aelodaeth, sef ffydd yng Nghrist". Ymffrostiai yn y ffaith mai Bloomsbury oedd y capel cyntaf i esgob bregethu ynddo. Gwahoddwyd y Tad Nicolas o Serbia, esgob yn perthyn i'r

Eglwys Ddwyreiniol, i bregethu yno hefyd. Deuai pobl o bob cred o bob cyfandir i addoli yno."Rhaid cael Cynghrair Addoli cyn cael Cynghrair y Cenhedloedd," meddai Thomas Phillips. Ceisiodd wneuthur Bloomsbury yn gartref i'r ifanc, a chostiodd yr ystafelloedd a'r offer ar gyfer hyn ddeuddeng mil o bunnoedd. Yr oedd ganddo lyfrgell, neuadd senedd, ystafell ddrama, ystafell chwaraeon ac ystafell ddefosiwn. Holwyd iddo droeon, a fu'r arbraw'n llwyddiant? Ei ateb oedd, do a naddo. Bu'n llwyddiant eithriadol pan gofiwn iddo droi allan ugain o weinidogion a chenhadon. Bu'n fethiant am i gannoedd fethu darganfod ystyr y cyfan. Gŵr yn anelu'n uchel oedd gweinidog Bloomsbury, ac nid oedd yn ofni treio am nad oedd yn ofni methu.

Breuddwydiwr ymarferol oedd Thomas Phillips yn Llundain. Credai mewn breuddwyd os gellid ei dehongli a chael rhywbeth ymarferol allan ohoni. "Cefais freuddwyd neithiwr," meddai wrth ei gynulleidfa un bore Sul, "ymddangosai ar y cyntaf yn freuddwyd wag. Gwelais oleuni o'r nef yn disgyn ar gynulleidfa mewn capel a throes y golau hwnnw yn wên ar wyneb pob un yn y capel. Cofiwch, nid ffansi yw pob breuddwyd. Yr wyf wedi dehongli'r breuddwyd hwn. Y mae Duw am i bob un ohonom fod yn offeiriad. Beth yw offeiriad ? Dyn yn meddu ar y ddawn i fendithio dyn arall. A dyna beth yw Cristion, dyn yn meddu ar ddawn i fendithio dyn arall. Nid oes rhaid i chwi lefaru gair. Bydd gwên yn ddigon."

Cyn iddo orffen ei flwyddyn gyntaf yn Bloomsbury, yr oedd pawb yno wedi eu hargyhoeddi bod "grym yr atgyfodiad" yn eu plith. "Y mae'r eglwys fel cwch gwenyn o dan ei weinidogaeth", meddai'r ysgrifennydd. Credai mai Eglwys heb obaith oedd Eglwys heb blentyn, ac mai Eglwys heb fenter oedd Eglwys heb ddynion ifainc. Ac ni bu neb yn debyg iddo yn ei ddawn i ddenu'r plentyn ac i apelio at y dyn ifanc.

Achosodd ei lwyddiant yn Llundain beth eiddigedd ymhlith rhai o fawrion y ddinas, ac un adeg ceisiwyd codi treth ar ei gapel fel ar neuadd am ei fod yn nhyb y rhain, yn nythle Sosialaeth. Ond ni bu ef a'i ddiaconiaid yn hir cyn taro eu gwrthwynebwyr â mudandod difrifol. Bu rhaid iddo hefyd wynebu'r pwnc dyrys o ehangu'r capel, er mwyn trefnu lle i'r tyrfaoedd a ddeuai i wrando arno. "Yr unig ffordd i lwyddo yw trwy fynd lan", meddai ef, ac aethpwyd ati i godi 'storey' newydd. Ni synnwn iddo dderbyn dros un cant ar bymtheg o aelodau newydd yn ystod yr ugain mlynedd cyntaf o'i weinidogaeth yma. Cafodd eglwysi Llundain enwogion i'w pulpudau. Cafodd y City Temple, Campbell, Newton, Norwood; cafodd y Tabernacle, Spurgeon, Brown, Dixon, Chilyers; cafodd Westminster, Morgan, Jowett, Hutton; cafodd Whitefields, Horne, Piggot, Chisholm, Watts; ac fe gafodd Bloomsbury Thomas Phillips.

E. Llwyd Williams refers to Thomas Phillips' prolific literary output, as many of his sermons were published in religious magazines in Britain and America such as the Baptist Times, British Weekly, Christian World and the Canadian Baptist. We are then given a long list of his chosen subjects and a suggestion that all these should be collected in a single volume. His portraits of such luminaries as Sir Henry Jones, Professor Silas Morris and Dr F. B. Meyer are commended for their lucidity and for the author's ability to string together a series of memorable sentences. He also published a children's book entitled Eric Strong: Not Forgetting his Sisters, ostensibly based on his own children. He also published a book entitled The Grace of God and a World Religion in 1928, which was translated into Chinese. Someone said that Thomas Phillips read too much and wrote too little, but as Llwyd Williams points out in the second extract from his biography, the local boy did not take his responsibilities lightly as pastor of Bloomsbury Chapel, London.

Weekly meetings were organised, a regular Saturday night concert was held, visits were made to minister to the less well-off who were welcomed to the chapel underground shelters during the First World War bombing raids where the Rev Phillips taught them to sing hymns. His church was a broad church akin to the United Nations, as was witnessed by the make-up of his congregation. He once invited a bishop from the Eastern Episcopal Church to preach, and well over £12,000 was spent on facilities for the needy and the younger generation such as a library, space for drama, games and meditation. When asked whether all this endeavour had proved beneficial, his answer was yes and no. He answered in the affirmative because dozens of ministers and missionaries had been raised, and answered in the negative because hundreds of others did not discover the meaning of it all.

Thomas Phillips is described as a practical dreamer. By the end of his first year of ministry at Bloomsbury the congregation was convinced that 'the power of resurrection' was in their midst. The chapel was a hive of activity and his belief was that a chapel without children was a chapel without hope, and a chapel without young people was a chapel short of enterprise. His success resulted in some enmity and at one time an attempt was made to force the chapel to pay a council tax, as in the case of entertainment halls, because it was deemed Bloomsbury was a cradle of socialism. Because of his success the chapel had to be enlarged and the only way that could be done was to build another storey, which was duly done. No wonder Thomas Phillips welcomed over 1,700 new members during his ministry at Bloomsbury.

Capel Llandeilo, yr Annibynwyr

Nodiadau byrion ynghylch hanes yr achos a'r eglwys

Y Parchedig D. Gerald Jones

(ar achlysur dathlu 150 mlynedd yn 1995)

1714—Dyma'r adeg y dechreuodd yr Achos, a hynny mewn ffermdai yn y cylch. Roedd Crofft-y-Crydd yn un ohonynt, mae'n debyg. Mr John Lloyd, gweinidog Henllan Amgoed, ac eraill a roes gychwyn i'r Achos a sefydlu'r Eglwys yn y lle cyntaf, tua milltir o leoliad y capel presennol. Olion o fynwent yn unig a geir yno bellach.

1786-90—Adeiladu capel newydd. Pan aeth y capel cyntaf a'i do iddo ryw 76 o flynyddoedd wedi ei adeiladu, bu'n rhaid meddwl am adnewyddu neu ailadeiladu, ond methwyd cytuno ar y lle mwyaf pwrpasol i'r capel newydd. Y canlyniad fu codi dau gapel – un ym Maenclochog a'r llall yn y Cware, Llandeilo. A dyna ddechreuad yr Achos yn Hen Gapel. Cynhaliwyd ysgol ddyddiol yng Nghapel y Cware hefyd gan Mr William Phillips, Blaensawd, a Henry Price, gweinidog Rhydwilym, ac yn ddiweddarach gan y Parchedig Benjamin James, Y Gilfach, gweinidog sefydlog cyntaf eglwys Llandeilo.

1836—Sgweiar fferm Llangolman yn saethu ergyd dialedd at ddrws y capel adeg oedfa. Diolch fod y drws o dderi!

1714-1837—Bu'r Achos hyd yma dan ofal bugeiliol gweinidogion eglwys Henllan Amgoed.

1837—Ordeinio'r Parchedig Benjamin James, Y Gilfach, o Athrofa Neuadd-lwyd, yn weinidog Llandeilo. Bu yma am 34 o flynyddoedd, tan ei farwolaeth ym 1873.

1845—Tabernacl, Maenclochog a Llandeilo yn uno yn un ofalaeth. Adeiladu'r capel presennol. Costiodd £18 mewn arian i'r seiri maen a £14 i'r seiri coed. Ond 'does neb ond Duw yn gwybod faint gostiodd hi i wirfoddolwyr a gyfrannodd mewn llawer dull a modd i gyflawni'r gwaith !

Symudwyd yr Ysgol ddyddiol i ffermdy'r Prisk o dan ofal ryw Mr Morse.

1874—Ordeinio Mr Cynog Jones o Goleg Aberhonddu yn weinidog yma. Galwyd ef oddi wrth ei waith ac at ei wobr ymhen 15 mis wedyn yn 35 mlwydd oed.

1878—Adeiladwyd Mans i'r gweinidog trwy gydweithrediad Tabernacl a'i alw'n "Maenteilo". Costiodd £300.

Ordeiniwyd Mr David Williams, un a fu yma ers tair blynedd cyn hynny ac a fu'n gyd-fyfyriwr a chydweithiwr â Cynog Jones. Bu yma'n fawr ei barch a'i lwyddiant nes ymddeol ym 1921. Byr iawn fu cyfnod ei ymddeoliad gan iddo gael ei alw adref ar Ebrill 21ain, 1922, a chladdwyd ei weddillion wrth borth y capel.

1881-2—Adnewyddu'r capel oddi mewn ac oddi allan.

1891—Adeiladu'r festri.

1922—Y Parchedig James Davies (tad y Parchedig Kenvyn Davies) yn cael ei ordeinio'n weinidog yma. Bu yma tan 1926 pan symudodd i Fethel, Llansamlet.

1928—Sefydlu'r Parchedig David Jones a ddaeth yma o Drelewis. Bu yma am ychydig dros saith mlynedd cyn symud i Gibeon, Tai-bach, Port Talbot (mab iddo oedd y Parchedig D. Benjamin Jones, Glandŵr).

1931—Adnewyddu'r capel a newid ffurf y to i'w wedd bresennol.

1936—Y Parchedig D. L. Eckley, B.A., B.D., yn dechrau yn y weinidogaeth yn Llandeilo. Ym 1943 derbyniodd alwad i Fethlehem, Sanclêr.

1938-39—Adeiladu Brynteilo – byngalo at wasanaeth yr Eglwys.

1944—Daeth y Parchedig Moelwyn Daniel yma yn weinidog o Garmel, Tanygrisiau. Bu'n ddiwyd iawn ei wasanaeth, nes symud i Ebeneser, Abergwili ym 1952.

1951-52—Adnewyddu'r capel am y drydedd waith. Costiodd £1,300 y tro hwn. Roedd y ddyled wedi ei chlirio erbyn dydd yr agoriad.

1952—O fewn tri mis i ymadawiad y Parchedig Moelwyn Daniel rhoes yr eglwys alwad i'r Parchedig W. J. Rees, Hen Gapel, Llanedi a Seion, Llandybie. Fel un arall o'r cyn-weinidogion aeth yntau yn weinidog i Fethlehem, Sanclêr, ym 1956.

1957—Sefydlu'r Parchedig J. Derfel Rees, B.A., B.D., Saron, Ynys-hir, yn weinidog yma. Cymharol fyr fu ei arhosiad yntau a derbyniodd alwad i fugeilio'r praidd yn Siloh, Pontarddulais.

1963—Dyfodiad y Parchedig E. Denzil James, yma o Gibeon, Bancyfelin a Ffynnonbedr, Meidrim.

1964—Prynu tŷ ym mhentref Maenclochog fel Mans newydd, mwy cyfleus a hwylus. Er iddo gostio £4,300, roedd y swm wedi ei dalu cyn cyfarfodydd Dathlu Jiwbilî yr Achos, ddydd Iau, Medi 24ain, 1964.

Cyfarfodydd y Dathlu : Cymerodd ugain o bobl ran ynddynt. Pregethwr oedfa'r hwyr oedd y Parchedig W. Cadwaladr Williams, Henllan Amgoed – diwrnod i'w gofio, mae'n siŵr. Gwnaed llawer o welliannau i'r adeiladau y flwyddyn hon ac yn eu plith rhoi gwresogyddion trydan yn y capel.

1967—Buwyd wrthi'n wirfoddol yn glanhau ac addurno'r capel o'r tu mewn, a mawr yw'r canmol ar y graen a'r gwaith. Mae adran y plant yn fwy llewyrchus nag y bu ers blynyddoedd gyda thros ddeugain o enwau ar lyfr y cofrestru.

1969—Yr eglwys yn prynu organ bib oddi wrth Eglwys Fedyddiedig yn Ninbych-y-Pysgod.

1971—Wyth o fechgyn ifainc yn cael eu derbyn yn gyflawn aelodau o'r eglwys yr un pryd – golygfa anarferol o hardd. Nid yw hyn wedi digwydd yn Llandeilo ers blynyddoedd.

1973—Y Parchedig E. Denzil James yn symud i Gwynfryn, Rhydaman, wedi degawd lewyrchus a ffrwythlon. Dechreuodd y Parchedig D. Gerald Jones ar ei weinidogaeth yma wedi degawd ym Mhont-iets a'r cylch. Cynhaliwyd y Cyfarfodydd Sefydlu ar y 26ain a'r 27ain o Fedi. Yr eglwys yn sicrhau piano at wasanaeth addoliadau'r Sul yn y capel.

1975—Y Cyfieithiad Newydd Cymraeg o'r Testament Newydd yn cael ei gyhoeddi ar Fawrth laf ac fe gafodd cyhoeddiad pwysica'r flwyddyn i'r Cymry Cymraeg sylw dyladwy gennym.

1976—Y Gymanfa Ddirwestol wedi cael enw ac anian newydd. "Gŵyl Rhinwedd a Moes" fydd hi mwy. Bu'n anadl newydd iddi.

Aelodau Ysgol Sul Llandeilo yn y 1970au. Rhes flaen – Delyth Williams, Julie Beynon, Non Rees, Julie Gibby, Julie Llewellyn. Ail res – Iris Williams, Meryl Williams, Helen Bryan, Brenda Lewis, Katrina Bryan, Anne Vaughan, Malcolm Evans, Jeffrey Gibby, Ian Owen, Elfrys Evans, Mark Owen, Dafydd Rees, Hywel Vaughan, Leighton Bryan; Trydedd rhes – Shan Edwards, Carol Davies, Janet Evans, Carolyn Vaughan, Shan Davies, Keith Davies, Gareth Edwards, Eirwyn Evans. Rhes gefn – Marion Davies, Gwenda Davies, Eifion Evans, Russell Edwards, Emyr Phillips, Jennifer Vaughan, Anne Davies, Denley Absalom, Denzil Davies, Nigel Vaughan, Alun Davies, Gwyn Phillips a'r Parchg Denzil James.

Chwefror 18, 1976—Y Gymanfa Ganu Fodern neu Gyfoes gyntaf o'i math yn cael ei chychwyn gan Emyr Phillips a minnau heno yn y Tabernacl.

1978—Derbyniodd yr eglwys nifer o roddion gwerthfawr y flwyddyn hon ac yn eu plith gwpwrdd Cymun hardd. Bu Cyngor Undeb yr Annibynwyr Cymraeg yn cynnal ei gyfarfodydd yma a chafodd y swyddogion a chynrychiolwyr yr eglwysi groeso mawr ar aelwydydd.

1979—Roedd 80 yn Oedfa'r Nadolig, ond nid yw hi felly o hyd arnom!

1980—Hen Gapel yn ymuno â ni i ffurfio gofalaeth ehangach yn un peth er sicrhau gweinidogaeth sefydlog heb sôn am fanteision eraill. Cynhaliwyd yr Oedfa Gyfamodi ac Ymgysegru nos Sul, Ionawr 6ed yn Hen Gapel. Mae'n werth nodi i gymaint torf ddod i'r Ŵyl Rhinwedd a Moes yn y Tabernacl, Maenclochog, fel y bu'n rhaid cynnal dwy!

Y Gymanfa Bwnc: Cafwyd Cymanfa lewyrchus eto eleni a chwmni'r genhades Miss Gwyneth Evans, ynghyd ag un o wragedd hynaws Madagasgar. Roedd yr ysgol i gyd yn rhifo dros 80.

Un o fechgyn ifainc yr eglwys, sef Mr Emyr Gwyn Evans, Blaensawd, yn penderfynu cyflwyno'i hun i'r weinidogaeth Gristnogol yn oedfa'r Pasg. Yntau, erbyn hyn, heibio i yrfa lewyrchus ym Mala Bangor, yn was da i Iesu Grist ar un o'n heglwysi cryfaf ei haelodaeth, sef Bethesda, Tymbl. Pleser gweld y festri ar ôl iddi gael ei hadnewyddu oddi mewn a thu allan yn rhannol ar gost o £2,000.

Derbyniodd yr eglwys rodd o lestri Cymun at wasanaeth y cleifion yn eu cartrefi neu ble bynnag y bônt. Dechreuwyd cynnal cyngerdd Cristnogol ym mis Tachwedd, gyda'r amcanion deublyg o roi clod i'r Arglwydd a chynorthwyo'r anghenus. Yr eglwys yn ymuno i groesawu'r Bwrdd Cenhadol i'r fro.

1988—Deuddeg o eglwysi'r cylch gan gynnwys Llandeilo yn penderfynu gwahodd Undeb yr Annibynwyr i'r cylch (mewn pwyllgor a gynhaliwyd yn yr Hen Gapel ar y 4ydd o Chwefror) ym 1990, blwyddyn dathlu tri chanmlwyddiant eglwys Brynberian a dau canmlwyddiant Hen Gapel a Bethesda, Llawhaden. Paratoi Rhaglen Deyrnged i'r Parchedig W. R. Nicholas – un o nifer a gyflwynwyd gennym dros y blynyddoedd.

1990—Yr eglwys yn derbyn rhodd o biano newydd ar gyfer y capel. Gŵyl Rhinwedd a Moes yn Llandeilo ar 25ain Chwefror. Thema: 'Helpu eraill'. Cafwyd ymdriniaeth ardderchog o ddameg 'Y Samariad Trugarog' ar lafar ac ar gân gan y bobl ifanc yn yr hwyr. Bu hon yn ŵyl lewyrchus iawn, â'r capel yn llawn i'r ddwy oedfa. Diolch am allu dweud hynny o dro i dro!

Mehefin 10-17—Oedfa Gymun i'r deuddeg eglwys oedd yn croesawu'r Undeb yn Llandeilo am 10.30 o'r gloch fore Sul. Roedd y rhannau arweiniol yng ngofal y Parchedig Emyr Gwyn Evans; cyflwynais innau'r neges a gweinyddwyd y Cymun gan y Parchedig Hywel Jones, Nebo a Hebron, Pisga a Bethesda. Am 6.30 o'r gloch cawsom y cyflwyniad amrywiol y buom yn ei baratoi am fisoedd, ar y thema 'Annibyniaeth y Bryniau'. Cymerodd 150 o bobl a phlant yr eglwysi a oedd yn gwahodd yr Undeb ran ynddo, a bu'n ddigwyddiad bythgofiadwy inni.

Digon yw dweud i ymweliad cyntaf yr Undeb â Sir Benfro (yr Undeb symudol cyntaf i'w gynnal) fod yn un braf a bendithiol. A da yw medru nodi na fu pall ar y cydweithrediad, y croeso na'r lletygarwch.

Mai 26, 1991—Oedfa Awyr Agored Cyd-eglwysig ym mangre hen eglwys Llandeilo am 11 o'r gloch. Y pregethwr gwadd oedd Yr Archesgob George Noakes. Cymun bendigedig, yn wir.

Mehefin 16—Gŵyl y Pêr Ganiedydd.

Rhagfyr 1—Oedfa'r Adfent yn Llandeilo.

Rhagfyr 25—Eglwysi'r Bedyddwyr a'r Annibynwyr yn ymuno mewn Cymun i ddathlu'r Nadolig am y drydedd waith a hynny ym Methel, Mynachlog-ddu y tro hwn.

1993 — Dadorchuddio cofeb i William Penfro Rowlands, awdur yr emyn-dôn fyd eang, 'Blaen-wern', ger adfeilion ei gartref yn Llys-y-frân (14.2.93).

Hydref 17 — Y Gymanfa Ganu yn Llandeilo. Er nad yw'r côr ond cnewyllyn bach erbyn hyn, y mae bywyd yn y Gymanfa o hyd a'r paratoadau ar ei chyfer gan yr ychydig yn drwyadl.

1994 — Cymanfa Ganu Eglwysi Godre'r Preseli yng Nghapel Pisga, Llandysilio, o dan arweinyddiaeth ei sylfaenydd, John S. Davies, Maengwyn. Gall gadw traddodiad y Gymanfa Ganu'n fyw yn yr ardal. Eisteddfod Llandeilo a Thabernacl, Maenclochog yn dathlu ei hanner canmlwyddiant ar Fai'r 2il. Cafwyd diwrnod braf ac Eisteddfod lewyrchus.

Mai 20 — Oedfa Deuluol yn Llandeilo i lansio llyfr o'm eiddo, *Ar Lwybr Mawl a Myfyrdod*, a gyhoeddwyd gan Wasg Cyhoeddiadau'r Gair.

Mehefin 26 — Cwmni Intrada yma yn recordio *Dechrau Canu, Dechrau Canmol* ar lan yr argae yn Llys-y-frân.

Os na cheir cynulliadau lluosog yn Llandeilo bellach a bod yr eglwys wedi gwanychu o ran aelodaeth o gryn dipyn, deil yma weddill byw a ffyddlon o hyd. A gwelwn obaith eto i'r dyfodol gan fod Ysgol Sul y plant wedi cychwyn drachefn yn ein plith. Ceir yma ieuenctid hefyd sy'n ewyllysio i'r eglwys fyw. Dylaswn fod wedi enwi rhai a rhoes wasanaeth cwbwl arbennig i'r eglwys ond ofnwn adael rhywrai allan. Cafodd y rhan fwyaf ohonynt air da yn eu dydd a chydnabyddiaeth yn yr Adroddiad Blynyddol ers cyhoeddi hwnnw. Codwyd pedwar o frodyr i gyflawn waith y weinidogaeth yn Llandeilo, sef Thomas Francis, Gwilym Nicholas, Thomas Nicholas ac Emyr Gwyn Evans. Ystyrid y Parchedig Kenvyn Davies a'r Parchedig Benjamim Jones yn blant yr eglwys hefyd gan iddynt dreulio rhan o'u hieuenctid yma.

The Rev D. Gerald Jones provides a synopsis of the history of Llandeilo Chapel from the early days when believers met in various farmsteads in the early eighteenth century. The first chapel was built about a mile from the present chapel which was itself built in 1786-90 amidst a great deal of controversy. Some members preferred a more central location in the village of Maenclochog and thus they set about building Hen Gapel, much to the consternation of Llandeilo chapel supervisors from Henllan Amgoed Chapel near Whitland. In 1836 a local squire shot at the oak chapel doors during a service as he returned from a hunting expedition.

The connection with Henllan ceased in 1837 when a Rev Benjamin James was ordained as minister and during his ministry Llandeilo joined with Tabernacl, Maenclochog – not Hen Gapel – which itself had broken free from Hen Gapel because of a dispute. The Rev James remained in situ until his death in 1873. The following year a college student, Cynog Davies, was ordained as minister but he died within 15 months to be followed by a fellow student, David Williams, who gave 43 years' service. His gravestone can be seen by the chapel entrance.

Ministers during the rest of the twentieth century up until the 150 years celebrations in 1995 were as follows:the Rev James Davies 1922-1926 who moved to Llansamlet; the Rev David Jones 1928-1935 who moved to Tai-bach, Port Talbot; the Rev D. L. Eckley 1936-1943 who moved to St Clears; the Rev Moelwyn Daniel 1944-1952 who moved to Abergwili; the Rev W. J. Rees 1952-1956 who moved to St Clears; the Rev J. Derfel Rees 1957-1961 who moved to Pontarddulais; the Rev E. Denzil James 1963-1973 who moved to Ammanford and was followed by the the Rev D. Gerald Jones. Several notable events were held during his ministry, such as an open-air communion in 1991 on the site of the old Llandeilo Llwydiarth Church when Bishop George Noakes was the guest preacher.

In 1980 Hen Gapel again became formally a part of the joint ministry with Llandeilo and Tabernacl. Over the years four members of the congregation became ordained ministers: Thomas Francis, Gwilym Nicholas, Thomas Nicholas and Emyr Gwyn Evans. Another two ordained ministers, Kenvyn Davies and Benjamin Jones, spent part of their childhood at Llandeilo.

Y Cwrsin Cŵn

B. G. Owens

Cododd ton o hiraeth drosof wrth edrych yn rhifyn mis Mawrth o *Clebran* ar lun rhai o 'gymeriadau' fy ieuenctid yn y Cwrsin Cŵn ym Mynachlog-ddu, a phob tro ers blynyddoedd wrth wylio *One Man and his Dog* ar y teledu, byddaf nid yn unig yn anwesu'r dydd nodedig hwn yn ein calendr ond hefyd yn holi imi fy hun sut y tarddodd yr enw 'cwrsin' a pha mor gyffredin ydyw, os o gwbl, mewn rhannau eraill o'r wlad.

Y cam naturiol cyntaf, felly, oedd mynd ar ofyn *Geiriadur Prifysgol Cymru*, y campwaith swyddogol sydd ers dros ddeng mlynedd a thrigain yn ceisio casglu pob gair a dorrwyd erioed ar bapur neu ar femrwn yn Gymraeg.

Ac nid oedd yn syndod clywed ganddynt, o'u degau ar ddegau o filoedd o slipiau papur, mai dwy, ie dwy, enghraifft yn unig sydd ar gael o'r gair, a'r ddwy yn ôl y disgwyl, o ardal y Preseli, yng nghyfrolau E. Llwyd Williams ar grwydro'r sir, y naill yn cyfeirio at Frynberian a'r llall wedi ei hadrodd yn llawnach ym Mynachlog-ddu.

O'r herwydd, ac yn ddi-oed, fe gyflwynais enghraifft arall i'r Golygydd, gan sicrhau y bydd *Clebran* Mawrth 1999, o hyn ymlaen yn gorffwys yn haeddiannol ymhlith aneirif ffynonellau'r gwaith hwnnw, o drysorau cynnar ein llên hyd at ein cyhoeddiadau cyfoes. Y mae'n deg ychwanegu fod y geiriadur yn cynnwys y gair 'cwrso' yn yr ystyr o yrru neu ymlid, ac yn mynd mor bell â chodi'r ymadrodd 'cwrso defaid', ond nid oes dim eglurhad fod hynny'n gyfystyr â threialon. Rhyfedd, felly, fod cymuned gymharol uniaith Gymraeg o gefn gwlad wedi dod o hyd i'r gair Saesneg 'coursing' heb sôn am ei addasu mor naturiol i'w llafar ei hunan.

O'r 1920au y medraf i gofio cwrsin Mynachlog-ddu, a barnaf fod yr achlysur ar y pryd wedi cyrraedd ei anterth, gyda chystadlu niferus, tyrfaoedd yn ymgynnull - tair mil yn ôl Llwyd, a chyfleusterau hylaw ar eu cyfer. Gwaetha'r modd, nid oes gennyf mo'r syniad lleiaf pryd y dechreuodd, ond petawn i'n rhwyddach ar fy nhroed fe fynnwn i olwg ar y mynegai sydd yn awr ar gael i'r *Teifi-Seid* er mwyn goleuo dydd y pethau bychain. Diddorol sylwi, sut bynnag, nad yw'r awdurdod pennaf ar y plwyf, yr ysgolfeistr lleol, E. T. Lewis, yn dilyn y trywydd yn ôl yn gynharach na'r dauddegau.

Cynhelid yr ornest bob tro o fewn fy nghof i, eto fel y dywed Llwyd, ar bwys tŷ ffarm Glynsaithmaen, nid nepell felly o'r Patshin Glas, ac wrth odre Talfynydd. Tir garw oedd yno, cerrig am yn ail â grug a brwyn, yn ogystal â rhewyn dŵr ar y traws y disgwylid i'r defaid ond nid y bugail ei groesi cyn cyrraedd y lloc. Bechgyn pybyr y plwyf gan mwyaf oedd yn gyfrifol am y trefniadau, ac y mae fy atgofion yn gwarantu mai yn ystod gwyliau haf yr ysgol y deuai'r diwrnod yn ei dro.

Yr oedd gan y brodorion hyn a'u cymdogion cyfagos eu cŵn eu hunain i gystadlu, hynny er anogaeth i ddechrau mewn dosbarth lleol, ond ar ôl dechrau ennill a magu profiad yr oedd maes mwy agored a chaletach brwydr yn eu haros, gyferbyn â phencampwyr rhyngwladol y medraf i eu cofio, fel L. J. Humphreys, Rhoslefain, Tywyn, a John Jones, Bronaber, Trawsfynydd, ac eraill anhysbys bellach eu henwau o ochrau cymoedd y De, – y rhain i gyd heb sôn am y gelyn peryglaf oll, Mark Hayton, y Sais ffyddlon o Otley, a ddeuai atom yn flynyddol a phawb a'i annel i'w drechu.

Bois y Cwrsin Cŵn. O'r chwith – Jack Owens, Gilfach gyda Ffan a Taff; Rhys Davies. Atsol-wen gyda Moss; Wil Francis, Dan-garn gyda Las; Dan Davies, Glynsaithmaen gyda Meg a Lloyd Davies, Penrallt gyda Spot.

Yn ddiweddarach, symudwyd y Cwrsin i barc neu berci ar bwys Pen-rhos, yr ochr draw'r ffordd i'r Gors-fawr. Bu hyn yn achos peth diflastod i Llwyd, ond yn bersonol nid oes gennyf ddim atgof o'r fan, ac ni wn i ychwaith pryd y tynnwyd yr achlysur i ben.

Erbyn hyn cadarnhawyd bod y Cwrsin Cŵn wedi parhau tan o leiaf 1974. Dywed rhaglen yr achlysur y flwyddyn honno mai dyna'r 25ain i'w gynnal. Yr Ysgrifennydd oedd I. G. Davies, Caermeini Uchaf, a'r Cadeirydd oedd D. O. Davies.

B. G. Owens wrote this article, published in 'Clebran', the local 'papur bro', in 1999, in response to a previous article referring to the sheepdog trials held in his native Mynachlog-ddu in the 1920s, known as 'cwrsin cŵn'. The word 'cwrsin' itself is unusual and when he looked in the 'University of Wales Dictionary' he could only find two references to the word, both made by E. Llwyd Williams in his 'Crwydro Sir Benfro' books. B.G. immediately set about informing the editors of another source, i.e. the issues of 'Clebran', before pondering why should such a predominantly Welsh speaking area adapt the English word 'coursing'.

From his own memory he testifies the 'cwrsin' was held in the vicinity of Glynsaithmaen and would attract as many as 3,000 onlookers. The local sheepdog handlers would have to pit their wits against the very best of their day such as L. J. Humphreys, Rhoslefain, Tywyn, and John Jones, Bronaber, Trawsfynydd, and others whose names he cannot recall from the south Wales valleys as well as Mark Hayton, the Englishman from Otley, who always set the standard. He has no information as to how and why the event was started in Mynachlog-ddu and neither does E. T. Lewis, despite his extensive research into so many aspects of the area's history, in his publications. The event was later held on fields near Pen-rhos, but he has no information as to why and when it was abandoned.

It has been verified that the Sheepdog Trials were held at Pen-rhos until at least 1974. The programme for that year's event describes it as the '25th Annual'. The secretary at the time was I. G. Davies, Caermeini Uchaf, and the Committee Chairman was D. O. Davies.

Garddio yn yr Hwyr

Teifryn Rees

Cefais fy ngeni yn Ysbyty Aberteifi ym mis Gorffennaf 1935 a dyna sut y dewiswyd fy enw – bryn ar ochr yr afon Teifi. O fewn ychydig ddyddie fe ddes i adref i blwy' Mynachlog-ddu at Mam-gu Tycwta, Ann John (mam fy mam), a chael maldod mawr rwy'n siŵr ganddi hi a fy modryb Morfudd, nad oedd wedi priodi, a threulio cyfnod yn Allt-y-gog pryd hynny. Ymhen rhyw dair wythnos roedd fy mam (Sara) wedi cryfhau'n ddigon da i fy nghael adref ati hi a fy nhad (Dafi) yn Felin-dyrch.

Roedd Felin-dyrch yn lle diddorol iawn i fyw ynddo, wedi ei leoli ar bynfarch ar lan afon Cleddau a oedd yn fodd i'r felin falu llafur a barlys ffermwyr y fro. Dwi'n cofio Ben ac Ernie Plasdwbwl yn dod â'r Ffergi fach a threiler arbennig a oedd yn gallu diwel trwy gyfrwng yr 'hydraulics' – rhywbeth a oedd yn fodern iawn yr amser hynny. Byddai Eric Dolau a'i frawd, Trevor, o Ddolau-maen, yn dod draw wedyn ac, wrth gwrs, roedd yna gymdeithasu brwd a sgwrsio am amser maith.

Ceir llawer o sôn heddi am ffermwyr yn arallgyfeirio, wel, roedd fy nhad, Dafi'r Felin, wedi gwneud hynny ers blynyddoedd. Doedd yna fawr o ddewis oherwydd doedd dim llawer o dir ar y tyddyn. Yn wir, ers cyfnod fy nhad-cu, Daniel Rees, a fy hen dad-cu, Tomos Rees, roedd yna fargen wedi'i tharo gyda'r Co-op yng Nghrymych i falu indian corn a phob math o lafur ond byddai rhaid mynd i'w hôl a'u halio nôl i Grymych wedyn ar ôl y malu. Does gen i ddim syniad beth oedd y telerau ond roedd yn sicr yn werth chweil neu bydden nhw ddim wedi'i wneud ar hyd y blynyddoedd.

Prynodd fy nhad lorri i ddisodli'r cart a cheffyl a fu'n gwneud y gwaith cludo am flynyddoedd. Daeth y lorri'n ddefnyddiol at bob math o orchwylion gan gynnwys cludo dodrefn pan fyddai rhywun yn symud cartref a chario ambell lo i'r mart yng Nghrymych. Adeg yr Ail Ryfel Byd (1939-1944) fe fu fy nhad, a llawer o ddynion eraill y plwyf, yn gweithio yn Nhrecŵn yn adeiladu'r twneli bondigrybwyll; felly, rhaid oedd prynu *Austin 7* i gario Tom Williams, Clun; Arthur Lewis, Llain-fach a Wil Mathias, Waun-lwyd, i'r gwaith i lawr yng nghyffiniau Abergwaun.

Roedden nhw'n cael trafferth mawr yn y gaeaf gan fod yr *Austin* yn gyndyn iawn i danio oherwydd mai batri chwe folt oedd iddo a'r unig ffordd o'i gychwyn oedd cael Pennar, y gaseg, i'w dynnu lan y rhiw o'r clos a rhoi *jump start* iddo wedyn. Am fod angen dau berson - un i arwain y gaseg a'r llall i lywio'r *Austin* – doedd dim amdani ond dihuno'r crwt a oedd erbyn hyn yn rhyw chwech neu saith mlwydd oed i lywio'r car. Am fod Pennar ychydig yn wyllt roedd yn rhaid i fy nhad ei harwain hi ond fy ngwaith i oedd mynd â hi nôl i'r stabal wedyn. Fe ddylwn fod wedi trafod faint o arian poced roeddwn yn mynd i'w gael cyn cychwyn y gwaith mae'n siŵr ond nid felly roedd pethau'n gweithio pryd hynny.

Falle eich bod yn meddwl fod Pennar yn enw anghyffredin ar gaseg ond fel hyn y bu; cafodd ei phrynu ar sêl ar fferm Pennar yn Aber-porth pan oedd tir y ffarm wedi'i brynu gan yr RAE (*Royal Aircraft Establishment*).

Teifryn Rees yn ennill y Rhuban Glas yn Eisteddfod Genedlaethol Rhosllannerchrugog, 1961.

Doedd dim rhyw lawer o gysur yn yr hen gartref. Doedd dim gwres yno ar wahân i'r tân bôls yn y grât a hwnnw yn cael ei stwmo bob nos. Dim ystafell folchi a'r dŵr yn cael ei gario o ffynnon gerllaw'r tŷ. 'Molchi tu fas yn y sied agored fydde'r drefn a'r dŵr yn fynych wedi rhewi'n glep yn y gaeaf, a chredwch chi fi, roedd gaeafau'r pryd hwnnw yn aeafau caled iawn cyn bod sôn am y twymo byd-eang fyddwn ni'n clywed amdano erbyn hyn. Roedd gaeaf 1947 yn arbennig o galed pan fu rhaid i fy nhad dorri twnnel at ben y feidr i gael cerdded mas i'r ffordd fawr. Lluwchodd yr eira mewn mannau hyd at y gwifre ffôn ac roedd yn amhosibl trafaelu ar y ffyrdd am wythnose – saith dwi'n credu. Deuai'r defaid i lawr o'r mynydd i chwilio am rywbeth i'w fwyta a bu farw cannoedd ohonyn nhw; roedd hyn cyn dechrau'r drefn o'u symud lawr i Gastellmartin dros y gaeaf. Dwi'n cofio fy nghefnder, Leslie Williams, Clun, yn gorfod aros yn ei lojins yn Arberth am saith wythnos pan oedd yn ysgolia lawr yno.

Roedd gennym ddwy sied o gaetsys i gadw ffowls er mwyn cynhyrchu wyau ar gyfer eu gwerthu – fydde hynny ddim yn cael ei ganiatáu heddiw. Fy ngwaith i bob bore Sadwrn oedd glanhau'r hambyrdde oddi tanyn nhw a gwneud yn siŵr fod y system dwrhau yn gweithio'n iawn. Roeddwn yn casáu'r gwaith ond roedd yn rhaid ei wneud, a chan fy mod yn unig blentyn doedd dim modd gwrthod gan nad oedd segurdod yn cael ei ganiatáu yn y Felin. Roedd fy mam a 'nhad yn weithwyr caled iawn. Byddai fy nhad hyd yn oed yn trin yr ardd yn hwyr yn y nos dan olau lamp Tilley a mam yn gweiddi arno, 'dere i mewn nawr, wir, mae'n amser mynd i'r gwely'!

Byddai mam yn corddi menyn a chaws a chrasu bara a hi oedd yn gofalu am y malu hefyd. Dwi'n ei chofio'n dweud wrthyf am wneud fy mrecwast fy hun am fod digon o waith ganddi hi mas gyda'r anifeiliaid. Roedd y gymdeithas o amgylch yn un hynod o glòs a chymdogol, yn wâr ac yn llawn doniau; gweithdy saer coed yn Penrhiw, gweinidog yr efengyl yn Brynhyfryd, prifathro'r ysgol yn Bryncleddau, gof rhyfeddol o ddawnus yn Penrallt, a chwarel yn y Tyrch, a fferm fawr yn y Capel, a gallaf eich sicrhau os oedd eisiau unrhyw help arnoch roedd y cymdogion cymwynasgar hyn yn barod iawn bob amser.

Roedd Capel Bethel yn ganolfan bwysig iawn i ni fel plwyfolion ac er bod eglwys y plwyf yn y pen arall roedd pawb bron o'r teuluoedd yn aelodau yn Bethel. Roedd yn angenrheidiol mynd i'r capel dair gwaith bob Sul, Urdd y Seren Fore yn ystod yr wythnos, a byddai rhyw bractis yn y festri ar gyfer rhyw wasanaeth neu'i gilydd bron bob wythnos, ac Aelwyd yr Urdd yn cwrdd yn yr ysgol bob nos Wener wedyn; digon yn digwydd i'n cadw ni'r ieuenctid yn brysur.

Byddai rhaid cymryd rhan yn y cyrddau misol a'r cwrdd Nadolig yn Bethel a byddai rhaid i mi ganu ar fy mhen fy hun neu ganu deuawd gyda fy nghyfnither, Nansi Lewis, ac weithiau chwarae'r organ; doedd neb yn gwrando arnoch os byddech yn dweud 'na', 'Mae'n rhaid i ti wneud', dyna fel oedd pethau ac erbyn heddiw rwy'n diolch i'r Bod Mawr taw fel yna roedd hi.

Un gorchwyl dymunol oedd mynd mas i ganu gyda fy nghyfaill, Hedd Parri Roberts, ar noswyl blwyddyn newydd. Byddem yn cychwyn yn brydlon am ganol nos ar gefn ein beiciau ac yn canu ymhob tŷ yn y plwyf a oedd o fewn cyrraedd i'r ffordd fawr. Yr un gân fyddai gennym bob blwyddyn, geiriau arbennig a oedd yn mynd fel hyn:

Neithiwr buom lawr yn gwilad yr hen flwyddyn ar ei threngiad
Ganol nos fe gaws ei llygad, gan ro'i ffarwel i ni.
Fe anwyd i'r hen flwyddyn, rhyw un ar ddeg o fechgyn
Ac un genethig brydferth dlos, ac ar ei grudd roedd rhosyn.
O un i un fe wnaethont drengi, sef rhyw ddeuddeg mewn rhifedi
Ac fe'i llyncwyd oll i fyny, i dragwyddoldeb maith.
O rhowch i ni yn serchlon, heb rwgnach bobo geiniog,
(roeddem ni yn dweud chwe cheiniog!)
Eich talu nôl gewch chi yn rhwym, mae'n addaw i'r trugarog.
Dyblu'r gwartheg a'r eidionau, dyblu'r moch a'r ieir a'r gwyddau
A phob peth fo arnoch ei heisiau. Cymru bro a bryn.
Blwyddyn Newydd Dda.

Canwyd y penillion ar yr alaw, 'Rhyfelgyrch Gwyr Harlech'; mae'r awdur yn anhysbys ond credir ei fod yn un o deulu'r Owens Allt-y-gog, Mynachlog-ddu. Roedd y diweddar William Owens, Allt-y-gog, a oedd yn fariton da iawn ac yn enwog fel canwr yn y fro, yn ei chanu tua 1910. Byddem yn cyrraedd nôl yn y tŷ tua un ar ddeg o'r gloch fore trannoeth a llond poced o arian ac, wrth gwrs, eu cyfrif yn fanwl a'u rhannu rhyngom.

Roedd siop a swyddfa bost yn y pentref a thu fas i'r post roedd 'na giosg teleffon. Doedd dim ffôn gan neb yr adeg honno ac os oedd angen hala neges bwysig roedd rhaid hala telegram, a dyna sut clywodd fy rhieni fy mod wedi ennill y Rhuban Glas o dan 25 oed yn 'Steddfod Genedlaethol Y Rhos yn 1961.

Cymeriad nodedig yn y pentref oedd Gwilym Blaenffynnon a oedd wedi cymryd arno'i hun i gadw golwg ar y bechgyn drwg yn y capel. Cadwai ei lygad arnom ac os oedd drygioni mawr yn mynd ymlaen yn y sedd tu ôl iddo, roedd yn ei hystyried yn ddyletswydd arno i dynnu sylw'r gweinidog addfwyn, y Parchedig Parri Roberts, at y mater. Byddai'r gweinidog mewn tipyn o benbleth wedyn am fod ei dri mab ei hun yng nghanol y bechgyn fyddai'n poeni Gwilym.

Digon cyntefig oedd bywyd ar lawer ystyr ond, ar yr un pryd, roedd yn fagwraeth hynod o hapus â digonedd o fwyd i bawb hyd yn oed yn ystod cyfnod llwm y rasions. Dwi'n gofyn yn aml i mi fy hun a fyddwn i wedi cael gwell cyfle pe bawn wedi fy nghodi yn yr oes fodern hon gyda'r holl gyfleusterau sydd ohoni – sai'n credu 'ni. Carwn nodi bod dylanwad yr ardal yn dal i bwyso'n drwm arnaf, ei chrefydd yn enwedig, ac rwy'n dal i deimlo diferyn llaith yn dod i'r llygad, a'r gwddf yn tynhau wrth glywed yr enw hyfryd a melys, Mynachlog-ddu.

Teifryn Rees was born in Cardigan Hospital in July 1935 and hence the reference to the River Teifi in his name. However, he was brought up at Felin-dyrch, Mynachlog-ddu, which was a working mill serving the needs of the local farmers who brought their corn and barley to be ground. Their arrival would also be a social occasion, since much banter and gossip would be exchanged. Teifryn's family had a contract with Crymych Co-op to grind corn, which had to be collected and then returned via cart and horse during his grandfather and great-grandfather's days. But his father bought a lorry that was then available for other uses as well, such as moving furniture or carrying calves to Crymych market.

During the Second World War (1939-1945) several local men were employed to dig those numerous tunnels at Trecŵn armaments depot, and thus a car had to be bought for the daily journey. But, with only a six-volt battery, the Austin Seven was difficult to start on cold winter mornings when an early start had to be made. Pennar, the mare, would then have to pull the vehicle from the farmyard to the main road and a 'jump start' would force the Austin into action. Of course, someone had to lead the horse and someone had to guide the car. While his father led the horse, the seven year-old Teifryn sat at the wheel and he would then lead the mare back to her stable as the Austin sped away.

Amenities were very basic at Felin-dyrch. No heating apart from the culm fire that would be kept barely burning overnight. No bathroom, and water had to be carried from a nearby well. All washing was done in an outside shed where the water would often freeze in winter, and Teifryn insists that winters were real winters in those days. Many roads remained impassable for seven weeks during the winter of 1947, as snowdrifts were as high as the telegraph poles in places. His father had to dig a tunnel from the farmyard to the main road. Hundreds of sheep died on the mountain and his cousin, Leslie Williams, Clun, had to stay in his lodgings at Narberth, where he attended the grammar school, for the whole seven weeks.

Battery hens were kept at Felin-dyrch in order to sell their eggs and it was Teifryn's weekly chore on Saturday mornings to clean the trays underneath their cages and ensure they had a supply of fresh water. He detested the work, but as an only child he had no choice but to obey, as idleness was not encouraged on the hearth. Both his parents were hard workers. His father would even tend the garden late at night in the light of a Tilley lamp. His mother made butter and cheese as well as bread and was in charge of the mill. He remembers being told to tend to his own breakfast in the mornings as his mother was busy tending the animals. Various neighbours would always be on call to give a helping hand when necessary.

Bethel chapel was the focus of most activities, as three services had to be attended every Sunday along with various week night meetings, and Aelwyd yr Urdd would meet on a Friday evening. He would be expected to sing solos or duets with his cousin, Nansi Lewis, at the various meetings. 'No' was never taken as an answer when asked to take part. But today he is thankful that he was always told,' You've got to do it'.

Teifryn never had to be cajoled at mid-night on New Year's Eve to travel around the neighbourhood with his friend, Hedd Parri-Roberts, singing 'calennig'. They would return home by around eleven o'clock the following morning to count and share the money they had collected. Important messages had to be relayed by telegram as no one had telephones and that is how Teifryn's parents were told that their son had won the Under 25 Blue Ribbon Competition at the Rhos National Eisteddfod in 1961.

Gwilym Blaenffynnon was regarded as a remarkable character who took it upon himself to keep an eye on the young boys in chapel. If anyone had overstepped the mark he would feel duty bound to inform the minister, who would then be in a difficult position as his three sons were usually among the miscreants.

Even though life was primitive it was full of joy and no one went without, even when food was rationed. He often asks himself the question whether he would be better off if he had been brought up in the current modern world with all its conveniences, and thinks not. The influence of Mynachlog-ddu has been with him all his life, in particular the religious aspect, and hearing the name of the village is still enough to make him shed a tear of 'hiraeth' at his present home in Llanelli.

Glynsaithmaen Water Wheel

Morris Davies, Penrallt

This all-metal wheel is fed by the leat, which feeds the metal launder, which has an intact stop sluice. When the sluice is shut, the water diverts over an upstream weir to the spill channel and into the wheel-pit.

Mike Bennett, an expert on Pembrokeshire industrial heritage, believes the wheel was made at the Bridge End Foundry, Cardigan, in the late 19th century, and was later repaired in July 1917 by the Penrallt smiths of Mynachlog-ddu. Daniel Davies – Beti Davies, Penrallt's grand-father – and his assistant Wil, replaced the big gear segments and the pinion, machined a new pinion shaft and bearings along with a joint which was keyed to the shaft to drive some sort of machinery. The workbook also specifies that new bearings were machined for the main wheel, which were 11 feet in diameter, 9 inches in diameter.

Three generations of smiths worked at Penrallt forge. The tradition came to an end with the death of Morris Davies – Beti's father – in 1953. There would be two bellows in constant use as pokers, grates, gates and fenders were made to order. The entrance gates of Bethel chapel were made at Penrallt well over a 100 years ago. Four men would often be employed at the forge thus allowing Morris or Daniel Davies to visit various farmsteads acquiring work which would usually be orders for water wheels. Most of the water wheels of the area and beyond were made at Penrallt.

Horses would be shoed on the roadside and, of course, the forge would be a popular meeting place to exchange gossip and discuss the serious issues of the day. When Waldo Williams spent a term in charge of the local school in the 1930s he would often be drawn in the evenings to the fraternity at Penrallt.

Dishgled o baraffin

Heulwen Jones

Pa nodweddion sydd yn gwneud ardal yn ardal arbennig gwedwch – ei daearyddiaeth efallai neu ei thrigolion ar ryw adeg neilltuol? Mae fy atgofion i yn cynnwys ychydig o'r ddau yn ardal Rhydwilym. Felly, tipyn o gawl sgadan amdani!

Cefais fy ngeni mewn ffermdy o'r enw Dyffryn Isaf ar lan nant o'r enw Rhyd-y-bil sy'n rhedeg i afon Cleddau ger Llwyndŵr. Merch Maes-y-dderwen oedd fy mam a dyn o ardal Abertawe oedd fy nhad – Nan a Tom Griffiths; mae gennyf frawd, Dilwyn, sy'n byw yn Awstralia. Tua diwedd yr Ail Ryfel Byd aethom i fyw i Maes-y-dderwen am fod angen help ar Grannie, Marged Ann Williams, erbyn hynny. Roedd Maes-y-dderwen yn dŷ gweddol o faint ac roeddwn yn meddwl y byd o'r teulu; yn wir, roedd dad-cu John yn ddyn splendid, academaidd ei anian ac yn ddiddorol dros ben; mae Dilwyn yn debyg iawn iddo.

Nawr bo' ni wedi cyrraedd Maes-y-dderwen gallaf sôn am y bobol oedd yn dod atom i helpu gyda'r cynhaeaf gwair yn y cyfnod cyn oes y peiriannau pan fyddai pawb yn helpu ei gilydd. Un ffermwr yn gofyn i'r llall, "I chi'n meddwl fod glaw ynddi, Dafi?" "O, wes, wes, galli fynd i'r mart yn reit esmwyth." Daeth tywydd da rhywbryd mae'n amlwg. Cofiaf yn glir am y tynnu coes o amgylch y ford bwyd; dim byd cas byth, cofiwch, ond cofiaf am Tommy (Thomas H. Phillips, Blaenbil) yn dweud, "Lechgo, nawr . . . " ac yn ateb yn reit ddoniol ac o hyd yn rhoi ergyd fach. Mae'n siŵr mai dyma pryd y dysgais i beidio ag ymateb yn grac wrth gael fy mhryfocio.

Merch ifanc iawn oeddwn i ar y pryd, yn hollol dawel yn y gegin ond yn gwrando ar bopeth ac yn synnu at y doniolwch godidog oedd o amgylch y bwrdd. Roedd helpu i dorri a lledu saith torth o fara yn werth pob munud er mwyn clywed y dynion yn sgwrsio. Bara Pobyddion Hebron oedd 'da ni, bara da hefyd; doedd dim ohono wedi'i sleisio'n barod yn y dyddiau hynny ond roedd yn dal yn ffresh hyd y crwstyn olaf. Dysgodd Grannie fi i dorri bara'n llyfn, ac yn ddiogel; dysgodd fi hefyd i flingo cwningen a phlufio ffowlsin – er ni fu hynny mor ddefnyddiol â thorri bara'n deidi.

Roedd Dan (Y Felin) yn ddyn diddorol am ei fod wedi bod yn y Rhyfel Byd Cyntaf ac wedi bod ar y Somme. Roedd dad-cu wedi dweud wrthym am beidio ei ddeffro'n sydyn os deuthem ar ei draws yn cael ho fach, rhag ofon iddo anghofio ble roedd a falle taflu picwarch atom. Nid oedd Dan yn meddwl llawer o'r Ffrancwyr a chofiaf hyn bob tro bydd bechgyn tîm rygbi Ffrainc yn chwarae'n arw iawn yn erbyn Cymru neu'r Crysau Duon. Roedd Dan yn hoff o'i fwyd ac yn canmol coginio Grannie – "Ma' bwyd da ganddi ac o hyd rhwbeth bach neis i bennu'r cinio". 'Na braf yw cael gair o werthfawrogiad, yndyfe.

Byddai Katherine (Tŷ Capel, Rhydwilym) yn dod bob bore Llun i olchi'r dillad ac fel y byddai hi'n agor iet y clos roedd Dan yn galw arni, "Katherine". Un tro, roedd Wncwl Ben gerllaw a dywedodd wrthyf, "Wel, wel, mae'n mynd yn fwy tebyg i *Wuthering Heights* 'ma bob dydd". Rhaid cyfaddef bod sŵn galarus 'da Dan wrth gyfarch Katherine. Roedd Dan yn aelod o'r criw ym Maes-y-dderwen am rai blynyddoedd a 'na hiraeth oedd arnom pan fu farw; roedd ei fywyd yn enghraifft o anghyfiawnder rhyfel am iddo gael ei alw i frwydro pan oedd yn grwt ifanc, diniwed o gefn gwlad. Bu rhaid iddo wynebu erchyllterau'r Somme ac fe effeithiodd hynny arno weddill ei fywyd; chwalwyd ei fywyd. Dioddefodd llawer o ddynion ifanc eraill o'r hen ardal yr un dynged mewn dau ryfel byd; dyna wers gynnar o'r hen ardal.

Roedd gennym gymdogion da ym Maes-y-dderwen; cofiaf am un dyn oedd wedi dysgu Cymraeg, John Francis, Tŷ Uchaf, ac yn stwmpo bant yn reit dda ond un diwrnod aeth ei dreigladau braidd yn lletchwith, a dyma dad-cu yn ei gywiro gan feddwl y buasai'r cymydog yn falch o'r cymorth; "Bachan acha'n, i chi'n particular ofnadwy," oedd yr ateb oeraidd, wrth i finne ei chael hi'n anodd peidio â chwerthin; nid wy'n cofio dad-cu yn rhoi rhagor o wersi iddo.

Dau gymeriad hynod arall wedyn oedd Mrs Lovell, y sipsi, a Twm Martha Fach, y trempyn didorreth. Adwaenai Mrs Lovell pob enaid byw yn y gymdogaeth. Pan fyddai'n galw ym Maes-y-dderwen byddai'n siŵr o sôn am fy hen fam-gu ym Mhen-ffordd, gan wybod y buasai Grannie'n siŵr o brynu rhywbeth ganddi am ddod â'r newyddion bod Grandma Pen-ffordd yn iach a llond ei chroen. Sdim dowt mai menyw twff oedd Mrs Lovell, cofiaf am berthynas agos i fi'n sôn amdani'n gofyn am ddiferyn o baraffin ac wedyn yn arllwys dishgled ohono i lawr ei blows gan ddweud, "That should kill the b . . . . . .s". Argol fawr, 'na chi fenyw!

Heulwen yn naw oed a Dilwyn yn chwech ym 1938 yn Nyffryn Isaf.

Byddai Twm Martha Fach wedyn yn galw ym Maes-y-dderwen yn weddol reolaidd i gael basned o gawl. Dyn bach eitha' od oedd Twm a chofiaf y diwrnod y daeth Grannie nôl o'r 'porch' â'r cawl yn ei dwylo am fod Twm wedi bod yn anniolchgar, roedd ei hwyneb fel trwst ar ôl i Twm ei chyhuddo o roi malwod yn y cawl. Deallom wedyn fod y trampyn bach rhyfedd wedi mynd i Tŷ-coch gerllaw i fegian am gawl gan ddweud bod "menyw fach Maesydderwen mewn tymer ddrwg heddi".

Rhan bwysig o fy mhlentyndod oedd mynychu Ysgol Sul Capel Rhydwilym am nad oedd Ysgol Sul gyda ni'r Methodistiaid yng Nghlunderwen. Rhaid oedd cerdded lan y rhiw o Ddyffryn Isaf, croesi ar draws groesffordd Tŷ-coch, a lawr wedyn dros riw serth i Rydwilym. Wrth fynd i lawr y rhiw hon roeddwn yn gweld Foel Cwm Cerwyn yn y pellter ac rwy'n dal i'w gweld yn fy nychymyg hyd yn oed nawr wrth ysgrifennu'r darn hwn. Hanner ffordd lawr y rhiw rhaid oedd oedi ar bwys iet a chael golwg ar y cwm; nid oes unlle ar y ddaear yn bertach na Chwm Rhydwilym ac rwyf wedi gweld llawer o gymoedd.

Rwy'n ddyledus iawn i'r diweddar Maggie Davies, Allt-y-pistyll, am ei gwaith diflino yn dysgu ni'r plant i ddweud ein pwnc a chanu'r anthemau. Mae llawer o'r hyn a ddysgais yn dal ar fy nghof hyd y dydd heddi. Un peth calonnog ynghylch y Sul oedd y siop fechan oedd yn gwerthu losin i ni'r plant lawr yn Rhydwilym; byddai ein rhieni'n ddigon caredig i wneud yn siŵr fod ceiniog 'da Dilwyn a fi i gael rhywbeth i'n cysuro wrth ddringo'r rhiw fawr ar ein ffordd gartre. Yn ddiweddar cefais lythyr wrth hen ffrind o'r ardal, Rhys Adams, Hendy-gwyn, a oedd yn cofio Dilwyn a finne'n canu deuawd yn un o'r Cymanfaoedd; jiw, ma' cof da gyda rhai pobol!

Roedd dillad newydd yn bwysig dros ben pan oedd Cymanfa'n cael ei chynnal a chwarae teg, byddai mam yn siŵr o weld fy mod yn edrych gystal ag unrhyw un yno. Digon hawdd oedd cofio'r darnau adrodd a chanu'r emynau a'r tonau os oeddwn yn gwybod fy mod yn edrych gystal â phawb arall; mae'r pethau bach hyn yn bwysig dros ben erioed, a chredwch chi fi, roedd tipyn o infestment mewn dillad newydd o hyd amser y cymanfaoedd a byddai pawb yn trin a thrafod y gwisgoedd. Mae'r darlun wedi'i gyfleu i'r blewyn yn y penillion hynny o waith W. R. Evans, 'Y Gymanfa Bwnc' a argraffwyd yn y gyfrol *Pennill a Thonc*. Ond i fod yn ddifrifol fe fyddai graen bob amser ar y côr a'r sopranos yn ddigon da i daclo'r *Hallelujah Chorus* a *Worthy is the Lamb* a miwsig bendigedig fel 'na.

Ar ôl i fi weld bedyddio yn afon Cleddau ger Capel Rhydwilym fe soniais wrth Grannie fy mod i'n mynd i ymuno 'da'r Bedyddwyr. Wel, os do, cefais fy rhoi yn fy lle yn chwim – "Methodistiaid i ni erioed, a buasech yn siŵr o gael annwyd yn y dŵr oer 'na!" Dyna wers arall i mi o'r hen ardal, sef bod gan bawb ei le priodol o fewn y gymuned; fe fu hyn o gymorth i fi beidio â rhoi fy nhroed ynddi pan euthum allan i'r byd a chymysgu â phobol wahanol. Rhaid peidio â bod yn glwtyn llawr o hyd ond er mwyn popeth sdim iws bod yn rhy 'forward' chwaith. Diolch am wersi'r hen ardal.

Nid wyf erioed yn cofio cyfnodau diflas nac anniddorol er fy mod yn sôn am y cyfnod cyn oes y teledu, y fideos a'r DVDs, y cyfrifiaduron a'r *i-pods*. Roedd digon o lyfrau ar gael bob amser, jig-sos i'w gwneud a draffts i'w chwarae, er bod Dilwyn bob amser yn ennill. Fy niléit mawr i oedd gwneud brodwaith a gweu, ar ôl i Grannie fy nysgu i droi sowdl a phethau felly. Ble bynnag fyddwn yn byw roedd fy nhad, Tom Griffiths, yn siŵr o godi cwmni drama, boed yn Llan-y-cefn, ym Mhen-ffordd, Llandysilio, ac yng Nghlunderwen. Yn anffodus bu farw'n ddyn ifanc, ychydig ddyddiau cyn ei fod yn 58, yn 1961, ond cafodd ei enwi yn y gyfrol *Crwydro Sir Benfro* o waith E. Llwyd Williams ar sail safon uchel ei gynyrchiadau drama.

Byddai mam o hyd yn cael ei thynnu mewn i'r perfformiadau ac mewn gwirionedd hi oedd asgwrn cefn y cynhyrchydd. Byddai'n anfodlon ambell dro pan fyddai'n cael y rhannau anodd, yn teimlo'n anesmwyth rhag y byddai pobol yn meddwl 'taw person fel 'na oedd hi' yn arbennig wedi iddi gael ei chanmol am actio dynes feddw, 'a finne'n flaenores 'da'r Methodistiaid,' meddai. Druan ohoni, bu farw yn 1986, yn Seland Newydd, yn 82 oed, ar ôl byw yma am ugain mlynedd a bod yn llysgennad answyddogol i'w hen ardal hyd y diwedd.

Cafodd Dilwyn a finne ein gwala o adloniant hefyd pan fyddai Wncwl Ben neu ei chwaer, Anti Elinor, yn dod i'n gwarchod tra roedd ein rhieni yn brysur 'da'r dramâu: Wncwl Ben oedd y cyntaf i'n cyflwyno i fytholeg y Rhufeiniaid a'r Groegwyr, ac roeddem wrth ein bodd yn gwrando arno, er i fi gael hunllef neu ddwy rhaid cyfaddef. Wedyn, pan oedd Anti Elinor yn dod atom roedd y storïau yn dra gwahanol, tylwyth teg a hanesion bach diniwed fyddem yn ei gael pryd hynny a ninne'n mynd i gysgu'n dawel heb unrhyw gyffro.

Roedd yna waith paratoi ar gyfer cystadlu mewn steddfode wedyn, bydde mam yn ein dysgu i ganu a fy nhad yn ein dysgu i adrodd. Wrth i bawb wneud eu rhan roedd yr eisteddfodau yn llewyrchus ac yn cynnig adloniant i'r ardal. Yn ystod y Rhyfel cynhelid cyngherddau i groesawu aelodau'r lluoedd arfog adref am dro a'r elw wnaed wedyn yn cael ei ddefnyddio i brynu anrhegion iddyn nhw. Gweithgareddau eraill fyddai'n mynd â'n hamser fyddai cyfarfodydd y Clwb Ffermwyr Ifanc, gyrfaoedd chwist, ambell i ddawns ac ambell i noson gwis; roedd yn werth chweil eu mynychu petai dim ond am y swper fyddai'n cael ei baratoi a hynny yng nghanol cyfnod y dogni.

Er fy mod wedi gadael yr ardal yn ieuanc iawn fe ddysgais yn gynnar ei bod yn ofynnol i bobol gyd-dynnu at yr un pwrpas i sicrhau llwyddiant; flynyddoedd wedyn nid cymryd y lle blaenaf fyddwn yn ceisio ei wneud ond yn hytrach cael pawb i gyfrannu ac i gredu yn y nod; gweithio'n dda bob tro. Diolch drachefn i ddylanwad fy hen ardal.

Yn rhyfedd iawn, mae'r ffrindiau a wnaethom yn ystod y blynyddoedd a dreuliais adre'r un mor annwyl i fi nawr ag oedden nhw bryd hynny, a phan fyddaf yn ardal Mynachlog-ddu rwyf wrth fy modd yn rhoi tro am fy ffrindiau annwyl yno, ac yn teimlo'n hollol gartrefol yn eu cwmni er fy mod wedi bod bant o'r ardal ers dros hanner cant a saith o flynyddoedd, a dim ond wedi llwyddo i ddod adre ddeg o weithiau yn ystod yr holl flynyddoedd, cofiwch. Does dim ffrindiau fel fy ffrindiau cynnar ac, yn naturiol, mae golwg fawr gen i ar fy nheulu sy'n dal yn yr ardal, rhai ohonynt yn rhy ieuanc i'm hadnabod yn dda iawn.

Bûm adre yn ystod haf 2009 yn yr hen ardal a sylweddoli cymaint y newidiodd patrwm bywyd pawb; ai yn ystod oes yr arth a'r blaidd y cefais i fy magu yno, gwedwch! Nid rhuthro i ddal 'bws Crymych' a wna pobl dyddiau 'ma am fod gan bawb gar, cyfrifiadur, teledu, gliniadur, *i-pod* a phob dim. Ac ar y fferm, dim godro'r da â llaw ac oeri' r llaeth yn y dŵr yn y cŵl-house, ei gludo i'r stand laeth er mwyn i'r lorri ei gasglu i fynd i'r ffatri yn Whitland a wneir nawr; pob dim yn fwy hwylus, wrth gwrs. Erbyn heddiw, fyddai ddim angen i mam, druan, i fy rhybuddio, "stica di at dy waith ysgol, neu benni lan fel fi wneud di – gweithio'n galed am fawr o ddim, ac mewn mwd hyd dy benlinie"!

Ni fedraf ysgrifennu am ffermio yn Seland Newydd am na chefais brofiad uniongyrchol ohono ond, yn naturiol, mae diddordeb gennyf yn yr alwedigaeth. Un tro, pan oeddwn yn siarad â 'share-milker' roedd yn sôn am 'milking units' a gofynnais iddo a oedd ganddo wartheg. Dywedais fod enwau gyda ni ar ein gwartheg ac nid rhif ond deallodd wedyn mai pedair buwch oedd 'da ni ac ynte'n godro 400. Ar wahân i'r hyn a elwir yn *lifestyle blocks* o ddeng erw sy'n rhyw fath o dyddynnod, mae'r ffermydd go iawn yn fawr ac yn cadw cannoedd ar gannoedd o ddefaid neu wartheg.

Yng nghyd-destun fy ngwaith y gwelais y gwahaniaeth mwyaf am fod neb yn galw Syr ar y pennaeth – hynod iawn i fi ar ôl cywirdeb Llundain a Southampton, lle bûm am ddwy flynedd yn y ddau le ar gychwyn fy ngyrfa. Cefais ychydig anhawster gydag acen Seland Newydd ar y cychwyn ond wedyn rwy'n siŵr iddyn nhw gael mwy o anhawster gyda'm hacen Gymraeg i. Ond er eu bod yn gwatwar fy acen, roedden nhw'n garedig ac yn amyneddgar, a chawsom lot o hwyl.

Y siom fwyaf i mi bob tro y byddaf yn dod adref yw gweld y capeli wedi mynd lawr shwd gymaint – mwy ohonyn nhw wedi cau bob tro dof i adre. Yn y capel Presbyteraidd lle rwy'n mynd bob bore Sul yn Waikanae ceir yn agos i gant ohonom yn addoli. Cofiwch, nid wyf yn gwybod beth sy'n mynd i ddigwydd yn y dyfodol oherwydd i ni gyd yn 'clatsho mlân' – os dywedon ni yn iaith gogledd Penfro.

Ni fedraf gymharu bywyd yng Nghymru â bywyd yn Seland Newydd am fod cymaint o symud ymlaen aruthrol wedi digwydd ac yn dal i ddigwydd yn y ddwy wlad ond yn Seland Newydd rwyf fi'n ffito i mewn erbyn hyn. Mae'r iaith Gymraeg gyda fi am byth a sdim dowt mai fy mywyd cynnar sydd wedi fy ngwneud yr hyn ydw i. Tebyg iawn nad yw'r byd fawr ddim gwell am fy mod i wedi byw ynddo ond fe wnes fy ngore ymhob swydd a gefais. Cefais yrfa ddiddorol a dysgais lawer am bobol, ac wrth adael bobman lle bûm yn gweithio gadewais y drws yn agored; dyna fe, effaith fy hen ardal rwy'n siŵr.

In her article entitled 'A Cup of Paraffin', Heulwen Jones, who has lived for over forty years in New Zealand, relates the memories of her childhood in the Rhydwilym area, and specifies those particular lessons learnt that were beneficial to her in later years. She and her brother, Dilwyn, who has settled in Australia, were brought up at Dyffryn Isaf and at Maes-y-dderwen where their grandparents, John and Marged Ann Williams lived. She recalls the hilarity around the table at harvest time, the witticisms and the leg pulling, which taught her not to be annoyed when provoked and to take it all in her stride. Her Grannie also taught her how to slice bread as well as how to skin a rabbit and pluck a chicken, though such skills never proved as useful as slicing a loaf of bread.

She remembers one of the neighbours who had learnt to speak Welsh but would occasionally mix up the mutations which her grandfather one day thought he would appreciate being corrected. However, the response was a cold, "Well, well, you are very particular". No further lessons were given. She and Dilwyn were warned not to disturb ex-soldier Dan if he was enjoying a nap lest he would wake up suddenly and brandish a pitchfork. That was another lesson learnt – the futility of war when a young country lad is sent to the trenches at Somme only to return with his life in tatters.

Gypsy lady, Mrs Lovell, was a frequent caller and Grannie would always buy something when told that her mother at Pen-ffordd was in fine fettle and had been seen that morning. On one occasion, elsewhere, Mrs Lovell had asked for a few drops of paraffin and on being given a cupful, poured it all down the inside of her blouse with the remark, "that should kill the b. . . . . . s". Twm Martha Fach, the notorious tramp, was not always welcome. Once, when Twm had asked for his usual bowl of broth, she saw Grannie come back from the porch with the look of thunder on her face, as she had been accused of adding snails to the concoction. He had later complained at the next farm that Mrs Williams was in a foul mood.

Though the family were staunch Methodists, Heulwen and Dilwyn attended Sunday School with the Baptists at Rhydwilym as there were too few children to form a Sunday School at Clunderwen. She well remembers walking down the steep hill to the chapel and even today, when she sees in her mind the Preseli range in the distance and the luscious woodlands, as she writes this article, she cannot think of a more beautiful and splendid valley in the whole world. New clothes were a feature of every Cymanfa and she still believes that she sang with that much more gusto when she knew that she looked just as smart as the other choristers. Such matters she believes were just as important as being well drilled beforehand by the local precentors.

When she informed Grannie, after witnessing a baptism, that she was going to join the Baptists she was given a scowl and informed in no uncertain terms that 'our family have always been Methodists'. Another lesson – that every individual has his place within a community – helped her not to transgress when mixing with people from different backgrounds in later life. One must never be too pushy and, at the same time, there is no virtue in being wimpish.

Though there were no televisions, computers or i-pods, Heulwen and Dilwyn were never bored as there were always jigsaws to be completed, draughts to be played and plenty of books to be read, and for Heulwen, embroidery became a passion. Her parents, Nan and Tom, were often involved with drama productions and on those occasions either Uncle Ben or Auntie Elinor would keep them company. The former introduced them to Greek and Roman mythology and the latter would tell less intimidating stories about fairies that made sleeping easier. Eisteddfodau, whist drives, Young Farmers Club and the odd dance or quiz night were attended in their youth. Heulwen realized that success would only be gained when everyone pulled together with a shared aim. In her later years she never coveted a leading role but always endeavored to persuade everyone to take part – a lesson learnt in Cwm Rhydwilym.

Since leaving the area well over fifty years ago Heulwen has been back ten times and still considers those friends made during the early years as her best friends. When she returned in 2009 she realized how much everything had changed since the days her family would milk their four cows by hand, cool the milk in water and carry the churns to the stand to be picked up by a lorry heading for Whitland dairies. With all modern conveniences now available her mother would not have to tell her today, 'to stick at it at school or else you will end up like myself, working very hard for next to nothing and up to your knees in mud'. In New Zealand farmers do not have names but numbers for their cows as they keep up to 400 or more and all referred to as 'milking units'.

Her biggest disappointment whenever she comes home is to see how the chapels have lost ground, whereas she attends a Presbyterian chapel every Sunday morning at Waikanae with a regular attendance of a 100 worshippers. Even though she is now firmly ensconced in New Zealand, the Welsh language will always be part of her, and whatever she made of life she owes it all to her upbringing around Rhydwilym. She says that the world is probably not a better place due to her presence but that she did her best in whatever vocation she found herself, and whenever she moved on she would always leave the door open – as was the habit back home.

John Pen-rhos

E. Llwyd Williams

Bwthyn un-llawr hir yw Pen-rhos a phob ffenestr fach yn agor fel drws i groesawu awelon Preselau. Uwchben y drws ceir carreg droedfedd sgwâr a'r geiriau hyn arni . . . " PENRHOS 1849." Cerrig wedi eu caboli yn y chwarel gerllaw sydd ar y llawr, a gwellt gwenith o fferm gyfagos sy'n do iddo. Ceir trwch blynyddoedd o wyngalch ar y muriau i ddal pelydr haul y bore. John oedd gŵr y tŷ, a mynych y gwelid ef yn pwyso ar ffrâm y drws isel, yn torri gair â rhywun. Ie pobun, canys ni ddaeth i feddwl neb dramwy hcibio i Ben-rhos heb holi hynt y trigiannydd. Yr oedd hyn yn wir, nid yn unig yn nyddiau'r cerdded, ond hefyd yn nyddiau'r cár.

Dyn tenau oedd John, a'i ddillad o frethyn gwlad yn rhoddi'r argraff eu bod yn hongian amdano. Gwisgai het feddal a honno'n rhyw fath o ddatblygiad cynnar o'r Jim Crow. Talcen slip ac wyneb cul, braidd yn fenywaidd oedd ganddo. Yr oedd pefr yn ei lygad, a hwnnw'n awgrym cynnil o garedigrwydd a direidi. Cadwai fwstas deniadol, wedi ei droi'n drefnus heibio i'r wefus uchaf ac i lawr dros asgwrn ei ên. Daliodd i wisgo coler lledr streipog, du a gwyn, hyd nes i'r sadler werthu'r olaf iddo. a'i orfodi i ddilyn y ffasiwn gyda'r coler meddal, poblogaidd. Gwisgai hwnnw heb na thei na dim i guddio'r pin a'r stwden bres. Rhywbeth i falchach tras oedd ffon; fforch-bastwn collen o'r math a ddefnyddir gan helwyr dwrgwn oedd ei falchter ef.

Siaradwr difyrrus oedd ef. Ceisiai pawb ei ddenu i adrodd hanes ei fywyd a'i fynych deithio ar draws y wlad i chwilio am waith. Crwydrodd dipyn ar hyd ei oes gan sylwi'n graff a chofio'n fanwl. Meddai ddawn arbennig i adrodd hanes a phwysleisio, gan ail-adrodd bron pob gair, heb andwyo'r effaith. Yr oedd pwysleisio ac ail-bwysleisio'n ddiymatal iddo, a'r dylanwad mor gyfareddol nes troi'r cyffredin yn anghyffredin a'r dinod yn bwysig. Rhoddwyd iddo'r ddawn i lenwi pob gair ag ystyr ncs tragwyddoli pob digwyddiad syml. Yn ben ar hyn oll, yr oedd rhyw foesgarwch hudol ymhob ysyum o'i eiddo. Ni flinid arno.

Deuai pobl o bell i'w glywed yn adrodd ei hanes; fel hyn ..." 'Rown i'n dechrau gweithio'n ddeuddeg oed, yn gweithio gyda dynion mawr yn ddeuddeg oed. 'Rown i'n un yn agor y Lein Fach, y lein fach o Glynderwen i Abergwaun. Taro gyda'r gofiaid yr own i, gyda'r gofiaid oedd yn gofalu am flaen picas pob nafi ... blaen picas pob nafi. Bues hefyd ar Lein Aberteifi, yn y Boncath, Boncath. Es bant ymhell wedyn, bant i Sgiwen, Sgiwen. a Chastell-nedd ... Castell-nedd. A bant ymhellach wedyn i Aberdâr. Glywsoch sôn am 'Sweet 'Berdâr'? Yr oeddwn yn Aberdâr yn 1880 ... 1880. 'Rwyf wedi trafeili tipyn, Syr, wedi bod obiti bwer, o fan i fan. Blwyddyn ryfedd oedd 1916, a bant â fi i'r gwaith powdwr ym Mhenbre ... yn 1916. Penbre a Burry Port. Lle rhyfedd oedd Penbre. Yr oedd dynion yn mynd i'r gwaith yn y bore yn ddynion gwyn, ac yn dod gartre'n ddynion melyn ... dynion melyn! Yn ddynion melyn yn y prynhawn ... Odw, 'rwyf wedi bod obiti bwer, ond y mae'n dda gen i ddweud, y mae'n dda gen i, galla'i fynd 'nôl i bobman lle 'rwy'i wedi bod, i bobman, i bobman, Syr."

Treuliodd John flynyddoedd preim ei fywyd yn y chwareli llechi, a mwynhad pennaf ei gydweithwyr oedd cael bod yn agos ato yn y gwaith. Yr oedd mwynder ei ysbryd a sŵn ei eiriau'n donic. Gwelwyd ef yn pwyso ar ei raw un bore, a dywedodd y goruchwyliwr wrtho nad oedd yn arfer gan y cwmni dalu neb am bwyso felly. "Nid pwyso yr own i, Syr," meddai John, "ond pyslo; nid pwyso ond pyslo." A dyna stori'r gwaith am y diwrnod hwnnw.

Arferai pob chwarelwr roddi tro i'r pentref ar brynhawn dydd Sadwrn, er mwyn gorffen yr wythnos yn gymdeithasol. Un nos Sadwrn, cafodd John ei gario adref yng nghart Dafi'r Llwydarth, neu o leiaf, dyna'r cytundeb. Eistedd ar lawr y gist a wnai Dafi, ac eisteddai John ar ran blaen y cart â'i draed ar y siafft. Aeth popeth yn iawn am yr hanner milltir gyntaf, hyd nes i'r gaseg gymryd cam gwag, a thynnu John yn ddisymwth i lawr rhyngddi hi a'r cart. Disgynnodd ar ei draed yn dwt, ond nid oedd iddo bellach yr un dewis, ond parhau i gerdded rhwng y ddwy siafft a rhwng traed ôl y gaseg a'r cart, gan fod Dafi wedi syrthio i drymgwsg. Felly y bu am ryw dri chanllath hyd nes i John flino cerdded yn ei gamau mân wrth geisio osgoi traed y gaseg, a chael ei gaethiwo bob ochr a'i wthio o'r tu ôl. I waethygu pethau, yr oedd y gaseg wedi sylweddoli bod rhyw estron yn rhy agos ati, a dechreuodd hithau chwarae'i chynffon yn fygythiol o amgylch ei wyneb. Aeth y cyfyngder yn drech nag ef, a dechreuodd weiddi ar Dafi ... "Dafi ... Dafi ... Dafi Griffiths! . . ' dwy 'i ddim yn y cart, Dafi Griffiths! ... ' dwy 'i ddim yn y cart ... Cerdded ydw'i ... cerdded ... cerdded ... Wo! Dafi Griffiths ... Wo! ... Dafi ... Dafi ... Dafi Griffiths!" A dyna'r tro olaf i John eistedd â'i draed ar y siafft.

Gŵr gochelgar ydoedd, a'i nôd oedd plesio pobun heb dramgwyddo neb. Ceisiwyd ei ddenu ganwaith i daflu llinyn mesur dros hwn ac arall, ond credai ef mai'r unig hawl i farnu oedd canmol. Ceisiwyd ei argyhoeddi untro mai dyn cadnoaidd oedd ficer y plwyf, ond daeth ef allan o fagl ei heliwr fel hyn ... "Chi sy'n dweud ... chi ! Dyn da welais i e' ... dyn da ... dyn da iawn." Ac felly y treuliodd ef ei oes yn mwynhau daioni pobl eraill, heb draethu dim ond y da am bobun. Anodd credu ei fod yn ddall i wendidau dynion, gan ei fod yn ŵr craff; yn ŵr craff wedi meistroli'r grefft i gadw cyfrinach beryglus.

Rhyw bum mlynedd cyn iddo gyrraedd oedran pensiwn, daeth pla'r dirwasgiad i ardal y chwareli, a gorfu iddo yntau ymuno â'r fintai segur – ar y dôl. Diwrnod bythgofiadwy yn ei hanes oedd hwnnw pan aeth am y tro cyntaf i offis y dôl, i dderbyn arian am ddim. Daeth adref y prynhawn hwnnw, ychydig yn fwy direidus nag arfer, a chafodd hwyl wrth ddisgrifio'r seremoni wrth ei wraig. Yr oedd hithau braidd yn ddiamynedd gan ei bod ar hanner chwynnu'r pâm cennin, a gosododd y tegell ar y tân cyn dychwelyd i'r ardd. Ymhen chwarter awr, daeth John allan gan weiddi fod y tegell yn berwi. "Os yw'r tegell yn berwi, tyn e' lawr," meddai Mari. "Na, na, wir," meddai John, "y mae ofn arnaf. 'Sdim iws gwneud dim ar y dôl ... 'Sdim iws gwneud dim byd ar y dôl." A berwodd y tegell yn sych.

Blinid ef yn ystod ei flynyddoedd olaf, ac yntau dros ei bedwar ugain oed, gan ddiffyg anadl, a gorfodid ef gan ei galon i dreulio ambell wythnos yn ei wely. Gwely-codi oedd ganddo a blancedi ffatri'r fro yn drwm arno. Gorweddai yn ei glydwch ym mhen isa'r tŷ, yn dalp o ddiddigrwydd dioddefgar mewn cystudd. Cadwodd ei ffydd gan gredu bod codi a gwella iddo, cyhyd ag y gallodd gadw'i goler am ei wddf yn y gwely. Ei goler oedd y gadwyn olaf yn ei ddal wrth fywyd iach, a mynd-a-dod yr ardal. Gwelid cadair yn ymyl y gwely a'i llond o groeso i ymwelwyr o bell ac agos. Cwmni oedd ei feddyginiaeth. Wrth holi ei hynt, clywid sŵn y fegin yn rhyddhau yn ei frest. Ni phoenwyd ef unwaith gan ddiffyg anadl wrth fynegi ei ddiolchgarwch yn ei ffordd ei hun fel hyn ... "Diolch yn fawr i chi am alw ... diolch yn fawr. Fe allech beidio. Diolch am droi i weled dyn sâl . . . 'Does neb yn gwybod pa mor sâl 'rwy' wedi bod ... yn sâl ... yn sâl ... yn rhy sâl i ddweud 'mod i'n sâl, Syr."

Pe bawn i wedi cael yr anrhydedd o drefnu taith olaf a diddychwel John Pen-rhos, buaswn wedi gosod ei goler meddal am ei wddf a'i bastwn collen ar glawr ei arch.

Dafi'r Llwydarth

Gŵr yn tynnu sylw ato'i hun, ond yn hollol anymwybodol o hynny oedd Dafi. Byddai'n gwbl amhosibl iddo dramwy'n gudd a di-sylw i unrhyw fan, gan ei fod yn amddifad o ddistawrwydd a llyfndra. Os clywid rhywun yn uwch ei gloch nag arall yn y ffair neu'r farchnod foch, ef a fyddai hwnnw yn trio taro bargen. Nid oedd prynu a gwerthu'n bosibl yn ei hanes ef, heb ddadlau poeth a thaeru croch, a pho fwyaf y sŵn, mwyaf y fargen. Yr oedd ganddo dalent eithriadol i bigo beiau ar bopeth oedd i'w brynu a nodi rhagoriaethau popeth oedd i'w werthu. Ei ddawn oedd prynu'n rhad a gwerthu'n ddrud. Nid porthmon swyddogol mohono, ond yr oedd ganddo lais a chrochlef yn deilwng o orau'r frawdoliaeth honno.

Yr oedd yn gerddwr trwm, afrosgo, a'i draed stwrllyd yn cyhoeddi ei ddynesu o bell. Nid oedd tywyllwch y nos yn dieithrio dim arno, canys hawdd ei adnabod yn y gwŷll ar feidr y wlad, gan fod y tân yn tasgu o'r cerrig dan ei draed, a'u hanner yn cael eu taflu o'r ffordd i'r ffos. Gellid tybio bod siment palmant y dref yn cael ei rwygo gan ordd, pan gerddai ef drosto ar ddiwrnod ffair. Cerddwr lletchwith ydoedd, a'i ddwy benlin fel pe am fwrw'n rhydd o'r soced gyda phob gorchymyn i symud, y naill am ruthro i'r aswy a'r llall i'r dde. Yr oedd ei freichiau hefyd dan ddylanwad rhyw gynhyrfiadau trwsgl fel hanner tro propeler chwyrn. Rhyw amlygiad rhyfedd o gynhyrfiadau oedd personoliaeth Dafi – cynnwrf llaw a throed a llais.

Yr oedd yn amaethwr penigamp. Gellid edrych ar ei fferm a chael mwynhad wrth edrych arni bob diwrnod o'r flwyddyn, canys gwyddai'r ffordd i ddefnyddio'r tymhorau a maldodi'r pridd. Yr oedd y cerddwr anniben yn ffermwr cymen.

Deuai i'r capel bob tro y byddai'r oedfa bregethu yn y prynhawn, gan ddewis sedd ar ffrynt y galeri ar yr ochr chwith. Dim ond hanner codi a wnai amser canu'r emynau, gan bwyso'n drwm ar gefn y sedd, a thaflu llygad slei, ymchwilgar, dros y gynulleidfa ar y llawr. Yn y capel yn unig y gwelid ef â golwg braidd yn wylaidd arno. Eisteddai i wrando'r bregeth a'i law dde fel fforch i ddal ei ên, a chan fod dwy ffenestr y tu cefn i'r pulpud yr oedd yn anodd dyfalu pa un ai gwrando a wnai neu brisio ambell anifail a ddeuai o fewn ffocws y ffenestr ar y llethrau cyfagos. Ond yr oedd Dafi'n wrandawr ac yn feirniad pregeth. Daeth pregethwr newydd i'r capel, yr oedd pawb yn awyddus am wybod ei farn amdano. Trannoeth Sul cyntaf ei weinidogaeth, yr oedd Dafi wrth y gwair yn un o ydlannau'r fro, a phan gafwyd munud gyfleus, ceisiwyd ei farn am bregeth y prynhawn Sul cynt. Ac fe'i cafwyd yn yr ymadroddion bythgofiadwy hyn ... "O, pregeth fach dwt ... Llwyth o wair bach byr - 'doedd dim eisiau rhaffo."

Yn nes ymlaen yn y prynhawn, aeth yn ddadl yn yr ydlan ynghylch y Beibl. Yr oedd un o'r cwmni wedi darllen rhywfaint o gynnyrch *Uwchfeirniadaeth*, ac wedi cael cryn sylw trwy wyntyllu ei syniadau. Esboniwyd y daith trwy'r Môr Coch yn ddeheuig iawn heb gyfrif dim ond rhyw ddaeargryn a gaeodd wely'r môr. Ni chafodd yr esboniad ei dderbyn yn unfryd ychwaith, gan fod un hen ŵr yn taeru bod Duw wedi codi dwy wal o ddŵr a'r ddwy'n "dal dŵr" hefyd. Dadlennwyd cyfrinach y berth yn llosgi heb ei difa, trwy gyfeirio'n farddonol at wyrth yr haul yn taflu fflam ar lwyn eithin gerllaw. Ni chymerwyd unrhyw ran yn y ddadl gan Dafi, hyd nes i'r mwyaf beiddgar yn y cwmni gyhoeddi'n glir a phendant bod hanner y Beibl yn gelwydd. Methodd yntau ag atal ei gynhyrfiadau'n hwy, a chan ddefnyddio nodyn ei lais, dywedodd, "Hanner y Beibl yn gelwydd! Celwydd neu beidio, y mae'n bert." Daeth y llwyth nesaf i'r ydlan a therfynwyd y ddadl.

Amser te, aeth cwmni'r ydlan i sôn am loywach nen, ac am ddyddiau o heddwch a chydweithredu rhwng holl genhedloedd y byd. Soniwyd am y dyddiau dedwydd pan fydd y blaidd a'r oen yn cyd-drigo, a'r llo a'r llew yn cydorwedd, a'r fuwch a'r arth yn cyd-bori. Er tynnu'r darlun yn nes adref, soniodd un ohonynt am y posiblrwydd i'r ŵydd a'r cadno gyd-gerdded a chyd-letya. Gwrandawr distaw oedd Dafi hyd nes iddo glywed am yr ŵydd a'r cadno. Gwyddai ormod am ystrywiau llwynogod i dderbyn yr ymadrodd olaf, a galwodd y cwmni i ail-ystyried y darlun o'r dyfodol trwy weiddi, "Yr ŵydd a'r cadno yn cyd-gerdded! Dim byth. Dim tra bod cadno yn gadno !"

Gŵr hoff o ymweled â'r pentref oedd Dafi, ac un noson eisteddai'n unig mewn tafarn yno. Ar ôl sylweddoli ei unigrwydd, holodd beth oedd i gyfrif bod y lle'n wag. Dywedwyd wrtho fod cwrdd gwleidyddol yn yr Ysgoldy a bod ymgeisydd y Blaid Lafur yn siarad yno. Ar ôl clywed hyn, aeth Dafi ymlaen i fwynhau glasiad neu ddau, gan obeithio y byddai'r gwleidyddion yn rhoi llonydd i bris y ddiod yn ystod y flwyddyn nesaf. Cyn hir, daeth gwleidyddion sychedig y fro i lenwi'r bár, a bu rhaid iddynt adrodd hanes y cwrdd wrth Dafi. Dywedwyd wrtho mai prif bwynt yr araith oedd, "Mewn undeb y mae nerth." "O," ebe Dafi, gan bwyso'i benelin ar ei benlin a phoeri i'r tân, "Mewn undeb y mae nerth" ... Bu ddim mwy o wir erioed ... Pe bai holl sgadan y môr yn mynd ar ôl y morfil, byddai'n rhaid iddo symud.' Nid anghofiwyd prif bwynt yr araith wleidyddol honno.

Nid oedd Dafi'n aelod mewn unrhyw gapel pan fu farw ei wraig, a thrannoeth yr angladd, galwodd gweinidog ei chapel hi heibio iddo. Ar ôl treulio peth amser i'w gysuro yn ei unigrwydd, cyffyrddodd â llinynnau tyneraf ei galon nes llwyddo i gael Dafi'n aelod. Synwyd ei gyfeillion agosaf o ddeall iddo ymaelodi gydag enwad braidd yn ddieithr iddo, a holwyd ef ynghylch y digwyddiad. Adroddodd yntau'r hanes yn ei ffordd ddihafal ei hun, fel hyn ... "Do, fe euthum yn aelod, ond yr oedd y cyfan yn annheg iawn. Daeth y gweinidog heibio gan fy nal ar awr wan, wedi claddu Marged. Yr oedd y cyfan yn annheg, oblegid 'sdim un sportsman yn saethu ffesant ar lawr."

Dychwelai adref o'r pentref un noson ar gefn ei gaseg hoff, ac yr oedd ganddo'n gydymaith y noson honno, y gŵr medrusaf yn yr ardal am dynnu coes. Defnyddiodd hwnnw holl driciau ei dalent i berswadio Dafi ei bod yn bryd iddo ddiwygio, ac yntau bellach yn aelod capel ac yn ymuno i ganu gyda'r saint . . .

"Dal fi, Arglwydd! dal fi ronyn,
Ni raid iti 'nal yn hir;
Mwy sydd eisioes wedi'i deithio
Nag sy'n ôl o'r anial dir ..."

Yr oedd Dafi'n cydsynio â phob dim, ac yn ateb pob apêl trwy ddywedyd, "Eitha reit. Y mae'n RHAID diwygio." Os dywedodd hyn unwaith, dywedodd ef ganwaith, er boddhad dirfawr i ysbryd cellweirus ei gydymaith. Felly y bu am ryw filltir o'r ffordd, ond wele'r gaseg goch yn cael twc sydyn i aros, a Dafi o dan wefr rhyw gynnwrf mewnol, arswydus, yn troi at ei gyfaill, ac yn gweiddi nes bo'r cwm yn diasbedain a charreg ateb ar ôl carreg ateb yn taflu ei floeddiadau'n blith-draphlith o geunant i geunant ... "Na, ichi'n rong. 'Does dim eisiau diwygio. Paham y mae eisiau diwygio? Y mae'r Iawn wedi'i dalu ... Nid 'Credit on Conditions' oedd Iawn Calfaria ... Y mae'r Iawn WEDI'I dalu ...

Does dim heb dalu, rhoddwyd Iawn,
Nes clirio llyfrau'r nef yn llawn
Heb ofyn DIM i Mi ..."

Ni bu Dafi fyw'n hir wedi claddu Marged, a dygwyd ef o'r byd yn hollol ddirybudd. Daeth adref yn ddiogel gannoedd o weithiau, ganol nos fel canol dydd, ac ar bob math o dywydd, er bod ganddo ddwy neu dair afon i'w croesi cyn cyrraedd clos y Llwydarth. Ond un nos Sadwrn, syrthiodd i'r afon a chodwyd ef allan ohoni'n farw, wedi yfed gormod o ddŵr.

Wil Canän

Clocsiwr y fro oedd Wil Canän. Taerai'r hen frodorion fod ei wadnau gwern yn ddiguro, a bod pob clocsen mor esmwyth â maneg. Eithr erbyn heddiw, ei brofiadau rhyfedd ac nid ei glocs yw testun siarad y bobl. Chwedleuwr athrylithgar oedd Wil, a phriodolir ambell stori o'i eiddo i arall mewn llawer ardal. Nid gŵr yn anwybyddu ffeithiau mohono, canys medrai lunio clocsen a thorri bedd, eithr ei ddawn fawr oedd codi ffaith allan o'i chysylltiadau rhyddieithol a'i gosod yn ffrâm breuddwyd a dychymyg. Cyhuddwyd ef o gyhoeddi mwy na'r gwir i gyd, ond rhaid ei gyfrif yn ddieuog, gan na chrewyd ef yn sensor ar ddychymyg a ffansi. Gŵr anymwybodol o'i ddawn ydoedd hefyd, heb unwaith ganfod ei fod yn chwyddo difyrrwch bro wrth glebran.

Cofir amdano gan rai fel gŵr a barodd syndod i Gurnos pan oedd hwnnw'n "holi" un o Ysgolion Sul y fro ar gyfer y Gymanfa Bwnc. Daeth yr adnod hon o dan sylw ... "A phwy bynnag a rwystro un o'r rhai bychain hyn a gredant ynof fi, da fyddai iddo pe crogid maen melin am ei wddf, a'i foddi yn eigion y môr." Ceisiodd Gurnos wybod paham yr oedd eisiau maen am w'ddf y dyn cyn ei foddi. A dyma ateb Wil ... "Y mae dyn yn gallu codi pwysau mawr mewn dŵr. Yr oeddwn i'n pysgota'n ddiweddar, ac yr oedd carreg fawr o'r ffordd yn yr afon, a dyma fi'n ei symud hi. Yr oedd yn dunell o bwysau ... Ond 'does dim rhaid cael maen melyn i foddi dyn – gwna unrhyw liw arall y tro." Wedi ysbaid, symudodd Gurnos ymlaen at yr adnod nesaf.

Cofir amdano gan eraill fel creadur mentrus. Pan oedd yn was yn y Glandy, daeth adref o'r calch un bore â'r ceffylau'n diferu o chwŷs. Yr oedd eu heisiau ar unwaith hefyd i gywain gwair mewn fferm gyfagos, ac nid oedd gŵr y Glandy am eu gorweithio. Setlodd Wil y cwestiwn mewn amser byr. Gosododd y tarw du yn y siafft, a gwnaeth hwnnw ei ddiwrnod gwaith fel bustach profiadol.

Nid oedd y fellten yn ymddwyn yn felltigedig ar aelwyd Wil. Rhwygodd y dderwen braffaf yng ngallt Cwmceiliog, holltodd glocsen Deina Plasybedw a lladdodd dau ebol ym Maes-y-dderwen, ond rhyw gellwair a wnaeth ar aelwyd Canän. Dyma ddisgrifiad Wil ohoni ... "Bu lle rhyfedd yn y tŷ 'co neithiwr. Daeth y fellten i lawr drwy'r simne a chwarae'n rhubannau i gyd gylch y tân. Bu rhaid imi godi ac agor y drws iddi fynd allan, rhag ofn iddi wneud difrod." Trafododd y fellten mor ddeheuig a tharw'r Glandy.

Fel torrwr beddau, cawsai rybudd am bob marwolaeth rhyw bythefnos ymlaen llaw, a hynny drwy'r un arwydd bob tro. Cadwai offer ei grefft arswydus ym mhen pella'r gegin, a chuddid hwy yno gan gyrten wedi ei liwio'n annosbarthus â mwg tân coed. A dyma ffordd Wil o gyhoeddi angladd ... "H'm. Bydd angladd cyn bo hir eto ... H'm ... Y mae nhw wedi bod co neithiwr eto yn bwdlan yr offer!" Congl yr offer oedd congl yr arwyddion.

Yr oedd eira mawr 'slawer dydd. Eithr anodd credu stori Wil a'r profiad a gafodd ef mewn eira mawr ... Llwyddodd i fyned â chart dau-geffyl o Faenclochog i Arberth, taith o ryw ddeuddeg milltir, heb gymryd sylw o na ffordd na pherth nac afon. Yr oedd ôl carnau'r ceffylau i'w gweled ar do gwellt rhyw dri neu bedwar bwthyn ar hyd y daith, ar ôl i'r eira glirio.

Nid dyna'r unig brofiad a gafodd gyda chart dau-geffyl. Yn nyddiau'r calchu, ei gart ef oedd y cyntaf i gyrraedd yr odyn. Taerai rhai o'r gyrwyr eraill bod Wil wedi dyfod i'r odyn ambell fore a phen dyn rhwng adenydd olwynion ei gart. Ni fynnai ef wadu, ond mynnai iddo fwrw pob pen a gafodd yno i ganol y tân cyn i neb arall eu gweled.

Un dydd wrth ddychwelyd o'r odyn, duodd yr awyr a daliwyd ef a'i lwyth mewn cawod drom o law taranau. Offer lledr a wisgid am geffylau yn y dyddiau hynny. Brawychwyd ef o weled tidiau'r ceffyl blaen yn dechrau ymestyn ac yn ei wahanu oddi wrth y gaseg siafft. Methodd honno a thynnu'r llwyth, a pharhau i ymestyn a wnaeth y tidiau am chwarter militir, hyd nes i Wil weiddi, "Wo." Ciliodd y gawod yn sydyn, a daeth yr haul allan yn fflam danbaid. Er syndod iddo, gwelodd y tidiau'n dechrau tynhau a thynhau nes tynnu'r llwyth i ymyl y ceffyl blaen. A dyna ddiwedd yr helbul

Ceir deunydd dyfais ymhob breuddwyd, ond y mae'n rhy gynnar eto i osod dyfais Wil ar y farchnad. Ni ddaeth ei awr ef eto. Daeth nifer o weision fferm ato ar noson o haf, a hwythau wedi bod drwy'r dydd yn eu lladd eu hunain wrth ladd gwair â phladuriau. Yr oeddent yn rhy wan i ddim ond i gwyno a thuchan. "Y mae dyddiau ysgafnach ymlaen, fechgyn," meddai Wil, "bydd mashîn lladd gwair yn yr ardal yma cyn bo hir . . . Siswrn mawr yw e' . . . Siswrn mawr ! Rhaid ei gario i'r cae, ei agor a'i gau unwaith, a dyna'r gwair i gyd wedi ei ladd." Dyna freuddwyd Wil, flynyddoedd lawer cyn i neb yn yr ardal glywed sôn am na Hornsby na Bamford.

E. Llwyd Williams published the above portraits of notable and original characters in a booklet called 'Hen Ddwylo' (Old Hands) in 1941, which was sold for a shilling. John Pen-rhos was notable on account of his unusual manner of speech in which he would often repeat various phrases for the sake of emphasis, along with what Llwyd Williams describes as his 'magical politeness'. John's family were the last to live at Pen-rhos, the cottage that remains thatched till this day, at the entrance to Blaen-sawd farm in Llan-y-cefn. John Williams spent his working life in the local quarries, though in his younger days in the 1880s he worked on the railways as a ganger in such far away places as Neath and Aberdare, and again in 1916 in what were called 'powder works' in the Burry Port area. He would often pronounce when he regaled any company with his stories when 'working away' that there was nowhere he had been where he wouldn't be welcomed back.

His originality can be seen in his reply to a foreman who spotted him leaning on his shovel. "This company doesn't pay its workers to lean on their shovels," was the reprimand, whereupon John retorted, "It wasn't leaning that I was, sir, but puzzling, not leaning but puzzling." Such a reply would have soon made the rounds and become part of local folklore. John was later made redundant a few years before he reached a pensionable age when the quarrying industry suffered a slump. He was forced to join the unemployed and 'sign on' where it was explained to him that on no account was he to do any work when receiving dole money. This John took to heart when he went home and explained to his wife all the palavar that had taken place in the dole office. Mari had other matters to attend to and gave John short shrift as she put the kettle on the fire and went out to finish weeding the bed of leeks. Within ten minutes John went to the back door and informed his wife that the kettle was boiling, whereupon he was told to lift it onto the fender. John blatantly refused, "No, no, I can't do that. I'm not supposed to do anything when on the dole, not supposed to do anything." The kettle apparently boiled dry.

Llwyd Williams concludes that if in his capacity as a minister he had been given the privilege of arranging John Penrhos' funeral he would have made sure his soft collar, always worn without a tie or neckerchief to cover the brass stud, along with his trusty hazel stick, would be placed on his coffin.

One of John Williams' near neighbours was Dafi'r Llwydarth, another larger than life character, whose presence, wherever he was, would be made known by his somewhat bellicose behaviour. According to Llwyd Williams he had the ability to find faults with whatever he was about to buy but never tired of praising whatever he was about to sell. It seemed that even the cement on town pavements would crack whenever he walked along them to attend the fairs. He would attend the afternoon service in chapel, would sit in the gallery resting his chin on his right hand giving the impression that he was listening intently to the sermon. But as there were two large windows behind the pulpit others would surmise that he was actually pricing the animals he saw in the fields beyond.

On being asked his opinion on a particular sermon his abrupt reply was, "Oh, a nice enough sermon, a small load of hay that didn't have to be roped." When Dafi lost his wife he was not a chapel member, and following the funeral, his wife's minister called and persuaded Dafi to join his congregation. Many were surprised at his decision and queried him as to why he had taken this step. "Yes, it was all very unfair. The minister called when I was in my weakness soon after burying Marged. It was all so unfair because after all no sportsman shoots a pheasant when on the ground," was his explanation.

Wil Canän was a clogmaker by trade but regarded as a mythical storyteller whose tales have survived much longer than any of his clogs. His imagination knew no bounds. He once took a two-horse-drawn cart from Rhydwilym to Narberth when all the roads were blocked with huge snowdrifts. When the snow later melted he insisted that hoof marks were to be seen on several thatched roofs. In his younger days he would drive a two-horse-drawn cart to fetch lime from Ludchurch. He was often the first to arrive at the crack of dawn. One morning he was teased by the other carriers that he drove so fast that a few human heads had become entangled in the wheel spokes. This he did not deny but added he had thrown the severed heads into the kiln fires before anyone else had arrived in order to destroy the evidence.

Atgofion Aur

Elfair Griffith James

Cefais fy ngeni ar Dachwedd 28, 1943 yn ferch i Dai ac Eveline Griffith, Llethr Uchaf, Mynachlog-ddu. Mae'n debyg mai fy nhad oedd y bedwaredd genhedlaeth o'r teulu i ffermio'r cartref a chofiaf amdano'n adrodd llawer o hanesion difyr am hen ardal Mynachlog-ddu.

Roedd fy nhad yn naw oed yn symud o Barc y Dŵr, Eglwyswen, i Lethr Uchaf yn 1916, pan gymerodd fy nhad-cu, William Griffith, y ffarm drosodd ar farwolaeth fy hen dad-cu, Tomos Tomos Griffith, mwy na thebyg. Roedd fy nhad-cu yn gefnder i William a Bill Griffith, Blaencleddau, ac roedd Bill yn dipyn o ysgolhaig a fu am flynyddoedd yn Llyfrgellydd yn Aberystwyth. Dwi'n ei gofio yn dod adref ar ei wyliau a bob amser yn gwisgo dici-bo. Roedd brawd arall iddyn nhw, Tom Adams Griffith, yn byw yn Llandudoch ac, yn ôl fy nhad, yn flaenor yng Nghapel Blaenwaun ac yn fancer yn ôl ei alwedigaeth.

Bu cefnder arall i fy nhad-cu, William Griffith, yn weinidog ym Methel am yn agos i ddeugain mlynedd a chofiaf glywed hanesion amdano'n teithio ar gefn ei geffyl i'r oedfaon; roedd yn ddyn gwybodus iawn yn ei faes ac yn tynnu torfeydd i'w glywed yn pregethu. Cofiaf fy nhad yn dweud ei fod yn ddyn swil iawn ond pan fyddai'n esgyn i'r pulpud fe fyddai'n anghofio am ei swildod ac yn pregethu'r Gair yn rymus. Roedd yn fugail cydwybodol o'i braidd, meddai ddawn gyda'r ifanc ac fe gynhaliai Gyrddau Gweddi wythnosol, Seiat a Chwrdd Paratoad ac, wrth gwrs, pryd hynny byddai pobol anweddus yn cael eu torri mas o'r capel yn ogystal â merched ieuanc oedd yn mynd dros ffordd cyn priodi h.y. yn beichiogi neu yn esgor ar blentyn y tu fas i briodas; byddai'n rhaid iddyn nhw fynd at eu gweinidog a'r blaenoriaid i ofyn am eu lle nôl wedyn. Byddai William Griffith yn cynnal oedfaon ar gyfer y bechgyn a'r merched ifanc er mwyn eu paratoi i gael eu bedyddio a dod yn aelodau cyflawn. Byddai'n holi pawb ar wahân a byddai rhaid i bob un ohonyn nhw adrodd y Deg Gorchymyn.

Yr un modd byddai parau ifanc yn mynd i dŷ'r gweinidog i ofyn iddo eu priodi a byddai yn eu holi yn ddyrys a manwl ac yn eu cynghori a'u paratoi am fywyd priodasol. Disgwyliai i'r ifanc ddysgu rhannau helaeth o'r ysgrythur ar eu cof a'u hadrodd mewn oedfa a chwrdd gweddi. Byddai adeg Gwener y Groglith a Phasg yn bwysig a chynhaliai oedfaon adrodd, darllen a chanu gan bregethu'n gadarn am groeshoeliad ein Gwaredwr.

Fe fu fy nhad a mam yn 'gwasnaethu', fel bydden nhw'n dweud, ar wahanol ffermydd pan oedden nhw'n ifanc. Dwi'n cofio fy nhad yn dweud amdano'n gwasnaethu yn Fronlas Ucha' a chysgu ar y storws â'r llygod bach yn rhedeg drosto yn y nos. Bydde fe'n cysgu ar wely o wellt a dwy neu dair blanced drosto wedyn. Bydde'r feistres yn aildwymo'r te lawer gwaith nes ei fod bron yn ddu. Cig mochyn gwyn a chawl oedd y bwyd a bara dripin a chaws, os oeddech yn lwcus, i swper. Codi am 5.30 y bore wedyn, bron sythu yn y gaeaf, a dim gorffen hyd yr hwyr. Dyna beth oedd bywyd caled am goron o gyflog yr wythnos.

Fe fu mam yn gwasnaethu ym Mhlas Eglwyswen lle'r oedd 'na dri gwas a hithe yn forwyn. Byddai mam yn godro wyth buwch bob bore a nos, bwydo tua ugain o loi, naw hwch fagu, twrcis, hwyiaid a ffowls, i gyd cyn brecwast, heb sôn am y golchi, smwddio, pobi, corddi menyn a glanhau tŷ lle'r oedd yna saith ystafell wely ar y llofft cyntaf a'r gweision wedyn yn yr ystafell wrth ben y gegin fach; roedd rhaid cynnau'r tanau, torri blocs, bolo'r tân cwlwm a chario dŵr o'r tap y tu fas wrth y drws cefn i'w ferwi er mwyn twymo bwyd y lloi liweth; 'na beth oedd bywyd caled. Bu mam hefyd yn pobi bob dydd yn Dandderwen gyda J. K. Lewis cyn iddyn nhw agor siop yng Nghrymych.

Fe fu fy nhad yn gweithio yn Cwarre Tyrch am saith mlynedd. Mr Campbell oedd y perchennog pryd hynny a bydde fe'n gwneud i'r bois weithio'n galed iawn o saith y bore hyd bump o'r gloch y nos, haf a gaeaf. Dim trugaredd. Cafodd fy nhad ddamwain erchyll ar ei wddf yn y cwarre a bu'n cario'r graith hyd ei fedd. Ni chafodd un math o iawndal a gorfod colli gwaith am ddau fis heb yr un geiniog o gyflog na'r un bripsyn o gydymdeimlad chwaith.

Dwi'n cofio amdanyn nhw'n sôn am yr Ail Ryfel Byd pan oedd milwyr o America yn ymarfer ar hyd y Preselau; fe fydden nhw'n saethu o ben Fwêl Drygarn i gyfeiriad Cwm Cerwyn ac yn cwato ar ben cernydd Caermeini. Cafodd un sowldiwr ei ladd trwy ddamwain. Dwi'n cofio mam yn dweud eu bod wedi gweld y corff yn cael ei gludo lawr trwy'r clos i'r lorri. Byddai'r milwyr ar rashons bwyd ac yn dod i'r tŷ i fegian a mam wedyn yn berwi wyau i lond y gegin o sowldiwrs a rhoi digon o fara a menyn wedi eu gwneud ar yr aelwyd iddyn nhw. Bydden nhw'n rhyfedd o ddiolchgar am hynny.

Ond yr hyn a fyddai'n siŵr o roi gwên ar wyneb fy nhad fyddai sôn am ei brofiade yn aelod o'r *Home Guard* adeg y rhyfel; fe fydden nhw'n cwrdd yn wythnosol rhywle yn y plwyf ond doedd fawr o arfau ganddyn nhw petai'r gelyn wedi cyrraedd Mynachlog-ddu. Cawsant eu dysgu i saethu ond darn o bren oddi ar ryw goeden oedd gan nifer ohonyn nhw'n hytrach na dryll go iawn. Trwy lwc ni welwyd y gelyn. Weithie bydden nhw'n mynd i Neuadd y Farchnad yng Nghrymych i gael hyfforddiant ynghylch beth i wneud os digwyddai rhywbeth annisgwyl. Bydden nhw'n adrodd storiais am fwganod ac ysbrydion nes bod rhai'n pallu cerdded getre ar eu pennau eu hunain gymaint oedd yr ofn oedd arnyn nhw. Beth fydden nhw wedi'i wneud petai'r gelyn wedi cyrraedd!

Bydde'r milwyr Americanaidd wedyn yn cael defnyddio'r festri i ymlacio erbyn nos. Rhyw noson fe ddechreuon nhw chwarae cardie ac yn sydyn fe welon nhw ddyn wrth y drws mewn gwisg ddu. Cododd un o'r sowldiwrs ei ddryll i anelu tua'r drws ond fe ddiflannodd y dyn â'r wisg ddu mewn eiliad – ai ysbryd oedd?

Albert Ballman, Tommy Lewis, Dai Griffith, Elfair Griffith a Winstone Lewis wrth y cynhaeaf gwair.

Dwi'n cofio pan oeddwn i'n blentyn am y braw ym Mynachlog-ddu pan welwyd rhywbeth gwyn yn rhedeg ar y ffordd a heibio'r tai ar hyd y pentre'. Gwelwyd hi neu fe – neu'r ysbryd – ar y ffordd sy'n arwain at Grymych. Rhyw noson dywyll, aeafol pan oedd fy nhad a Jim Mwntan neu Blaenllethr ar ben rhiw Blaencwm dyma'r Ladi Wen yn croesi o flaen y beic a rhedeg i mewn i'r mynydd. Tyngai fy nhad a Jimmy Lewis taw welintons oedd am draed y Ladi Wen. Fe fu rhai o'r bechgyn ifenc wedyn yn cadw golwg am y Ladi Wen gyda'r bwriad o'i dal ond er eu holl wylio ni welwyd y Ladi fyth wedyn.

Dwi'n cofio cerdded adref yng nghwmni mam wedyn ar ôl rhoi tro am gymdogion yn Llethr Mowr ar Nos Galan pan welon ni rhyw ole hir, melyn fel cannwyll fawr yn mynd o gyfeiriad Blaencleddau lan am Fwêl Drygarn; roedd hi'n noson oer, gole leuad. Fe geson ni ofn dychrynllyd. Meddyliodd mam taw seren oedd yn cwympo ond, na, roedd y gole'n rhy hir ac yn dal i symud yn dawel. Wedi cyrraedd adref a dweud am ein profiad wrth dad a mam-gu, fe wedodd mam-gu, 'o, cewch weld mai cannwyll corff oedd y gole'. A wir i chi, bore dydd Calan daeth y newyddion fod Wncwl William, Blaencleddau, wedi marw tua deg o'r gloch y noson gynt. Ai cannwyll corff yn dynodi diffodd bywyd welon ni?

Roedd styllen yn cael ei chadw ar rac ar dop y cartws yn Llethr Uchaf, a phan fyddai rhywun wedi marw byddai fy nhad yn golchi'r styllen yn lân ac, wedi iddi sychu, yn mynd â hi i'r tŷ galar i roi corff yr ymadawedig mas. Tra byddai'r saer yn gwneud yr arch byddai Wncwl Arthur, brawd fy nhad, yn arwain y gaseg a'r hers yn yr angladde.

Wncwl Jack Trallwyn

Diwrnod mawr ym Mynachlog-ddu oedd diwrnod y treialon cŵn defaid draw ym mherci Pen-rhos a dyna lle fydden ni'r plant yn rhedeg a neidio fel ffyliaid. Y gamsters ar y gwaith o hyfforddi'r cŵn i drin y defaid oedd Lewis Rhos-fach, Wncwl Jack Trallwyn Uchaf, Rhys Atsol a John Caermeini Isaf; fe fydden nhw'n teithio i dreialon eraill wedyn gyda'r cŵn yng nghefen y fan. Bydde fy nhad yn magu cŵn bach a'u gwerthu ar ôl eu hyfforddi i drin defaid. Finne fydde'n gyfrifol am eu bwydo a'u cadw nhw'n lân. Gwnaeth fy nhad, fel llawer un arall yn y plwyf, arian da o werthu cŵn parod i ofalu am ddefaid.

Cofiaf yn dda am y plant Saesneg eu hiaith cyntaf yn dod i Ysgol Mynachlog-ddu. 'Na ryfedd oedd hi a ninne heb fawr o Saesneg ein hunain ond roedden ni'n ffrindie cyn fawr o dro ac yn llwyddo i ddeall ein gilydd. Cofiaf wedyn am deulu Saesneg arall yn symud i fyw i Dre-fach – teulu'r Marshall's – a deuthum i ac Ann Marshall yn ffrindie clòs. Rhyfedd fel ma' cefen gwlad yn newid am fod yr hen blwyf yn llawn o deuluoedd Saesneg nawr a dim ond dyrnaid o deuluoedd Cymraeg eu hiaith sydd ar ôl.

Fe fydden i fel y rhan fwyaf o'r plant yn cael parti i ddathlu fy mhen-blwydd. Cofiaf yn dda am fy mam yn agor y ford fawr orau yn y parlwr a rhoi lliain gwyn arni. Byddai mam yn coginio treiffl a tharten afalau, cacennau bach a theisen ac eising arni. Bydden ni'r plant yn gorfod chwarae yn y tŷ wedyn am ei bod yn rhy oer i fod mas ym mis Tachwedd. Dwi'n cofio chwarae cwato ac un o'r bois yn cwato yn y cwtsh dan star. Nawr, fan honno bydde mam yn cadw'r macsu mewn potreli a dyma ni'n clywed sŵn fel ergyd dryll yn sydyn am fod y crwt wedi bwrw ei goes yn erbyn y botrel a honno wedi ffrwydro. Bu rhaid i bawb fynd adre'n weddol handi a dyna ddiwedd ar y partïon pen-blwydd.

Roedd yn arferiad i fynd mas i ganu am galennig ar fore Calan. Dwi'n cofio mynd ar fy meic a chael pishyn chwech neu bishyn tair ac efallai afal neu oren neu ddarn o deisen neu bwnen ffresh. Roeddem yn mwynhau galw ymhobman ar wahân i un tŷ lle'r oedd dyn yn byw ar ei ben ei hunan na fydde'n rhoi mwy na dimau i ni. Dwi'n cofio mynd yng nghwmni Winston Mwntan wedyn ar gefn bobo feic a mynd draw i feidr y Rhos i Blaencleddau a Blaengors. Roedd afon Cleddau yn croesi'r feidr mewn un man a dyma Winston i mewn i'r afon nes ei fod yn wlyb hyd ei groen a finne yn chwerthin am ei ben, mwya fy nghywilydd; yn ddiweddarach fe gollodd Winston ei fywyd yn ifanc iawn druan.

Byddai diwrnod cneifio yn ddiwrnod pan fyddai pawb yn dod at ei gilydd a ninne fel plant yn cael colli ysgol. Byddai rhaid casglu'r defaid a'r ŵyn o'r mynydd beth amser cyn hynny er mwyn mynd â nhw i'r pwll ar waelod Fwêl Drygarn i'w golchi yn yr afon fach oedd yn cael ei chronni ar gyfer y gwaith. Pan ddelai'r diwrnod cneifio wedyn byddai sgubor Llethr Uchaf wedi ei glanhau a'r walydd wedi eu gwyngalchu. Deuai'r cymdogion â'u gwelleifie eu hunain a rhyw bump ohonyn nhw wedyn fydde wrthi'n cneifio tra byddai dau o'r bois ifanca yn dala'r defaid yn y lloc a'u rhoi yn barod i'r cneifiwr. Dysgais shwt oedd paco gwlân yn ifanc iawn yn ogystal â marco'r defaid â'r pitsh du oedd wedi ei gynhesu wrth y tân a'r gof wedyn wedi neud bwlin â'r llythrenne D.G. (Dai Griffith) arno i'w roi ar gefne'r defaid a'r ŵyn cyn iddyn nhw ddychwelyd i'r mynydd noson y cneifio. 'Na sŵn pan fyddai'r defaid yn brefu am yr ŵyn wrth fynd nôl i'r mynydd.

Byddai rhaid cludo'r gwlân i Grymych wedyn lle byddai lorïau mawr yn dod i'w gasglu. Bydde'r hen gaseg ddu oedd gennym yn trotian yr holl ffordd i Neuadd y Farchnad yng Nghrymych gan dynnu llond cart o wlân a thra bydde'r sache'n cael eu pwyso fe fyddwn i'n teimlo'n bwysig iawn yn dala pen y gaseg.

Arferem symud y defaid mewn lorïau i bori tiroedd yng Nghastellmartin yn ne'r sir dros fisoedd y gaeaf; bob tro fyddai fy nhad yn mynd lawr i fugeilio byddai'n dweud y gallai'r Preselau fod yn faes tanio i'r fyddin r'un fath â Chastellmartin oni bai am y safiad a wnaed; ond stori arall yw honno. Pan fyddem yn mynd lawr byddai rhaid mynd â phecyn bwyd am y dydd. Byddai'r cŵn defaid gyda ni, wrth gwrs. Dwi'n cofio cyrraedd yno ambell dro â'r glaw yn pistyllio a fawr ddim o gysgod i'w gael, a ninne'n wlyb at y croen cyn pen fawr dim; roedd gofyn mynd â dillad sbâr mewn rhyw hen fag hefyd neu annwyd trwm fyddai'n hanes. Bues lawr yno lawer tro a cherdded nes bod fy nghoesau'n dost ddychrynllyd.

Dwi'n cofio un achlysur yn glir iawn. Roeddwn i a fy nhad wedi cerdded milltiroedd i chwilio am y praidd ac wedi gweld ac adnabod y cyfan ar wahân i dair dafad. Dechreuodd y niwl llaith o'r môr grynhoi amdanom a phan oeddem bron â danto daethom at risiau yn arwain at eglwys fach wrth y creigiau obry ac, yno, trwy lwc, gwelwyd y defaid yn llechu'n ofnus yng nghysgod yr eglwys. Ond doedd dim modd perswadio'r tair i fynd lan y grisiau llithrig. Yn y diwedd, am nad oedd fawr o anadl gan fy nhad, fe fu rhaid i fi gario'r tair fesul un nôl at weddill y praidd. Anghofia i ddim o'r diwrnod hwnnw tra bydd gen i gof a dwi'n cofio cyrraedd adref yn Llethr Uchaf yn wlyb stecs a bron â starfo er yn ddiolchgar yr un peth.

Un o gymeriadau'r plwyf oedd Gwilym Williams a oedd yn byw gyda'i rieni mewn byngalo sinc ar bwys Blaenffynnon. Byddai gan Gwilym sied ar gyfer trwsio a gwerthu beics ail-law a byddai yn ordro beics newydd yn ôl yr angen. Dwi'n cofio cael beic newydd ar fy mhen-blwydd o siop Gwilym a bydde fe'n siarsio ni'r plant i gadw'r beics yn lân a theiars yr olwynion yn galed. Roedd Gwilym yn ffyddlon yng Nghapel Bethel a byddai wastad ar y bws i bob rihyrsal Gymanfa Ganu ac yn brysur pan fyddai cymanfa a phwnc ym Methel.

'Gwilym Byngalo'

Dwi'n cofio Gwilym yn cerdded mewn i'r capel i sedd ar ganol y llawr y tu ôl i'r sedd lle eisteddai Mrs Parri-Roberts; byddai'n edrych o gwmpas i weld pwy oedd yn yr oedfa ac yn glanhau ei sbectol cyn codi ar ei draed i dynnu ei got fawr; roedden ni'r plant yn cael ein dysgu i barchu Gwilym a pheidio ei wawdio. Dwi'n cofio diwrnod ei angladd pan oedd Capel Bethel bron yn llawn a hynny er nad oedd ganddo fawr o dylwyth. Roedd pawb a oedd wedi cartrefu o'r fro, a finnau yn eu plith, wedi dod nôl i dalu'r deyrnged olaf i Gwilym; heddwch i'w lwch a pharchus atgofion.

Roedd llawer o gampau'n cael eu cyflawni gan y bobol ifanc a thynnu coes hollol ddiniwed ar nos Sadwrn. Byddai llawer o griw gwaelod y plwyf yn cwrdd wrth siop y Cnwc neu Pen-bont ac yn mynd mewn ceir gyda'i gilydd wedyn i sinema'r Pavilion yn Aberteifi; os na fydde sboner gen i fe fydden i'n siŵr o gael lifft gyda rhywun. Bryd arall wedyn cerdded i Grymych a mynd ar fws Johnny Edwards gan gyrraedd y Pavilion erbyn y 'Second House' am ugen munud wedi wyth. Y gamp wedyn fydde cael gafael ar ryw foi bach fydde'n fodlon talu'r swllt a naw i fynd fewn neu yn well byth cael eistedd yn y sedd gefn am dri swllt a chwe cheiniog; pan fyddai'n hanner amser wedyn, a chyn i'r ffilm fawr ddechrau, byddai'r bois yn prynu losin neu focs o siocled i ni'r rhocesi. Ond os na fydden ni'r rhocesi'n ffansio'r bois a dalodd i ni i fynd mewn i'r sinema a phrynu losin i ni, bydden ni'n dweud wrthyn nhw ar y diwedd ein bod yn mynd i'r toilet a neidio dros ben y wal wedyn a rhedeg lawr y stryd, dros y bont, a dal y bws pen draw rhywle.

Ar nos Sul, wedyn, byddai'r bobol ifanc yn cwrdd tu fas i'r Cnwc unwaith eto. Dwi'n cofio ar un nos Sul benodol am un o'r bois yn gafael yn un o'r rhocesi oedd i fod gael ei bedyddio'r Sul canlynol ac yn esgus ei bedyddio ar bwys pistyll y Cnwc. Pwy ddaeth mas o'r Cnwc ond y gweinidog, Parri Roberts. Cafodd y crwt gymaint o ofn nes iddo ollwng gafael o'r ferch ac fe gwympodd i'r pistyll nes ei bod yn wlyb diferu yn ei dillad gorau. Bydde'r bechgyn wedyn yn hongian beics y merched ar y llwyni tu fas i'r capel tra oedd y merched yn y cwrdd neu yn yr ysgol gân; rhyw ddwli fel 'na sy'n dod â gwên ac atgofion am amser hapus.

Pan fyddai rhywun yn priodi fe fyddai yna gryn hwyl a melltith yn digwydd y noson cyn y briodas ac ar fore'r briodas. Pan briododd Willie a finne dwi'n cofio pob iet ar y fferm gan gynnwys iet y clòs wedi'u clymu'n holbidag. Pan ddes i mas o'r tŷ i fynd i fy mhriodas roedd y drylliau'n ergydio i'r coed a thractor a treiler wedi'u gosod ar draws y ffordd. Byddai plant yn tynnu rhaff ar draws y ffordd wedyn a byddai rhaid i ni roi arian iddyn nhw cyn y celen ni fynd heibio; ma' traddodiade o'r fath wedi dibennu erbyn hyn.

Dwi'n cofio bod mewn cwrdd gweddi ym Methel ar nos Sul o haf rhywbryd pan ddaeth cath Tŷ Capel i mewn i'r capel; fe dynnodd rhywun ei chwt yn do fe nes iddi wichian dros y lle a gwneud i bawb neidio mewn braw.

Ar un adeg golau nwy oedd yn y capel ac, wrth gwrs, byddai'r silindr nwy yn wag weithiau a ninne mewn tywyllwch. Diolch fyth, byddai torts gyda rhywun er mwyn newid y silindr ac yna ailgynnau'r golau a byddai'r oedfa yn mynd yn ei blaen wedyn fel tase dim wedi digwydd.

Droeon ar adeg Cymanfa Bwnc dwi'n cofio rhywun neu rywrai'n cwympo i'r afon er ni chafodd neb niwed chwaith mwy na chlatshen a phregeth gan mam am drochi dillad newydd. Am fod cymaint o bobl yn mynychu'r Gymanfa'r adeg hynny byddai'n cymryd cryn amser i fwydo pawb yn y festri; byddai gofyn i'r menywod weithio'n galed iawn i baratoi'r te a'r danteithion.

Achlysur pwysig iawn yng Nghapel Bethel fyddai'r Cyrddau Mawr blynyddol ar y nos Fawrth a'r dydd Mercher olaf ym mis Mai. Byddai yna oedfa dwy bregeth ar y nos Fawrth, oedfaon trwy'r dydd ar ddydd Mercher a dwy bregeth yn yr oedfa nos Fercher. Bwyd i bawb yn y festri amser cinio a the wedyn. Byddai'n draddodiad ar y ffermydd i wyngalchu'r tai mas a pheintio pob dim yn ogystal â phapuro a pheintio ystafelloedd y tŷ. Byddai rhaid mynd ati i bobi bara a bwns a choginio danteithion am y byddai llawer yn galw wedi'r cwrdd hwyrol. Byddai Bethel yn llawn dan ei sang bob oedfa.

Byddai diwrnod dyrnu'n ddiwrnod bishi yn Llethr Uchaf am y byddai tua ugain o gymdogion a pherthnasau'n dod i gynorthwyo. Bydde'r dyrnwr yn cyrraedd y noson gynt a digon o waith gen i a mam i baratoi cinio a the i bawb.

Bydde disgwyl i finne hefyd i ddala'r sach fyddai'n cymryd y llafur wrth iddo gael ei ddyrnu. Llawer o hwyl a thynnu coes trwyddi draw rhwng y cyfeillion dwi'n ei gofio. Bydde fy nhad wedyn yn mynd i gynorthwyo'r cymdogion pan fydden nhw'n dyrnu.

Diwrnod pwysig arall ar y calendr oedd diwrnod casglu'r defaid a oedd heb eu cneifio neu heb nôd yn eu clustiau. Eu hala nhw lawr i ffald Glan-rhyd fyddai'r drefn lle byddai'r ffermwyr yn crynhoi i adnabod eu defaid neu, os na fyddai neb yn perchnogi'r defaid stra, fe fydden nhw'n cael eu gwerthu wedyn yn y fan a'r lle.

O ran trochi'r defaid fe fydden ni'n mynd â nhw i Ros Tycanol, lle mae'r parc chwarae nawr. Byddai'r gwaith casglu'n dechre ben bore wrth i'r wawr dorri a bydde rhaid eu cadw yn y parc bach wrth y tŷ nes bod y godro â llaw a gwaith y clos wedi'i wneud. Ar ôl brecwast byddem yn hala'r praidd ar hyd y ffordd lawr at siop y Cnwc a draw at y Rhos i'r olchfa; roedd golchi'r defaid yn fater o gyfraith gwlad adeg hynny a bydde plisman yn bresennol i gadw llygad ar y gwaith – diwrnod arall o hwyl oni bai ei bod hi'n bwrw glaw.

Dwi'n cofio llawer iawn o nosweithiau difyr yn yr ysgol wedyn, pan fyddai aelodau'r Aelwyd yn mynd ati i baratoi ar gyfer cystadlu yn yr eisteddfodau o dan oruchwyliaeth Tonwen Adams ac E. T. Lewis; cân actol a chwaraegerdd a fyddai'n golygu paratoi gwisgoedd fyddai'n mynd â'n bryd gan amlaf; roeddem yn ffodus iawn o wasanaeth gweinyddes o safon, Sarah Jenkins, i baratoi'r dillad. Byddem fel Aelwyd yn cynnal cyngherddau wedyn yn ystod y gaeaf, a dwi'n cofio'r llwyfan yn torri pan oeddem yn perfformio yng Nglandŵr rhywbryd; llawer o hwyl a dwi'n dal i gofio llawer o'r penillion o hyd.

Mae'n rhaid talu teyrnged i ddylanwad Capel Bethel am ein dysgu'n ifanc i addoli mewn cywair a meddwl cywir. Fe fydden ni'n cerdded tair milltir un ffordd o Lethr Uchaf i gwrdd ac Ysgol Sul trwy bob tywydd. Byddai rhaid dysgu holwyddoreg pennod a dwy anthem ar gyfer y Gymanfa Bwnc a dysgu pennill yr un o emynau'r Gymanfa Ganu wedyn. Byddem yn adrodd adnodau a phenillion oddi ar y cof am fod dysgu gair Duw yn cael ei ystyried yn bwysig. Idwal Jenkins, Tycanol, fyddai yn ein dysgu i adrodd y bennod a'r holwyddoreg a Tonwen Adams yn ein dysgu ni'r plant i ganu. Wil Allt-y-gog oedd yn dysgu'r anthemau i'r oedolion a byddai yna ddadlau brwd iawn ynghylch cynnwys y bennod bob amser. Na, fydden i ddim yn meddwl ddwywaith ynghylch cerdded chwe milltir, nôl a mlaen, i Gwrdd Pobol Ifanc, Cwrdd Gweddi, Cwrdd Paratoad ac Ysgol Gân yn Bethel.

Ni fyddaf fyth yn anghofio am garedigrwydd a chefnogaeth trigolion plwyf Mynachlog-ddu. Cafodd fy rhieni cryn dipyn o afiechyd; bu mam yn wael iawn pan oeddwn i'n bymtheg oed. Cafodd driniaeth lawfeddygol go fawr a bu yn Ysbyty'r Priordy yng Nghaerfyrddin am naw wythnos. Erbyn hynny roedd golwg fy nhad wedi gwaethygu a bu rhaid iddo roi'r gorau i yrru'r car a finne'n rhy ifanc i wneud yn ei le. Beth wnelem ni ein dau heb ein cymdogion? Nhw oedd yn mynd â ni nôl a 'mlaen i'r ysbyty'r holl wythnosau hynny. Ie, cymdogaeth glòs oedd hi lle'r oedd pawb yn adnabod ei gilydd ac yn gofalu am ei gilydd.

Cafodd fy nhad dri thrawiad ar y galon wedyn, y gyntaf ar ddechrau'r tymor wyna pan oeddwn i'n ddwy ar bymtheg oed. Ond daeth y cyfan i ben trwy gymorth perthnasau a chymdogion da a ffyddlon. Er fy mod wedi gadael bro fy ngeni ers pum mlynedd a deugain dwi'n dal i golli deigryn bob tro fydda i'n mynd heibio'r hen gartref annwyl yn Llethr Uchaf. Mae gen i atgofion annwyl iawn o ddyddiau plentyndod; cofio'r hen aelwyd wrth y tân cwlwm a'r gwynt yn rhuo yn y simne fawr. Dwi'n edrych nawr, wrth fy mod yn ysgrifennu hwn, ar yr hen gwpwrdd gwydr a'r seld sy'n llawn llestri yn fy nghartref yn Aberteifi; ma' nhw a'r sgiw a'r coffor yn llawn o atgofion sydd fel aur.

In her contribution entitled 'Golden Memories' Elfair Griffith James relates her rich childhood experiences at Llethr Uchaf, Mynachlog-ddu in the 1940s and 1950s. Her father was the fourth generation of the family to live at Llethr Uchaf while her mother was brought up in the Eglwyswen area. One of her father's forefathers, William Griffith, was minister of Bethel chapel for almost 40 years (1867-1906), and many were the tales she heard about his ministry. He would travel on horseback to conduct his services and once in the pulpit he would lose his apparent shyness. He was a conscientious shepherd of his flock with an ability to engage with the younger generation. In those days members were often 'turned out' for misdemeanors and to be pregnant outside of wedlock was frowned upon, whereupon the erring mothers would have to approach the minister and elders to be reinstated.

Prior to their marriage both her parents were servants; her mother at Plas Eglwyswen where she was expected to hand-milk eight cows, feed around 20 calves, nine rearing sows, turkeys, ducks, and hens before breakfast and then wash and iron clothes, bake, churn butter and clean the house, which had seven bedrooms on the first floor, as well as the three servants' bedroom above the kitchen. And that was not all; fires had to be lit, wood to be chopped, culm fires to be seen to and water carried from an outside tap to be boiled. Her father would relate how he would sleep on a bed of straw covered with a few blankets at Fronlas Uchaf and how the mice would crawl over him in the dead of night. The tea would be boiled and boiled until it was almost black and the staple diet would be broth with pork that was almost all fat, and bread and dripping with cheese occasionally as a treat – all for a wage of five shillings a week.

Elfair recalls how her father worked for seven years at Tyrch Quarry, where the owner, a Mr Campbell, would make the boys work very hard from seven o'clock until five o'clock all through the year. Following a nasty injury to his neck her father lost two months work without a penny of pay or compensation and no sympathy either. He carried the scar with him to his grave. He was a member of the local Home Guard during the Second World War and it seems their main activity was to tell ghost stories to such an extent that some in their midst would refuse to walk home alone. What would they have done if approached by a German?

But there were strange sightings in the area. When the American GIs, who were training in the area, were relaxing playing cards at Bethel Vestry, they saw a man dressed all in black approach the door. One of the soldiers raised his rifle to aim but the black-clad visitor disappeared in an instant. Then there was concern when a figure dressed in white was seen running through the village. Her father and a neighbour saw the phantom figure cross the road one evening and disappear into the mountain. Both were convinced that he or she or it was wearing wellingtons. Several local lads then became vigilantes bent on catching the apparition, but it was never seen again.

On another occasion Elfair and her mother were returning home from a neighbouring farm on a moonlit New Year's Eve when they saw a long, yellow light moving silently towards Foel Drygarn as if it was a huge candle. When they reached home, grandma's immediate explanation was that they had seen a will-o'-the-wisp denoting that someone had died. Lo and behold, the following morning they were told that Uncle William at nearby Blaencleddau had passed away at around ten o'clock the previous evening. A special plank was kept on a rack in the carthouse at Llethr Uchaf that would be washed and cleaned when there was a death locally and taken to the house of the deceased in order to lay out the body. Her Uncle Arthur would lead the horse pulling the funeral hearse.

The annual sheepdog trial was a major event held near Pen-rhos, when the children would run freely among the crowds. The local expert exponents were Lewis Rhos-fach, Uncle Jack Trallwyn Uchaf, Rhys Atsol and John Caermeini, who would also travel to compete at other trials with their sheepdogs in the back of their vans. Her father bred sheepdog puppies and sold them on when they were fully trained, as did many other homesteaders, as a valuable source of income.

Elfair remembers the first monoglot English children arriving at the local school but despite the initial difficulties in communicating, the bonds of friendship were soon secured. When the Marshall family later settled at Dre-fach, Elfair became firm friends with Ann, one of the girls. She says it's strange to see such a 'seachange' in the rural area since English-speaking families appear to be in the majority by now. One of her birthday parties proved to be something of a disaster when they played hide and seek in the house, as it was too cold to play outside in November. One of the boys decided to hide in the cupboard under the stairs where her mother stored the homebrew bottles. Suddenly, a loud bang was heard as if a gun had been fired. The boy had struck his leg against one of the bottles and it had exploded. They were all soon dispatched home.

On New Year's Day the children would spend the morning going from home to home singing for 'calennig'. They would be given threepenny and sixpenny pieces or an apple, orange, a piece of cake or a fresh bun. There was one place where they knew they would never be given more than a halfpenny. She recalls going on the rounds on her bicycle with Winston, Mwntan, when, much to her hilarity, he fell into the river. Winston later lost his life in an accident as a young man.

Shearing day was another highlight of the calendar, when neighbours and relatives would come along with their handshears. Children would stay home from school on that day. But prior to the shearing, the sheep would have to be collected from the mountain and washed in a pool at the foot of Foel Drygarn formed by blocking the river. Later the barn, where the shearing would take place, would be cleaned and the walls whitewashed. Two young lads would provide a constant flow of sheep to ensure none of the five shearers were idle. She learned at a very early age how to pack wool and mark the sheep with black pitch warmed on the fire. What a sound the sheep would make with their constant bleating as they returned to the mountain in search of their lambs. The packed wool would be later taken to Crymych by horse and cart and weighed at the Market Hall before being sold. Elfair would feel immensely proud as she held the black mare's reins when the bags were weighed.

The sheep were wintered down on the Castlemartin military range, near Pembroke, and an early start would have to be made and a day's supply of food provided on those days spent shepherding on the range. An extra set of clothes had to be taken along as well, as there was little shelter from the rain on the wide-open, windswept spaces. The sheepdogs were taken along, of course, and many were the days that Elfair walked and walked until her legs and feet hurt. She recalls an occasion when she and her father had walked for miles and miles and identified all the flock apart from three sheep. They were eventually seen squatting behind the walls of an ancient church by the sea, approached along a long stairwell. No amount of coaxing would make them scamper up the steps. Eventually, because of her father's shortness of breath, Elfair had to carry all three individually up the steps to rejoin the rest of the flock. She says she will never forget that wet and misty day as long as she lives, and how thankful she was when they finally returned home.

One of the parish characters was Gwilym Williams who lived with his parents in a zinc bungalow near Blaenffynnon. He had a shed where he repaired bicycles. He would also sell new and second-hand bikes and would encourage the children to keep their bikes clean and the tyres full of air. Gwilym was a faithful member of Bethel chapel and would always be on the bus to the singing festival rehearsals and always busy when the festivals were held at Bethel. The children were taught to respect him and never to ridicule him. Elfair recalls how he would walk into chapel and take a pew behind where the minister's wife sat. He would look around to see who was present, clean his spectacles and then stand up to take off his coat. Though he had few relatives the chapel was almost full for his funeral as so many mourners, such as Elfair herself, had returned to pay their last respects.

Much revelry and leg pulling was carried out by the younger generation at the weekends. A crowd would gather at Pen-y-bont on a Saturday evening and then set off in a convoy of cars to the cinema at Cardigan. If Elfair did not have a boyfriend she was bound to have a lift with someone. On other occasions she would walk to Crymych and take the Johnny Edwards' bus to catch the second house at 8.25 p.m. On arrival she would have to persuade one of the boys to pay for her one shilling and nine pence seat or, better still, a three and six seat in the back. At half time and before the main film, the boys would buy sweets and chocolates for the girls. However, if the girls did not fancy the boys who had paid for their seats and bought them some confectionery, they would say at the end that they had to go to the toilet and then jump over the wall, run down the street, across the bridge and catch the bus home on the outskirts of town.

The boys would again congregate at Pen-y-bont or Cnwc Square, as it was also known, on Sunday evenings. Elfair remembers one occasion when one of the boys grabbed hold of one of the girls who was due to be baptized the following Sunday and carried out a mock baptism in the nearby well. Who came out of Cnwc but the minister and the young boy was so taken aback that he lost his grip of the girl and she fell into the well in her best Sunday clothes. When the girls came out of chapel or the vestry after some practice or other their bicycles would often be hung on tree branches just out of their reach. Thinking of such innocent fun always brings a smile to Elfair's face as she recalls the happy days of her youth.

Fun and frolics would also take place when someone got married. Elfair recalls the morning of her own wedding to Willie when all the farm gates had been tied overnight, a few shotguns were fired and a tractor and trailer parked across the road as she left for the chapel. Children would hold a rope across the road as the newly married couple left the chapel and would not relent until they were given some money. Such traditions have now disappeared.

On another occasion, when a prayer meeting was held at Bethel chapel one summer Sunday evening, she remembers the Chapel House cat joining the congregation and someone pulled her tail with the result that her bawling made everyone jump in their seats. It would not be unusual in the winter months for the lights to fail and someone with a torch would then have to change the gas cylinder and the service would carry on as if nothing had gone amiss. Often during the 'Gymanfa Bwnc' someone would fall into the river nearby and receive a scolding from an irate mother for spoiling a new set of clothes.

Elfair recalls the Annual Preaching Services held on the last Tuesday and Wednesday in May. Two sermons would be preached on the Tuesday evening, then services all day on Wednesday and two sermons delivered again on Wednesday evening. Meals would be served in the vestry on the Wednesday. Most farms would have whitewashed their outhouses and painted almost everything else, as well as decorating inside the house for those particular days. A great deal of bread, buns and cakes would have to be made, as visitors would be expected to call on their way home from chapel.

Above all, Elfair testifies to the influence of the chapel, and that all those six mile walks back and fore, in rain and sunshine, to the various services were worthwhile. She never regrets having to learn so many verses, catechisms and hymns, as it was all an excellent preparation for life itself. At the same time she pays tribute to the kindness of all her neighbours when both her parents were taken ill. When her mother spent nine weeks at a Carmarthen hospital her father's eyesight was too poor to allow him to drive and she herself was not old enough to drive. All those frequent visits were made through the kindness of neighbours, relatives and friends. And when her father suffered a heart attack two years later, at the beginning of the lambing season when she was seventeen years of age, she was again indebted to the ready assistance of various neighbours. It was such a closeknit community in those days, when giving a helping hand was second nature. They all knew each other and they all helped one another. Whenever she drives past the old home at Llethr Uchaf she always sheds a tear, and as she wrote these reminiscences she frequently looked at the furniture from the old home now adorning her home at Cardigan; all have their own particular golden memories.

Cyfaredd Cwm Cerwyn

Yvonne Evans

Does dim ond adfeilion bellach lle unwaith safai ffermdy Cwm Cerwyn, yng nghesail Fwêl Cwm Cerwyn, gyferbyn â Glynsaithmaen. Ar un adeg byddai clos y fferm 200 erw a mwy yn fwrlwm o weithgarwch. Mae'n siŵr mai felly oedd hi rhwng 1840 ac 1894 pan oedd fy nghyndeidie ar ochr fy mam yn denantiaid yno.

Thomas a Mary Llewellyn – hen-hen-dad-cu a mam-gu Yvonne Evans

Yn 1839 symudodd James a Mary Llewellyn o olwg y môr yn Noltwn, ynghyd â'u chwech o blant, i ardal Castell Henri lle'r oedd ei frawd-yng-nghyfraith gweddw yntau, Thomas Harries, yn ffermio Ffarm Castell Henri ger Eglwys Sant Brynach. Oddi yno symudwyd i Gwm Cerwyn lle ganwyd dau blentyn arall iddyn nhw.

Mae'n ddiddorol nodi iddyn nhw ymgartrefu yn yr ardal yn y flwyddyn y gwelwyd y Beca'n gweithredu yn erbyn tollborth Efail-wen yn gynnar yn yr haf. Roedd hi'n gyfnod o gyni enbyd ac os oedden nhw wedi symud, yn unol â'r arfer o newid tenantiaeth, yn nhymor yr hydref, byddai helyntion y Beca wedi dod i ben a'r cyfarfodydd tanllyd yn sgubor Glynsaithmaen wedi peidio. Tebyg mai anhawster arall a'u hwynebai oedd eu hanallu i siarad Cymraeg. Byddai eu cymdogion yr adeg hynny i bob pwrpas yn uniaith Gymraeg.

Claddwyd y mab hynaf, Charles, yn 21 oed yn 1843 ac yn ôl y manylion ar ei garreg fedd, ym mynwent Capel Bethel, roedd yn forwr. Y plant eraill a'u dyddiade, hyd y medraf gadarnhau, oedd Anne (1826-?), John (1827-1883), Thomas (1828-1903), Elizabeth (1835-?), Sarah (1838-?), William (1840-?) a Frances (1843-?). Thomas oedd fy hen-hen-dad-cu a symudodd i Ben-y-graig, Login yn 1853 pan briododd Mary David, un o ferched Fferm y Capel, Mynachlog-ddu. Eu merch nhw, Anne, oedd fy hen-fam-gu

William, y mab ifancaf, a gymerodd drosodd denantiaeth Cwm Cerwyn wrth ei dad. Priododd Mariah o blwyf Meline yn Eglwyswrw a magwyd deg o blant ar yr aelwyd. Symudodd John, y brawd arall, i ffermio Plas-dwbl ym Mynachlog-ddu, gyda'i wraig Sarah.

Roedd y teulu yn llythrennog o ran eu gallu i sillafu yn Saesneg am fod y plant yn medru ysgrifennu eu henwau ar eu tystysgrif priodasau. Dewiswyd un o'r meibion, naill ai John neu Thomas, yn gofrestrydd y Cyfrifiad ym mhlwyf Mynachlog-ddu. Gwnaed James, y tad, yn warden yn yr eglwys o fewn fawr o dro. Ond roedd y mwyafrif o'r genhedlaeth ddilynol oedd wedi aros yn yr ardal wedi ymaelodi gyda'r Bedyddwyr ym Methel. Mae'n rhaid eu bod yn rhugl yn y Gymraeg erbyn hynny.

Prin y byddai'n bosib i holl blant William a Mariah i aros o fewn y plwyf a dyw hi ddim yn syndod i'r bachgen hynaf, James, benderfynu ymfudo i'r Unol Daleithiau yn 1893. Dilynwyd ef gan ei frawd, William, ond fe ddychwelodd i Sir Benfro. Aeth Evan i Awstralia ac adroddir amdano'n cyfarfod ag un o'i gyfeillion bore oes, Morris Davies, Penrallt, ar hap yno. Symudodd un arall o'r meibion, Thomas, i Swydd Northampton gyda'i wraig, Sarah, a hynny am fod ei fodryb Sarah wedi ymgartrefu yno gyda'i gŵr, Edward Bartlett o Gas-wis. Symudodd John i Drefdraeth ac ymunodd y mab ieuengaf, David, ag Iwmyn Sir Benfro adeg y Rhyfel Byd Cyntaf. Mae'n debyg ei fod yn gapten ar y marchfilwyr. Y pedwar plentyn arall oedd Benjamin, Mary, Catherine ac Anne.

Yn 1894 symudodd William a Mariah Llewellyn o Gwm Cerwyn i Newton Fawr ger Rudbaxton ar gyrion Hwlffordd pan oedd y plentyn ieuengaf, David, yn saith oed. Y plant eraill ar yr aelwyd ar y pryd oedd Annie, Catherine, Benjamin ac Evan a oedd yn 32 oed, sy'n awgrymu ei fod wedi dychwelyd o Awstralia neu efallai heb ymfudo. Gwyddom mai brawd a chwaer, Albert a Martha Ann Harries, oedd yr olaf i fyw yng Nghwm Cerwyn.

Adeg yr Ail Ryfel Byd cafodd y ffermdy ei ddinistrio gan filwyr oedd yn ymarfer ar y llethrau ar b'nawn Sul a hynny er mawr gonsyrn i weinidog Bethel, y Parchg R. Parri-Roberts a'r selogion. Defnyddiwyd y ffermdy fel targed ffug o eiddo'r gelyn. Fe fu farw Albert yn 1969 a Martha yn 1981 wedi iddyn nhw ymgartrefu yn Nhŷ-gwyn, Rhos-fach. Defnyddiwyd postyn iet o ydlan Cwm Cerwyn yn faen coffa i'r Parchg R. Parri-Roberts ym mynwent Bethel.

Y tro diwethaf i mi fod yno am dro dim ond synhwyro'r hen ogoniant fedrwn i ei wneud wrth wrando ar y gwcw yn canu ei chân. Meddyliwn am fy hen-hen-dad-cu yn grwt yno a hyd yn oed am gysylltiade cynharach cyn i fy nheulu symud yno o Noltwn. Roedd un o weinidogion cynnar Capel Rhydwilym, Griffith Morris, yn byw yno ar un adeg ar ddechre'r ddeunawfed ganrif. Yn wir, un o ddisgynyddion y teulu, William Barton Morris o Titchfield, Hants, ar y cyd â John Jackson Blandy o Reading oedd y perchenogion yn 1855. Gyda llaw, roedd un o'r Morissiaid, Griffith, tad-cu yr uchod, wedi astudio llawfeddygaeth yng Nghaeredin yn y 1780au ac wedi treulio ei oes waith yn Barnet, Swydd Hertford.

Erbyn 1867 roedd Cwm Cerwyn, ynghyd â Glynsaithmaen a Chwmgarw gerllaw, yn eiddo i feddyg o Hwlffordd, John Lloyd Morgan. Etifeddwyd yr eiddo gan ei ferch, Frances Jane Stokes. Erbyn 1909 roedd Cwm Cerwyn yn eiddo i Ystad Cwmgloyne, Nanhyfer. Nôl ymhellach yng nghyfnod y mynachlogydd nodir bod Dafydd ap Rhys ap Owen yn byw yno ac yn talu deg swllt o rent i Abaty Llandudoch. Mae'r penillion syml o waith Martha Ann Harries yn crynhoi'r gogoniant a fu i'r dim.

Cwm Cerwyn

Y mae hiraeth arnaf heddiw
Am y cartref magwyd fi
Yng nghysgodion y Preseli
Ym mhen pella 'Nachlog-ddu.

Ei amgylchu gan fynydde
Pen Talmynydd sydd o'i flân
A tu ôl mae Foel Cwm Cerwyn
A Foel Fedw nes ymlân.

Y mae Cerrig y Marchogion
Hefyd i weled fyny fry,
Ac mae dŵr o ffynnon Rychain
Yn dod lawr i basio'r tŷ.

O mor hyfryd ydoedd gweled
Blodau aur yr eithin mân,
Gyda'r grug yn llawn prydferthwch,
Gyda'r adar yn rhoi cân.

Sŵn y cŵn yn cyrchu'r gwartheg,
Sŵn y defaid gyda'u hŵyn,
O mor hyfryd oedd pryd hynny
Bywyd pawb yn llawn o swyn.

Awyrennau gyda'u bomiau,
Milwyr hefyd gyda hwy,
Amser rhyfel a'r ymarfer,
Nid yw'r cartref yno mwy.

Yvonne Evans traces her ancestry back to Cwm Cerwyn, where her great-great-grandfather, Thomas Llewellyn, was born in 1828. He was the fourth child of James and Mary Llewellyn, who took up the tenancy of the 200 acre plus farm in 1840. They had moved from Nolton to Henry's Moat the previous year and thus exchanged sea air for mountain air. If they had taken up the tenancy in the autumn, as was the common practice, they would have missed the furore a few months earlier when many of their neighbours, under the leadership of Twm Carnabwth, destroyed the newly-built tollgate at Efail-wen. Times were hard and the hefty tolls exacerbated the hardship when lime had to be brought from Ludchurch to sweeten the sour mountain soil.

Thomas married a local girl, Mary David, and they set up home at Pen-y-graig, Login in 1853. William, the youngest of the brood of eight children, took over the tenancy of

Cwm Cerwyn from his father. His wife, Mariah, was a native of the parish of Meline, Eglwyswrw, and they had ten children.

Unusually for the period, it seems all the Llewellyn family were literate, as they were able to sign their names on their marriage certificates. Interestingly, James Llewellyn was made a church warden within two years of moving to Cwm Cerwyn and this probably underlines that English was the language of the hearth. One of the family was later entrusted with the responsibility of collecting census information in the locality. The succeeding generation were fluent Welsh speakers and of those who remained in the area the majority worshipped at Bethel Baptist chapel.

William and Mariah moved to Newton near Rudbaxton in 1894. A year earlier their eldest son, James, emigrated to the United States, to be followed by his brother, William, who later returned to Pembrokeshire. Another brother, Evan, went to Australia where it is said, purely by chance, he met one of his boyhood friends who had also emigrated, Morris Davies, Penrallt.

The last inhabitants of Cwm Cerwyn were brother and sister, Albert and Martha Harries. The farmhouse was destroyed when used as an enemy target practice by soldiers during the Second World War on a Sunday afternoon, much to the consternation of the Rev R. Parri-Roberts and the faithful at Bethel. A gatepost from Cwm Cerwyn was later placed on the Rev Roberts' gravestone.

On the last occasion Yvonne visited the ruins at Cwm Cerwyn the romance of the place as the home of her great-great-grandfather was enhanced by the sound of the cuckoo singing his song. At the same time she is aware that others lived there prior to her family, such as Griffith Morris, one of the early ministers of Rhydwilym Chapel, and a certain Dafydd ap Rhys ap Owen paid a rent of ten shillings to St Dogmaels Abbey during the middle ages. However, she says that the atmosphere of the place has been captured in a simple poem composed by Martha Harries, the last occupant, who died in 1981.

Cwm Cerwyn as it was in 1930

Telegraph Special – February 4 1937

The Imprisoned Pastor Nominated for Welsh Baptist Vice-presidency

Fervid Church Scene At Mynachlog-ddu

Bethel Baptist Church, Mynachlog-ddu, has nominated the Rev. Lewis Edward Valentine, one of the three Welsh Nationalists now in prison, for the vice-presidency of the Baptist Union of Wales and Monmouthshire. The appointment will be made when the Union meets at Carmarthen, and if it is given to Mr Valentine the presidency will be his a year later.

Bethel is a church of 217 members, and there was a strong congregation at the afternoon service on Sunday, January 24th, when the step was taken. The suggestion came from the pastor, the Rev Parri-Roberts, who is a personal friend of Mr Valentine.

Speaking after the sermon, Mr Roberts referred to the gibes and the sneers used in certain quarters towards the three Nationalists. He condemned the taunts that they were seeking a cheap martyrdom, and the allegation that they represented only a small number of fanatics. Responsible opinion, it had been said, was nauseated by the affair. Everybody did not agree with the course the three men had taken, declared Mr Roberts, but it was an insult to impugn their motive. They should be honoured as honest and courageous men. Mynachlog-ddu was a district which had always made a stout stand for freedom and fairness. It was the home of Rebecca, who lay buried in Bethel Cemetery. Close to this grave was the grave of a very enlightened and talented woman – the mother of the late Professor Thomas Rees, M.A., Ph.D., of Bangor, who received his first education in Bethel Vestry.

THE SPIRIT OF BECA AND THOMAS REES

He (Mr Roberts) believed that the spirit of Beca and of Thomas Rees still lived in Mynachlog-ddu, and that the people would not tolerate perversion and injustice. The Rev Parri-Roberts described the scene that followed to a *Western Telegraph* reporter on Friday. After his address, he said, one of the deacons moved that they should nominate the Rev L. E. Valentine for the vice-presidency of the Union. Another deacon promptly seconded. Mr Roberts asked if there was an amendment. There was a long pause and then, in the gallery, a young man rose. For a moment, Mr Roberts expected an amendment, but the young man asked for permission to move the same resolution on behalf of the young members, who were in the majority that afternoon. A young man seconded and Mr Roberts again asked if there was an amendment, emphasising that he had no wish to force his opinion on the congregation. No one moved and the motion was put to the vote.

Every hand shot up, and at the request of the Pastor the congregation stood in enthusiastic confirmation. Mr Roberts told them that Mr Valentine would make a fine president. He had been president of the S.R.C. at Bangor and had kept a thousand students under control.

'Then', declared Mr Roberts to our reporter, 'we sang the closing hymn *"Pa le, pa fodd dechreuaf foliannu Iesu Mawr"*. It was the greatest singing I have ever heard in Bethel, the verse was sung over and over again. Never, not even in a *Cymanfa Ganu,* have I listened to singing with so much soul. It proves that the people were willing partners in the resolution; if they had felt otherwise the singing would have been listless. It was the most enthusiastic and whole-hearted decision taken in Bethel during the 12 years I have been there.'

A CHALLENGE TO SMUG PRETENCE

Mr Roberts went on to explain that the step was taken not because Bethel people were Nationalists, but because of the bias and unfairness of the comments of the *Western Mail* and certain people. It was a challenge to smug pretence that ordinary Welshmen and Welshwomen were revolted at the act of the three Nationalists. 'An exhibition of such narrow-mindedness is bound to have an effect in a place like this. To suggest that the men were seeking cheap martyrdom is sheer nonsense'. I am not a Nationalist such as some Welshmen are', he continued, 'I am no Sinn Feiner: neither are my people. I have always been a pacifist; I prefer the methods of Gandhi to those of De Valera. But we have great examples of the use of force for the good of the world. Did not the Lord destroy some people for the peace of others?'.

CAME BACK A CHANGED MAN

During thr Great War I was a pacifist and I strongly advocated my principles. Valentine, my neighbour, was not; indeed he was almost a militarist. He went to the war, but came back a changed man – a pacifist like myself. Thereafter we were great friends. Our chapels were only four miles apart and we frequently exchanged pulpits. Mr Roberts added that he had been thanked by many young people for bringing on the matter.

Mr Rowland Griffiths, secretary of the church, said there was no doubt about the feelings of the people of Bethel. They had shown them more positively than on any previous occasion. Bethel, he added, more or less represented Mynachlog-ddu, since there were very few people who did not belong to it. The action of Bethel was conveyed by Telegram to the headquarters of the Welsh Nationalist Party.

Mynachlog-ddu Baptists and the Imprisoned Pastor.

To the Editor of the *TELEGRAPH* (11:02:1937)

Sir, - When taking my usual glance through the *Telegraph* my mind was arrested by the headlines referring to the resolution which the Rev Parri-Roberts managed to engineer out of his congregation, i.e. the nomination of convict Valentine to the vice-presidency of the Baptist Union of Wales for the year succeeding the termination of his imprisonment.

Like many of your readers, I am at a loss to understand the true motive or significance of this move, particularly when I reflect that it has come from a Christian congregation which can ill afford to add yet another frontier to the already perplexing problems which confront religion without proving traitors to the internationalism of the Christian gospel.

It is regrettable that such a successful attempt was made to deviate the attention of an innocent congregation from concentrating on the merits of a kingdom that is not of how inconsistent of this minister and congregation prostituting the good name of Professor Thomas Rees and Rebecca in seeking a justification for their resolution, which may easily lead the persons at the headquarters of the Welsh Nationalist Party to assume a premature affiliation to the Welsh Baptist Union. We have on several occasions heard the Rev Parri-Roberts referring to his pacifism, but may I ask why is it that he has not sought from his congregation a resolution that demonstrated their joint enthusiasm (if there is any) against war of any kind, instead of in support of those persons and policies that beget war?

Let us hope that he will make his aims clear in your next issue and let us have some nobler justification of his resolution than that Valentine was his college pal. Rather ludicrous were the remarks of Mr Rowland Griffiths, J.P. Indeed, I am tempted to ask him as to whether he has given up his allegiance to the crowned head of England?

IIe also must remember that the honours of citizenship, which hc holds, cannot suffer loss of prestige through a dual or apparently a triangular loyality.

Yours, etc.

SKYLARK

LETTER FROM THE PASTOR

I Olygydd y *Telegraph*. (18/02/1937)

Annwyl Syr, -

Carwn i chwi gyweirio camgymeriad 'Skylark' yn ei lythyr ynglŷn ag Eglwys Bethel yn enwebu'r Parchg Lewis Valentine, M.A., yn Is-lywydd Undeb Bedyddwyr Cymru.

Nid ydyw Mr Rowland Griffith, Penrhiw, ysgrifennydd yr Eglwys, yn J.P., Mr Rowland James Griffith, Pen-y-bont, sydd yn Ynad Heddwch – praw fod 'Skylark' yn dywedyd y gwir ar ddechrau ei lythyr mai ei 'usual glance' a gymerodd o'ch adroddiad. Nid ydyw yn cadw o gwbl yn ffyddlon i'ch adroddiad, ac am hynny nid ystyriaf ei lythyr yn werth ei ateb. Yr oeddwn wedi dechrau fy ngweinidogaeth cyn iddo ef (Mr Valentine) fynd i'r coleg. Ymosodiad annheg y Wasg, a gwŷr o dras 'Skylark' sy ysywaeth yn rhy chwannog i alw'r tri gwron wrth yr enwau 'convicts' etc - dyna'r rhesymau dros enwebu Mr Valentine.

Yr eiddoch yn gywir.

R. Parri-Roberts,

The Imprisoned Pastor

Invited to Speak at Mynachlog-ddu

The young people of Bethel Baptist Chapel, Mynachlog-ddu, have invited the Rev. Lewis Valentine to take part in their annual meetings next October. Mr Valentine has been asked to preach on the Sunday and to give a lecture on the following evening. The decision was unanimous and the young people are very enthusiastic in the matter. It was Bethel which nominated Mr Valentine as vice-president of the Baptist Union of Wales a short time ago.

Western Telegraph Chwefror 25 1937

Mynachlog-ddu a Mr Valentine

Eglurhad Y Parchg Parri-Roberts

'Nid Pobl Anwybodus Ydynt'

Achosodd yr hanes a ymddangosodd yn y *Western Telegraph* ynglŷn â phenderfyniad eglwys Bethel, Mynachlog-ddu, i enwi'r Parchg Lewis Valentine yn is-lywydd Undeb Bedyddwyr Cymru gryn ddiddordeb. Ceir gwahanol farnau ar weithred yr eglwys, ac yn eu plith beirniadu llym. Yng ngolwg hyn, penderfynwyd rhoddi cyfle i'r Parchg R. Parri-Roberts, gweinidog Bethel, i egluro ei safbwynt.

Cymerodd yr ymddiddan a ganlyn le rhwng ein gohebydd a Mr Parri-Roberts:

Gofyniad: A ddarfu i chwi weithredu mewn ffordd annheg wrth enwebu Mr Valentine trwy fanteisio ar ddiniweidrwydd eich cynulleidfa?

Ateb: Buasai hynny yn groes i'm harferiad, oblegid arferaf bob amser apelio at yr uchaf mewn dyn, sef ei reswm a'i gydwybod; a gwae a fuasai imi geisio gweithredu yn wahanol, oblegid nid pobl ddiniwed anwybodus ydyw mwyafrif fy nghynulleidfa, eithr pobl ddiniwed ddiwylliedig. Digon er profi hyn ydyw mynegi i amryw o wobrwyon uchaf Undeb Ysgolion Sul Bedyddwyr Cymru ddyfod i ran aelodau sy'n flaenllaw yn fy eglwys heddiw. Nid unwaith na dwywaith y digwyddodd hyn. Naw gwaith y safodd ein Hysgol Sul arholiad Undeb Bedyddwyr Cymru – pedair gwaith yn ystod cyfnod gweinidogaeth fy rhagflaenydd, y Parchg Glasnant Young, a phum gwaith yn ystod fy ngweinidogaeth innau. Enillwyd baner Sir Benfro bob tro yr ymgeisiwyd. Na, nid manteisio ar ddiniweidrwydd pobl anwybodus a wnaethpwyd.

Gofyniad: A oedd yn deg ynoch ddefnyddio enw'r Prifathro Thomas Rees?

Ateb: Credaf fod gennyf gystal hawl i ddehongli ysbryd Dr Rees â neb o ohebwyr y *Western Telegraph.* Braint fawr fy mywyd oedd eistedd wrth ei draed yn ei ddosbarthiadau am dair blynedd ym Mangor. Yr wyf yn fwy dyledus iddo nag i un dyn byw. Efallai mai militarydd a fuaswn fel 'Skylark' oni bai imi gael ail-eni fy meddwl i fyd 'realities' yn ei ddosbarthiadau ef, a'm trwytho ar ôl hynny yn ei ysbryd pasiffistaidd yn ystod blynyddoedd y rhyfel, 1914 -1918. Cefais ddigon o adnabyddiaeth o'r Dr yn ystod y blynyddoedd hyn i ddeall yn go gywir ei ysbryd pasiffistaidd. Ni allaf feddwl amdano pe'n fyw heddiw ond fel cadfridog pasiffistaidd.

Gofyniad: Beth a olygech wrth ddywedyd fod Duw wedi dinistrio rhai pobl er heddwch eraill?.

Ateb: Nid wyf yn credu mai fel yna y dywedais wrth fy nghynulleidfa. Nid ydyw dinistrio unrhyw beth a all fod yn ddinistr i ddyn yn groes i ysbryd yr Efengyl. Mewn gwirionedd y mae'r Efengyl yn mynd i ddinistrio popeth felly. Bydd colledion mawr wedi digwydd cyn y bydd wyneb y ddaear fel wyneb y Nef. Rhaid colledu darllawdai (bracty) a thafarndai er cael byd sobr. Rhaid colledu 'bookies' er rhoi terfyn ar gamblo. Rhaid colledu 'armament rings' y gwledydd cyn y bydd y 'cleddyfau'n sychau a'r gwaywffyn yn bladuriau'. Eiddo â'i amcan i ddistrywio oedd ym Mhenyberth. Cyn y gallasai'r Arglwydd Iesu gael cyfle i achub eneidiau Iddewon ariangar a gadwent foch yng Ngadara, yr oedd yn rhaid dinistrio'r moch.

Gofyniad: Beth ydyw agwedd gyffredinol y plwyf tuag at ryfel?

Ateb: Y mae'r modd pendant yr atebwyd y pum cwestiwn o eiddo Cynghrair y Cenhedloedd gan fwyafrif mawr yr ardal yn braw o'i ysbryd pasiffistaidd: hefyd y penderfyniadau a basiwyd o bryd i bryd ar y pwnc yn eglwys Bethel, ac ar bynciau moesol eraill. Hefyd y mae'n perthyn i'r eglwys Lyfr Ardystiad yn erbyn pob math o ryfel. Mae nifer yr enwau sydd ar y llyfr hwn yn profi agwedd yr eglwys at y pwnc.

Gofyniad: A oes gennych ryw braw nad ydyw'r eglwys wedi edifarhau am enwebu ohoni Mr Valentine?.

Ateb: Oes, oblegid erbyn hyn y mae pobl ieuanc yr eglwys, gyda brwdfrydedd mawr yn unfrydedd perffaith, wedi gwahodd Mr Valentine i'w gwasanaethu yn eu cyrddau blynyddol yr Hydref nesaf. Gofynnir iddo bregethu ar y Sul a darlithio y nos Lun ddilynol.

The Rev R. Parri-Roberts is challenged by a 'Western Telegraph' reporter on several issues regarding the decision by Bethel Chapel members to nominate the Rev Lewis Valentine as President of the Baptist Union, knowing that he had recently been released from jail after serving a sentence for arson for which he had taken full responsibility, with two others, namely Saunders Lewis and D. J. Williams.

The Rev Parri-Roberts denies that he took advantage of his congregation's naivety by stating that the majority of his congregation are not naïve in their lack of knowledge but are naïve in their cultured demeanour, as is shown by their success in successive Sunday School examinations. He insists that he always appeals to the highest virtues of man, save his reason and conscience, when discussing all matters pertaining to the church.

The Rev Parri-Roberts is asked whether he should have referred to Principal Thomas Rees and responds he has as much right to interpret the spirit of Dr Rees as any 'Western Telegraph' reporter. He explains how he spent three years being tutored by Dr Rees and is eternally grateful for his teachings, which had made him a pacifist. He goes on to explain that the Gospel will destroy many things, such as breweries in order to create a sober world, and armament factories, in order to turn 'swords into ploughshares and spears into scythes' before heaven will be seen on earth.

On being asked what is the general view of the parishioners towards war, the Rev Parri-Roberts says there is a strong spirit of pacifism amongst them, as witnessed by several motions on such moral issues passed by the congregation, and the number who have signed a Book of Endorsement condemning all kinds of war. When asked if he has any proof that the members have not now regretted the nomination, he replies to the contrary, adding that the Rev Valentine has been invited by the young people to preach at the annual preaching services, and to deliver a lecture.

Gandhi y Preselau

T. J. Davies

Roedd niwl tew bob cam lan y mynydd. Cans clywais fod yno fynydd, ni allwn i mo'i weld, yr unig beth a wyddwn oedd bod peiriant y cerbyd yn tynnu'n gryf. Edrychwn a chraffwn, gorau medrwn, am arwyddbost. Peth ofnadwy yw edrych am arwyddbost mewn niwl, onid e?

Cofio cyngor hen frawd doeth yn yr Eidal rai blynyddoedd yn ôl. Holi fy ffordd a wnawn. Aeth i drafferth i egluro a helpu. Ymddiheurais am ei boeni, ac meddai mewn Saesneg reit dda, *"He who has a tongue goes to Rome."* Bu'r cyngor o help imi lawer tro oddi ar hynny ond bu o help neilltuol y bore hwnnw o niwl a minnau yn ceisio plethu fy ffordd i Fynachlog-ddu.

Wrth gwrs, 'dydw i ddim yn siŵr faint o help yw cyfarwyddyd o Grymych i Fynachlog-ddu ar fore niwlog. Ofnaf mai mynd fel Abram a wneuthum, mentro mewn ffydd heb wybod i ble. Dim ond gobeithio'r gorau. A thrwy'r niwl allwn i weld fawr ddim ond cerrig a chreigiau ac ambell dwffyn o rug. Yn wir, os oedd dyn eisiau holi ei ffordd, nid oedd yno unman iddo holi! Cyntedd agored, di-dŷ. Mawndir gwyllt, creigiog. Holwn fy hun yn ddifrifol a oedd yn werth imi fynd ymlaen. A oedd yno rywun yn byw o gwbl?

Cyrhaeddas. Sut, peidiwch â gofyn. Ond cyrhaeddais a gollwng ochenaid o ryddhad wedi cael fy nhraed ar y ddaear galed o flaen capel Bethel, Mynachlog-ddu. Ie, capel Bedyddwyr. 'Does dim un enwad arall wedi cael ei big i mewn yno, dim ond ar y cyrion.

Gwyddwn cyn cyrraedd am Fynachlog-ddu, a hynny am un rheswm. Clywais y gweinidog yn pregethu a chlywais ei ganmol i'r cymylau gan y diweddar Llwyd Williams. Pregethwr anarferol. Pregethwr brethyn cartre. Pregethwr o'r un deunydd â'r Preselau. Ni wn sut i'w ddisgrifio. Fe allech dyngu fod popeth yn ei erbyn. A dyna fel yr oedd. Corff bach eiddil a hwnnw wedi ei anffurfio i fesur. Golwg dost arno ar brydiau, a hawdd gweld i'w fywyd fod yn un frwydr barhaus. Felly y bu. Rhyfedd iddo fyw o gwbl a'r wyrth yw iddo fyw am oes mor faith. Yna pan ddechreuai siarad, llais main, bron â bod yn gwichian, oedd ganddo.

Ni allai ei gorff a'i lais alw sylw at ei bethau ond 'doedd dim angen llais na chorff i alw sylw at ei genadwri. Honno'n ddigon o neges i alw sylw ati ei hun. Neges wreiddiol, yn gyfoethog o hiwmor a doethineb sylwedydd craff. Neges gŵr o ddiwylliant meddwl ac ysbryd, a rhyfeddai dyn fod pethau mor fawr a gwych yn medru dod o gorff mor fach. Os oedd ei gorff yn grwca, nid felly ei feddwl cyflym.

'Rwy'n bendithio fy lwc imi gael aml awr yn ei stydi ym Mynachlog-ddu. Efe a'i bibell gwta yn pwffian fel trên bach Devil's Bridge. Sôn am bregethu a wnâi. Galw i gof y rhai a glywodd o'i ddyddiau cynnar yn Sir Fôn. Dyna'i bethe. Ond er ei fod yn tynnu mlân pan nabyddes i e, rhyfedd cymaint o'r rebel a oedd yn ei enaid. Wrth ei fodd mewn brwydr, a brwydrwr peryglus oedd e'.

Myn un atgof ddod yn ôl. Wedi cael fy ngwahodd yr own i Gymanfa Ddirwest a gynhelid y flwyddyn honno yn Henllan Amgoed. Siŵr mai hon yw un o'r ychydig sy'n dal i ffynnu yng Nghymru. Cymanfa bregethu yw hi yn y nos a dau bregethwr yno. I'r Gymanfa yma bydd Gogledd Penfro o bob enwad yn ymgasglu, ac un o'r pethau hyfryd ynglŷn â hi yw cwmni'r brodyr yn y weinidogaeth o bob enwad, gan gynnwys yr Eglwys yng Nghymru. Ar ôl te y diwrnod hwnnw, dianc i dŷ y gweinidog, a dyna lle'r oedd cynulleidfa o weinidogion a hwyl a sbort fawr.

Yn eistedd, un bob ochr i'r tân, fel dau frenin 'roedd Parri-Roberts, Mynachlog-ddu, a Joseff James, Llandysilio. Nhw oedd canol a chalon y cwbl. Un yn tynnu coes y llall a chyfeirio at ei gilydd fel "Parri bach" a "ti Jô." Gwrando, rhyfeddu, edmygu, synnu – defnyddiwch pa air bynnag a fynnwch – seiat fythgofiadwy oedd honno. Dau frenin o fewn tiriogaeth eu brenhiniaeth. Gwir i Gymru benbaladr glywed y ddau yn traethu gyda nerth a goleuni. Ni welodd ac ni chlywodd Cymru ddim byd tebyg ag a glywodd brodorion y Preselau oddi ar wefus a chalon y brenhinoedd hyn. Dyna'u cynefin. Dyna'u tonfedd.

Y Parchedig R. Parri-Roberts

Roedd clywed Parri-Roberts yn adrodd am seiat a gafwyd ym Mynachlog-ddu pan oedd y Swyddfa Ryfel yn bygwth cymryd y lle yn un o'r pethau nad â'n ango. Llond festri Bethel o bobol y mynydde. Pobol oedd â'u bywoliaeth a'u treftadaeth yn cael ei beryglu. Joseff James fel Parri-Roberts yn nabod pob un. Nabod eu hynafiaid. Gwybod am y rhuddin a oedd yn rhai ohonynt. Cofio am helynt y Beca a'r dewrder a gafwyd yn yr ardaloedd yna yr adeg honno. Joseff James yn arwain y cwrdd a chyda'r atal dweud hyfryd hwnnw yn twmblo ei eiriau mas a siarad â phob un yn bersonol. 'F-f-f a falle y bydda ... y bydda i a Pa-Parri bach fan hyn yn y jêl ... be wnei di? ..." ac yna'n gofyn i bob un yn unigol faint oedd e'n barod i aberthu.

Er, mewn ystyr, cwrdd politicaidd oedd e, eto ni bu seiat fel y seiat honno a gallech weld y dagrau hiraethus, cynhyrfus yn dod i lygaid Parri Roberts wrth sôn amdani ac am Jo, ys dywed e. Gobeithio y daw rhywun yn fuan i gofnodi'r frwydr yna. Bu ei heffaith ar fywyd yr ardal fel diwygiad. Grymusodd fywyd y capeli. Ail-afaelwyd yn y pethe a fygythiwyd gan y fandal hwn, a gwroniaid y frwydr oedd Parri bach a Jo. Sonnir i Gandhi, gŵr y corffyn eiddil, ffustio'r Ymerodraeth Brydeinig a'i threchu. Bu Gandhi y Preselau yr un mor llwyddiannus a chyffelyb ei gamp ef yn nyddiau'r perygl.

Gweinidogaethodd am oes faith ar yr un patshin. Os mai dim ond creigiau a cherrig a welais y bore Sul hwnnw ar fy ffordd i Fynachlog-ddu, 'roedd rhagor i'w weld ac ni fûm yn hir cyn ei weld. Gweld Bethel, Mynachlog-ddu, a'i gweld, nid un tro na dau dro, ond ei gweld lawer tro bellach. Un o'r cynulleidfaoedd mwyaf deallus a diwylliedig yng Nghymru, siŵr o fod, a Parri bach fu wrthi yn naddu o gerrig y Preselau, feini caboledig, gorffenedig. Erys y rheini yn goffadwriaeth iddo.

Rhaid gorffen gydag un atgo arall. Wedi bod yn sôn a siarad yr oeddem am Jo. Dyna hoff destun Parri-Roberts.

"Ydach chi wedi gweld y garreg a godwyd i'w gofio ar y Preseli?"

"Naddo."

"Dyw hi ddim ymhell o'r tŷ yma, fe awn yn y car."

Ffwrdd â ni mas i gyntedd y mynydd. Yno ar ganol gwylltineb y Preseli y mae'r garreg. Un anghyffredin. Un arw. Darn o garreg y mynydd. Darn o'r Preseli i gofio am ŵr a garodd ac a anrhydeddodd y Preseli. Parri-Roberts yn tynnu ei het fach oherwydd, meddai wrthyf mewn islais: "Chi'n gweld, mae'r ddaear yr ydym yn sefyll arni yn ddaear sanctaidd."

Mae niwl trwchus dros Fynachlog-ddu y dyddiau hyn. Disgynnodd gyda chwymp proffwyd a fu yno'n chwalu pob niwl ar hyd ei oes. Fe gyfyd gyda hyn a bydd pobol Mynachlog-ddu yn gweld. Gweld yn glir gopaon y bryniau tragwyddol y bu e yn eu cyfeirio tuag atynt.

Bydd hi'n od iawn ar y Preseli fod y ddau gymeriad a wnaeth gymaint, os nad mwy na neb, erbyn hyn yn ddwy garreg goffa, Jo a Parri Bach. Ond nid hynny ydynt.

The above article is one of several published in a book entitled 'Ffarwel i'r Brenin' (Farewell to the King) in 1974 in memory of the Rev R. Parri-Roberts. T. J. Davies describes how he travelled along an unfamiliar route from Crymych to Mynachlog-ddu in a thick fog, which gave him the opportunity to appreciate the craggy nature of the area. He felt it was an apt introduction to the Preselau. On arriving at Bethel chapel he felt privileged to be in the company of the Rev Parri-Roberts, as he had already heard others, in particular his fellow minister in the Ammanford area, the late Llwyd Williams, speak highly of his attributes.

T.J. describes the Rev Parri-Roberts as a preacher of the same substance as the Preselau. His frail, slightly deformed body gave the impression that life had been one long battle. It was surprising that he had survived at all, let alone for so long. And when he spoke his voice was almost a squeak. Yet he did not require either a strong body or strong voice to draw attention to his message. His sermons were original, eloquent, humorous and full of astute observations. It was always a revelation that such pearls of wisdom came forth from such a diminutive body; even if his body was slightly crooked, his mind was not so.

T.J. treasures those occasions spent in the study at Mynachlog-ddu as Rev Parri-Roberts puffed on his short pipe as if it was the Devil's Bridge train. The conversation would invariably be about preaching and preachers, and even in his old age T.J. could detect an element of rebelliousness in his soul. At a Temperance festival held at Henllan Amgoed T.J. was privileged, along with numerous other ministers, to have been in the company of the Rev Parri-Roberts and the Rev Joseph James, both of whom were the centre of attention and affection as they pulled each other's leg. He refers to them as two kings within their kingdoms.

The Reverend R. Parri-Roberts' gravestone.

It was here that he heard the two reminisce about their part in the 'Battle of the Preselau' in the late 1940s and the stories that later became part of local folklore. The effect of the campaign and the victory was akin to a revival. T.J. refers to the Rev Parri-Roberts as the Gandhi of the Preselau, hence the title of the eulogy, as his feat was similar to that of the equally frail Gandhi resisting the might of the British Empire. On one occasion T.J. was taken by 'Parri-Bach' to see the standing stone erected in memory of his great friend 'Jo', where he took off his hat as a mark of respect to what he considered to be sacred ground. A similar stone was erected in memory of the Rev R. Parri-Roberts in the local cemetery, but according to T.J. they were both far more than just stones.

Apêl y Crist

R. Parri-Roberts

(Pregeth a ddarlledwyd ar y BBC, 4 Hydref 1953)

"Ysgrifennu yr wyf atoch chwi, rai bychain, am i chwi adnabod y Tad. Ysgrifennais atoch chwi, wŷr ieuanc, am eich bod yn gryfion, a bod gair Duw yn aros ynoch, a gorchfygu ohonoch yr un drwg. Ysgrifennais atoch chwi, dadau, am adnabod ohonoch yr hwn sydd o'r dechreuad." – 1 loan 2: 13-14.

Y mae'r nifer luosocaf o Epistolau Paul wedi'u hysgrifennu at eglwysi ieuanc iawn – yr hynaf ohonynt heb gyrraedd ei deng mlwydd oed. Diau hefyd mai pobl ieuanc oedd mwyafrif aelodau yr eglwysi hyn. Gellir tybio hyn beth bynnag am yr eglwys yn Effesus, oblegid ystafell ddarlithio Tyrannus oedd ei orsaf genhadol. Clod i'r hen ysgolfeistr am roddi benthyg ei ystafell iddo am "ysbaid dwy flynedd," a "hynny bob dydd o un-ar-ddeg yn y bore hyd bedwar y prynhawn hyd oni ddarfu i bawb oedd yn trigo yn Asia, yn Iddewon a Groegiaid, glywed gair yr Arglwydd Iesu." Yn wir, byddaf yn hoffi edrych ar Eglwysi Llyfr yr Actau fel Cymdeithasau Cristnogol y Bobl leuanc, a sŵn ymgyrch eu traed a glywir drwy'r llyfr.

Y mae un ffaith y carwn i ei phwysleisio ynglŷn â'r bobl ieuanc hyn; buont yn ffyddlon i'r Eglwys wedi iddynt heneiddio mewn dyddiau, a theimlwn fod rhywbeth yn yr Efengyl yn cyfateb i bob cyfnod a berthynai i'w bywyd. Er profi hyn fe ddown ni 'rŵan am dro i ymweld unwaith eto ag eglwys Effesus. Mae blynyddoedd lawer wedi hedfan erbyn hyn, eithr y mae'r eglwys a sefydlwyd yno gan Paul yn parhau o hyd, er bod y sefydlydd wedi'i ferthyru ers llawer blwyddyn. Mae cryn gyfnewidiad i'w weld ar yr eglwys.

Y mae 'hogiau ieuanc' ysgol Tyrannus wedi aeddfedu i fod yn dadau; mae'r plant bach wedi datblygu yn bobl ieuanc cryfion ac ysbrydol. Y mae'r bobl ieuanc oedd yn briod a phlant ganddynt yn gofalu dod â nhw i'r eglwys i'r oedfaon. Rhaid gan hynny fod gan Iesu Grist apêl arbennig at bob gradd ac oedran, a bod ganddo ryw fendith i'w chyfrannu sy'n cyfateb i brofiad ac amgylchiadau pob dyn.

Beth, gan hynny, sydd gan Iesu Grist i'w gyfrannu drwy ei Eglwys i wahanol ddosbarthiadau o ddynion? Etyb Ioan, 'rwy'n credu, yng ngeiriau'r testun, trwy awgrymu:

1. Y mae rhywbeth yn Iesu Grist sy'n gyfaredd i blentyn.

"Ysgrifennais atoch chwi, blant bychain, am eich bod yn adnabod y Tad."

Gwyddom fod personoliaeth Iesu Grist pan oedd o yn rhodio heolydd gwlad Canaan yn gyfaredd i blant bach. Tyrrai'r plant o'i gwmpas i bobman, gosodai yntau ei ddwylo ar eu pen a chofleidiai hwy yn ei freichiau. Doedd cysgodion Croes Calfaria byth yn cuddio'r plentyn o'i olwg. "Cymerth hwy i'w freichiau ar ei ffordd i'r Groes."

Efallai ein bod heddiw yn colli'r plant o'n heglwysi am beidio dod â Iesu Grist yn ddigon agos atynt, a'i ddangos iddynt fel eu cyfaill ffyddlonaf, ac un sy'n cymryd diddordeb ym mhob adran o'u bywyd – hyd yn oed eu chwaraeon. Rhaid bod Iesu Grist wedi bod yn edrych ar blant bach yn chwarae, ac yn mwynhau eu chwaraeon, neu ni chlywsid mohono yn defnyddio ymadroddion fel hyn i ddisigrifio'i genhedlaeth: "Tebyg ydynt i blant yn eistedd yn y farchnad, ac yn llefain wrth ei gilydd, ac yn dywedyd, canasom bibau i chwi, ac ni ddawnsiasoh; cwynfanasom i chwi, ac ni wylasoch." Os oes rhyw blentyn yn gwrando arnaf y bore yma sy'n hoff o chwarae – mae Iesu Grist yn hoff o'th weld yn chwarae. Os wyt yn chwarae'n lân ac yn onest, ac ar ddyddiau chwarae.

Teimlaf yn llawen fod yng Nghymru heddiw fudiadau ar gyfer plant ac ieuenctid, ac arwyddair cyn uched iddynt â "ffyddlondeb i Grist a'i gariad Ef." Bendith Duw fo ar y cyfryw fudiadau. Braint bennaf pob plentyn ydyw dysgu a chwarae, a chwarae a dysgu; a gwynfyd y plentyn hwnnw sy'n teimlo mai'r wers am Iesu Grist sy'n meddu ar fwyaf o gyfaredd iddo. Gwyn fyd yr athro hefyd sy'n llwyddo i wneuthur hyn. Bendith y Nef a fyddo ar ei ben. Mae ei ymdrechion yn prysuro dyfodiad Teyrnas Dduw ar y ddaear pryd y sylweddolir un o weledigaethau y proffwyd hwnnw a ganfu "Hen wŷr a hen wragedd yn trigo yn heolydd Jerwsalem,"ac nid edrych ar foduron yn gwau drwy'i gilydd fydd eu diddordeb, eithr edrych ar blant yn chwarae. "A heolydd y ddinas a lenwir o fechgyn a genethod yn chwarae yn ei heolydd hi." A chwarae glân fydd y pryd hynny oblegid bydd enw Iesu Grist a'i Dad ar faner pob plentyn.

2. Y mae yn y Crist sy'n gyfaredd i'r plentyn her hefyd i'r ieuanc.

Er bod yn yr Eglwys le ar gyfer y plant, mae ynddi le cyfaddas hefyd ar gyfer datblygu bywyd y bachgen neu'r eneth ieuanc. "Ysgrifennais atoch chwi, wŷr ieuanc, oherwydd eich bod yn gryfion, a bod gair Duw yn aros ynoch, a chwi a orchfygasoch yr un drwg." Anturiaethwr yw'r ieuanc, mae ei lygaid i'r dyfodol ac yn ymhyfrydu mewn mentro bob cam o'i ffordd. "Does gan Efengyl ddof, sentimental, ddim apêl o gwbl iddo. Gwron ydyw. Mentro ymlaen dros lwybrau anodd yw ei nefoedd.

Y mae awdur yr Epistol yma'n ddigon o seicolegydd i ddeall hyn a chyhoeddodd her y Crist yn ei glyw: "Oherwydd eich bod yn gryfion, a bod gair Duw yn aros ynoch, a chwi a orchfygasoch yr un drwg." Un yn caru'r anodd yw'r ieuanc bob amser. Am hynny gŵr ieuanc a gariodd ei Groes i Galfaria yn dair ar ddeg ar hugain oed. Dyna'r arwr sydd gan yr Efengyl i'w gynnig iddo. Gwrthododd y llwybr esmwyth yn yr anialwch, gan gyhoeddi mai llwybr y Diafol ydyw.

"Rhyfeddod a bery'n ddiddarfod
Yw'r ffordd a gymerodd Efe."

Ffordd y dringo bob cam ohoni. Ie, a llethrau'r mynydd yn mynd yn fwy serth gyda phob cam o'i eiddo, a phwysau'r groes yn gwasgu'n drymach ar ei ysgwydd. Sylwch ar ddisgrifiad y diweddar Ddr John Williams, Brynsiencyn, ar ei ymdrech i gyrraedd copa'r mynydd – "Y mae tymestl ofnadwy cyfiawnder ar ei gopa; y mae deng magnel y Ddeddf wedi eu load-io ar ei aelgerth; y mae gwrdd-geirw Basan ar ei lethrau; y mae unicorniaid y fall ar ei lechweddau; y mae llewod Annwn yn ei ogofáu. Ond dringo y mae y Gwron:

Dringodd Golgotha,
Dringodd Golgotha,
Do, dan ddialedd a brad.

A bendigedig a fyddo ei enw,
Er mor anodd ydoedd hyn
Dacw'r Oen ar ben y bryn."

Dyna'r Gwron sydd gan yr Efengyl i'w gynnig i Bobl ieuanc Cymru ei ddilyn heddiw. Ieuenctid annwyl, dilynwch gamau hwn!

3. Dychmygaf fod yn fy ngwrando'r bore yma lawer o hen wŷr a hen wragedd – rhai ohonoch gartref yng Nghymru, eraill yn alltud mewn gwlad ddieithr. Rhai ohonoch yn eich cornelau, eraill ar eich gwelyau cystudd. Pobl ydych sy'n teimlo'n rhy fusgrell i gerdded gyda'r fintai "i gyfeiriad Seion fryn." Tybed a oes gan Iesu Grist rywbeth i'w ddweud wrthych chwi? Oes, meddai Ioan: "Ysgrifennais ato'ch chwi dadau am eich bod yn ei adnabod Ef, yr hwn sydd o'r dechreuad." Mae ganddo gysur i'w gynnig i chwi.

Sylwch ar ddisgrifiad Ioan ohono pan welodd Ef – dyna un tebyg i rai ohonoch chwi ydy o – "Ei ben ef a'i wallt oedd wynion fel gwlân, cyn wynned â'r eira." Fe ellwch wasgu at un fel yna, oni ellwch? "A gellwch wrando fel Mair heb flino ar ei ymddiddanion. Yr unig un na flinwch chi byth arno ydy Iesu Grist. 'Does yr un plentyn a flina edrych i'w wyneb; mae'r serch sy'n daenedig drosto yn ei gyfareddu. 'Does yr un dyn ieuanc anturiaethus a flina edrych ar y "llygaid sydd fel fflam dân." Hwn ydy'r llygaid sy'n peri i gymell ei arwriaeth yn ddi-dor. Pa hynafgwr a flina yng nghwmni'r person sydd â'i ben a'i wallt yn wyn fel yr eira?

Rhydd Ioan, yn yr Efengyl a 'sgrifennodd, esboniad pam na flinwn ni ar Iesu Grist. Mae O o'r un deunydd â ni. Cymharwch chi eiriau'r testun a dechrau'r Efengyl: "Gair Duw ... yr hwn sydd o'r dechreuad ... yn y dechreuad yr oedd y Gair." Eithr "y gair a wnaethpwyd yn gnawd." Y mae dyn yn blino ar bopeth os na fydd o'r un deunydd ag ef. Soniwn lawer am bleserau, ond y mae dynion yn blino ar bleserau oni newidir hwy yn unol â chwaeth yr oes. Hyd yn oed pechod, blinir arno os na chaiff ddillad newydd ambell dro. Meddyliwch, er enghraifft, am Ryfel – y pennaf o'r drygau. Ers llawer dydd yr oedd dynion yn cael pleser wrth ryfela gyda'r bwa saeth, y cledd a'r dryll, eithr nid felly heddiw. Rhaid wrth y bom atomig heddiw. Gan ein bod yn dechrau blino ar fom yr atom, bydd yn rhaid wrth fom hydrogen yfory. A beth am drennydd ar ôl blino ar yr hydrogen?

22.XI.36

Daniel 3[25] "Wele fi yn gweled pedwar gwŷr rhyddion yn rhodio yng nghanol y tân, ac nid oes niwed arnynt; a dull y pedwerydd sydd debyg i Fab Duw."

≡ Mae'n amhosibl deall ystyr a gwerth ysbrydol Llyfr Daniel ar wahan i beth gwybodaeth o Hanes amgylchiadau arbennig y genedl Israel yn ystod y cyfnod yr ysgrifennwyd ef........

= Mae'n Eglur ddigon ei fod yn un o'r llyfrau olaf a ysgrifennwyd o'r Hen Destament.....

≡ Yn ol y Beibl Cymraeg a'r Saesneg, gosodir ef y blaenaf ymysg y Proffwydi byrion (Byrion ac nid bach sy'n gywir)....

= Trefn wahanol sydd i'r Llyfr yn y Beibl Hebraeg.... y Cyfieithwyr ddim wedi gosod "y llyfrau" y Gyfrol ysbrydoledig yn yr un drefn yn y Cyfieithiadau ag oedd iddynt yn y gwreiddiol.....

≡ Beibl yr Iddew wedi ymddangos yn "dair cyfrol."

= Y gyfrol gyntaf yn 444 C.C. – yn cynnwys y Gyfraith yn unig....

= Yr ail gyfrol tua 200 CC – Yn cynnwys Josua, Barnwyr, Llyfrau Samuel a'r Llyfrau'r Brenhinoedd, a'r Holl Broffwydi oddigerth Daniel

= Trydydd gyfrol – Yng nghymanfa Jamnia 90.C.C – Yr cynnwys gweddill yr Hen Dest... Salmau = y llyfr cyntaf
1 2 Cronicl = y llyfrau olaf

= Yn y gyfrol hon rhwng Esther ac Esra y ceir Llyfr Daniel am y tro cyntaf.....

= Felly y mae dyddiad Llyfr Daniel rhwng 90 a 200 C.C. ....

≡ Rhaid gwybod gan hynny rywbeth am y cyfnod hwn i ddeall neges Llyfr Daniel

≡ Rhaid cadw mewn côf nad enillodd yr Iddew byth mo'i annibyniaeth gwladol ar ol ei golli yn 586....

= 586 – Ei gludo'n gaeth i Fabilon gan Nebuchodonosor.....

= 538 – Cyrus Brenin Persia, ar ol gorchfygu Babilon – cyhoeddi rhyddid iddynt ddychwelyd yn ol i'w gwlad....

= Nifer fawr yn dychwelyd o dan arweiniad Sorobabel ac Iesua....
" ar ol hynny yn dychwelyd.. Esra....

= Ddim yn meddiannu rhyddid gwladol llwyr.... Deiliaid : Ymherodraeth Persia oedd Judea.... Rhyddid i addoli etc....

333 C.C.

= Pan orchfygwyd Persia gan y Groegiaid o dan arweiniad Alexander Fawr – Palestina yn dod o dan lywodraeth y Groegiaid.....

= Alexander yn caniatau popeth ond rhyddid gwleidyddol etc.....

323

= Ar farwolaeth Alexander Fawr, machludodd gogoniant Ymherodraeth gwlad Groeg – Cyn i'w Fab oedd yn Etifedd y goron ddod i'w oed – Trawsfeddiannwyd yr Ymherodraeth gan y Cadfridogion yr ymddiriedwyd iddynt lywodraethu rhannau o'r wlad – Rhanasant yr [illegible] ei gilydd....

Nodiadau pregeth o waith y Parchg R. Parri-Roberts

Bydd yn rhaid wrth ryw elfennau a fedr dyrchio o dan wreiddiau a sylfeini'r cread. Fe welwn y blino yma wedi cydio mewn dyn ym more ei blentyndod. Mae hyd yn oed y plant bach yn blino – blino ar eu teganau yn fuan iawn. Eisiau rhyw degan newydd!

Cofiaf amdanaf flynyddoedd yn ôl pan fyddwn yn mynd oddi cartref – yr un cwestiwn a gawswn gyda'r plant: "Dad, prynwch rywbeth ncwydd i ni." Gofalwn brynu rhyw degan bach newydd. Pwysau'r boced a fyddai'n penderfynu pwysau a gwerth y tegan. (Yr oedd siopau'r pryd hynny ar gyfer pocedau ysgafn, anodd taro arnynt yrŵan.) Wedi cael y tegan, blino arno y byddai'r plant yn fuan. Cofio unwaith yn y Rhondda imi gael ebran go dda, a'r llogell yn drymach nag arfer ar ôl cyrraedd Abertawe. Anghofiwyd galw yn y siopau rhad y diwrnod hwnnw. Euthum i siop fwy bonheddig a phrynwyd Tedi Ber. Dyna falch oedd y plant o gael y Tedi. Meddyliais y byddai ganddynt gwmni hapus dros y gaeaf beth bynnag. Druan ohonof, dyna siom a gefais. Cyn pen mis yr oedd braich Tedi ar garreg y drws. Ymhell cyn Calan Mai yr oedd ei ben a'i gorff wedi eu datgysylltu! Chwarae teg iddynt. Doedd y Tedi Ber a'r plant ddim o'r un deunydd â'i gilydd.

Gadewais Frynhyfryd lawer gwaith ar ôl hyn, ond ni ofynnwyd unwaith i mi, "Dad, dewch â mam newydd i mi. "Does yr un plentyn yn gofyn am fam newydd, oblegid y maent o'r un deunydd â'i gilydd. Cnawd o'i chnawd, a gwaed o'i gwaed ydy pob plentyn i'w fam. Plant bach eglwys Effesus – yr un ohonynt yn blino ar Iesu Grist. Roedd pelydrau gogoniant cariad Duw yn wyneb Iesu Grist yn eu cyfareddu. Disgleirdeb y llygaid oedd fel fflam dân yn cyffroi arwriaeth yn eneidiau y bobl ieuanc. Cwmnïaeth y gŵr oedd â'i ben a'i wallt yn wyn fel yr eira yn cysuro, diddanu ac ysbrydoli yr hen bobl. Pob aelod yn meddiannu profiad Pantycelyn :

> Iesu, difyrrwch f enaid drud,
> Yw edrych ar dy wedd.
> Dymunaf yma dreulio f'oes
> O'r bore hyd brynhawn.
>
> "Iesu Grist ddoe a heddiw yr un, ac yn dragywydd."
> Amen.

This sermon by the Rev R. Parri-Roberts was broadcast on October 4, 1953. He took as his text two verses from 1 John 2:13-14.

"I write unto you, little children, because ye have known the Father. I have written unto you, young men, because ye are strong, and the word of God abideth in you, and ye have overcome the wicked one. I have written unto you, fathers, because ye have known him that is from the beginning."

The minister stresses that the majority of Paul's letters were sent to recently established churches – the oldest yet to reach its tenth anniversary. He speculates that the majority of the members would be young people and he looks upon these churches as Young People's Christian Communities. These people remained within the church as they felt the gospel was relevant to all periods in their lives. The church at Ephesus is a case in point as it continued to flourish long after Paul had been martyred and thus proves the appeal of Jesus Christ to everyone no matter what would be their age or background.

1. There is something about Jesus Christ that fascinates a child.

We are reminded that children were always drawn to Jesus and he would openly embrace them. The shadows of the cross on Calvary never hid the child from his sight. We are told that children are not seen in today's chapels because we do not introduce Jesus Christ to them as their devoted friend, as one who takes an interest in all aspects of their lives – even sport. He stresses that if there are children listening to him on the radio that particular morning that are fond of sport then Jesus Christ admires those who play fairly and honestly and on those days reserved for sport. The teacher who succeeds in teaching a child about the fascination of Jesus Christ will contribute to establishing the kingdom of God on earth

2 There is in the Christ who fascinates a child a challenge also for young people.

The church is also relevant in developing the lives of young people. We are told that the young person is an adventurer, looking towards the future and taking pride in all that he achieves. He has no patience for a sentimental gospel. A young person thrives on a challenge, the harder the challenge the better. That is why a young man of 33 years of age carried the cross to Calvary. That is the hero the gospel has to offer, for he refused the easy option when he was tempted in the desert. No matter how steep was the mountain or how heavy the cross, he did not give up the challenge.

3. He also offers solace to the older generation.

We are told that John explained why Christ is a person of whom we shall never tire because he is of the same material as us. Man will soon tire of anything and everything that is not of the same material as him; his pleasures must be constantly exchanged in favour of those that are fashionable. Even sin becomes tiresome unless given a new set of clothes from time to time. Man once went to war with a bow and arrow, later with a sword and gun, while today he has the atom bomb. Once he tires of the atomic bomb he will probably require a hydrogen bomb.

Even the young child becomes bored with his toys, as he constantly expects something new to play with. The Rev Parri-Roberts mentions the occasion when he bought a teddy bear for his children. Within a month his arm had been broken and it was not long before he had been beheaded, drawn and quartered; the teddy bear and children were not of the same material. Though his children would often ask for a new toy they never asked for a new mother. No child asks for a new mother, as they are of the same material, of the same flesh and of the same blood.

Jesus Christ is the same yesterday and today and forever. Amen.

Ym mlwyddyn lawn gyntaf y Parchg R. Parri-Roberts ym Methel yn 1925 cafodd 14 o bobol ifanc eu bedyddio. Yn eu plith roedd Morfudd Owens (John, Tycwta, ar y pryd) ac yn ddiweddarach yn 1991 rhoddwyd iddi Dystysgrif Anrhydedd Cyngor Eglwysi Rhyddion De Cymru am ffyddlondeb i'r ysgol Sul. Yn 1988 rhoddwyd yr un dystysgrif i Elisabeth Young. Yn 2006 anrhydeddwyd Eric John â Medal Gee am ei ffyddlondeb yntau. Yng nghyfnod ei weinidogaeth fe fedyddiodd y Parchg R. Parri-Roberts 193 o aelodau ac fe gladdodd 149 o aelodau. Ef ei hun oedd yr 150 i gael ei gladdu. Yr angladd gyntaf iddo wasanaethu oedd angladd Jacob Phillips, Cwmgarw, ar Ionawr 6, 1925 a'r olaf iddo wasanaethu oedd angladd Mary Anne Owens, Blaensawd, ar Fawrth 16, 1968. Y briodas olaf iddo ei gweinyddu ym Methel oedd priodas Rhuddian Lewis, Maes-yr-efydd a Chris Burge ar Fawrth 2, 1968. Bu farw ar Fai'r 27, 1968.

Y Parchedig Parri-Roberts ar ddiwrnod ei ben-blwydd yn 84 yn y briodas olaf iddo ei gweinyddu ychydig fisoedd cyn ei farw

---

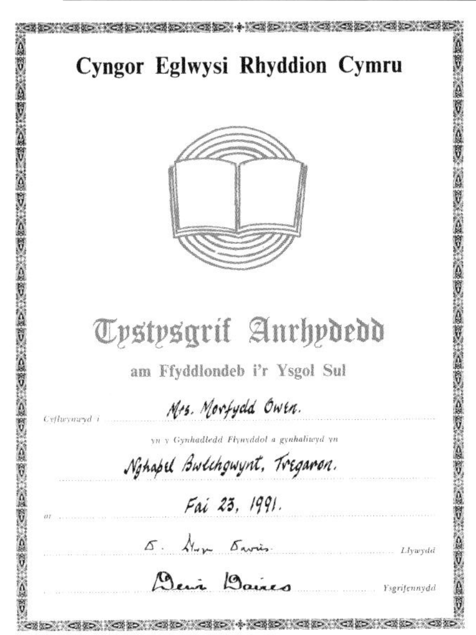

Cyngor Eglwysi Rhyddion Cymru

Tystysgrif Anrhydedd

am Ffyddlondeb i'r Ysgol Sul

Cyflwynwyd i Mrs. Morfydd Owen.

yn y Gynhadledd Flynyddol a gynhaliwyd yn

Nghapel Bwlchgwynt, Tregaron.

ar Fai 23, 1991.

[illegible] Llywydd

[illegible] Ysgrifennydd

Certificate given to Morfudd Owens in acknowledgment of lifelong Sunday School attendance.

During the Rev R. Parri-Roberts' first year of ministry at Bethel in 1925, 14 young people were baptized. Amongst them was Morfudd Owens (John, Tycwta, at the time) and later she was honoured with the Certificate of Honour of the South Wales Free Churches Council for her loyalty to the Sunday School. In 1988 Elizabeth Young received the same certificate. In 2006 Eric John was honoured with the Gee Medal for his loyalty to the Sunday School. During his ministry the Rev Parri-Roberts accepted 193 members and buried 149 members. He himself was the 150th to be buried. The first funeral he took was that of Jacob Phillips, Cwmgarw, on January 6, 1925 and the last that of Mary Anne Owens, Blaensawd on March 16, 1968. The last wedding he officiated at Bethel was that of Rhuddian Lewis, Maes-yr-efydd and Chris Burge on March 2, 1968. He died on May 27, 1968.

Anrheg Nadolig Brynhyfryd

Hedd Parri-Roberts

Rhagfyr 1935 oedd hi, noswyl Nadolig, pan ddaeth y meddyg i Frynhyfryd, i weld mam. Ei eiriau wrth ymadael oedd, “mwynhewch y Nadolig, Mrs Roberts, a galwaf i’ch gweld eto cyn diwedd yr wythnos.”

Y noson honno ymwelodd Santa â phlant Brynhyfryd, a mawr oedd eu llawenydd drannoeth o weld yr hosanau yn llawn anrhegion. Roedd mam, fel pob mam arall, wrthi fel lladd nadroedd yn paratoi’r cinio Nadolig. Ganol y bore, rhyw awr cyn cinio, teimlodd rhyw gynyrfiadau, a rhoddodd orchymyn i Robert, ei gŵr, i’w heglu hi am y Clun i nôl Mary Anne Owens, bydwraig yr ardal. Mae’n debyg na welwyd Robert erioed yn symud mor sydyn â’r bore hwnnw.

Do, fe anwyd babi ym Mrynhyfryd amser cinio ddydd Nadolig, a fi oedd y babi hwnnw. Er yr helynt a achosais ni chlywais neb yn dannod imi am ddrysu diwrnod y teulu. Ond roedd dewis enw i mi yn peri trafferth. Roedd mam am fy ngalw yn Noel, oherwydd y Nadolig, ond gwell gan fy nhad oedd fy enwi’n Trebor, sef ei enw ef tu ôl ymlaen. Aeth wythnosau heibio ac ym mis Chwefror galwodd y Parchgedig Lewis Valentine i weld fy nhad. Roedd y ddau’n gyfeillion mawr, yn heddychwyr pybyr ac wedi gweinidogaethu gerllaw ei gilydd ar un adeg, Lewis Valentine yn y Tabernacl, Llandudno, a fy nhad yn ei eglwys gyntaf yn Salem, Ffordd Las, Glan Conwy. Yn rhyfedd iawn Lewis Valentine ddewisodd yr enw Hedd – yr un enw â’i fab ei hun, ac yn addas o gofio’r dyddiad. Fe’m cofrestrwyd union saith wythnos wedi fy ngeni.

Bu cyfnodau yn ystod fy mywyd pan oeddwn yn casáu fy enw. Cofiaf fynd i siop Cnwc pan oeddwn i’n blentyn a phlentyn arall oedd ar ei wyliau yn gofyn beth oedd fy enw? Roedd y plentyn hwnnw dipyn yn hŷn na fi.

“Hedd”, meddwn wrtho.

“Dyna enw od, Bedd. Chlywais i mo’r enw yna ar neb erioed o’r blaen,” medde fe. ‘Bedd’ fyddai’n fy ngalw am rai blynyddoedd wedyn. Dro arall cawn dipyn o hwyl wrth wrando ar estroniaid o’r cylch yn ceisio ynganu fy enw.

Roedd tua 30-40 o blant yn Ysgol Mynachlog-ddu yn fy nghyfnod i ar ddechrau’r 1940au, o oedran babanod hyd at blant tua 14 oed, gyda dau neu dri athro. Mr E. T. Lewis, Bryncleddau, oedd y prifathro a Miss Blodwen Jenkins yn athrawes ar y plant iau. Dwy ystafell oedd yn yr ysgol, a’r rheiny yn cael eu gwahanu gan bartisiwn, fel oedd yn arferol mewn nifer o ysgolion, pren yn y gwaelod a phaenau gwydr yn yr hanner uchaf. Tu cefn i’r ysgol roedd sied fawr, ac yno roedd toiledau’r bechgyn a’r merched a lle i chwarae pan fyddai’n bwrw glaw.

Yn fynych iawn yn y gaeaf, pan fyddai’r tywydd yn oer iawn, byddai plant a phobl yn dioddef o losg eira. Un o’r rhai hynny oedd Miss Jenkins yr athrawes. Rwy’n cofio cael fy ngalw sawl tro, yn ystod yr amser y byddem yn cael stori, i ddod ag eistedd fel teiliwr, yn fy nhrowsus byr, ar y llawr oer wrth ymyl Miss Jenkins. A'm gorchwyl yn y fan honno oedd rhwto traed Miss Jenkins. Byddai'r llosg eira yn achosi cosi mawr. Ni fyddai'r athrawes yn tynnu ei hesgidiau, felly rhwto'r esgid fyddwn i, ac os fyddwn yn rhwto'n rhy drwm, cawn fy ngyrru yn ôl i eistedd wrth y ddesg.

Dwi'n cofio imi gael fy ngalw at Miss Jenkins un diwrnod, a hithau'n gofyn,

"Hedd, y'ch chi wedi bod yn galw 'Twm Bach' ar Mr Lewis?"

"Naddo Miss",

"Y'ch chi'n siŵr?"

"Wdw Miss"

"Wel Hedd, dwi am i chi ddweud wrth eich tad a'ch mam pan ewch chi adre heddi, eich bod wedi galw'r prifathro yn 'Twm Bach'!"

Rywdro arall cefais fy hun o flaen Miss Jenkins unwaith eto a hynny cyn fy mod yn 11 oed.

"Hedd, odych chi wedi bod yn smoco yn yr ysgol?"

"Nadw wir Miss,"

"Roedd rhywun yn dweud ei bod wedi'ch gweld chi'n smoco?"

"Na,wir i chi Miss."

"Gwedwch wrtho i Hedd, wnaethoch chi smoco? Gwedwch y gwir nawr. Wi am ichi ddweud wrth y'ch tad a'ch mam pan ewch chi gatre"

"Wel, wnes i ddim tynnu miwn, dim ond chwithi mas."

"Wel, cofiwch ddweud wrth y'ch tad a'ch mam."

Un diwrnod, pan oedd y prifathro'n absennol, roedd Hefin, fy mrawd, wedi cael ei herio i roi pot inc ar y ddesg ac yna anelu i roi cic i'r pot. Wrth roi cic i'r pot fe darodd yn erbyn rhan isaf y partisiwn. O ganlyniad cafodd Hefin ei wahardd rhag mynd allan i chwarae nes dychwelai'r prifathro. Pan ddaeth yn ei ôl galwodd Hefin ato a gwneud iddo blygu dros y ddesg. Estynnodd am y gansen. Ond wrth godi ei fraich i ddefnyddio'r gansen tarodd ei law yn galed yn erbyn y bwrdd du, a oedd ar ganol y llawr yn y dosbarth, a chael dolur. Methodd y gansen a chyrraedd Hefin, – diolch i'r bwrdd du.

Enwau rhai o'r gemau fydden ni'n eu chwarae oedd: D'wetha'n twll, Moto-beics, Llwynog, Bwgan yn y ffynnon, Chwarae ceffylau, Cwt gwt wrth y nghwt i. Byddem wedyn yn adrodd y pennill hwn:

"Clapgi bach yr ysgol,
Yn methu cael ei ganmol,
Pan gaiff ei ganmol nesa
Fe gaiff e reial crasfa."

Wrth feddwl am ein cartref ym Mrynhyfryd daw llawer o atgofion am deulu, cymdogion ac ymwelwyr i'r cof. Roedd e'n gartref prysur iawn a chroesawus, ac er ein bod ni'n deulu niferus, roedd 'na groeso bob amser i bwy bynnag a ddeuai at y drws. Mae'n anodd credu sut y llwyddodd mam i ymdopi â'r holl ddyletswyddau a wynebai beunydd pan oeddem ni'n blant. Doedd na ddim o'r cyfarpar a'r cyfleusterau sydd gan wraig y tŷ heddiw dim ond twb golchi, mangl a phopty. Roedd angen gwneud bwyd i dwr o bobl yn aml ac angen golchi a smwddio, angen glanhau a mil a mwy o ddyletswyddau eraill.

I bawb sy'n gyfarwydd â safle Brynhyfryd gwyddys ei fod yn fan delfrydol i blant, yn arbennig i fechgyn, am fod coed oddi amgylch, caeau cyfagos a digonedd o le i chwarae. Byddem yn chwarae milwyr yn aml. Oherwydd swydd ein tad, roeddem yn gyfarwydd â chlywed am aelodau yn marw a chael eu claddu. Dwi'n cofio ni'n chwarae claddu a mynd ati i gladdu Ithel mewn bocs cardfwrdd yn y domen ludw wrth dalcen y tŷ! Fi oedd yr ymgymerwr a Hefin yng ngofal y gwasanaeth ar lan y bedd. Dwi'n cofio gweld Ithel yn ei blyg yn y bocs. Cofiaf ei roi yn y bedd a rhoi'r pridd a'r lludw ar ben y bocs. Ond ni fu'n hir cyn codi!

Hwyrach mai rhyfyg ar ein rhan oedd chwarae claddu. Weithiau pan ddigwyddai hen iâr neu gath drengi cynhelid gwasanaeth parchus i'r ymadawedig. Fe agorid bedd, bocs yn arch, a chymerwyd at y gwasanaeth angladdol gan bwy bynnag a garai gymryd rhan. Yn ddieithriad gorffennid drwy ganu'r emyn, 'O Fryniau Caersalem'.

Defnyddiwyd un ystafell yn y tŷ fel stydi ac i'r ystafell honno y byddai pobl bwysig yn cael gwahoddiad yn bregethwyr, yn wleidyddion ac yn aelodau'r eglwys. Roeddem fel plant yn gyfarwydd iawn â chlywed trafod pregethau, Cyrddau Pregethu, gwaith yr Undeb, a gwaith yr eglwys. Doedd trafod gwleidyddiaeth leol a chenedlaethol ddim yn ddieithr chwaith. Nid oedd teliffon ym Mrynhyfryd, felly, pan ddeuai cyfeillion heibio yn eu tro, roedd 'na hen siarad â thipyn o waith dal i fyny hefo'r newyddion.

Fe fu'n gyfnod pryderus i'r teulu pan ddirywiodd iechyd Goronwy. Nid oedd wedi bod yn iach ers pan oedd yn blentyn bach. Ni fu ei iechyd yn ddigon da iddo fedru mynychu'r ysgol. Pan waethygodd cyflwr ei iechyd bu raid iddo dreulio misoedd olaf ei fywyd mewn ysbyty ger Caernarfon. Y fath bellter o'i gartref ac oddi wrth ei rieni a'i deulu. Yn drist iawn bu farw ychydig ddyddiau cyn y Nadolig yn 1944 yn 11 oed. Cafodd ei farwolaeth gryn effaith arnom fel teulu a bu'n adeg hiraethus a thrist. Roedd Goronwy yn blentyn hapus iawn, a chofiaf amdano bob amser yn canu. Un o'r emynau rwy'n ei gofio yn ei ganu oedd:

"Rwyf yn dyfod atat Ti,
Annwyl Iesu, derbyn fi,
Gad im gerdded yn dy law
I'r ochor draw yn ddifraw."

Yn ystod blynyddoedd yr Ail Ryfel Byd, roedd gwersyll i filwyr yn Cwarre Tyrch, ac ar gaeau Fferm y Capel. Roedd tua dwy i dair mil o filwyr Americanaidd a nifer o filwyr Prydeinig yno. Roedd lorïau a thanciau'r fyddin yn trafaelu'n ddyddiol ar hyd y ffordd heibio ein cartref i gyfeiriad y Preselau. Ffyrdd cul rhwng dau glawdd yn cael eu llenwi â thanciau a lorïau rhyfel.

Roedd rhai milwyr mewn tanciau ar Foel Dyrch yn ymarfer saethu, ac fe fyddai sŵn y magnelau i'w clywed yn chwibanu dros ben Brynhyfryd draw i gyfeiriad Caermeini. Rhwng y Llythyrdy a'r Cnwc, fe fyddai'r milwyr yn defnyddio gynnau i daro at dargedau. Am fod cynifer o filwyr yn y gwersyll roedd angen cryn dipyn o ddŵr, felly, ac roedd rhaid cario galwyni ohono'n ddyddiol o Ffynnon Clun mewn *jerry cans*.

Byddai ambell filwr yn dod â baco i dad a losin i ni'r plant. Weithiau byddai sigars yn cyrraedd. Byddem yn mynd draw i'r gwersyll a chael bwyd gyda'r milwyr. Plentyn swil fûm i erioed, a chas gennyf oedd cael sylw yn gyhoeddus. Nid anghofiaf fyth y tro hwnnw pan gafwyd gwahoddiad i ymuno â'r milwyr yn y babell fwyd. Digon o ffrwythau tun – bricyll ac eirin gwlanog, bananas, pethau prin iawn – ac, wrth gwrs, roeddynt yn hynod flasus. Yn sydyn iawn, ar un o'r ymweliadau hyn, cefais fy hun wedi cael fy nghodi ar ben un o'r byrddau, a theimlo cymaint o ofn o weld yr holl soldiwrs gyda'i gilydd. Dyma un o'r milwyr yn fy ngwisgo mewn dillad milwr, rhoi potel o gwrw yn fy llaw a sigarét yn fy ngheg.

Gellir disgrifio fy nghartref fel cwch gwenyn o brysurdeb. Doedd dim car gan fy nhad a dibynnai'n helaeth ar gludiant cyhoeddus i deithio ymhell a chymwynaswyr yr ardal i'w gludo o gwmpas y sir. Os nad oedd fy nhad yn mynd at y bobl, deuent hwy ato ef. Daw llawer o atgofion o'r dyddiau hynny i fy meddwl, ac rwy'n ddyledus o fod wedi cael y fraint o gyfarfod â rhai a ddaeth yn arwyr ein cenedl, ac yn arwyr i mi; pobl fel Lewis Valentine, D. J. Williams, Waldo Williams, heb sôn am weinidogion o bob enwad.

Un o freintiau mwyaf fy mywyd oedd cael cludo Waldo Williams a D. J. Williams o gwmpas ardaloedd Gogledd Penfro yn ystod ymgyrch Etholiad Cyffredinol 1959. Roeddwn yn berchen ar hen gar *Morris 8 Series E* ac ar ei do rhoddwyd corn siarad. Dyddiau anodd oedd y rheiny i Blaid Cymru, a doedd y croeso ddim yn gynnes. Rhyfeddwn at ymroddiad y ddau wron, a'u dygnwch dros genedlaetholdeb Cymreig, a hynny yn wyneb gwrthwynebiadau cas.

Un o gymeriadau'r ardal oedd Gwilym Williams, Byngalo, neu Gwilym Beics, fel y galwem ni ef, am ei fod yn gwerthu a thrwsio beics. Dwi'n cofio prynu beic gan Gwilym, ac roedd yn gas ganddo weld beic fyddai wedi'i werthu yn cael ei amharchu. Un tro, roeddwn wedi plethu weiren blaen rownd y fforch flaen, a'i gosod mewn modd y byddai'n taro'n erbyn y sbôcs a gwneud sŵn fel eiddo moto-beic fel yr âi'r olwyn rownd. Cyflyma yn y byd ro'n i'n mynd, mwya'n y byd y sŵn. Euthum heibio Gwilym ar y ffordd, a'r peth nesaf, roedd Gwilym yn anelu am Frynhyfryd i ddweud wrth fy nhad a fy mam nad oeddwn yn parchu'r beic, na hwythau chwaith, oherwydd mai nhw yn y diwedd fyddai'n talu'r costau am drwsio'r beic.

Gwilym hefyd fyddai'n edrych ar ôl y siwt fedydd fyddai fy nhad yn ei wisgo amser bedyddio. Ychydig ddyddiau cyn y bedydd byddai'n mynd â hi i wneud yn siŵr ei bod yn ddiddos ac yn dal dŵr. Adeg y bedyddio byddai Gwilym bob amser wrth ymyl y fedyddfa â lliain i sychu wynebau'r rhai fyddai'n codi o'r bedyddfaen.

Câi llawer yr adeg hynny waith fel *lengthman* ar y ffordd. Un o'r rheiny oedd John Daniel Mathias, Waunlwyd, dyn bychan o gorffolaeth, yn weithiwr gonest ac yn werinwr dysgedig. Dwi'n cofio un tro, a ninnau'n blant yn cerdded adre o'r ysgol, John Daniel yn dweud ei fod am roi pos i ni, ac fe fyddai'r cyntaf i'w ddatrys yn cael gwobr o geiniog. John Daniel yn adrodd yr adnod: "Canys safodd brenin Babilon ar y groesffordd ym mhen y ddwy ffordd i ddewinio dewiniaeth, gloywodd ei saethau, ymofynnodd a'r delwau, edrychodd mewn afu." Y cyntaf i gael hyd i'r adnod a'i dysgu a gai'r wobr. Cefais hyd i'r adnod yn llyfr Eseciel, pennod 21, adnod 21, ac mae'n dal ar fy nghof hyd heddiw.

Yn y tu blaen, Ianto Garnmenyn, y lladdwr moch, yng nghwmni bugeiliaid y 'mini'; Arthur Griffiths, Tom Rees a Rowland Francis.

Un arall o gymeriadau'r ardal oedd Ianto Garnmenyn, ac yn ychwanegol i ffermio, roedd yn ymweld â ffermydd a thai annedd i ladd moch. Cyn dechrau ar y gwaith o grafu'r blew oddi ar y mochyn, âi i'w boced, a thaflu darn bach o glai i'r dŵr, gan ddweud, "Gorau i gyd i'r dŵr beidio â bod yn ferwedig, ond mae ishe iddo fod yn danllyd". Roedd ei wraig, May John, yn gyfnither i fy mam, a thros flynyddoedd lawer, bu perthynas glòs rhwng y ddau deulu. Ganwyd iddynt un mab, Ben, a thair merch, Betty, Maggie ac Eirian. Bu'r tair chwaer yn hynod o garedig yn ein gwarchod ni'r plant, ac yn cynorthwyo mam gyda'i thasgau beunyddiol. Y ffefryn o'r tair i mi oedd Eirian. Hi oedd yr ifancaf a byddem yn chwarae gyda'n gilydd. Meddai ar gymeriad tawel a hoffus. Ni chafodd neb gwell gwarchodwyr na chafodd plant Brynhyfryd.

Un bore clywsom fod Eirian wedi ei chymryd i'r ysbyty'r noson cynt a'i bod yn wael iawn. Cyn diwedd y dydd, daeth y newydd ei bod wedi marw, y fath sioc i bawb, â'r dagrau'n llifo. Diwrnod neu ddau cyn yr angladd, cofiaf ymweld â'r teulu yn eu cartref, yng nghwmni fy mam, ac am y tro cyntaf erioed ces fy hun yn syllu ar gorff geneth ifanc 19 oed yn ei harch. Ni chofiaf beth oedd yn mynd trwy fy meddwl ar y pryd, ond gwyddwn fod Eirian wedi mynd at Iesu Grist. Wrth gerdded i mewn at Gapel Bethel byddaf yn sylwi ar y cerrig beddau agosaf i'r llwybr ac yno yn huno mae un a'n gwarchododd mor annwyl ym more ein dyddiau.

Yn ystod eira mawr 1947 roedd y rhan fwyaf o ysgolion gogledd Penfro ar gau. Ond pan oedd y tywydd ar ei waethaf, daliodd pump o blant yr ysgol, ynghyd â'r prifathro, E. T. Lewis, i fynychu'r ysgol bron bob dydd. A'r rheswm am hyn oedd am ein bod yn paratoi i sefyll yr arholiad 11+. Nid hawdd anghofio'r diwrnod hwnnw am amryw resymau. Poenwn nad oeddwn yn gallu siarad llawer o Saesneg heb sôn am ei ysgrifennu. Roeddem wedi cael hyfforddiant mewn Rhifyddeg, Cymraeg a Saesneg a'r *Intelligence Test.* Cawsom ein rhoi mewn ystafell fawr, yn llawn o ddesgiau sengl, a phob desg ymhell oddi wrth ei gilydd yn Ysgol Ramadeg Arberth. Saesneg oedd y papur cyntaf ac roedd pawb i ateb y cwestiynau yn rhan gyntaf y papur. Roedd angen darllen y darn o lenyddiaeth oedd ar y papur cyn mynd at y cwestiynau. Yn y darn rwy'n cofio fod sôn am "plum pudding and mince pies" a "red berries on a holly tree" Dyna'r oll rwy'n ei gofio. Nid oeddwn yn teimlo'n gartrefol gan fod rhyw fenyw yn cerdded nôl ac ymlaen am sbel, yna'n mynd i eistedd am blwc, cyn ailgychwyn cerdded.

Gyferbyn â mi, eisteddai Teifryn Rees, fy ffrind, yn brysur yn ysgrifennu. Cwestiwn cyntaf ar y darn oedd, 'pa dymor o'r flwyddyn y cyfeiriwyd ato?' Gwangalonnais. Be wnawn ni? Gydag un llygad ar yr athrawes a'r llall ar Teifryn dyma fi'n galw ar fy ffrind, 'pst, pst, pst., pa amser o'r flwyddyn oedd hi?' gofynnais iddo, mewn llais bach crynedig. A'i ateb oedd, 'Summer' Wel, diolch byth. Nid wy'n cofio dim mwy am y diwrnod. Llwyddais i basio'r arholiad a diolch i Teifryn am ei help.

Y mis Medi dilynol rhaid oedd newid ysgol, a golygai hynny dipyn o waith paratoi i fy mam fel pob mam arall. Yn ystod yr haf y flwyddyn honno daeth llythyr o Sir Fôn, wrth Anti Nel, chwaer fy nhad, yn fy llongyfarch am basio arholiad y 11+, ac yn siarsio fy mam i beidio â phrynu bag ysgol imi, gan ei bod hi am roi un yn anrheg, ac y byddwn yn ei gael pan fyddwn ar fy ngwyliau yn Sir Fôn ym mis Awst.

Ond pan gefais y bag, y fath sioc a siom a gefais. Satchel ledr oedd e fel pob bag ysgol arall. Diolchais amdano. Ond i fi bag merch ydoedd. Y broblem oedd gwnïad y bag. Yn lle gwnïad cyffredin gan beiriant roedd hwn fel pe bai wedi'i wnïo gyda rhywbeth tebyg i blastig cryf wedi'i weithio drwy dyllau bob hanner modfedd, ac yn gorffen yn ddolen yn y corneli. Dim bag i fi oedd hwn. Roedd yn wahanol i bob bag arall. Beth bynnag, bu'r bag gyda fi am ryw flwyddyn dda.

Ar ymweliad â fferm f'ewythr yn y Glandy oeddwn ryw ddiwrnod ac yn busnesa o gwmpas yr adeiladau. Es i mewn i'r stabl. Yn hongian ar fachyn pren sylwais ar fwnci lledr ceffyl gwedd a thrugareddau eraill yn cuddio o dano a'r peth nesaf a welais oedd bag ysgol lledr wedi ei orchuddio â llwch a gwe pry cop. Yr union beth yr oeddwn i'n chwilio amdano. Es i chwilio am f'ewythr ac estynnodd y bag a thynnu'r trugareddau allan ohono. Ei fag e oedd y bag ac wedi bod yn hongian ar y bachyn ers degawdau yn dal meddyginiaethau anifeiliaid. Mae'n bur debyg fod gwên fawr ar fy wyneb wrth i fy ewythr weld fy mod wedi fy mhlesio.

Bu Teifryn a minnau yn ffrindiau mawr trwy gydol ein blynyddoedd yn yr ysgol gynradd ac uwchradd. Pump mis oedd rhyngom o ran oed ond ef oedd y dylanwad mwyaf. Roedd yn byw yn Felin-dyrch gerllaw. Roedd yn gymeriad mentrus, a rhyfygus ar adegau, a minnau braidd yn ddiniwed mewn cymhariaeth. Wrth edrych yn ôl ar y cyfnod, credaf ein bod yn lwcus ein bod yn dal yn fyw ar ôl ambell ddigwyddiad. Cofiaf gael reid ar ei feic. Teifryn yn gyrru a finnau'n eistedd ar y bar ac yn cydio yn yr handlen. Yn lle fy ngollwng lawr ar ben y rhiw oedd yn arwain i'r Felin byddai'n troi yn sydyn i lawr y ffordd serth, a heb gyffwrdd y brêcs, llywiai'r beic rownd cornel, oedd bron yn sgwâr, a stopio'n stond ar glos y Felin.

Profiad newydd a thra gwahanol oedd newid ysgol. Teithiem mewn tacsi o Fynachlog-ddu i Grymych i ddal bws ysgol i Arberth. Buan iawn y deuwyd i adnabod a gwneud ffrindiau newydd. Roedd bron pob plentyn a deithiai ar y bws o Grymych i Glunderwen yn Gymry Cymraeg. Rhywle rhwng Clunderwen ac Arberth croesem y ffin ieithyddol a Saesneg wedyn a glywid yn cael ei siarad. Gŵyr pobl Bro'r Preselau, fel y defaid Cymreig, beth yw pwysigrwydd cadw o fewn eu cynefin. Tir estron oedd Arberth i ŵyn bach bro'r Preselau, ac nid syndod oedd eu gweld yn hel at ei gilydd ar derfyn dydd i gael mynd adref i'w cynefin.

Yn sicr roedd y 'ffin ieithyddol' yn gwneud imi deimlo'n ddigon ansicr. Ond ychydig iawn, os o gwbl, y meddyliai pobl bwysig y dydd, oedd â chyfrifoldeb am addysg o fewn y sir, am hawl plentyn i gael ei leoli mewn awyrgylch oedd yn adlewyrchu ei gefndir. Diolch am y weledigaeth o gael Ysgol y Preseli yng Nghrymych, a hir y parhao ei dylanwad. Fwy nag unwaith clywid ambell i berson mewn awdurdod yn ceisio bychanu a dwrdio'r Cymry drwy ddweud pethau fel "you from the wilds – chi'n meddwl am ddim byd ond am gawl cig mochyn".

Dau ffrind annwyl a theyrngar yn ysgol Arberth fu Rhys Bowen a David Williams neu Dai Bach. Nid peth anghyffredin oedd clatsio a defnyddio'r gansen mewn ysgolion yr amser hynny. Cofiaf yn dda un p'nawn yng ngweithdy'r gwaith coed, a ninnau fechgyn yn cael ein galw o gylch un o'r meinciau i wrando ar yr athro yn disgrifio beth i'w wneud gyda'r darnau coed. Aeth yn ei flaen i ddweud nad oedd dim ond blawd llif y tu mewn i ben ambell un ohonom. Union y tu ôl iddo safai Rhys ac wedi i'r athro ddweud hynny, dyma Rhys yn pwyntio tuag at ben moel yr athro. Yr eiliad nesa, dyma andros o fonclust i Rhys yn ei glust dde yn cael ei dilyn gan un arall i'w glust chwith. Nid Rhys oedd yr unig un i deimlo'r glatsien honno, ac rwy'n dal i'w theimlo heddiw.

Teimlwn yn gartrefol iawn yn y dosbarth Cymraeg a'r ddau lyfr gosod ar gyfer arholiad lefel O oedd *O Law i Law* ac *Ac Ni Bu Dwthwn.* Pan ddosbarthwyd y llyfrau inni roedd y llyfr cyntaf yn gyfarwydd ond yr ail yn ddieithr. Er inni ei ddarllen yn sydyn ni chefais wefr o gwbl wrth wneud ar wahân i fwynhau un frawddeg a ddarllenais, – rhywbeth yn debyg i hyn os cofiaf – "Gwna dy geg yn fychan fach y ngwas i, fel twll tîn ceiliog."

Yr arferiad oedd i bob disgybl ddarllen paragraff bob yn ail. Pwy tybed, gai'r fraint o ddarllen y frawddeg yma? Daeth y foment fawr ac fe'i darllenwyd gan yr actor gorau yn y dosbarth, gan wneud i weddill y dosbarth rowlio chwerthin. Gwylltiodd yr athrawes gymaint nes iddi agor y drws a gorchymyn i'r actor druan adael. Diolch am berfformiad Dai Bach yn dod â thipyn o hwyl i'r dosbarth!

Un tro, ar ddiwrnod tynnu llun y disgyblion a staff yr ysgol aeth Dai Bach i sefyll ar ben un o'r rhesi. Pan welwyd y llun wedyn rhyfeddod oedd gweld dau lun o Dai Bach – un bob pen i'r rhes. Tra roedd y dyn camera â'i ben o dan flanced dywyll carlamodd Dai ar hyd cefn y grŵp a gosod ei hun am y *double take.*

Yn naturiol roedd y capel yn chwarae rhan bwysig iawn yn ein bywydau. Roedd Ysgol Sul ar gyfer pob oedran ym Methel. Cynhaliwyd cyrddau yn gyson a chyrddau arbennig ar adegau fel y Nadolig a'r Pasg. Caem wasanaethau pan fyddai'r aelodau'n cyflwyno eitemau – adrodd, canu, unigolion a phartïon – yn ystod yr oedfa. Byddai ein tad, yn rhinwedd ei swydd, yn ymweld â'i aelodau, a chan nad oedd yn gyrru car, rhaid oedd cerdded o gartref i gartref. Yn aml iawn, byddai rhyw ddau ohonom yn cael ymuno ag ef i ymweld.

Cynhelid Ysgol Gân, ar ôl yr oedfa ar nos Sul, i baratoi ar gyfer y Gymanfa Ganu flynyddol. Peth arall pwysig roedd angen paratoi ar ei gyfer oedd y Gymanfa Bwnc. Arferiad sydd wedi parhau hyd heddiw. Mae gennyf ddyled i'r brawd Eric John wedyn am roi hyfforddiant i ieuenctid Bethel ar sut i gymryd rhan mewn cyfarfodydd gweddi.

Cofiaf i mi un tro gael profiad digon annymunol yn y capel. Roedd yn arferiad i'r plant i fynd i'r galeri adeg oedfa cymun. Eisteddem yn un rhes ar ffrynt y galeri. Eisteddwn i yn union y tu ôl i'r cloc a rhywfodd neu'i gilydd, yn ystod y gwasanaeth, aeth fy mhen-glin yn sownd yn ffrâm y cloc. Ni fedrwn yn fy myw fy rhyddhau fy hun. Ar ddiwedd y gwasanaeth aeth y plant allan a dyna lle roeddwn, mewn panics, ar fy mhen fy hun yn y galeri. Cliriodd y gynulleidfa hefyd o'r llawr a'r unig rai ar ôl oedd fy nhad a'r diaconiaid yn y sedd fawr. Buan y sylweddolodd fy nhad fod rhywbeth o'i le a chofiaf i Wncwl Gwilym, – brawd fy mam – ddod i'm rhyddhau.

Un o'r atgofion cynharaf sydd gennyf am fynd i'r capel yw fy mod i a Hefin, fy mrawd hynaf, yn eistedd gyda mam yn y sedd wrth ymyl yr organ. Droeon clywais fy mam yn dweud fel yr oeddem yn ddieithriad yn swatio yn ei chesail a chysgu drwy'r gwasanaeth. Fel y tyfem yn hŷn symud i'r sêt y tu ôl i'r organ, sêt Gwilym Beics, ac yn y sêt gyfochrog, eisteddai hen wraig o'r enw Martha Jenkins, Yr Henbarc. Dynes dal na chofiaf weld gwên ar ei hwyneb erioed. Hwyrach fod ganddi reswm dros beidio â gwenu o sylweddoli beth oedd yn mynd ymlaen yn ein sedd ni.

P'run bynnag, byddai rhyw bedwar neu bump o fechgyn yn stwffio i'r sedd a Gwilym Beics yn eistedd yn y canol. Doedd neb yn cymryd Gwilym o ddifri ac yn aml byddem fel plant yn ei bryfocio. Weithiau yn ystod y gwasanaeth byddai Gwilym yn estyn clusten i ambell un ohonom. Roedd y sêt yn union o flaen y pulpud a gwelai 'nhad beth oedd yn mynd ymlaen. Cofiaf un tro, a phethau'n dechrau mynd dros ben llestri, i fy nhad ddweud yn gyhoeddus ar ganol ei bregeth, 'Ithel, nei di fihafio?', ac Ithel yn ei ateb drwy ddweud, 'Hedd sy'n fy mhinsio i, dad'.

Martha Jenkins, Henbarc

Tri digwyddiad pwysig ar galendr eglwys Bethel oedd y Gymanfa Ganu, y Gymanfa Bwnc a'r Gymanfa Ddirwestol neu'r 'Gymanfa Bop' fel y galwem ni hi. Fe'i cynhaliwyd yn flynyddol gyda rhaglen yn cynnwys tonau a holwyddoreg yn bennaf ar gyfer y plant. Treuliwyd oedfa'r bore yn canu a mynd drwy'r holwyddoreg ac yn y p'nawn ceid anerchiad i'r plant. Mae blynyddoedd wedi mynd heibio ond, serch hynny, erys ambell i bennill a ganwyd ar y cof. Cofiaf am un yn sôn am ferch fach yn ymbil ar ei thad i roi'r gorau i'r ddiod, a'r tad yn ei hateb yn y gytgan:

> Mae mam, chwi wyddoch, yn y bedd
> Wrth ymyl Sara fach,
> Ac oni bai am y ddiod gref
> Hwy fyddent heddiw'n iach.
>
> *Cytgan:*
> O Elen, O Elen,
> Nid yfaf fyth mwy.
> Mi af yn awr i roi f'enw i lawr,
> O Elen, nid yfaf fyth mwy.

Does wybod erbyn hyn pa ddylanwad gafodd canu ac adrodd y geiriau yn y Gymanfa arnaf. Ond erbyn hyn y mae'n rhaid cydnabod cyffur mor beryglus a dinistriol yw alcohol a chyffuriau eraill.

Hedd Parri-Roberts was born around lunchtime on Christmas Day 1935, which put paid to all his mother's carefully laid plans for the festivities, but at the same time gave the family at Brynhyfryd a special reason to celebrate. However, it was February before his birth was registered. His father's chosen name was Trebor – his own name spelled backwards – and his mother's preferred name was Noel. The impasse was brokered by the Rev Lewis Valentine, who suggested the name Hedd, meaning peace.

In the infants class at the local school Hedd well remembers those occasions he was summoned to sit crosslegged at the feet of Blodwen Jenkins when she read a story, and being asked to rub her shoe in order to alleviate her chilblains, and being sent back to his desk if he rubbed too hard. He well remembers being told off by Miss Jenkins for allegedly being overheard referring to the headmaster, E. T. Lewis, by his nickname 'Twm Bach'. On another occasion he was charged with smoking within the school premises, to which he responded he had not breathed in, only blown out. He recalls another occasion when his brother, Hefin, was spared the cane for a misdemeanour when Mr Lewis knocked his knuckle on the blackboard as he took a swipe to deliver the punishment.

With hardly any gadgets to play with, much imagination was required on the part of the three brothers to while away the time. Being sons of the manse it was no surprise they should play 'funerals', and on one occasion Ithel was placed in a cardboard box in the ash pile. Hedd was the funeral director and Hefin took the service as more ash and earth were placed on the cardboard box. It did not take Ithel long to rise again. Similar services were held whenever a hen or a cat passed away, with the hymn 'O Fryniau Caersalem' sung to terminate the service.

However, the whole family was stunned when they had to attend the real funeral of 11 year old Goronwy, who passed away after suffering illhealth for most of his life and spending the last few months in hospital near Caernarfon. Hedd's memories are of a brother who was always happy despite never being able to attend school.

The presence of World War Two soldiers at nearby Cware Tyrch meant that tinned fruit would find its way to the manse and the three boys would often visit the camp. On one occasion Hedd was placed on a table and dressed as a soldier with a cigarette placed in his mouth and a bottle of beer in his hands.

The manse was always a hive of activity, as people of all persuasions called; there was no telephone in the home and the Rev Parri-Roberts did not drive a car, so he was at the behest of visitors, be they politicians, men of letters or ministers of all denominations. Hedd has fond memories of chauffering D. J. Williams and Waldo Williams when the latter stood for parliamentary election on behalf of Plaid Cymru in 1959.

A local character deserving of mention is Gwilym Williams, Bungalow, or Gwilym Beics as he was known because he sold and repaired bicycles. Once, when Hedd had placed a wire on the front fork of his bike in such a manner that it rattled against the spokes and made a sound similar to that of a motorcycle the faster he pedalled, he was severly admonished by Gwilym. He even called at Brynhyfryd to chastise the parents as well, stating they were just as disrespectful of the bike as was their son because it would be them who ultimately would have to pay for its repair.

Gwilym was also a regular fixture at Bethel, whose responsibility it was to check the minister's baptismal robe whenever it was due to be used and then holding the towel to wipe the faces of those who emerged from the baptismal pool. Some of the younger boys would sit in the same pew as Gwilym during the services, whereupon they would often receive a clip around the earhole from Gwilym for misbehaving. On one occasion when things got out of hand the Rev Parri-Roberts had to intervene from the pulpit. '"Ithel, will you please behave,"' was his plea, whereupon Ithel replied 'Hedd is pinching me, Dad'. On another occasion Hedd's knee somehow became stuck in the clockframe of the gallery and was still stuck well after most of the congregation had left.

Despite such episodes Hedd pays tribute to the various festivals and services associated with the chapel and the numerous verses and hymns he learnt by heart and still remembers to this day.

Crwydro'r Ardal

E. Llwyd Williams

Sylwn wrth fynd ymlaen, ar dwr o greigiau hanner y ffordd rhyngom a phen y Foel, ac ymddengys fel petai'r ddaear yma wedi gwthio'i hesgyrn trwy'i chroen. Dyna Garn Afar. Y mae yno faen-hir hefyd ar weundir yr Eithbed. Er nad yw'r heol y tramwywn arni'n briffordd, y mae mewn cyflwr da, a chofiwn yr Ianc a'i danc ar y daith adeg y rhyfel diwethaf, ac yn wir, ar derfyn y rhyfel ceisiodd y Swyddfa Ryfel o dan ddwrn America hawlio'r bryndir a'r gweundir yn yr ardal hon fel maes ymarfer ar gyfer y rhyfel nesaf. Galwyd cynhadledd o'r ardalwyr a llwyddwyd ar ôl dadlau ffyrnig i rwystro'r cynllun. Casglwyd cannoedd o bunnoedd i amddiffyn Presely, a methodd hyd yn oed Judas 'llygad y geiniog' fagu digon o asgwrn cefn i werthu ei frodyr. Rhaid parchu'r rhanbarth hwn am gadw'r traddodiadau anghydffurfiol a gweithredu'n deilwng o fenter Beca ganrif ynghynt. Iddynt hwy y mae'r diolch am y llethrau tawel a'r ffordd agored.

Awn ymlaen ar hyd yr hen dyrpeg gan aros eto yng ngolwg Glynaeron a'r Gât – enw sy'n ein hatgoffa bod tollborth yma gynt. Safwn yma yng nghanol golygfeydd hyfryd o dan gysgod y bryniau ac ar gydiad y gweundir. Pan oeddwn i yma yn nechrau Awst yr oedd car gwag ar ymyl y ffordd a'i berchnogion yn hela'r cloddiau am lusiau duon bach, ac weithiau bydd yr helwyr hyn yn dyfod ar draws tusw o rug gwyn. Ac ar y daith hon yr estynnodd un o ferched hawddgar yr ardal lysieuyn bach arall imi yn dwyn yr enw 'Corn Carw', enw perffaith ddisgrifiadol ohono. Fe'i cafodd, meddai hi, ar y gweundir islaw.

Disgyn a wnawn oddi yma ar hyd ffordd ychydig yn gulach i LYNSAITHMAEN neu GLUNsaithmaen, canys y mae llawer Clyn (Clun) yn Sir Benfro, ac un ohonynt yn nes ymlaen ar ein taith, yn ymyl Ysgol Mynachlog-ddu. Ffermdy braf o dan gysgod y bryniau yw Glynsaithmaen, ac y mae'r pistyll a'r rhewyn dŵr rhyngom a'r clos llydan. Dyma gartref W. R. Evans (Bois y Frenni). Lle enwog am gwrsin cŵn ydoedd hwn flynyddoedd yn ôl, a chofiaf fod yn un o dair mil o bobl yma yn gwylio'r cŵn a'r bugeiliaid wrth eu gwaith. Rhaid oedd i'r cŵn gyrchu'r defaid o ben y mynydd a'u llocio yn ymyl y gornant ger y ffordd. Ni chlywais ffyrnicach chwiban na'r diwrnod hwnnw, ac yr oedd cŵn o Gymru, Lloegr a'r Alban yn yr ornest. Cynhelir y treialon yn awr ar y gwastatir ryw filltir islaw, ac er imi fwynhau gweld y cŵn yno, rhyw deimlo yr oeddwn i fod y cefndir ar goll. Darn o'r mynydd yw'r bugail a'i gi. I'r crwydryn sy'n ymddiddori fwy yn hanes carreg na dafad, y mae meini hirion yng Nghlynsaithmaen, a gerllaw ar y gweundir y mae Carnabwth, cartref Thomas Rees, prif swyddog y fyddin answyddogol a ymosododd ar glwyd yr Efail-wen yn 1839.

Wrth gefnu ar Lynsaithmaen, cofiaf imi ddringo'r llethrau hyn ar gefn ceffyl yn ystod haf 1938, a minnau ar y pryd yng nghwmni'r marchogwr profiadol, y diweddar D. L. Eckley, gweinidog Llandeilo ar y pryd. Yr oedd Eckley'r prynhawn hwnnw yn taflu englynion i'r awyr wrth y dwsin o'i gof tro-byllaidd, a chofiaf amdano'n adrodd yr englyn hwnnw o'i waith ef ei hun i'r hen bladur, sy'n cynnwys y llinell gampus ... 'Gwledd i rwd ar glawdd rhedyn'. Cafodd y ddau geffyl dramwy'n ddisbardun y prynhawn hwnnw, ac yr oedd y llethrau'n gynghanedd i gyd. 'A 'sdim troi'n ôl i fod', meddai Eckley, 'nes inni gael golwg glir ar Gerrig y Marchogion, – efallai mai disgwyl amdanom ni y mae Arthur!'

Y mae'r ffordd yn dirwyn ymlaen heibio i'r llethrau ac yn disgyn wedyn i rostir eang o gerrig llwydion, eithin a grug, a hyfryd yw gweld y tai a'r bythynnod hwnt ac yma ar hyd y rhostir a thu hwnt i'r afon o dan gysgod Mynydd Capel Cawy. O amgylch y tai gwelir tri neu bedwar o gaeau bychain glas, a thu allan i'r rheini y mae llwydni'r rhos a'r gors. Y cae i'r fuwch a'r rhos i'r ddafad yw'r drefn yma, a phan ddring y ddafad i'r mynydd yn yr haf, caiff y fuwch cyfle i hela'r gweundir. Y mae'r hendre a'r hafod yn ymyl ei gilydd ym Mynachlog-ddu. Ar waelod y rhostir deuwn i ffordd arall ac os trown i'r dde awn ymlaen i gyfeiriad y Llandre, hen ffatri wlân Cwmisaf, a chael eglwys y plwyf bron o'r golwg ar y tro. Anaml y cynhelir gwasanaethau yn yr eglwys hon ar hyn o bryd. Ar ein ffordd yma cofiwn fod olion cylch o feini ar y Gors Fawr ac y mae dwy o'r cerrig yn gadarn ar eu traed o hyd. Ceir cymaint o'r cerrig hyn yn ardaloedd y Presely fel y gellid yn hawdd drefnu taith o gromlech i gromlech ac o faen-hir i faen-hir. Dyma olion crefydd a chladdfeydd y gwŷr cyntaf a gerddodd drwy'r bröydd hyn. Addolwyr yr haul oeddent hwy, a dywaid haneswyr iddynt adael mwy o olion na'r holl hiliogaethau a'u dilynodd mewn cyfnodau diweddarach. Ceir rhyw ddeuddeg a thrigain o gofgolofnau o bob math iddynt yn Sir Benfro yn unig, a pherthyn y rhain i'r cyfnod cyn-Rufeinig. Y mae'r garreg lwydlas wedi herio'r canrifoedd. Heblaw y rhai a nodwyd eisoes, y mae eraill i'w gweld hefyd yn y Mwntan, Waun-lwyd a Thynewydd.

Os trown i'r chwith ar ôl dyfod i ben ffordd Glynsaithmaen deuwn i'r llythyrdy, sgwâr y Cnwc, y siop, yr afon a chapel Bethel. Anodd cyrchu'r llecyn hwn heb droi i'r fynwent, cadw i'r dde gyda mur y capel a cherdded i ymyl bedd Thomas Rees — a diolch i rywrai am gerfio'r enw 'Twm Carnabwth' o dan yr enw bedydd ar y garreg.

Un o feibion Môn yw Robert Parri-Roberts, gweinidog Bethel, a bydd ef beunydd yn sôn am y tebygrwydd rhwng Sir Fôn a Sir Benfro, tebygrwydd awyrgylch a chymdogaeth a thebygrwydd clust i wrando ar bregeth neu ddarlith. Y mae lliw Iwerddon ar hiwmor y naill sir a'r llall hefyd.

Awn ymlaen ar hyd y ffordd hon nes cyrraedd Cware Tyrch, chwarel lechi segur, a hawdd gweld laned lliw'r lechen hon wrth edrych ar y graig a'r domennydd rwbel o boptu'r heol. Olion ugain mlynedd o segurdod sydd yma heddiw, ac eto glŷn rhyw ramant o amgylch yr hen waith a'r hen bwll. Lluosog 'twrch' yw 'tyrch', ac fe'n cawn ein hunain yma ar randir rhwng ffiniau tir hela'r Twrch Trwyth, yn ymyl Felin-dyrch ac yng ngolwg Foel Dyrch. Enw'r tŷ uwchben y chwarel yw Brynarthur, a rhyngom a Glynsaithmaen y mae Cerrig Meibion Arthur, Garn Arthur a Bedd Arthur. Cynefin y tywysogion yw'r fro hon, ac onid brenin o dan felltith Duw oedd y Twrch Trwyth? Y mae'r hen chwedlau ar sodlau'i gilydd ar lethrau Presely a'r oesoedd wedi'u plethu'n un cawdel o reffyn. A dyna'n hetifeddiaeth ni yn y profiad o fyw o dan gysgod y bryniau hen.

Yn ymyl Cware Tyrch yr oeddwn i pan gefais gwmni Ben Owens, y Llyfrgell Genedlaethol, un o feibion disgleiriaf Mynachlog-ddu, a newidiwyd gwedd y crwydro o dan drem ei wybodaeth a'i hawddgarwch. Buom yno'n clebran crwydro am awr. Dywedodd wrthyf fod Sir Benfro'n fynych ger ei fron yn y Llyfrgell Genedlaethol, a'r ffaith a gyfrif am hynny yw mai un o nodweddion y sir yw iddi godi to o haneswyr da iddi hi ei hun, dynion fel George Owen, Henllys; Richard Fenton, Abergwaun, ac Edward Laws, Dinbych-y-pysgod. Wrth sôn am waelod y sir, credai ef ei bod hi'n bwysig inni gofio mai dylanwad y Saeson yn hytrach na'r Fflemingiaid sy'n gyfrifol am Seisnigo'r godre.

E. Llwyd Williams

Crybwyllodd y ffaith fod llyfr ei gyfaill, y Dr Bertie Charles, yn dweud hynny, ac y mae'n amlwg mai ychydig o enwau lleoedd yn y godre sydd o darddiad Fflemingaidd. Y Saeson, felly, sy'n gyfrifol am y 'ddwy ochor yn Shir Bemro'. Yr oedd gan Ben yn ei boced restr ddiddorol o eiriau o odre'r sir sy'n dangos cydberthynas ieithyddol y godre a'r gogledd, ac er fy mod yn gyfarwydd â rhai ohonynt, yr oedd eraill yn eu plith yn newydd imi. Cefais y rhestr ganddo ac fe'i cyhoeddir yma fel cyfarwyddyd ieithyddol i grwydraid eraill ...

Budrum – Bwdram.
Bullheads – Penbwliaid (tadpoles).
Cawel – Cawell.
Caffle – Cafflo, drysu edau neu edafedd (entangle).
Clom – Tŷ clom, cymysgedd o wellt, clai a phridd.
Cornel – Cornel.
Creath – Craith.
Cretch – Cretsh (cart) – tin-clawr.
Crwt – Crwt, llanc ifanc.
Dear Annwyl! – Ebychiad 'dwyieithog' a glywir ym mhob rhan o'r sir.
Durgy – Dwrgi, disgrifiad o ddyn a choesau byr ganddo.
Gallowses – Galosis, bresys.
Glaster – Glastwr, cymysgedd o laeth a dŵr.
Hadridge – Charlic – Hatrish.
Higgin – Gŵn-nos, hugan.
Kerdidwin – Cardydwyn, y mochyn lleiaf mewn tor.
Moyle – Moel?–- buwch ddigorn.

Pompren – Pompren.
Poythe – Anrhegion priodas, pwyth.
Pulke – Pwll.
Pyatt – Piod.
Rocass – merch ifanc, rhoces.
Shigle – Siglo, ysgwyd.
Shipress – Shipris, cymysgedd o geirch a haidd.
Siccans – Sucan, blawd ceirch (gruel).
Skew – Sgiw, setl.
Stum – Stwmo, cau'r tân cwlwm – glo mân a chlai.
Towlat neu Tollat – Llofft bwthyn, taflod, dowlad.
Trippet: – stôl, trybedd.

Wrth sylwi ar y gair 'dowlad' yn y rhestr uchod, cofiaf fod Cymry'r sir yn defnyddio gair arall o'r un sŵn ond o ystyr cwbl wahanol sef 'towlad', yn golygu 'rhwystr' – taflu'n ôl neu 'towlu lawr', a dyma frawddeg a glywir weithiau . . . 'Mae'r pwl dolur 'na wedi bod yn dowlad mowr iddo'.

Troi'n ôl a wneuthum yng Nghwarre Tyrch a dychwelyd i'r Cnwc a throi i gyfeiriad yr Ysgol. Cofiaf am eisteddfod yma a'r frawddeg hon yn ennill mewn cystadleuaeth llunio brawddeg a phob gair yn cychwyn â'r llythyren 'A'. . , 'A all Awdur Anian anghofio anghenion aderyn am awr?' Credaf mai Eliaser Williams, gwehydd a breuddwydiwr, oedd yr awdur. Gerllaw'r Cnwc oeddwn hefyd pan gefais afael ar Tomi Morris, Pen-llain, gŵr a ddysgodd y cynganeddion pan oedd yn was ffarm yng nghwmni Jac Pant-glas a Thomas Pil-mawr, tu draw i Ddyffryn Taf, a dymai'i englyn i Of y Pentref . . .

Hen yn wir ei einion o – a heintus
Yw ei bentwr poethlo;
Ni fu morthwyl yn nwylo
Mwy o gawr na Jim y go'.

Holais iddo am englyn arall a chefais un ganddo i ddafad y mynydd. Y mae cannoedd o'r rheini o'n hamgylch ar lethrau Mynachlog-ddu ...

I'w hadwy mor ddihidio – y try'n ôl
Trwy y niwloedd heno;
Hi a drig ar frig y fro,
Un galed i'w bugeilio,

Rhwng y Cnwc a'r Ysgol y mae llyn bychan yn ymyl y ffordd, a bob tro yr af heibio i hwn, bydd gotiar neu ddwy yn chwarae o gwmpas ac yn gofalu na chaf ond braidd weld y pig melyn a'r cwt gwyn. Gwelais gotieir mewn llawer man erioed, ond y rhain gyferbyn a iet y Clun sy'n neidio o flaen fy llygaid pan glywaf y gair 'gotiar'. Yn ystod mis Awst, fel rheol, y byddaf yn yr ardal hon, ac y mae drws yr ysgol ar gau yr adeg honno, eithr gwn fod Lewis y Sgwlyn yn cadw'r drws led y pen i groesawu hen hanes y sir, a phan ddaw parti'r Aelwyd i faes Eisteddfod Genedlaethol yr Urdd bydd yr aelodau wedi eu gwisgo yn nillad Beca, siolau cochion Jemima Nicholas neu bali Rhiannon. Gall Aelwyd yr Urdd ym Mynachlog-ddu ymffrostio iddi werthu mwy o lyfrau nag unrhyw Aelwyd arall yng Nghymru, rai blynyddoedd yn ôl, ac y mae'n 'Ymgyrch' yno o hyd.

Uwchlaw'r ysgol y mae GARN MENYN neu GARN MEINI. Awgryma Ben Owens mai enw gwneud i egluro nodweddion y garn yw 'Garn Meini'. Seilia'i awgrym ar y ffaith mai Garn Menyn yw'r ffurf lafar bob amser, a dyna sydd yn *Llyfr Eglwys Bethel* o'r dechrau, a hefyd ar *Fap Degwm* y plwyf yn neugeiniau'r ganrif o'r blaen. Nid oes amheuaeth am y ffurf lafar hyd heddiw, ac y mae dros ganrif a hanner o dystiolaeth iddo mewn arysgrifen. Bryn a bataliwn anniben o greigiau 'llosg' yn gwersyllu ar ei gopa yw Garn Menyn. Ar ôl i'r tân galedu'r creigiau daeth y rhew i'w hollti'n gerrig parod i'w llunio'n gromlechi a meini hirion hwnt ac yma. Cerrig wedi eu puro trwy dân ac wedi eu trin gan iâ ganrifoedd maith yn ôl yw'r rhain i gyd. Y mae hanes rhyfedd i'r meini hyn. Cerrig o Garn Menyn sy'n ffurfio'r cylch mewnol yng Nghôr y Cewri (*Stonehenge*). Bu llawer o ddyfalu sut yr aethpwyd â hwy yno, ai ar hyd y tir dros gant a hanner o filltiroedd, ai dros y tir ar gar llusg i Aberdaugleddau a thros y dŵr wedyn, a thrachefn o'r môr i'r tir? Dyna'r cwestiynau sy heb eu hateb. Ond cerrig o Garn Menyn ydynt, yn ôl barn yr arbenigwyr, a rhaid cydnabod i'r parthau hyn, bum mil o flynyddoedd yn ôl gynhyrchu gwŷr a oedd yn athrylithgar yn y grefft o godi pwysau a threfnu trafnidiaeth.

Hoffaf y stori sy'n sôn amdanynt fel addolwyr yr haul, yn dilyn gwrthrych eu parch a'u hofn o gyfeiriad toriad gwawr i gyfeiriad y machlud, ac wedi cyrraedd ucheldir Dyfed a methu mynd ymhellach gan fod y môr yn gomedd iddynt, yn cael yno er hynny seintwar naturiol a digon o ddefnyddiau i godi teml i'w duw. Hyn, meddir, a'u cymhellodd i ddwyn y cerrig mawrion o Garn Menyn i'r gwastadedd yn Lloegr. Cawsant y cerrig, felly, o glawdd terfyn cysegredig eu pererindod ar drywydd yr haul. Nid hon yw'r unig stori amdanynt, a bydd dyfalu eto. Ceir heddiw, yng nghanol y cerrig ar Garn Menyn, 'allor haul'.

Ar ôl edmygu hynafiaeth ac aruthredd naturiol seintwar Garn Menyn, euthum yn dawel heibio i dyddynnod y gweundir nes dyfod at droed Foel Drigarn. Y mae olion hen gaer ar y llethrau llwyd-ddu, ac ymddengys y foel ei hun fel petai'n rhyw fath o garreg-sang rhwng y bryniau eraill a'r Frenni Fawr. Ar y dde inni ar y gweundir y mae tarddle Cleddau Ddu, ac olion hen gromlech yw'r cerrig a welwn ar y daith i gyfeiriad y ffynnon. Ceir olion cylchoedd hefyd ar gopa Foel Drigarn.

Mewn ysgrif gan yr Athro Oliver Stephens yn disgrifio taith o Lanfyrnach i Faenclochog gwelais gyfeiriad at Groes Fihangel. Soniai hefyd am Groesffordd Fihangel, ac er holi a holi, bûm am fisoedd heb daro ar neb yn ddigon hyderus i'w lleoli'n bendant. Ond yn ystod haf 1958 trewais ar Desmond Healy, ac yntau wedi bod yng nghwmni'r hynafiaethwyr ar lethrau Foel Drigarn, a chefais wybod ganddo mai yno y mae Croes Fihangel. Dan gysgod Foel Drigarn a heb fod ymhell o ffarm Bwlchymynydd y mae Croes Fihangel, ac yno yn y flwyddyn 1958 y cloddiwyd wrn-fedd yn perthyn i'r cyfnod 1800 C.C. Cafwyd wrn gyffelyb yno hefyd yn 1956.

Diau mai Croesffordd Fihangel yw'r fforch sy'n gwahanu Crymych a Phen-y-groes wrth droed Foel Drigarn. Safwn yma ar brynhawn braf yng nghanol haf gwlyb 1958 a chofio nad oeddwn erioed wedi gyrru ymlaen dros yr heol gefn i gyfeiriad Pen-y-groes. Euthum drosti'r prynhawn hwn a chael mwynhad mawr.

Pen Foel Cwm Cerwyn

Y mae mwy nag un llwybr i ben Y Foel. Hwn yw'r crib uchaf ym mryniau'r Presely, er nad yw ond traean milltir uwchlaw arwynebedd y môr. Eithr gwyddom y gall ei droedfeddi wrth eu sengi fod yn rhithiol a'r copa ar ôl ei gyrraedd fod yn rhyfeddod. Euthum i ben Y Foel unwaith o Rosebush, a dyna ymdrech awr i gerddwr cymedrol. Ar ôl mwynhad a rhyfeddod y prynhawn hwnnw, yr oeddwn yn awyddus i fynd yno'r eilwaith; dringo'r llethrau yng nghwmni rhywun cyfarwydd â'r llwybrau o gyfeiriad arall, rhywun wedi'i fagu ar fron neu yng nghesail Y Foel, rhywun i enwi'r bylchau a'r tai a dangos y cerwyn imi. A chyn hir daeth y prynhawn glas i Wil Glynsaithmaen a minnau gamu dros y wifren bigog ac anelu at y clogwyn.

Cyn cychwyn ar y daith hon, cefais ymgom ddiddorol a gŵr ifanc sy'n bugail-amaethu yn y fro. Fe'i magwyd yntau hefyd yng Nglynsaithmaen, a gwyddwn y gallasai o ran yr addysg a gafodd ddal swydd arall, ac yr oeddwn am wybod paham y glynnodd wrth y gweundir a'r bryndir. 'Rhyw lithro i ffarmo 'nes i amser rhifel', meddai, 'ond fe ddigwyddodd rhwbeth yr amser 'ny. 'Sdim sboniad 'da fi ar y peth, ond bob tro 'rwy'n mynd lan man 'na ar y mini ma' rhwbeth yn cidio indo i wrth edrych obiti, a hinni sy'n 'y nghadw i 'ma'. Dywenydd cofio bod gafael, cydio fel 'na, yn brofiad o hyd i wŷr tyner a diwylliedig erwau'r defaid a'r ŵyn. Nid gwŷr wedi methu cilio i rywle gwell yw'r bugeiliaid newydd sy'n aros 'ar yr hen fynyddoedd hyn'.

O ymyl Glynaeron y cychwynnodd Wil a minnau ddringo'r Foel, ac y mae'n rhaid bod y cwmni'n gydnaws a'r ieuo'n gymharus, canys cyrhaeddwyd y copa heb na thuchan na pheswch. Mudandod a'n trawodd gyntaf ar ôl cyrraedd y clogwyn, y mudandod sy'n perthyn i ehangder ac ysblander golygfeydd. Dywedir bod holl siroedd Cymru ac eithrio Môn a Mynwy yn y golwg oddi yma ar ddiwrnod clir, a dywaid rhai iddynt weld yr Ynys Werdd hefyd.

Wrth ymlonyddu ar yr wylfa hon a dilyn y môr o Benrhyn Gŵyr heibio i Aberdaugleddau a Phenmaendewi hyd at gyrrau uchaf Bae Ceredigion, anodd anghofio'r hen chwedlau am Gantre'r Gwaelod ynghyd â'r gred mai afon – parhad o afon Menai efallai – a oedd gynt yn gwahanu Iwerddon a Chymru. Cyfarfûm â nifer o hen bobl a glywodd eu rhieni'n sôn am Ynys Enlli a Môn fel darnau o dir a fu unwaith ynghlwm wrth Ddyfed. Yn ôl un traddodiad boddwyd y tir hwn tua dechrau'r chweched ganrif, a beiwyd Seithennyn feddw am esgeuluso'i waith gyda'r llifddorau ac felly hyrwyddo'r difrod. Dywedir i'r môr lyncu un ar bymtheg o drefi caerog yn y rhanbarth hwn. Cred eraill fod y cyfan hyn wedi digwydd rai blynyddoedd cyn hollti'r Môr Coch.

Trigain mlynedd yn ôl yr oedd y chwedlau hyn yn boblogaidd iawn ac fe'u hadroddid gydag arddeliad hwnt ac yma ar aelwydydd gogledd y sir. Yr adeg honno yr oedd rhai o bysgotwyr llygatgraff Trefdraeth yn llwyddo i gael cipolwg frysiog ar furiau'r hen drefi o dan y dŵr ym mhen pella'r bae ar ddiwrnod clir, a thua'r un adeg yr oedd pysgotwyr Milffwrd yn taro ar ddolydd gwyrddion ar lawr y môr rhyngddynt ac Iwerddon. Canrif ynghynt na hyn yr oedd y tylwyth teg, neu efallai y gellid eu disgrifio'n gywirach fel rhyw urdd arbennig o fôr-forynion angylaidd, preswylwyr yr ynysoedd gwyrddion hyn, yn mynychu'r farchnad yn gyson ym Milffwrd. Y mae'r hen ramantau hyn yn fabinogaidd o ddiddorol, a diau nad ydynt yn hollol ddisylwedd.

Er bod Pentir Gŵyr yn y pellter a Llŷn yn ymestyn i'r cyfeiriad arall, yr oeddwn am edrych yn nes adref y prynhawn hwn. Wil oedd y cyntaf i dorri ar y distawrwydd: 'a dyma ni ym mro ein plentyndod', meddai ef, 'a Cherrig Marchogion yn gwylio'r canrifoedd fan acw'. Clywem naws y cynfyd o'n hamgylch a'r awel denau fel petai'n hygar adrodd gwrhydri'r dyddiau a fu. 'Dyma fan i synhwyro urddas pendefigion fel Pwyll, a dyma'r fan i "gofio am y pethau anghofiedig" fel y soniodd Waldo', meddai Wil wrth edrych o gwmpas.

Cofiais innau wrth daflu trem i gyfeiriad Bethel am rai o'r hen bobl yn adrodd hanes oedfa wefreiddiol a gynhaliwyd yn y fro oddi tanom. Yr oedd hi'n ddiwrnod Cymanfa, a 'Myfyr Emlyn' yn cyhoeddi'r neges yng ngŵydd y cannoedd ar faes agored, ac ar ddiwedd ei bregeth yn estyn ei ddwyfraich i gyfeiriad y bryniau a'u galw hwy wrth eu henwau a gofyn iddynt gyd-dystiolaethu ac amennu'r genadwri. Aeth yn orfoledd mawr yno, yn ôl yr hanes. Cofio hyn a barodd imi ofyn i Wil i enwi'r moelydd o'n hamgylch. Ufuddhaodd yntau ar unwaith gan redeg drwy'r rhes gydag eco o huodledd 'Myfyr Emlyn' ... 'Foel Fedw, Cnwc yr Hwrdd, Talfynydd, Pen Bwlch, a'r ochr draw wedyn y mae Garn Gaer Menyn, Garn Bica a Garn Breseb, o ie, a Garn Alw ... yn galw efallai ar yr hen frenin sy'n cysgu'n dawel wrth Garn Arthur' ... A dyna ddarn o'r gymanfa a gafodd Wil a minnau ar ben Y Foel, ac yr oedd defaid ac ŵyn a rhai adar ymhlith y gynulleidfa.

Wrth edrych ar hen feini Glynsaithmaen o ben y bryn, gwelwn golofn las o fwg yn esgyn i'r awyr oddi tanom, a holais, 'o ble mae'r mwg 'na'n dwad;' 'O, fachgen, mwg hamddenol iawn hefyd', meddai Wil, 'y mae hwnna'n dwad o shime Carnabwth, lle bu Twm yn cynllunio'i flits ar glwyd yr Efail-wen'.

The above is an extract from the second volume of the notable 'Crwydro Sir Benfro' (Rambling Around Pembrokeshire) books written by E. Llwyd Williams and published by Llyfrau'r Dryw in 1960. The author trundles around the county noting all manner of facts and impressions in order to present a warm and intriguing portrait of all areas. When he arrives in the vicinity of the upper reaches of the Eastern Cleddau he is on 'home territory', and presents a cascade of historical information intermingled with anecdotes and candid observations about various characters renowned for their original thoughts and turns of phrase.

As he travels from Maenclochog beneath Foel Cwm Cerwyn he refers to rocky outcrops such as Carn Afr as if the earth had forced its bones through its skin. He reflects upon what he considers to be the heroism of those who defied the insistence of the War Office to turn the mountain slopes into a permanent military training ground. Not even a single, money-grabbing Judas dared to break ranks. He praises the Nonconformist tradition and the spirit of Rebecca for maintaining the peace and solitude of the mountain slopes.

He loiters in the vicinity of Glynsaithmaen to recall those sheepdog trials he remembers as a boy, when he was one of 3,000 witnessing the skills of sheepdogs from as far afield as Scotland. During the summer of 1938 he accompanied the Rev D. L. Eckley across the slopes on horseback as the local minister recited a string of englynion, including some of his own. As he approaches Mynachlog-ddu he compares the small, enclosed paddock fields with the wide, open heathland, the former the grazing ground of the few milking cows and the latter the habitat of the multitude of sheep. The standing stones cannot be ignored as they signify the religious and burial practices of those long ago inhabitants who worshipped the sun. The blue-grey stone, he says, has withstood the onslaught of centuries' long storms and gales.

On reaching the few clustered houses that form a hamlet if not a village, he turns right towards Bethel Chapel, takes a look at Twm Carnabwth's gravestone and evokes the Rev R. Parri-Roberts' homage to the similarities between his native Anglesey and Pembrokeshire, the social environment and neighbourliness as well as the ability to listen to a sermon or lecture. According to Llwyd, a tinge of Irish influence can be detected in the humour of both areas as well. Reference is made to the significance of local names such as Tyrch, being the plural form of Twrch, the wild boar of Mabinogion fame, and the proliferation of Arthur in local place names. The old tales, he says, are on each other's heels on the Presely slopes and the ages intertwined in one mixed lanyard. And this is our heritage as we experience life under the shadow of the old hills.

It was at Cware Tyrch that he was joined by Ben Owens, a native of the area who worked at the National Library, who produced a long list of words familiar in the South Pembrokeshire English dialect but also similar to many words in the vocabulary of the Welsh speaking inhabitants of the north of the county. Llwyd then turns on his heels and retraces his steps towards Cnwc or Pen-y-bont and heads northwards past the school where he reminiscences about past eisteddfodau and meets local poet, Tomi Morris, and shares his strict metre compositions. He ponders why both Garn Menyn and Garn Meini are used to identify the rock outcrop associated with the famous bluestone. Ben Owens suggests that the use of the word 'meini' was adopted to describe the cairn, as he is adamant the original oral name and featured on tithe maps as well as early registers associated with Bethel chapel has always been Garn Menyn.

It appears Llwyd Williams favours the theory of human transportation over glacial movement for the removal of local bluestones to Stonehenge. He is mesmerised by the religious significance attached to the large standing stones as a result of prehistoric man's pilgrimage in search of the sun's resting place. As the sea in those days forbade him from venturing further west, Carn Menyn became a sanctuary associated with the sun, and hence the huge boulders were a requisite when building a sacred temple on Salisbury Plain. On one occasion Llwyd ventured to the top of Foel Cwm Cerwyn in the company of W. R. Evans to admire the vast expanse and contemplate the rich historical heritage of the area. W.R. names the various cairns just as Myfyr Emlyn reputedly did when inviting the various landmarks to testify to the presence of the Almighty at an open-air preaching festival once held below.

Llandeilo

Wrth ddisgyn i Bont-hywel gwelwn rostir pen uchaf plwyf Llandysilio yn cydio ym mhlwyf Mynachlog-ddu, ac ar y cydiad y mae ffatri wlân Glandy-bach. Gwelais garthen o'r ffatri hon mewn tŷ yn y gymdogaeth, ac yr oedd honno wedi bod yn cynhesu'r gwely am ddeugain gaeaf pryd y gwelais i hi. Tu hwnt i Bont-hywel y mae inni ddewis o ddwy ffordd — y naill yn rhedeg ymlaen trwy Langolman i Rydwilym neu Landeilo, a'r llall ar y dde yn dringo'r rhiw i groesffordd Rhos-fach. Wrth ddringo hon ac ar ôl gorchfygu ei serthedd, gwelwn ffordd yn troi i'r dde ac yn cyrchu hen ffatri wlân Cwmisaf ac eglwys blwyf Mynachlog-ddu. Ar groesffordd Rhos-fach drachefn y mae ffordd arall yn troi i'r dde ac yn dirwyn ymlaen heibio i Ddolaeron, Glynsaithmaen a Mynachlog-ddu.

Y mae'r ffordd sy'n ein tywys o Ros-fach i Faenclochog yn mynd heibio i ffermdai sy'n dwyn yr enwau Pengawse, Meini, Pisga, Pen Nebo, Brynllechog, Pantygwynfyd, Pengwndwn a'r Galchen. Diangof yw'r golygfeydd ar hyd y ffordd hon sy'n estyn inni filltiroedd o weld. Ar y daith hon, hanner y ffordd rhwng Rhos-fach a Maenclochog, gwelwn heol yn troi i'r dde, ac y mae'n werth aros gerllaw'r ciosg ym mhen honno a cherdded ar hyd-ddi i wynebu'r bryniau, a dychwelyd drosti wedyn i weld y wlad o gyfeiriad arall. Fe'm cymhellwyd i wneud hyn fwy nag unwaith. Y mae gwin yn yr awel yma.

Ond y mae'n werth troi i lawr yn Rhos-fach hefyd a mynd i Landeilo. Rhwng y ddau le hyn y mae'r cyfrifydd Tomi L. Jones, cynghorwr y rhanbarth, yn byw, yntau'n ŵr a all anghofio ffigurau'r dreth incwm ambell noson a mynd ati i lunio englyn neu soned. A dengys y soned hon o'i eiddo y gall yntau ddringo'r Foel heb golli'i ben. . .

FOEL CWM CERWYN

O'th ben, tu hwnt i eang erwau'r mawn,
  Mae golygfeydd sy'n herio harddwch byd,
Pan fydd y wlad yn glir ar heulog nawn
  A'r ddaear wedi gwisgo'i rhwysg i gyd.
Mae'r mynych ddringwyr yn ymgolli'n llwyr
  Wrth weld yr Ynys Werdd tu draw i'r lli,
Rhosydd Cernyw a chreigiau Penrhyn Gŵyr,
  A cholli tegwch bro Mynachlog-ddu;
Amlinell esmwyth, brwyn a blodau'r grug,
  Defaid ac ŵyn yn frith ar Graig y Cwm,
Y bwthyn gwyn, penisel, draw lle trig
  Carlo a Fflei yng nghwmni Lis a Thwm;
Mwg tanau mawn yn codi'n syth i'r ne'
A chlecian clocsau'n prysur weithio te.

Heol gul rhwng cloddiau uchel sy'n ein harwain o Ros-fach a Llangolman i Landeilo, ac ni allaf fynd ar ei hyd heb gofio'r hen gân-fagu:

Llifio, llifio cŵed Llandeilo,
Hollti pren bedw
Yng ngallt yr hen widw -
Peth at lwye, peth at ffiole,
Peth at focsis bach dimeie,
Dimeie, dimeie, dimeie,
Dimeie, dimeie.

Saif capel Llandeilo ar droed Rhiw Goch ac y mae'n werth troi i'r fynwent i gael golwg ar Gwm Teilo'n llithro'n esmwyth i Gwm Cleddau. Oddeutu'r heol islaw'r capel y mae olion y chwarel lechi a fu'n ddiwyd unwaith. Troeon clymaidd sy'n y cwm rhyngom a thŷ'r gweinidog, a thu cefn i hwnnw y mae olion hen gapel a mynwent yr Annibynwyr. Islaw iddo y mae ffarm enwog Llandeilo, ac y mae olion hen eglwys a mynwent yno hefyd. Llecyn hynafol ydyw hwn, ac y mae naws yr hen oesoedd o dan y coed ac o amgylch y gweundir.

Gellir mynd o glos ffarm Llandeilo i Gefn Llwydarth, arsyllfa gyfleus, a gweld Pen-rhos, y bwthyn unllawr a phob ffenestr yn agor fel drws i groesawu awelon Presely. Uwchben y drws ceir carreg droedfedd sgwâr â'r geiriau arni:

PENRHOS 1849. Cerrig cabol o'r chwarel gerllaw sydd ar y llawr, a gwellt sy'n do iddo. Ai hwn yw'r unig fwthyn to-gwellt sy'n dŷ-byw yn Sir Benfro ar hyn o bryd? Soniais am ei hen drigiannydd, John Williams, yn *Hen Ddwylo*.

Un o hen gyfarwyddiaid Sir Benfro oedd John, a deil henwyr yr ardal i adrodd storïau amdano ef yn barhaus. Yr olaf a glywais oedd hon:

Gofynnwyd iddo i chwilio am gi bach i feddyg yr ardal, a phan gafodd John gi wrth ei fodd, aeth ag ef wrth linyn i dŷ'r doctor. Edrychodd hwnnw'n lled feirniadol ar y ci a dweud, 'da iawn, John, ond mae'i goese fe'n rhy fyr'. Siomwyd John gan y feirniadaeth ac meddai, 'ei goese fe'n rhy fyr! rhy fyr! Edrychwch 'to, Doctor, ma'r peder yn cwrdd â'r llawr, yn cwrdd â'r llawr, Doctor!'

Cymydog i John oedd Dai'r Llwydarth, ffarmwr cryf, afrosgo, a pharablwr talentog. Ef oedd y gŵr a aeth i gyfarfod gwleidyddol ym mhentref Maenclochog a chlywed siaradwr yn galw am undeb ymhlith yr etholwyr, a gweiddi 'Mewn undeb mae nerth'. 'Eitha reit', meddai Dai, 'pebai holl sgadan y môr yn dechre crafu'r morfil, bidde'n rhaid iddo simud!'. A chymydog arall, mwy crafog ei eiriau efallai, oedd Dai Dolfelfed. Anesmwythwyd ef un tro wrth weld gŵr heb fod yn aelod - gŵr heb ddyfod â'i lythyr aelodaeth ganddo – yn trafod gormod o fusnes yn un o gapeli'r fro. 'H'm!', meddai Dai, 'sda fi ginnig gweld gwas yn dwad i ffarm heb 'i focs!'.

Llwyd Williams appreciates the wide ranging views as he travels from Rhos-fach towards Maenclochog past Brynllechog and Pantygwynfyd and suggests a brisk walk along the right-hand turn facing the hills where he sniffs the presence of wine in the wind as he returns facing a different spectacle. From Rhos-fach he ventures towards Llandeilo and meets the cultured accountant and local authority councillor, Tomi L. Jones, who has also composed a sonnet in praise of Foel Cwm Cerwyn. Llwyd recalls a nursery rhyme associated with the area as he approaches Rhiw Goch and Llandeilo chapel. He feels the presence of an age gone by in the glades surrounded by moorland.

From Llandeilo Farm he ventures towards Pen-rhos thatched cottage and gives a vivid description of John Williams, a former resident, whose exploits have often been extolled. Llwyd mentions the occasion John had been instructed by a local doctor to find him a dog, and when he dutifully presented the requested canine he was told its legs were rather short, whereupon John retorted, "Well, at least all four touch the floor".

Dai'r Llwydarth was a neighbour who had a way with words, for when he was told at a political meeting that the electorate should unite to show their might, he totally agreed with the quip that if all the mackerels in the sea started scraping the whale he would soon have to move. Another neighbour, Dai Dolfelfed, possessed a more acerbic wit, for when he was once irritated by someone who was not a chapel member – offering his views liberally in a chapel meeting – his comment was, "I have no sympathy with a farm servant who doesn't bring his own box".

Cleddau Ddu

Cawn yr olwg gyntaf ar yr afon Cleddau yn croesi'r ffordd rhwng y siop a chapel Bethel, Mynachlog-ddu. Cleddau Ddu yw hon, ac y mae Blaencleddau yn enw ar le ym mhen ucha'r plwyf. Gellir mynd ar hyd y ffordd a threfnu cwrdd â'r afon drachefn a thrachefn, hwnt ac yma. O fynd felly, cawn yr olwg nesaf arni islaw'r gweundir ym MHONTYRHAEARN, a dywedir bod blas hyfryd y mawndir ar ei brithyllod yn yr ardal hon. Cawn ein dewis o ddwy ffordd yma, – ar y chwith inni y mae pen uchaf plwyf Llandysilio a ffatri wlân Glandy-bach ar lan ffrwd arall, ac ar y dde y mae Allt-y-gog, cartref Ben Owens, y Llyfrgell Genedlaethol. Yn nes ymlaen ar y ffordd hon y mae Eglwys Mynachlog-ddu a hen ffatri wlân Cwmisaf, ac awn ymlaen dros bont afon Wern i groesffordd Plasyblodau. Gerllaw y mae tyddyn y Gwastod, lle y gwelais i'r corgi pedigrî cyntaf gan Wil Young. Masiwn ydoedd ef yn ymhyfrydu mewn cadw gwenyn, magu ieir Plymouth Rock a chorgwn, a llunio ambell ffon. Yr oedd ganddo ef gorgi flynyddoedd lawer cyn i hwnnw ddyfod yn gi bydenwog.

Trown ar y chwith ar groesffordd Plasyblodau a disgyn ar ein pennau i BONT-HYWEL. A fu Hywel Dda ar hyd y ffordd hon? Llecyn tawel ydyw hwn, a'r felin yn ymyl y bont gul sy'n cysylltu Sir Benfro a Sir Gaerfyrddin. Y mae dros ddeng mlynedd ar hugain er pan glywyd sŵn y malu yn y fro, a heddiw, lle y bu'r cart ceirch y mae car pysgotwr. Cuddia'r brithyll a'r sewin o dan y glannau a daw'r eogiaid yn fentrus-ffyddiog bob gaeaf i ddodwy yng ngro'r rhydiau. Wrth wrando ar straeon ynghylch y felin hon y clywais i'r sôn gyntaf am 'byng' – rhialtwch crwts a rhocesi'r ardal yn ystod y noson y deuai'r 'benwent', y llwyth cyntaf o rawn, i'w sychu a'i falu. Ymgasglent o amgylch y felin y nos honno i chwarae a'u difyrru eu hunain. Yr oedd y cyfan yn ddigon diniwed, eithr gwae'r cymydog amhoblogaidd. Ceir hanes y 'byng' hefyd yng Nghwm Gwaun, ac yr oedd yn arfer ganddynt yno i 'wisgo' pen ceffyl a'i gario o le i le, ond nid 'Mari Lwyd' Morgannwg mo'r arfer hwn yno. Un o ddefodau'r ganrif o'r blaen oedd y 'byng'.

Cewch sticil ar Bont-hywel ac os ewch dros honno a dilyn yr afon hyd y tro ar waelod y waun, byddwch ym Mhwll-cam. Lluniais delyneg i'r pwll hwn unwaith, ar ôl gweld hanner dwsin o blant yn ei ganol ar ddiwrnod poeth o haf, ac wrth wylio ambell un yn mentro o dan y dŵr fe'm cyffrowyd i holi faint o'r pysgodyn sy mewn dyn?

Uwchben Pwll-cam y mae chwarel lechi'r GILFACH, yr unig un yn yr ardal sy'n gweithio ar hyn o bryd. Gellir dyfod i'r Gilfach hefyd o gyfeiriad yr Efail-wen, ac y mae llwybr drwy'r chwarel sy'n arwain at bompren gul, a thu hwnt i honno wedyn y mae rhodfeydd dymunol lle ni chlywir dim ond sŵn afon ac adar. Bu'r diwydiant llechi yn amlwg yn y sir mewn llawer ardal o Gilgerran i Dre-fin a Phorth-gain, ond yma'n y Gilfach efallai y bu'r llwyddiant mwyaf. Defnyddid llechi bröydd Presely cyn belled yn ôl â'r drydedd ganrif ar ddeg, a dywaid George Owen fod yma ddiwydiant pwysig yn yr unfed ganrif ar bymtheg. Bu Cwmni'r Brodyr Davies o Borthmadog yn llywio'r chwarel hon am flynyddoedd maith, ac fe'i hailagorwyd ar ôl y rhyfel gan Glyn Absalom, brodor y bu ei dad o'i flaen yn gweithio chwarel y Garn y tu draw i'r afon. Ar hyn o bryd defnyddir llawer o gerrig y tomennydd i wella feidiroedd ffermdai'r ardaloedd cyfagos, a gresyn bod mwy o alw am y garreg rwbel na'r llechen gywrain.

Llechen arbennig ei hansawdd a'i lliw yw'r un a naddir o'r creigiau yn Nyffryn Cleddau. Gellir ei chael yn las-arian neu'n las rhwd-frith; ôl dŵr wedi llifo dros y graig am flynyddoedd yw'r glas rhwd-frith. Dywedir bod y llechi hyn yn caledu yn y tywydd ac na fydd na rhew na gwres yn effeithio'n niweidiol arnynt. Gellir eu gweld ar do llawer tŷ yn yr ardal a hwythau wedi herio'r tywydd am ganrif a mwy, a'r un yw eu hanes yng ngwres y trofannau. Fe'u canmolir gan bob aristocrat o bensaer. Defnyddir rhai o'r cerrig hyn yn awr i'w malu'n 'flawd' nwyddau plastig yn Llundain.

Heddiw, gwelwn dai a dowyd a theils clai yn cael eu hail-doi, a hynny ymhen llai na phymtheng mlynedd ar ôl eu codi. Y mae'n wir fod pris llechi Sir Benfro ac Arfon yn uwch na'r teils clai, ond y mae dengwaith mwy o barhad ynddynt. Hawdd y gallwn gyhuddo 'gwŷr Llundain' a'n Cynghorau diweledigaeth o ladd y diwydiant llechi yng Nghymru.

Llwyd Williams first encounters the Eastern Cleddau river – Cleddau Ddu – between Cnwc and Bethel chapel and by the time it reaches Pontyrhaearn he insists the sweet taste of the peatbog is prevalent when eating local sewin. He passes St Dogmael's Church, the former Cwmisaf mill, crosses River Wern and reaches Plasyblodau junction, where he remembers a stonemason called Wil Young in a nearby cottage called Gwastod. Wil kept bees, Plymouth Rock hens and a pedigree corgi dog well before the breed became well-known.

As he loiters at Pont Hywel mill, closed since the 1920s, he mentions the spree associated with the first annual load of grain that was dried and milled, when youngsters would congregate to entertain themselves and carry out pranks. At Pwll-cam he remembers children swimming and diving under water and recalls a lyric he wrote posing the question, "To what extent does man possess the attributes of a fish?" Mention is made of the merits of locally quarried silver-blue and blue rust-speckled slates at Gilfach, but Llwyd laments the fact that slate-rubble used to underpin farmroads is more in demand than proper roofing slates with the appearance of cheap tiles on the market.

Rhydwilym

Dringwn y rhiw drachefn o Bont-hywel gan droi i'r chwith i gyfeiriad Llangolman, a cheir ffordd yn ymyl Rhydiau-bach sy'n arwain i lawr trwy glos ffarm Dandderwen i gwm Rhydwilym. Dyma baradwys cerddwr. Bu'r moch Cymreig gorau'n y wlad ar glos Dandderwen rai blynyddoedd yn ôl, a'u cwpanau'n addurno seld y tŷ. Dyma'r mochyn gwyn sydd â'i glust yn cuddio'i lygad ac yn ymestyn at flaen ei drwyn. Mochyn yr ham ddihafal. Islaw'r ffarm y mae tŷ Dandderwen, a godwyd gan berchenogion y chwarel adeg cychwyn y gwaith. Try'r ffordd yn llwybr cyn hir gan ein harwain trwy gwm coediog uwchlaw'r afon. A fyn y Cyngor Plwyf gadw'r llwybr hwn ar agor?

Awn ymlaen o Rydiau-bach heibio i dro chwyrn a chyrchu Eglwys LLANGOLMAN. Fe'n cawn ein hunain yma uwchben Cwm Teilo a Chwm Cleddau. Ceir carreg-fedd ym mynwent Llangolman a llun gwydr-gwin, weinglas, wedi ei gerfio arni. Dywedir bod y wraig sy'n gorwedd o dan y garreg wedi bod yn cadw cwrw smwglin. Nid pob carreg-fedd sy'n dweud celwydd. Islaw'r eglwys y mae ffarm Llangolman gyda'i thŷ-byw maenoraidd yr olwg. Capten Michalski sy'n byw yno yn awr, milwr o wlad Pwyl sydd wedi meistroli'r grefft o amaethu. Bwriada ddychwelyd i'w wlad ei hun cyn hir, a bydd ei fab ieuengaf, Ioan Glyndŵr, yn ei ddilyn yno'n Gymro llithrig. Cred y gŵr hwn mai'r darn harddaf o Ewrob yw Sir Benfro, ac nid yw'r prydferthwch, medd ef, wedi ei gyfyngu i ryw un tymor yn y flwyddyn. Canmola'r Cymry fel cymdogion caredig, eithr carai iddynt fagu mwy o asgwrn cefn mewn gwleidyddiaeth. Dysgodd amaethu trwy lafur caled, a daw sŵn argyhoeddiad i'w lais pan ddywaid mai 'ffrind penna'r ffarmwr yw ei aradr'. Mewn ateb i gwestiwn ar grefydd, dywedodd wrthyf, 'y mae pob crefydd yn dda; ceisio byw heb grefydd o unrhyw fath yw'r drwg'.

Deng mlynedd ar hugain yn ôl trigai James Jones yn Llangolman, gŵr a ymhyfrydai mewn magu da duon, arwain canu a dysgu corau. Yr oedd yn ffarmwr gweddol eithr yn athrylith o gerddor. Dywedir ei fod yn 'arwain canu' wrth fwydo'r gwartheg a'r lloi ac nid oedd anifail ar y ffarm heb glywed darnau o'r 'Meseia'. Yr oedd yn arweinydd hynod, weithiau'n defnyddio'i freichiau fel rhod wynt, bryd arall yn defnyddio'i fysedd yn unig gydag ambell dro llygad, eithr bob amser yn rymus a chyfareddol. Ef oedd arweinydd Côr Cymysg Taf a Chleddau, a llefarodd y beirniaid eiriau aruchel o wych wrth ganmol yr arweinydd pan enillodd y côr hwn yng nghystadleuaeth y corau gwledig yn yr Eisteddfod Genedlaethol yn Abergwaun yn 1936.

Y ffarm nesaf ar y dde yw Ffynnon Samson, a dyma enw arall sy'n awgrymu ein bod ym mro'r seintiau. Safwn ar fanc Ffynnon Samson a gwelwn heolydd culion Llan-y-cefn a Llandysilio yn croesi'r afonydd ac yn gwau dros y rhiwiau wrth godi o'r meingwm. Ar y chwith inni y mae llwybrau ysbrydion brawychus yr oesoedd o'r blaen yng ngelltydd Cilau-fawr, Clun-gwyn a Llwynyrebol. Ar y dde y mae ffarm y Llwydarth ar y bryndir – yno y lladdwyd yr arth lwyd olaf yng Nghymru! O edrych ar hyd y cwm, gwelwn niwl y pellter yn cau o amgylch

Lawrenny, Landshipping a Slebets. O dynnu'r llygaid yn ôl a syllu trwy frigau'r ynn a'r deri, gwelwn gapel RHYDWILYM ar lan yr afon. Awn tuag ato:

Cyrraedd Rhydwilym yn yr henfro dlos
 A lliwiau prin y machlud yn y cwm,
Crwydro yn sŵn yr afon lân fin nos
 Dros lwybrau'r gweundir a'u meddalwch trwm;
A chrwydro eilchwyl drwy'r hen fynwent lawn
 A chael y meirw'n treiglo'r meini prudd
Wrth droi i wyll y gelltydd ar brynhawn
 Atgo'r bererin daith i oedfa gudd.
Breuddwydio a loetran yno'n ddistaw bach
 Wrth borth y cysegr o dan liw yr hedd
Sy'n gwarchod caerau'r gwrthryfela iach;
 A mentro wedyn i gynefin sedd
A gweld drwy'r ffenestr ar y rhiwiau garw
Orymdaith gain y gwŷr sy'n gwrthod marw.

Rhydwilym yw mam-eglwys Bedyddwyr gorllewin Cymru. Fe'i corfforwyd yn eglwys o dri ar ddeg ar hugain o aelodau yng nghanol cyfnod yr erlid, yn 1668. Yn *Trafodion Cymdeithas Hanes Bedyddwyr Cymru* am 1957 dywaid yr Athro E. G. Bowen 'fod Ymneilltuaeth y Gororau a Morgannwg ynghlwm wrth y trefi bychain Seisnig a bod pobl gefnog yn eu plith, ond bod Ymneilltuaeth y Gorllewin ar y llaw arall yn torri tir newydd, yn yr ardaloedd gwledig ac ymhlith gwŷr mwy dinod o lawer eu safle. I gadarnhau hyn, gellir nodi mai pobl gyffredin iawn eu byd oedd aelodau Rhydwilym bron i gyd yn y cyfnod bore,— yr oedd un ohonynt yn 'pauper'; John Evans, Llwyndwr, oedd yr unig *'gentleman'* yn eu plith; ac yn ôl y *'Lay Subsidies'* am un pentan yn unig, anaml ddau, y talai mwyafrif y trigolion eu treth. Dylanwadodd y sefyllfa arbennig hon yn fuan ar natur yr eglwys ei hun, a chan bwysiced Rhydwilym yn hanes diweddarach yr enwad, yr ydys trwy Gymru wedi teimlo effaith y cyfnewidiadau a ddigwyddodd yn y rhan yma o'r wlad rhwng 1670 a 1715'.

Ar ôl sôn am rwygo'r eglwys gyntaf yn nhref Caerfyrddin a nodi i Fedyddwyr Jenkin Jones o Landdeti lithro i 'freichiau eang agored Annibynia Fawr', dywaid yr Athro ymhellach. . . 'Yr oedd galw felly am gychwyn cwbl newydd yn y De-Orllewin ar ôl 1660, a'r arloeswr oedd William Jones, Cilymaenllwyd, a aeth mor bell ag Olchon i'w fedyddio a dychwelyd i gylch ei gynefin i ddechrau cynnull ei eglwys. Mae'n wir fod yr Annibynwyr wedi aredig rhywfaint o'r tir o'i flaen, ac oddi wrthynt hwy ac o ardaloedd lle y mae sôn am Annibyniaeth fore y cafodd rai o'i aelodau cyntaf oll ... Erbyn diwedd 1669 cododd yr aelodaeth i 55, yn 1675 i 80, ac erbyn diwedd 1689 i 113. O edrych ar Fap III, sy'n dangos dosbarthiad daearyddol y cant a'r tri ar ddeg hyn, fe welir yn amlwg mai i ardaloedd gwledig y perthynent, y tu allan yn llwyr i ddylanwad trefi fel Caerfyrddin, Cydweli, Hwlffordd, Penfro, Dinbych-y-Pysgod ac Aberteifi.

Y mae'n eglur hefyd mai yn yr ardaloedd Cymreig y canolbwyntiodd William Jones ei genhadaeth gan mwyaf, a diddorol cofio mai yn Rhydwilym yn 1708 y dechreuwyd gyntaf oll drafod gwaith y Gymanfa yn Gymraeg. Bedyddwyr hollol newydd, felly, oedd eglwys William Jones, a chwbl wahanol ar lawer ystyr i'w cymheiriaid cynharach yng nghyfnod Cromwell, – yr hen yn wŷr y trefi a'r newydd yn bobl y wlad, yr hen yn Saeson bron i gyd a'r newydd yn Gymry, yr hen yn gefnog a'r newydd yn llai cyfforddus eu byd, yr hen yn 'scholars' a'r newydd heb fawr o ddysg a diwylliant, yr hen ar adegau (fel yn hanes Jenkin Jones) yn agored eu barn ar ddiwinyddiaeth, a'r newydd yn gadarn glwm wrth eu Cyffes Ffydd'.

Credaf mai'r Athro E. G. Bowen yw'r cyntaf i bwysleisio'r nodweddion hyn yn hanes crefydd yr ardal, ffeithiau newydd a diddorol, a dyma sylw diddorol arall o'i eiddo . . . 'Yr oedd traddodiadau'r Ymneilltuwyr bore yn tueddu at ryddid barn mewn athrawiaeth, a datblygodd rhai o'r 'hen ysgol' ymhlith y Bedyddwyr at Arminiaeth ac ymlaen at Ariaeth a hyd yn oed Undodiaeth. A hyn sydd i gyfrif mai yn Nyffryn Teifi yn unig drwy Brydain y ceir achos Undodaidd cryf mewn ardal wledig. Yn y trefi mawrion bob amser y ffynnodd Undodiaeth yn Lloegr'.

Dywaid y Dr Thomas Richards yn ei ragair i *Ramant Rhydwilym:* 'yn fy marn i, nid oes dim byd yn hanes Ymneilltuaeth gynnar Cymru lawn mor ddihoced ramantus â'r ugain mlynedd cyntaf yn hanes Rhydwilym'. William Jones, offeiriad Cilymaenllwyd, oedd cychwynnydd yr achos, ac amdano ef y dywaid y Dr Richards ... 'y ffaith ddiymwad yw i William Jones gadw'r eglwys gyda'i gilydd yn y cyfnod mwyaf datgysylltiol, a'i chyflwyno'n ddrud rodd Rhagluniaeth i bwerau newydd y Goddefiad a'r ddeunawfed ganrif.'

Bu'r eglwys lewyrchus hon heb gapel am dros ddeng mlynedd ar hugain, a cheir ychydig o hanes y capel cyntaf a godwyd yn 1701 ar y maen yng nghyntedd y capel sydd yno heddiw. Nid oedd gan yr hen bobl gloc, ond y mae hen ddeial-haul yn hongian yn ymyl drws llofft y festri fach uwchben y stabal. Yn y festri hon y cynhelid yr ysgol-bob-dydd cyn codi'r ysgol newydd yn Nant-y-cwm ym mhlwyf Llan-y-cefn. Gwelir carreg-fedd John Evans, y gŵr a gyflwynodd y tir a chodi'r capel cyntaf ar ei draul ei hun, y tu cefn i'r capel. Ceir hen bompren a phont newydd dros yr afon yn ymyl y capel, a gwelir y pwll bedyddio uwchlaw'r bont. Y mae'n ffaith ddiddorol mai tad y pregethwr enwog Jubilee Young a luniodd y pulpud a welwn yn Rhydwilym heddiw. Nid oes na chlawdd na mur rhwng y fynwent a'r afon ac y mae sŵn y dŵr ar y cerrig islaw'r bompren yn ddolefus-felys. Cofiaf imi lunio cerdd fach i'r fynwent hon:

Lle gwelaf law'n malurio
  Y cerrig marmor trwm,
A bysedd main y mwswg
  Yn cripian drwy y cwm;
    Mae sŵn afon Cleddau
Yn canu'n dragwyddol, mor agos i'r beddau.

Lle gorwedd fy hynafiaid,
  Y pechaduriaid mawr,
Ysbeilwyr Teyrnas Nefoedd
  Unwedd â llwch y llawr;
    Mae sŵn afon Cleddau
Yn canu'n dragwyddol, mor agos i'r beddau.

Lle tyf y rhedyn rhoncaf
  Islaw pladuriau'r gwynt,
Lle cuddia'r Atgyfodiad
  Holl ddiddiwedd-dra'n hynt;
    Mae sŵn afon Cleddau
Yn llifo'n dragwyddol, mor agos i'r beddau.

Y mae'r fynwent newydd ar y ffordd sy'n arwain o Rydwilym i Landysilio. Gŵr o fanc Tŷ-coch oedd Dan Phillips, bardd a ganai'n ostyngedig iawn o dan yr enw 'Cleddian'. Trigai yng Nghaerfyrddin, gerllaw'r hen dderwen, a phan ddychwelodd am dro o Ffrainc adeg y Rhyfel Byd Cyntaf cododd awydd arno i weld ei henfro. Cyrhaeddodd Rydwilym ar ôl deg o'r gloch un nos Sadwrn ac yntau wedi blino'n yfflon ar ôl cerdded o Glunderwen, gwelodd glwyd, ac aeth drwyddi a chael man esmwyth i orwedd nes bwrw'i flino. Cysgodd yn drwm. Rhwng pedwar a phump o'r gloch y bore disgynnodd yr haul yn ffyrnig ar ei amrannau a brawychwyd ef o weld bod ei wely clyd rhwng dau fedd yn y fynwent newydd! Ar ôl ymdawelu drachefn a gweld ei bod yn rhy gynnar i holi am frecwast yn unman, lluniodd yr englyn hwn i'r Fynwent Newydd:

Mynwent mewn man dymunol – dan y coed
    Yn y cwm cysgodol;
  Hunell addfwyn a lleddfol
  Ac erw Duw ar gwr dôl.

Tua'r un adeg y gwelodd 'Cleddian' nifer o ffermwyr y fro'n trin eu meysydd, a dyma'i ddisgrifiad ohonynt:

O'i bodd y gwelir byddin
Yn ddi-drwst yn hedd y drin.
Hi ni fed waed ynfydion,
Erydr yw eirf brwydrau hon.
Gyrru'r wedd, mewn hedd mae hau,
Nid gwenith yw nod gynnau.

Arweinia'r ffordd ymlaen heibio i'r fynwent newydd i gyfeiriad banc Tŷ-coch a Llandysilio, a dylid aros ar bwys y bwlch sydd ar ganol y rhiw serth a dal cipolwg ar y cwm. Rhydyrhiddil yw enw'r feidr a'n hwyneba ar groesffordd Tŷ-coch, ac o droi ar y dde awn i lawr heibio i Faesydderwen at bont Llwyndŵr a Llan-y-cefn. Rhyw ddwy flynedd cyn ei farw, gelwais i weld yr amaethwr diwylliedig, John Williams, ym Maesydderwen, a chefais ganddo rai sylwadau ar dechneg Cymanfa Bwnc yr ardal.

Cynhelir y gymanfa hon bob Llungwyn ac y mae Ysgol Sul Rhydwilym yn llafarganu'r Ysgrythur yn null yr hen fynachod, neu rywbeth tebyg. Credaf fod yr arfer yn parhau hefyd yng Nghwm Gwaun. A dyma ddisgrifiad John Williams o'r dôn arbennig. 'Y mae'r merched a'r rhan fwyaf o'r dynion yn llafarganu'n unsain rywle tua'r DOH G, tra mae'r gweddill yn mentro'u bywyd ar y SOH uwchlaw. Cord hytrach yn anhyfryd i'r glust sy rhwng y DOH a'r SOH, ond y mae Rhydwilym wedi dod yn hir gynefin ag ef. Rhaid dal dau ergyd hefyd a gwneud chwyddnod ar y sill gyntaf ym mhob rhan-frawddeg neu ffrês, a diweddu gyda dau hanner curiad fel hyn:

'Yn y dechreuad yr oedd y Gair, A'r Gair oedd gyda Duw;

s.

d: d: d: d: d: d: d: d: d: d: d: d: d: d: d:

A Duw oedd y Gair.

s.

d: d: d: d: d: . . .

Y mae nifer o lwybrau hyfryd ar lan yr afon yn Rhydwilym ac y mae'r ffordd sy'n arwain i Lan-y-cefn yn cydredeg â'r afon. Awn ar hyd y ffordd hon gan gofio mai Dolfelfed yw enw'r ffarm ar y bryn uwchlaw. Mewn bwthyn sy'n adfail heddiw, uwchlaw'r ffarm hon, y ganed y Dr Thomas Phillips, Bloomsbury, gŵr a orffennodd ei yrfa fel Prifathro Coleg y Bedyddwyr yng Nghaerdydd. Cyn cyrraedd ohono ei ddeugain oed, dywedodd Lloyd George amdano ei fod eisoes wedi dyfod yn draddodiad. Yr oedd yn rebel yn ei feddwl a'i ddulliau, a daeth i sylw'r byd fel pregethwr yn Philadelphia yn 1911. Ysgrifennodd y rhan fwyaf o'i lyfr, *The Grace of God and a World Religion*, yn ystod ei wyliau yn y fro hon.

Islaw Dolfelfed, ar fin y ffordd ac ar lan pynfarch y felin, y safai un o'r bythynnod pertaf a welais yn Sir Benfro. Tŷ clom ydoedd – y waliau o bridd a gwellt a'r to'n wenith, ac yr oedd yno ardd ddihafal. Pen-sarn oedd ei enw, ac nid yw'n syn i Waldo Williams ganu i'w drigiannydd. Saith mlynedd yn ôl yr oedd yn ddarn o baradwys, ond heddiw nid oes yno ond drain a mieri ac ambell lwyn bocs atgofus. Awn heibio i'r fan wrth gyrchu'r ysgol a'r Groesffordd a gweld Llwyndŵr, y bont a'r felin oddi tanom. Y mae pum ffordd ar y Groesffordd –

Eden oedd yr hen enw ar y lle, a bu unwaith ddau dŷ gerllaw yn dwyn yr enwau, Yr Aifft a Chanan. Tafarn oedd Eden hyd at dridegau'r ganrif hon, a bu mwy nag un ystyr yn yr ardal i linell gynta'r emyn poblogaidd, 'Yn Eden cofiaf hynny byth ...'. Heddiw ceir tri phlwyf cyfagos, Mynachlog-ddu, Llangolman a Llan-y-cefn, heb dafarn yn yr un ohonynt. Awn i lawr o Eden heibio i ffarm Dolbetws, cartre'r Dr David Williams, Aberystwyth, yr hanesydd cytbwys a'r ymchwilydd manwl-ddyfal, gŵr a all sôn am Sir Benfro heb ymfflamychu. Brawd iddo yw Griffith Wynne Williams, Athro Meddyleg ym Mhrifysgol Rochester, Efrog Newydd. Ar hyd y ffordd hon yr eir i Felinficer, le y rhuthra'r afon drwy'r cwm coediog.

The path from Dandderwen farmyard at Llangolman down towards Rhydwilym is described as a walker's paradise. Mention is made of the prize-winning pigs once kept at Dandderwen – the white pig whose ear hides his eye and reaches as far as his nose. Nevertheless, he resists the journey along the gladed path on this occasion and turns towards Llangolman Church and points to an unusual grave where the remains of a lady who kept an illicit pub are buried. He holds a conversation with the Pole, Captain Michalski, at Llangolman Farm, whose youngest son, Ioan Glyndwr, is a fluent Welsh speaker. Among his words of wisdom was the statement that 'all religions are good; the evil is trying to live without any religion'. A previous incumbent was James James, a mediocre farmer but a musical genius, who as a conductor won plaudits when the Taf and Cleddau Mixed Choir won their competition at the Fishguard National Eisteddfod in 1936.

On his journey towards Rhydwilym the author feels the presence of spirits from a previous age in the various wooded glens, and quotes a sonnet of his own making. He refers to the early beginnings of the Baptists in the area and the significance given to Rhydwilym Chapel by Prof. E. G. Bowen in his various publications. The 'country' Nonconformist was less radical and much poorer than his 'industrial' counterpart, apparently. Llwyd Williams refers to an englyn composed by Dan Phillips, 'Cleddian', who returned to the area from France during the First World War and slept in the graveyard. At Maes-y-dderwen the author spoke at length with John Williams when they discussed the peculiar 'Pwnc Singing', the half chant half reciting of Bible verses, reminiscent of monks' incantations, at the annual Whitsun festivals.

He refers to a cottage, now a ruin, where a certain Thomas Phillips was born, later known as Dr Thomas Phillips, Bloomsbury, who became Principal of the Baptist College, Cardiff, and author of several books including, 'The Grace of God and a World Religion'. Other eminent academics born nearby at Dolbetws were David and Griffith Wynne Williams, the former a meticulous researcher and historian at the University College of Wales, Aberystwyth, and the latter a Professor of Psychology at Rochester University, New York. As the author continues his journey he laments the demise of an earth and straw walled cottage known as Pen-sarn that had a superb garden only seven years previously. At Eden crossroads, where five roads meet, he refers to another two former cottages known as Egypt and Canaan.

After the Dissolution of the Monasteries

Most of the former abbey lands were acquired by John Bradshaw who also bought lands, previously monastic, as far afield as Herefordshire. Those of Mynachlog-ddu had been previously worth £5/17/1 annually, but Bradshaw was less interested in the rectories and chapels. The rectories of Maenclochog, Llandilo and Llangolman were sought by James Leche of Llawhaden while the chapel of Mynachlog-ddu with all houses buildings and tithes of sheaves were leased in 1537 to Morgan John of Llangadock. These with other profits of the said chapel were said to be worth five pounds; according to the agreement with the Crown, Morgan John was to receive a grant of four pounds annually for the wages of a chaplain at Mynachlog-ddu and the latter undertook to repair and sustain the premises.

One document shows that in 1549, William Bacton and Humphrey Ince, both of London, were in possession of chapel and church at that time. This document, kept in the British Museum MSS Dept. was drawn up in reply to a questionnaire in 1870 and is called — Alienated Tithes — Henry Grove. According to George Owen the advowson was bought by a certain Eliot in 1594. Possibly it was sold to John Vaughan of Narberth and later to Thomas Canon.

Later transfers of property in lands or church need not long concern us but it is of slight interest that John Bradshaw's son, James Bradshaw, married a local lady, Alice, daughter of James Rhys. On his early death, his widow Alice married Edward Winstanley, who was sheriff in 1590.

E. T. Lewis *A Historical Survey of the Last Thousand Years*

Cofio Dylanwad Waldo

Ithel Parri-Roberts

Rwy'n cofio Anti Peg Bryncledde, gwraig Mishtir E. T. Lewis, yn dod draw i'r Mans ym Mrynhyfryd i weld mam ryw brynhawn pan o'n i gatre gyda'r bronceitis byth a beunydd, ar ddechre'r 1950au, a'r ddwy yn siarad fel dwy fenyw heb weld ei gilydd ers mishodd, – a dim ond wythnos cyn hinny o'dd Anti Peg wedi bod draw o'r blân. Ond o'dd tinc gwahanol yn eu lleisie nhw y prynhawn hwnnw â llawenydd crotesi yn llanw'r lle.

A'r siarad o'dd bod Tom, gŵr Anti Peg, wedi bod lawr trwy'r nos yn chwilio am ryw bethe. O'dd llyfre yn bob man a Tom ishe mynd i Aberystwyth ddydd Sadwrn i'r llyfrgell medde Anti Peg. Clywes mam yn dweud bod Dad wedi bod yn chwilio am ryw lyfre hefyd, a bod e ddim am iddi ddwsto'r stydi na symud ddim un llyfr am y tro.

"Wel", medde Anti Peg, "inni'n mynd i gal pregeth fowr un o'r Sulie nesa ma gyda Parri-Bach".

"Ie, ond beth wyt ti'n feddwl sy'n gyfrifol am hyn?" holai Mam.

"Wyt ti'n cofio bod Waldo wedi bod yn darlithio 'ma'n ddiweddar, a bob tro ma' Waldo'n darlithio ma' Robat yn ei seithfed ne; ma' fe'n ca'l ei ysbrydoli gan Waldo t'wel," mynte mam 'mhellach.

"Meri Ann, wyt ti itha reit, ma' Tom yr un peth," porthodd Anti Peg.

Do, bu pregethu tanllyd ym mhwlpud Bethel, Mynachlog-ddu y Sulie odd yn dilyn a wêdd trafod mowr ar y ffordd adre rhwng Ben Gibby, Ffynnon-lwyd, Ifor Griffiths, Capel, Dad a Mishtir E. T. Lewis, M.A. Fydde Dad na Mishtir ddim wedi ca'l llawer o amser i f'yta cinio cyn mynd nôl i'r Ysgol Sul y prynhawn hwnnw.

Penllanw'r holl ddarllen, y trafod a'r chwilota hwn gan fy nhad a Mishtir fydde'r Gymanfa Bwnc y Sulgwyn canlynol. Bydde gan E. T. Lewis fwndel o bapure yn ei feddiant ar y galeri yn brawf o ffrwyth ei ymchwil trwyadl i'r bennod a oedd o dan sylw; byddai yntau a Dad yn trafod i'r dyfnderodd wedyn.

E. T. Lewis ac Ithel

Ifor Griffiths, Capel, wedyn yn gweiddi, 'codwch yr aradr lan o'r raben bois fel bod ni gyd yn gallu dilyn'. A Wncwl Ben, Ffynnon-lwyd, â'i atal dweud, 'Ma-ma-mai'n-dda-mai'n dda ma-ma heddi ffrindie'. Bydde Eric John, Dolaunewydd a Lloyd Davies, Glynsaethmaen wedyn yn esbonio fel ceffyle'n carlamu, a'r lle yn llawn gorfoledd; yn gopsi ar y cwbl bydde Wili Owen, Allt-y-gog, yn arwain y côr gydag arddeliad wrth ganu'r antheme.

In his cameo of a moment in time Ithel Parri-Roberts encapsulates the unobtrusive influence of Waldo Williams on two of the leading lights of the Mynachlog-ddu community in the early 1950s, his father, the Rev R. Parri Roberts, and the local headmaster, E. T. Lewis, M.A.

On one of those numerous occasions when Ithel was confined to bed with bronchitis as a child he recalls a conversation between his mother, Meri Ann, and Auntie Peg, the wife of E. T. Lewis. It was an animated conversation as if they had not met for a few months, though Auntie Peg had probably called at the Manse the previous week.

The topic of conversation was the fact that Tom – E. T. Lewis – had been on his feet most of the night, obviously looking for some information as books were strewn all over the place and he was bent on going to Aberystwyth to the National Library the following Saturday to further his research. Meri Ann added that her husband had also been busy in his study and had pronounced that no books were to be moved or dusted.

Neither could work out what was the sudden impulse responsible for their husbands' behaviour. Auntie Peg announced that a memorable sermon was probably awaiting the congregation on one of the following Sundays. Then Meri Ann made the comment that Waldo had been lecturing in the village recently and it seemed that whenever their husbands has listened to Waldo they responded as if they were both seeking some truth anew.

Ithel testifies that powerful sermons were delivered from the pulpit of Bethel on the following Sundays and their contents disseminated by Ben Gibby, Ffynnon-lwyd; Ifor Griffiths, Capel, his father and 'Mishtir' on their way home. The climax of all the reading and researching would be the Gymanfa Bwnc, when E.T. would have a bundle of notes on the gallery ready to respond to the minister's shrewd questioning. They would both become embroiled in deep theological concepts until Ifor Griffiths insisted that they make their thoughts accessible to the rest of the congregation. Ben Ffynnon-lwyd, with his stammer, would then praise the standard of the debate as Eric John, Dolaunewydd, and Lloyd Davies, Glynsaithmaen, offered their thoughts as well. The proceedings would end with Wil Allt-y-gog leading the choir in a four-part harmony rendition of a joyful anthem.

Dod fel y mynnant

Athro Hywel Teifi Edwards

Gwych o grëwr yw'r bardd sy'n rhoi ynom linellau a phenillion cyfan i weithio fel celloedd coch yng ngwaed ein hunaniaeth. Ynom y byddant, yn ddiarwybod i ni, yn ymadnewyddu gyda thro'r tymhorau ac yn amlhau mewn nwyf a nerth nes yn sydyn ddyfod moment pan fyddant yn ein hawlio drachefn gan ein hatgoffa o'n dyled i'w tarddwr.

Hwnnw yw'r math o ddewin geiriau sydd gyda ni bob amser, yn bod ynom fel rhyw fath o rym elfennaidd i gyffroi a chyfeirio syniad ac emosiwn. Bodau prin yw rhai o'r fath ond y mae'n siŵr eu bod i'w cael ar waith ymhob iaith. o ran ymwneud y Gymraeg â mi rwy'n sicr o siŵr fod Waldo Williams yn un ohonynt.

Y mae byth a hefyd yn rhoi ei eiriau yn fy mhen. Heb agor *Dail Pren* na cheisio rhoi trefn ar ddim, wele linellau sy'n dod fel y mynnant gan roi bri a braint a bendith ar ambell funud o fyw. Pam eu bod yn dod? Siawns fod yr ateb rywle ynghladd yn y rhyngweithio rhwng athrylith iaith a chemeg personol. Y cyfan a wn i yw eu bod yn dal i ddod hyd yn hyn – ac ni fynnwn iddynt ballu er dim. Pethau fel hyn:

A geiriau bach hen ieithoedd diflanedig ...

Bydd cyfeillach ar ôl hyn ...

Gobaith fo'n meistr: rhoed
Amser inni'n was ...

Cadw rhwymau teulu dyn ...

Tawel ostegwr helbul hunan ...

Un dlawd yw fy nghenedl i.
Rhoddwyd y gorau iddi.

Ym mhob rhyw ardd a wnawn
Mae cwymp yn cysgu.

Beth yw byw? Cael neuadd fawr
Rhwng cyfyng furiau.

Hyn yw gaeaf cenedl, y galon oer
Heb wybod colli ei phum llawenydd.

Tu hwnt i Kergeulen mae'r ynys
Lle ni safodd creadur byw,
Lle heb enw na hanes,
Ac yno yn disgwyl mae Duw.

Nid oes na deddf na rheol sy'n pennu adeg ymhél pethau o'r fath â mi. Fe ddywedai T. H. Parry Williams fy mod i wedi eu 'lleibio i'm cyfansoddiad' rywbryd, a dyna ben arni. Mae imi bleser di-ben-draw o'u galw yn ôl neu o'u cael hwy, fynychaf, yn galw heibio yn ddigymell.

Roeddwn pa noson yn teithio adref trwy Gwm Rhymni gan sylwi ar bob llaw nad oedd pethau cystal ag y buont pan oedd y lle yn fyw gan waith. Ond yng ngolau'r machlud godidog roedd y cwm yn rhyfeddod ac ar unwaith roedd Waldo yn cyfeirio f'ymateb:

> Un dlawd yw fy nghenedl i
> Rhoddwyd y gorau iddi.

Y foment honno fe aeth Cwm Rhymni yn rhan o Gymru fy nychymyg i mewn ffordd amgenach i'r hyn a fuasai gynt, ac i Waldo y mae'r diolch am roi imi'r hawl honno arno. Gymaint yw ein dyled i fardd fel ef sy'n gallu troi ein gweld yn ganfyddiad ac yn ddatguddiad wrth ei theithio. Yng ngolau'r haul hwnnw'n machlud ar gwm Rhymni rwy'n meddwl i fi 'ddeall' beth oedd ym meddwl Waldo pan ddywedodd mai 'Parhad o'r lleufer oedd gennym yn rhoi'r byd at ei gilydd yw barddoniaeth.'

Ni fyddaf byth yn darllen *Dail Pren* heb deimlo fel rhoi bloedd o ddiolch am fardd a ganodd i harddwch mawr y cread ac i degwch hanfodol dyn er gwaethaf ei byliau o ddiawlineb. Y mae ei gydnabod wedi sôn droeon am ddiniweidrwydd Waldo, am y plentyn tragwyddol ynddo, a da yw eu bod hwy wedi mynnu cadw'r Waldo hwnnw yn fyw i ni.

Yn ei farddoniaeth nid yw'n ddim llai na gorchfygwr ysblennydd, gyda'r mwyaf ysblennydd a ganodd erioed yn y Gymraeg, oherwydd fe edrychodd y plentyn ym myw llygad drwg y byd a gweld yno gannwyll i'w goleuo. Nid oes yn y Gymraeg awen fwy arwrol nag awen Waldo – na mwy ymatalgar ychwaith.

Nid ysgrifennodd fwy nag ychydig linellau i fynegi ei dorcalon wedi iddo golli Linda, ond pwy allai ddarllen 'Nid oes yng ngwreiddyn Bod un wywedigaeth' heb deimlo ei hunan wedi'i ddyrchafu, a phwy a allai ddarllen ei gywydd byr o alar amdani heb ryfeddu at oludoedd cariad?

> Hi wnaeth o'm hawen, ennyd,
> Aderyn bach uwch drain byd ...

Sut mae rhagori ar werthfawredd y fath ddweud am wraig?

Nid yw'r gerdd 'Cân, Imi Wynt' yn *Dail Pren* ond er pan welais hi gyntaf yn *Taliesin* ryw hanner canrif yn ôl y mae wedi bod imi gyda'r hyfrytaf o'i gerddi. Cerdd am yr awen, 'Y bardd tu hwnt i'n gafael ym mhob oes' ydyw ac ynddi mae Waldo yn dyheu am wybod ei chyfrinach. A gaf i fentro'r farn fod pennill clo'r gerdd yn traethu profiad llawer un ohonom a gafodd achos da dros y blynyddoedd i ryfeddu at awen Waldo ei hun:

Cân imi, wynt: nid wyf yn deall eto
Y modd y rhoi i'n tristwch esmwythâd;
Cân inni, enau'r harddwch anorchfygol.
Ti wyddost am y pethau sydd i fod.

Mynych y daw pererinion heibio i Garreg Waldo ar gomin Rhos-fach, Mynachlog-ddu. Y tro hwn gwelir Alun Ifans (chwith) a Tudur Dylan yn dal yr ymbarels tra bo Tecwyn Ifan yn canu cerdd o waith Mererid Hopwood yn dannod ymarfer drôns rhyfel uwchben tirwedd Gorllewin Cymru. Cerwyn Davies, cadeirydd Cymdeithas Waldo sy'n gwrando. Tynnwyd y llun ym mis Medi, 2011.

Pilgrims often gravitate to Carreg Waldo on Rhos-fach common, Mynachlog-ddu. On this occasion Alun Ifans (on the left) and Tudur Dylan hold the umbrellas as Tecwyn Ifan sings a composition by Mereid Hopwood denouncing the practice of firing war drones above the west Wales landscape. Cerwyn Davies, chairman of Cymdeithas Waldo listens intently. The picture was taken in September, 2011.

Hywel Teifi Edwards, in a special edition of 'Clebran' published on the centenary of Waldo Williams' birth in 2004, praises the poet who gives us lines and stanzas that function as if they were red corpuscles in the blood of our identity. They remain within us, unbeknown to us, gaining in strength and succour until they suddenly flourish again at an unexpected moment to remind us of our debt to their maker. He is the champion wordsmith who is always with us as an elemental force to stir and direct ideas and emotions. Every language probably has such rare, defining poets.

The academic says that many of Waldo's lines trip over his tongue without even opening the pages of the single volume of poetry, 'Dail Pren', and they usually echo some of those treasured moments in his life. Why do they force themselves into his consciousness, he asks, and answers that it has something to do with the genius of language and personal chemistry. He relishes their visits.

On one particular occasion, as Hywel Teifi drove through the Rhymney Valley he noticed how everything had changed for the worst compared to the days when there was no shortage of work. However, a spectacular sunset brought Waldo's description of his country, as a poverty stricken nation – though it had always received the best that could have been given – to his mind, with the result that he saw the Rhymney Valley as part of the Wales of his imagination, with such clarity and perception he had never experienced previously.

Whenever he reads the volume of poetry he feels he should howl in praise of a poet who sang about the great beauty of creation and man's essential sense of goodness, despite acknowledging his occasional transgressions. Waldo was an eternal child in many ways; he had kept his innocence. In his poetry he is no less than a splendid vanquisher, the most splendid of all poets who have written in Welsh, because the eyes of the child saw a candle to be ignited even in the worst of man's indiscretions.

Gosod y Garreg

Carreg Goffa Waldo yn cael ei gosod yn ei lle ym Mynachlog-ddu yn 1978. O'r chwith i'r dde: Gwynyfer Davies, Hefin Parri-Roberts, Hedd Bleddyn, y saer maen o Lanbrynmair, Emrys Evans a'r Parchg Olaf Davies. Nid hon oedd y garreg wreiddiol a ddewiswyd ar gyfer ei chodi chwaith. Bu'n rhaid dychwelyd y garreg wreiddiol a gyrhaeddodd weithdy Hedd Bleddyn oherwydd yr honiad ei bod yn ffurfio pont ar draws Afon Bannon ym mhlwyf Eglwys-wen ger Crymych. Dychwelwyd y garreg er bod rhai o'r farn nad oedd defnydd iddi bellach a bod yna bont bwrpasol arall wedi ei chodi i groesi'r afon. Dadorchuddiwyd y garreg sydd yn y llun ar Fai 20 1978 gan nith y bardd, Eluned Richards. Cafwyd areithiau gan B. G. Owens, Steffan Griffith, Emyr Llywelyn, James Nicholas a chân gan Dafydd Iwan yn ogystal ag eitemau gan ddisgyblion Ysgol Mynachlog-ddu, Ysgol y Preseli ac Ysgol yr Enw Sanctaidd. Abergwaun.

The Waldo memorial stone being put in its place at Mynachlog-ddu in 1978. From left to right: Gwynyfer Davies, Hefin Parri-Roberts, Hedd Bleddyn, the stonemason from Llanbrynmair, Emrys Davies and Rev Olaf Davies. This was not the original stone that was chosen. That particular stone had to be returned from Hedd Bleddyn's workshop to its resting place across Afon Bannon in the parish of Whitchurch near Crymych though some argued it had no specific use any more as there was another bridge already in place to facilitate crossing the river. The stone in the photograph was unveiled on May 20, 1978 by the poet's niece, Eluned Richards. Orations were delivered by B. G. Owens, Steffan Griffth, Emyr Llywelyn, James Nicholas and a song sung by Dafydd Iwan as well as musical items rendered by pupils of Ysgol Mynachlog-ddu, Ysgol y Preseli and Holy Name Catholic School, Fishguard.

Brwydr y Preselau

Yr ymgyrch i ddiogelu bryniau 'sanctaidd' Sir Benfro 1946 – 1948

Hefin Wyn
(dyfyniad byr)

E. T. Lewis

Cythruddwyd E. T. Lewis i'r byw hefyd gan aelodau o Gyngor Plwyf Tyddewi a Chymdeithas y Tirfeddianwyr yn benodol, a chan yr ychydig smygwyr parhaus hynny a fynychai ambell gyfarfod cyhoeddus, ac aeth ati i lunio llythyr ysgytwol a gyhoeddwyd yn y *Western Telegraph* ar ddydd Iau, 26 Rhagfyr, 1946, a pha gwell deunydd cnoi cil dros y Nadolig i'r darllenwyr hynny nad oedden nhw'n gwerthfawrogi amgylchiadau pobl y Preselau:

E. T. Lewis

> *Gadewch i ni adael llonydd i rai Cynghorau penodol a ymddengys nad ydyn nhw'n hidio fawr ddim am y mil neu fwy o bobl y Preselau a fydd yn colli eu gafael ar y tir pe deuai'r cynllun hwn i ffrwyth. Wedi'r cyfan, fe fu gan bobl y Preselau wreiddiau yma ers canrifoedd ond rhaid esgusodi'r cwcwod sy newydd gyrraedd yn eu hawch i drochi'r nyth. Mae'n rhan o'n hanian a phrin ei bod o bwys iddyn nhw os gwywa arferion a chynydda cardotwyr cyhyd ag y llenwir eu pocedi brwnt.*
>
> *Gall un Cyngor Plwyf penodol hefyd ystyried a fyddai yna Eglwys Gadeiriol heddiw oni bai am gefndir diwylliannol y Preselau. Efallai fodd bynnag, bod byw'n rhy agos at adeiledd mawreddog yn tueddu, weithiau, i achosi byrweledÍad economaidd. Pan glyw pobl leol am Gyngor yn y pellter nad oes ganddo ddiddordeb mewn dim ond ei gyflenwad dŵr, yna, nid ydynt wedi'u plesio, oherwydd mae ganddyn nhw'r egni i gario eu dŵr hwy ar draws pellter cant o ystafelloedd, ac egni dros ben i ymddiddori mewn diwylliant a chrefydd, a chymryd rhan mewn brwydr gyflawn.*
>
> *Ond beth am dirfeddianwyr Sir Benfro? Ni allwn gredu iddyn nhw roi ystyriaeth lawn i'r bwriad o werthu'r bryniau. Ble mae'r Vaughaniaid, y Fentons, a'r Scourfields a'r Laws slawer dydd a gredai fod diwylliant uwchlaw pob dim bydol? Ai yn y sir hon oedd*

y meddyliwr mawr hwnnw, George Owen, yn byw? Fonheddwyr, na adawch y traddodiadau a oedd yn annwyl i'r cyndeidiau hyn gael eu gwawdio.

Onid yw'n rhyfedd hefyd fod pobol sy'n rhoi arian ar gyfer cloddio yn Babylon yn medru halogi ffynnon ein gwareiddiad wrth ein drysau'n hunain, oherwydd ar ôl troad y ganrif bydd mwy o barch i'r bryniau hyn na'r anwybodaeth bresennol yn ein plith ynghylch eu hystyr. Os bosib nad yr agwedd wladgarol yw diogelu drysau trysorfeydd gorffennol cenedl, ac ymhyfrydu yn y traddodiadau a hyrwyddir gan werin ddeallus.

Mae'r ychydig eneidiau gwangalon yn yr ardal hon sy'n credu y bydden nhw'n elwa o gynllun y Swyddfa Ryfel yn gorwedd yn eu ffeuau. Pan fentra'r ychydig hyn i'r cyfarfodydd cyhoeddus, nhw yw'r unig rai sy'n gorfod cynnal eu hunain trwy ysmygu'n ddi-baid, ac nid oes gan yr un ohonynt, hyd y gwyddys y llythyrwr hwn, ddigon o egni i godi ei fraich y naill ffordd na'r llall. Mae'n rhaid i'r sawl sy'n gwerthu ei hun i'r diafol dderbyn ei bris.

Nid yw'r bobl sy ar flaen y gad i ddiogelu'r bryniau wedi'u symbylu gan hunan-les. Maen nhw'n ffermwyr cyfrifol, yn fasnachwyr a meddygon sy'n adnabod y bobl yn dda ac yn meddu ar ddigon o ddychymyg i sylweddoli'r newidiadau er drwg a ddeuai'n sgil y cynllun: gweinidogion yr efengyl, hen ac ifanc, wedi'u cymell yn gyffredinol gan ystyriaethau lles cymdeithasol ac yn ddigon eofn i leisio eu hargyhoeddiadau; hefyd aelodau o'r byd addysg nad ydyn nhw'n hidio'r un ffeuen am y canlyniadau economaidd posib o gymryd rhan yn yr ymgyrch. Mae gan bawb a phob un ffydd ddigonol i gredu y bydd y syniadau sylfaenol o gyfiawnder a rhyddid yn ben.

CLEMENT ATTLEE

Doedd dim amau mai dwysáu ac nid gwanhau oedd y frwydr ac yn ddiarwybod i lawer anfonodd rhai lythyrau personol at Clement Attlee, y Prif Weinidog, yn crefu arno i ymyrryd yn y mater. Oedd llaw D. J. Williams y tu ôl i hyn eto? Gwelir llythyrau o eiddo tri o drigolion Mynachlog-ddu, a fentrodd gysylltu â'r prif weinidog, ymhlith dogfennau'r Llywodraeth, a gedwir yn yr Archifdy Cenedlaethol yn Kew, Richmond, Llundain.

Anfonodd Gruff John, Maes-yr-efydd, ei nodyn ymbilgar at Mr Attlee yn gynnar ym mis Rhagfyr, ac roedd y cyn-filwr eisoes yn lled sicr y byddai'n rhaid iddo yntau a'i rieni adael eu cartref pe meddiannid y mynyddoedd:

Rwy'n poeni'n arw ynghylch mater Bryniau'r Preseli a fy nghartref am fod y Swyddfa Ryfel yn mynd i'w cymryd drosodd i fod yn faes tanio. Fel cyn-aelod o'i lluoedd arfog dwi wedi ymladd y rhyfel hwn yn enw'r brenin a fy ngwlad ac o'r pum mlynedd a fues i ffwrdd fe dreuliais bedair ohonyn nhw dramor. Wel, syr, synnoch chi'n credu ei bod yn annheg iawn, wedi dod gartref at fy nhad a mam i fod mewn heddwch unwaith eto, bod y Swyddfa Ryfel yn dod i'n styrbio ni eto? Ac o ran fy mam, mae wedi bod yn fethedig ers 40 mlynedd. Dwi'n begian arnoch chi, syr, i wneud eich gorau drosom, ac fe fyddwn ni'n deyrngar i chi.

Ysgrifennu o Bronwydd a wnâi D. M. James ar ei ran yntau a'i wraig gan apelio at galon Mr Attlee:

Mae fy ngwraig a minnau'n 78 oed erbyn hyn, yn ddinasyddion Cymreig ac wedi byw'n holl fywyd yn ardal y Preselau, plwyf Mynachlog-ddu, ac rydym nawr oddi fewn yr ardal a ddewiswyd i fod yn faes tanio.

Rydym yn byw mewn byngalo bach rhydd-ddaliad am yr hyn o fywyd sy'n weddill i ni ac rydym yn becso'n fawr ynghylch prosiect yr awdurdodau i feddiannu'r ardal hon, gan aflonyddu arnom yn ein henaint. A'r un modd holl drigolion y gymuned hynod gysegredig a gwaraidd hon.

Rydyn ni'n ymbil yn daer arnoch i roi holl bwysau eich dylanwad yn erbyn y cynnig hwn, fel y medrwn ni fyw mewn heddwch ac yn deilwng o'n cyndeidiau a roddodd i ni ein dinasyddiaeth. Rydym yn hollol benderfynol na fyddwn yn gadael ein treftadaeth am nad oes yna'r un grym yn y bydysawd ar wahân i farwolaeth a wna ein symud ni o'n cartrefi.

Hynny a weddïwn,

Rhowch gymorth i ni yn awr ein hing.

Y trydydd llythyrwr oedd y Parchg R. Parri-Roberts, ac aeth ati i sôn am ei amgylchiadau personol yn 60 oed ac yn cynnal gwraig a phedwar o blant, â thri ohonyn nhw yn yr ysgol, gan ddweud nad oedd ei gyflog yn fawr ac y byddai'n debyg o ddisgyn o £200 y flwyddyn i tua £130 petai'n colli tri chwarter ei 'braidd' wrth iddyn nhw gael eu troi o'u cartrefi gan fwriadau'r Swyddfa Ryfel:

Gwn yn dda bod gwaith o'r math hwn yn cael ei wneud gan beiriannau'r Llywodraeth nad ydynt yn medru dirnad y trasiedi a olyga i unigolion (ac yn y cyswllt hwn cymunedau cyfan) o gael eu gwahanu oddi wrth eu gwreiddiau – neu a ddylid eu gadael yn eu cartrefi nes eu bod yn llwgu i farwolaeth?

Rydw i, felly, yn deisyf arnoch, nid yn gymaint oherwydd eich swydd uchel yn Brif Weinidog ond fel cyd-aelod o Eglwys Crist, i ddefnyddio eich dylanwad helaeth trwy ddweud gair yn y llefydd cywir, nad yw'n ddymuniad gennych weld y fath weithred o anghyfiawnder a chreulondeb yn digwydd yn y fan hon ar fryniau Sir Benfro, sy'n grud i grefydd ac yn gartref i ddiwylliant gwerin aruchel. Oherwydd byddai gweithred o'r fath, er efallai'n cael ei gwneud yn enw gwareiddiad, mewn gwirionedd yn groes i wareiddiad a dynoliaeth.

Battle of the Preselau

The campaign to safeguard the 'sacred' Pembrokeshire hills 1946-1948

Hefin Wyn
(a short excerpt)

E. T. LEWIS

E. T. Lewis had also been incensed to the quick by the members of St David's Parish Council and The Landowners Association specifically, and by those persistent smokers who attended the occasional public meeting. He wrote an astonishing letter with no holds barred published in the *Western Telegraph* on Thursday, 26 December. And what better food for thought over the Christmas period for those who did not appreciate the plight of the people of Preselau:

> *Let us pass by certain Councillors who seem to care little of the thousand or so of the Precelly inhabitants who will lose their stake in the soil should the plan fructify. After all, these Precelly folk have had roots here for centuries, but the newly-pledged cuckoos must be excused in their desire to dirty the nest. It is in their nature, and it is hardly of importance to them if customs wither and beggars multiply, if their vulgar pockets are filled.*
>
> *A certain Parish Council might also consider whether a Cathedral Church would be in existence today had it not been for a Precelly cultural base. Possibly though, living too close to a majestic structure tends occasionally to economic myopia. When local people hear of a distant Council which is solely interested in its water supply, scores of local residents are not amused, for they have energy enough to transport theirs by hand for the length of a hundred rooms with zest to spare for cultural and religious interests and for a righteous struggle.*
>
> *But what of the Pembrokeshire landowners? One cannot believe that they have given full consideration to the proposal to sell the Hills. Where are the Vaughans, Fentons, Scourfields and Laws of old, who held that culture must take precedence over mundane affairs? Did not that great thinker, George Owen, live in this county? Gentlemen, do not allow the traditions that these forbears lived by to be held in scorn.*
>
> *Is it not strange too, that the people who would subsidise Babylonian excavations can desecrate a fount of civilization at our very doors, for the turn of this century will see far greater respect*

for these hills than our present ignorance of their meaning seems to warrant. Surely the patriotic attitude is to guard the doors to the treasure houses of a country's past, and to cherish the established traditions held by an intelligent peasantry.

The very few craven souls in this area who believe they would themselves benefit by the War Office plan lie low. When these few stroll into public meetings they are the only ones to sustain themselves by constant smoking and not one, to the writer's knowledge, has had enough energy to raise his hand either way. Those who sell themselves to the devil must accept his price.

The people who are in the forefront of this agitation to preserve the Hills are not actuated by self-interest. They are responsible farmers, merchants and doctors who know them intimately and possess enough imagination to realise the changes for the worst wrought by the plan; ministers of the Gospel, young and old, generally actuated by considerations of public welfare and unafraid to voice their convictions; also members of the scholastic profession who do not care two hoots for any economic consequences of participation in the campaign. All and sundry have sufficient faith that the basic ideas of justice and of liberty will ultimately prevail.

CLEMENT ATTLEE

There was no doubt the battle was heightening, and unbeknown to many, a few sent personal letters direct to Clement Attlee, the Prime Minister, imploring him to intervene in the matter. Was the hand of D. J. Williams behind this ploy again? Letters sent by three Mynachlog-ddu residents, who took the initiative to lobby the Prime Minister directly, can be seen among government documents kept at the National Archives at Kew in Richmond, London.

Gruff John, Maes-yr-efydd, sent his pleading note to Mr Attlee early in December when the ex-soldier was already fairly certain he and his parents would have to leave their home if the mountains were to be occupied:

In regards of the Prescelly Range and my home I am worried that the War Office are going to take it over as a gunnery range. As an ex-serviceman I have been fighting in this war for my King and Country, and from home for five years and spent four of them overseas. Well, sir, don't you think it's very unfair after coming home to father and mother to be in peace again that the War Office is coming again to disturb us, and as regards my mother, she has been an invalid for 40 years. I implore on you, sir, to do your best for us, and we shall be faithful to you.

D. M. James wrote from Bronwydd on behalf of himself and his wife and appealed to Mr Attlee's heart:

My wife and myself who are now in our 78th year of age, Welsh subjects and have resided the whole of our lives in the Precelly district, parish of Mynachlog-ddu and now in the proposed area for gunnery practice.

The three who forwarded personal letters to Clement Attlee, the Prime Minister; the Rev R. Parri-Roberts, D. M James and the ex-serviceman Gruff John.

We live in a freehold little bungalow for the part of life that is in store for us, and we are extremely perturbed by the project of the authorities to requisition this area, and disturb us in our old days. Also the whole inhabitants of this very most sacred community and civilisation.

We most earnestly appeal to you to put full weight of your influence against this proposal, that we may live in peace and worthy of our forefathers from whom we inherited our citizenship. We are quite determined that we will not leave our heritage as there is no force in this universe but death can dislodge us from our homes.

So we pray,

Help us in the hour of our agony

The third letter writer was the Rev R. Parri-Roberts who mentioned his personal circumstances, being sixty years of age with a wife and four children, three of whom were still at school. He pointed out that his meagre wage was likely to drop from £200 per annum to around £130 if he were to lose three-quarters of his 'flock', turned out of their homes by the proposals of the War Office:

> *I know well that such work as this is entrusted largely to Government machinery which cannot possibly fathom the human tragedy it means to individuals (and in this case to whole communities) to be either rudely severed from their roots, or should they be allowed to remain, to be starved of the very means of existence?*
>
> *I, therefore, beg of you, not so much in virtue of your high office as Prime Minister, but as a fellow member of the Christian Church, to exercise your great influence by indicating in the right quarters that it is not your wish that such an act of injustice and inhumanity be perpetrated here among these Welsh Hills of Pembrokeshire, the very home of religion and of a high folk culture. For such an act, though committed maybe in the name of civilization, would indeed be a negation of civilization and humanity.*

“Yr hwn yr oedd yr Iesu yn ei garu”

Efengyl Ioan pennod 13, 23

Eric John

I rai hynny ohonoch sydd yn gyfarwydd â’r hanesion a geir yn yr efengylau yma, fe wyddoch fod geiriau ein testun yn cael eu cysylltu â Ioan y disgybl annwyl, “yr hwn yr oedd yr Iesu yn ei garu”.

Fe welir y geiriau yn yr efengyl hon rhyw bedair neu bump o weithiau a hynny ar wahanol achlysuron. Yn yr oruwch ystafell mae’r Iesu a’i ddisgyblion pan geir cofnodiad o’r geiriau hyn gyntaf. Fe’i cawn hwy eto pan mae Ioan yn disgrifio yr Iesu’n marw ar y Groes, ac yn cyflwyno ei fam i’w ofal. A’r trydydd tro ynglŷn â Mair Magdalen a Phedr fore’r Atgyfodiad, – ac yna ceir dau gofnodiad wrth ddisgrifio ymateb y disgyblion pan ymddangosodd yr Iesu iddynt am y drydedd waith ar ôl yr atgyfodiad.

Fe gytunir yn gyffredinol mai Ioan fab Sebedeus yw yr hwn a gyfenwir yn ddisgybl annwyl, y cyfeirir ato ymhob un o’r amgylchiadau hyn.

Er nad yw pawb yn cytuno, yn wir fe gred rhai mai nid Ioan yr Apostol oedd awdur yr Efengyl o gwbl, a defnyddiant eiriau ein testun fel prawf pendant o hynny – dywedir y byddai i ysgrifennydd nodi fel yna amdano ei hun, a chaniatáu fod hynny’n ffaith, – yn arogli o hunanoldeb ac o’r ysbryd gorawyddus i ddyrchafu ei hun ar draul y disgyblion eraill. Maent yn dadlau fod awgrym cryf yn y geiriau, – sef “y disgybl yr hwn yr oedd yr Iesu yn ei garu” – mai ef yn unig yr oedd yr Iesu yn caru o’r lot i gyd.

Dywed eraill o’r esbonwyr mai Ioan yr Henuriad o Ephesus, a hwnnw yn ddisgybl annwyl i Ioan fab Sebedeus yw’r awdur, – ac mai edmygedd di-ben-draw hwnnw o’i athro sy’n cyfrif am y geiriau.

Beth bynnag fe gytunir yn gyffredinol mai hon yw’r efengyl fwyaf ysbrydoledig, gan nad pwy oedd ei hawdur hi, a chredwn nad yw geiriau ein testun ddim yn rhwystr dros gredu a phriodoli’r awdureth i Ioan fab Sebedeus. Yr hyn a wnaeth i mi fynd ati i chwilio i mewn yn fanylach i’r testun oedd yr awgrym nad yw’r hyn a awgrymir yn y geiriau yn wir am Ioan Fab Sebedeus a hynny yng ngolau ei hanes a geir yn yr efengylau eraill.

Ac mae amcan mewn nodi’r ffaith fod yr Iesu yn caru Ioan mor arbennig, nid fod yna rhyw anwyldeb yn perthyn i Ioan nad oedd yn y disgyblion eraill, ond yn hytrach fod y ffaith wedi ei gofnodi er mwyn dangos ansawdd cariad Iesu Grist tuag at rai fel Ioan. Yn wir mae lle i gredu mai Ioan oedd yr anhawsaf o bawb o’r disgyblion i’w garu, – a bod y frawddeg hon wedi cael ei rhoi i mewn, sef y ‘disgybl yr oedd yr Iesu yn ei garu’ – er mwyn dangos fod cariad Iesu Grist yn gyfryw ac oedd hyd yn oed yn gallu cofleidio dynion fel Ioan fab Sebedeus.

Nid amcan y frawddeg, felly, yw dyrchafu Ioan, ond dyrchafu cariad Iesu Grist, ac mae'n haws gweld hyn yn yr iaith yr ysgrifennwyd yr Efengyl. Mae'n debyg fod dau air yn yr iaith Roeg am garu, – dwi ddim am geisio ei dweud nhw, ond mae un yn golygu cariad at y teilwng (yr hawdd ei garu) cariad tad a mab, neu fam a'i phlentyn, tra mae'r gair arall yn golygu cariad at yr annheilwng, yr anodd ei garu, - mae'r ddau yn cael eu defnyddio yn yr efengylau 'ma. Fe ddefnyddir y cyntaf ynglŷn â chariad Crist at Lazarus, – 'Wele, fel yr oedd yn ei garu ef' – cariad at y teilwng. Yr hawdd ei garu, sydd fan 'na - ond yr ail air a ddefnyddir bob tro mewn perthynas â Ioan (sef yr annheilwng, – yr anodd i'w garu).

Y syniad cyffredin, wrth gwrs, ydyw fod Ioan yn hawdd ei garu, – ond mae lle i ofni mai syniad cyfeiliornus hollol ydyw, – ac yn hollol ddi-sail yng ngolau'r Testament Newydd.

Roedd Iesu Grist yn caru Ioan yn fwy na'r un disgybl arall; hwyrach ei fod e, ond pam? Am mai cariad yn medru caru'r anodd oedd cariad Iesu Grist – onid dyna yw nodwedd cariad Duw erioed, caru'r anodd – caru dyn yn fwy na'r angel, – am ei fod yn haws ei garu? Nage'n wir, ond am ei fod yn fwy anodd.

Fe gofiwn neges dameg y ddau fab yn efengyl Luc, fel y bu'r tad yn cofleidio'r mab ieuengaf oedd wedi afradloni ei dda ar oferedd yn y wlad bell, ac wedi disgyn i ddyfnder eithaf trueni, – rhannu ei ddiet â'r moch, allasai Iddew ddim byth ddisgyn yn is na hynny – ac eto mae'r tad yn ei gusanu a'i gofleidio ar ei ddychweliad ac yntau ar y pryd yng nghanol urddasolion, am ei bod yn haws na chofleidio'r mab hynaf? Nage, ond am ei bod yn fwy anodd.

"Felly carodd Duw wrthrychau
Anhawddgara erioed a fu.
Felly carodd, fel y rhoddodd
Annwyl fab ei fynwes gu."

Duw yn caru'r anodd yw ein Duw ni.

Mae'n amheus gen i a fuasai neb ohonom ni yn medru caru Ioan, dyma'r sinach ymhlith y deuddeg – a dosbarth anodd iawn i'w caru yw y rheini. Rwy'n meddwl mai un rhwydd i syrthio mewn cariad ag ef fyddai Pedr – mae yna rywbeth yn hoffus iawn yn Pedr, – o natur wyllt efallai, ie, un go fyrbwyll oedd e, ond hen bartner da, un a fuasai yn barod i sefyll ac ymladd drosoch i'r eithaf, allai Pedr ddim dioddef neb yn cael cam (chwarae teg iddo).

Tomos wedyn, teip o ddyn gonest, heb ragfarn, teg, – pallu credu dim heb weld drosto ei hun; dyn y gallech chi roi pwys ar ei farn ac yn ddiogel ei ddilyn; dwi ddim yn meddwl y cawn ni hi yn anodd caru Tomos.

Cymrwn ni un eto, – Seimon Selotes, – cenedlaetholwr a gwladgarwr pybyr. Rwy'n ffrind i ddynion o deip Seimon sy'n barod i sefyll dros eu hawliau, eu gwlad, a'u hiaith. Parod i ddiogelu'r dreftadaeth, yr hen etifeddiaeth a ymddiriedwyd i ni – oes, mae gen i bob cydymdeimlad â phobol o deip Seimon 'ma. Ond am Ioan nid wy'n meddwl y gallwn ni ymserchu yn hwn. Pam, meddech chi? Wel, dyn hunanol, ymffrostgar, yn synied amdano ei hun ei fod yn well na neb arall; ac eto medd y testun, – cariad Crist yn gallu cofleidio hyd yn oed Ioan fab Sebedeus.

Wel, nawr, er mwyn i ni fod yn deg ac er mwyn profi'r gosodiad mai caru'r anodd oedd Iesu Grist wrth garu Ioan, gadewch i ni brofi hynny oddi wrth ei hanes yn y Testament Newydd 'ma a sylwi i ddechre ar yr enw, neu yn hytrach y llysenw gafodd e a'i frawd gan yr Iesu; mae yna duedd felly mewn rhai pobol o hyd, – rhoi llysenwau ar bawb ac yn cyfeirio atynt wrth yr enwau hynny wrth siarad amdanynt. Mae gyda ni enghreifftiau o Iesu Grist yn gwneud hyn, ond roedd e'n gofalu bod y llysenw yn ffitio cymeriad bob tro; e.e. fe gofiwn am Nathanael yn dod at yr Iesu rhyw ddiwrnod, ac meddai, "Wele Israeliad yn wir yn yr hwn nid oes twyll".

Fe alwodd Herod yn gadno, fe ddaeth rhyw Pharisead rhyw dro a'i rybuddio, 'Dos allan', meddai, 'y mae Herod yn ewyllysio dy ladd di,' ond ymateb yr Iesu oedd, 'Ewch a dywedwch i'r cadno hwnnw' – ac wedi'r cyfan onid oedd cadno yn ddisgrifiad cywir iawn o Herod – 'Carreg' meddai am Pedr. "Y mwyaf o'r proffwydi", meddai am Ioan Fedyddiwr.

Pa enw roddodd e i'r Ioan hwn? 'Meibion y Daran' oedd disgrifiad yr Iesu am Iago ac Ioan. Does dim swyn i neb mewn taran, oes e, - Sŵn sy'n peri i chi ofni a chilio'n ôl yw sŵn taran. Dim swyn yn Ioan felly yn ôl y teitl a roes yr Iesu arno, ond roedd cariad Iesu Grist yn cymryd ei swyno gan hyd yn oed Fab y Daran.

Wedi bod fel yna gyda'r enw a roddodd Iesu Grist i Ioan, dewch am dro i gwmni'r disgybl.

Cyn y medrwch chi adnabod dyn yn iawn rhaid treulio amser yn ei gwmni, – Fe ellwch chi wybod am lawer ond rhaid wrth berthynas agosach cyn y deuwn i'w adnabod, – Dewch i ni gael mynd i gwmni Ioan 'ma ac er mawr syndod i ni rhyw dair gwaith mewn cyfnod o dair blynedd y cawn y cyfle o'i glywed yn siarad, ac yn anffodus fe gawn ei fod yn derbyn cerydd gan ei feistr bob tro y siaradai.

(a) Y tro cyntaf mewn tŷ yn Capernaum.

Mae'r disgyblion wedi bod wrthi yn dadlau ymysg ei gilydd pwy a fyddai fwyaf ohonynt, a dyma'r Iesu yn penderfynu rhoi gwers iddynt mewn gostyngeiddrwydd, – Efe a gymerodd fachgennyn, ac a'i gosododd yn ei hymyl ac a ddywedodd, "Pwy bynnag a dderbynio'r bachgennyn hwn yn fy enw i, sydd yn fy nerbyn i, a'r hwn sydd yn fy nerbyn i sydd yn derbyn yr hwn a'm hanfonodd i."

Ac Ioan a atebodd ac a ddywedodd, – "O feistr, ni a welsom ryw un yn dy enw di yn bwrw allan gythreuliaid ac a waharddasom iddo, am nad oedd yn canlyn gyda ni. A'r canlyniad? Cerydd llym gan yr Iesu – "Na waherddwch iddo, canys y neb nid yw yn ein herbyn, o'n tu y mae," – ac yna aiff ymlaen i rybuddio tynged y sawl a geisiai rwystro, mai gwell fyddai iddo glymu maen melyn o amgylch ei wddf a thaflu ei hun i'r môr.

Dyna i chi enghraifft o ddiffyg parodrwydd i gydweithio ag eraill, diffyg eangfrydedd – dyn anodd iawn i'w garu yw'r cymeriad cul a rhagfarnllyd. Mae lle i gredu mai un felly oedd Ioan, ac eto roedd yr Iesu yn medru caru hwn.

Dyna'r canlyniad pan siaradodd e gyntaf.

(b) Beth am yr ail dro yng nghwmni'r Iesu a'i ddisgyblion ar daith drwy Samaria?

Maent yn galw mewn rhyw dref yno, ond oherwydd bod ei wyneb Ef yn tueddu tua Jerwsalem, ni chawsant fawr o groeso, a bu'n rhaid ymadael yn go sydyn. Mae'n amlwg fod Ioan wedi gwylltu oherwydd dyma ddywedodd e'r tro hwn, "A fynni di ddywedyd ohonom am ddyfod tân o'r Nef a'u difa hwynt, megis y gwnaeth Elias?" Beth oedd ymateb yr Iesu? "Ac efe a drodd, ac a'i ceryddodd hwy. Ni wyddoch o ba ysbryd yr ydych chwi. Canys ni ddaeth Mab y dyn i ddinistrio eneidiau dynion ond i'w cadw." Ie, cerydd llym arall. Tipyn o orchest oedd i hwn a ddaeth i gadw dynion, garu un oedd yn gweddïo am eu dinistrio. Doedd Ioan erioed wedi deall neges a phwrpas dyfodiad yr Iesu i'r byd yma. Doedd dim yn gyffredin rhyngddynt – ac eto am y disgybl yma y dywedir, "Yr hwn yr oedd yr Iesu yn ei garu".

(c) Beth am y trydydd tro y siaradodd Ioan ar y ffordd i Jerusalem?

Yng Ngalilea bu'r digwyddiad cyntaf, yn Samaria cymerodd yr ail le, erbyn hyn ymunwn â'r cwmni ar eu taith olaf i Jeriwsalem. Mae'r Iesu yn rhagfynegi yr hyn oedd i ddigwydd iddo, y byddai iddo gael ei draddodi i'r archoffeiriaid, a'i gondemnio i farwolaeth ac ati. Mae'r awyrgylch yn drydanol iawn, a phawb mewn ofn. Ond er mor ddwys a difrifol oedd y sefyllfa, mae Ioan yn siarad eto, – "Athro", meddai, "ni a fynnem wneuthur ohonot i ni yr hyn a ddymunem", hynny yw, gofyn ffafr. "A beth yw hynny," meddai'r Iesu. "Caniatâ i ni eistedd, un ar dy ddeheulaw a'r llall ar dy aswy yn dy ogoniant".

Wel, dyma ni nawr wedi cyrraedd y gwaelod. Gofyn y fath ffafr iddo ef a'i frawd, Iago? Hunanoldeb a hunan-les, yn cael blaenoriaeth ar bopeth arall. Pa wahaniaeth gyda ni am neb arall – dim ond i ni fod yn iawn – dyna'r agwedd. Does dim rhyfedd fod y deg arall wedi digio wrth weld ysbryd annheilwng a bradwrus y ddau frawd. Allech chi eu beio nhw?

Does dim eisiau ymhelaethu mwy er mwyn profi'r pwynt. Yng ngolau'r hanes a geir am Ioan yn yr efengylau yma, – caru'r anodd ei garu a wnaeth Iesu

Grist wrth garu Ioan. Dyna i chi wyrth o ras oedd caru un oedd mor anhawdd ei garu, a'i droi e, a thywallt cymaint o gariad i'w galon nes ei wneud yn y diwedd yn apostol cariad.

Odi chi ddim yn meddwl y dylai cariad o ansawdd fel yna gael ein serch a'n cariad ninnau? Shwr o fod. Ond wrth derfynu, ga i bwysleisio mai nid yn hanes Ioan y cawn yr enghraifft orau o'r Iesu yn caru'r anodd. Onid dyna oedd ei fywyd Ef o Fethlehem i'r Groes, cerdded y llwybr anodd wnaeth E. Fe gafodd gynnig y llwybr esmwyth yn yr anialwch. Roedd y tair ffordd a gynigiwyd iddo yn llawer iawn fwy esmwyth i'w cerdded na'r un a ddewisodd:

"Rhyfeddod a bery'n ddiddarfod
Yw'r ffordd a gymerodd Efe."

Do, fe garodd Ef rai o'r cymeriadau mwyaf anodd eu caru, *drop-outs* cymdeithas, y publicanod a'r pechaduriaid. Nid rhyfedd eu bod yn rhedeg ar ei ôl e, ac yn gwrando ar ei leferydd. Ac onid ein gwahodd i gyflawni'r anodd a wna Cristnogaeth o hyd? "Ymwadu ag ef ei hun", fe gofiwn ei gomisiwn Ef. "Os myn neb ddyfod ar fy ôl i, ymwaded ag ef ei hun, a chyfoded ei groes beunydd." Tydi e ddim yn gorfodi neb i'w ganlyn. "Os myn yw hi, – ond mae e'n ein rhybuddio ar y cychwyn nad oes llwybr esmwyth yn aros i'r hwn a fyn ddod.

Cenadwri fawr Efengyl ogoneddus y bendigedig Dduw ydyw fod Duw yn caru'r anodd o hyd.

Fe'n carodd, ac fe'n câr o hyd
Ymhob rhyw drallod yn y byd;
A'r rhai a garodd Ef un waith
Fe'i câr i dragwyddoldeb maith."

Dyna'n cysur ni, dyna'n gobaith ni am iachawdwriaeth.

Saif ein gobaith yn yr Iesu,
Brenin Nef, goleuni'r byd,
Ei ddoethineb a'i ddaioni
A ffrwythlona'n gwaith i gyd.
Llawenhawn, drwyddo cawn
Holl adnoddau Duw yn llawn.

"The one whom Jesus loved"

Gospel of John chapter 13, verse 23

Eric John's sermon refers to one of Jesus' 'favourite' disciples, namely John. The description "the one whom Jesus loved" occurs several times in the Book of John; when Jesus was in the company of the disciples in the upper room, when Jesus bestows his mother to John's keeping as he is crucified, when Jesus appears before Mary Magdalene and Peter on the morning of the resurrection and again when Jesus appears for the third time following his resurrection. Scholars disagree on who exactly was the author of this gospel.

Would John the disciple, the son of Zebedeus, refer to himself in such a manner? Could the author be John the Elder from Ephesus, who was tutored by John the disciple? Whoever was the author, this gospel is generally regarded as the most spiritual of all the gospels.

However, what interests Eric John is the inference that the description might not be true, on the basis of the testimony found in the other gospels. He dispels the idea that Jesus was fond of John because he was lovable. Indeed, it seems his character was quite the contrary, but the description is used to emphasize Jesus' love towards even the most difficult of persons. The description is, therefore, not designed to elevate John but to elevate the love of Christ. There are two meanings for the word 'love' in Greek, one meaning a person whom it is easy to love, and the other implying a person whom it is not easy to love and the latter meaning is found in the original gospel. John was therefore a difficult person to love.

Perhaps Jesus did love John more than any of the other disciples on the basis that Christ's love mirrors the love of God, always ready to embrace the person who can be difficult to love. That is why God embraced the prodigal son in the person of his own father. It was a difficult gesture in the presence of others but one that had to be done to highlight the nature of God's love.

Our God is a God who loves the difficult.

Eric John doubts if anyone of us could love John, as he was something of a scoundrel. It would be easier to love Peter because despite his impatience he could always be relied upon when in need. Thomas again was a man to be trusted and Simon was a man prepared to stand for his rights. Eric John admires such men. But John? No, he does not think he could easily embrace such a selfish, self-centred person who considered himself to be superior to all others. Yet, the text tells us that Jesus loved John the son of Zebedeus unconditionally. We must remember that Jesus had a nickname or an apt description encapsulating the personalities of many people – Herod was a fox, Peter he described as a 'stone' and John the Baptist was 'the greatest of the prophets'.

On bearing this in mind let us spend some time in John's company so that we can get to know him. Surprisingly we only meet him on three occasions in three years and on all three occasions Jesus chastises him. The disciples were arguing amongst themselves at a house in Capernaum as to who was the greatest when Jesus decided to teach them the virtues of humility. John describes how they had met someone who exorcised devils in the name of Jesus and how they had cold-shouldered him because he was not one of them. John is told in no uncertain terms that he who obstructs might as well tie a large millstone around his neck and throw himself into the sea. John was, therefore, narrow-minded and prejudiced.

On the second occasion we meet John as he and the disciples were travelling with Jesus through Samaria towards Jerusalem. They were given short shrift in one town and John in his fury bade Jesus to punish the townspeople with a destructive fire from above as Elias once did. Jesus replied that it was not his mission to destroy souls but to save them. John had misjudged and misunderstood Jesus' teaching yet Jesus loved him.

On the third occasion, when Jesus informs the disciples of what awaits him in Jerusalem, John in his insolence requests that he and his brother James be allowed to share Christ's glory on the cross. This is the pits – total self-indulgence and absolutely no concern for others. Yet Jesus gives him of his love. This tells us all that needs to be known about the love of Jesus, who will readily embrace the most difficult of men, be they modern day dropouts and all manner of sinners. He does not implore us to follow him but warns the path will not necessarily be easy if we do choose to follow in his footsteps.

Saint Colman's Church, Llangolman

Anthony Bailey

The history of Llangolman Church has been closely linked with that of Maenclochog and Llandeilo Llwydarth since the medieval period, but it is believed that a church was established there in the early years of Celtic Christianity. The Church today stands on a hill, which can be seen from many directions and overlooks the Eastern Cleddau river. Whether or not it preceded the Church at Llandeilo Llwydarth we have no means of telling, but the circular nature of the site on which it stands indicates that it probably dates from the Celtic period. There are a number of Celtic saints (over 200) with the name Colman all having their origin in Ireland. Tradition states that it was Saint Colman, the Bishop of Dromore, to whom the Church of Llangolman and that of Capel Colman on the Cilwendeg estate at Boncath are dedicated.

The Life of Saint Colman.

There is some confusion about the date of Colman's birth in Dalriada; the *Catholic Encyclopaedia* gives the date as 450 AD, but another source asserts that it was 516. He studied at Noendrum under Saint Mochae, one of the earliest disciples of Saint Patrick who foretold of his future great virtue. Legend ascribes miracles to him and the conversion of many to Christianity. To perfect his knowledge of the scriptures he went to the school of Emly and remained there for some years. He was told by Saint Macanisius, 'It is the will of God that you erect a monastery within the bounds of Coba plain.' He set to work and established his community by the river Lagan that passes through Dromore. While there he founded the Sea of Dromore and later became its Bishop. He died around the middle of the 6th century and is commemorated on June 7th.

The Medieval Period

In the early fifteenth century the parishes of Llandeilo Llwydarth and Llangolman came under the control of Maenclochog, which for some of the time was part of the possessions of St Dogmael's Abbey. However, with the Dissolution of the Monasteries the patronage of the churches passed into the hands of the Crown and in 1536/7 was leased, together with the rectories of Llandeilo and Llangolman, to John Leche of Llawhaden.

There is the probability that a monastic cell was set up at Llangolman farm. Some of the buildings certainly date back to this period. There is a local legend associated with this place that a monk broke his vow of chastity with a local girl, and that when her baby was born, out of remorse, he committed suicide by drowning in the pond adjacent to the farm.

Although it has nothing to do with the church in the parish, it is believed that Lord Nelson stayed there at the end of the eighteenth century with the owner who was the High Sheriff of the area. The deeds of Llangolman Farm record that the staircase of baronial splendour and some of the furniture were from a Royal Naval vessel that was being decommissioned or refitted. The staircase is still at the farm, but the owners took the furniture with them when they moved in the 1960s. On one of these items, namely the desk, there is a complete record of the travels and engagements of the ship concerned.

The Post Reformation Period

After the death of Henry VIII in 1547 the Church of England continued in much the same way as it had done before Henry declared himself as Defender of the Faith, having first renounced the power of the Pope over this country. Apart from the years of Queen Mary's reign (1553-1558) when there was an official return to the Roman Church, the Church in England retained its independence from the Pope, but at the same time had to resist the advance of the Puritans. When Oliver Cromwell and his New Model Army defeated the forces of King Charles I, the country was ruled by the Rump Parliament whose members were those left over after Pride's Purge. One of its aims was to subdue the Church of England and its doctrines and to do this it set up the Commissioners for the Propagation of the Gospel in 1650. In 1617 William Rees had become Vicar of the Parish but was ejected from this living for insufficiency by the Commissioners in that he was probably unwilling to follow the ways of the Puritans and forsake certain sacraments and rituals.

Immediately after the Restoration of the Monarchy in 1660, an ordained clergyman, John Griffiths, was appointed as sequestrator to look after and restore Church of England worship to the three churches. Because he was so poor, his remuneration being only £5 per annum, the parishioners wrote to the Bishop, in the following terms: "He was a good man who was conscientious in the exercise of his duties, but he was so poor that he, his wife and eight children were facing eviction from the vicarage for debt."

By contrast, 70 years later parishioners wrote again to the Bishop but this time complaining about the Vicar, the Reverend William Crowther. It was alleged that he had failed to take services at Easter in the three churches; when he took services he spoke in English whereas the congregation were Welsh speaking: he was seen working on the Sabbath; he kept a "lewd woman and two base children" in the Vicarage.

The 19th Century

The various revivals at the Mynachlog-ddu Church would also have had their effect on the Church at Llangolman. According to the Religious Census of Wales in 1851 there were 14 free seats in the Church while the rest were subject to a Pew Rental paid by individual parishioners. The average attendance in both the afternoon and evening was 15 from a population of 130 males and 161 females; at the time the Vicar took two services per month in Welsh. Other statistics gleaned from the registers of the Church indicate that there was an increase in attendance towards the end of the 19th and the beginning of the 20th centuries.

The Rebuilding of the Church

Timmins in his book *Nooks and Crannies of Pembrokeshire*, published in 1895, writes: "Llangolman Church perched on its isolated monticle, presents a very sorry spectacle of desecration and decay; its windows battered and broken, its roof open to the vault of heaven, while rusty bell hangs cracked and useless in the dilapidated turret".

Compare this date with the records of the *Royal Commission of Ancient Monuments* published in 1925, which state that the Church was rebuilt from its foundations in 1866; it is probably true that this date for the rebuild is the correct one. The later date of the publication of Timmins' book is probably because subscribers who would have been canvassed after the book was written financed it. However, the statement by the RCAM that it was rebuilt from the foundations does not square with the fact that three of the walls were mostly built with random stone, a sign of an earlier origin, whereas the west wall, the buttresses on the corners and the porch were built of dressed stone.

In 1992 the east wall was in danger of falling outward, and it had to be taken down and rebuilt with concrete blocks faced with stone. At the same time the roof was re-slated with second-hand ones from the redundant Castle Blythe church near Puncheston.

The Registers of the Church

The Marriage registers date from 1755; the Baptism and Burial registers from 1813. Facsimiles are held in the church safe and the originals are deposited at the National Library of Wales.

The Cottage Llan

On the edge of the churchyard there is a small cottage, Llan, which belonged to the church until the 1970s when it was sold, but sadly, I have been unable to find out anything about its history. However, the proceeds of the sale have provided a very welcome income towards the upkeep of the Church, particularly as the membership is now very small.

The church of Llangolman while in the charge of the Vicar of Maenclochog had no known connection with Mynachlog-ddu church. This changed, probably in 1957, when the Rev Leslie Jones became Rector of New Moat for he was also given the charge of Llangolman and Mynachlog-ddu parishes. This changed again in the 1970s when the Rev Canon Tom Hamer, the Vicar of Maenclochog, became responsible for them, the arrangement which has existed to the present time.

A Memorial with a Legend to Tell

There is one tombstone in the churchyard, which is of particular interest. It is a simple one recording the death on the 16th February 1820, of Martha Thomas, aged 43, of Pomprenmaenin. Either side are tombstones to other members of her family, very simple with the same kind of lettering. The interest lies in Martha's stone for it has a simple carving of a wine glass above the inscription. Tradition states that Martha kept an illicit still at her cottage, which stood in the woods near Cwm Teilo on a bridle path along which travellers between the south and north of the county passed. Some local people believe that the Bishop of Saint Davids and his entourage on their journeys into Ceredigion would stop there for refreshments. One can also speculate that Lord Nelson and Lady Hamilton when they stayed at Temple Druid might very well have visited it.

Gwynfyd bore oes

Pam John

Mewn *Penny Reading* yn Festri Capel Llandeilo, pan o'n i'n rhyw bum oed, dyma fi'n camu ymlaen i gasglu fy ngwobr am adrodd neu ganu, a'r arweinydd yn gofyn i mi gyhoeddi wrth y gynulleidfa pwy o'n i – felly, dyma fi'n datgan yn dalog, 'Pamela Wynne John, Pantygwynfyd, Rhos-fach, Clunderwen, Pembs', a phawb yn chwerthin, a finne'n methu deall pam. Gofyn i mami wedyn wedi mynd adre pam o'dd pawb yn chwerthin a hithau'n egluro y byddai 'Pam Pantygwynfyd' wedi gwneud y tro yn iawn!

Fel y dywedodd y Dr T. J. Jenkin am Bantygwynfyd: "ym mha le arall yn y byd y ceir enw fel yna ar dyddyn bychan". Tyddyn bychan ydoedd, ond roedd prin hanner can erw yn fodd i roi bywoliaeth i deulu bryd hynny, ac i'm cyndeidiau ar ochr fy mam cyn hynny. A gwynfyd oedd cael fy magwraeth ar y fferm – roeddwn yn 12 oed cyn daeth trydan i'r tŷ yn 1958 – a bu sbel wedyn cyn y cawsom deledu. Cyn hynny rhaid oedd seiclo i Drawsnant at fy ffrind, Sheila, erbyn chwech o'r gloch bob nos Sadwrn i wylio *Six Five Special.*

Rhaid, felly, oedd diddanu ein hunain fel plant – chwarae tŷ bach rownd carreg fawr yn y parc tu ôl tŷ, – tŷ fy chwaer, Dianne, un ochr i'r garreg a'n nhŷ innau'r ochr arall a gwneud cacennau o bridd; chwarae gyda Len Brynllechog, cwcan wyau ar dân coed yn ymyl y sied ffowls, gwneud twnnel o un pen i'r llall i'r sied wair – a hynny cyn cyfnod y bêls, na sôn am iechyd a diogelwch! Dringo coed, cerdded i ben Foel Cwm Cerwyn bob haf i fyta'r llusi duon bach, chwarae cowbois ac indians, ac iodlan i mewn i tsiyrn laeth!

Roedd mynychu oedfaon Capel yr Annibynwyr, Llandeilo, yn ganolog iawn i'n bywydau; byddem yn cael dillad haf newydd i'r Gymanfa Bwnc adeg y Sulgwyn, – costiwm a het a handbag, sef fersiwn lai o ddillad yr oedolion, a dillad gaeaf newydd ar gyfer y Gymanfa Ganu yn yr hydref. Pan fyddai cwrdd bore byddem yn aros i ginio, ynghyd â'r plant eraill i gyd, 'da Martha Cheetham ar draws y ffordd o'r capel, i fynd i'r Ysgol Sul yn y prynhawn a dychwelyd adre gyda mami (Mati) a dadi (Dai) ar ôl bod yn y cwrdd nos. Cerdded lawr drwy'r cwmins a gadael ein welintons ger Llonwen pan fyddai'r Ysgol Sul yn y bore, gan y byddid yn ei chynnal yn y bore a'r prynhawn bob yn ail.

Yn y cwrdd byddai'r plant yn eistedd yn y pen blaen y tu ôl i'r organ, tra byddai'r menywod wedi gwthio eu hunain fel sardîns i'r sedd gefn, er bod digon o seddi gwag yno! A fentren ni ddim edrych rownd yn ystod y gwasanaeth am y byddai hynny'n gyfystyr â chamymddwyn difrifol a fyddai'n haeddu cosb drom. Treuliem gyfnod yr oedfa yn plygu necloth i ffurfio llygoden.

Byddai dau bregethwr yn y Cyrddau Mawr blynyddol, un yn y bore a'r llall yn y prynhawn, a'r ddau yn pregethu yn y cwrdd nos. Pan fyddai fy rhieni a'm chwaer am fynd i ffair neu rywle arall ac o'r farn fy mod i'n rhy ifanc i ddod, yr unig beth oedd angen iddynt ddweud wrthyf oedd 'eu bod nhw'n mynd i gwrdd pregethu a bod dau bregethwr yno', a chyn pen chwinciad byddwn innau wedi diflannu draw i'r byngalo ar bwys i dreulio'r noson yng nghwmni mam-gu (Ann Jenkins).

Dadi a mami –
Dai a Mati John, Pantygwynfyd –
ar ddiwrnod eu priodas.

Roedd ymuno â'r oedolion i lafarganu'r pwnc yn arwydd o ddod i oed i ni'r plant. Yn y Gymanfa Bwnc byddai'r plant yn mynd drwy eu gwaith yn gyntaf, drwy adrodd pennod o'r Beibl, canu anthem, mynd drwy'r holwyddoreg, a chanu anthem arall i orffen. Wedyn, byddai'r plant yn clirio'r galeri a mynd mas i chwarae gan amlaf i roi eu lle i eraill gan fod y capel yn orlawn. Byddai'r oedolion wedyn yn mynd drwy eu gwaith – yn llafarganu pennod, yn canu anthem, ateb cwestiynau'r gweinidog ar y bennod (ac roedd hynny yn aml yn arwain at ddadlau twym rhwng yr aelodau), a chanu anthem i orffen. Pan ddeuai'r amser i'r plant ymuno â'r oedolion, pan fyddem tua 15 i 16 oed, byddai'r llafarganu yn rhywbeth fyddai'n dod i ni yn hollol reddfol, mor reddfol ag anadlu.

Pan ddeuai rhywun i'r Gymanfa heb glywed y llafarganu yma o'r blaen, byddai rhai yn chwerthin, a rhai yn ddu goch yn eu hwynebau wrth geisio llesteirio'r chwerthin; ddigwyddodd hynny unwaith i wraig y gweinidog o'r gogledd ddaeth i'r Gymanfa heb glywed y fath beth o'r blaen. Gymerodd hi dipyn o amser i'r wraig druan gael ei derbyn yn llawn i freichiau'r eglwys wedi hynny!

Bysys Owen John oedd yn ein cludo i'r ysgol. O bum oed byddwn yn cerdded lan i'r Cross i ddal y bws, ac er mai dwy filltir o bentref Maenclochog yr oeddwn yn byw, byddwn yn mynd ar siwrnai o ryw chwe milltir i'r ysgol; lan i'r groesffordd, draw i gyfeiriad Gât a lawr i Rhos-fach, lawr i Charing, Llangolman, draw heibio Llandeilo a mas ar bont Felin ac i Faenclochog ond finnau wedyn fyddai gyda'r cyntaf i ddisgyn oddi ar y bws ar y ffordd adre.

Hen fysys oedd bysys Owen John bob amser ac rwy'n cofio gweld y ffordd oddi tanom drwy'r tyllau yn llawr y bws gyntaf oedd gennym. Wedyn, dyma ni'n cael bws newydd – wel, newydd i ni – ac rwy'n cofio edrych yn syn ar ddwy chwaer o Langolman oedd yn eistedd yn dalsyth fel dwy frenhines, yn plethu eu breichiau, heb edrych i'r dde nac i'r aswy, a gofyn iddynt pam oedden nhw'n eistedd fel yna. Dim ymateb, dim ond syllu'n syth o'u blaenau; felly, dyma fi'n mynd ymlaen at Lyn y gyrrwr, mab Owen John, a gofyn pam oedd y ddwy chwaer yn eistedd fel yna – “achos bod bws newydd da ni, siŵr o fod” oedd yr ateb!

Roeddwn yn ffodus iawn pan euthum i Ysgol y Preseli am fod y bws yn mynd heibio drws y tŷ. Roedd fy chwaer yn ddigon anffodus o orfod seiclo draw i Faenclochog bob dydd ar bob tywydd i ddal y bws cyn wyth y bore i fynd i Ysgol Ramadeg Arberth. Ond yn ystod eira mawr 1963 nid oedd bysys Owen John yn rhedeg, felly dyma gael reid i'r ysgol am rai diwrnodau gyda Teifion, Llandeilo Isaf, oedd yn gweithio yng Nghrymych ar y pryd. Y diwrnod arbennig hwn roeddwn yn camu mas o'r car gyferbyn â'r ysgol, a gweld llond car o athrawon oedd yn byw yn Aberteifi yn tynnu lan, a'r prifathro, Mr W. R Jones, yn rhuthro mas o'r car a dweud wrthyf, “Merch fach i, beth yn y byd y'ch chi'n neud fan hyn?”

“Dod i'r ysgol syr,” oedd yr ateb.

“Mae'r ysgol wedi cau, ewch adre ar unwaith,” oedd gorchymyn y prifathro.

Dyma egluro na allwn fynd adre gan fod Teifion wedi mynd i'r gwaith. Felly dyma fe'n cydio yn fy mraich a'm brasgamu draw i garej Peter John a gofyn a allai rhywun fynd â fi adre yn ddiymdroi. ‘Wrth gwrs', oedd ateb Peter, a dyma Huw John yn dod i'r golwg o rywle, ac yn mynd â fi adre i Faenclochog wedi peth helbul. Fuodd yr ysgol ar gau am dair wythnos wedi'r diwrnod hwnnw, a phan ddaeth canlyniadau fy arholiadau Lefel O yr haf hwnnw, roedd Peter yn honni mai cyfraniad y garej yn ystod yr eira mawr oedd yn gyfrifol am y canlyniadau da.

Diolch byth bod Ysgol y Preseli wedi agor yn 1958 ddweda i. Roeddwn i'n un o'r disgyblion cyntaf yn yr ysgol. Dim ond plant un ar ddeg oed yn ffurfio Dosbarthiadau 1, 1A, 1B, 1C a 1M oedd yno'r tymor cyntaf hwnnw ynghyd ag athrawon ifainc, brwdfrydig, penigamp. Roedd disgyblion Dosbarth 1 yn cael eu haddysgu drwy gyfrwng y Gymraeg a disgyblion Dosbarth 1A drwy gyfrwng y Saesneg. Cefais i fy ngosod yn nosbarth 1 ac roeddwn yn astudio Cemeg, Bywydeg, Ffiseg a phopeth arall drwy gyfrwng y Gymraeg. Er bod y rhan helaeth o ddisgyblion Dosbarth 1A hefyd yn Gymry Cymraeg roedd rhaid rhannu'r ddau ddosbarth yn gyfartal o ryw 30 yr un. O edrych nôl, roedd y drefn hon mor naturiol â phawb yn derbyn addysg Gymraeg heb feddwl am

Finne'n ishte ar draeth Dinbych-y-pysgod gyda fy chwaer, Dianne, yn sefyll, yng nghwmni Ruby Nicholas.

gwestiynu'r mater. A diolch am hynny; roedd Cyngor Sir Penfro yn arloesol ar y pryd.

Er bod fy addysg yn Ysgol Maenclochog trwy gyfrwng y Gymraeg yn y flwyddyn gyntaf gyda Miss Jones (er ein bod yn cyd-lafarganu'r tablau yn Saesneg), ac felly hefyd gyda Miss Symonds a Mrs Lewis, trwy gyfrwng y Saesneg y byddai Mr Prichard a Mr Owen yn cyflwyno eu gwersi i'r plant hŷn. Yn y dyddiau cyn-deledu hynny prin iawn oedd fy Saesneg. Rwy'n cofio Winston John yn dweud wrthyf iddo golli ysgol am ei fod yn dioddef o 'soar throat', a finne'n meddwl bod hynny'n glefyd marwol, bron cyn waethed â'r gwahanglwyf! Felly, roedd cael mynd i Ysgol y Preseli a chael fy addysg drwy gyfrwng yr iaith y gallwn ei deall fel agor y nefoedd i mi.

Cofiaf gael sgwrs gyda Mr Prichard flynyddoedd wedyn yn Neuadd y Sir yng Nghaerfyrddin pan oedd yn gynrychiolydd undeb ar Bwyllgor Addysg Dyfed, a deall ei fod yn gallu siarad Cymraeg! Anghofiaf i fyth y profiad o fynd lawr ar fws o Faenclochog i Ysgol Ramadeg Arberth i sefyll yr arholiad 11+, llawn neuadd o blant yn eistedd wrth eu desgiau, minnau tua chefn y neuadd, dosbarthu'r papurau arholiad, athrawes yn sefyll yn y tu blaen yn egluro yn Saesneg beth oedd angen ei wneud, a minnau'n deall braidd dim! Wnes i ddim pen na chwt o'r papur ac nid oedd llawer mwy na'm henw wedi'i lenwi ar y papur! Sdim angen gofyn a wnes i lwyddo! Mae'n siŵr nad oedd y ffaith fy mod newydd ddychwelyd i'r ysgol ar ôl wythnosau lawer gartre yn gaeth i'r gwely yn dioddef o'r *'glandular fever'* wedi helpu chwaith. Lwc bod ail gyfle a bod Ysgol y Preseli wedi agor erbyn hynny.

Roedd dwy iard yn Ysgol Maenclochog – un i'r bechgyn a'r llall i'r merched. Byddai'r bechgyn hefyd yn cael mynd i mewn i'r parc i chwarae pêl-droed, a dyna lle byddem ni'r merched yn dringo i ben y twmpath glo, oedd yn pwyso yn erbyn wal y parc, i gael gwylio'r bechgyn. Cesum i'r wialen fwy nag unwaith gan y prifathro, Titus Lewis, am wneud hynny. Roedd y twmpath glo gerllaw'r fan lle cadwai gwragedd y cantîn eu biniau bwyd gwastraff, a byddai'r Parchg W. J. Rees yn dod ddwywaith yr wythnos i gasglu'r swil i fwydo'i foch. Chwarae hop-sgotsh a chwarae pêl fyddem ni'r merched pan na fyddem yn edrych ar y bechgyn.

Roedd cael fy magu ar fferm yn y 1950au a'r 1960au yn fywyd hapus iawn. Byddem yn aml yn treulio gyda'r hwyr yn ymweld â pherthnasau, a minnau'n gwrando ar y sgyrsiau yn hel achau ac yn sôn am hwn a hwn oedd yn fab i hon a hon, oedd yn chwaer i hwn a hwn, oedd wedi priodi â hon a hon, ac ar ôl mynd drwy ryw bedwar neu bum cam, rwy'n cofio meddwl na allwn eu dilyn ymhellach! Byddai'r pobyddion yn dod â nwyddau heibio'r tŷ bob nos Lun, fan bara bob dydd Mawrth a dydd Gwener, y cigydd ar ddydd Gwener. Byddai'r fan ddillad yn dod â brat i mami a mam-gu bob hyn a hyn, a byddai Sioni Winwns yn dod ar ei dro, ac yna'r sipsiwn yn dod â'u basged pegs, a'r Indiaid yn dod â'u cês o ddillad lliwgar a matiau.

Byddai adeg cywain gwair yn gyfnod llawn cyffro am y byddai'r cymdogion i gyd yn helpu'i gilydd a finnau'n helpu mami i fynd â bwyd a'r *'ginger-beer'* cartref mas i'r parc gwair mewn basged at y gweithwyr. Dim ond rhyw unwaith y gwnaethon ni roi tro ar facsu. Diwrnod lladd mochyn oedd diwrnod arall o bwys, a rhaid oedd mynd i'r llofft a chuddio o dan ddillad y gwely a rhoi fy nwylo dros fy nghlustiau i geisio lleddfu rhywfaint ar sgrechiadau'r mochyn. Ond pleser wedyn fyddai mynd â 'ffrei' o gwmpas y cymdogion a chael gwledda ar y danteithion, ac wedyn hongian ochrau'r mochyn wedi'u halltu o nenfwd y gegin er mwyn cael bwyd tan adeg lladd mochyn y flwyddyn wedyn. Cofiaf mai 'cig gwyn' oedd dadi'n galw'r braster.

Ond ar y llaw arall gallai fod yn ddigon anodd ar fy rhieni; byddai rhaid cario dŵr o'r ffynnon gerllaw cyn cael y *'mains'*, tŷ-bach mas yn yr ardd, cynnau'r lampau tili i odro, lampau bach yn y tŷ, peile llaeth yn rhewi yn y gaeaf, berwi tato i'r moch mewn padell sinc enfawr ar dân mas yn y parc, ac un tro llithrodd mami ar garreg wrth gario un pen o'r badell o swil tato berwedig a hwnnw'n arllwys dros ei braich a'i llosgi'n ddifrifol. A'r un flwyddyn dadi'n cael picwarch drwy ei law ar ben llwyth wrth dderbyn ysgubau llafur, fy chwaer yn torri ei phen-glin wrth chwarae mas yn y pentref tra roedd yr oedolion yn dweud y pwnc, minnau'n torri pont fy ysgwydd pan syrthiodd fy chwaer ar fy mhen wrth redeg rownd y parc yn dilyn dadi'n lladd gwair, ac fel cysur y noson honno cefais gysgu 'da mam-gu yn ei gwely pluf cyn mynd lawr drannoeth i'r ysbyty yn Hwlffordd!

Am fod arian yn brin, pleser pur i mi oedd cael mynd o gwmpas y fro fore dydd Calan i ganu Blwyddyn Newydd Dda a chael calennig am wneud. Byddai mam yn fy ngalw am saith y bore, ac ar ôl brecwast clou, byddwn yn mynd ar fy meic ar gylchdaith ar hyd yr hewl dop, lawr i Rhos-fach a Charing a draw i Langolman. Byddwn fel arfer yn cyrraedd pen draw Llangolman erbyn canol dydd, a phleser o'r mwyaf wedyn oedd dychwelyd adre â 'mhoced yn llawn. Mae llawer o sôn heddiw am fewnfudo, ond hyd yn oed yn y dyddiau hynny, Saeson oedd yn byw yn Portis, Travel, Wern, Gwastod, Rhos-fach, Pengawse, Pisgah a Llanllechog.

O ran pobl ifanc yn cymdeithasu byddai pawb yn ymgynnull ar Sgwâr Maenclochog ar nos Wener a mynd mewn confoi i ddawns yng Nghlunderwen, yn enwedig os byddai'r Blackjacks yn chwarae yno, neu i Grymych. Bob nos Sadwrn byddai bws yn mynd â ni i'r pictiwrs yn Hwlffordd, ac ar nos Sul byddai'r bechgyn yn sefyllian ar y sgwâr i aros i'r merched ddod mas o'r cwrdd a'u dilyn adref, a chanol wythnos wedyn cynhelid ambell Dwmpath Dawns yn rhywle. Byddai cryn edrych ymlaen at y ffeiriau: Ffair Crymych ddiwedd Awst fyddai'n ffair fawr iawn, Ffair Maenclochog fis Medi fyddai eto yn ffair fawr iawn yn ymestyn ar hyd y pentref o waelod y Castle lan i'r grin uchaf. Ffair Portfield, Hwlffordd a Ffair St Margaret, Dinbych-y-pysgod oedd y ddwy ffair arall y byddem fel teulu yn eu mynychu.

Trip yr Ysgol Sul fyddai uchafbwynt arall y flwyddyn a hynny i Ddinbych-y-pysgod bob blwyddyn ar wahân i un flwyddyn pan gynigiodd Hywel Phillips ein bod yn mynd i Borth-cawl! Fuodd erioed shwt drip; gallech feddwl ein bod yn mynd i ben draw'r byd!

Gadael y fro i fynd i'r brifysgol yn Aberystwyth wnes i yn 1965 ond Pantygwynfyd yw fy nghartref o hyd.

In her article entitled 'Blissful Childhood' Pam John recalls her early days at Pantygwynfyd (Blissful dingle), a less than fifty acre farm in Rhos-fach, where all recreational activities in those pre-television days in the 1950s and 1960s had to be devised by the children themselves; imitating the housekeeping chores of their elders, making mud pies, cooking eggs on an open wood fire, creating a tunnel through the loose hay in the barn, climbing trees, playing cowboys and indians, yodelling into a milk churn and collecting winberries on Foel Cwm Cerwyn. It was 1958, when Pam was 12 years of age, before basic electricity was installed and some years later before a television set was acquired.

Activities at Llandeilo Congregational Chapel were central to family life. A new summer outfit would be bought for the Whitsun Cymanfa Bwnc and similarly a winter set of clothes for the autumn Cymanfa Ganu. During a chapel service the children would all sit together behind the organ and woe betide if they turned around or became fidgety, as such behaviour would deserve a serious reprimand. They would while away the time during the sermon making mice out of their handkerchiefs.

One of the neighbours, Ogwen Howells, Pisga

Attending school at Maenclochog meant travelling on Owen John's buses, that were invariably old. Pam recalls seeing the road through the holes in the floorboards. Lessons were given through the medium of Welsh in the early years, though the mathematical tables were recited in English, and English was the medium of instruction during later years. Pam remembers meeting one of the 'English teachers' years later and was surprised on realising he was a fluent Welsh speaker.

As one of the first influx of pupils to Ysgol y Preseli at Crymych in 1958 Pam received all her lessons, including all science subjects, through the medium of Welsh. She recalls an earlier experience of sitting her 11 plus examination at Narberth Grammar School when all the instructions were given in English. She wrote little more than her name and needless to say she did not pass. Her limited grasp of English at the time meant that on hearing one of her fellow pupils announce he had been absent from school suffering from 'soar throat' she thought it was some life threatening ailment almost as bad as leprosy! Pam confesses to receiving several lashings of the cane at the hands of the headmaster for climbing on the coal heap near the school wall in order to watch the boys play football. The girls would play hopscotch when not watching the boys.

Family social life meant visiting neighbours and relatives and listening to interminable conversations about how individuals were related as far back as the fourth and fifth generation. Bakers and butchers would call regularly, as would drapers, gypsies and 'Johnny Onions' in their turn. Haymaking was a major social occasion, as food and drink had to be carried out to the fields to replenish the neighbours who came to give a helping hand. However, on pig slaughtering day, Pam would disappear to her loft and hide under the bedclothes to distance herself from the screeches of the dying pig. Distributing various parts of the pig to neighbours would then be a pleasurable chore.

At the same time, by today's standards, life was hard for her parents: carrying water from a nearby well before the advent of water mains, toilet in the garden, lighting tilly lamps to milk the cows, lamps in the house, milk pails freezing in winter, boiling potatoes for the pigs in an enormous pan in the open air, and on one occasion the boiling swill spilt on her mother's arm causing serious injury. The same year a pitchfork pierced her father's hand, her sister damaged her knee and she broke her collarbone.

New Year's Day meant an early rise, as many places had to be visited to sing for 'Calennig' before mid-day. In her later years, local youngsters would congregate on Maenclochog Square on Friday evenings before leaving in convoys to rock and roll dances at Clunderwen or Crymych, especially if the Blackjacks were playing. On Saturday evening a bus would leave for the cinema at Haverfordwest and on Sunday evening the boys would hang around the Square waiting for the girls to come out of chapel and then follow them home. The odd Twmpath Dawns might be held mid-week as well.

Another high point of the year was the annual Sunday School trip, usually to Tenby, though one year it was decided to go to Porthcawl, which seemed to be on the other side of the world. Despite leaving for Aberystwyth University in 1965 Pam still looks upon Pantygwynfyd as her home.

‘O werin Cymru y codais i ...’

Glen George

‘Gwyneth, lle’r rwyt ti ’nghariad i?’

Cwthwm o wynt trwy’r tŷ a dyna lle’r oedd Wncwl Tomi yn sefyll ar ganol y gegin, cap fflat ar ei ben, sandalau am ei draed a thei bo coch â smotiau gwyn am ei wddf.

Dyma’r cof cyntaf sydd gen i o T. E. Nicholas, neu Niclas y Glais fel yr adwaenwyd ef ledled Cymru: ewythr mam, pregethwr, darlithydd, deintydd, comiwnydd, bardd ac un o’r dynion anwylaf a droediodd daear erioed.

Yn y 1960au treuliais oriau lawer yng nghwmni Wncwl Tomi yn ei dŷ ac yn ei ystafell ddeintyddol yn Aberystwyth, a chan amlaf byddai ei fab, Islwyn, yno hefyd yn croesawu cwsmeriaid neu yn paratoi dannedd dodi. Cofiaf fod ‘Glasynys’ yn llawn o lyfrau ac yn gyrchfan i lenorion o bob rhan o Gymru; dyna lle cyfarfûm â’r nofelydd, Tom McDonald, a’r bardd, Vernon Jones, o Bow Street.

Rhwng 1909 a 1963 cyhoeddodd Niclas ddeg cyfrol o farddoniaeth yn ogystal â nifer o bamffledi politicaidd. Nid oedd yn eisteddfodwr mawr, ond enillodd nifer o gadeiriau mewn eisteddfodau lleol ac yn Eisteddfod Genedlaethol y De ym 1941. Daeth hefyd yn agos i gipio’r goron yn Ninbych ym 1939, pan ataliwyd y wobr, ac yn Nolgellau ym 1949 â’i bryddest ‘Meirionnydd’. Ei farn gyffredin am yr Eisteddfod Genedlaethol oedd ei bod yn lle da i fwrw prentisiaeth gan roi cyfle i feirdd ifainc symud o’u gwobr at eu gwaith. Erbyn heddiw, does dim cymaint o sôn am farddoniaeth Niclas ond cyhoeddodd nifer o feirniaid llenyddol benodau sydd yn tafoli ei waith (Lloyd, 1948; Jones, 1963, a George, 2001).

Ni phoenodd Niclas ysgrifennu cofiant ffurfiol ond ceir pennod o atgofion yn *Estyn yr Haul* (Eirwyn George, 2000) a braslun o’i hanes yn y llyfryn *Pan oeddwn grwt diniwed yn y wlad* (Jams Nicholas, 1979). Ceir hefyd gasgliad o erthyglau ar ei fywyd a’i waith yn y gyfrol a gyhoeddwyd gan Bwyllgor Cymreig y Blaid Gomiwnyddol ym 1972. Golygwyd y gyfrol honno gan Dr J. Roose Williams ac ynddi gwelir erthyglau gan Gwilym Tilsley, Dr Iorwerth Peate, y Parchg Gerallt Jones, Ithel Davies a Pennar Davies.

Anodd, felly, oedd dewis beth i’w gynnwys mewn pennod fel hon, ond wedi meddwl, penderfynais ddilyn y cyngor a gefais gan Wncwl Tomi pan ofynnais iddo beth oedd i gyfrif am ei huodledd o flaen cynulleidfa. Ei ateb syml oedd: ‘Os oes gyda ti rhywbeth werth ei ddweud, fe ddaw’r geirie’. Ond roedd llawer mwy i ddawn areithio Niclas na’i ddewis o eiriau: roedd ganddo lais melfedaidd, clir, a defnyddiai hiwmor a dychan i ddal cynulleidfa yng nghledr ei law. Yn ei gerdd ‘Elfed’ sonia am lais hudolus y gŵr o Flaen-y-coed ond gellid defnyddio’r un llinellau i ddisgrifio ei oslef yntau:

Ni chofiaf ei destun na'i bregeth,
Pallodd fy nghof yn llwyr,
Ond cofiaf y llais oedd fel cân y nant
Yn gymysg â chlychau'r hwyr.

'Rwy'n Gweld o Bell (tud.79)

Pan euthum ati i lunio'r darn hwn sylweddolais fod Niclas wedi ei eni a'i fagu ar y ffin rhwng plwyfi Mynachlog-ddu a Llanfyrnach. A dyna gynllun parod ar fy nghyfer: Niclas fel dyn a oedd ar y ffin yn llythrennol ac yn drosiadol. Y ffin gyntaf iddo groesi oedd y ffin rhwng y wlad a'r dref, wedyn y ffin rhwng yr hen draddodiad radicalaidd a'r traddodiad Marcsaidd, ac yn olaf y ffin rhwng cyd-wladoldeb a chenedlaetholdeb.

Rhwng gwlad a thref:

Magwyd Thomas Evan Nicholas gerllaw Foel Dyrch, mewn tyddyn o'r enw 'Y Llety', uwchben Pentregalar. Yr oedd ei dad, David, yn Fedyddiwr ac yn aelod o gapel Hermon ond i gapel yr Annibynwyr, Antioch, yng Nghrymych, yr âi gweddill y teulu. Yr oedd ei fam, Bet, wedi bod yn briod o'r blaen ac yr oedd ganddi un ferch, Ann, o'r briodas gyntaf. Wedi colli ei gŵr, mae'n debyg ei bod hi wedi ffermio Llety ar ei phen ei hun cyn priodi David. Cyn hir, yr oedd chwech o blant yn y teulu (Ann, Sarah, William, Anna, David a Tomi); ganwyd Tomi, y 'cyw melyn olaf', ym 1879. Yn ôl fy mam roedd y brawd hynaf, William, yn fardd galluog ond bu yntau farw yn 1915 yn 35 oed.

Ar ddiwedd y bedwaredd ganrif ar bymtheg roedd bywyd yn galed iawn ar dyddynwyr tir uchel Cymru. Tyddyn ar rent oedd y Llety a galwai'r gwŷr mawr heibio o bryd i'w gilydd i gasglu arian. Rwy'n cofio Wncwl Tomi yn dweud wrthyf am y flwyddyn pan na fedrodd ei dad werthu buwch i ennill arian. Yr oedd y teulu yn hunangynhaliol mewn bwyd ond rhaid oedd gwerthu un anifail bob blwyddyn i brynu nwyddau. Y flwyddyn honno, rhaid oedd halltu'r fuwch a gwneud heb oel lamp a sgidiau.

Tlodi oedd hanes fy hen dad-cu ar hyd ei oes. Cofiai mam amdano'n hen ŵr yn eistedd ar erchwyn y ffordd yn torri cerrig; ffordd galed i ennill arian pan oedd y gwynt yn oer a'r tywydd yn wlyb. Ond er bod bywyd yn anodd, yr oeddynt yn rhan o gymdeithas glòs lle yr oedd yr holl ardal yn deulu a chymydog yn cynnal cymydog. Mae'n debyg bod Niclas yn grwtyn hynod o alluog ac wedi dysgu darllen ag ysgrifennu Cymraeg cyn mynd i'r ysgol. Pan oedd yn ddim ond pum oed cyfansoddodd bennill direidus i hen wraig o bentref Hermon oedd wedi marw yn sydyn:

Coffa da am Ann o'r Gernos
Marw wnaeth wrth grasu pancos,
Cyn y bydd hi wedi codi
Fydd y pancos wedi oeri.

Yr hen gartref – Llety – sy'n adfeilion bellach

Yn ôl ei atgofion, nid oedd Niclas yn hapus yn yr ysgol leol – ysgol Hermon, oherwydd mai Saesneg oedd iaith y gwersi ac ni ddysgodd fawr o'r iaith honno nes ei fod yn ddeuddeg oed. Wedi gadael yr ysgol, aeth i weithio yn Nhafarn y Swan, ar y ffordd rhwng Pentregalar ac Efail-wen, a rhan o'i waith yno oedd cario nwyddau o'r rheilffordd yng Nghrymych gyda cheffyl a chart. I ddiddanu ei hun yn ystod y daith arferai adrodd pryddestau o waith beirdd y cyfnod; ar y ffordd i Grymych roedd ganddo ddewis eang o gerddi ond ar y ffordd nôl ei ddewis arferol oedd 'Dinistr Jerusalem' gan Eben Fardd gan fod y gerdd yn un hir a'r gaseg yn symud yn araf! Gorfu i Niclas adael y Swan wedi iddo gyfansoddi penillion gwawdlyd am offeiriad lleol. Mae'n debyg fod yr offeiriad yn arfer sleifio trwy'r cefn i ddiota a thestun y penillion oedd y tro y bu rhaid ei gario adref mewn whilber!

Cofrestru mewn coleg diwinyddol oedd unig ddewis bachgen tlawd o Gymro a ddymunai addysg dda yn y cyfnod hwnnw ac, o'r herwydd, aeth Niclas i Academi'r Gwynfryn yn Rhydaman i'w addysgu gan Watcyn Wyn a Gwili. Tra oedd yn y coleg cyfarfu â merch o'r ardal, Alys Hopkins, a phriodasant ym 1902. Ymhen amser ganwyd iddynt bedwar o blant, Islwyn, Thelma, Eluned a Nellie; bu Eluned farw pan oedd yn faban a chollwyd Thelma ar ôl genedigaeth plentyn ym 1938.

Ordeiniwyd Niclas i'r weinidogaeth gyda'r Annibynwyr yng Nghapel Horeb, Llandeilo, ym 1901 ond yna ym 1903, penderfynodd ymfudo i'r Unol Daleithiau i gymryd gofal eglwys Gymraeg yn nhref ddiwydiannol Dodgeville.

Ond er gwaethaf holl atyniadau'r wlad newydd, ni fu Niclas yn hir cyn hiraethu am Gymru. Ym 1904 daeth cyfle i ddychwelyd wedi i'w dad gwrdd â blaenor o eglwys Seion, Y Glais, yn ffair Crymych a oedd wedi clywed Niclas yn pregethu pan oedd yn fyfyriwr, ac yn awyddus i'w ddenu o'r Unol Daleithiau. Cyn diwedd y flwyddyn, yr oedd y teulu wedi symud i'r Glais yng Nghwm Tawe – ardal ddiwydiannol arall ond ardal a oedd o fewn cyrraedd i'w fro enedigol:

Wylaf wrth gofio'r dydd pan oedd breuddwydion
Rhwng grug ac eithin ar bellterau'r ffridd,
Cyn taflu'r esgid bren a'r dillad llwydion,
A chyn casáu ohonof sawr y pridd.

Dryllio'r Delwau (tud 37)

Yn y cyfnod cythryblus rhwng 1904 a 1914 daeth Niclas i gysylltiad â'r Blaid Lafur Annibynnol, yr ILP, a datblygodd cyfeillgarwch personol rhyngddo a Keir Hardie, aelod seneddol dros Ferthyr Tudful ac Aberdâr. Roedd Hardie yn sosialydd rhonc ond hefyd yn cefnogi cyfran o ymreolaeth i Gymru a'r Alban. Pan fu farw Hardie ym 1915, Niclas a draddododd ei bregeth angladdol yn Siloa, Aberdâr. Ei destun chwyldroadol oedd 'Mi a ddeuthum i fwrw tân ar y ddaear'. Erbyn hyn, roedd wedi cefnu ar y wlad ac yn brwydro dros hawliau'r gweithwyr ym mhyllau glo a ffwrneisi dur Sir Forgannwg. Ond nid y tipiau glo a'r mwg oedd yn ei ddenu ond y bobl a'u brwydr yn erbyn anghyfiawnder:

Sŵn y dyrfa wyf yn hoffi,
Murmur yr ystrydoedd llawn;
Ym Morgannwg gyda dynion
Byddwn byw o hyd pe cawn.

Dros Eich Gwlad (tud 23)

Ym 1914 symudodd i wasanaethu eglwysi yn Llangybi a Llanddewibrefi yn Sir Aberteifi a bu yno drwy gyfnod y rhyfel. Am ei fod yn gwrthwynebu'r Rhyfel cafodd amser anodd ac o'r herwydd gadawodd y weinidogaeth a throi at ddeintyddiaeth. Dysgodd y grefft gan Ernest Williams o Bontardawe, radical a heddychwr a gafodd ddylanwad mawr ar ei fywyd. Yr oedd Niclas yn ddeintydd medrus a bu llawer chwarelwr di-waith yn ddiolchgar am driniaeth rad flynyddoedd cyn dyfodiad y Gwasanaeth Iechyd pan fyddai Niclas ar ei deithiau i'r gogledd. Treuliodd weddill ei oes yn nhref glan y môr Aberystwyth ond teithiai'n aml i weld ei deulu a'i ffrindiau yn Sir Benfro. Yn y Preselau yn ystod y 'cynaeafu a'r cneifio', fel y dywed Waldo, y dysgodd Niclas ei sosialaeth. Nid economeg rhyw hen Iddew yn eistedd yn yr Amgueddfa Brydeinig oedd economeg Niclas ond economeg y gymdeithas wâr a drigai wrth odre'r Preselau ar ddiwedd y bedwaredd ganrif ar bymtheg:

Canfûm binaclau Dinas y goleuni
Pan oeddwn grwt diniwed yn y wlad;
Daeth y pelydrau ataf dros y Frenni
A tharo'n fflach ar ffenestr tŷ fy nhad.

Canu'r Carchar (tud 18)

Niclas, Islwyn ac Alys yn nyddiau Horeb, Llandeilo

Rhwng traddodiad Llanbryn-mair a dysgeidiaeth Lenin:

Heddiw, pentref digon di-nod yw Llanbryn-mair, yn Sir Drefaldwyn, ond yn y ddeunawfed ganrif 'roedd yn ganolfan i nythaid o bregethwyr radicalaidd a'r pwysicaf ohonynt oedd Samuel Roberts (S.R.), gweinidog gyda'r Annibynwyr yn Hen Gapel, Llanbryn-mair. Roedd S.R. yn heddychwr pybyr, yn gwrthwynebu'r degwm ac yn ddadleuwr brwd dros y bleidlais i ferched. Ym 1843 cyhoeddodd y rhifyn cyntaf o'r *Cronicl*, misolyn a fyddai'n ddylanwad mawr ar feddylfryd politicaidd Cymru. Roedd *Cronicl* S.R. yn boblogaidd iawn ar aelwyd y Llety yn ogystal â chasgliad o bregethau gan John Roberts, brawd S.R. Dylanwad pwysig arall ar Niclas yn y cyfnod cynnar yma oedd *Baner Thomas Gee*, gweithiau'r sosialydd arloesol Robert Owen a'r bardd a'r pamffledwr R. J. Derfel.

Ym 1915 datblygodd rhwyg ddofn yn y mudiad sosialaidd yn Ewrop rhwng y rhai a oedd yn cefnogi'r Rhyfel a'r rhai a oedd yn gofyn i weithwyr y cyfandir sefyll gyda'i gilydd i wrthwynebu'r imperialwyr. Arweinwyr y gwrthwynebwyr oedd: James Connolly (Iwerddon), John McLean (Yr Alban), Karl Liebnecht a Rosa Luxemburg (Yr Almaen), Friedrich Adler (Awstria) a V. I. Lenin a Leon Trotsky (Rwsia). Yr unig blaid Brydeinig i ddadlau yn erbyn y Rhyfel oedd y Blaid Lafur Annibynnol (yr ILP) a Niclas oedd ei lladmerydd amlycaf yn y Gymraeg. Arferai ysgrifennu'n gyson i'r papurau newydd i gondemnio'r Rhyfel ac efe oedd golygydd Cymraeg y papur radicalaidd y *Merthyr Pioneer* ar y pryd.

Ym 1918 dewiswyd Niclas yn ymgeisydd seneddol i'r ILP mewn sedd newydd a grëwyd yn Aberdâr. Yn ôl yr hanes, collodd yr etholiad pan ofynnodd rhywun iddo, 'A fyddech yn barod i ysgwyd llaw gydag Almaenwr?' ac yntau'n ateb, 'Wrth gwrs, pam lai?'. Trwy gydol y rhyfel, bu Niclas yn heddychwr gweithgar ac efe oedd arweinydd y *No-Conscription Fellowship* yn Sir Aberteifi, mudiad a sefydlwyd i gefnogi gwrthwynebwyr cydwybodol. Mae ei gasgliad o gerddi yn y gyfrol *Dros Eich Gwlad* yn llawn o ddisgrifiadau cignoeth o'r lladdfa a welwyd yn Ffrainc:

Darnau o ddynion yn dod
O'r gad yn ei poen a'i gwaed;
A myrdd yn domenni ar feysydd pell,
A'r meirch yn eu sathru dan draed.

Dros Eich Gwlad (tud 68)

Fel ym mhob rhyfel, y gwneuthurwyr arfau a'u cyfranddalwyr oedd yn elwa o'r gyflafan, a phan ddaeth sôn fod rhai o filwyr Prydain wedi gweld angylion yn eu hamddiffyn ar faes y gad yr oedd ateb Niclas yn llym:

Elw ac Aur oedd angylion Mons,
Ysbail a Bloneg oedd uwch y drin.

Dros Eich Gwlad (tud 90)

Yr oedd ganddo atgasedd pur at y gwleidyddion oedd yn cefnogi'r Rhyfel a gweinidogion, fel y Parchg John Williams Brynsiencyn, oedd yn annog bechgyn Cymru i ymuno â'r fyddin:

Mae bendith offeiriadaeth ar y brad
A roddodd ryddid i fytheiaid cad.

Dryllio'r Delwau (tud 71)

Erbyn diwedd y Rhyfel y dylanwad pwysicaf ar syniadaeth Niclas oedd y Chwyldro a fu yn Rwsia ym 1917. Mewn gweithred dyngedfennol trodd y milwyr yno eu cefn ar y Rhyfel i gefnogi chwyldro a siglodd y byd. 'Roedd Niclas yn edmygydd mawr o Lenin ac yn wybodus iawn ynghylch hanes cynnar y chwyldro. Cyfeiria'r ddwy linell gyntaf o'i gerdd 'Lenin' at y noson pan ddychwelodd y chwyldröwr mewn trên i Rwsia, ar ôl cyfnod o alltudiaeth yn y Swistir:

Cerddaist i ganol annibendod chwyldro,
Ac i drueni cenedl dan yr iau

Yn y ddwy linell olaf cyfeiria at yr ymdrech a wnaed i ddisodli'r drefn newydd wrth ddanfon milwyr o Ewrop a'r Amerig i gynnal dwylo'r hen oruchwyliaeth.

Dymchwelaist thronau'r byd a duwiau'r nen,
A thynnu dial Mamon am dy ben

Llygad y Drws (tud 104)

Trwy'r 1920au a'r 1930au bu Niclas yn cynnal brwydr y gweithwyr am well telerau mewn gweithfeydd ar hyd a lled Cymru. Yr oedd yn weithgar gydag undebau'r diwydiant amaethyddol yn Sir Aberteifi, y diwydiant mwyn yn y Canolbarth ac Undeb y Chwarelwyr yn Arfon:

Hollti y creigiau oesol
Â morthwyl, a gordd, a chŷn;
Dy hunan yn dlawd a'th gyfoeth yn troi
I borthi y segur ddyn;

Dros Eich Gwlad (tud 71)

Teulu'r Llety – Hannah, David (tad-cu Glen), David (hen-dadcu Glen), Tomi, Sarah, William, Bet (hen-famgu Glen) ac Anna, plentyn Bet o'i phriodas gyntaf.

Roedd y perchnogion a'r awdurdodau yn gandryll ond ni fedrent wneud dim i atal ei ymgyrchu ond cawsant gyfle i ddial ym 1939 pan basiwyd yr 'Emergency Powers (Defence) Act', deddf a roddai'r hawl i'r awdurdodau garcharu pwy bynnag oedd yn 'amharu ar y rhyfel'. Cyhuddwyd Niclas, a'i fab, Islwyn, o fod yn ffasgwyr gan Brif Gwnstabl Sir Aberteifi (J. J. Lloyd Williams), dyn a oedd ei hun o feddylfryd eithafol. Fel y dywedodd wrth Islwyn wrth ei ddwyn i'r ddalfa:

"Nicholas, I have got you where I want you at last. I've got you and I am going to keep you". Yr unig 'dystiolaeth' yn eu herbyn oedd map o Ewrop â baneri papur arno i ddynodi cwrs y rhyfel. Map wedi ei ddosbarthu gan bapur newydd oedd hwn ond roedd y Prif Gwnstabl dim ond wedi cadw'r baneri Ffasgaidd. Aed â'r tad a'r mab i garchar Abertawe am gyfnod ac yna i garchar Brixton yng nghanol dociau Llundain. Sylweddolodd Niclas ar unwaith beth oedd y tu ôl i'r cyfan:

Nid damwain ydyw'r gell: gwyddwn amdani
Fel rhan o'm tâl am weithio dros y tlawd;
Llygad y Drws (tud 121)

Pan oeddynt yn Brixton roedd yr ardal yn cael ei bomio'n gyson ac ar yr adegau hynny clowyd y carcharorion yn eu celloedd heb lygedyn o olau tra roedd awyrennau'r Almaen yn cylchu uwchben:

Mae'r amser braidd yn hir, a'r saethu'n agos
A sgrechian clwyfedigion tref gerllaw,
Chwil-olau fel pileri dur yn dangos
Adenydd llydain ar y gorwel draw.
Llygad y Drws (tud 49)

Dyma'r cyfnod pan gyfansoddodd Niclas gant a hanner o sonedau mewn amgylchiadau anodd iawn. Am nad oedd yr awdurdodau yn fodlon iddo gael papur ysgrifennu, rhaid oedd bodloni ar lech. Ar y llech yma yr ysgrifennodd y cyfan, cyn eu dysgu a'u copïo yn y dirgel ar ddarnau o bapur tŷ bach. Ceidwad o Sais a gadwodd y darnau yn ddiogel cyn eu trosglwyddo i ffrind a oedd yn ymweld o dro i dro. Synnwyd Niclas pan ddywedodd y swyddog wrtho, *'I know why you are here, and I will do all I can to help you.'* Heddiw, mae'r copïau gwreiddiol o'r cerddi wedi eu rhwymo a'u cadw yn y Llyfrgell Genedlaethol yn Aberystwyth. Gellir gweld ar unwaith ble ysgrifennwyd pob cerdd gan fod lliw papur tŷ bach Abertawe yn wahanol i bapur tŷ bach Brixton!

Pan ymunodd Rwsia â'r Rhyfel ac wedi ymgyrch rymus ar eu rhan gan y mudiad Llafur a'r mudiad Rhyddid (NCCL) cafodd y ddau eu rhyddhau a bu Niclas yn brysur wedyn yn darlithio ar ragoriaethau'r Undeb Sofietaidd. Er gwaethaf eithafiaeth Stalin, cadwodd Niclas ei ffydd yn y drefn Sofietaidd hyd ddiwedd ei oes ond erbyn 1960au roedd ganddo fwy o ddiddordeb yn hanes Tsieina ac ymdrechion Ciwba i greu cymdeithas newydd. Chwiliwr fu Niclas ar hyd ei oes ac yr oedd yn aderyn rhy fawr i'w gadw mewn blwch cyfleus:

Y Chwith a'r Dde a'm geilw yn eu tro
I lwybrau cam, neu union. Yna draw
Rhaid im sefydlu 'nhrem ar degwch bro
Sy'n ddigyfnewid; a rhoi pwys fy llaw
Ar bethau nad oes darfod arnynt mwy,
Ac aros byth yn eu cadernid hwy.
'Rwy'n Gweld o Bell (tud 35)

Rhwng cydwladoldeb a chenedlaetholdeb:

Mynna rhai bod yna wrthdaro sylfaenol rhwng cydwladoldeb a chenedlaetholdeb, ond camgymeriad mawr yw hynny oherwydd os nad yw dyn yn caru ei wlad ei hun ni all werthfawrogi hanes a diwylliant yr un wlad arall; trwy gydol ei oes roedd Niclas yn ymgnawdoliad o'r undod yma rhwng cydwladoldeb a chenedlaetholdeb. Cynigia rhai bod yr elfen genedlaethol yn fwy amlwg yn ei gerddi diweddaraf ond yr oedd yno o'r cyntaf oll. Ym 1903, cyfansoddodd y gerdd, 'Mae'r Byd yn Fwy na Chymru', cerdd a ailgyhoeddwyd yn *'Rwy'n Gweld o Bell* (1963). Ar ddechrau'r gerdd cawn ddarlun o'r byd fel yr ymddengys i blentyn bach:

Meddyliwn fod y nefoedd
A'i llenni gleision, heirdd,
Yn pwyso ar ysgwyddau tal
Mynyddoedd gwlad y beirdd.

Ond wedi tyfu'n ddyn mae'n sylweddoli:

Mae'r byd yn fwy na Chymru,
'Rwyn gwybod hynny'n awr,
A diolch fod hen Gymru fach
Yn rhan o fyd mor fawr.

'Rwy'n Gweld o Bell (tud 48)

Mae'r cerddi a geir yn y gyfrol, *Llygad y Drws* (1940), yn gyfuniad o gerddi cydwladol a cherddi cenedlaethol ac mae nifer o'r cerddi cydwladol yn sôn am ei gyd-garcharorion; cerddi fel 'Pedair Iaith ar Ddeg', 'Indiaid' ac 'Yr Estron'. Cerdd arall sy'n adlewyrchu'r undod yma yw'r un a gyfansoddodd Niclas fel teyrnged i fachgen o Gymru a laddwyd yn Rhyfel Cartref Sbaen. Ym 1937 ymrestrodd nifer o löwyr o gymoedd y de yn yr *International Brigades*, sefydliadau a ffurfiwyd i amddiffyn Gweriniaeth Sbaen yn erbyn ymosodiad y Ffasgwr, Franco. Lladdwyd nifer yn y frwydr i amddiffyn Madrid a gwelir rhan o'r gerdd ar y plac a osodwyd i gofio'u haberth yn Llyfrgell y Glöwyr ym Mhrifysgol Abertawe. Yn y soned disgrifia Niclas gyrchoedd awyr y Condor Legion o'r Almaen, yr erchyllter a gofnodwyd gan Picasso yn ei ddarlun enwog 'Guernica':

Haid o eryrod dur mewn awyr lân
A'u hen grafangau'n difa maes a chnwd.

Dengys ei ddisgrifiad o farwolaeth y bachgen fod yna hefyd ffin bendant i heddychiaeth Niclas:

Plygodd ei ysgwydd o dan estron bwn
Tros ryddid daear syrthiodd yn y ffos
A'i fys yn chwilio clicied poeth ei wn.

Llais y Werin - 1937

Y mae arddull y cerddi cenedlaethol yn fwy telynegol. Gwelwn ef yn hiraethu am y diwylliant Cymraeg yn 'Hiraeth Cymro', yn cofio am chwarelwyr Arfon yn y gerdd 'I'm Llechen' ac yn gofidio am ddyfodol y genedl yn y gerdd 'Cymru':

Celfyddyd, cerdd a llên – trindod ein tir,
A fywiant hwythau wedi'r taro hir?
Llygad y Drws (tud 105)

Ond y gerdd genedlaethol fwyaf ingol yw'r gerdd a gyfansoddodd ar ôl noson o fomio yn Brixton fel teyrnged i'r tri a losgodd yr ysgol fomio ym Mhenyberth:

Nid syn i imperialwyr deimlo'r cerydd,
Ymgais y Tri i achub gwlad eu mam!
Drwy'r uffern heno y gwelais innau fawredd
Y brotest dân a siglodd gyrrau'r wlad,
Llygad y Drws (tud 106)

Gadawn y gair olaf i Niclas, "O werin Cymru y codais i ac ni bu ynof awydd erioed i berthyn i ddosbarth arall. Ohoni hi y cefais i bopeth a gyfoethogodd fy mywyd, ac iddi hi y rhoddais fy amser a hynny o dalent a oedd gennyf, ac ni chwenychaf yn dâl ond i werin Cymru gofio i mi ei charu â chariad anniffodd."

Niclas y Bardd

Gellir dosbarthu barddoniaeth Niclas i dri chyfnod tra gwahanol:

Y cyfnod cyn y Rhyfel Byd Cyntaf pan oedd ei arddull yn rhamantaidd a'r syniadaeth yn sentimental.

Y cyfnod yn ystod ac wedi'r Rhyfel Byd Cyntaf pan oedd ei arddull yn dal yn rhamantaidd ond y syniadaeth wedi ei miniogi gan erchylltra'r rhyfel a'r Chwyldro yn Rwsia.

Y cyfnod yn ystod ac wedi'r Ail Ryfel Byd pan oedd yr arddull yn fwy celfydd a'r syniadaeth yn fwy treiddgar.

Dilyna cerddi cynnar Niclas y patrwm telynegol a oedd mewn grym yn yr Oes Fictoraidd: mae'r werin yn dal i fyw 'mewn bwthyn bach prydferth ynghanol y wlad' a deil i glywed 'adain clych y tylwyth teg' ar nosweithiau pan mae'r 'sêr yn gwenu'n fwyn'. Ond cabolwyd yr arddull a chaledwyd cryn dipyn ar y syniadaeth wedi dechrau'r Rhyfel Byd Cyntaf; dyma fel y disgrifia ei safiad fel gwrthwynebydd i'r rhyfel:

Cyfartha corgwn rhyfel gylch fy sodlau,
Ond sefyll wnaf yn gryf dan faner hedd;
Dros Eich Gwlad (tud 30)

Bu farw Keir Hardie ym mis Medi 1915 wedi torri ei galon wrth weld gweithwyr o Brydain a'r Almaen yn lladd ei gilydd yn ffosydd Ffrainc. Dyma agoriad y gerdd y lluniodd Niclas fel teyrnged i'w gymrawd:

> Mae crechwen heno yn neuaddau gorthrwm,
> A llawen ddawns sydd yn neuaddau trais;
> *Dros Eich Gwlad* (tud 21)

O 1917 ymlaen cafodd Niclas gryn drafferth i gyhoeddi ei waith. Ni dderbyniai y cylchgrawn *Cymru*, a olygwyd gan O. M. Edwards, ddim o'i law ond yr oedd *Y Genhinen* yn cyhoeddi ei waith o bryd i'w gilydd. Hyd yn oed ym 1969, gwrthododd y *Tivy Side*, papur wythnosol ardal Aberteifi, gyhoeddi ei gerdd am Arwisgiad Tywysog Siarl. Cred Eirwyn George mai'r gerdd yma, 'Syrcas Caernarfon 1969', oedd y gerdd olaf iddo ysgrifennu, ac mae'n gorffen â'r llinellau proffwydol:

> Yng nghymanfa gwallgofiaid cyhoeddaf yn groch
> Fod ystafelloedd y castell yn dylcau moch.

Un o wendidau amlwg Niclas fel bardd oedd ei duedd i ganu gormod nes bod yna berygl i'r llif geiriau droi'n ystrydebol. Rhaid cofio mai dyn chwimwth ac aflonydd oedd Niclas yn feddyliol ac yn gorfforol. Cofiaf amdano yn bwyta pryd o fwyd ar ei draed wrth ruthro o'r gegin i'r parlwr ac wedyn i'r gweithdy ar waelod yr ardd. Yn ei ragarweiniad i'r gyfrol *Llygad y Drws* dywedodd Gwenallt nad oedd llawer o amser gan Niclas i loywi cerdd: "Nid oedd ganddo amynedd i'w gadael yn y drâr i aros am yr awr honno i'w thrwsio a'i chaboli," meddai.

Does dim rhyfedd, felly, mai ei gerddi gorau oedd y rhai a luniodd yn y carchar. Roedd caethiwed cell wedi llyffetheirio ei aflonyddwch, ehangu ei orwelion a rhoi cyfle iddo bwyso a mesur rhin y geiriau. Yn y cyfnod yma y mae'r nodyn cenedlaethol yn fwy amlwg yn ei waith; er enghraifft, cerddi fel 'Cymru', 'Mynyddoedd Cymru', 'Nerth Wrth Raid', 'Y Syrcas ger y Lli' ac 'Alien'. Mae ystod y testunau hefyd wedi ymestyn a chawn nifer o gerddi coffa i feirdd fel W. J. Gruffudd a T. Gwynn Jones a chymeriadau fel Bob Owen a Tom Nefyn.

Un o'r lluniau diwethaf a dynnwyd o Niclas gyda'r dici bo a chap stabal y werin

Yn ei gyfrol olaf, *Rwy'n Gweld o Bell*, mae'r arddull yn fwy caboledig a'r syniadaeth wedi dwysáu. Yma y gwelwn Niclas yn edrych yn ôl ar ei yrfa gythryblus mewn cerddi fel 'Teithio', 'Darfod Teithio' a 'Nid Ofer' ac yn sylweddoli ei fod yntau yn mynd yn hen: 'Yr Wyf yn Hen', 'Yr Antur Olaf' a'r 'Pren Crin'. Erbyn hyn, yr oedd peth o sicrwydd diwyro ei flynyddoedd cynnar wedi cilio ac yr oedd yn edrych ar y byd mewn ffordd llawer mwy pwyllog ac athronyddol. Dyma'r ddwy linell olaf o'r gerdd 'Y Tir Pell', cerdd sy'n synfyfyrio am dir cudd yr isymwybod:

Fe'u gwelais mewn breuddwydion lawer gwaith,
Rhy bell i lygad a rhy ddwfn i iaith.

'Rwy'n Gweld o Bell (tud 18)

Ac y mae atsain o bregeth olaf ein nawddsant yn ei gerdd 'Beth yw Gwirionedd?':

Nid Credo ond pethau bach pob dydd
Yw sylfaen bywyd a phinaclau ffydd.

'Rwy'n Gweld o Bell (tud 31)

Roedd Niclas yn feirniadol iawn o'r beirdd 'tywyll' am y credai y dylai cerdd dda fod yn glir, yn gain ac yn hawdd ei chofio. Dewisai yntau arddull a geiriau syml, nid yn unig i fynegi ei neges yn glir, ond i sicrhau bod ei gerddi yn cael ei darllen gan ystod eang o'i gydwladwyr. Nid oedd ganddo lawer o ddiddordeb mewn beirniadaeth lenyddol fel y cyfryw, a'i brif nod oedd defnyddio ei allu barddonol fel arf cymdeithasol. Teimladau a syniadau oedd yn bwysig iddo a'r dasg fwyaf anodd oedd rhwymo ei feddwl chwim:

Fe rannwyd cadernid o greigiau,
Cordeddwyd eiddilwch o wawn,
A dafn o wallgofrwydd rhaeadrau
I roddi anturiaeth i'm dawn;

'Rwy'n Gweld o Bell (tud 44)

Erbyn heddiw, tueddir i feddwl am Niclas fel bardd gwrthryfel, yn hyrddio ei ddicter at y rhai a oedd yn caethiwo'r werin ond yr oedd ganddo hefyd ddawn arbennig i ddarlunio natur:

Gwawr ar y bryniau yn oedi,
A sêr ar orielau'r nos,
Porffor y grug ar y bannau pell,
A gwlith y wawr ar y rhos,

Dros Eich Gwlad (tud 88)

Ni all neb sy'n gyfarwydd â'r hen aelwyd Gymreig lai na dotio ar ei ddisgrifiad o eira yn chwyrlio yn y simnai fawr:

Ffenestri'r tŷ yn llawn o redyn arian
A'r blodau gwyn yn llenwi'r simnai fawr;
Y clychau rhew yn tincial ar y marian
A'r byd heb lwybyr a heb doriad gwawr
Canu'r Carchar (tud 32)

Danfonodd Niclas gopi o'r soned yma dan y teitl 'Eira Preseli' i Llwyd Williams pan oedd yn paratoi ei gyfrol *Crwydro Sir Benfro* (Yr Ail Ran) gyda'r eglurhad ei fod yn cyfeirio at eira mawr 1894.

Hanfod darn da o farddoniaeth yw trosiad creadigol a grymus; does dim llawer o drosiadau ym marddoniaeth Niclas ond pan ddefnyddia'r ddyfais y mae'r ddelwedd yn cydio yn y cof. Yn ei gerdd 'Cerdded Mewn Cylch' gwêl gerdded rhwystredig y carcharorion yn debyg i gaseg yn troi mewn cylch dyrnu. Yn 'Blodau'r Carchar' sylwa fod y blodau a osodwyd ar allor yr eglwys yn nychu a dihoeni fel ei gymrodyr caeth. Yn ei gerdd 'Y Dewin' disgrifia'r gwanwyn yn dod i adnewyddu'r tir, nid yn unig yn rymus, ond yn wyddonol gywir. Beth amser yn ôl, ysgrifennais bapur gwyddonol ar effaith yr hinsawdd ar ansawdd dŵr, ac un ffactor bwysig oedd 'datod celloedd bywyd dan y pridd' pan oedd y gaeaf yn fwyn:

Daeth heibio â'i agoriad yn ei law
I ddatod celloedd bywyd dan y pridd,
A rhoddodd wres yr haul a maeth y glaw
Ar grinder gallt a gardd, cymoedd a ffridd;
'Rwy'n Gweld o Bell (tud 14)

Ar y llaw arall, gall pawb uniaethu â'r trosiad yn y gerdd 'Angof' lle mae'n gweld y cof am bethau da a drwg yn ein bywyd yn diflannu fel lluniau wedi eu torri ar wyneb llech. Wedi darlunio bachgen bach yn tynnu lluniau ar lech mae'n cyfeirio at y crwt yn gwaredu'r cyfan gyda'i lawes lwyd:

Felly y derfydd cof am serch a chas,
Fel diflanedig luniau'r llechen las.
'Rwy'n Gweld o Bell (tud 15)

Niclas y Proffwyd

Roedd Niclas, yn union fel yr hen frudwyr, yn disgrifio cymdeithas fel y gobeithiai y byddai nid fel yr oedd yn debyg o fod. Erbyn heddiw mae'r Undeb

Sofietaidd wedi ei chwalu a phleidiau comiwnyddol Ewrop ar y cyrion: yr ydym i gyd yn gyfalafwyr nawr! Ond wrth gofio am drychineb y gyfundrefn ariannol ac effeithiau ein tyfiant economaidd ar yr hinsawdd, onid yw hi'n bryd i ailystyried ein blaenoriaethau?

Un o arwyr mawr Niclas oedd William Williams, Pantycelyn; yn wir, mynnai fod pob dim i'w gael yn emynau'r Pêr Ganiedydd a'i fod yn bosib dod o hyd i ddyfyniad oedd yn addas i bob sefyllfa. Tybed a ydi'r un peth yn wir am farddoniaeth Niclas?

Agorwn y papur dyddiol i weld ystadegau safon byw ym Mhrydain. Gwelwn fod yr agendor rhwng y tlawd a'r cyfoethog wedi ymestyn o dan ofal Llafur Newydd:

A glywi di rwn y bwystfil yn llusgo'i gadwyni,
A llaw y bradwr yn araf ddatod y clo?

'Rwy'n Gweld o Bell (tud 23)

Trown at y radio i wrando ar y newyddion o'r senedd. Mae'n debyg fod un aelod wedi gwario dros fil a hanner o bunnoedd am dŷ i'w hwyaid dof:

Cyn cyrraedd Senedd mawr fu ein brwdfrydedd
Dros heddwch daear a thros hawliau dyn;
Cael sedd oedd pennaf amcan ein chwilfrydedd,
Cael swydd, a'r tâl oedd wrth y swydd ynglŷn.

'Rwy'n Gweld o Bell (tud 27)

Dyma'r eitem olaf ar y bwletin newyddion; gosgordd yn cario corff bachgen o'r Rhondda a laddwyd gan ffrwydrad mewn pentref diarffordd yn Affganistan:

Cerddwch i'r rhengoedd, fechgyn,
Cewch dâl gan eich gwlad am hyn;
Cewch agor eich mynwes i dân a phlwm,
A phydru ar waelod y glyn.

Dros Eich Gwlad (tud 9)

Erthygl gan lywodraethwr rhyw gwmni olew wedyn yn mynnu mai celwydd yw'r honiad fod y byd yn cynhesu:

Crinder melyngoch ar lechweddau'r bryn
A glaswellt yn dihoeni yn y gro;
Afonydd bas yn hepian yn y glyn
A'r preiddiau'n brefu am ffynhonnau'r fro;

Dryllio'r Delwau (tud 25)

Bu farw Wncwl Tomi ym mis Ebrill 1971 yn 91 oed ar ôl cystudd byr; wedi oes o deithio, ymresymu a dadlau, roedd y traed a'r tafod yn llonydd, ond roedd y meddwl treiddgar wedi rhagweld y sefyllfa yma hefyd:

> Darfu buander troed ac egni braich,
> Ac wedi'r ferraf daith 'rwyn wan a blin:
> Ond crys cto un anturiaeth fawr –
> Suddo i gwsg di-freuddwyd llwch y llawr.
>
> *'Rwy'n Gweld o Bell* (tud 21)

Gwasgarwyd ei lwch ar lethrau Crugiau Dwy ger ei hen gartref uwchben Pentregalar ym mis Tachwedd 1971.

Llyfryddiaeth Ddethol

George, E. (2000) *Estyn yr Haul*, Cyhoeddiadau Barddas, t. 29-40.

George, E. (2001) *Gwŷr Llên Sir Benfro*, Gwasg Gwynedd, t. 21-30.

Jones, R. M.: *Llenyddiaeth Cymru,* (1902-1936), Cyhoeddiadau Barddas, t. 262-269.

Lloyd, D. T. (1948) T. E. Nicholas (Yn: *Gwŷr Llên,*)
Gol. Aneirin Talfan Davies, Griffiths, Llundain, t. 143-163

Nicholas, J. (1997) *Pan oeddwn grwt diniwed yn y wlad*, Gwasg Gomer.

Nicholas, T. E. *Salmau'r Werin*, Ystalyfera, 1909 .

Cerddi Gwerin, Caernarfon, 1912.

Cerddi Rhyddid, Abertawe, 1914.

Dros Eich Gwlad, Pontardawe, 1920.

Llygad y Drws, Gwasg Aberystwyth, 1940.

Canu'r Carchar, Gwasg Gomer, 1942.

Y Dyn a'r Gaib, Gwasg Gee, 1944.

Dryllio'r Delwau, Gwasg yr Arad, 1949.

'Rwy'n Gweld o Bell, Gwasg John Penry,1963

Williams, J. R. (1972) T. E. Nicholas: *Proffwyd Sosialaeth a Bardd Gwrthryfel*. Pwyllgor Cymreig y Blaid Gomiwnyddol, t. 44.

Glen George writes about his great uncle T. E. Nicholas or Niclas y Glais, as he was universally known, – the preacher, lecturer, dentist, bard and communist. Glen got to know him during his student days in the 1960s when he visited Niclas at his home in Aberystwyth and where he would meet other literary figures such as the novelist,

Tom McDonald, and the poet Vernon Jones. Between 1909 and 1963 Niclas published ten volumes of poetry and several political pamphlets. He came close to winning the National Eisteddfod crown on two occasions and won numerous chairs at lesser eisteddfodau. Several literary critics have since written articles on his literary output and the Welsh Communist Party published a collection of articles on various aspects of his life and work in 1972.

Niclas was born on a smallholding at Llety, now a ruin, beside the road that runs from Mynachlog-ddu to Pentregalar, on the border between two parishes. Glen, therefore, takes as his theme the fact that Niclas was always, in a literal and a metaphorical sense, a man on the border. The first border he crossed was that between the rural and urban community. He then navigated the border between the old radical tradition and the Marxist tradition as well as the border between internationalism and nationalism.

Niclas was born in 1879, the last in a brood of six children, of which the eldest, Ann, was the product of his mother's previous marriage. The widowed mother, Bet, farmed the sparse land at Llety single-handedly for a period before she remarried. Poverty was never far from the door, as Glen recalls Uncle Tomi's recollection of how they had to do without oil for their lamp and new boots when the sale of the cow they depended on for such provisions did not materialise. Despite such hardships, culture played an important part in their lives and Niclas could read and write in Welsh before he attended school at Hermon.

On leaving school he was employed at the Swan Inn, now a private house situated on the road between Pentregalar and Efail-wen. During his journeys back and fore to Crymych with a horse and cart to collect provisions he would recite long odes to while away the time. He was eventually sacked when he composed a not too complimentary poem about a certain vicar who frequented the pub and had to be carried home in a wheelbarrow. At the time the only recourse for a poverty-stricken lad seeking higher education was to register at a theological college. Niclas thus enrolled at the Gwynfryn Academy in Ammanford, under the tutorship of Watcyn Wyn and Gwili. There he met a local girl called Alys Hopkins whom he married in 1902.

Niclas' first ministry was at Horeb, Llandeilo, but in 1903 the family moved to Dodgeville in the United States. His ministry there was short-lived, as he accepted a call to Seion, Glais, in the Swansea Valley in 1904. Apparently this arrangement was brokered when one of the deacons, who had known Niclas as a student, met his father at Crymych Fair. Before long, Tomi and Alys had four children, Islwyn, Thelma, Eluned and Nellie, but Eluned died whilst still a baby. The next ten years proved very eventful, as Niclas became involved with the Independent Labour Party and became a close friend of one of its founders, Keir Hardie. By now Niclas had well and truly crossed the border from the rural hinterland to the industrial heartlands, where he fought with vigour for the rights of the workers.

By 1914 he was on the move again, this time to rural Cardiganshire as a minister at Llangybi and Llanddewibrefi, where he soon took up the plight of the farmworkers. As a staunch pacifist the First World War years proved difficult for him so he then left the ministry to take up dentistry. Niclas had always been an avid reader of the Welsh periodicals and in particular the writings of the early radicals such as Samuel Roberts, Llanbryn-mair, Robert Owen and R. J. Derfel. He soon became a regular contributor himself and was for a period the Welsh editor of the Merthyr Pioneer. In 1918 he was chosen as the ILP candidate for the newly created Aberdare constituency. He apparently lost that election, when in response to a question from a heckler, Niclas responded that he would still be happy to shake hands with a German. Much of his poetry at this time was anti-war propaganda directed at church leaders who supported the war, as well as the king and government.

By the end of the war Niclas had been deeply influenced by the 1917 Bolshevik Revolution in Russia. This again became obvious in his poetry as he praised Lenin for returning from exile in Switzerland to overthrow the monarchy. Niclas' own efforts on behalf of the proletariat were thwarted in 1939 when, along with his son, Islwyn, he was arrested under the Emergency Powers (Defence) Act by the Chief Constable of Cardiganshire, J. J. Williams. The Chief Constable had alleged that they were both fascists, but the only supporting evidence was a map found at his home with some German flags. In fact, a national newspaper had distributed the map, but the Chief Constable had thrown away the British and French flags. Nevertheless, father and son were sent to Swansea and Brixton jails before they were released following an ardent campaign by Labour and Civil Liberty activists.

During his time in prison Niclas wrote 150 sonnets on the prison toilet paper and the originals can now be seen at the National Library at Aberystwyth. After the war, Niclas kept faith with the Russian system, though by the 1960s he became increasingly interested in the socialist development of China and Cuba. He was inquisitive to the end. He saw no conflict between his internationalism and nationalism, always arguing that without an appreciation of your own history and culture you cannot appreciate the history and culture of any other nation. His poems reflect this view, as he wrote of the Spanish Civil War as well as the Welsh struggle for recognition – such as the arson attack on the bombing school in Penyberth.

However, several of the Welsh periodicals such as 'Cymru' edited by O. M. Edwards refused to publish his poems and this was also the case in 1969 when the local weekly newspaper, the 'Tivyside Advertiser', refused to publish a satirical poem referring to the Investiture at Caernarfon. Glen accepts that his great uncle's weakness as a poet was his tremendous output, which meant that he had little time to 'polish' his compositions. But that was the man's nature, forever restless, mentally and physically. Glen well remembers his habit of eating a meal while darting from the kitchen to the study and then to the workshop at the bottom of the garden. His fellow poet, Gwenallt, once said Niclas never had time to put a poem aside for further revision and there is no doubt that his best poems were written in jail, where there were no distractions. Since most of his poems deal with man's greed and the folly of war they can be quoted today to underline the tragedy of many current events.

Niclas died at the age of 91 in 1971 after a short illness, having spent his eventful life in constant debate and always fearless in his views, which made him some enemies but also gained him many friends. His ashes were scattered on Crugiau Dwy above his old home in November 1971.

Bryngolman yn y 1950au a'r 1960au

Russell Evans

Symudais i blwyf Llangolman pan oeddwn yn chwech a hanner blwydd oed yn ystod dyddiau olaf 1954. Roeddwn i a fy mrawd, John, a'n rhieni, Danon a Nelli, yn symud o Grug-y-deri, Llandysilio, i gartref fy nhad ym Mryngolman. Dwi'n cofio taw yn lorri wartheg Emlyn Thomas, Ralltfach, y cludwyd peth o'r dodrefn.

Roeddwn yn cyfnewid Ysgol Brynconin, lle'r oedd yna bedwar athro, am ysgol lai gyda dim ond dwy athrawes yn Ysgol Nant-y-cwm. Miss Maggie Davies, yn byw yn Allt-y-pistyll gerllaw, oedd un athrawes, a Miss Nancy Morgan, Capel Newydd ger Abercych, oedd y brifathrawes, a fyddai'n lletya yn yr ardal yn ystod yr wythnos. Byddai'n cadw ei char yn yr adeilad sydd wedi'i doi â phorfa yn Ysgol Steiner Nant-y-cwm heddiw.

Nid wyf yn cofio yn gywir faint o blant oedd yn Ysgol Nant-y-cwm ond yn fy mlynyddoedd cyntaf yno mae gennyf gof fod yno rai plant yn aros yno nes eu bod yn cwblhau eu haddysg yn 14 oed. Mynd i Ysgol Ramadeg Arberth a wnâi'r plant a lwyddai yn yr arholiad 11+ nes i Ysgol Gyfun y Preseli agor yng Nghrymych yn 1958. Erbyn i mi fynd i Ysgol y Preseli'r flwyddyn ddilynol roedd rhif y disgyblion yn Ysgol Nant-y-cwm wedi disgyn i tua 15 i 18. Miss Maggie Davies a Miss Eynon o Landdewi Felffre oedd y ddwy athrawes erbyn hynny am fod Miss Morgan wedi'i chyflogi i ddysgu Saesneg yn Ysgol y Preseli.

Roedd gan Miss Eynon dymer ddrwg a phan fyddai'n grwnsial dannedd roedd gofyn cadw un llaw ar gaead y ddesg er mwyn ei godi fel amddiffynfa pan daflai beth bynnag oedd wrth law tuag atoch, a hynny heb fod yna reswm penodol dros wneud. Yn ystod y pum mlynedd y bues i yno fe fuom yn cystadlu mewn mabolgampau yn Ysgol Ramadeg Arberth siwrnai, yn canu mewn Cymanfa Ganu yn Hermon, Abergwaun, unwaith ac fe aeth Parti Cyd-adrodd yr ysgol drwodd i Eisteddfod Sir yr Urdd a dod yn ail i Ysgol Glandŵr. Y darn oedd 'Dawns y Dail' a finnau fel yr unig fachgen yn meimio am fod fy llais braidd yn ddwfn.

Cawsom addysg dda ond eto roedd yn gyfyng iawn mewn llawer i agwedd oherwydd y diffyg adnoddau. Nid oedd yno gae chwarae ac o ran hynny doedd dim digon o blant yno i ffurfio'r un tîm. Roedd yna dwll yn yr iard lle'r oedd yn bosib chwarae marblis ac yn yr hydref byddai taro concers yn boblogaidd iawn am fod digonedd o goncers ar goeden fawr yn Rhos-y-gwydr gerllaw. Roedd y bwyd yno yn arbennig o dda ac yn ystod y pum mlynedd y bues i yno cofiaf am dair cogyddes, Martha Llewellyn (Evans, Plas-cwrt wedyn) a Sally John, Rhos-y-gwydr. Gadawodd y ddwy yn eu tro i briodi ac fe'u holynwyd gan Cice Davies, Allt-y-pistyll. Toiledau y tu fas oedd yno ond roedd Elsan Chemical Closet yno wedi'i roi mewn yn ystod gwyliau'r haf 1959.

Miss Morgan fyddai'n dysgu'r plant a oedd ar fin symud i'r ysgol uwchradd ac fe fydden nhw'n eistedd bob ochr i'r tân glo ac yn cael sylw arbennig ganddi. Atgof arall am Nant-y-cwm oedd mai Cymraeg oedd yr iaith drwyddi draw. Roedd dau deulu Saesneg o ardal Rhos-fach, sef y Parkers o Ben-nebo a'r Hyslops o Bortis yn danfon eu plant i Nant-y-cwm er y byddai'n fwy cyfleus i'w hanfon i Ysgol Maenclochog. Ni chlywais unrhyw achwyn gan y rhain am 'ormod o Gymraeg' ac roedd y plant yn dysgu'r Gymraeg yn gyflym gan eu bod yn ifanc ac yn cael eu boddi yn ei sŵn. Cefais addysg dda yno ond roedd symud o ysgol lle roeddwn yn bysgodyn mawr i ysgol uwchradd lle roeddwn yn ffrilyn bach yn dipyn o sioc a rhaid cyfaddef na wneuthum fwynhau fy nyddiau yn Ysgol y Preseli.

Byddem yn mynychu Ysgol Sul Capel Rhydwilym a Miss Maggie Davies oedd ein hathrawes yno hefyd. Adeg y Nadolig a'r Gymanfa Bwnc ni fyddem bob amser yn siŵr ym mha ysgol fydden ni am y byddai Miss Davies yn aml yn dysgu'r un caneuon i ni yn y ddwy ysgol. Er ei blynyddoedd o brofiad mae gennyf atgof clir o Miss Davies yn cnoi ei hewinedd yn jogel wrth ddisgwyl i ni'r plant i fynd trwy ein gwaith adeg y pwnc.

Yr oeddem fel teulu yn addoli yng Nghapel Rhydwilym, yr eglwys lle bedyddiwyd fy nhad a'm brawd a finnau yn yr afon y tu fas. Cafodd fy nhad ei wneud yn ddiacon yn 1957 pan oedd yn 48 mlwydd oed. Mae gennyf atgof clir o hynny am fy mod yn ystyried y rhai a ddewiswyd yn 'hen bobol' – Eurfryn Davies, Plas; Ivor Rees, Troed-y-rhiw, a Gwilym Phillips, Llwynbedw. Ond y gwir amdani doedd y tri uchod ddim eto'n ddeugain oed a finnau'n naw oed.

Roedd cymaint o fwrlwm yn Rhydwilym nes fy mod yn anghofio am y gymdeithas fach yn Nant-y-cwm. Bob Sul yn ystod y 1950au a'r 1960au, cynhelid dwy oedfa bregeth yn ogystal ag Ysgol Sul lle'r oedd yno bedwar dosbarth. Miss Davies oedd athrawes y plant lleiaf, tra roedd y plant yn eu harddegau yng ngofal fy mam, y bobl ifanc yng ngofal y gweinidog, y Parchg Haydn Thomas, a'r oedolion yng ngofal Dafi Jones, Brynowen, ac yna fy nhad yn ddiweddarach.

Uchafbwynt blwyddyn yr Ysgol Sul, heblaw am y trip i Ddinbych-y-pysgod neu 'Tenby' fel y byddem yn ei ddweud pwrny, oedd y Gymanfa Bwnc ar y Llungwyn pan fyddai Ysgolion Sul Rhydwilym, Horeb a Blaenconin yn cymryd rhan. Bryd hynny roedd yr oedolion yn canu anthemau yn hytrach nag emynau ac yr oedd yr esbonio gan yr oedolion yn gallu bod yn danllyd wrth i nifer o'r esbonwyr ddangos gwybodaeth helaeth o'r Ysgrythurau. Roedd un peth arall yn gofiadwy am y Gymanfa Bwnc, sef fod nifer fawr o'r plant a'r oedolion yn cael dillad newydd ar gyfer yr achlysur.

Yn union fel roedd rhaid cynnal Ysgol Gân i baratoi at y pwnc roedd rihyrsals yn cael eu cynnal i baratoi tuag at y Gymanfa Ganu a'r rheiny'n mynd o amgylch y chwe eglwys a berthynai i'r Gymanfa bryd hynny. Cynhelid y Gymanfa wedyn yn yr hydref. Yn sicr, roedd gweithgareddau Capel Rhydwilym yn ehangu yn fawr ar gylch cul ffrindiau Ysgol Nant-y-cwm. Deil y Gymanfa Bwnc a hynny ar ei newydd wrth i ni barhau i lafarganu'r bennod. Ond nid oes Ysgol Sul gweddill y flwyddyn a does dim plant yn Rhydwilym ar hyn o bryd.

Deil y Gymanfa Ddirwestol neu'r Gymanfa Rhinwedd a Moes fel y'i gelwir erbyn hyn a'r Gymanfa Ganu i hercian arni ond mae Cyrddau Gweddi'r Sul cyntaf o Awst, a'r gyfres o gyfarfodydd gweddi ar ddechrau blwyddyn wedi hen fynd. Yr un modd Cyrddau'r Bobl Ifanc a'r *Penny Readings* a llawer o weithgareddau diwylliannol eraill oedd ynghlwm â'r eglwys. Roedd nifer o'r gweithgareddau hyn yn rhoi cyfle i blant a phobl ifanc ymarfer eu doniau cyhoeddus a gwneud hynny yng ngŵydd pobl a oedd gan fwyaf yn gwerthfawrogi'r ymdrechion. Y trueni mwyaf yw nid ein bod wedi colli cymaint ond nad ydym wedi rhoi dim yn lle'r hyn a gollwyd.

Ar ben y gweithgaredd yn Rhydwilym roedd y Neuadd Goffa yn Llangolman hefyd yn lle prysur. Tua diwedd y 1950au cynhaliwyd dosbarthiadau plethi yno yn defnyddio twein bêls yn ogystal â dosbarth naddu llwyau pren. Bob Nadolig cynhaliwyd y *Christmas Tree* sef parti i blant y plwyf gyda thanysgrifiadau gwirfoddol yn talu am yr anrhegion. Yn ystod mis Tachwedd cynhelid oedfa goffa i gofio am y rhai hynny o'r plwyf a gollodd eu bywydau mewn rhyfeloedd.

Cafwyd perfformiadau gan gwmnïau drama Edna Bonnell o Lanelli a Dan Mathews o'r Garnant. Sefydlwyd cwmni drama yn lleol hefyd a chofiaf weld perfformiad o'r ddrama 'Yr Hen Gybydd' pan oedd Ben Thomas, Iet-fawr, yn chware rhan y cybydd. Roedd ganddo focs yn cynnwys nifer fawr o ffyrlingod i gynrychioli ei gyfoeth. Cofiaf hefyd am Maggie Owens, Colman Bach, yn esgus darllen cylchgrawn a hynny i ddau bwrpas, sef i gwato copi o'i sgript ac i guddio ei hwyneb pan gai bwl o chwerthin.

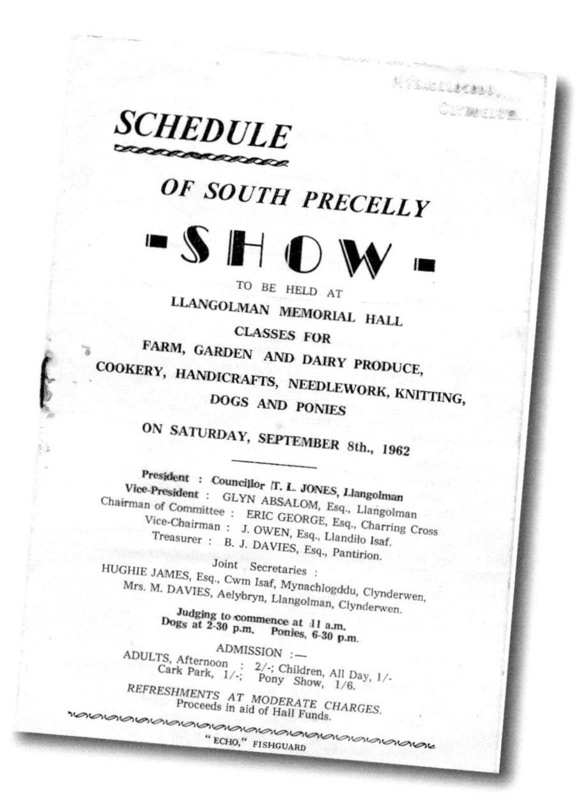

SCHEDULE

OF SOUTH PRECELLY

-SHOW-

TO BE HELD AT

LLANGOLMAN MEMORIAL HALL

CLASSES FOR

FARM, GARDEN AND DAIRY PRODUCE,
COOKERY, HANDICRAFTS, NEEDLEWORK, KNITTING,
DOGS AND PONIES

ON SATURDAY, SEPTEMBER 8th., 1962

President : Councillor T. L. JONES, Llangolman
Vice-President : GLYN ABSALOM, Esq., Llangolman
Chairman of Committee : ERIC GEORGE, Esq., Charring Cross
Vice-Chairman : J. OWEN, Esq., Llandilo Isaf.
Treasurer : B. J. DAVIES, Esq., Pantirion.

Joint Secretaries :
HUGHIE JAMES, Esq., Cwm Isaf, Mynachlogddu, Clynderwen,
Mrs. M. DAVIES, Aelybryn, Llangolman, Clynderwen.

Judging to commence at 11 a.m.
Dogs at 2-30 p.m. Ponies, 6-30 p.m.

ADMISSION :—
ADULTS, Afternoon : 2/-; Children, All Day, 1/-
Cark Park, 1/-; Pony Show, 1/6.

REFRESHMENTS AT MODERATE CHARGES.
Proceeds in aid of Hall Funds.

"ECHO," FISHGUARD

Rhaglen 'South Precelly Show' 1962

Hefyd tua diwedd y 1950au cychwynnwyd y 'South Precelly Show'. Yn y neuadd roedd arddangosfa o'r cynnyrch gwinio, gwau a choginio yn ogystal â chrefftau. Defnyddiwyd y llwyfan wedyn fel byrddau yn ogystal â benthyca byrddau o festri Rhydwilym i wneud yn siŵr y gellid arddangos yr holl gynnyrch. Tu fas i'r neuadd roedd y dosbarthiadau cynnyrch fferm ac yno hefyd y cynhelid y sioe gŵn. Ym mhen draw parc bach y Neuadd roedd 'na dyfiant da o lysiau'r dial neu *Japanese knotweed* a thorrwyd llwybr drwy'r tyfiant hwn i greu toiledau i'r dynion. Nid oes gennyf gof beth oedd y trefniadau o ran toiledau i'r merched mwy na bod disgwyl iddyn nhw i groesi eu coesau falle!

Fel y mwyafrif o ffermydd y cyfnod roedd gennym ni ym Mryngolman wartheg godro hyd at ryw 18 mewn nifer gan amlaf, yn cael eu cadw mewn dau feudy a'u godro â pheiriant Surge Melotte. Roedd hwn yn wahanol i'r peiriannau arferol am fod y bwced yn hongian o dan fola'r fuwch wrth strapen. Roedd yn ddyfais hynod o syml ac effeithiol. Os oedd buwch ychydig yn anodd ei godro roedd modd symud y bwced ymlaen ar y strapen fel bod mwy o bwysau yn tynnu ar y tethau. Roedd y llaeth yn cael ei gasglu o ben y feidr mewn tshyrns a'i gludo i hufenfa Hendy-gwyn. Roedd gennym tua 22 o ddefaid hefyd yn ogystal â da tew ac fe dyfem ychydig o lafur.

Byddem yn cadw ieir at gynhyrchu wyau ac fe'u cadwyd mas hyd at 1957 pan laddodd cadno rhyw 22 ohonyn nhw ac ar ôl hynny fe'u cadwyd mewn cwbiau ffowls. Byddai'r wyau yn cael eu casglu'n wythnosol a'u cludo i'r *Model Egg Depot* a oedd yn rhan o'r Co-op yng Nghlunderwen a'r arfer oedd talu am wyau'r wythnos flaenorol mewn arian sychion wrth gasglu.

Byddem yn cadw ceiliogod ar gyfer eu tewhau a'u bwyta hefyd. Byddem yn galw'r rhain yn *capons* am ein bod yn rhoi tabled fach o dan eu croen a oedd yn gweithredu fel rhyw fath o sbaddu cemegol. Tebyg nad yw hynny'n gyfreithlon heddiw. Ond, ta beth, fe fyddai *capons* mam tua 12 wythnos oed cyn eu bod yn cael eu lladd tra bo ffowls heddiw ond yn cael tua hanner hynny o oes. Roedd y dabled fach yn gwneud y cig yn fwy blasus ac yn rhwystro'r ymladd fyddai fel arfer yn digwydd ymhlith y ffowls. Gwerthu i gigydd lleol, Lloyd George, Clunderwen, a wnaed wedyn ac anaml iawn y cawsem ni ffowlyn i'w fwyta fel teulu. Roedd Mam yn cadw degau o capons ac yn gwneud punnoedd tra bo ieir yn cael eu cadw wrth y miloedd heddiw ac ond yn gwneud ychydig o geinioge.

Ym mis Mai 1955 fe gododd Henry Thomas, Nant-y-ffin, sied wair tri golau a thair sied ar oledd i ni ar gost o £300. Daeth Tommy Morgan, Blaen-pant, a Johnny Howells, Berllan-deg, i helpu i'w chodi. Gwair rhydd a roddwyd ynddi am flwyddyn neu ddwy ond yna byddai Hedley Absalom neu Islwyn John yn dod i felo. Roedd beler eitha' tebyg gan y ddau gyda nodwydde ar yr ochr a braich fawr ar y pen er mai Massey Harris oedd un a Massey Ferguson oedd y llall. Ystyriwyd y belers hyn yn dda i'r ffermwr am na fydde'r gwair yn cael ei godi ar hyd y cynfas pan fyddai'n dechrau gwlitho.

Tua 1959 cawsom feler ein hunan a byddem hefyd yn cynaeafu ychydig o silwair trwy ddefnyddio Patterson *buckrake* i gasglu'r gwair fyddai wedi'i dorri â pheiriant cyllell lladd gwair. Yn fynych roeddwn i'n gyrru'r Ffergi fach a'r *buckrake* er nad oeddwn ond tua deg oed. Roeddwn wedi bod yn gyrru'r Ffergi fach yn y pitsiwr gwair yng Nghrug-y-deri pan oeddwn yn ifancach byth. Heblaw am hau llafur a'i dorri roeddem yn gwneud yr holl waith fferm ein hunain.

Yn ystod y ddwy nau dair blynedd gyntaf ym Mryngolman torri llafur a wnelem ac yna ei ddyrnu. Hywel Llewelyn, Maes-y-llan, oedd y diwethaf i ddod â pheiriant dyrnu atom. Tebyg bod Hywel wedi bod gyda ni hefyd yn sowdlo'r cloddie gyda'r Drott wedi'r niwed fydde wedi'i achosi gan y cwningod rai blynydde ynghynt. Byddai Hywel yn symud y Drott o un lle i'r llall ar hen lorri'r Co-op gan ddefnyddio trawstie rheilffordd fel ramp ac ar lawr y lorri. Byddai pobl iechyd a diogelwch heddiw yn cael cathe bach wrth ei weld yn llwytho a dadlwytho.

Keith Davies, Plas-y-bedw, a'i gombein Ransomes oedd y cyntaf rwy'n ei gofio'n torri llafur ac yn ei gasglu mewn sache wedyn. Yn ddiweddarach daeth bois Llewelyn, Llwyndŵr, â chombein a oedd yn arllwys y llafur i danc. Byddem yn cael tipyn o help at y cynhaeaf gwair gan dyddynwyr a oedd yn gweithio yn ystod y dydd ond ar gael yn yr hwyr. Byddem ni wedyn yn ein tro yn lladd a throi gwair iddyn nhw tra bydden nhw yn y gwaith ac yn benthyca peirianne iddyn nhw yn ôl y gofyn.

Pan ddaethom i Fryngolman roedd cerrig mawr yn rhai o'r perci, a bu Hedley Absalom yno'n defnyddio ffrwydron i'w malu. Roedd ganddo drwydded, gobeithio! Rhywbryd yn y dyddie cynnar hyn daeth y Jac Codi Baw cyntaf atom o eiddo Ellis Evans Tŷ-coed, Y Glôg, er nid wyf yn cofio pa waith a wnaeth chwaith. Tua'r un cyfnod prynodd fy nhad yr hyn a elwid yn Nissen Huts o faes yr Awyrlu yng Nghaeriw a'u defnyddio i gadw moch a ffowls.

Erbyn diwedd y 1950au roedd fy rhieni, fel y mwyafrif o ffermwyr eraill, yn cymryd rhan mewn cynllunie o eiddo'r llywodraeth megis y 'Small Farm Scheme' i hybu hunangynhaliaeth wedi cyfnod llwm yr Ail Ryfel Byd. Parhaodd cynllunie tebyg tan ganol y 1980au pan newidiodd y pwyslais i gadwraeth, a chafwyd cynllunie fel Tir Gofal a Tir Cynnal i hybu hynny.

Russell Evans moved to Bryngolman when he was six and a half years of age in December 1954 along with his older brother, John, and their parents, Danon and Nelli Evans. Before moving to his father's home the family had previously lived at Crug-y-deri, Llandysilio. Attending Ysgol Nant-y-cwm was quite a different experience from attending Ysgol Brynconin, where there were four teachers compared to two at his new school and consequently fewer children. Miss Maggie Davies lived locally at Allt-y-pistyll and doubled as the children's Sunday School teacher at Rhydwilym Baptist chapel. Headteacher, Nancy Morgan lodged locally during the week, returning to Newchapel – near Boncath – at weekends. By the time Russell ventured to Ysgol y Preseli Miss Morgan had been appointed an English teacher there and was replaced by Miss Eynon from Lampeter Velfrey at Nant-y-cwm, who had a habit of throwing whatever was within her grasp towards the children. They always had to be ready to raise their desktops in defence whenever these missiles were forthcoming.

Russell commends the standard of education received, though he accepts it was in many ways restricted because of the lack of resources. Even if they had sports facilities they would not be able to field a full team in any age group. Marbles were nicked in the schoolyard and conker bashing was always popular in the autumn due to the abundance of conkers on a nearby tree. The standard of the food could not be faulted. Welsh was the natural language of all aspects of school life and, though two English speaking families from Rhos-fach sent their children there, Russell does not recall any complaints of there being 'too much Welsh' in school. Newcomers soon learnt the language as they were immersed in its daily use.

Rhydwilym Chapel, where Russell and his brother and father had been baptised through total immersion in the River Cleddau nearby, was always a hive of activity. Two sermon services was the norm every Sunday, as well as Sunday School, at which there were four classes; the children were taught by Maggie Davies, the teenagers by Russell's mother, the young people by the minister, the Rev Haydn Thomas, and the older members by Dafi Jones, Brynowen, and later Russell's father. New clothes were bought for the annual Whitsun Pwnc Festival, when anthems were sung rather than hymns, as is the case today. The majority of the various cultural meetings associated with the chapel have by now ceased. Russell laments not so much the loss of such traditions but that no similar traditions have replaced them.

Activities were also held regularly at Llangolman Memorial Hall, with performances by visiting drama companies such as Edna Bonnell from Llanelli and Jack Mathews from Garnant. Russell remembers Ben Thomas, Iet-fawr acting the part of a miser in a local production, when he had a boxful of farthings to suggest his wealth, and Maggie Owens, Colman Bach, would give the impression of reading from a magazine from time to time, where in fact she kept a copy of the script, and which she used to hide her face when overcome with laughter.

The hall was also the venue of the South Precelly Show, which incorporated cookery and craft competitions as well as a dog show and horticultural competitions. Various classes were held there, such as weaving various objects from baler twine, as well as the annual Christmas Tree, when presents were given to the local children, provided from voluntary subscriptions, and an annual commemorative service for those who had given their lives in various wars.

Agricultural methods developed rapidly during those years with the advent of the baler and the combined harvester to replace the stacking of loose hay and threshing corn. Eggs were sold to the Model Egg Depot at Clunderwen, but the hens had to be kept in deep litters when 22 were slain by a fox in 1957. Other hens were kept to be fattened, known as capons, when a tablet was placed under their skin as a form of chemical spaying. This would sweeten the meat and prevent the fowls from squabbling amongst each other, as otherwise they would be prone to do. Up to 18 milking cows were kept and a similar number of sheep as well as fat stock.

A three-bay hayshed was built by Henry Thomas, Nant-y-ffin, at a cost of £300 in 1955 and various contractors were employed as the need arose to carry out improvements on the land. By 1959 a baler was purchased so that all the hay harvesting could be completed in-house, with the aid of local cottagers who came along in the evenings after completing their day's work. In return the implements at Bryngolman would be used to harvest what hay the cottagers might have, and this would often be done during the day when those cottagers themselves were in their employment. Such was the nature of the close-knit farming community in those days.

Plas-dwbl - A Bio-dynamic Farm

Nim de Bruyne

It was the starting of Nant-y-Cwm Steiner School that brought me to Pembrokeshire in 1979. I had been born in Indonesia but before the Second World War my family moved back to the Netherlands and prior to moving here I had worked with two older ladies in a hostel for pupils of Michael Hall School in Forest Row, Sussex, where we also kept two cows and grew most of our vegetables.

A contented Nim de Bruyne milking the Jersey cow

When Mary Haydon and Marion Swatton knew of my plans they asked: 'Can we come too?' And later: 'Will you look for a farm?' They were both in their seventies then! Plas-dwbl was for sale and we bought it. On Michaelmas Day 1979, the school was opened and a big lorry arrived at Plas-dwbl. A neighbour, Arthur Lewis, Llainfach, looked on as it was unloaded. He'd never seen so many chairs except at the Albert Hall!

The first winter was hard; the grey skies, the driving rain, but on clear days we looked at the Preselis in wonder and awe, so beautiful; we walked to the stone circle and the standing stones, and realised how old they are and how unspoilt this landscape still is.

The local people must have wondered who we were. When Mary went to the post office in Mynachlog-ddu, the postmaster asked her many questions until he was satisfied. Mrs May Jenkins, the post office lady, invited us for tea, a lovely spread in the sitting room. She and her sister-in-law, Magan Jenkins, served us and when we had finished we were sat in front of the fire while they had their tea in the kitchen.

When spring came Marion started to create a garden in front of the house and the building work started. The haybarn was moved to the yard, the bullshed was made into a student house and a dairy was built behind the farmhouse. Katherine Castelliz joined us and Barbara Saunders Davies moved into neighbouring Llwynpiod. Keith Skipper became our farmer. That is how Plas-dwbl started as a biodynamic training farm for young students who mostly came from abroad.

Biodynamic organic agriculture takes into account the forces of the earth and the cosmos. It strives for sustainability in farming and into human life. Our students learn how to handmilk, look after the animals and the land. They have often said what a valuable time it had been in their lives. Visitors would say: 'this is how it used to be – the working together and much of the work done by hand'.

It has been a privilege to do this work here in Mynachlog-ddu. Through the years we have made many friends. I tried to learn Welsh. Wyn Owens was one of my teachers. I remember once at the end of a lesson, I looked at a word, not knowing its meaning, yet Wyn had taught it at the beginning of the lesson. He didn't give up in despair! Though I learned English, French and German in school, as we all did, I found Welsh very hard to learn at a later age.

Singing in the Crymych choir was a wonderful experience for over ten years, singing all those songs in Welsh that I did not always understand! It was a way of getting to know the local people and to be a part of the culture of Wales. I remember competing at the Fishguard National Eisteddfod and in North Wales as well – a lovely experience.

May Plas-dwbl continue to serve the needs of the young people of our time is my heartfelt wish as I will have returned to Holland by the time this book is published. I have lived 31 years at Plas-dwbl and for the welcome I have received here, for the warmth of the people and for the beauty of the land I will always remain grateful.

The farmyard in the early days. Katherine Castellitz on the left and Mary Haydon, one of the early helpers at the gate; beyond, the bullshed is being renovated to accommodate students. It was lately demolished and replaced with a purpose built unit.

How we came to Gorffwysfa

Jill Skipper

Keith and myself were born in Northamptonshire villages and grew up in what we consider the best of times, the 1940s and the 1950s. Those first two decades we spent with our families before we married and moved around for twenty years. We settled for the 1980s and 1990s in Mynachlog-ddu and then moved to neighbouring Maenclochog. Although our childhood and subsequent stages of our lives have been good, the time spent in Mynachlog-ddu was what we had been looking for – 'the good life.'

Although twenty years living in Aldershot, Corby and Kettering were important for work and our two children's education it was not for us long term. The chance for a change came when the children finished school, Keith had been made redundant after eleven years with British Steel and the mortgage had been paid off. Keith wanted to get back to farming where he had been from a boy until he was called up to the army where he had stayed for nine years; now the opportunity arose to re-train in agriculture at Pembrokeshire College. We spent days looking at properties within our budget, in mid and west Wales, often leaving on Friday evening, burning the rubber in our Morris Minor Van to a suitable B & B, collect keys from estate agents, then viewing through the weekend, popping keys back via the letter box by Sunday evening, having made a round trip of about 600 miles. As long as the property had a field or two we would look at it.

We pored over estate agents' 'colourful' descriptions, *Daltons Weekly, Exchange and Mart* etc. Yes! That is where we found it – in *Exchange and Mart*. 'Two Bedroom Bungalow with 3¼ acres. Freehold. Phone Hebron 478' (we think ten words cost about £2). We had no idea where Hebron was, and when we rang, we couldn't even say Mynachlog-ddu.

We made an appointment with the lady who answered, Miss Alison Bomber, and eventually came to view. We found a corrugated, timber framed, six-roomed bungalow with a small garden front and rear and a field half a mile along the road towards the church; somehow it suited us. It was big enough although the rooms were small, it was improvable, rural, good views and near enough to Haverfordwest to commute daily and, above all, affordable.

To see all the rooms was quite an involved programme as our hostess had two packs of dogs which had to be kept apart and were shut in the two bedrooms. Once we had seen the rest of the house, partly open plan, we stepped outside while one pack was moved to the bathroom – view bedroom one – step out – move dogs – view bedroom two – step out – reorganise dogs to free up kitchen and toilet. Phew! Now came the tricky bit. The lady was not actually selling the house but had a three-way deal with a local smallholder for some land and a caravan with sheds for dogs and horses.

Eventually deposits were paid and the deal done and we moved to Gorffwysfa on Saturday, 20 September, 1980, with the help of our daughter, Sharon, who was staying in England, two strong men and a hire van which brought all our possessions except the dog and cat who travelled with us in our trusty van. Keith started at college the following Thursday, a week or so late for the start of his course. He spent the next nine months doing a four year day release course, not one day a week for four years but four days a week for one year; that's how good it is in Pembrokeshire, – where there is a will, there is a way. Keith has fond memories of John Lloyd Jones, David Beynon, Peter Tadman, Andrew Weir and all the staff. The remaining three days a week were spent redecorating the house, cooking by Rayburn, mainly my handiwork, preparing a vegetable plot; Keith's job, fencing our field on four sides and working for other people to extend our budget. It was a joint effort and we dug ditches, fenced, painted houses, repaired, calved, lambed, whatever. Someone, somewhere, always needed a hand or two. There was not much snow that winter just one or two days. It was a struggle to get to college but no days missed and a very good result at exam time.

By then Keith had discovered there were more farm hands than farm hand jobs in the area, so he continued with the occasional work and went one day to Plas-dwbl to lay some floorboards. When they discovered he was a certified farmer and had been an army instructor working often with young apprentices and living very close by, he was offered a place farming and teaching Biodynamic Agriculture to the students and various government scheme placements.

Plas-dwbl started taking students in 1983 and it was a great success. We coped with the farm work, cared for the students, the Welsh Black herd, haymaking, thrashing, hoeing and maintenance, as well as the accounts, paperwork, cheese/butter making, washing, decorating, building, gardening, etc: alongside the ladies, young Miss Nim, and septuagenarians Katherine Castelliz, Marion Swatton and Mary Haydon. Around this time Barbara Saunders-Davies, originally from a Boncath family, bought the bungalow and 50 acres next door, Llwynpiod, bringing the farm back to its original 100 acres.

While all this was taking shape we began to form a herd of cattle and a small flock of sheep of our own, renting odd bits of land no one else wanted. We bought calves and broken mouthed ewes, bred up and improved, having 15 cattle and 24 ewes on 24 acres at the maximum. We made hay and bought in food, sometimes trading work for stock and fodder.

At Plas-dwbl and at our own holding we tried to be self sufficient and organic following the biodynamic teachings of Dr Rudolf Steiner, an Austrian scientist and philosopher who died in 1924, who recommended taking the position of the planets into consideration in all our farm and garden work.

We had students from many lands; all four British countries plus Eire, France, Germany, Czech Republic, Spain, Portugal, Italy, Holland, Hungary,

South and North America, Canada, Japan, Russia, Australia, New Zealand, Israel and Denmark; all with an interest in green issues. We had students to complete projects within degree courses, teachers on sabbatical, youngsters finding their way, woofers, old friends and new ones all wanting to help or needing Pembrokeshire therapy, many improving their language skills in English, some learning a little Welsh along the way. A variety of ages too, from 16 to 60+, one lady of 82 sent a letter asking if she could look after the sheep but Plas-dwbl had none at the time, just Welsh Black cattle and three Jerseys, so we reluctantly said 'no'.

Keith Skipper with the reaper binder in 1996 driving a Ferguson 35X diesel.

We taught the students to hand-milk, hoe, dig, plant, weed, harvest and work singly or as a part of a team to maintain, repair, improvise and adapt. So wherever and whenever they found themselves, perhaps with a lack of funds and tools, they could survive. If they had machines, all well and good; if not, they could manage. Many of them still visit or come to our notice over the years; one young man named, Nick was on television recently explaining how Victorian farmers would cope with stonewalling, hedge laying and so forth. Another T.V. star, Colin, was helping Griff Rhys Jones to landscape his Pembrokeshire farm and garden;, another former student, Zbynek, is lecturing in Prague University; Dick is in Norwich in charge of parks and gardens; a young lady named Imme is organising student farming courses in Germany having already produced three lovely children, one born in Wales, and dear Dennis is now a dedicated nurse in Germany who returns each year to say hello, if only for a day or so.

So it went on. We grew our own corn for bread and enough vegetables, fruit, meat, eggs and honey to feed the extended family, usually ten or so each meal with special meals for birthdays, harvest suppers, Easter and Christmas with story telling, poems and singing to add to the fun. The hay, corn and roots for the animals, fodder beet, mangles, swedes and kale were home-grown and supplementary feeds were naturally available in the shape of fruit, herbs, twigs, nuts, shoots and leaves. Animals will balance their diet by instinct. The chickens were fed and raised following organic rule of thumb, and even the most squeamish student realised the importance of being able to dispatch a bird or animal quickly and humanely when or if the need arose.

Keith started to withdraw from Plas-dwbl in 1999 to let younger people take over, and went back to jobbing around until his retirement. When we moved here most of the farms were dairy, now there are none. Times change and we must change too but that has always been the case since farming came to this parish 5,000 years ago.

That, more or less, was the working part of our life but there was a social side as well. As our daily round went on we started to get involved in village life. First we must admit to a failure. Despite trying a number of times we have failed to learn 'the language of heaven.' Oh, how we wish we could; some of the poems, songs and hymns are special in Welsh. Nevertheless, we have always tried to support at work and play as, for example, serving as W.I. president, secretary or treasurer for the village show, man and woman Friday at Tre-fach, church warden, church and churchyard maintenance, charity fundraisers, cub scout leader and talks to clubs, institutes and organisations on a variety of subjects.

In 1982 our son, Nigel, moved to join us, married and had two sons born here, James and Andrew, both part-Welsh speaking. His second marriage was to a Welsh girl, Mona, and they have a daughter, Enfys, who is being educated through the medium of Welsh.

During all this activity we sometimes relied on the goodwill, help and friendship of our neighbours, friends and relatives, readily given, gratefully received with thanks and returned when we could help them. We have shared their joy and sadness, births and deaths, laughter and tears; such things draw people closer together.

A village like Mynachlog-ddu fosters good interaction between its inhabitants and the community; it is a two-way thing with mutual benefits and respect. We mostly have similar values, codes of conduct and worship the same God albeit in a slightly different way. It functions much the same as the villages we were brought up in. We feel so much 'at home' in this environment and our advice to incomers is to try to join in all that is available, fit in with what is there, but don't stay indoors, get out, meet and greet, walk and talk and you will enjoy what is surely one of the prettiest and friendliest areas in Britain. You just have to remember there is no such thing as bad weather; it is just that we have the wrong clothes on.

Here are a few anecdotes from hundreds we recall – some, of course, are best left unmentioned.

Lloyd and Margaret Mingham lived at Tyrch until they tragically died in a road accident. At one point they offered to refurbish the wood and iron bell stock on the church and we agreed to form a work party one weekend to dismantle it. This intrepid pair of pensioners climbed onto the roof midweek and dismantled it, lowered it down and took it home without raising a sweat. Keith and one of their sons, Piers, and his five year old son put it back fully repaired after their death. They also resurrected an old small cannon and let it off, to open a church coffee morning, setting all the birds of the parish to flight at the same time.

Our neighbour D. Eirwyn Griffiths had a wicked sense of humour and spotted Lloyd Mingham's bike outside our house. He quickly picked it up and tossed it up to hang on a willow branch just out of reach. Our godson, Christopher, came to visit and asked why we had a bike decorating the tree by our garden. It was a few weeks later before we discovered who the culprit was.

Ever had gout? It can be painful and the D.E.G. aforementioned was suffering and Keith found an old recipe for an ointment to relieve it. Ingredients: wheat bran, lard, pellitory of the wall (a herb) and cow dung. Recipe: boil all in a pan, cool and put in pots and rub affected areas as required. Fair play he made the ointment but somehow in the making of it all the pain disappeared. I wonder what happened to those jars; did anyone sample them and for what? I don't think they were labelled.

It was our silver wedding anniversary, we had been busy all day and our son insisted on taking us to Tre-fach to celebrate the occasion. Reluctantly we agreed. 'Just one as we are tired,' we said. When we arrived the room was full of our friends and neighbours who had laid on a buffet in our honour; typically Mynachlog-ddu.

While checking the maps, old and new, 1845 and 1999, we noticed that the acreage of Plas-dwbl land had gone down from 103 acres to 100 acres. We tracked down the missing land to half an acre across the road at Llain-fach and the rest in the middle of a farm to the south. A neighbour in Maenclochog, Jane Phillips, who lived at Plas-dwbl as a young woman told us her father had given the half-acre to a daughter when she got married and she and her husband had built Llain-fach. No-one seems to know how, when or why the other land was returned to the original owner, perhaps it had been a 'betting' field covering a wager between two money-less farmers and bought back at a later date. Jane also told us that her father, Tom Owens, had bought the farm following the death of the landlord, Will George, at an auction held at the Castle Hotel, Maenclochog, probably in 1934. He paid £775 for 103 acres.

In 2000 we had decided to sell our animals and smallholding but we could not find suitable property within the parish. Our present home at Cân y Gwynt in Maenclochog, came on the market in late summer and we moved in on Friday, 13 October 2000 after spending twenty happy years in Mynachlog-ddu. Although Gorffwysfa has been rebuilt and we have stepped outside the parish, our memories remain.

How lucky we are to live in Pembrokeshire.

What is biodynamic agriculture?

Biodynamic agriculture is a system of measures designed to improve the organic and humus state of the soil. The conservation of organic matter is one of its main principles because this is the base on which it works. The use of manures and composts, along with leaf mould and wastes are the main source of this matter. Manure and raw materials are collected for compost and the animals and plants, earth and man form a complete system.

The manure and composts are carefully prepared and managed to avoid losses of organic matter, minerals and nitrogen. Scientists, farmers and gardeners have carefully studied and experimented to get the right rotting and fermenting process to achieve a final product that is rich in humus. At Plas-dwbl a routine procedure has been worked out for building the heaps to get the right fermentation, without losses and encourage the correct bacteria.

The heaps once built are inoculated with six natural substances – yarrow, chamomile, stinging nettles, oak bark, dandelion and valerian – to enrich and enliven the manure or compost. The resulting material, having stood for nearly a year, is spread on the field or garden in the spring and summer. Other preparations and sprays, all from natural sources, are used to help growth, disease resistance or pest control.

Such methods are traditional and labour intensive. No chemical sprays, fertilizers or, unless there is no option, antibiotics are used, preferring instead to create a strong, healthy animal or plant with good husbandry by the use of natural products and traditional methods. Cosmic forces are also considered and their use mainly based on the star calendar. This gives advice on the most suitable time to plant, hoe or harvest. Biodynamic farming is considered the best form of farming for the sake of the environment, people, animals and plants.

Ancient Wisdom and Sacred Cows

Martin Gulbis

As I walked out one midsummer morning, I cursed: there she stood, eighty six years old, scraping out the pan of mash. I'd promised Mary I would look after the hens. I loved unleashing their pent-up energy from the hen house, loved gathering their fresh eggs, still glowing warm, but today I'd overslept. The hens – her hens! – were fed by seven o'clock, no later!

I had come to Plas-dwbl, a small farm below the Preseli Hills of West Pembrokeshire, run as a charitable trust by three ladies with a life-long passion for organic farming. Mary was the homemaker, her realm the kitchen and the chicken run; Nim milked the two Jerseys, ran the dairy and the kitchen-garden; Katharine was the farmer, managing the herd of pedigree Welsh Blacks. Now wise old women, they offered working holidays for young people to share their self-sufficient lifestyle, thus bringing in a steady stream of the one element which they could no longer provide for themselves – youthful vigour.

The farm stands on land strewn liberally with ancient wisdom. Overshadowing the valley is the dragon's-back crest called Carn Menyn, at its heart the bluestone outcrop that provided the inner circle of Stonehenge. Those eighty stones were surely taken on that epic journey not only for the shape they became on Salisbury Plain, but also for the supernatural forces they brought with them from their remote fastness. The Preselis abound with menhirs and cromlechs; on the farm's own doorstep is the circle of Gors Fawr, a Stonehenge in miniature. These standing stones still defy all taming of the landscape.

I was taking time out from my teaching career, having cherished the notion of living on a farm since reading Thomas Hardy's novel, *Tess,* during my own schooldays. While working at a dairy farm, Tess is courted by the gentleman-scholar, Angel Clare, who has come to learn how to milk. As they walk out in the early morning to find the cows, the pasture appears like a sea of dewy grass, with dark, dry islands where the cows have lain that night. Such revelation of the wonders a farmer has access to had haunted my adolescent imagination; now I, too, wished to milk a cow.

Cows seemed almost sacred here. Finding a rogue herd ambling unattended along a road, I tracked down the nearest farmhouse, and blurted out my anxiety of impending carnage. The bemused farmer shook his head and laughed: "But man," he roared, "this is Wales!"

The Welsh Blacks were the pride of Plas-dwbl. They had over-wintered in the byre, broody and becalmed, sustained on bales of last year's hay. Then spring arrived, a palpable pulse was in the air, and we led them outdoors at last. They buccaneered across the grass, soaking up the smell and taste of fresh life, and the field hummed with their chewing. Next morning, when I walked out to see them, they were grazing placidly, the miracle of renewed growth accepted as the natural course of things. "Time spent watching cattle is never wasted," Keith would say; a local man, and a living book of country lore, he came in daily to keep everything in working order, and to keep us in touch with village life. I watched; I ached to see flies teeming in the weeping crevices of cows' eyes; I laughed at the cheeky jackdaws prising loose hair from their winter coats.

One by one, they bore their calves, and licked them vigorously into life. Those tangles of limbs strove immediately to be upright, to tug at the swollen mother udder. Was it to conjure such elemental forces that those ancient stone circles had been shaped? We wrestled with them, too: we hauled a distressed calf into the world with a rope. One traumatic day, a cow died in labour: within hours she had been carved into cuts for the freezer, while the calf was being fed by Katharine with milk squeezed from the dead mother, and given to another cow to nurse. When a heifer came on heat, we ushered the bull into the yard. He inhaled her, his pizzle elongating extravagantly – surely it could grow no longer? – while she waited in deference to a ritual that was both courtship and sacrifice.

I felt honoured to know cows so intimately. Twice each day I practised milking, my forehead pressing into the Jersey's flank, the deepening sound from the pail a running commentary of my progress. My first achievement was to extract 'enough milk for a cup of tea'; I felt so proud the day I milked her out, and Nim presented me with a homemade milking certificate!

Martin Gulbis with daughter, Emily.

Farm work was not always so rewarding. Some jobs would have made a fit punishment for Sisyphus, filling the potholes in the long farm track, mucking out the cowsheds. I knew the dimensions of little man, hoeing rows of fodder beet stretching across a vast field. I had chosen to be here for a short while; how was it in past times, for those bound lifelong to harsh farm labour?

By midsummer, the fields were ripe, the sun shone, and we made hay. A neighbour brought his old baling machine, relentlessly spawning portable rectangles, and we stacked them to air, four leaning together, in neat, dolmen-like structures. As the sun mellowed, and the moon rose, Nim brought out drinks; welcome refreshment, but a reminder that we must stay till all was done.

As I walked back that midsummer evening, I felt at one with the ancient hills around me. Plas-dwbl lived in time with rhythms charted in stone here long before, the deep rhythms that perpetuate life, and for a short while I'd walked in step with them. As I walk out each morning schoolwards now, I see Mary feeding the hens, I hear the steady stream of Nim's expert milking, and I stand beside Keith, watching the cows. I asked Katharine – nearly eighty-three – for the secret of her striking good health. "Work!" she answered, simply.

Acshon Blaendyffryn

Eithriad yw cynnal arwerthiant neu acshon ar un o ffermydd yr ardal erbyn hyn. Ond ar un adeg, o fewn cof y to hŷn, fe fydde acshone'n ddigwyddiade cyffredin, yn enwedig yn ystod tymor yr hydref. Dyna'r adeg draddodiadol o werthu ffermydd pan fyddai'r cynaeafau yn yr ydlan a'r gwaith ar y tir ar ben tan y gwanwyn. Dyna pryd fyddai ffermwyr yn ymddeol a'r acshon neu'r sêl wedyn yn ddigwyddiad cymdeithasol o fri. Deuai'r cymdogion ynghyd i helpu gyda'r paratoi rhagblaen ac arwydd o deyrnged ardal fyddai presenoldeb torf enfawr ar ddiwrnod y gwerthu ei hun. Cymdogion yn aml fyddai'r prynwyr pennaf a hynny nid gymaint am fod angen yr anifeiliaid neu'r offer arnyn nhw ond am ei fod yn fodd o ddangos gwerthfawrogiad am gymwynase a wnaed dros y blynyddoedd.

Arthur Griffiths a'r anifeiliaid ar dir Gors Fawr

Dyna fel roedd hi ar fferm Blaendyffryn, Mynachlog-ddu, neu'r Dre fel y'i hadwaenir yn lleol, ym mis Gorffennaf 2009, wrth i Dyfrig a Veronica Griffiths gyfnewid cartref â'u mab hynaf, Euros, a'i deulu, ym Mhen-rhos, nad yw ymhell o ben feidr y ffarm. Golygai hyn fod yr eiddo yn aros yn nwylo'r teulu fel y bu ers i rieni Dyfrig, Arthur a Muriel, symud yno yn 1940, pan oedd Dyfrig yn ddwyflwydd oed.

Roedd Dyfrig yn un o naw o blant ac er i Edwin farw pan oedd yn ddwyflwydd oed mae'n rhaid bod magu wyth o blant ar fferm nad oedd yn fawr mwy na 28 erw yn dipyn o gamp. Dwsin o dda godro ar y mwyaf a gedwid a heblaw am y defaid, a fyddai'n pori'r mynydd yn eu tro, byddai'r moch, yr ieir a'r hwyaid yn gaffaeliad i gael dau ben llinyn ynghyd. Nod clust defaid Blaendyffryn oedd toriad blaen ar y dde, bwlch tri thoriad dano a thwll yn yr aswy.

Yr wyth o blant a fagwyd ar glos Blaendyffryn oedd Eirwyn (a fu farw yn 2004), Dyfrig, Sarah Ann, Roy, Verina, Maisie, Rita a Jean. Symudodd Arthur a Muriel i Ffynnon-wen, Mynachlog-ddu, yn 1968 a dyna pryd y symudodd Dyfrig a'i deulu o Langolman i Flaendyffryn i ffermio'n llawn amser. Bu'n gweithio cyn hynny i gwmni coedwigaeth. Ganwyd iddynt dri o blant – Eirlys, Euros a Huw.

Rhaid bwydo pawb a fu'n cynorthwyo a does dim gwledd fel gwledd cegin ffarm.
Dyfrig sydd ar y pen yn gwisgo sbectol a Veronica â'i chefn atom

Rhoddodd Dyfrig a Veronica y gore i odro yn Hydref 1999 a chadw da sugno a defaid a wnaed wedi hynny. Lleihawyd y gwaith ymhellach wrth iddynt hanner ymddeol yn 2007. Erbyn heddiw lleisiau plant Euros a Bethan sydd i'w clywed ar glos Blaendyffryn – Daniel a Jac – wedi iddyn nhw drwco cartref gyda mam-gu a thad-cu.

Bu angen tair wythnos o baratoi dyfal ymlaen llaw i sicrhau sêl lwyddiannus. Bu rhaid cymhennu'r tai mas, rhoi trefn ar yr offer a chrynhoi'r defaid. Bu Veronica a'r gwragedd yn fishi yn y gegin, yn darparu lluniaeth i'r gweithwyr a'r cynorthwywyr. Cafwyd help gan gymdogion a ffrindiau a wnaeth y sêl yn achlysur gwir gymdeithasol a barhaodd ddwy awr a hanner. Daeth tyrfa fawr ynghyd o bell ac agos,

Gwerthwyd rhai o'r defaid i brynwr o Ben-y-bont ar Ogwr wedi iddo fod ym mart Hendy-gwyn yn gynharach yn y dydd. Yn wir, gwelwyd prynu eiddgar ar bopeth, y stoc yn ogystal â'r offer fferm. Buwyd yn bwydo tan yr hwyr a chafwyd dathlu haeddiannol tan yr oriau mân i ddilyn yn union fel y nodweddai'r swperau cynhaea' slawer dy'. Ond un elfen a oedd yn absennol o gymharu â'r acshone a'r cynaeafau slawer dy' oedd yr hôm briw neu'r cwrw macsi. Bellach, cydnabyddir nad yw'n ddiogel tywallt y ddiod gadarn, sy'n dwyllodrus ei nerth, pan mae'n ofynnol trin peirianne nerthol. Pan ddechreuwyd defnyddio peirianne i gynaeafu ar ffermydd nôl yn y 1930au, gwelwyd damweiniau di-ri wrth i fysedd gael eu colli pan fyddai ffermwyr yn trin cyllyll peirianne lladd gwair a thorri llafur ar ôl drachtio'r macsi'n rhy helaeth.

Mae'n bosib mai acshon Blaendyffryn fydd yr olaf o'i bath yn y plwyf am fod tir y rhelyw o ffermydd bychain bellach yn cael ei osod ar rent a hynny yn ei dro yn dynodi diwedd ar y patrwm o amaethu teuluol.

Blaendyffryn Auction in July 2009 was probably one of the last of its kind in the neighbourhood. Agriculture as epitomized by family-run farms has long ceased, and hence the habit of autumn auctions, following the completion of harvests, when farmers bought and sold their properties. Blaendyffryn has been in Dyfrig Griffiths' family since it was bought by his father, Arthur in 1940. And since he and Veronica have only exchanged properties with their son Euros, it therefore remains in the family. An auction has always been one of the great social occasions in the farming calendar when neighbours would invariably help out and farmers from a wide circle would show their support and goodwishes by buying animals and implements. Blaendyffryn auction was no exception and the goodwill was reciprocated by a hearty meal given in a party mood.

Among Tombs and Stone Circles

Geoff Wainwright and Timothy Darvill

North Pembrokeshire has a distinctive topographic character on account of the bands of igneous rock, which run from Ramsay Island in the west to the Preseli Hills and Crymych in the east. These rocks have resisted erosion and form characteristic outcrops and ridges comprising a series of blocks of moorland. The historical importance of this region has been recognised in the *Register of Landscapes of Historic Interest in Wales* – a national overview of the historic content of the Welsh landscape.

St David's Head in the west is defined by high rugged cliffs with a fine coastal fort at the tip of the headland and a broad ridge of volcanic rock stretching the width of the promontory. This ridge extends east to Strumble Head where the prehistoric forts of Dinas Mawr, Garn Fawr and Garn Fechan can still be seen. This is an important area for a study of the archaeology of the early church in Wales. Carningli Common to the east is dominated by its sprawling hill fort overlooking open moorland dotted with ancient field boundaries, hut-circles and cairns. Further to the east, the moorland ridge of the Preseli Hills between Foel Eryr in the west and Foel Drygarn hosts a rich legacy of prehistoric and later remains of which the most famous is the Carn Meini outcrops which provided most of the bluestones for Stonehenge.

These prehistoric funerary and ceremonial sites, hill forts and settlements, early Christian monuments and churches, industrial remains and communication routes, possess considerable scope for further recording and interpretation directed to questions about our past which are of national as well as regional interest. Being situated on the coastlands of the Irish Sea, there are also important implications in terms of prehistoric connections to communities living in Cornwall, Brittany, Ireland, Anglesey, North Wales, the Isle of Man, and western Scotland.

There has been very little archaeological investigation of the Preseli Hills. As a result many sites are poorly recorded, their nature and variety unstudied. There is only a rudimentary chronological framework for the prehistoric sites in the area, and there is very little understanding of the prehistoric environment. In 2001 we established a project called SPACES (Strumble – Preseli Ancient Communities and Environment Study) to investigate the archaeology of an area of north Pembrokeshire that includes the Preseli Hills. Our researches have demonstrated the depth and variety of settlement in the area and shown the wealth of ritual and ceremonial sites in the region around Carn Meini, thereby emphasising the special significance of the bluestones.

The presence of the bluestones at Stonehenge has captured the imagination of visitors and scholars alike, and has generated much debate because Stonehenge is the best-known and most visited megalithic monument in

Europe. Iconic in its form, it was an elaborate structure that involved the application of carpentry technologies to the construction of a stone structure. Archaeological investigations have shown that what is visible today are the decayed remains of several stages of construction and reconstruction spanning a period of about 1,500 years from just after 3000 BC through to 1500 BC. Around 2600 BC, the first stone structures were added to a simple earthen and timber monument – these included a double circle of bluestones, which had come from the rock outcrops within and around the Preseli Hills of north Pembrokeshire. These bluestones are what make Stonehenge special, and once on site they were incorporated into all the subsequent remodellings.

Carn Meini: broken monolith

In geological terms the bluestones include a variety of dolerites, rhyolites, tuffs, and sandstones, but the most distinctive are blocks of spotted dolerite, which have long been attributed to sources on and around Carn Meini. This dolerite splits vertically, producing natural columns that needed very little working to achieve their final form. When, in 2001, we turned to look at Carn Meini we accepted the majority view that it was humans who took the 80 or so bluestone stones 155 miles (250km) from the Preseli Hills to Stonehenge. The minority view, still doggedly promoted in some quarters, that glacial action was responsible for the movement of the stones from southwest Wales to Salisbury Plain has been comprehensively discredited by geologists, geomorphologists, and glaciologists. The matter of exactly how they were transported has promoted a wealth of practical experimentation and a combination of land and water movement is the favoured solution – a project well within the capacity of a vibrant agricultural society 4,500 years ago.

The real question, and the one which especially interested us, is why these particular stones were chosen and taken such a long way and at such a cost in communal effort. Resolving this question lies at the heart of understanding why Stonehenge was built, and we believe that the answer lies beyond Stonehenge itself in the Preseli Hills where the stones started their journey.

The earliest farmers settled in north Pembrokeshire around 4000 BC. They were interested in the rich and varied stone sources in the area right from the start and immediately began exploiting appropriate igneous rocks for the manufacture of polished stone axes. Three such sources, known as groups, have already been identified in the area, but over 50 per cent of recorded axes cannot yet be sourced. Stone was also important for the construction of chambered tombs, and also for building walls that defined hilltop enclosures of various kinds.

Clegyr Boia, an isolated carn near St Davids, is one such hilltop enclosure that has yielded traces of two remains of houses as well as abundant quantities of Neolithic pottery and a handful of stone axes. The stone walls are now rather decayed, but were of dry-stone construction and worked by filling the gaps between rugged rock outcrops. Similar hill-top enclosures are known along the north Pembrokeshire coast as far as Foel Drygarn at the east end of the Preseli ridge.

Equally impressive are the chambered tombs, which are typically built from large stones known colloquially as megaliths. In south-west Wales such tombs are mainly found along the coast and in the uplands of Preseli, Strumble Head, and St David's Head. Key sites that have been excavated are Pentre Ifan near Carn Ingli, Bedd-yr-Afanc in Preseli, and Carreg Coetan Arthur and Carreg Samson on the north Pembrokeshire coast.

One variety of Neolithic enclosure found across southern Britain is known as the causewayed camp because of the frequent breaks or causeways in the boundary earthwork. Some of them appear to have been defended settlements while others were ceremonial sites perhaps associated with periodic fairs or gatherings. Such enclosures had not been identified in Wales before SPACES began work, but our researches have confirmed the remains of just such an enclosure on the summit of a low hill called Banc Du at the north-western end of the Preseli ridge, 5 miles (8 KM) from Carn Meini. Aerial photographs taken by Toby Driver of the Royal Commission on the Ancient and Historical monuments of Wales in winter 2002 suggested that the ramparts and ditches had been built in short sections leaving gaps in between, raising the possibility that Banc Du was a causewayed camp. In 2005 a section through the ditch was excavated by the SPACES team and radiocarbon dates from the silts which had accumulated in the bottom of the ditch show that it was open around 3650 BC soon after the start of Neolithic farming in the area. The rampart was originally very well built, with a stone wall in front and timber posts behind.

The construction and early use of Banc Du would have been contemporary with the great-chambered tombs; Pentre Ifan is only 5 miles (7.5 km) to the north while Bedd-yr-Afanc is 3.75 miles (6 km) to the north-east. But the excavation also revealed a period of refurbishment and further activity around 2600 BC, a period critical for the exploration of the bluestones and the first stone structures at Stonehenge. In the Preselis at this time several stone circles were built, amongst them Gors Fawr and Bedd Arthur, which are both within sight of Carn Meini. Both also used the same kind of spotted dolerite that was taken to Stonehenge, and in plan Bedd Arthur bears a strong resemblance to the bluestone oval at Stonehenge.

The bluestones were quarried from crags on Carn Meini, a hilltop that commands extensive views south across the Bristol Channel and north to Snowdonia and the Wicklow Mountains in Ireland. The rock displays columnar fracturing – blurring the distinction between natural and quarried blocks – and on the slopes are a number of discarded pillar-stones. Some were broken in transit, on their way south. Surrounding the carns is a wealth of ceremonial and sepulchral monuments – cairns, pairs of standing stones, circles, cists, and single standing stones. Clearly Carn Meini was a special place 4,500 years ago.

Associations between chambered tombs and stone outcrops are represented at Carn Menyn where a simple passage grave stands immediately west of the main bluestone outcrops. The tomb sits at the upper end of the 'stone river' – a fossil stream bed that runs south from Carn Menyn for 2 km and ends in the Gors Fawr Bog 150m below. We found that the association between streams and cairns is common around Carn Meini. Blaen Cleddau at the foot of the rock outcrops where the Eastern Cleddau rises to flow south to Milford Haven is crowned by the mountain-chambered tomb.

The exploitation of bluestone and various other kinds of rock outcropping on and around Carn Meini has a long history, not much of it documented. Quarry pits and flaking sites have been found amid scree on the south side, which were exploiting silicified mudstone, which occurs in bands around the hill. Broken and abandoned pillar-stones, also of unknown date but later than the exploitation of the mudstone, were recorded on the southern slopes – perhaps en route to the River Cleddau below. Bluestones were used locally in the construction of chambered tombs, stone circles, pairs of stones, and individual standing stones.

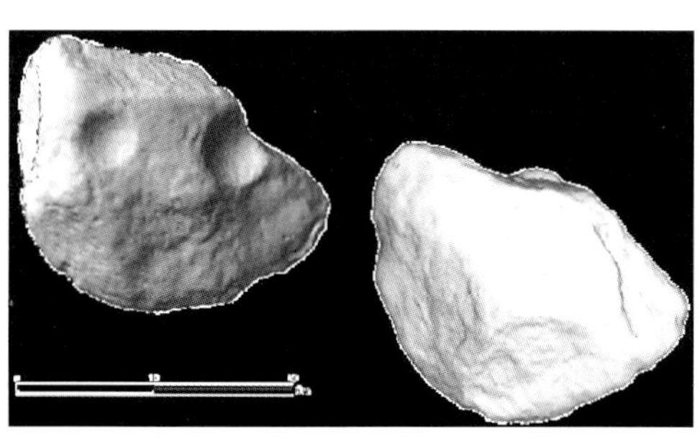

Dan-y-garn cup-marked stone.

Survey work undertaken through the project has revealed funerary and ceremonial sites where none were previously known and suggests extensive and locally intensive use of the Strumble – Preseli area throughout the Neolithic period. Fragments of rock-art in the form of cup-marks and cup and rings have been found on rocks adjacent to springheads and on a portable slab by the roadside below Carn Sian. Around the flanks of Carn Meini are a series of springs, some of which have been elaborated to create pools. Many of these are considered to have health-giving properties and are still visited as holy wells and sacred springs. Close inspection shows that a number are associated with cairns, chambered tombs, or cup-marked stones and it is clear that these springs also had special significance in prehistoric times.

The SPACES project has shown that Carn Meini was a centre for ceremony and burial, where the stones themselves and the water that sprang from the hills were considered to have special powers. In this sense it is comparable to the Stonehenge area, which also contains a collection of ceremonial sites and numerous burials. Curiously, some of the burials that have been excavated on Salisbury Plain show evidence of poor health, trauma, and attempts at primitive health-care – operations to the skull, broken bones, and signs of withered limbs – just the sort of thing that would have pressurised those affected to seek supernatural help.

Our conclusion, therefore, is that one of the main purposes of Stonehenge was as a centre for healing in which the bluestones and their supposed powers played a critical role. The crags in the Preseli Hills from which they were taken and the springs that well up below them hold the key to understanding Europe's most famous prehistoric monument. It is of interest that folklore accounts in the fourteenth century AD refer to a magician – Merlin – bringing the stones from the west of the British Isles to Salisbury Plain, claiming that these stones possessed healing powers when used in conjunction with water – coincidence or a long-lived oral tradition? Sometimes archaeology has to look beyond our trenches and surveys to find corroborating evidence for what our studies tell us.

A Romano-British Enclosure

Richard Wilsher

The Romano-British Enclosure lies to the east of Foel Cwm Cerwyn at a height of 280m (910ft) above sea level and above Glynsaithmaen. It is approximately 76m on its NW/SE orientated side, and approximately 54m across, with entrances at the NE and SW corners. Previous examinations have detected two round hut circles, one oval hut circle, and three square buildings within the enclosure, and traces of further hut circles to the north and east, with possible tumuli and a chambered tomb.

Most aerial photographs are of the nineteenth century enclosure farm higher up the slope towards Cwm Cerwyn, now known to be "Lookabout Farm", but the oblique shot by C.P. Musson of 15.12.1990 (see Coflein C422392) shows the Romano-British enclosure in great detail.

To the east is a large circular feature estimated at 45m diameter with traces of two further features of similar size. There is a suggestion of an underlying circular feature to the enclosure, or possibly a contemporary garden terrace. To the south, a broad track appears to head up the slope towards Cwm Cerwyn, whilst to the north another loops to the NE to cross Afon Wern at a ford downstream of its confluence with the Ffynnon Ychen stream.

Upstream of the ford reaching to the confluence is an area which carries some possible characteristics of alluvial mining techniques, whilst downstream is a large area with possibly similar features measuring around two hectares but covered with lush vegetation which time and safety did not permit examination in detail.

Military activity during World War II must be considered in this area, and its extent is largely unknown. Faint rectangular features can be seen grouped all over the area closer to the source of Afon Wern, but their significance is elusive.

Below the ford is another unexplored area of some two hectares, with banks and channels under the vegetation. With reference to the river's name of Afon Wern meaning a river in marshy or swampy ground of which there is an abundance but hardly any alder trees which the word also signifies. There is an unusual reddish tinge to many of the rocks and earth.

This is a harsh and uncomfortable environment at the best of times. The sun sets early behind Foel Cwm Cerwyn releasing swarms of biting flies, and the soil is poor and marshy. It may not always have been so; analysis of the mud samples by F. Gibson, FGS, although too coarse to highlight more than a few grains of pure minerals, showed it to be 95% mud shale. However, the presence of cordierite shows these were covered by lava flows, and there is a high proportion of aluminium and iron which gives the characteristic red tinge, very fertile soils, and possibly the origin of the valley's name. But why is it there? Accessibility is poor, though by adopting a lateral approach it is possible to get a 4x4 vehicle within 200 yards of the site, but the Romans usually had a good reason, usually financial, for setting up outposts in difficult areas.

However, the enclosure is situated at the head of the Glynsaithmaen valley with its many standing stones. It overlooks the spectacular source of the Cleddau underneath the most iconic mountain in the Preselau. It is in line of sight of Gors Fawr circle and close to the Glandy Cross complex. It must have a fair claim to have been originally some sort of votive site in prehistory long before the Romano-British enclosure was constructed and unusually the Tŷ Newydd stones in Maenclochog align directly with it.

If the valley's unusual stream pattern is alluvial mining, was the Romano-British enclosure there to protect, store, or service a valuable asset, whatever that might have been? Or is its purpose more social? It may be contemporary with Macsen Wledig, the Spanish/British Emperor of Rome Maximinus (335-Aug 28th 388) who had soldiered in Britain in the 360's, was assigned back here in 380, and became the British Roman Emperor in 383. Through his Welsh wife, Elen, and daughter, Sevira, he is acclaimed to have been the ancestor of many of the Great Families of Wales, and is known to have loved hunting in the mountains. It is tempting to think of the enclosure as a prestigious mountain-hunting lodge for a larger than life figure that blazed his way across Europe to a spectacular end.

Perhaps it could have become a monk's cell in the Age of Saints, and are there any legends of mountain retreats? At the other end of the scale, it may just reflect a battle to farm these inhospitable uplands over the millennia. Could this perhaps be a Roman cattle ranching centre to provide meat for the garrisons at Cardigan and Carmarthen. Indeed, a herd of wild longhorn cattle roam the valley today, and look completely at home in their remote and challenging wilderness, and still drink from the "cattle spring".

Or perhaps later an extension of the Norman settlement at Carn Afr just round the hill, or even a Cemaes frontier lookout fort like Maenclochog, Tufton, Castlebythe, Puncheston etc. Could some of the early constructions on the site have been recycled into the Romano-British enclosure and subsequently into the medieval Glyn Coch farm and nineteenth century enclosure Lookabout Farm? Constructed stone remains are visible on all three sites for comparison purposes.

This is an enigmatic and possibly important site that will only give up its secrets by applying a spectrum of archaeological techniques.

A longing for the hills

Jan Ansell

As a child, I came with my parents, brother and sister to Llan-y-cefn to the Evans' farm at Blaen-sawd. Dad found a reference to the farm in a battered old book he had containing addresses of farms all over Britain that did self-catering holidays. It was a very long journey in those days from Luton in the late 1960s or early 1970s.

I remember playing with the children, Emyr, Eurig and Elfrys, two boys and a girl. They had a naughty pony, and one day my sister, Diane, took a fall when it ran off towards the cattle grid, with her riding bareback and unceremoniously dumped her! My Dad tried to mount it one day, and when someone gave him an enthusiastic leg up, he fell right over the other side, bruising his ribs! We would love to explore the farm, picking mushrooms early in the morning and taking them back for Mum to cook for breakfast. Especially exciting was going down the bottom field and seeing the old railway sign and track. That was a great adventure to us. We also liked to see the cows being milked and could even sit on one called Daisy. I don't know if that was her name or if we romanticized that it was.

My dad drove us to the local pubs in the evening and we sat in the car whilst he went in and got the drinks and crisps. I can remember sitting outside the old hotel/pub in Maenclochog; it's sad to see it so neglected now. We used to ring Nannie from the phone box outside the New Inn, on the crossroads, which is now a private house. It was during this time that I fell in love with the Preseli Hills. My brother bought a book about Mynachlog-ddu, all those years ago, and gave it to me when I finally fulfilled my hiraeth and moved in four years ago.

Natalie and Dean Pirks with their mother, Jan on holiday in the area in the 1970s.

All my life I longed for these hills, longed to be back in the place of my childhood happiness. Whether it was a kind of 'spiritual' longing or a desire to be as happy as I was here as a child, I am not sure. But I do know it never went away, and this attempt was the third time of trying to move here over a period of twenty years.

My first husband, Les and our two children, Natalie and Dean, followed my parents' lead and spent many holidays in Pembrokeshire. We went to a farm at Spittal, and took some friends and their child with us. We sat outside the Tufton Arms with the children all dressed for bed. I have a picture of my daughter running in her dressing gown on the Preselau, which she now jokes about saying, 'what sort of mother lets her child do that!' But they were great times, innocent somehow, but yet my children do not share my love of this place. They prefer the fast lane; indeed my daughter lives in London and is a sports presenter for ITN's *News at Ten*.

Years later, my second husband, Kevin, had never visited Pembrokeshire. We put that right early into our relationship! Kevin fell in love with the area too, and we bought a bungalow in Clarbeston Road. We continued living in work accommodation in Bedfordshire, as my husband had been in his job for nearly thirty years. Then we decided to sell the bungalow and move to Northamptonshire. It was a big mistake. The house, whilst new and modern, backed onto other houses and just hanging the washing out made me feel like all eyes were upon me. I longed for the quiet solitude of Pembrokeshire again. So we rented a cottage in the area and started to look for our dream house in earnest.

When I saw Tyrch advertised for sale in the local weekly newspaper, the *Western Telegraph*, I knew it was the house we would live in. It was nestled in amongst the Preselau, with no near houses visible, and was just what I had dreamed of. My husband was more cautious, muttering about warmth, roofs, and other practical considerations. But the second time we viewed the house, the sun came out strongly and the buzzards circled calling overhead. I felt they were urging us to move here and I knew no other house would do. It was in September 2005 that we moved in. Our neighbours at Huan Gerdd, Audrey, Ken and Maureen, owned the house previously, so it was great to have them as friends living nearby. We have looked into the history of the house, but didn't find much other than we think it used to be the slate quarry owner's house or, prior to that, an office.

Best of all are the wonderful views from Tyrch. We watch the Grand Design programmes on television and joke, 'call that a view!' The scenery is ever changing, the sunsets are fabulous and you really can feel at one with the planet living here. Yes, it rains a lot ... but the sunny days make up for it, so we take the rough with the smooth. We still have lots we want to discover. Only the other night Kevin (who is an AA Man now) said he spoke to someone at Llan-y-cefn about the old railway tunnel that is said to be spooky and contains slow worms ... I can't wait to go!

Tyrch is a distance from town in either direction but you get used to be more organized living rurally. The shop at Glandy Cross is a huge help and Crymych post office has a cashpoint, as long as you remember the opening hours. We get on with all our neighbours. But we all have busy lives, so it's a wave and a chat when we see each other and, sometimes, that's not for a while, especially in the winter. We have adopted a daughter, Sarah, now, and she likes to get out on her bike in the good weather. That's when we see more of folk ... it's harder when you are in the car.

We were sad to learn that people who used to live here, Lloyd and Margaret Mingham, were killed in a road accident when they went to England for a course. You can see evidence of his carpentry skills in the house and garden. It made me feel sad to think they left this place thinking they wouldn't be gone long and never returned. At that time, Tyrch included the old quarry grounds, which now belong to Gary and Pauline Owens and their three beautiful daughters, Emma, Emily and Amy. The girls have a special childhood, filled with playing out, animals and freedom. And they are such lovely children; I feel that's how all children would benefit from being brought up.

Kevin reckons only folk from England would buy our house. He reckons local people don't want to be stuck this far out unless that's where they were born! Certainly Tyrch was up for sale for a while before we bought it, and I guess it's not everyone's idea of a dream home. But it is to us. It's the place we want to bring up our daughter (and maybe other children) and grow old in. We have never regretted moving here.

Tyrch, Mynachlog-ddu – Kevin and Jan Ansell's dream home

Benjamin George Owens

Aberystwyth a Mynachlog-ddu
(1909 – 2004)

Ben Allt-y-gog –
B. G. Owens, y Llyfrgell Genedlaethol

Er i Ben Owens gyrraedd yr oedran teg o 95 mlynedd, a bod yn bur gaeth i'w gartref ym Maes Gogerddan ers rhai blynyddoedd, daeth y newydd am ei farw ar 13 Hydref 2004, wedi ond ychydig o ddyddiau yn Ysbyty Bronglais, yn annisgwyl ac yn ergyd i'w unig fab, Rhun, ac i'w lu o ffrindiau.

Brodor o Fynachlog-ddu, Sir Benfro, ydoedd wedi'i eni ar aelwyd Brynarthur ar ddiwrnod olaf mis Ionawr 1909 yn fab i Martha ac Amaziah Owens ac yn frawd canol i Wil, a'i chwaer Mayan. Yn rhyfedd iawn roedd y Parchg Glasnant Young ar brawf ym Methel ar ddiwrnod ei eni ac yn ddiweddarach roedd Ben ymhlith y rhai olaf i'w fedyddio ganddo cyn iddo symud i Gwm-twrch ym 1923. Ar ôl ysgolia'n lleol o dan brifathrawiaeth J. Edwal Williams aeth Ben i Ysgol Ramadeg Aberteifi pan oedd yn un ar ddeg oed gan lodjo yn y dref, a dychwelyd ar ambell benwythnos ac yn ystod y gwyliau i'r aelwyd yn Allt-y-gog lle'r oedd y teulu'n byw erbyn hynny; arhosodd adlais o dafodiaith ei febyd ar ei leferydd hyd y diwedd serch iddo dreulio'r rhan helaethaf o'i fywyd yn Aberystwyth.

Daeth yn fyfyriwr i Goleg y Brifysgol ym 1927 ar ôl ennill ysgoloriaeth ac wedi gyrfa nodedig yn yr Adran Gymraeg yno, lle cafodd radd dosbarth cyntaf, ymunodd â staff y Llyfrgell Genedlaethol gan dreulio gweddill ei yrfa yno – ar wahân i flynyddoedd y Rhyfel, pan wasanaethodd gyda'r Llu Awyr yn Adran Radar yn gwylied y glannau ar hyd arfordir de-ddwyreiniol Lloegr. Un o'r rhai a oedd yn rhannu gwersyll ag ef yn y cyfnod hwnnw ac a ddaeth yn gyfaill iddo oedd y canwr opera byd-enwog, a fyddai'n cael ei urddo'n farchog yn ddiweddarach, Syr Geraint Evans.

Wedi dychwelyd i'r Llyfrgell ymsefydlodd yn Adran y Llawysgrifau, i'w ddyrchafu yn y man yn Bennaeth yr Adran, a bu cenedlaethau o ysgolheigion yn fawr eu dyled iddo am ei gwrteisi yn ogystal â'i drylwyredd wrth iddo eu harwain i'r ffynonellau priodol. Ymaelododd y Bedyddiwr pybyr hwn ym Methel, Aberystwyth lle cafodd ei ethol yn ddiacon ym 1950, a bu'n Ysgrifennydd yr eglwys tan yr 1980au. Yr oedd wedi priodi Ceinwen, un o deulu'r Morganiaid o Bow Street ym 1938 a chefnogai hithau ei ymlyniad i Fethel a'r enwad. Daeth eu cartref, Bryn Hir, yn aelwyd lle gallai gweinidogion y Bedyddwyr fod yn sicr o groeso a llety. Tyfodd cyfeillgarwch clòs rhyngddynt a'r Parchg a Mrs Caradoc

Davies ac wedyn gyda'r Parchg a Mrs T. R. Lewis. Estynnwyd yr un nodded i'r gweinidogion eraill yn eu tro, a hwythau wedi symud i Lodge y Llyfrgell.

Anrhydeddwyd Mr Owens gan enwad y Bedyddwyr pan gafodd ei ddewis yn Llywydd Cymanfa Caerfyrddin a Cheredigion ym 1966 ac, yna, ym 1972, yn Llywydd Undeb Bedyddwyr Cymru pan draddododd anerchiad ar y testun, 'Yr Etifeddiaeth'. Wedi hir flynyddoedd yn ysgrifennydd Cymdeithas Hanes yr enwad parhaodd hyd y diwedd fel ei Llywydd, gyda llu o ysgrifau ganddo yn y Trafodion, y bu'n ei golygu am chwarter canrif, ar hanes yr enwad, heb sôn am ei gyfrol ar *Lyfr Ilston*, a *Hanes Bethel, Aberystwyth*.' Fe'i hurddwyd i Orsedd y Beirdd yn Eisteddfod Genedlaethol Rhydaman yn 1970 pan ddewisodd yr enw barddol, 'Glan Cleddau'; cyfrannodd erthyglau cyson i bapur bro cylch y Preselau, *Clebran*, hefyd, yn y 1990au.

Bu Mrs Owens farw yn 1995 gan adael Rhun, a anwyd yn 1940, a'i dad i ofalu am ei gilydd, a symud i Faes Gogerddan. Yno cafodd Ben Owens flynyddoedd o weithgarwch gwerthfawr cyn i'w olwg bylu, anffawd fawr i un a fynnai barhau i ddarllen ac ysgrifennu. Ond derbyniodd yr ergyd yn hynod ddirwgnach, gan ddibynnu ar Rhun a ffrindiau i ddarllen iddo. Cadwodd ei gof yn glir hyd y diwedd a gwerthfawrogai gwmni a sgwrs ei amrywiol ffrindiau; mawr oedd ei ddiddordeb yn hynt ei genedl a'i enwad, a da oedd iddo allu cyfrannu trwy fideo yn nathliadau coffa Waldo ym Mynachlog-ddu ym mis Medi 2004. Y mae'n gysur iddo glywed ar ei Sul olaf i Rhun gael ei ethol yn ddiacon ym Methel.

Pleser mawr iddo oedd clywed ychydig fisoedd cyn ei farw fod ei draethawd M.A. i'w ddefnyddio fel cnewyllyn cyfrol gan un o ysgolheigion amlycaf Prifysgol Caergrawnt, Dr Paul Russell; cofeb nodedig i fonheddwr ac ysgolhaig.

For the above tribute to Ben G. Owens, originally from Mynachlog-ddu, who spent his working life at the National Library at Aberystwyth, we are indebted to Marian H. Jones and the Rev Peter Thomas.

Ben was born on the same day as the Rev Glasnant Young preached his 'trial sermon' at Bethel on the last day of January 1909, and 14 years later Ben was among the last to be baptised by the Rev Young before he moved on to minister at Cwm-twrch. When Ben himself moved on to Aberystwyth he soon joined another Bethel where he was made a deacon in 1950 and where he served as secretary until late in the 1980s.

He graduated with first class honours in Welsh at Aberystwyth University and apart from serving in the Radar Section of the Air Force during the Second World War – where he formed a lifelong friendship with the opera singer, Sir Geraint Evans – he worked in the Manuscript Department at the National Library, whom he joined in 1933, and where he served as the Custodian from 1958 until his retirement in 1974.

His marriage to Ceinwen, a member of the Morgan family from Bow Street, in 1938 was blessed with the birth of their only child, Rhun, two years later. Their marital home was always an open house to Baptist ministers and in particular the incumbents of Bethel.

Known as Ben Allt-y-gog to his contemporaries in the Mynachlog-ddu area, the accomplished academic served the Baptist Union as secretary and president of its Historical Society and edited its publication for a quarter of a century. He was made President of the Baptist Union in 1972 and delivered an address entitled 'Heritage'.

When elected a member of the Gorsedd of Bards at the National Eisteddfod held at Ammanford in 1971 he chose the bardic name, 'Glan Cleddau'. In the 1990s he contributed regular articles to 'Clebran', the monthly neighbourhood publication of this area, and some of which are published in this book.

A few months before his death in October 2004, having already lost his sight, he contributed – via video – his boyhood reminiscences at an open-air presentation on Rhos-fach Common on the occasion of the centenary of Waldo Williams' birth. It would have given him much joy in his last days to be told his son had been elected a deacon at Bethel Chapel, Aberystwyth, and his M.A. thesis was to be used as a basis for a publication by Dr Paul Russell, a leading Cambridge academic.

Seventeenth Century Echoes

Most of the lands referred to changed hands frequently within the century that followed dissolution. In 1609, George Salter, Baptist Hick and John Williams, all of London, are the parties chiefly interested. In 1611 the names Robert Bowyer and John Cordell, also of London, appear. Before 1620, Philip Vaughan, gent of Carmarthen, owned the lands which were demised to Elinor his wife. Re-marrying, she became the wife of Richard Vaughan of Houndesbrooke. Carmarthen.

The facts in the above paragraph are implied from a P.R.O document of the seventeenth century, detailing an action before the Court of Exchequer. It provides us with an echo of the previous monastic ownership, for one phrase runs, “the rents were far greater than in the time of the Abbot”.

The new owners argued that the leases which the local yeomen possessed were not good in law while the anxious yeomen contended that they held ‘their tenements in their hands by sufficient name and conveyance in law’. It is very likely that the Abbot, knowing that the end of the monastery was at hand, had just before 1537 granted fairly easy terms to his tenants. The new owners were not that way inclined. A further association with the abbey has been observed in N.L.W. MS. No. 12171 E (Brawdy 30) which states that the whole of Plwyf Mawr, St. Dogmaels was in the Manor of Mynachlog-ddu. Parishioners of Monington at one time claimed exclusive right of common to certain lands called Llethr in this parish.

E. T. Lewis *A Historical Survey of the Last Thousand Years*

Cadw Post 'Nachlog-ddu

Cymraes Davies

Yn ystod y 1920au cynnar roedd y Swyddfa Bost ym Mynachlog-ddu yn rhan o siop Pen-y-bont neu fel roedd yn cael ei alw ar lafar gwlad – y Cnwc – ac yn cael ei gadw gan Morris ac Ann Young. Wedi iddyn nhw symud i Arberth cymerwyd y busnes post drosodd gan fy nheulu i a'i symud i Tycanol cyn diwedd y 1920au.

Roedd yn bwysig bod y Swyddfa Bost yn aros o fewn pentref Mynachlog-ddu, wrth gwrs, ac ar ôl cael ein penodi sylweddolwyd bod yna reolau llym i'w cadw ac roedd rhaid penderfynu o fewn y teulu pwy fyddai'n gwneud pa ddyletswyddau. Yr adeg hynny roedd y Swyddfa ar agor pum diwrnod yr wythnos o naw o'r gloch y bore hyd bump y prynhawn, ac o naw hyd 12.30 ar fore Sadwrn. Am nad oedd chwaer fy nhad, Magan, yn iach iawn ac yn byw gartref cafodd hi ei phenodi'n bostfeistres. Heblaw am werthu stampie a 'postal orders' ac yn y blaen roedd y Swyddfa Bost hefyd yn cymryd holl lythyron a pharseli'r ardal i'w didoli pan ddeuai'r fan bost foreol o Arberth.

Rhannwyd yr ardal ddosbarthu yn ddwy wedyn; un ardal yn ymestyn o Ben-y-bont i gyfeiriad Crymych a'r llall i gyfeiriad yr eglwys a draw tuag at Pantithel; y postman cynta' dwi'n ei gofio yn cario i gyfeiriad Crymych oedd Ben Jenkins, Nant-y-coi, ac Anti Pattie fyddai'n cario i gyfeiriad yr eglwys a Pantithel wedyn. Heblaw am y dosbarthu llythyre, gyda ni oedd bron bod yr unig deleffon yn yr ardal am flynyddoedd lawer a rhaid oedd mynd â 'telegram' neu neges frys i hwn a'r llall wedyn heb wastraffu dim amser. Dwi'n cofio mynd ar fy meic droeon heb wybod yn iawn ble roeddwn i'n mynd. Daeth yn haws wedyn ar ôl i mi basio fy mhrawf gyrru!

Wedi dod yn gyfarwydd â rhedeg y post dechreuodd fy nheulu werthu losin yn ogystal â'r bwydydd oedd fwyaf eu hangen ar y trigolion yn ogystal â pharaffin yn y dyddiau cyn dyfodiad trydan er mwyn cadw'r lampau olew yng nghyn. Byddai pobl yn dod i ddefnyddio'r teleffon wedyn – rhyw fath o giosg yng nghornel yr ystafell a ninne'n deialu'r rhif cyn y gallai'r cwsmer siarad. Pan fyddai angen meddyg yn rhywle, atom ni fydden nhw'n dod i ffonio. Doedd dim llawer yn digwydd yn yr ardal na fydden ni'n gwybod amdano felly.

Yr adeg fwyaf cyffrous a gofiaf oedd y cyfnod pan oedd tua 3,000 o filwyr o America yn gwersylla yn Cwarre Tyrch tua 1945. Gallwch ddychmygu'r cannoedd o lythyre a pharseli fyddai'n cyrraedd bob dydd ar eu cyfer ac roedd rhaid i ddau neu dri ohonyn nhw ddod draw o'r gwersyll i ddidoli'r cyfan; byddai'r ystafell yn llawer rhy fach at y gwaith didoli ar yr adegau hynny a byddai'r holl sŵn yn dân ar groen rhai pobl. Ond, er hynny, gwnaethom lawer o ffrindiau o blith y bechgyn a buom yn cadw mewn cysylltiad am flynyddoedd; dwi'n cofio un yn benodol, Ben Congleton. Fe dorres i fy nghalon pan adawon a finne tua deuddeg oed wedi cael fy siâr o losin ganddyn nhw pan fydden nhw'n dod heibio erbyn nos i sgrifennu llythyre at eu hanwyliaid. Cofiaf fy Mam yn gwneud pryd o fwyd iddyn nhw'n fynych a nhwythe mor ddiolchgar. Bydde Kate Bowen, Tŷ Capel, wedyn yn golchi a smwddio iddyn nhw.

Pan adewais yr ysgol yn un ar bymtheg oed dechreuais weithio yn y Swyddfa Bost. Roedd rhaid i fi lofnodi rhyw lyfr pwysig yng ngŵydd y Prif Bostfeistr o Hwlffordd cyn fy mod yn cael cymryd cyfrifoldeb. Fy nhad oedd y Postfeistr lleol ar y pryd ond am ei fod yn saer hefyd roedd y rhan fwyaf o'r gwaith post yn cael ei wneud gan fy mam a finne. Mae'n siŵr fod y rhan fwyaf o eirch a gladdwyd ym mynwent Bethel yn y cyfnod wedi eu gwneud gan fy nhad. Daliodd fy rhieni wrth y post nes iddyn nhw symud i Ger-y-nant yn 1980; wedyn, cefais inne'r fraint o gadw'r Swyddfa Bost yn Craiglea a dyna lle y bu nes inni symud oddi yno i Aberteifi yn 1989. Gwelsom lawer o newidiadau yn ystod y blynyddoedd ond, ar y cyfan, er ein bod wedi cael ein clymu gan y gwaith roedd y profiad yn bleserus ac yn werthfawr iawn

Y trueni yw bod swyddfeydd post ac ysgolion bach y wlad wedi cau yn ystod y blynyddoedd olaf gan rwygo'r galon o lawer i bentref. Roedd llawer o bobl yn enwedig yr henoed yn edrych ymlaen am eu sgwrs wythnosol wrth gasglu eu pensiwn yn y swyddfeydd post. Roedd yn rhan o ddiwylliant cefn gwlad a thebyg na welwn y dyddiau hynny fyth eto.

Cyflwyno tystysgrif i Idwal Jenkins (ar y dde) yn 1980 yn gydnabyddiaeth am ddeugain mlynedd o wasanaeth fel postfeistr Mynachlog-ddu gan Brif Bostfeistr Hwlffordd. Mrs May Jenkins sydd ar y chwith.

Cymraes Davies' family kept the Post Office in Mynachlog-ddu from the 1920s until 1989, initially at Tycanol and later at Ger-y-nant and Craiglea. In the early days the Post Office would be open five days a week from nine till five and on Saturday morning until 12.30 p.m. Postal orders and stamps would be issued and the morning post with its letters and parcels would be brought from Narberth to be sorted and delivered. Two local postmen were employed: Ben Jenkins, Nant-y-coi, took charge of the area towards Crymych, and Pattie Jenkins, Cymraes' aunt, the area towards the church and Pantithel. Telegrams had to be delivered with haste and Cymraes often took off on her bike, not always sure how to find her destination. This service was carried out even faster when she passed her driving test!

Confectionery and basic food items were also stocked, as well as the essential paraffin to keep the oil lamps burning in every household. As the Post Office had the only telephone in the area for a period – a sort of kiosk in the corner where the customer would carry on his conversation once the number had been dialled for them – there was little that the Jenkins' family didn't know about the ailments, the bereavements and births in the area.

The Second World War years was the most exciting period, when around 3,000 American soldiers were billeted at nearby Cwarre Tyrch, which meant a huge extra amount of letters and parcels had to be sorted, with the aid of two or three personnel from the camp. Many of the soldiers would turn up in the evenings as well to write letters home to their loved ones, and hence they became friendly with many of the locals. Cymraes, then in her teens, broke her heart when they all left but kept corresponding with some of them for many years.

Cymraes laments the closure of village post offices and schools, as they were the hubs of the community. Many people, in particular the elderly, looked forward to the conversation as much as they did to collecting their pension on their weekly visits to the Post Office. It was a way of life in the country, which has now, probably, been lost forever.

Magwrfa'r Mans

Hefin Parri-Roberts

Gwelais ole dydd ar y diwrnod cyntaf o Fehefin, 1934, ar aelwyd Brynhyfryd, sef Y Mans ym Mynachlog-ddu. Treuliais fy mywyd bron o fewn y filltir sgwâr er imi breswylio ar fwy nag un aelwyd gan gynnwys Glandy-mawr fel gwas ffarm, Dan-garn gyda'm chwaer, priodi Haulwen John, a fagwyd yn Nolau-maen yn y plwyf a threulio'r blynyddoedd priodasol cynnar yn Ffynnon-lwyd cyn symud i Pen-y-lôn am gyfnod ac yna symud yn ôl dros y ffin i Sir Gâr ac i Fryngllandy.

Hefin a Haulwen ar ddiwrnod eu priodas

Bûm yn ddisgybl yn Ysgol Gynradd Mynachlog-ddu a 'Narberth Intermediate School', fel y galwyd hi ar y pryd. Wedyn, gadael yr ysgol i fod yn was ar fferm Glandy-mawr gyda fy nau wncwl, Ben a Tom Gibby, yn 1951 pan oeddwn yn 17 oed. Y gwas arall yno ar y pryd oedd Dan Evans a fu'n weithiwr gonest a ffyddlon i'r teulu am dros 46 mlynedd. Yn wir, deil i fod yn gymwynaswr hael i'r gymuned ac i'r eglwys ym Methel.

Wedyn, newid cyfeiriad ac ymuno â'r Swyddfa'r Post fel postman yng Nghrymych i ddechre yn 1962 gan ddosbarthu ar gefn beic, yna symud i Glunderwen tua 1970 a diweddu yn Arberth yn 1985. Nid wyf wedi disgleirio llawer ym myd addysg ond, serch hynny, rhaid dweud fy mod wedi mwynhau fy mywyd ar y domen gartre.

Mae yna rai atgofion a dywediade a fyn aros yn y cof. Cofiaf am un cymeriad lliwgar o'r enw Jack Gilfach – John Owens, Gilfach-ddofn – a oedd braidd yn eithafol ei ddisgrifiade weithie, yn adrodd amdano yn dyrnu ar ryw ffarm a medde fe – 'wrth agor drws y storws, we gwmint o lygod mowr 'na, nes wên nhw'n staro arnoch chi'! Stori arall amdano yn mynd mas i'r parc pori ryw fore ac yn dweud – 'a we gwmint o winingod na, nes we chi'n gallu'u cico nhw'!

Cofiaf yn dda wedyn am ddigwyddiad yn y wers Gymraeg yn Ysgol Arberth pan ddywedodd Charlie Jones, *'Parri-Roberts, you spell the word 'Gair' in Welsh'*. Finne yn fy niniweidrwydd yn sillafu fel hyn –' eg, e ('a' Saesneg yn lle 'a' Cymraeg); i (dot) ac r; sef 'geir'. Ei ymateb oedd – *'Does your father go to the pulpit and say* – 'Yn y dechreuad roedd y geir, a'r geir oedd gyda Duw, a Duw oedd y geir?' – pawb bron yn chwerthin a finne'n goch fel twrci o sylweddoli fy mod wedi sillafu'r gair a olygai 'ffowls' ar lafar.

Ond fe gafodd faddeuant gennyf am fy mod yn dipyn o ffefryn yn ei ddosbarth Gwaith Coed. Dysgais lawer ganddo, er imi gael bonclust ganddo rhywdro am chwerthin mwy nag a ddylwn o gylch y fainc goed. Roeddwn yn gymaint o ffefryn iddo nes fy mod yn un o'r ychydig rai a fyddai'n cael gwersi ychwanegol ganddo ar fore Sadwrn. Nid rhyfedd fy mod wedi magu diddordeb mewn gwaith coed ac addurno. Un peth arall sydd wedi aros yn fy nghof yw'r ffaith mai fy mam a fagodd ddiddordeb ynof mewn papuro. Cofiaf amdani'n adrodd sut roedd Rowland Griffith, Penrhiw, yn golchi'r waliau yn lân cyn dechrau papuro. Cofiaf am Rowland yn gwneud whilber fach bren i mi hefyd fel y gwnâi i nifer o fechgyn yr ardal.

Roedd gen i ddiddordeb mewn garddio pan oeddwn yn blentyn ifanc iawn. Pryd hynny y fi oedd y garddwr o blith y tri ohonom ond erbyn heddiw Hedd yw'r garddwr ac Ithel yn ail iddo. Byddem fel meibion yn helpu ein tad yn yr ardd pob cyfle posib. Bob blwyddyn byddwn yn mynd ar y bws o Glandy i Flaenmarlais, Arberth, at rieni Malcolm Jones, un o'm ffrindie yn ysgol Arberth, ac yn dod adre â rhyw hanner dwsin neu fwy o blanhigion tomatos, a cherdded yn ôl adre o Glandy wedyn. Yn y gwanwyn byddem yn dod adre o'r ysgol ac yn syth ar ôl te yn mynd mas i'r ardd i balu a pharatoi ar gyfer ei gosod. Bob blwyddyn byddai llwyth treilar o ddom fferm yn dod o Glandy-mawr wrth fy Wncwl Gwilym, a fu farw yn llawer rhy gynnar yn 38 oed yn 1950. Yna, byddem yn ei gario yn y whilber i'r rhychie ar gyfer gosod tato, pys a ffa a hade mân. Roedd fy nhad yn arddwr penigamp yn ei amser, fel y tystiai'r Parchg W. J. Gruffydd amdano – "Tatws newydd Cyrddau Bethel. Gosodai had cynnar yn ei ardd er mwyn sicrhau fod tatws newydd ar y bwrdd cinio ar ddydd Cyrddau Blynyddol Bethel, yn niwedd mis Mai, er y gallai'r rheiny ambell flwyddyn fod mor fân â phys chwyddedig".

Atgof arall am Wncwl Gwilym oedd y byddai poteled o laeth yn cael ei gadael ym Mrynhyfryd bob bore dydd Sul. Cofio hefyd pan gawsom y 'weierles' cyntaf gan Wncwl Gwilym, a Gwilym Phillips, y garej, yn gosod yr eriel i'w gael i ddarlledu. Byddem yn mynd â'r batris wedyn i Grymych i garej Edwards i'w cryfhau drachefn pan fydde angen. Croeso llugoer gafodd y 'weierles' cynta', a hefyd y teledu o ran hynny, gan fy nhad ond dros amser fe oedd y ffyddlona' i wrando arno. Roedd fy nhad yn hoff iawn o wrando ar ornestau bocsio yn enwedig y pencampwriaethau byd, ac un hanes amdano oedd ei fod wedi penderfynu codi am ddau o'r gloch y bore i wrando ar ffeit o America. Y bore hwnnw aeth i lawr y grisiau i wrando a chynnau'r radio ond yn rhy hwyr am fod y ffeit drosodd mewn munud! Mawr fu'r siom am iddo golli'r cyffro.

Roedd fy nhad hefyd yn ŵr i gadw cyfrinach. Un tro anghofiodd ei fod wedi addo priodi pâr a oedd yn aelodau ym Methel ond nad oedden nhw am i neb wybod am yr achlysur – Ivor Griffiths, Fferm y Capel, a Gertrude Davies, Pentre-glas, y tro hwn. Priodi'n dawel fyddai'r ymadrodd am hynny. Mawr fu'r gweiddi ar Mary-Ann am ei stwden pan ddaeth y gwas priodas i gnocio ar y drws!

Yng nghyfnod yr Ail Ryfel Byd codwyd twlc mochyn ym Mrynhyfryd ar anogaeth Capel Bethel er mwyn i ni fagu mochyn. Byddai Wncwl Gwilym neu rywun o'r teulu yn dod â phorchell o Glandy-mawr yn flynyddol er mwyn i ni ei besgi ar gyfer ei ladd. Cofiaf ddiwrnod lladd mochyn yn dda. Roedd rhaid cynnau tân ar gyfer berwi'r dŵr. Gwilym wedyn, ac yn ddiweddarach, Ianto Garnmenyn, yn dod i'w ladd. Yna byddai fy mam yn ei halltu a'i gadw yn y pantri cyn ei hongian wrth fache yn y gegin. Bu cyfnod pan nad oedd gennych hawl i gadw a lladd mochyn a chofiaf fy nhad yn cwato'r ham a'r ysgwydd mewn cist o dan fwyd y ffowls rhag i gynrychiolydd yr awdurdode eu gweld.

Hefin a'r whilber a wnaed iddo gan Rowland Penrhiw

Roedd cadw mochyn yn hanfodol a thasg Mrs Parri-Roberts – Mary Ann – oedd gofalu amdano

Yng nghyfnod ein plentyndod roedd darn o barc wedi'i gau i mewn y tu ôl i'r tŷ er mwyn cadw ieir ac fe gloddiwyd llyn bach ar gyfer yr hwyaid. Bob blwyddyn bydde fy nhad yn torri'r gwair â phladur, a ninne fel bois yn ei gynaeafu a'i garto i'r cartws ar gyfer ei roi o dan y mochyn ac yn nythod yr ieir. Adeg hynny roedd dwy neu dair o sheds ffowls yn y parc a bydde fy mam yn gwerthu'r wyau i Hufenfa Hendy-gwyn. Cesglid yr wyau'n wythnosol o Benrhiw gerllaw. Pan fydde angen lladd iâr neu geiliog ar gyfer y bwrdd bwyd bydde Leisa Williams, Brynmelyn, yn dod i blufio ar y fainc tu fas i'r pantri. Ar y fainc hefyd bu ambell drampyn a sipsi yn cael basned o fara te pan fydden nhw ar eu trafels. Roeddem yn rhannol hunangynhaliol rhwng y mochyn, y ffowls, y llysie a'r ffrwythe o'r ardd a'r tŷ gwydr.

Roedd fy nhad hyd yn oed yn cynaeafu ei dybaco ei hun trwy ddefnyddio dail troed yr ebol – y byddem ni'n eu casglu o'r fynwent – erwain, dail cyrens duon, meillion coch ac ati, ac yn eu sychu nhw yn y ffwrn wedyn cyn eu cymysgu â thybaco o siop Cnwc. Cofiaf yr adeg pan dyfodd blanhigion tybaco a chynaeafu'r dail. Ni fynnai smocio sigaréts fel ei gyfaill, y Parchg Young Haydn, pan ddeuai hwnnw yn ei dro ar ymweliad â'r Mans.

Gan mai dim ond un eglwys oedd o dan ofal fy nhad, bron heb eithriad yn ein magwrfa, trefn y Sul fyddai cerdded gyda'n tad i'r oedfa bregeth yn y bore, ysgol Sul y prynhawn ac oedfa bregeth yn yr hwyr – y Sul canlynol y drefn fyddai ysgol Sul y bore, oedfa bregeth y prynhawn ac oedfa weddi yn yr hwyr. Yn achlysurol byddem yn cael reid, os byddai lle, yn y trap a phoni gyda David John Davies, Ynys-fawr, un o'r diaconiaid.

Am sawl tymor bu 'nhad yn cadw Ysgol Paratoi ar gyfer y Weinidogaeth ac ymhlith y rhai a fu'n cartrefu yn y Mans roedd y pedwar brawd, John, William, Coetmor ac Arthur Jones, ynghyd â Gwilym Hughes, o'r Gerlan, Bethesda, yn Sir Gaernarfon. Deuai nifer o ddisgyblion lleol hefyd, sef Gwynfor Bowen, George John, Ben James, Emlyn John, Samuel Thomas, Glanville Morris, Dave Williams, John Thomas a fu farw'n 21 oed yn 1954, ac Eric John.

Cymeriad oedd Glanville. Bu'n sefyll arholiad i gael ei dderbyn i goleg ar gyfer y weinidogaeth ond yn anffodus ni lwyddodd yn yr arholiad. 'Nhad yn gofyn iddo, 'Sut yn y byd fethais di'r arholiad? a'r ateb gafodd, 'Wel, Mr Roberts bach, se chi'n treio heddi pase chi byth'. Bu'r cyfnode yma'n fodd i gynnal fy mam ar adege digon anodd. Roedd presenoldeb John Jones yn gofiadwy am ei fod yn gymaint o gymeriad, yn storïwr penigamp, yn cofio cymeriade'r chwarel ym Methesda a chyfnode caled y gweithwyr. Degau o weithie adeg ein plentyndod byddem yn gofyn iddo adrodd stori'r Fegin, a ninne byth yn diflasu arno'n adrodd yr un hen storïau,

Medrai John hefyd ddynwared cymeriade a fydde'n galw ar yr aelwyd, pobl fel Danny Jones, y gwerthwr glo, a oedd yn siarad braidd yn wyllt. Byddai'n cario'r bagie glo ar ei gefn i fyny'r feidr oddi ar y lorri. Wedi talu'r bil arferai gael dishgled o de ac wedyn wedi iddo fynd bydde John yn cael hwyl yn ei ddynwared. Mae un ystafell wely ym Mrynhyfryd yn dal i gael ei chofio gennyf fel 'Stafell wely John'.

Sut oedd fy mam yn medru cael dau ben llinyn ynghyd, wn i ddim? Peth dibwys oedd arian a chyflog yng ngolwg fy nhad oherwydd tra byddai tamaid o fwyd ar y bwrdd a baco yn ei bibell roedd yn hapus ei fyd. Beth oedd yn ein cynnal ar gorn un cyflog, dyn a ŵyr, ac o gofio bod yna wastad ddrws agored ym Mrynhyfryd? Byddai gweinidogion Cyrdde Mawr Bethel yn aros ar yr aelwyd. Dau weinidog yn pregethu yn y cyfnod hynny ac oedfaon nos Fawrth a thrwy'r dydd Mercher yn wythnos olaf mis Mai. Byddem hefyd yn bwydo gweinidogion lleol a fyddai'n dod i'r cyfarfodydd lluosog yn y cyfnod hwnnw.

Bu Brynhyfryd yn ddrws agored i lawer o filwyr Americanaidd a Phrydeinig a fydde'n dod at fy nhad i sgwrsio a thrafod yng nghyfnod eu harhosiad yn Cware Tyrch a'r ardal adeg yr Ail Ryfel Byd. Cynhaliwyd oedfaon ar nos Sul i'r milwyr yn dilyn yr oedfa hwyrol ym Methel. Cyfraniade ariannol oedfaon y milwyr fu'n fodd i'r eglwys ym Methel i brynu llestri cymun at wasanaeth yr oedfaon cymun misol. Rhyfedd o fyd.

Nosweithiau diddorol rwy'n eu cofio'n dda oedd y rheiny pan fydde'r archwilwyr yn dod at ei gilydd i Frynhyfryd i baratoi'r adroddiad blynyddol ar gyfer ei gyhoeddi. Rwy'n cofio Morris Davies, y gof, David John Lewis, yr ysgrifennydd ariannol, a Ben Gibby, y trysorydd, yn galw heibio. Roedd rhai ohonynt yn nosweithiau hirion a bydde rhaid gadael y gwaith ar ei hanner. Bydde fy nhad wedyn yn bwrw golwg drostynt drannoeth i wneud yn siŵr bod y cyfrifon yn gywir a hynny er mawr ryddhad i David John Lewis a Ben Gibby. Cyn ffarwelio bydde paned o de wedi ei baratoi yn y gegin. Cofiaf un tro i Morris Davies adael sigâr wrth ben tân i'w chael i smocio wedi yfed te ond roedden ni'r bechgyn wedi cael pwff ohoni cyn iddo setlo yn ei gadair i gael mwgyn cyn noswylio am adre.

Yn y 1960au wedi imi gael fy ethol yn drysorydd, yn dilyn marwolaeth Wncwl Ben, bydde David John Lewis a finne yn cwrdd yn fynych ym Maes-yr-efydd i gyfrif cyfraniade'r aelode ac i baratoi'r adroddiad blynyddol. Roedd hynny cyn cyfnod y peiriant cyfrif a'r cyfrifiadur sydd bellach wedi gwneud y gwaith mor rhwydd. Yn fynych pan fydde ni'n dau mewn tawelwch yn cyfrif y colofne ariannol a bron cyrraedd top y rhestr deuai Bash – Mrs Martha Jane Lewis – i mewn drwy'r drws a gofyn, 'a gymrwch chi ddishgled o de nawr?' Erbyn hynny bydde'r cof wedi colli'r cyfanswm ac yna gorfod dechre drachefn. Doedd hynny ddim yn plesio ni'n dau ar y pryd ond rhoddem faddeuant i Bash wedi inni gael dishgled o de a mwgyn. Atgofion melys am y cyfnod a'r gwmnïaeth.

Roedd David John a finne yn ffrindie mynwesol ac fe ddysgais lawer ganddo pan oeddwn yn ei helpu i wneud llawer o fân swyddi fan hyn a fan draw yn y gymdogaeth. Ma' nhw'n gweud 'mod i'n foi weddol gymen – os ydw i, mae'r diolch i Dafi John. Bob tro bydde ni'n dou wedi bod yn gwneud ryw job fach bydde Dafi John o hyd yn gweud wrtha i: 'Brwsha'n lân ar dy ôl, a bydd y job yn drych gwmint â hynny'n well'.

Hefin recalls his upbringing at The Manse or Brynhyfryd in Mynachlog-ddu. He has spent his working life within the parish, living variously at Glandy-mawr, Dan-garn and then Ffynnon-lwyd on marrying Haulwen, also a local girl, Pen-y-lôn, and finally at Brynglandy just over the border in Carmarthenshire. Though he attended Narberth Intermediate School, as it was then known, he left without any academic qualifications and took up employment as a farm labourer with his mother's family, the Gibby's, at Glandy-mawr. Most of his working life was then spent as a postman.

Schooldays at Narberth are remembered for the way he was ridiculed by the Welsh master for mispelling a familiar Biblical word that his father would have used frequently in the pulpit. The Welsh master also taught woodwork, and Hefin well remembers receiving a slap on the cheek for laughing rather too enthusiastic for Charlie Jones' liking. Despite these mishaps he pays tribute to the master for nurturing in him a lifelong interest in working with wood and in decorating. Gardening was also an early passion, as all three boys at the manse would help their father in the garden. New potatoes would have to be on the table every year by the last week in May, however small they may have been, in order to feed the guest preachers at the annual preaching services.

Much of Hefin's recollections are to do with his father's vocation. He remembers the initial cool reception given to the arrival of the radio, and later the television, though soon there was no more ardent a devotee to the boxing commentaries than his father, even in the early hours of the morning when they were broadcast from America. The Rev Parri-Roberts could be relied upon in matters of confidentiality, but sometimes to his own detriment as on the occasion when the wedding groomsman knocked on the door seeking his whereabouts. He had promised to marry two of his chapel members in what was described in those days as 'a quiet wedding' i.e. there would be no one present apart from the small wedding party. There was much consternation as he sought his wife's aid to find his stud and collar.

A pig would be reared annually in a pigsty built during the Second World War, and the arrival of Gwilym Gibby, Glandy-mawr, and later Ianto Garnmenyn to kill the pig would be quite an occasion, as plenty of hot, scalding water would have to be provided. The hams would then be salted by his mother before being hung from the rafters in the kitchen. When keeping a pig to be slaughtered was later prohibited, Hefin well remembers his father hiding the salted hams in a chest beneath the hen food lest the prying eyes of the authorities could see them. At other times a hen or a cockerel would be killed for the table with the aid of Leisa Williams, Brynmelyn, who would pluck the feathers on a bench outside the pantry. When the occasional tramp or gypsy called they would sit on the same bench to consume their bread and tea.

His father would even harvest his own tobacco. The three sons would be expected to bring coltsfoot leaves from the cemetery, along with meadow sweet, red clover and blackcurrant leaves and such like, to be dried in the oven, and then mixed with tobacco bought at a local shop.

For a number of years his father ran a preparatory school for those who had their eyes on entering the ministry. As well as giving guidance to young men who lived locally, lodgings was given to four brothers from Bethesda in Caernarvonshire, one of whom, John, became a firm favourite with the boys on account of his storytelling and his ability to imitate various people, such as the coalman who spoke in a hurried fashion.

Hefin still finds it hard to understand how they were able to make ends meet on a single salary, especially as it was always an open house at the manse. His father had little regard for money, as he was more than content if there was food on the table and tobacco in his pipe. During the Second World War American soldiers who were billeted at Cwarre Tyrch nearby would often call to discuss various issues with his father. They were given the use of Bethel Chapel to hold their own services after the members' own Sunday evening service. Communion utensils for the use of the chapel were later bought with the proceeds of the soldiers' contributions.

Twm Carnabwth
1806 - 1876

Hefin Wyn

Yn union fel y tadogir dau enw i amryw o lefydd ym mhlwy' Mynachlog-ddu, gellid dadlau dros roi dau ddyddiad geni i Twm Treial. A dyna finne'n datgelu bod yna ddau enw i'r bwthyn unnos, ar lan Afon Wern, lle trigai Tomos Rees.

Dywed ei garreg fedd wrth dalcen Capel Bethel, y Bedyddwyr, ym Mynachlog-ddu, iddo farw ar 17 Medi 1876 yn 70 oed. Ond yn ôl ei dystysgrif marwolaeth bu farw ar 19 Hydref yn 72 oed. Wedyn, yn ôl y Cyfrifiadau, roedd ei oed yn anghyson o ddegawd i ddegawd bron: nodir ei fod yn 30 yn 1841, 43 yn 1851, 54 yn 1861 a 64 yn 1871.

Gellir priodoli'r anghysondeb i'r ffaith na fyddai trigolion y cyfnod hwnnw, o gofio bod y mwyafrif yn anllythrennog, yn sicr o'u hoed a rhaid cofio na chychwynnwyd yr arfer o gofrestru bedyddiadau tan 1837. Ond o gymryd bod ei oed wedi 'sefydlogi' erbyn y ddau Gyfrifiad diwethaf, ac o gymryd na wyddom ei union ddyddiad geni yn 1806, teg tybied ei fod naill ai'n 69 neu 70 oed pan fu farw, yn dibynnu p'un a oedd wedi dathlu ei ben-blwydd cyn neu ar ôl casglu manylion pob Cyfrifiad. Yn wir, tybed a wyddai ei hun ar ba ddyddiad oedd ei ben-blwydd?

Hwyrach mai'r hyn sy bwysicaf i'w ganfod yw ei oed pan gyflawnodd ei orchest bennaf yn arwain mintai o ddynion lleol, wedi'u gwisgo'n rhith merched, i chwalu tollborth Efail-wen yng ngwanwyn 1839. Y gorau y medrwn ei ddweud yw ei fod yn ei 30au cynnar ac felly'n anterth ei nerth a'i gryfder. Hawdd deall pam gafodd ei ddewis yn arweinydd ar y criw a fynnai ddinistrio'r hyn a ystyriwyd yn symbol o ormes. Dioddefai yntau, fel pawb arall, oherwydd y taliadau afresymol a godwyd wrth gludo nwyddau trwy dollbyrth. Ac oherwydd eu hamled byddai cyrchu llwyth o galch o Eglwys-lwyd, islaw Arberth, yn siwrnai gostus. Ni ellid amddifadu tiroedd sur yr ucheldir o galch neu wanhau ymhellach wnâi'r cnydau.

Ond, eto, o'r ychydig dystiolaeth sy wedi goroesi ynghylch personoliaeth Twm, mae'n ddigon tebyg ei fod wedi cynnig ei hun fel arweinydd, a'i fod gyda'r uchaf ei gloch yn y cyfarfodydd tanllyd hynny a gynhelid yn sgubor Fferm Glynsaithmaen, ar odre Foel Cwm Cerwyn, o fewn lled parc neu ddau i'w gartref.

Erys tystiolaeth storïol am ei gampau mewn ffeiriau a thafarndai ar lafar gwlad. Yn wir, dywed H. Tobit Evans yn ei lyfr *Rebecca and her Daughters*, a gyhoeddwyd yn 1910, iddo golli ei lygad mewn sgarmes yn Nhafarn Stambar, yn y Garn Wen, pan ddaeth wyneb yn wyneb â Gabriel Evans o ardal Sanclêr, a oedd dipyn yn iau nag ef, yn 1847. Bu'n rhaid ei gario adref a'i ymgeleddu am gryn amser cyn iddo ymgryfhau. Credir iddo'n ddiweddarach yn ei henaint droi'i olygon yn fwyfwy tuag at Gapel Bethel. Ni ellir gwell tystiolaeth o'i harddwch a'i sobrwydd yn nyddiau ei henaint na'r disgrifiad a rydd William Gibby ohono ar sail cof plentyn chwe blwydd oed yn un o'r oedfaon ym mis Tachwedd 1875:

> *Yn fy ymyl y safai dyn mawr, ysgyrnog, yn fwy ei faintioli na neb yno, tebig i un o feibion Anac. Yr oedd iddo ymddangosiad tywysogaidd ymhlith y brodyr, a chanai'n ardderchog. Holais yn fuan pwy oedd y dyn hynod hwn, a chefais wybod mai Thomas Rees oedd ei enw, ond fel Twm Carnabwth yr adnabyddid ymhell ac agos. Cafodd Twm dröedigaeth, ac yn y man pwysig hwn ar ei fywyd dywedai y ddwy linell ganlynol:*
>
> *'Rwy'n synnu wrth edrych yn ôl*
> *Fel treuliais fy nyddiau mor ffôl.'*
>
> *Bu'n ffyddlon iawn yn neillduol gyda'r canu. Meddai ar lais bas da, a chyfrifid ef yn un o'r datganwyr goreu yn y cylch. Hoffid ef yn fawr gan yr hen bobol, a mynych y sonient am dano gyda geiriau tyner a pharchus.*

Nid annhebyg yw'r dystiolaeth a gynigir gan yr Athro T. J. Jenkin, Budloy, Maenclochog, ar sail adnabyddiaeth ei dad ohono, yn y papurau o'i eiddo sydd i'w gweld yn y Llyfrgell Genedlaethol:

> *Y syniad gefais gan fy nhad ydoedd mai dyn da oedd Twm yn ei berthynas â'r Beca yn hytrach nag un i'r hwn yr oedd bywyd ei gyd-ddyn yn ddibwys. Fe wn, erbyn hyn, ei ddiaelodi yn Bethel – yn ôl pob tebyg oherwydd ei gysylltiad â'r Beca ac ofn 'pobl dda' Bethel y byddai hynny yn adlewyrchu yn ddrwg ar aelodau yr Eglwys gyfan. Hyd yn oed o fewn fy nghof i, diaelodid un a gafwyd yn euog mewn llys barn o feddwi, ond ni ddiaelodid neb arall am feddwi. Y mae yn amlwg bod Twm yn aelod yn Bethel cyn hynny (neu nis gellid ei ddiarddel) ac os wyf yn iawn mai am ei ran ynglŷn â'r Beca y diaelodwyd ef, rhaid ei fod wedi gadael buchedd ofer ei ieuenctid cyn i'r Beca ddechrau ar ei gwaith ac nad rhan o'i fywyd ofer cynnar ydoedd ei ran yn y Beca, ond rhan dyn a oedd eisoes wedi cael tröedigaeth ac yn aelod crefyddol.*

Er yn cynnig darlun o natur personoliaeth Twm, ymddengys nad yw'r dystiolaeth hon yn gwbl ddibynadwy o ran manylion ei berthynas â Bethel.

Syndod, felly, nad yw'r Athro David Williams, y pennaf awdurdod ar Derfysg y Beca, a brodor o'r ardal, yn ei gyfrol safonol, *The Rebecca Riots*, a gyhoeddwyd yn 1955, yn rhoi fawr o sylw i gyfraniad cynnar Twm. *'Tainted hero'* oedd ei ddisgrifiad o Thomas Rees mae'n debyg. Er rhaid derbyn ei ddyfarniad mai ffigwr ar y cyrion oedd Twm wrth i'r anniddigrwydd ledu i'r ardaloedd diwydiannol rhyw dair blynedd wedi tanio'r fatsien yn Efail-wen. Serch hynny, cydnabydda nad oes amheuaeth mai Twm Carnabwth oedd y Beca gwreiddiol.

> *Local tradition has always identified him with Thomas Rees, a pugilist who farmed the little homestead of Carnabwth nearby, in the parish of Mynachlog-ddu. It is said that there had been difficulty in finding women's clothes large enough to fit him until he succeeded in borrowing those of Big Rebecca, who, lived in the neighbouring parish of Llangolman. From that day to this the name Twm Carnabwth has been inseparably associated with the Rebecca Riots in popular tradition, but the truth is that he played no further part whatsoever in them, nor did any subsequent riot take place within eight miles of Efail-wen.*

Eto, mae'n rhyfedd i feddwl na fyddai'r Athro, o ystyried y byddai ganddo wybodaeth leol heb ei ail, wedi cofnodi rhywfaint o hanes Twm yn llawnach yn rhywle. Wedi'r cyfan, Twm oedd y ffagl a daniodd y fflam.

Tystia W. R. Evans – Wil Glynsaithmaen – yn ei hunangofiant *Fi yw Hwn*, a gyhoeddwyd yn 1980, nad oedd fawr o fri yn cael ei roi ar orchest fawr Twm yng ngwersi'r ysgol yn ystod dyddiau ei fachgendod, rhyw ddeugain mlynedd wedi marwolaeth Twm, ond bod yna storïau'n cael eu hadrodd am gampau Twm y tu hwnt i glwydi'r ysgol:

> *Roedd Clive of India a Captain Cook yn enwau mawr, ond Mam-gu, yn unig, a soniodd wrthyf am Twm Carnabwth a ddaeth yn arweinydd Rhyfel Beca. Dim sôn amdano yn yr ysgol. Roedd ei garreg fedd ym mynwent Bethel Mynachlog-ddu, ond ni ddangoswyd honno erioed i'r plant ysgol. . . A meddwl fod tyddyn bach Carnabwth ar waelod tir Glynsaithmaen, ac mae tŷ unnos, ar ganol y gors, oedd hwnnw ar y dechrau! Roedd gan mam-gu lawer o storïau am Twm. Mae'n debyg y byddai'n meddwi'n drwm ar adegau, a rhaid oedd ei dorri ma's o Eglwys Bethel lle'r oedd yn arwain y gân. Ond pan ddeuai'r Gymanfa Bwnc heibio, rhaid oedd ei dderbyn yn ôl at y canu.*

Fe fyddai Sara Davies, mam-gu W.R., yn cofio am Twm yn bur dda am y byddai'n 20 oed pan fu ef farw. Ac os oedd cystal cantor – fel tenor neu fariton neu faswr – yn ôl y dystiolaeth lafar a ddeil hyd heddiw, pa ryfedd fod gor-nai ei gefnder, Thomas Rees, Felin-

Carnabwth fel yr oedd tua chanol yr ugeinfed ganrif

dyrch, wedi amlygu ei hun fel canwr ar y llwyfan cenedlaethol. Enillodd Teifryn Rees y Rhuban Glas yn yr Eisteddfod Genedlaethol yn ei dro yn ogystal ag ennill yn Eisteddfod Llangollen. Mae'n rhaid bod y ddawn yn bwrw ma's yn yr ach bob hyn a hyn.

Ni ellir dweud bod E. Llwyd Williams yn rhoi sylw helaeth i'r hen Dwm yn ei lyfr *Crwydro Sir Benfro*, a gyhoeddwyd yn 1960, chwaith, er mac'n syndod fel y mae'r briwsion a ddatgela o bryd i'w gilydd yn awgrymu fod yna arwriaeth yn perthyn i Twm:

> *Fe'i disgrifir fel 'paffiwr' yn y Bywgraffiadur, ond ym marn ei hen gymdogion, ni olyga hynny fwy na'i fod yn ŵr peryglus i'w bryfocio ar ôl iddo gael tri pheint. Collodd un o'i lygaid wrth ymladd, ac ar ôl hynny bu'n gapelwr selog am gyfnod ym Methel, ac yr oedd yn ganwr da.*

Cawn ychydig o naws y cyfnod a'r caledi a wynebai Twm a'i deulu gan Pat Molloy yn ei lyfr *And They Blessed Rebecca* a gyhoeddwyd yn 1983:

> *Life was hard on thirty-three year old Thomas Rees' tiny holding at the foot of the Presely hills, but he was just the man to lead a night ride and cock a snook at the law. An independent character if ever there was one, he had proved he was his own man by raising his own rough dwelling of stone and sods of earth on the marshy land alongside the stream opposite Glynsaith-maen farm. He had raised it on the ancient 'squatter's right' tradition of Tŷ Unnos (literally 'a one-night house') by which a dwelling, however primitive, could be erected overnight on common land and gain for its builder the right of occupancy, provided that smoke was seen issuing from the chimney, or even a hole in the roof, by the following morning. He also followed the tradition of claiming the ground around his dwelling for as far as he could throw an axe in any direction.*
>
> *It did not take long for Thomas Rees to acquire the nickname Tom Stone Cottage — or rather its Welsh form Twm Carnabwth. And there, in his tiny cottage, first called Treial (the Welsh for homestead) and later Carnabwth, he lived with his wife Rachel and their children Elizabeth, Daniel and John, aged thirteen, ten and five – in one room only twenty feet by twelve with its half ceiling for a sleeping space and its nine feet wide hearth, in which the iron cawl pot never ceased to simmer.*
>
> *As well as being independent, Twm Carnabwth was also regarded as something of a tearaway and he lived a life which was remarkable for its blend of devout religious observance and*

outrageous behaviour. He was the chief reciter of the Pwnc — the catechism of the points of the Scriptures — at Bethel Chapel in Mynachlog-ddu where he always did the recitation for the Whitsun Festival — though they had to keep him off the drink for two days beforehand. And he was known across three counties as a prize fighter who would take on and beat all-comers at the country fairs and would always be good company in the ale houses afterwards as he stood rounds of drinks on his winnings. Though he lost an eye in the process, he even beat the renowned Carmarthen bruiser Gabriel Davies, son of Benny Het Wen (Benny of the White hat), a hawker and himself a man of no mean knuckles. Gabriel Davies, hard as nails, who had cut off his own trigger finger so that he would be declared medically unfit for army service in the event of his being got drunk — again — by a recruiting sergeant.

Ond anodd derbyn bod Twm wedi 'ennill' yr ornest os oedd wedi colli ei olwg ac wedi cael ei gario adref i'w ymgeleddu. Bron fod H. Tobit Evans yn rhoi adroddiad llygad-dyst o'r digwyddiad:

In November 1847, a hawker, named Gabriel Davies, twenty-two years of age, who lived at Carmarthen, came to the district. He took up his abode at Pentregalar public-house, which was on the main road between Crymych and Narberth. He was very strong, and his reputation as a pugilist had reached the district long before him. After having been at Pentregalar for several nights, a quarrel arose between him and his landlord, in consequence of which he removed to a public-house called "The Scamber Inn," situated about a mile nearer Llandyssilio. The landlord of Pentregalar was much annoyed at this, and declared he would have his revenge on him. There also existed considerable feeling in the district as to the superiority of Gabriel and Twm Carnabwth in the pugilistic world. In order to decide which was really entitled to the coveted honour of being champion, it was arranged to bring about a rupture between the two men if possible.

The landlord of Pentregalar Inn was deputed to wait on Twm; the following day he went in search of him, and brought him to his own house, where, after giving him some alcoholic drink, he offered Twm a gallon of beer if he would give Gabriel Davies a sound thrashing. Being thirsty, and believing himself to be the better man, Twm at once accepted the offer, and proceeded to the Scamber Inn. Gabriel was kept in total darkness as to what was going on; though an occasional fight was more delicious to his palate than a good breakfast, yet, as the fighting capabilities of Twm were well known, it was more than probable had the hawker been informed of Twm's object, he would have beaten a hasty retreat to some secluded spot, so as to obviate the necessity of coming in contact with the Welsh "lion."

Such intimation, however, was not given, and early in the afternoon of that day, Twm Carnabwth entered the Scamber Inn and called for a pint of beer. Gabriel, who happened to be sitting down near the fireplace, wished him "Good afternoon," and endeavoured to carry on a conversation with him, but Twm's repulsive demeanour soon made it clear that he was not of the same sociable turn of mind. The latter next tried to pick a quarrel, but Gabriel was too old a bird to be drawn into his net, and instead of retaliating, sang his praises as a leader and a fighter, and wound up with an appeal to drink beer and be happy. Quart after quart was called for by Gabriel, but instead of indulging in it too freely himself, he quietly disposed of his share by pouring it into a corner close by.

Twm on the other hand continued to drink, and instead of exercising the necessary precaution against over indulgence, imbibed too freely of the beverage, and eventually got intoxicated. When St. Peter's boy observed the state of his antagonist, he thought that the time had come when he could take a more active part, and at once threw down the gauntlet. A fierce fight ensued, and owing to Twm's drunken condition, he was soon thrown to the ground, one of his eyes having been gouged out by Gabriel.

The combatants were then separated, and the fallen warrior was taken home. He suffered great pain for some time afterwards, and as inflammation set in his life for a time was despaired of. Gradually he recovered, after which he joined the Baptist Church at Bethel, Mynachlog-ddu, where he remained a zealous member till his death. It will therefore be seen that Gabriel Davies, though unwittingly, was the means of converting one sinner from being a terror and a drunkard, to be a decent member of society. After his conversion he became a very genial and benevolent person, highly respected by all his acquaintances.

Cofier bod y gyflafan uchod wedi digwydd wyth mlynedd wedi'r ymosodiad ar iet Efail-wen.

Cymharol gryno yw cyfeiriad E. T. Lewis at Twm yn ei gyfrol ardderchog *Mynachlog-ddu A Historical Survey of the Past Thousand Years*, a gyhoeddwyd yn 1969:

He had a deserved reputation as a pugilist and on one occasion lost an eye, as his antagonist, a hawker called Gabriel Davies was more wary in the consumption of intoxicants. Yet he had some cultural interests for traditions of his knowledge of old notation remain and his tenor voice was in demand at the local Sunday school festivals. During the later decades he was apparently genial and more devout. Traditions of his love of practical jokes have survived. His instinct for fair play was also pronounced.

Ond wedyn pan luniodd E. T. Lewis basiant i gofio am Helynt y Beca, a berfformiwyd yn Efail-wen gan drigolion y fro yn 1964, mae'n cynnig nifer o sylwadau, ar sail tystiolaeth lafar yn bennaf mae'n ymddangos, wrth gynffon y sgript, sy'n cyfoethogi ein gwybodaeth am Twm.

Mae'n debyg fod Twm yn heliwr ysgyfarnogod, llwynogod a giachod o fri ac yn ôl *Llyfr Plwyf Mynachlog-ddu* talwyd sawl hanner coron iddo am ladd cadnoid. Adwaenai ei gŵn hela yn ôl enwau merched. Sonnir am ei gythreuldeb wedyn yn Ffair Aberteifi pan 'brynodd' llawer o foch a gorchymyn y gwerthwyr i'w gollwng ar glos y Llew Du. Dihangodd yntau gan adael tipyn o ddryswch wrth i'r gwerthwyr ddidoli eu moch yn ddiweddarach. Dywedir iddo hefyd ddatrys cynnen rhwng Daniel Dre a chymydog trwy osod defaid y cymydog yn ffald y defaid stra, a hynny am fod y cymydog wedi gosod defaid Daniel yn y ffald droeon. Wrth gyfeirio at achlysur colli ei lygad yn Nhafarn Stambar dywed E.T. fod Twm wedi'i gludo gan ei gefnder i Fwlch-stop – Dolauisaf – i gael ymgeledd.

Yn ei ddydd bu Twm Carnabwth yn dipyn o dderyn a dihiryn ond heddiw haedda gael ei gofio fel arwr gwerin: 'arweinydd gwerin plwy Nachlog-ddu' chwedl cân Tecwyn Ifan. Rhydd portread William Glandy-mawr o'r hynafgwr, rhyw flwyddyn cyn ei farwolaeth, bictiwr o ddyn glanwedd a chadarn.

Gyda llaw, dywedir iddo gael ei gladdu, yn anarferol, am 9.30 ar "boreu dydd Sul, y 22ain gan dorf luosog iawn o'i berthynasai a'i gyfeillion" yn ôl Ioan Cleddau, yn rhifyn Tachwedd 17 1876 o *Seren Cymru* sy'n ychwanegu at y dryswch ffeithiol. Yn ei adroddiad cyfeiria Ioan at "y mis diweddaf". Felly, ai ym mis Hydref mewn gwirionedd y bu farw, yn unol â manylion y dystysgrif marwolaeth, ac na ellir dibynnu ar dystiolaeth ei garreg fedd? Neu a ydyw'n cyfeirio at fis Medi ac yntau wedi gobeithio y byddai'r erthygl yn cael ei chyhoeddi ym mis Hydref? Wedyn, mae Henry Tobit Evans yn ogystal â'r *Bywgraffiadur Cymreig* yn nodi mai'r diwrnod yr aeth i'w aped oedd 17 Tachwedd 1876!

Yn ddiddorol, bu farw Rachel, 'gwraig Thomas Rees, Trial o'r plwyf hwn,' fel y dywedir ar ei charreg fedd, ar Awst 21, 1872 yn 72 oed. Tra bo beddfaen Twm wrth ochr ddeheuol y capel, ger y clawdd, mae beddfaen y wraig a'i blaenorodd rhyw hanner can llath oddi yno y tu blaen i'r Festri gyfoes. Ni nodir fod yna neb arall wedi'u claddu yn y naill fedd na'r llall. Beth yw'r esboniad pam na chladdwyd Twm yn yr un bedd â'i wraig, Rachel, a oedd wedi'i flaenori dim ond bedair blynedd ynghynt? Oedd e wedi ail-briodi yn ystod y blynyddoedd hynny? Pa mor ddibynadwy yw'r traddodiad llafar yn hyn o beth? O gofio am arfer 'pobol Nachlog-ddu' o roi dau enw ar aml i dyddyn a ffarm ai estyniad o'r arfer hwnnw oedd tadogi dwy wraig i Twm Treial? Oedd ganddo 'wraig' answyddogol hefyd?

Tebyg na fyddai E.T. wedi cael gafael ar fanylion Cyfrifiadau'r bedwaredd ganrif ar bymtheg ar ddechrau'r 1960au am y byddai'n rhaid iddo fynd i Lundain i'w gweld tra gellir eu gweld yn yr Archifdy yn Hwlffordd erbyn hyn yn ogystal ag ar-lein. Byddai manylion Cyfrifiadau 1841, 1851, 1861 ac 1871 wedi dangos mai Rachel oedd cymar Twm yng Ngharnabwth ar hyd y cyfnod. Roedd hithe'n enedigol o blwyf Mynachlog-ddu ac ynte'n enedigol o blwyf Llangolman. Disgrifir Twm fel 'llafurwr amaethyddol' ond yn 1871 fe'i disgrifir fel ffermwr yn trin pedair erw. Yn ogystal, yn 1841, nodir bod pedwar o blant ar yr aelwyd – Elizabeth (13), Daniel (10), John (5) a merch pythefnos oed. Erbyn 1851 dim ond Anne, sy'n naw oed, sydd ar yr aelwyd. Mae'n rhaid bod y lleill wedi gadael y nyth cyn gynted â phosib a pha ryfedd os taw un ystafell fawr oedd y cartref. Serch hynny, does dim cofnod i'w weld i'r un ohonyn nhw fod yn was neu'n forwyn ar ffermydd cyfagos.

Tybed a yw cofnodion Eglwys Bethel sydd i'w gweld yn y Llyfrgell Genedlaethol yn taflu goleuni ar y mater? Yn un peth ceir cadarnhad o berthynas lled helbulus Twm â'r capel. Nodir iddo gael ei ddiaelodi ym mis Tachwedd 1845 – chwe blynedd wedi'r ymosodiad ar dollborth Efail-wen a dwy flynedd cyn y sgarmes honno yn Nhafarn Stambar pan gollodd ei lygad. Rhaid ei fod yn anterth ei nerth fel ymladdwr pen-ffeiriau a thafarndai ar y pryd. Ni chafodd 'ei le yn ôl' tan 1867 – 22 mlynedd yn ddiweddarach – pan fyddai'n 63 oed. Nid yw hynny i ddweud fod Twm wedi cadw draw o'r moddion gras yn llwyr. Hwyrach y byddai ymhlith y 'gwrandawyr' ar y llofft o bryd i'w gilydd a hwyrach, wir, y cai rhyw fath o bardwn dros dro i gynorthwyo gyda'r Gymanfa Bwnc.

Dengys y Cofnodion hefyd fod ei ferched, Elizabeth ac Anne, wedi'u bedyddio ym Methel yn 14 oed, yn 1842 ac 1855. Tebyg y byddai eu tad yn bresennol ar yr achlysuron hynny. Does dim cofnod am fedyddio'r meibion chwaith. Ond yr hyn sy'n ddiddorol yw'r cofnod am dderbyn Elizabeth Rees, Carnabwth, yn aelod trwy lythyr ym mis Mawrth 1875. Nawr, ai Elizabeth y ferch oedd hon wedi dychwelyd i'r ardal i ofalu am ei thad ac yntau ar ei ben ei hun bellach? Byddai Elizabeth yn 47 oed erbyn hynny os mai Elizabeth y ferch oedd hi? Does dim cofnod chwaith ei bod wedi gadael Bethel trwy lythyr ers ei bedyddio. Ond wedyn onid arall fyddai ei chyfenw erbyn hyn am ei bod yn ôl pob tebyg wedi priodi?

Tybed, felly, ai ail wraig Twm oedd yr Elizabeth hon a'u bod wedi priodi mewn rhyw gapel arall? Yn ôl nodiadau o eiddo E.T. sydd yn yr Archifdy yn Hwlffordd mae yna awgrym fod Twm wedi priodi Elizabeth Morris, Felin-dyrch. Ac yng nghynffon sgript y pasiant a berfformiwyd yn 1964 dywed E.T.; “ei briod oedd Bet, dynes dawel, dirodres.” Talfyriad o Elizabeth ac nid Rachel fyddai ‘Bet’. Pwy all ddweud?

Mae yna ddryswch sy’n parhau. Rhaid wrth rhagor o waith ditectif. Deil rhai o drigolion hŷn yr ardal i ddweud fod yna ddwy wraig yn yr hanes rhywle. Serch hynny, doedd E.T. ddim yn ddigon hyderus i grybwyll hynny ar goedd. Ni wna sôn am blant Twm chwaith na’i ddisgynyddion a hynny, mae’n siwr, yn adlewyrchu’r prinder gwybodaeth am blant Twm a’i ddisgynyddion uniongyrchol. Mae yna awgrym fod un neu fwy o’r plant wedi mynd bant i’r gweithfeydd. Ar un achlysur gadawyd torch o flodau a cherdyn ar fedd Twm gan wragedd o Abertridwr, ger Caerffili, a honnent fod yn ddisgynyddion iddo. Wedyn, mae E. Llwyd Williams yn ei gyfrol *Crwydro Sir Benfro* yn dweud fod John, ail fab Twm, ar un adeg yn byw yn Ffynhonau Bach, Llandysilio, a bod gor-wyres i Twm, Martha Ena Edwards, yn ddisgybl yn Ysgol Brynconin.

Yn wir, mae gor-gor-wyres Twm, Jean Walters, yn byw ar fferm ger Eglwys Ilan, uwchben Abertridwr, yn 83 oed. Tystia mai ei mam-gu, Elizabeth Watkins, oedd merch John a Pheobe May Rees, Ffynhonne Bach. Ymddengys bod gan John a Pheobe saith o blant ac mai merch Rachel, un o’r saith, fyddai Martha Ena neu Mary Ann. Ymfudodd un o’r plant, Daniel, ynghyd â’i deulu, i Ganada yng nghanol y 1930au. Gwyddys bod un o’r disgynyddion o Ganada wedi bod yn ardal Mynachlog-ddu yn gymharol ddiweddar ac wedi galw heibio Carnabwth. Mae David Rees, o Faglan, ger Port Talbot wedyn, yn or-or-ŵyr i Twm am fod ei dad-cu yn blentyn i Sarah Rees, un arall o blant John, mab Twm. Ni wyddom i unrhyw sicrwydd beth oedd hanes llinach Elizabeth, Daniel ac Anne.

Beth bynnag, er yr amheuaeth ynghylch cywirdeb dyddiadau Twm, ynghyd â’i ystâd briodasol, ni ellir amau ei bresenoldeb yng nghanol y bedwaredd ganrif ar bymtheg yn troedio tirwedd Mynachlog-ddu, a’i fod wedi gadael ei farc, a bod ei ysbryd yn dal i gyniwair o bryd i’w gilydd. Cyfeiria Llwyd Williams ato drachefn wrth derfynu ail gyfrol *Crwydro Sir Benfro* pan mae yntau a Wil Glynsaithmaen, a oedd newydd ddychwelyd o’i gyfnod o wasanaeth milwrol yn Takoradi, wedi dringo i ben y Fwêl, chwedl pobol ’Nachlog-ddu, a’r awdur yn atgoffa ei bartner am ymgais y Swyddfa Ryfel i berchnogi’r llethre:

> *‘Clywais grygni crindir Affrica yn ei lais pan atebodd gan ddywedyd, ‘ie, nes i Twm Carnabwth a’i barti ailgodi ac i’r cerrig lefaru dros eu crefydd ac i’r ddaear godi unwaith eto dan draed Dewi a rhoi cyfle iddo ail-bregethu ei bregeth fawr’.*

Do, bu nifer o arweinwyr y frwydr honno i ddiogelu bryniau ‘sanctaidd’ y Preselau yn galw enw Twm Carnabwth i gof wrth annog ei ddisgynyddion i wneud safiad cyffelyb. Yn wir, ymddengys nad oedd angen atgoffa’r trigolion yn 1946 am yr hen Dwm am fod ei ysbryd yn dal i gyniwair o bryd i’w gilydd.

Saith mlynedd ynghynt roedd yna lythyrwr yn y *Western Telegraph*, papur wythnosol yr ardal a gyhoeddwyd yn Hwlffordd, a oedd yn ei alw ei hun yn

'Carnabwth' wedi ymuno â'r ffrae ynghylch penodi clerc i'r cyngor sir. Ofnai na fyddai'r penodiad yn gwneud cyfiawnder â gofynion y sir gyfan. Doedd dim sôn yn y swydd ddisgrifiad y byddai gwybodaeth o'r Gymraeg yn angenrheidiol, yn fanteisiol neu yn ddymunol:

> *If nothing more than efficiency, accuracy and honesty as a good clerk is demanded of him, then any person with the necessary qualifications and experience would do for the post. Provided he knows his job and speaks the King's English with a fair accuracy, he may well be a native of any part of the British Empire – Baffin Bay, Piccadilly, or the Outer Hebrides.*
>
> *If, however, one is justified in expecting to find in the County Clerk something in addition to a well-oiled robot – something in the nature of a guide, philosopher, and friend, then, one must look for certain particular qualities in the person appointed. And can one conceive of any such person who does not already possess some knowledge of the life, the social conditions, and the mentality of a bilingual people like the Pembrokeshire folk whose joint interests he is supposed to serve?*
>
> *It is one of the first principles of British policy every time to study the natives. But one wonders whether the status and the mental calibre of the Pembrokeshire native is so humble in his own opinion as not to demand any reasonable, human consideration. Such utter humility and wilful denial of all sense of natural rights seem to be quite unknown elsewhere in the vast British Empire, and may well become proverbial. Here, in North Pembrokeshire, is a group of people whose ancestors, according to history books at least produced marvellous things in the way of literature. Are they today to be as dumb as animals in defence of the claims of that language in which the finest laws and the finest literature in the Middle Ages were produced?*

Pwy tybed oedd yn llechu y tu ôl i'r enw 'Carnabwth'? Ni ellir ond dyfalu. Ond o gofio'r llythyre yr un mor ddiflewyn ar dafod a gyhoeddwyd gan E. T. Lewis yn ystod cyfnod 'Brwydr y Preselau', teg nodi i'r brodor o Login gael ei benodi'n brifathro Ysgol Mynachlog-ddu yn 1933, sef chwe blynedd cyn i'r llythyr gael ei gyhoeddi.

Cofiodd y ddau a anadlent yr awel ar ben y Fwêl, Llwyd a Wil, am faled Lefi Gibbwn a dechrau ei chanu yn yr awel wrth gofio am arwyddocâd safiad Twm Treial:

> Cadd Beca ei geni yng Nghymru fel fi,
> Yn faban corfforol ym mhlwyf 'Nachlog-ddu.
> Fe dyfodd i fyny yn uchel 'i phen,
> Cymerodd lawn feddiant o gât'r Efel-wen.

Cofiwn ninnau am Dwm Carnabwth hefyd waeth beth yw'r union ffeithiau am ei eni a'i farw. Ac os yw tystiolaeth E. T. Lewis am ei hoffter o dynnu coes a direidi'n wir, a does dim lle i amau nad yw, wel, yna, fe lwyddodd Twm i gyflawni'r strocen eithaf trwy lunio pennill o feddargraff i'w roi ar ei garreg fedd cyn ei farw:

Nid oes neb ond Duw yn gwybod
Beth a ddigwydd mewn diwarnod.
Wrth gasglu bresych at fy nghinio,
Daeth Angau i fy ngardd i'm taro.

Carreg fedd Twm Carnabwth

Fyddai yna gabatsen yn dal yn yr ardd mor hwyr yn y flwyddyn? Mae'n debyg nad yw hynny'n amhosib. Mae'n debyg mai ychwanegiad diweddarach ar y garreg fedd oedd yr enw 'Twm Carnabwth'.

Marw yn ei wely a hynny o'r fogfa a wnaeth Twm. Er i bris gael ei osod ar ei ben wedi iddo gael ei adnabod fel arweinydd y Beca ni chafodd ei fradychu. Hwyrach bod yr awydd hwnnw i ddiogelu rhywun o'u plith eu hunain wedi gwneud i lawer o drigolion y cylch dros y blynyddoedd i fod yn gyndyn i ddatgelu'r hyn a wyddent am Twm i ddieithriaid rhag i'r wybodaeth gyrraedd y clustiau anghywir. Teg tebyg bod yna elfen o gywilydd yn ei gylch yn bodoli hefyd. O'r herwydd ac oherwydd diffygion y gyfundrefn addysg, prin yw'r wybodaeth bendant amdano sydd wedi goroesi ac i lawer o'r hyn sydd wedi goroesi profi'n anghyson.

Digon da felly bod Clychau Clochog wedi llwyfannu sioe awyr agored *'Carnabwth – Sbadda Fe Twm'* yn 2003 pan chwaraewyd rhan Twm gan y saer, Gareth Edwards, a rhan Twm Bec, ceidwad y dollborth, gan yr actor styntiau a fu'n cymryd rhan mewn nifer o ffilmiau James Bond, Adrian Cox. Bu'r pasiant yn help i gadw'r cof yn fyw.

Gadewch i ninnau wedyn gofio'r holwyddoreg a fu rhwng Beca a'i merched wrth iet Efail-wen yn eu peisiau gwynion, eu hwynebau wedi'u duo a gwallt o rawn ceffylau am eu gwegilau a hynny yn nhrymder nos yn 1839:

”Rhocesi, ma’ rhwbeth ar in ffordd i. Sana i’n galler mynd mla’n,” gwaedda Twm yn groch gan godi arswyd ar Twm Bec y ceidwad mae’n siŵr. Ma’r rhocesi i gyd yn ateb wedyn, “Be sy’ ‘na, Mam? Ddile dim byd ’ych rhwystro chi rhag bwrw mla’n ar ’ych ffordd”.

“Sana i’n gwbod, rocesi, dwi’n hen a sana i’n gweld in dda”.

“Gawn ni ddod mla’n a’i simud e, ’te, Mam?”

“Arhoswch funud; gadewch i fi weld nawr (Twm yn taro’r iet â’i bastwn wedyn). Dwi’n credu mai iet fowr sy’ ’ma, mhlant i, wedi ’i rhoi ar draws i ffordd i rwystro ’ch mam”.

“Fe dorrwn ni hi, ’te, Mam. Sanon ni’n folon i ddim byd rwystro ein mam ar ei thaith”.

“Na,” meddai Twm, “gadewch i fi weld nawr. Falle gneith hi agor (yn taro’r iet â’i bastwn drachefn). Na, blant, ma’ bollt a chlo arni a sana i’n galler mynd mla’n. Beth ’nawn ni, mhlant i ?”

“Rhaid iddi ddod lawr, Mam. Rhaid i chi a’ch rhocesi fynd in ’u bla’n”.

“Ie, bant â hi, ’te mhlant i. Sdim hawl ’da hi i fod ’ma!”

Ie,

“Ma’ Beca a’i merched mor ffalsed â fox
Yn torri rhai clwydi mor fân â phren box,”

fyddai Levi Gibbwn yn ei ganu yn y ffeiriau.

Ond rhodder y gair olaf i Ioan Cleddau a’r deyrnged i Twm a gyhoeddwyd yn *Seren Cymru*, uwchben teyrnged i’r Parchg Samuel Williams, Nant-y-glo, o dan y pennawd ‘Marwolaeth Arweinydd Rebecca a’i Merched’. Roedd Ioan – pwy bynnag yr oedd – yn sicr yn nabod Thomas Rees yn dda. Mynnai fod Twm wedi marw yn ei ardd ei hun wedi iddo gael ei daro gan y parlys mud – apoplexy. Cyfeiria’n helaeth at ei ran yn ymgyrch y Beca, gan nodi nad oedd a wnelo’r un adnod o Genesis ddim oll â’r dewis o enw ond yn hytrach y ddynes a roes fenthyg ei phais i Twm, cyn cloi trwy gyfeirio at ei deyrngarwch tuag at foddion gras yn ei henaint:

Mae’n dda genyf allu dweud wrth derfynu, ei fod yn aelod ffyddlon gyda’r Bedyddwyr yn Bethel. Mynachlogddu, ers blynyddau bellach. Clywais ef yn anerch gorsedd gras boreu dydd Mercher, y 18fed, heb feddwl fawr y buasai o flaen gorsedd barn cyn hanner dydd dranoeth. Gwasanaethodd ei Dduw mor ffyddlon ar ol ei droedigaeth ag y gwasanaethodd y diafol cyn hyny.

Hefin Wyn draws attention to the anomalies surrounding the facts of Twm Carnabwth's age and death. The fact that his homestead was known by two names – Treial and Carnabwth – suggests that he had the right to profess more than one death date. His tombstone notes 17 September 1876, while his death certificate notes 19 October 1876. His age on the former is 70 and 72 on the latter. At least there is agreement on the year of his death. As baptisms were not registered before 1837 it would not be uncommon for the people of the period, who were largely illiterate, to be uncertain of their actual age. But as Twm notes his age as 54 in the 1861 census and 64 ten years later we can assume he was around 70 years of age when he died.

Carnabwth partly renovated as it was in the late 1990s.
The girl is Eurgain Wyn, daughter of the article's author.

However, what is relevant is his age when he led the rioters who destroyed the tollgate at Efail-wen in the early summer of 1839. Since his age is given as 30 in the census conducted two years later, which is probably a discrepancy as he then informs us he was 43 in 1851, the best we can say is that he was in his early thirties and therefore in his physical prime. No doubt he was one of the prime movers and the most ardent of debaters in those heated discussions held in the barn at Glynsaithmaen, at the foot of Foel Cwm Cerwyn and within a few hundred yards from his dwelling.

There is ample evidence of his bravado and pugilistic exploits. H. Tobit Evans in his book 'Rebecca and her Daughters', published in 1910, gives a graphic, almost an eyewitness account of the occasion when Twm lost an eye in a drunken brawl with a much younger Gabriel Evans, a hawker from St Clears, in 1847. It is said that he then later, in his twilight years, turned his sights towards Bethel chapel where he became a stalwart in his later years, possessing a fine singing voice and often declaring in his sobriety his incredulity as to why he had led such a nefarious earlier life. William Gibby, in an essay he wrote, offers his childhood memory of Thomas Rees as a man who commanded attention through his formidable presence, as if he were 'one of Anak's sons' when he saw him in his chapel pew in 1875.

Hefin Wyn says it is something of a surprise that Professor David Williams, the prime historical authority on the Rebecca Riots and a native of the area, gives little attention to Twm Carnabwth in his acclaimed volume 'The Rebecca Riots', published in 1955. It is said that the historian, who was brought up locally, regarded Twm as a 'tainted hero'. Nevertheless, one cannot disagree with his assumption that Twm played no further part in the Rebecca movement when, three years later, dissent erupted across the industrial and agricultural heartland of South Wales.

W. R. Evans, who was brought up at Glynsaithmaen, in his autobiography, 'Fi yw Hwn', published in 1980, says that the educational system of his boyhood never made him aware of the historical significance of his erstwhile neighbour. Neither were they as pupils ever taken to see Twm's gravestone. He had relied on the anecdotes told by his grandmother, who vividly remembered Twm, as she was a girl of 20 when the rebel died. It appeared to be common knowledge that Twm was often castigated for his drunkenness by the chapel elders but would be pardoned and enticed to take part in singing festivals. Indeed, chapel records show that Twm's membership was officialy terminated in 1845 and he was not reinstated until 22 years later in 1867.

Hefin Wyn quotes extensively from Pat Molloy's book 'And They Blessed Rebecca', published in 1983, which gives an insight into the hardships endured by Twm and his fellow peasants. Interestingly, Twm's wife, Rachel, who predeceased him by four years, is buried in another grave and it seems that no other family members were buried in either grave. Attention is also given to the theory that Twm re-married late in life as is the local tradition. Was the Elizabeth Rees who lived at Carnabwth in 1875 his daughter or his second wife.

Whatever people's thoughts are of Twm Carnabwth, whether he is regarded as a hero or a blaggard, his spirit seems to have captured the imagination, as he was often referred to, on account of his heroism, during the battle to save the Preselau from military intervention in the late 1940s. Hefin Wyn also refers to a letter that appeared under his pseudonym in the 'Western Telegraph' in 1939 on account of a controversy regarding the appointment of a county clerk.

But it appears that Twm Carnabwth's lasting legacy is his wit and humour, as shown by the stanza on his tombstone. He penned his own obituary, describing how he died while fetching a cabbage from his garden. How could he have written such a poem in death? How could he have foreseen the circumstances of his own death? He apparently died in bed from respiratory failure.

No doubt Twm was in his time a rogue and a ruffian. He was also in his later years well respected by his peers. He must be remembered for his part in the destruction of a tollgate, in protest at the injustices of the time, that later resulted in much social change. His exploits were well documented and sung by the blind balladeer, Levi Gibbon in all the local fairs.

The author says that Twm Carnabwth should be remembered for his catechism at the tollgate, as he and his fellow rioters, dressed in women's clothes, were about to destroy what they regarded as the symbol of injustice. Ioan Cleddau concludes his obituary to Thomas Rees in the Baptist publication, 'Seren Cymru', in 1876, by stating the local hero served God just as diligently after his conversion as he served the devil previously.

Teyrnged i Tonwen
1927 – 1990

Cynthia Davies

Yn iet Bryncleddau, Mynachlog-ddu, y cefais i fy nghyflwyno gyntaf i 'Miss Tonwen Jones' rhywbryd yn 1952. Yno roedd hi'n lletya gyda'r prifathro, E. T. Lewis a'i wraig. Ar ein ffordd i gapel Bethel yr oedd fy rhieni a mi ac roedd hithau'n mynd i'r un lle. Merch 13 oed oeddwn i ar y pryd a hithau'n athrawes ifanc, wedi'i magu yng Ngodre Mamog, Capel Iwan, a oedd wedi'i phenodi'n athrawes yn lleol yn 1947 wedi cyfnod yng Ngholeg Hyfforddi Abertawe. Ac roedd hi'n athrawes ifanc hynod o smart. Rydw i'n dal i gofio beth oedd amdani – cot werdd a het o'r un lliw. Yn cyhwfan dros yr het yr oedd pluen. Dyna i chi bluen – un fawr osgeiddig a symudai wrth i'w pherchennog symud!

Wyddwn i ddim beth i'w ddweud wrthi. Ond doedd dim angen poeni. Roedd hon yn athrawes serchog a wyddai'n iawn sut i sgwrsio gyda merch ifanc swil. Cyn bo hir teimlwn yn hollol gartrefol yn ei chwmni. Da o beth oedd hynny oherwydd dros y blynyddoedd canlynol treuliais oriau lawer yn ei chwmni.

Cân Actol 1950au. Cefn – John Davies, Dyfrig Griffiths, Hefin Parri-Roberts, Tom Parry, Gwynfor Owen, Leslie Williams, Cymraes Jenkins, Heulwen Davies, Glenys Davies, Tegwen Thomas, Don Thomas, Eifion Griffith, Aeres Davies, Mairwen Owen, Tonwen Davies.

Pan gyrhaeddais i Fynachlog-ddu roeddwn i'n rhy hen i fynd i'r ysgol yno, ond fe dreuliais oriau yn yr adeilad serch hynny yng nghyfarfodydd Aelwyd yr

Urdd. O wythnos i wythnos yno y teyrnasai Mr E. T. Lewis, y prifathro, a Tonwen. Paratoi'r caneuon actol oedd y prif weithgarwch. Mr Lewis oedd yn eu hysgrifennu, Tonwen oedd yn bennaf gyfrifol am eu cynhyrchu, a ninnau'r aelodau, pob copa walltog ohonom, oedd yn actio, yn canu, yn dawnsio ac yn cael sbort di-ben-draw wrth eu llwyfannu – yn yr ysgol i'r trigolion lleol, mewn cyngherddau mewn mannau eraill yn ystod y gaeaf ac, wrth gwrs, yn Eisteddfod Genedlaethol yr Urdd. Ac fe fydden ni'n ennill y wobr gyntaf!

Adeg Eisteddfod yr Urdd yng Nghaernarfon yn 1956 fi oedd yn digwydd rhannu llety gyda Tonwen. Roedd y ddwy ohonom yn aros gyda phâr caredig a oedd yn byw gerllaw'r Maes. Wedi sicrhau bod y plant i gyd yn ddiogel yn eu llety aeth y ddwy ohonom ar grwydr i chwilio am Aelwyd Caernarfon a chael tipyn o hwyl cyn noswylio. Ond ddaeth hynny ddim i ben. Daeth yr hen ŵr i chwilio amdanom ni – poeni ein bod ni wedi mynd ar goll. Trwy drugaredd nid aeth yr un o'r plant ar goll chwaith, ond fe fuom ni yn Swyddfa'r Heddlu sawl gwaith, serch hynny, yn chwilio am eiddo coll. Peth felly yw mynd â chriw o blant i Steddfod!

Aelwyd Mynachlog-ddu 1950au. Cefn – Hefin Parri-Roberts, Dyfrig Griffiths, John Davies, Eifion Griffith, Gwynfor Owen, Don Thomas, Ithel Parri-Roberts, Joyce Davies, Mairwen Owen, Sarah Ann Griffiths, Heulwen Davies, Ken Davies, Trevor Davies, Tom Parry, Marian Jones, Mair Griffith, Tonwen Davies, E. T. Lewis, Aeres Davies, Cynthia Young, Sarah Jenkins.

Ond nid Eisteddfodau'r Urdd yn unig a gâi sylw gan Tonwen yn ystod ei horiau 'hamdden'. Roedd hi hefyd yn ein hannog ni i gystadlu yn Steddfod Ieuenctid Sir Benfro. Roedden ni'n cael ein trwytho ar gyfer y cystadlaethau llwyfan ond roedd hi hefyd yn ein cymell i wneud gwaith llaw a gwaith ysgrifenedig. Rydw i'n dal i gofio arddangosfa a gynhaliwyd i ddangos ein gwaith yn Yr Aelwyd, sied fach a safai rhwng Tŷ Capel Bethel a'r afon. Ac ar noson yr isteddfod ei hun yn Hwlffordd roedd yna gystadlaethau i'w gwneud ar y pryd, megis darllen yn Gymraeg ac yn Saesneg.

Rydw i'n dal i gofio brawddeg Saesneg a ddarllenais o un o'r darnau hynny – 'O Aberedw, Aberedw, would that I might live and die with thee!' Doedd gen i ddim syniad lle'r oedd Aberedw ar y pryd, ond ymhen blynyddoedd wedyn roeddwn i'n mynd heibio i'r mynegbost oedd yn nodi'r enw rhywle yng nghyffiniau Llanelwedd ar y ffordd i Llanbadarn-y-garreg, a deuai atgofion difyr yn ôl am y criw hwyliog a oedd yn mentro lawr i 'waelod y sir' yn y 1950au.

Ond doedd gweithgarwch Tonwen ddim wedi ei gyfyngu i fyd diwylliant. Roedd hi'n addoli'n gyson ym Methel ac yn helpu'r gweinidog, y Parchedig Robert Parri-Roberts, gyda gwaith y plant. Yn y festri gyda hi y byddem ni'n paratoi at wasanaethau arbennig, at yr arholiad ysgrythurol, at y Gymanfa Ganu a'r Gymanfa Bwnc. Roedd hi hefyd yn gweithredu fel tacsi i rai ohonom. Os oedd plant yn byw yn bell o'r capel byddai'n mynd i'w mofyn nhw i'r ymarferion. Byddai'n gwneud yr un peth os byddai angen rhoi sglein ar ryw berfformiad neu'i gilydd cyn eisteddfod. Rydw i'n cofio mynd gyda hi i Fwlch-y-groes at Mrs Fanw Evans, gwraig Wil Glynsaithmaen (W.R.) cyn imi adrodd 'Hon' yn Steddfod y Sir. Do, fe wariodd hi lawer o'i harian ei hun i sicrhau ein bod ni'n gwneud ein gwaith yn gaboledig.

Yn wleidyddol roedd hi'n cefnogi Plaid Cymru ac yn ystod yr etholiad pan oedd Waldo Williams yn ymgeisydd dros y blaid honno yn 1959 bu sawl un ohonom yn mynd yn ei char hi, neu gar Mr Lewis, i'r swyddfa yn Hwlffordd i stwffio pamffledi i amlenni i hybu'r ymgyrch a mentro wedyn i bentrefi cyfagos i'w dosbarthu.

Roedden ni'n mynd i gefnogi Waldo pan oedd e'n cynnal dosbarth nos yn yr ysgol yn ystod y gaeaf hefyd. Byddai'n cyrraedd yn ei drwsus byr ar gefn ei feic a byddai'n rhaid aros iddo wisgo ei drowser hir cyn dechrau ar y ddarlith. Rydw i'n dal i resynu 'mod i'n rhy benchwiban ar y pryd i gadw cofnod o'r nosweithiau hynny. Buaswn i wedi cael gwell marciau mewn sawl traethawd taswn i wedi cofio rhai o berlau Waldo, rwy'n siŵr.

Dosbarth gwahanol iawn oedd cwrs dawnsio'r awdurdod addysg yr aeth y ddwy ohonom iddo un dydd Sadwrn. Mae'n rhaid mai dyna ddechrau'r 'dawnsio creadigol'. Roedden ni'n gorfod smalio bod yn bob math o bethau – o bluen i garreg – a gwneud pob math o symudiadau gosgeiddig ac afrosgo. Mae'n gas gen i gyfaddef na wnaeth yr un ohonom gymryd y peth o ddifri a bu chwerthin mawr yn y car ar y ffordd adref. Wn i ddim faint o gymorth bu'r sesiwn i Tonwen gyda'i dosbarth ond fe gawsom ni ddiwrnod hwyliog yn sgil y cwrs.

Cân Actol 1960au. Cefn – Annette Lewis, Marion Lawrence, Menna Owen, Morfudd Roberts, Eilyr Jenkins, Rhuddian Lewis, Ann Davies, Rhiannon Francis, Elfair John.

O edrych yn ôl wn i ddim sut yr oedd hi'n dal ati. Roedd hi'n dysgu drwy'r dydd ac yn gwneud yr holl bethau ychwanegol hyn gyda'r nos neu ar y penwythnos – ac yn dal i chwerthin drwy'r cwbl. Roedd ganddi chwerthiniad iach sy'n dal i atseinio yn fy nghlustiau.

Ond distawodd y chwerthin pan gollodd hi Jack, ei gŵr cyntaf, wedi iddo ei grogi ei hun. Diflannodd yr asbri am gyfnod. Rhywdro yn ystod y misoedd wedyn fe aeth y ddwy ohonom i Gartref Leonard Cheshire ar gyfer plant amddifad yn Llansteffan am bythefnos yn ystod gwyliau'r haf. Dyna'r unig dro i mi fod yn gweithio yno ond fe gadwodd Tonwen y cysylltiad am flynyddoedd. Bu'n fendith iddi hi a bu hithau'n fendith fawr i'r deiliaid ac i'r staff.

Gydag amser daeth yr hen Ton yn ôl. Priododd hi a Dewi Adams, o Lanfallteg, yn 1974 ac ymgartrefodd y ddau yn Huan-gerdd, drws nesaf i fy nghartref i, Brynarthur. Nawr roedden ni'n medru cael clonc bob tro y byddem ni'n dod adref. A phan oedd hi'n argyfwng adeg gwaeledd a marwolaeth fy rhieni bu'r ddau yn gefn mawr iawn inni fel teulu.

Cawsom fynd i'w chwrdd ffarwel hi pan ymddeolodd o'r ysgol; cawsom gwmni'r ddau yng Ngorseinon adeg Steddfod Genedlaethol Abertawe, ac yng Nghaerdydd pan oedden nhw'n chwilio am ddodrefn newydd i Huan-gerdd. Mae'r atgofion i gyd yn felys, ac yn ffodus mae un o'r atgofion olaf amdani yn felys hefyd. Roedd hi a Dewi wedi bod ym Mhatagonia ac wedi iddynt ddychwelyd cawsom weld y lluniau a chlywed hanes y paith, yr asado ac Eisteddfod Trelew lle yr enillodd Dewi am ganu unawd. Roedd hi'n amlwg eu bod nhw wedi mwynhau pob munud o'r ymweliad. Roedd y chwerthiniad a glywais i gyntaf ar ddechrau'r 1950au yn dal i atseinio. Yna fe ddistawodd – yn erchyll o sydyn pan laddwyd hi mewn damwain ffordd ger Sgwâr y Glandy yn 1990. Claddwyd Dewi yntau yn yr un bedd o fewn tair blynedd.

Ym marwolaeth Tonwen collodd Cymru athrawes ymroddedig a oedd wedi dysgu cenedlaethau ohonom i garu ein hiaith, ein gwlad a'n hetifeddiaeth gyfoethog. Collodd Mynachlog-ddu gymwynaswraig a wasanaethodd y fro mewn cymaint o wahanol ffyrdd dros gynifer o flynyddoedd. Collodd Bethel aelod ffyddlon a oedd yn enghraifft wych o ffydd ar waith.

A fi? Fe gollais i 'gyfaill-enaid' ac rydw i'n dal i hiraethu ar ei hôl.

Cynthia Davies pays homage to a life-long friend as she recalls how she first met Tonwen Davies on her way to a service at Bethel chapel in 1952 when she was 13 years of age, and Tonwen had already begun her career as a teacher at Ysgol Mynachlog-ddu. She created quite an impression, with a distinctive swaying feather in her green hat and a similarly coloured coat. Despite the difference in age they struck a rapport immediately. Many hours were spent in the company of Tonwen and headmaster E. T. Lewis in the Aelwyd preparing for Eisteddfod competitions, and in particular the illustrated song competition which they invariably won at the National Urdd Eisteddfod.

Cynthia remembers sharing lodgings with Tonwen during the Caernarfon Eisteddfod in 1956 when their attempts to search for some nightlife had to be abandoned when their host came in pursuit of them, fearing they had lost their way. Tonwen was just

Tonwen Adams

as industrious as a Sunday School teacher at Bethel, where no task was beyond her if it meant the children would give of their very best, which they would invariably do in response to her cajoling. She would give of her time in a totally unselfish manner to transport the children to and from practices, if necessary, or to be taken for some extra tuition by other acknowledged experts.

Both supported Waldo Williams' Plaid Cymru candidacy in the famous 1959 general election by spending time in the constituency office in Haverfordwest, licking envelopes and distributing election literature in various villages. Another Saturday was spent at a dancing course organised by the education authority and there was much merriment on the way home in recalling their clumsy attempts to move gracefully along the dance floor, though no doubt the lessons learnt would later be incorporated into classroom activities. A hearty laugh would be heard whenever Tonwen joined the company.

However, the laugh became temporarily muted when she lost her first husband in tragic circumstances when he was found hanged. During the following months of grieving both Tonwen and Cynthia spent a working summer holiday at the Leonard Cheshire Home for orphans at Llanstephan. Tonwen kept in touch for several years and the experience proved beneficial for her and the staff of the institution. Tonwen's spirits were revived when she married Dewi Adams in 1974, and as they settled at Huan-gerdd, next door to Cynthia's parents, the friendship continued to blossom. In later years the friendship would be regularly renewed on the National Eisteddfod Maes. A visit to Patagonia, where Dewi triumphed in the solo competition at the annual Eisteddfod held by the Welsh colony, was often regaled in detail whenever they met.

Sadly the infectious laugh was silenced forever when Tonwen met her death in a tragic road accident at Glandy Cross in 1990. Cynthia concludes by stating that a committed teacher who taught generations of children to respect their language, their nation and their rich heritage was lost. Mynachlog-ddu lost a benefactor who served her neighbourhood in so many ways over a number of years. And Bethel chapel lost a faithful member who was the epitome of faith in her life and work. Cynthia herself lost a soulmate for whom she still grieves.

Awen y Mini

Wyn Owens

Y GARREG LAS

Y mynydd yw ei mynwes, – ym meinwynt
Garnmenyn mae'i lloches.
Maen brithlwyd grëwyd o'r gwres,
Yn lliw hon mae'n holl hanes.

BECA

Amled yw'r gwarth a deimlir, – tai ar werth,
Dim ond trai a welir.
Ond er bod 'SOLD' ar ddoldir,
Ysbryd Twm sy' biau'r tir.

CAPEL

Lle bu sêl mae tawelwch, – lle bu'r saint
Llwybrau'r Sul sy'n ddryswch.
Heb ei blant nid yw ond blwch,
Tŷ oer ein difaterwch.

CARTWS

'Run drol ni cheir yn y drws, – newidiodd
Hynt y byd a'r betws.
Mae tŷ smart lle bu'r cartws,
Llun tlawd er y llenni tlws.

ARADR

Adlais ni ddaw o'r ydlan, – 'run yw ffawd
Yr hen fferm ymhobman.
Yn gofeb i oes gyfan
Ar y lawnt mae aradr lân.

LLOCHES

Lle we'n perthnase dwê wrth odre'r Fwêl
In crafu byw ar richie crwên i ddeiar,
Sdim byd on' adfel 'ma in mind ar whâl
A'r plêns ofnadw lan in rhico'r owyr.
Codan i bowyd gwyllt reit mas o'u cwtsh
A hala ofon hurt ar i cadrïed,
Fel hanner call a dwl yw'r llo'n i gatsh,
Penddaru wedyn lwêth 'na'r brain a'r pïod.
Wir! Seni'n saff i blentyn whare nawr
Ar hyd ir hewl sy'n arwen lan i'r mini,
Rhaid tiddu'n glou im myd i dinion mowr,
Sach ma' nw 'na i gyd, hyd nod i mana.
On' ginne in ir adfel gweles ddafad
In cwtsho'i wên miwn gwâl heb unrhw ofid.

LLANASTR

Hen hanes yw cau'r ysgol slawer dydd
A hwythau'r swyddfa bost a'r siop wrthgwrs.
Ni ddaw y gotiar fach i'r llyn a'r cudd
Ac ar y sgwâr does neb i dynnu sgwrs.
Lle gynt bu chwynnu twf borderi'r clawdd
Pan ddeuai Mai â'i Gyrddau Mawr i'r plwy',
Canfod y blodau heddiw nid yw'n hawdd
Ag ôl y difaterwch drostynt hwy.
Pob un a'i batshyn yw hi erbyn hyn
A phawb yn byw i'w ynys fach ei hun.
Hwyrach rhyw ddydd daw'r gotiar 'n ôl i'r llyn,
O'r braidd yr yfwn eto o ffynnon Clun.
Cymdeithas wledig aeth yn llanastr llwyr
Pa dynged sy'n ei haros? Duw a ŵyr!

CEFN GWLAD

Ni wyddom ddim am deulu Huan-gerdd,
Heblaw eu bod yn bobol ddigon ffein.
Y sgwrs gymdogol wâr dros glawdd yr ardd
O air i air a ildiodd i'r iaith fain.
Daeth tro ar fyd i'r tyddyn ac i'r siop,
Does fawr o neb yn galw'r da i'r clos.
Mae'r hen stand laeth yn segur a di-siap
A llwybrau troed y rhos yn tyfu'n las.
Ond pan ddaw'n sioe, mae rhuddin sydd yn dal
Yr hen gymdeithas sydd yn mynnu byw.
Ni chaiff mympwyon y gwleidyddion dwl
Roi terfyn arni hi a'i thrin fel baw.
Waeth ni fu gwell, mae hithau'n fyw ac iach,
Cefn gwlad yw asgwrn cefen y ddraig goch.

GWACTER

Cragen llawn eco sydd ar gwr y rhos
A thonnau'r eithin yn gorchuddio'r fan;
Oriau'r prynhawn mor ddu ag oriau'r nos,
Broc môr o le a daflwyd ddoe i'r lan.
Prudd fel galarnad ydyw'r gri ddi-baid
A chwyth drwy'r tyllau lle bu gwydrau clir,
Fel pe'n wylofain wrth weld llwch a llaid
Lle gynt bu aelwyd glòs tylwythau'r tir.
Syllaf i'r gwyll a theimlaf ynof ias,
Synhwyraf rywbeth heb ei ddeall chwaith.
Wrth adael i'r dychymyg redeg ras
Cwyd drychiolaethau rhwng y muriau llaith,
Ac er mor wag yw'r adfail, mae'r lle'n llawn
O bresenoldeb tylwyth ddoe a'i ddawn.

FFIN

(Brwydr y Preselau 1946-48)

Diau heddiw nid oes sôn am dyddyn
lle bu teulu'n cyfoethogi'r tawelwch,
gan ymlafnio ac ysgwyddo pwysau gwaith,
yn rhannu eu beichiau ar yr erwau hyn.
Ni welir ond olion
carreg ar garreg a godwyd mor gywrain,
yn un llinyn llonydd.
Clawdd terfyn yn ymestyn ar hyd gwaun y mawn
a'r cyfan yn araf ddiflannu.

Bu yma'r milwyr yn bomio'r moelydd
a darnio'r Cwm er ei gwlwm gwâr.
Ond mewn dydd gerwin ni bu'r werin braff
yn ddof i ryfyg y Swyddfa Ryfel.
Heriwyd y ffin ond gwaredwyd y ffynnon.

Heddiw a'i heddwch.
Ni welir ffin drwy gwareli'r ffenest.
Dim ond tir ein dymuniad taer,
a meinwe'r mynydd
yn diddig ymdoddi
a rhannu ei lun â'r wybren lwyd.

LLINYN Y DAITH
(Taith Rhyddid Mynyddoedd Preseli)

Hil y gwynt! Ar hynt yr awn – i gofio
Am y gofal cyfiawn.
Mae'r hedd lle bu'r amryddawn
Â'u ffydd rhwng mynydd a mawn.

Hil y glaw! Draw drwy yr hin – ddoe gwelodd
Ddiogelu'r comin.
Daeth i'w rhan i gadw a thrin
Llawr y brwyn rhag llu'r brenin.

Hil y niwl! Ni welwn ni – y milwyr
Am hawlio'r Preseli.
Gwell niwl llwyd ein proffwydi
Na gwres y rhyfel a'i gri.

Hil y geletsh! Hael y galon – gadarn
A geidw mor ffyddlon.
Drwy y fro ymleda'r fron
I foelydd ein gofalon.

Hil y grug! Daeth awel groes – i dreiddio
Hyd wraidd blodau'r gynnoes.
Ond i'r rhain eu Duw a roes
O'r meini rym i'w heinioes.

Ar feidr ein diniweidrwydd
Mor rhad yw ein camre rhwydd,
Heb un doll ar ben y daith
Na gynnau'n tanio ganwaith.
Ddoe gwŷr y rhyfel a ddaeth
I faeddu'n hetifeddiaeth.

Rhai dewr oedd y brodorion
A mawr eu gofal am hon,
Hon eu gwlad a'u treftadaeth.
Pa weithred? Pa dynged waeth?
Troi'r cartre'n gartre i'r gwn,
Agendor lle bu gwndwn.

Tanc lle bu ŵyn yn prancio
A bomiau llaw'n fraw'n y fro.
Targed i'r fwled fai'r Fwêl,
Ar y fign byddai'r fagnel.

Mae hedd i'r etifeddion
Grynhoi'u haid ger y garn hon.
A fedd yr hedd a'r rhyddid,
A fedd hyn, ni fydd ddi-hid.
Ar daith dan belydrau'r dydd
Ymwelwn ni â'r moelydd.
Mor rhydd ein cam a gwamal
Ar droed chwim a dim i'n dal.
Nef y ddôl, ni feddyliem
Ei hawlio hi ag arf lem.

Yn nyddiau'r aflonyddwch, – fe heriwyd
Cyfeiriau'r tawelwch.
Cerddwn y Parc a'i harddwch
O drum i drum heddiw'n drwch.

Bro'r brwyn, a'r grug a'r crugiau, – y gweunydd
A bro'r genedl hithau.
Bro'r geletsh bia'r golau,
Hon yw'n bro a fynn barhau.

I'th gedyrn taith a gadwn, – hwy a'u dawn,
Eu cam dewr a gofiwn.
I'th geidwaid plinth a godwn,
Doed yr holl wlad i'r lle hwn.

Nid â'n angof mo'r gofid, – erys hil
Preseli'n gadernid,
A thrwy'r hedd ar daith rhyddid
Ymrown, ni ddown yn ddi-hid.

Nid defaid ond eneidiau – a fegir
Wrth fagwyr y bryniau.
I Dduw mae'n rhaid ufuddhau,
Nid i gennad y gynnau.

Mae yngan ger Croes Mihangel – heddiw
Am heddwch, nid rhyfel.
Hyd Fwlch-gwynt draw'n yr awel
Daw inni falm dan y Fwêl.

Meini coffa sydd yma'n ddiamod
I gewri glew oedd â dewrder llewod,
O doriad nobol daear 'r Adnabod
I gadw ardal rhag iau awdurdod.
Oherwydd eu llef barod, – ni welir
Rwydo eu hendir dan helm Prydeindod.

Cymru'n ymrolio i'r gorwel welwn
Yn gernydd a meysydd ein hemosiwn.
Llinyn y daith sydd yn llunio'n dwthwn
Ger y garreg las, ag urddas cerddwn
Darenni hedd y darn hwn – mewn rhyddid,
Dyddiau eu gofid heddiw a gofiwn.

Ni weidda cyrnol ger hedd y cernydd
I rwygo â gynnau lawr y gweunydd,
Tyrra'r ymwelwyr eto i'r moelydd
A hwy'r bugeiliaid ry' hwb i'w gilydd.
Drig a'i awel dragywydd – Breseli!
Dy werthfawrogi wnawn ni o'r newydd.

Hil y ffenestr wêl ffynnon, – a'i dŵr rhugl
A dreigla'n y galon.
Rhag gorthrymder pryderon
Bywha'r Cwm ym mwrlwm hon.

Rhed ei llif drwy'r canrifoedd, – ni thorrwyd
Mo'i thaith hir drwy'r oesoedd.
Rhediad pur i'r arwyr oedd
Yma'n nawdd o'r mynyddoedd.

Wyn Owens offers a selection of his poems consisting of a string of 'englynion' on such topics as 'Bluestone', 'Beca', 'Chapel', 'Carthouse' and 'Plough', along with poems in dialect and pertaining to local issues, in particular, a long poem in traditional metre, 'cynghanedd', inspired by the annual freedom of the mountain trek across the Preselau. More of his output can be seen in his volume 'Y Patshin Glas' published by Barddas in 2005.

"Pilipala" and "Sbaddu"

Lynne Sacale

Growing up in Mynachlog-ddu was probably the best foundation anyone could wish for. It certainly made me appreciate the value of being surrounded by a community and gave me a sense of belonging.

Our family moved to Parc-y-brwyn, Mynachlog-ddu, when I was five years old. We lived in a caravan for a number of years whilst Dad built our house with help from Mum, my sisters and probably more interference than help from me. Both my sisters went to Ysgol y Preseli, so I started *'Ysgol Gynradd Mynachlog-ddu'* alone and unable to speak a word of Welsh! At that age though, it's right what they say – you are like a sponge.

I had great teachers all around me and not just Tonwen Adams and Ben Williams and later Eilyr Thomas, but my friends, their parents, their grandparents and just about everyone who I came into contact with. My biggest advocates were Cymraes and Islwyn Davies, next door, never letting me speak English – and still the same today. I have lots of happy memories in their house with my friend Alwen. Learning and understanding the traditions of 'bara te' and having trifle pudding before sandwiches at tea time! And, of course, learning to love those magnificent Welsh cakes that were cooked on the Aga.

The other family which had a large impact on me, their values and traditions, were in Glandy-bach. Spending time on the farm, hiding the kittens when they were born, feeding the calves, helping with the hay and watching Elfreda sew and bake bread, I think gave me the longing for the small-holding I have in my mind today.

Fortunately, with everyone's support, it wasn't long before I was fluent in Welsh, without an accent that shouted to everyone that I was a learner! This, however, was to be to my detriment when reciting as a Welsh learner. Many a judge, on hearing my recitation and overhearing the dialogue with my teachers, disputed the fact that I was a learner and sometimes refused to let me through to the next stage of the competition. That was until I spoke English! My parents have never let me forget a particular performance at *Ysgol Sul* when, having read out the perfect hymn in Welsh, I'd been asked to repeat the hymn number in English. "Hymn number fifty-eight" really does grate in a Brummie accent!

Looking back now I cannot but appreciate how lucky I am to have enjoyed the experiences I did. I got to travel and stay with other families, either through school, *Adran, Aelwyd* or *Ysgol Sul.* I had great friends and support and encouragement, all around me, all the time. Whether playing rounders on the ground over by Carreg Waldo, doing activities at the Urdd camp at Llangrannog, the 'parti cyd-adrodd', a *Twmpath Dawns,* or simply just celebrating Christmas, New Year, St David's Day. Mynachlog-ddu knew how to celebrate!

I remember so many Christmas parties, *Cawl a Chân* evenings, Halloween stories and many others, up at the school, sadly now converted to a house. But one of my most treasured celebrations was in the Festri, one evening in 1986. My sister was taking me out, or so I thought, and had to call into the Festri on the way. I didn't click until I heard the cheers as the door opened and we walked in. I was overwhelmed by the pride everyone had for one of their own, when I won a reciting competition for learners at the *Eisteddfod Genedlaethol* in Fishguard in 1986.

It was great growing up in Mynachlog-ddu. We could go out and our parents knew we were all looking out for each other. That's not to say we didn't overstep the mark occasionally and some of us were 'in for the high jump'! But at least we could go out, have parties over on the common land (as I did for my 16th birthday) and have stop-overs without our parents worrying about some of the things that trouble parents today.

Lynne Sacale, Judith lewis, Betsan Thomas, Eilyr Thomas, Michael Stock, Iwan Williams, Carwyn Griffith, Dyfed Jones, Rhys Williams, Gary Williams.

Having gone through secondary education at Preseli, enjoying school life far too much and not achieving the results I really should have had to get to Aberystwyth University, my careers teacher encouraged me to 'work with people', because that's where he said my strengths lay. So, having graduated in

Business and Finance I did a post graduate course for the Chartered Institute of Personnel Development. Again, I thank those around me for the encouragement, belief and patience in helping me through and recognising the potential I had.

The next fifteen years were huge valuable lessons in life and provided great work experience. Throughout my career in London and the South East I was lucky enough to be in the right places at the right times and lucky enough to be offered many fantastic opportunities by people who saw some potential. I had a number of jobs, but with few employers as I tended to be offered new and different roles within the same organisation. I was hard working, loyal and committed to my work and employer – values which came with me from Mynachlog-ddu: playing at Glandy-bach, Tonwen having belief in me, my Dad telling me never to give up, all contributed to me being the driven, determined and yes, perhaps stubborn person I am today!

Very occasionally I came across a passer-by in Covent Garden and even a colleague at work once, who spoke Welsh, and was able to practise and enjoy speaking Welsh again. I never forgot my roots and knew, one day – when the time was right – I would be back. I don't think my parents thought I would. But one day I woke up – always a good start to the day – and felt a longing. A longing that I relate to through *'hiraeth'* in Welsh – it's a great meaningful word. 'Pili Pala' and 'sbaddu' are also words I love – with so much feeling and meaning, but that's another story!

Having put up with the pressures of London, the stresses and strains of travelling and not really knowing when or where my next project would be, I contacted various agencies willing them to find me suitable work back home. It took a while, which I expected. What I didn't expect was a suitable role in 'somewhere called Newcastle Emlyn' as the lady put it.

Since then I've not looked back. Once again I feel lady luck was on my side and I could not have wished for better work. I've come back to my roots, I'm able to, through my work, really give something back to the community, give to others and have that sense of belonging again. Reading and writing Welsh whilst I was away certainly helped me to now work and run a business through the medium of Welsh, working and promoting the language gives me a sense of pride. My Welsh dictionary I received from being on 'Stumiau', an S4C family programme, sits proudly on my desk and once again I get to go to the Eisteddfodau to enjoy the cultural pleasures.

I loved growing up in Mynachlog-ddu. It's made me the person I am today. The reciting gives me confidence and the ability to channel those nerves sometimes when presenting in front of large audiences. I'm able to appreciate and value others and want to help them in the way that I was supported. I love contributing towards sustainable communities, promoting the Welsh language and feel proud to be working at Cantref, providing homes to those in most need.

I'm still growing – as a person – and will continue to grow. My next adventure is supporting the slum communities in Africa. I want to help them and learn from them. Their personal values drive them to rebuild communities from nothing and help others, despite the poverty they suffer themselves. The different cultures around the world have always fascinated me; there's always something to learn. I am incredibly lucky to have grown up in Mynachlog-ddu and to have experienced love and support, to feel safe and belong.

Cymdogion Da

Nellie Vaughan

Drannoeth y Nadolig 1960 y symudodd Dilwyn, finne a Hywel, a oedd yn 14 mis oed, i fyw yn Llwyncelyn, fferm 34 erw yn Llangolman. Fe dalon ni £3,300 amdani. Roeddem wedi bod yn byw yn fy nghartre' i yn Nhredafydd Isa', Cwm Gwaun, cyn hynny; roeddwn i'n un o chwech o blant. Cafodd Dilwyn ei fagu ar fferm Gwarcoed, Wystwg, yn un o bump o blant ac ynte'n un o efeilliaid. Cawsom groeso rhyfeddol yn ein cartre' newydd gan y cymdogion, bron pawb yn Gymry'r adeg honno ar wahân i deulu o Bwyliaid yn Fferm Llangolman a'r Cyrnol Greaves a'i wraig yn Tŷ Dandderwen, ond roedden nhw'n toddi i mewn i'r gymdeithas Gymraeg yn rhyfeddol o dda.

Ar ôl setlo roedd rhaid chwilio am rywle i addoli; roeddwn i'n Fedyddwraig a Dilwyn yn Fethodist o ran magwraeth. Mentrodd Dilwyn i Gapel Rhydwilym un Sul ond am eu bod yn dal i arddel 'cymundeb caeth' h.y. ddim yn fodlon rhannu cymun â neb nad oedd yn Fedyddiwr, doedd dim llawer o awydd arnom i ymaelodi yno. Roedd capel yr Annibynwyr yn Llandeilo ychydig yn nes, o gofio nad oedd car gennym ar y pryd, a chawsom groeso tywysogaidd gan bawb yn enwedig gan Tom Plas-cwrt, y cyhoeddwr. Doedd dim gweinidog yno ar y pryd ond erbyn 1963 roeddem wedi mynd â'n llythyre ymaelodi yno.

Pan gafwyd cyfnod o rew caled ac eira ar ddechrau 1963 fe fu rhaid i ni gario dŵr o Bant-tirion am fod pob dim wedi rhewi gyda ni. Flwyddyn yn ddiweddarach fe fuon ni'n ddibynnol iawn unwaith eto ar Bryn a Gwenda Davies, Pant-tirion, yn ogystal â Raymond a Mattie Morris, Fagwrowen, pan oedd y ddau ohonom yn sâl yn y gwely a rhoces fach, Anne, wedi cyrraedd yr aelwyd hefyd erbyn hynny. Y cymdogion fu'n godro fore a nos a gwneud y gwaith ar hyd y clos a chloi'r drws bob nos. Dyna chi gymdogion da.

Wedyn, bydde cryn edrych ymlaen at gyfnod y cynhaeaf pan fyddai'r ffermwyr cyfagos yn rhoi help llaw i gywain y gwair a byddai rhaid cael swper mawr ar ddiwedd y dydd a chyfle i'r dynion i gloncan a gosod y byd yn ei le o amgylch y bwrdd am orie wedyn. Ar ôl geni Wyn yn 1970 fe welwyd newid mawr yn yr ardal yn raddol wrth i'r rhan fwyaf o'r tai a'r ffermydd fyddai ar werth gael eu prynu gan Saeson fynychaf. Collwyd y sioe amaethyddol flynyddol ac nid yr un gymdeithas glòs oedd gennym yn yr ardal wedyn.

Gwelwyd effaith y mewnfudo, fel ma' nhw'n ei alw fe, ar Gapel Llandeilo, lle cafodd Dilwyn ei wneud yn ddiacon yn 1978. Roedd llai o Gymry Cymraeg yn yr ardal a lleihau a wnâi rhif yr aelodaeth. Ar un adeg byddai cynifer â 80 ar y galeri adeg y Gymanfa Bwnc ond dyrnaid yw hi erbyn heddi. Rhag taro nodyn rhy anobeithiol rhaid dweud bod dyrnaid o'r hen deuluoedd ar ôl o hyd a braf gweld Cymry'n symud i rai o'r tai newydd sy wedi'u codi'n ddiweddar. Er gwaethaf y newidiade cymdeithasol synnon ni'n credu y gallen ni gael gwell ardal i fyw ynddi. Gobeithio y gwelir y rhod yn troi ac atgyfodi rhai o'r hen werthoedd a chael cymdeithas Gymraeg gref ar ei thraed unwaith eto.

Tan yn ddiweddar roeddem yn godro tua thrigain o dda ond fel bron pawb arall yn yr ardal rhoddodd Hywel y gore i'r godro am nad yw'n talu ffordd. Ar un adeg byddem yn talu £46 am dunnell o gêc i'r gwartheg ond erbyn heddi mae'n rhaid talu dros £200 amdano tra bo pris y lla'th wedi cwympo o 4/- y galwyn i 18c y litr. Magu lloi sugno sy mlân ma' nawr, eu tewhau a'u gwerthu'n fustych.

Wyn yn dair blwydd oed wrth ymyl tractor newydd sbon, Massey Ferguson 165, a brynwyd ym 1973 am £1,400

Wyn ac Anne, yn 11 oed, wrth ymyl y cerbyd Morris Minor deng mlwydd oed ym 1973. Fe'i prynwyd yn newydd am £475

When Dilwyn and Nellie Vaughan, along with 14 month old Hywel, moved to Llwyncelyn, Llangolman, in 1960, they paid £3,300 for the 34 acre farm. Dilwyn was one of five children, including a twin brother, who had been brought up at Woodstock, while Nellie was one of six children brought up in the Gwaun Valley. They were overwhelmed by the kindness and welcome shown by neighbours on moving to their new home on Boxing Day. In those days the community was almost totally Welsh speaking bar one or two hearths.

One of their prime concerns on settling down was to choose a place of worship. Dilwyn, a Methodist, was denied communion at Rhydwilym Baptist Chapel because of the strict rule at the time not to offer communion to those who were not Baptists. Nellie was a Baptist, but they both eventually became members of the local Congregational chapel at Llandeilo in 1963 on the strength of the welcome they had been shown on the occasions they had worshipped there.

They were grateful to their neighbours, Bryn and Gwenda Davies, Pant-tirion, and Raymond and Mattie Morris, Fagwrowen, who did all the milking and the chores around the farmyard when they were once both confined to bed in 1963. The neighbours even locked the doors at night. One of the highpoints of the agricultural year was the harvesting, and in particular the late evening suppers enjoyed around the kitchen table when neighbouring farmers would chat and tell stories for hours.

The area gradually changed in the 1970s as most properties placed on the market were bought by an influx of English people who became known as in-migrants. As a result the annual agricultural show terminated and the close-knit community became less so. This had its effect on Llandeilo Chapel as membership dwindled. Whereas previously it would not be unusual to see 80 people in the gallery during the Pwnc Festival nowadays there will be only a handful.

Though not to be too despondent, there are still a few of the old families in the area and several recently built houses in the village have been occupied by Welsh people. Despite all the social upheaval, they cannot think of a better place to have raised three children. They sincerely hope that some of the old virtues will again be upheld and that the Welsh language will flourish.

Until recently around 60 cows were milked at Llwyncelyn, but because of consistently poor milk prices Hywel decided to opt for rearing suckling calves to be fattened and sold as steers.

Lot 'da ni i fod yn ddiolchgar

Anne Morris

Y cof penna sydd gen i o gyfnod fy magwraeth ar fferm Llwyncelyn, Llangolman, yn y 1960au yw mynd i Gapel Llandeilo; cofio'r cymeriade – Tom Pen-top, Gwyn Brynteilo, Hughie Cwm Isaf a William John, Y Glennydd – y pedwar hyn yw'r diaconiaid cynta' dwi'n eu cofio. Ma' rhaid i fi ddweud mai Tom Pen-top oedd fy ffefryn am fod ganddo wastad air a gwên i bawb. Dwi'n ei gofio fe'n dweud wrtha i ryw ddydd Sul, ar ôl i fi fod yn chware'r organ yn y gwasanaeth, fy mod wedi chware jyst â bod cystal ag e! Rhyw wythnos yn ddiweddarach roedd wedi ei daro'n wael a bu farw yn Ysbyty St. Thomas yn Hwlffordd; roedd yn anodd i fi gredu na fyddai cawr o ddyn fel Tom Pen-top ddim yn mynd i fod yn Llandeilo byth rhagor.

Marion Ael-y-bryn a Gwenda Pant-tirion oedd yr athrawon cynta dwi'n eu cofio yn yr Ysgol Sul. Rwy'n cofio'r holl waith paratoi gogyfer â'r Gymanfa Bwnc. Rhaid oedd dysgu pob gair – dim papur i'w weld yn unman a phopeth yn cael ei wneud yn raenus ac roedd rhaid cael dillad newydd bob blwyddyn erbyn y Gymanfa. Cawsom lawer o hwyl fel plant yn gwrando ar yr oedolion yn llafar ganu eu pennod hwythau. Roedd llawer o baratoi hefyd gogyfer â'r Gymanfa Ganu.

Wrth fynd yn hŷn cawsom ein symud i ddosbarth Ysgol Sul Jac Llandeilo – cymeriad arall! Fydde wastad arian yn ei bocedi a buase bob tro â'i ddwylo yn ei bocedi yn chware gyda'r arian; cawsom sawl dadl fywiog yn rhoi'r byd yn ei le gyda Jac. Y Parchg Denzil James oedd y gweinidog cyntaf dwi'n ei gofio yn Llandeilo a rhaid fydde dysgu adnod newydd bob mis, a fydde ni'r plant yn mynd i'r set fawr i adrodd ein hadnode wedyn.

Pan oeddwn i'n un ar ddeg mlwydd oed daeth gweinidog newydd i Landeilo, sef y Parchg Gerald Jones. Gofynnodd mam i Mrs Maud Morris (fy mam-yng-nghyfraith yn ddiweddarach) ysgrifennu darn i groesawu'r gweinidog newydd i fi i'w adrodd yn y cyngerdd croeso. Wedyn, yn y cwrdd diolchgarwch cynta' o dan weinidogaeth y Parchg Gerald Jones, fe wnes i adrodd darn o waith Abiah Roderick o'r enw, 'Diolch'. Ma' pob pennill yn cwpla gyda'r geirie, "O, ma lot 'da ni fod yn ddiolchgar". Dwi'n aml yn cofio'r frawddeg achos mae e mor wir yn fy hanes i. Mr Jones ddysgodd fi i adrodd am sawl blwyddyn a dwi'n wir ddiolchgar am hynny; bues i'n cymryd rhan mewn sawl cynhyrchiad a wnaed ar y cyd gan y Parchg Peter Thomas, Rhydwilym, a'r Parchg Gerald Jones, ac roedd graen ar y gwaith bob amser.

Y Parchg Gerald Jones dderbyniodd fi'n aelod yng Nghapel Llandeilo pan oeddwn yn un ar bymtheg oed yn 1978. Cafodd Brenda Prysg, Marc Llandeilo, Meirion Llandre, efeilliaid Blaen-sawd, sef Emyr ac Eurig, a Malcolm Plas-cwrt, eu derbyn yr un pryd. Dwi'n cofio hefyd sefydlu Aelwyd yr Urdd yn Neuadd

Llangolman ar ddiwedd y 1970au a finne'n cael y fraint o fod yn gadeirydd cynta'.

Alla i byth anghofio am Marilyn Blaenllwydiarth achos fe wnes i dreulio sawl awr ddifyr yn ei chartref wrth iddi geisio ein cael ni mewn i siâp ar gyfer rhyw gyngerdd neu steddfod neu'i gilydd. Dwi'n cofio mynd i Steddfod Maesteg ym 1979 ac aros yn ei charafán wedi'i pharcio ar bwys rhyw orsaf betrol ar gyrion y dref. Fe geson ni gam gyda'r beirniad y tro hwnnw! Mae gan sawl un ohonom ddyled enfawr i Marilyn.

Symudais o'r ardal pan oeddwn i'n 19 oed i weithio yn Ysbyty Singleton, Abertawe. Fues i'n dod nôl ar benwythnose am gyfnod ond symudais o'r ardal yn llwyr i Benrhyn-coch ger Aberystwyth pan wnes i briodi Keith ym 1986. Alla i byth ddweud bod hiraeth wedi bod arna i o gwbwl; efallai fod y ffaith i fi setlo mewn ardal Gymraeg a bod y plant, Gwenno ac Anwen yn mynychu ysgol Gymraeg yn help.

Odi'r ardal wedi newid erbyn hyn? Wel, synna i'n credu bod naws yr ardal wedi newid; ma'r gymdeithas glòs a chymeriade unigryw yn dal i fodoli a ma' wastad rhywun wrth law i helpu mewn argyfwng.

Rhai o blant Llangolman yn barod i fynd i Ysgol Maenclochog ym 1969. O'r chwith, tu blaen – Malcolm Bryan, Julie Llewellyn, Julie Bryan, Marc Bryan, Tracey Bryan. Cefn – Helen Bryan, Katrina Bryan a Leighton Bryan.

Anne Morris settled in Penrhyn-coch on the outskirts of Aberystwyth in 1986 but was brought up at Llwyncelyn Farm, Llangolman, in the 1960s and 1970s. Most of her childhood memories are associated with members of Llandeilo Congregational Chapel, individuals such as Tom Pen-top, one of the deacons, who always had a ready smile and a word of encouragement. Events such as the verses that had to be learned and recited at a monthly service, as well as the preparatory work for the various annual festivals. She remembers reciting a poem by Abiah Roderick at the first harvest service under the Rev Gerald Jones' ministry in which the words "We have a lot to be thankful for' were repeated at the end of every stanza. Those words have stayed with her as she feels they reflect the ups and downs of her own life journey.

Anne pays her respects to Marilyn Lewis, Blaenllwydiarth, for her encouragement and tuition when preparing for the Urdd eisteddfodau and various concerts. She remembers the occasion Aelwyd Llangolman competed at the Maesteg Urdd Eisteddfod when she slept in Marilyn's caravan parked near a petrol station on the outskirts of the town – and they suffered injustice at the hands of the adjudicator! Since moving to Penrhyn-coch she has never felt any pangs of hiraeth, mainly because she has settled in a similar area where the children have attended a Welsh medium school, and her husband is from Rosebush anyway! Has the Llangolman area changed since the 1960s? She thinks not, as the same close-knit community survives with always a ready help available in a crisis – and there are still a few characters around.

Dai Evans, Pen-y-graig

Towyn Evans

Dai Evans yng nghanol y rhes gefn yn nhîm Cymru i wynebu'r Alban ym 1896.

Testun balchder a dirgelwch inni yn gryts ar yr aelwyd ym Mhlas-cwrt, Llangolman, oedd hanes ein tad-cu, 'Dai Evans Pen-y-graig', fel y'i gelwid. Testun balchder, nid yn gymaint am iddo fod yn blisman yng Nghaerdydd a'r Rhondda, ond am iddo whare rygbi dros Gymru, a ninne ar y pryd yn dechre ymestyn ein gewynne ein hunen ar y ca' rygbi.

Testun dirgelwch am na wnaethon ni'n tri – Dewi, Ieuan na finne – ei adnabod erioed. Yn wir, nid oedd ein tad, Tom, yn ei gofio chwaith am ei fod wedi marw o'r diciâu, chwe wythnos yn brin o'i ddeugeinfed pen-blwydd, pan oedd Dat yn ychydig fisoedd oed ym mis Ionawr 1912. Ond roedd wedi byw bywyd llawn ac wedi cynrychioli ei wlad ar bedwar achlysur.

Roedd yn arwr petai dim ond am y ffaith ei fod wedi cerdded yr holl ffordd o Faenclochog at ei frawd hŷn, John, yng Nghlydach Vale, Cwm Rhondda – tua chan milltir – i chwilio am waith fel glöwr pan oedd yn ddeunaw oed yn 1890. Ar y pryd roedd yr amgylchiade ar yr aelwyd yn go anodd. Collodd Dai ei dad, Thomas, yn 1876, mewn damwain rheilffordd ac ynte'n 42 oed. Gweithiai fel nafi yn gosod y rheilffordd rhwng Clunderwen a Rosebush, a'r diwrnod cyn ei hagor dihangodd nifer o'r trycie roedd e a phedwar arall yn teithio ynddyn nhw, pan ddiffygiodd yr injan am ryw reswm. Wrth i'r trycie redeg yn wyllt bu'n rhaid i'r pump neidio i ddiogelwch. Yn anffodus, pan neidiodd fy hen-dad-cu fe darodd yn erbyn postyn a bu farw o'i anafiade.

Capan rhyngwladol Dai Evans

Dengys Cyfrifiad 1881 fod fy nhad-cu yn byw gyda'i fam weddw, Mary, a'i chwaer pedair oed, Hannah, a'i fam-gu, Dinah, mewn bwthyn o'r enw Rhyd ym mhlwyf Castell Henri. Roedd y tri brawd hŷn yn amlwg wedi gadael y nyth a'r teulu bellach yn ddibynnol ar y plwyf am fod y Cyfrifiad yn eu hystyried yn dlodion. O ystyried yr amgylchiade dyw hi ddim syndod fod ein tad-cu, fel cannoedd o wŷr ifanc eraill y cyfnod, wedi symud i'r gweithfeydd. O ganlyniad i gyfres o gynaeafau gwael yn yr 1880au fe heidiodd cannoedd o fechgyn ifanc ardaloedd gwledig y gorllewin i'r ardaloedd diwydiannol

Sdim dwywaith y bydde Dai Evans yn gymwys i weithio o dan ddaear am ei fod o gorffolaeth gref, dros chwe throedfedd o daldra, a thros bedair stôn ar ddeg o bwyse. Gwnâi hynny ef yn gymwys i whare rygbi hefyd er mae'n siŵr na wyddai ddim am y gêm nes iddo gyrraedd Clydach Vale. Yn ôl y sôn fe'i gwelwyd yn whare dros Glydach Vale gan Brif Gwnstabl Heddlu Morgannwg, Lionel Lindsay, a thrwy ei ddylanwad e fe ymunodd dad-cu â'r heddlu fel cwnstabl ar gyrion Caerdydd, yn yr Eglwysnewydd, pan oedd yn ugain oed yn 1892. Cyn pen fawr o dro roedd yn chwarae rygbi dros dîm rygbi rhanbarth Treganna'r heddlu. A phwy oedd capten y tîm hwnnw meddech chi? Wel, neb llai na'r Prif Gwnstabl. Cyn diwedd y tymor roedd Dai wedi chwarae dros Benarth hefyd. Roedd yn amlwg fod ganddo'r sgilie neu o leiaf y cryfder i chwarae'r gêm ar y lefel uchaf.

Ddwy flynedd yn ddiweddarach symudodd nôl i'r Rhondda ac ymuno â Chlwb Pen-y-graig ac oddi yno y cafodd ei ddewis i gynrychioli Cymru yn erbyn yr Alban ym Mharc yr Arfau, ym mis Ionawr 1896, ddeufis cyn ei ben-blwydd yn 24 oed. Ni wyddom a fu aelode o'r teulu neu drigolion o'r ardaloedd hyn yno yn ei gefnogi er mae'n rhaid bod yna griw go lew o Ben-y-graig yno. Mae'n debyg mai Dai Evans oedd y plisman cyntaf i whare rygbi dros ei wlad. Enillwyd y gêm honno pan chwaraeodd y chwedlonol Gwyn Nichols ei gêm gyntaf dros ei wlad hefyd.

Wedyn, ym mis Awst 1896, daeth Dai adref i briodi Frances Elizabeth Davies yn Eglwys y Santes Fair, Maenclochog – rhoces o'r pentre oedd hi. Mae'n rhaid gen i fod gweld chwaraewr rygbi rhyngwladol yn priodi'n lleol yn destun edmygedd ar y pryd. Ymgartrefodd y ddau ym Mhontypridd a chodi dau grwt yno, David a William.

Ar y pryd disgrifiwyd Dai Evans fel un o 'flaenwyr caled y Rhondda' oedd wedi'i ddewis i roi haearn ym mhac Cymru am nad oedd blaenwyr dosbarth canol y cyfnod yn nodedig am eu cryfder a'u diawlineb. Dynion yr ysgolion bonedd, myfyrwyr colegau Caergrawnt a Rhydychen a'u tebyg, oedd y mwyafrif o'r chwaraewyr a ddewiswyd i gynrychioli eu gwledydd ar y pryd. Yn ystod y ddwy flynedd nesaf enillodd Dai dri chap arall, yn erbyn Iwerddon yn Lansdowne Road ac yn erbyn Lloegr yn 1897 a 1898.

Dyna oedd diwedd ei yrfa ryngwladol er iddo barhau i chwarae dros Ben-y-graig a Heddlu Morgannwg tan 1902 pan benderfynodd ddychwelyd i'w ardal enedigol a hynny 15 mlynedd ers iddo ei gadael i chwilio am borfa frasach. Yn ôl un stori a glywsom fe waethygodd ei iechyd yn raddol wedi iddo gael ei anafu yn ei gefn pan oedd yn chwarae yn erbyn y Gwyddelod. Ni fu ei arennau 'run fath ar ôl hynny ac ofnai na fedrai gyflawni ei waith fel plisman. Na, ni fu bywyd yn rhy garedig iddo am iddo weld trasiedïau fel y'u gwelodd pan oedd yn grwt. Yn 1906 fe'i gadawyd yn ŵr gweddw gyda phedwar plentyn o dan saith oed. Mary ac Annie Marie oedd y ddwy ferch a ddilynodd y ddau grwt. Roedden nhw'n byw ym Maen-gwyn, Rosebush, ar y pryd.

Ymhen ychydig dros flwyddyn priododd Mary Harries, Y Galchen, ac yn ôl y dystysgrif briodas roedd Dai Evans yn byw yn Ffynnon Fair, Maenclochog, erbyn hynny ac yn cael ei ddisgrifio fel labrwr. Ond pan anwyd eu hunig blentyn, Thomas – ein tad – ym mis Mawrth 1911 roedd y teulu'n byw yn 9, Teras Rosebush. Pan fu farw dad-cu wedyn y flwyddyn ddilynol fe'i claddwyd ym mynwent Maenclochog gyda'i wraig gyntaf. Gwraig weddw fu ail wraig Dai wedyn – ein mam-gu ni – a bu farw yn 1940 a'i chladdu ym mynwent Eglwys Llangolman. Mae'n rhaid i ni fel brodyr ddiolch i Colin Evans, cyn-brifathro Ysgol Thomas Picton, Hwlffordd, am ganfod llawer o'r ffeithiau am Dai Evans – roedd un o frodyr Dai yn hen-dad-cu i Colin.

Do, fe gafodd Dai Evans fywyd digon cythryblus ond fel brodyr ry'n ni'n ei gofio fel y blaenwr a roddodd tipyn o sbarc ym mhac Cymru. Ni wyddom pam na chafodd ragor o gapie ond rhaid cofio mai prin oedd y gemau rhyngwladol yn y dyddie hynny o gymharu â heddiw. Yn sicr, fe fu'n ysbrydoliaeth i ni. Er na fu'r hynaf ohonom, Dewi, yn chwarae rygbi ei hun, mae'n bleser ei glywed yn dadansoddi a thraethu am y gêm.

Cafodd fy mrawd iau wedyn, Ieuan, yr anrhydedd o chwarae dros Arberth ac fel finne fe fu'n gapten ar y clwb yn y 1960au. Fe fu William Evans, un o feibion Dai, yn gapten ar y clwb yn y 1930au hefyd. Chwaraeodd y ddau ohonom ein rhan i sefydlu Clwb Rygbi Castellnewydd Emlyn hefyd. Ieuan oedd y capten cyntaf a chefais inne'r anrhydedd yn ddiweddarach o fod yn gadeirydd a llywydd yn fy nhro.

Hoffem feddwl mai ychydig o'r dur a oedd yng ngwythienne dad-cu fu'n gyfrifol am ein diddordeb a'n llwyddiant ninne yn y gamp. Tipyn o gadernid y Rhondda meddai'r sylwebyddion ar ddiwedd y 1890au am Dai Evans ond rhaid cofio bod y dur ynddo cyn iddo adael y Preselau, gwlei.

Dai Evans, Pen-y-graig

Towyn Evans writes on behalf of his brothers, Dewi and Ieuan, about the exploits of their grandfather, who played rugby union for Wales on four occasions in the 1890s. Though they never knew him he was an inspiration for them when they grew up at Plas-cwrt, Llangolman, and began nurturing an interest in rugby themselves. In fact, their father, Tom, had no recollections of Dai Evans either because he died a few months after Tom's birth in 1912 and a few weeks before his fortieth birthday from TB. But he would have been a hero to the three boys if it was only for the fact that he apparently walked the 100 miles or so to Clydach Vale in the Rhondda Valley, when only 18 years of age, to join one of his older brothers. He had lost his own father when only four years of age in a railway accident at Maenclochog, when the final preparations were being made to open the local railway line. Some trucks in which Thomas Evans was travelling with four others, ran out of control, and though the others jumped to safety, Tom hit a post as he landed, and died from his injuries, when 42 years of age.

No sooner had Dai started work as a collier than the Chief Constable of the Glamorgan Police, Lionel Lindsay, spotted him playing rugby. He obviously saw the strong and tall strapping lad as a fine prospect in the rapidly growing sport. The Chief Constable persuaded Dai to join the police force and by the time he was twenty he was stationed at Whitchurch on the outskirts of Cardiff, and playing for the Canton Division Police team, which was captained by the Chief Constable. He also played for Penarth before he returned to the Rhondda and joined Pen-y-graig, from where he became the first ever policeman to play rugby for Wales. He was, therefore, known as 'Dai Evans, Pen-y-graig', and regarded as one of the 'Rhondda strong men' by the pundits of the day irrespective of his rural roots in North Pembrokeshire.

He made his international debut in the victory over Scotland at Cardiff Arms Park in January 1896, when almost 24 years of age, and went on to play against Ireland and England (twice) during the next two seasons. Six months after his international debut he returned to Maenclochog to marry a local girl at the village church. When Dai's rugby career came to an end in 1902 the family returned to the Preselau and lived at various addresses in Maenclochog and Rosebush. Unfortunately Dai's wife, Frances Elizabeth, died in 1906 leaving him a widower with four children under seven years of age. He later married Mary Harries, Galchen, and it was from that union that the brothers' father was born.

Whenever Ieuan and Towyn played for Narberth in the 1960s, which they both captained, the memory of their dad-cu was never far from their thoughts. Ieuan was later elected the first captain of the newly formed Newcastle Emlyn Rugby Club, and Towyn was elected chairman and president of the same club, as they were both instrumental in its formation. The brothers prefer to believe that it was actually Preseli grit, rather than Rhondda strength, that ensured their 'dad-cu's' place in the annals of Welsh rugby history.

'Shwd wyt ti'r twlpyn tew?'
Brian Richard Williams
(1960-2007)

Wyn Gruffydd

Brian Williams

Wedi gêm rygbi ganol gaea' gartre' ar y Gnoll yng Nghastell-nedd, dyma weiddi ar Brei o'r nyth brân o bwynt sylwebu – "Wês siawns am gyfweliad?"

"Wês, wes", a chan daflu ei fag ar lawr a dringo'r ysgol daeth y chwedl ar ei grys T yn fwy amlwg: – ar y tu blaen 'Sul y Blodau'; ar y cefn – neu falle ddylwn ni ddweud, ar y 'cewn' – 'Meibion Glyndŵr'.

Allwn i ddim llai na chwerthin achos ble bynnag wêdd Brian Williams, 'Breian Wili', 'Brei', neu 'Willi' hyd yn oed, mi fydde yna chwerthin, a chellwair hefyd. Mewn sgrym, mewn pwyllgor, mewn sied gneifio, mewn arwerthiant ffarm, neu hyd yn oed mewn cynhebrwng.

Pan fyddai'r llygaid yn dawnsio fel y bydden nhw yn fwy amal na pheidio, mi fyddai yna ddiawlineb ar waith. Doedd dim diben dadle, dim ond gwenu, achos i Brei roedd popeth yn ddu neu yn wyn. Roeddech chi naill ai'n cytuno neu yn anghytuno. Os oeddech chi yn anghytuno, yna eich problem chi oedd honno. Doedd dim man canol. Fe wyddech chi'n iawn o ble wedd Brei yn dod; mi allech chi ei ddilyn os byddech chi'n dewis. Ond ofer wêdd sefyll yn ei ffordd.

Ganed Brian Richard Williams ym Mhen-ffordd, Sir Benfro, ar y 9fed o Orffennaf 1960 a'r pumed o chwech o blant i Jim a Gladys Williams. Yn fwndel deubwys, 'chydig feddyliodd neb y deuai'r bachgennyn eiddil yr olwg a ddaeth i'r byd yn ddigon diseremoni, yn un o'r chwaraewyr cryfaf a fu yn hanes y gêm rygbi yng Nghymru.

Yn Ysgol y Preseli, Crymych, fe gadwodd Brei draw o'r cae rygbi, ond roedd y melltith a'r cythreuldeb, a ddeuai yn nodwedd o'i gymeriad hynaws yn ddiweddarach, yn amlwg yn ystod ei ddyddie ysgol. Ymatebodd "Yma Syr" adeg cofrestru o'r tu mewn i gwpwrdd clo yng nghefn y dosbarth un tro, a phan ddaeth gŵys i fynd ar ei union i 'stafell y prifathro – nid yr ymweliad cynta' na'r olaf chwaith – be fedrai hwnnw ei wneud â chrwtyn oedd yn ymateb yn llythrennol i'r gorchymyn i 'dorchi ei lewys' o'i flaen, a gneud hynny gyda gwên gellweirus ar ei wyneb ar yr un pryd!

Y tu fas i oriau ysgol diddordebe cefen gwlad oedd yn mynd â bryd y Brian Richard ifanc, sef hela a marchogaeth ceffyle. Â'i fryd ar fynd yn joci, treuliai orie di-ri' gyda'i ewythr, Dewi Lewis ym Mhant-y-caws yn trin a thrafod ceffyle. Mae sôn amdano yn ei arddege yn cael ei wylltio ac ynte wedi gwneud yn dda mewn 'gymkhana' geffyle pan awgrymwyd wrth ei ewythr y gallai'r 'ferch ifanc' yna dan ei ofal fynd ymhell yn y gamp.

Wêdd e'n cael gwaith gwneud chwe stôn a hanner ar y dafol erbyn iddo gyrraedd ei ben-blwydd yn 16 oed ac wedd y freuddwyd o ddod yn joci yn dal yn fyw pan gyrhaeddodd e' Goleg Amaethyddol Gelli-aur i barhau â'i addysg. Yn y fan honno fe dyfodd y llanc yn ddyn, ond pan sylweddolodd e' ei fod e' nawr yn rhy dal i 'neud joci, fe drodd ei feddylie o ennill y Grand National at anrhydedde llai uchelgeisiol bryd hynny.

Does dim dwywaith tase Brian Williams wedi ei eni ganrif a mwy ynghynt mi fyddai e' ar gefn ei geffyl wrth ysgwydd Twm Carnabwth ym merw Terfysgoedd y Beca. Nid rhamantu yr ydw i, ond oherwydd 'mod i wedi cael y fraint o'i adnabod, mi fyddai Brei yn medru uniaethu gyda'r anghyfiawnder o orfodi pobl i dalu crocbris am deithio ar hyd ffyrdd tyrpeg cefn gwlad dwyrain Sir Benfro a Sir Gaerfyrddin.

Mae'n wir hefyd nad oedd hi ddim yn ddieithr i Brei 'gymhwyso' ambell i yrrwr a fyddai'n dymuno mwy na'i siâr o'r ffordd fowr adeg mofyn gwartheg o'r parc neu eu hala mas wedi godro, ac nad oedd yn gyfarwydd falle â 'ffyrdd' na chwaith 'ffyrdd trigolion' cefen gwlad ardal Llangolman.

Eto, tase Brian Williams wedi ei eni hanner can mlynedd ynghynt mi fydde gyda'r cynta' mae'n siŵr i 'Amenio' (yn ei ddull dihafal ei hunan) ymbiliade'r Parchg R. Parri-Roberts, Mynachlog-ddu, a Waldo Williams yn erbyn bwriade'r Swyddfa Ryfel i feddiannu dros 16,000 o erwau'r Preseli a'i cherrig gleision hynafol ar gyfer hyfforddiant ac ymarferiade milwrol. Mi fyddai gweithredu a gwarchod wedi bod mor naturiol i Brian Williams â thynnu anadl. Dyna wêdd ei natur e', sef gweithio a gweithredu, a wêdd 'dag e' ddim amynedd nac amser i rywrai na fyddai'n rhannu'r athroniaeth honno.

Roedd e' wedi ychwanegu tipyn o bwyse at ei gorff yn ystod ei gyfnod yng Ngelli-aur, a buan y cafodd ei hunan ar Sadyrne yn chwarae yn y rheng-ôl i Glwb Rygbi Arberth cyn ei ddyrchafu i ymuno â'i ddau frawd, John ac Anthony, yn y rheng flaen. A dyna ddechrau ar siwrne a arweiniodd ddegawd yn ddiweddarach at bum cap rhyngwladol ar ddechrau 90au y ganrif ddiwethaf.

O ran ei ystadege corfforol ddylsai Brian Williams ddim bod yn agos i reng flaen y sgrym heb sôn am fod yn gonglfaen iddi. Yn chwe throedfedd a modfedd yn nhrâd ei 'sane, ac ond rhyw bwys neu ddau dros bedair stôn ar ddeg, roedd e'n rhy denau ac yn rhy ysgafn i blygu mewn sgrym i bob golwg. Ond nid bachan ystadege wêdd Brian Williams. Dyma'r dyn, yn ôl cyn-gapten Cymru, David Pickering, a fyddai'n diflannu yn y pellter wrth ymarfer ar ddechre'r tymor ar y rhiwiau o gwmpas Castell-nedd a dim ond sŵn ei sgidie gwaith i'w clywed yn pwnio'r tarmac. Mi fyddai Brian nôl ar y Gnoll o flaen y 'sgwarnogod' i gyd a hanner milltir o flaen gweddill y garfan. Wedi diwrnod o waith caled, dihangfa oedd ymarfer a rygbi i Brian Williams.

Roedd e'n gyfuniad o Guto Nyth Brân a Thwm Carnabwth a does dim dwywaith taw dyna a welodd Brian Thomas, y gweledydd o hyfforddwr ar Glwb Rygbi Castell-nedd, pan aeth e' i lawr am sgowt i Sir Benfro cyn gwahodd y llanc 21 oed i ymuno â hen glwb y Gnoll ym 1983.

"Neath! Neath! Where's that?" medde Brei, a chyda'r drygioni a'r direidi arferol yna yn ei lygaid a chydag esgus o rywun yn sibrwd yn ei glust wedyn, *"Oh! You mean Castell-nedd! Aye, Aye, I know where Castell-nedd is."*

A dyna ddechrau ar gyfeillgarwch a barodd am y chwarter canrif nesaf. Aeth Thomas ati i adeiladu tîm o gwmpas Brian Williams ac mewn dim o dro roedd yna 'Driawd y Buarth' o ffermwyr Sir Benfro a Chymry Cymraeg o odre'r Preseli, yn dal y pen tryma' i 'Grysau Duon' Cymru gyda Kevin Phillips a John Davies yn ymuno â Brei i godi braw ar y byd rygbi.

Buan y daeth Brian Williams yn ffefryn ar y Gnoll gan gefnogwyr a oedd wedi hen arfer gydag arwyr a naddwyd o'r garreg lo neu a fowldiwyd gan wres y ffwrnes ddur. Byddai'r sgrym weithiau ar i fyny, bryd arall i lawr, ond fyth sha nôl pan fyddai Brei yn plygu!

Ond roedd yna fwy i gêm y ffarmwr o Sir Benfro na dal ei gornel mewn sgrym serch hynny. Hwn oedd meistr yr helfa nid yn ei 'got goch' ond yn ei grys 'du'. Wrth ei fodd yn rhwygo'r bêl o afael ei wrthwynebydd pan oedd honno'n edrych mor sownd â dant llygad. A'r darlun parhaol sydd gan rywun o Brian Williams yw ohono yn mynd i mewn i sgarmes, yn rhwygo'r bêl ac yn ymddangos â honno o dan ei gesail cyn rhuthro i fyny'r cae i anogaeth y dorf.

O fewn y corff egwan yr olwg roedd un o'r chwaraewr mwyaf cydnerth a welodd y gêm. Yn ôl y clo rhyngwladol, Gareth Llewelyn, fe roes Brian Williams arweiniad i weddill y garfan gyda'i galedwch corfforol a'i wytnwch meddyliol. Yn ei dyb e' roedd tîm Castell-nedd o ddiwedd y 1980au a dechrau'r 1990au y tîm gorau y bu' e yn gysylltiedig ag e'. Gyda Brian yn y tîm, fe enillodd Castell-nedd Gwpan Her Undeb Rygbi Cymru ddwywaith, pencampwriaeth Cynghrair Heineken yn ei blwyddyn gyntaf a phencampwriaeth rygbi'r *Western Mail*, eto, ddwywaith. Rhwng 1983 a 1995 fe dynnodd Brian Williams y 'crys du' amdano mewn difri' dros 250 o weithie gyda gemau cofiadwy o danllyd yn erbyn Seland Newydd, Awstralia a De Affrica hefyd yn y cyfnod yma.

Enillodd y cyntaf o'i bum cap ym 1990 pan benodwyd Ron Waldron, hyfforddwr llwyddiannus Castell-nedd, yn hyfforddwr ar Gymru. Fe godwyd aeliau yn naturiol pan gyhoeddwyd taw Brian Williams fyddai yn dechrau ar y pen rhydd yn erbyn yr Alban gyda'i gyd-aelodau o reng flaen Castell-nedd bryd hynny, Kevin Phillips a Jeremy Pugh. Roedd ei berfformiade dros Gastell-nedd yn mynnu ei fod yn haeddu sylw. Colli wnaeth Cymru bob un o'r gemau rheiny gyda'i ymddangosiad olaf yn erbyn Lloegr ym 1991.

Ar ôl dyddiau Waldron, roedd galw eto ar i Brian gael ei ddewis pan oedd Mike Griffiths o Gaerdydd yn dal y pen rhydd i Gymru erbyn hyn. "Dw i ddim yn gwybod be sy' raid i fi i neud – magu bola falle!" oedd ei ymateb. Ac fe alla inne dystio i fod yng nghwmni Brian yng nghlwb Castell-nedd wedi gêm yn erbyn Caerdydd a Brian yn gofyn yr union gwestiwn – yn y Gwmrâg wrth gwrs – i Griffiths; "Shwd wyt ti, y 'twlpyn tew' fel ag yr wyt ti yn cael dy ddewis o'mlân i." Ac ateb Griffiths: "I haven't the faintest idea what he said, but I'm sure it wasn't complimentary". A wêdd e'n iawn, wrth gwrs! Ond wêdd hyd yn oed y gras gan hwnnw i wenu.

A fuodd yna chwaraewr cyn galeted? Do falle! Mwy gwddyn? Naddo 'rioed. Y camgymeriad mwya' wnâi unrhyw wrthwynebydd iddo, yn ôl Jeff Probyn, oedd mesur nerth a phŵer Brian Williams yn ôl yr hyn a welai o'i flaen. Cofia'r cyn-brop rhyngwladol sgrymio yn ei erbyn mewn gêm rhwng Cymru a Lloegr yng Nghaerdydd ym 1991 pan oedd disgwyl i'r Saeson chwalu sgrym y tîm cartre'. "Fe fethon ni'n lân", meddai, "hyd yn oed mewn sgrym ar linell gais Cymru. Roedd Brian Williams yn sobor o gryf a chaled ac yn dechnegol ardderchog."

Yn feddyliol wedyn wêdd e' mor galed â harn, fel y tystia ei benderfyniad i ddychwelyd i'r cae rygbi yn dilyn damwain erchyll ar y ffarm pan fu bron iddo golli ei fraich chwith uwchlaw'r garddwrn ym mis Mawrth 1994. Hyd yn oed yn yr eiliade poenus rheiny, ei gonsyrn cyntaf oedd cael y gwartheg yn barod ar gyfer eu godro.

Wedi'r driniaeth lawfeddygol a barodd am bum awr i arbed ei fraich, fe ddywedwyd wrtho na fyddai e'n debygol o chwarae rygbi fyth eto. Roedd e'n helpu gyda'r godro mewn rhai diwrnode; roedd e' nôl ar y cae chwarae mewn mater o fisoedd ac yn fwy penderfynol nag erioed, ac mor heini ag y bu e' erioed.

Wêdd e' mor galed â'r garreg las y naddwyd e' ohoni ac os wêdd yna anghyfiawnder, fydde Brei ddim yn gwastraffu amser i dynnu sylw'r dyfarnwr at yr anghyfiawnder hwnnw. Fe'i gwelais unwaith ar Barc yr Arfau yn rhedeg at yr ystlys hyd yn oed cyn i'r dyfarnwr ei rybuddio heb sôn am bwyntio i gyfeiriad ymyl y cae. Ond er tegwch i Brei, fe gafodd clo Caerdydd y noson honno (y Dr erbyn hyn) Stuart Roy, rybudd clir i 'fihafio', cyn i'r ergyd – y 'donc' chwedlonol – lanio yn blwmp ar war ei lygad chwith eiliade yn ddiweddarach. Drannoeth fe ffoniodd Brei – ar gais ei briod, Gwen, mae'n wir – i weld shwt wêdd y 'claf' o ddoctor a dderbyniodd bum pwyth am ei drafferth. Ond wedd Brei ddim yn un i ddal dig.

Brian Williams, y ffermwr cydnerth.

Ac i ddyfynnu Brian Thomas eto – "tase gyda chi bymtheg Brian Williams, fe allech chi ennill y Cwpan Byd", gan danlinellu ei gryfder a'i wytnwch naturiol, ond yn fwy na dim falle, ei falchder cenedlaethol.

O'i eni degawd yn ddiweddarach mi fyddai Brian Williams wedi elwa o flynyddoedd cynnar yr oes broffesiynol. Yn eironig mi fyddai'r gêm fodern llawn egni a digwyddiad, ac yn symud yn sydyn o un pen y cae i'r llall wedi ei siwtio fe i'r dim. Ond, wedyn, mi fyddai Brei wedi bod yn barod i dalu am gael chwarae i'w hoff Gastell-nedd dros gyfnod o bron i ddeuddeg mlynedd.

Rhwng sesiynau ymarfer a chwarae'r gêm rwy'n amcangyfri' i Brian Williams deithio dros gan mil o filltiroedd i gynrychioli'r clwb mewn dros 250 o gemau yn ystod y cyfnod hwnnw. Pwy all roi pris ar y fath ymroddiad? Dwi ddim yn twyllo fy hunan i gredu na chafodd e' rhywfaint o gydnabyddiaeth ariannol am ei 'aberth' mewn oes amatur a geisiai guddio pob cydnabyddiaeth, ond wrth edrych yn ôl nawr, falle nad y gost ariannol oedd y gost fwyaf i Brian Williams.

Does a ŵyr y gost bersonol ac ariannol i Brian yn ystod y cyfnod hwnnw, ond un peth sy'n sicr, fyddai Brian Williams ddim wedi cyflawni'r hyn wnaeth e' ar, nac oddi ar y cae rygbi, heb gefnogaeth ei deulu, a'i wraig, Gwen, yn benodol.

Daeth Gwen i'w fywyd yng Ngholeg Gelli-aur, a rhwng gorffen ei swydd yn Hufenfa Felin-fach ar brynhawn dydd Gwener a dechrau swydd newydd yn Hufenfa Hendy-gwyn ar Daf y bore Llun canlynol, fe briododd y ddau yn Swyddfa'r Cofrestrydd yn Hwlffordd ar ddydd Sadwrn yr 28ain o Hydref 1983. Fe dreuliwyd y mis mêl ddydd Sul!

Na, doedd pedair awr ar hugain ddim yn ddigon na saith diwrnod yr wythnos yn aml i gyflawni'r oll oedd angen ei gyflawni. Ac ynte nawr wedi symud o Glwb Arberth at Glwb Castell-nedd roedd cyfuno chwarae rygbi ac ennill bywoliaeth ar ac oddi ar y ffarm yn waith caled. Fel wêdd Brian Williams yn whare ei rygbi; fel 'na hefyd wêdd e yn ei waith bob dydd, yn ei gymuned a'i gymdeithas, pob munud yn werthfawr a'r un eiliad i'w cholli.

Roedd Brian Williams yn gymwynaswr diofyn ac mor rhinweddol â daear Dandderwen a ddaeth yn gartref iddo fe a Gwen ym 1989. Nid ar chwarae bach y daeth hynny i fod wedi pum mlynedd yn Llan-cewn, ond roedd yr awydd i fod yn berchen ar ei ddarn o dir ei hunan, i drin ei dir ei hunan, i odro ac i fagu stoc ar ei dir ei hunan, yn un angerddol. Doedd dim amser i'w golli, i adeiladu'r fuches a chynyddu'r erwau, i gymhwyso'r adeilade, ac yn y pen draw i fagu teulu.

Nid rhwygo a dinistrio yn unig wnaeth y breichie cryf, ond saernïo ac adeiladu hefyd; teulu a chartre' a chymuned. Ganed Mari ym mis Chwefror 1993 a daeth Betsan, ei chwaer, i'r byd ym mis Ebrill 1994 i lonni ei fyd e' a Gwen.

Oedd, roedd yna gyfnode tywyll, fel sy'n dod ar draws pob ffarmwr, ond dull Brei o ddelio gyda'r rheiny oedd gyrru ei hunan ymlaen i gyflawni mwy, ac i dalu dyled y fferm yn gynt na phryd. Roedd ei ddiwrnod yn llawn: digornio a sbaddu, torri cloddiau a chneifio, cynhaeaf gwair a silwair; popeth yn ei dymor. Ond mi fyddai yna gymwynase lu yn cael eu gwneud heb dâl; yn aml mi fyddai yna berth wedi ei thocio neu gwter wedi ei chlirio cyn i'r wawr godi. A doedd orie'r nos ddim yn cyfyngu ar ei barodrwydd i helpu cymydog os oedd angen help ar fuwch i fwrw llo.

Derbyniodd wahoddiad i eistedd ar Gyngor Cymuned Llangolman ym 1990 ac enillodd ei blwy' ar Gyngor Cymuned ehangach Mynachlog-ddu. Gofynnwyd iddo sefyll, meddai, er mwyn gwneud yn siŵr, 'bod yr aelode i gyd yn Gymry Cwmrâg.' Pwy ond Brei fentrai awgrymu'r fath beth mewn dyddiau o 'gywirdeb gwleidyddol' – a phwy fyddai'n barod i ddadle gydag e' ta beth? Democratiaeth cefen gwlad ar ei ore' – a'r math o ddemocratiaeth yr oedd Brei yn esmwyth â hi – ar ei delere e'.

Ond dyna eironi. Dyn a welai mwy o werth mewn gweithredu na thrafod yn eistedd ar bwyllgor. 'Pam fod ishe Pwyllgor? Gnewch e''. Neu yn fwy aml na pheidio – 'fe 'naf fi e'. A phryd arall wêdd y weithred wedi ei chwblhau heb i neb i ofyn. Mae hynny yn dweud cymaint amdano â'i orchestion ar gaeau rygbi ymhell o gartre', ac yn fwy falle i gymuned glòs Llangolman a'r cyffinie, ac yn arwydd pellach o gymeriad Brian Williams.

Ar fater cais am ganiatâd cynllunio, nid hyd a lled yr adeilad neu'r datblygiad fyddai'r ystyriaeth bennaf i'r Cynghorydd Brian Williams, ond yn hytrach 'hyd a lled' bwriad a gwerth yr ymgeisydd er lles y gymuned. 'Pwy yw e? O ble mae e'n dod.' Fe wyddai Brian Williams fod mwy i adeiladu cymuned na brics a morter. Ac mae yna ofyn o hyd – 'Beth fydde Brei wedi ei ddweud?' neu falle yn fwy perthnasol – 'Beth fyddai Wili wedi ei 'neud?'

Darganfu rhywdro fod rhywun neu rywrai wedi gwaredu darnau o asbestos gwaharddedig ar ei dir. Oherwydd natur wenwynig asbestos, a'r angen i'w waredu'n ofalus, yn ôl y Gyfraith, roedd hi'n naturiol ddigon i Brian, fel trethdalwr cydwybodol, fynd ar ofyn y Cyngor Sir am gyngor. Chafodd e' ddim o'i synnu gan ateb i'r perwyl tase'r deunydd gwaharddedig trafferthus hwnnw ar eiddo cyhoeddus yn hytrach nag eiddo preifat, yna mi fyddai'r cyfrifoldeb yn disgyn ar y Cyngor. Erbyn trannoeth roedd y cyfrifoldeb wedi 'disgyn' yn sgwâr ar ysgwydde'r Cyngor – a'r broblem – o ran Brei ta beth – wedi ei datrys!

Nid bychanu'r dyn ydw' i – bobol bach mi fuaswn i wrth fy modd taswn ni'n medru byw i'w ddelfryde e' – oherwydd dyma fachan a oedd yn gwisgo'i galon ar ei lewys, a'r eironi mwyaf ynghylch ei fywyd yw taw ei galon yn y diwedd a ildiodd. Erbyn 2006 roedd Brian a Gwen wedi newid y patrwm o ffermio yn Dandderwen ac roedd yna amser i fwynhau rhai o blesere cefen gwlad eto. Fe fyddai Brian a'r merched i'w gweld ar gefn ceffyl, ac mi fyddai dilyn rasys ceffyle eto yn rhoi boddhad mawr iddo.

Brian y cymydog rhadlon yn sgwrsio â Wenche Davies tra bo Betsan a Mari yn cael hoe gyda'r cŵn.

Mae'n siŵr y bydd, ac mae yna eisoes, chwedle yn tyfu o'i gwmpas fel sydd wedi digwydd dros y cenedlaethau gydag arwyr llên gwerin. Ond fe'i gwelaf i e' nawr yn chwerthin yn braf pan ddeallodd e' fod yna lun ohono ymhlith detholiad o gant o chwaraewyr gorau'r byd mewn atodiad yn un o bapurau trymion Llundain. Brian Williams, asgellwr Crysau Duon Seland Newydd oedd y gwrthrych i'w gynnwys ond fod rhyw olygydd lluniau wedi camgymryd un Brian Williams am y llall. Falle i'r golygydd bach hwnnw dderbyn cerydd am ei gamgymeriad, ond fe garwn i ysgwyd ei law, diolch iddo am ei gymwynas, a falle awgrymu taw'r golygydd geiriau wnaeth y camgymeriad.

Hyd yn oed mewn cynhebrwng flynyddoedd wedi iddo ymddeol yn anfoddog o'r gêm, a finne yn gofyn hynt a hanes ei iechyd, ofer fyddai chwilio'r *Geiriadur Mawr* na chwaith eiriadur arobryn y Dr Bruce yn grwn – a'i holl atodiade – am y geiriau a ddaeth allan o'i enau ... doedden nhw ddim yn ddigon i Brei i fynegi sut 'roedd y gêm wedi gadael ei hôl ar ei gorff, yn gyhyrau ac yn gymalau ac esgyrn. Ond fe gês i'r neges. A phawb arall o fewn clyw!

Bu farw Brian Williams yn greulon o ddisymwth yn 46 oed ar yr 7fed o Chwefror 2007. Bu farw o drawiad ar y galon ac o ganlyniad i'r hyn sy'n cael ei gydnabod fel *cardiomyopathy* yn y byd meddygol, sef dirywiad neu glefyd o gyhyre'r galon. A dyna eironi arall ym mywyd gŵr a adwaenwyd ac a gydnabuwyd fel rhywun oedd â chalon fawr.

Mae llofnod Brian Williams ar lawer llyfr arwerthiant ffarm o fewn cymdogaeth eang ond mae ei enw ar gof a chalon cymuned llawer ehangach na phlwyfi Llangolman a Mynachlog-ddu.

O barch i'w goffadwriaeth, ni wisgwyd y crys rhif 1 i Gastell-nedd gan neb am weddill tymor 2006/2007, ac yn ei filltir sgwâr ble roedd e'n gynghorydd, a chyda deunaw mis hyd at yr etholiad nesa' i Gyngor Cymunedol Mynachlog-ddu, penderfynodd y cynghorwyr yn unfryd, ac yn gwbl groes i'r drefn ddemocrataidd, na ddylid hysbysu'r ffaith fod yna 'sedd wag'. Pwy allai lenwi'r sedd honno ta beth ac mi fyddai hi wedi bod yn annheg i fynd ar ofyn rhywun i geisio gwneud?

Ar ddiwrnod ei angladd yng Nghapel y Bedyddwyr, Blaenconin, Llandysilio ar y 14eg o Chwefror 2007, talwyd teyrngedau hael, a daeth ambell un i'r cynhebrwng dim ond i fodloni ei hunan fod y fath drychineb wedi taro rhywun oedd yn annwyl ganddo. Ac ni all neb fy narbwyllo inne ar fy llw, na theimlais i rywun yn rhoi proc yn fy asenne – fel y byddai Breian Willi mor hoff o wneud – a llais cellweirus yn fy annog ''Drych, 'drych, ma nhw i gyd yn gwishgo du!' Rhwng y dagre, mi chwarddais.

Diolch am gael cyd-gerdded yr un llwybre ac am y gras i wybod pryd i beidio â sefyll yn ei ffordd!

Rugby journalist Wyn Gruffydd pays tribute to local rugby international, Brian Williams, whom he remembers wearing his distinctive Meibion Glyndŵr T-shirt whatever the weather, and whose dancing eyes would always mesmerise whoever might be in his company whether in a committee meeting, a shearing shed, farm auction or even at a funeral or in the bowels of a scrum. Brei always held forthright views, every issue was a matter of black or white, and if you did not agree with him, well then, that would be your problem. And woe betide if you stood in his way.

At birth Breian Wili weighed only two pounds and few would envisage he would grow to be one of the strongest players in the history of Welsh rugby, earning five international caps in the early 1990s as a loose head prop. Because of his frailty Wili avoided contact sport at Ysgol y Preseli and made up for his lack of athleticism with his mischievousness to such a degree that he was often seen standing outside the headmaster's door. He once answered the morning register with a loud 'yma syr' from inside a locked cupboard.

In his teens he was an aspiring and ambitious horse rider bent on becoming a jockey until he realised he had grown too tall. As a student at Golden Grove Agricultural College he began putting on weight and soon found himself playing in the backrow for Narberth Rugby Club on Saturdays before graduating to the front row to play alongside his brothers, John and Anthony. The fact that he was tall and slight, hardly weighing more than a few pounds over 14 stone, did not prevent him, at the behest of the redoubtable Brian Thomas, from joining Neath in 1983, one of the foremost Welsh clubs of the day, who were always known for their formidable front row.

He soon became a cult hero at the Gnoll, where the fans knew the scrum would never buckle or be shoved backwards when Brian was wearing the black shirt with the number 1 on his back. They were accustomed to prop forwards hewn from the coalface or the heat of steel furnaces rather than farmyards. But they soon realised that those arms, familiar with handling sheep, could rip the ball from the most secure of hands, and there was no better sight for the faithful than Brian emerging from a maul clutching the ball and cantering away on a ferocious run. During his 250 appearances for the All Blacks, over a period of 12 years, several championships were won.

Sometimes he would become overzealous, but after all rugby is a man's game. When one of Brian Wili's haymakers landed above the eye of the Cardiff lock, Stuart Roy, he was already half way towards the touchline before the referee gave him his marching orders. He would argue that he had already warned Stuart for his transgressions and that it was only his intention to teach him a lesson. However, he was never one to hold a grudge and the following day, though admitedly at his wife Gwen's behest it must be said, he would telephone the medical student to enquire as to the state of the five stitches on his brow.

The advent of the professional era would have suited Brian's style of running rugby and would have made him financially secure. But then again Wili would have gladly paid from his own pocket to play for his beloved Neath. Just as he gave his all on the rugby field, he gave his all at Dandderwen for the sake of his wife, and daughters, Mari and Betsan, upon whom he doted. There were never enough hours in the day to accomplish what needed to be done on the farm and a helping hand was never refused when neighbours were in need. The woes of others were also his concern as well. After a hectic day at Dandderwen, training with the Neath squad was merely relaxation as he invariably was the first to return from a training run, even though there were a few 'hares' in the squad.

Brian's recovery following major surgery to save his arm following a farm accident proved his total commitment and strength of mind, not to be beleagured by any mishap. Within a few days he was again milking the cows and even returned to the rugby field. Many are the anecdotes still told about Brian's legendary feats on the rugby field, his forthright views as a member of his local community council and his instant positive response to all requests for help within his community.

Wyn Gruffydd describes him as a composite figure of the athlete Guto Nyth Brân and the rebel Twm Carnabwth. No Welshman could have been prouder to pull on the red jersey, and how ironic that such a bighearted man, who had such a zest for life, died much too early because of a heart condition. As a mark of respect, the No 1 shirt was never issued by the Neath team during the remainder of the 2006/2007 season following Brian's untimely death in February 2007. Similarly, Mynachlog-ddu Community Council decided not to advertise a vacancy, though there was an 18-month wait before the elections. They knew they would not find anyone of Brian's stature to fill the void.

Anerchiad

Eric John
(Cymanfa Bedyddwyr Sir Benfro 1979)

Bûm yn petruso llawer pa lwybr i gymryd yn yr oedfa hon, oherwydd mae yna lawer o agweddau yn ein perthynas ag eglwys Iesu Grist sydd yn peri gofid a thristwch i lawer ohonom rwy'n siŵr, a llawer o'r rhai hynny yn codi o'r ffaith nad ydym yn fodlon derbyn ein cyfrifoldeb fel aelodau o'i eglwys nac yn sylweddoli yn llawn yr uchel-alwedigaeth y'n galwyd ni iddi.

Eric John

Pe baem ni yn cael ein hargyhoeddi o'r newydd mai blaenoriaeth gyntaf a phennaf bywyd pob un ohonom yw cael bod yn aelod o eglwys Crist ar y ddaear yma, fe ddiflanai llawer iawn o'r afiechyd sydd yn ein llethu heddiw.

Carwn, felly, alw eich sylw at:

"Ein huchel-alwedigaeth fel aelodau o Eglwys Crist."

Nid oes raid i mi atgoffa neb ei bod yn ddyddiau o argyfwng, Rym fel pe baem yn camu o un argyfwng i argyfwng arall yn barhaus — argyfwng gwleidyddol, argyfwng moesol, argyfwng crefyddol. Mae'r gwleidyddion a'r arweinwyr cymdeithasol yn ogystal ag arweinwyr crefyddol y gwahanol enwadau yn lliwio'r darlun yn rhyfeddol o dywyll a diobaith, ac yn gwneud eu gorau i'n cael i gredu fod ein cyfnod ni yn fwy argyfyngus na'r un cyfnod a welodd yr hen fyd yma erioed, gan ddiffodd pob llygedyn o obaith am y dyfodol os gwrandawn ar yr athrawiaeth hon.

Gogwydd y byd ariannol o'n cwmpas ers blynyddoedd bellach yw diystyru yr uned fach a ffurfio unedau mawr, ac yn y broses mae llawer o ffactorau gwerthfawr a phwysig yn mynd i golli. Bellach, fe welir yr un patrwm yn dod i fyd crefydd. Ofnir mai ymdeimlad yr eglwys o'i gwendid yw hwn. Aethom i gredu mai rhif a chyfoeth yw grym eglwys, ac nid ei "grym yw bod yn lân". Dau neu dri wedi ymgynnull yn enw Iesu, pwy all fesur eu grym: "It can be the greatest minority the world has ever seen".

Hwyrach fod cyfoeth materol a rhif yn anhepgorol angenrheidiol er cael clwb cryf a llewyrchus. Nid prinder arian yw trafferth mwyaf eglwysi heddiw, fel y cred rhai, ond prinder argyhoeddiad.

Mae'r syniad cyfeiliornus hwn yn hen syniad ym Mhrydain Fawr. Yn oes y Frenhines Elisabeth I: "Os am eglwys gref,"' meddai'r Frenhines, "rhaid wrth wladwriaeth gref i'w chynnal a'i noddi." Rhaid i ffurf yr addoliad fod yr un ym mhob gwasanaeth, a dyna ddeddf unffurfiaeth i orfodi'r holl ddeiliaid i gydymffurfio. Ond ni cheir undeb moesol ac ysbrydol drwy unffurfiaeth, oherwydd ei fod yn cynnwys yr egwyddor orfodol.

Pan mae Paul yn pwysleisio undeb yr eglwys, y cartref nid y wladwriaeth yw ei batrwm — undeb cariad, cymhelliad oddi fewn ac nid gorfodaeth oddi allan. Undeb yn gwreiddio mewn Duw a hwnnw yn Dad.

Fedr y beirianwaith berffeithiaf ddim cadw eglwys yn fyw. Nid peiriant yw'r eglwys ond PERSON. Rhaid i'r Iesu anadlu ar ei eglwys cyn y bydd yn eglwys fyw. Fedr eglwys sy'n gysylltiedig â Christ byw atgyfodedig ddim marw. Tyfu mae'r wir eglwys er gwaethaf hyd yn oed erlidiadau a charcharau.

"Drwy bob helyntoedd blin
Terfysgoedd o bob rhyw,
Dyrchafu'n gyson mae
Deyrnas ein Duw."

Yr un grymodd bywyd ag a gododd Grist oddi wrth y meirw fore'r Pasg ddwy fil o flynyddoedd yn ôl sy'n gweithredu ynddi o hyd, "Corff y Crist byw ydyw" — y Crist na ddichon farw mwy — "Yr Hwn wyf fyw". Os ydym yn Gristnogion ac yn aelodau o eglwys yr Arglwydd Iesu Grist a oes gyda ni hawl i gredu iddi gael ei galw i fodolaeth i unrhyw bwrpas ond i fuddugoliaeth ? Ai am ei bod wedi colli ei chyfeiriad fel eglwys y Crist byw mae'r eglwys mor ddifywyd, mor ddi-rym y dyddiau hyn ac wedi mynd yn sefydliad yn hytrach na chymdeithas?

Onid aeth y capel, yr adeilad, a'r eglwys yn gyfystyr â'i gilydd i'r mwyafrif, a'r eglwys mor debyg i'r byd, yr un pobl yw arweinwyr ein capeli ni ac sydd yn rhedeg cymdeithasau'r byd, ac mae llawer o rhai hynny, Duw a ŵyr, ddim o safon rhy iach, a da 'ni yn ddigon hurt i ryfeddu na fuasai'r eglwys yn cario mwy o ddylanwad yn y byd. Dyn sy'n codi capel, ond Duw sydd yn creu eglwys. Fe ddichon y diafol godi capel; fe gododd ambell un yng Nghymru, ond Duw, a Duw yn unig, all greu eglwys.

Rwy'n gwbl argyhoeddedig o hyn: y gellir bod yn aelod o gapel heb fod yn aelod o eglwys. Cymdeithas yw'r eglwys, ac ni ellir bod yn aelod ohoni heb gyfrannu i hyrwyddo'r gymdeithas honno.

Mi fyddaf yn hoff iawn o Lythyr Paul at yr eglwys yn Philipi. Os bu eglwys erioed i lanw'r ystyr a roed i gymdeithas, Eglwys Philipi oedd honno. Mae yna ryw serch ac anwyldeb yn cael ei amlygu un at y llall. Mae Paul yn ysgrifennu o garchar yn Rhufain. Fe'i carcharwyd am bregethu'r Efengyl, a gwaeth na hynny, mae nifer o arweinwyr eraill wedi eu carcharu yn ogystal; mae'r amgylchiadau yn hynod o drist a siomedig — y genhadaeth fawr Gristnogol a'i phrif-arweinwyr mewn carcharau.

Treulio oriau'r carchar i weddïo nid drosto ei hunan ond dros eraill a wnai'r Apostol. Gweddïo dros yr eglwys, dros y Gymdeithas, ac am ei fod yn gweddïo cymaint drosti, y mae e'n canmol cymaint arni. Dyna'r drefn: gweddïo gyntaf, canmol wedyn. Ychydig o ganmol sydd ar yr eglwys heddiw; ychydig o weddïo sydd drosti hefyd.

Pe byddai mwy o weddiwyr byddai llai o gondemnio a byddai ei grym hi'n effeithiolach yn y byd. Mae gweddi yn gallu gyrru eglwys i galon y gweddïwr. Felly roedd hi gyda Paul. "Am eich bod gennyf yn fy nghalon yn gyfranogion gyda mi o ras." Peidiwn ni sydd yn honni bod yn aelodau ohoni a chondemnio'r eglwys os nad ydym yn gweithio o'i phlaid hi; 'does dim hawl gennym.

'Doedd gan Iesu Grist ddim gair o feirniadaeth ar Ei ddisgyblion yn y cwrdd ymadawol. "Yr ydych chwi yn lân trwy y Gair a leferais i wrthych." Roedd hwnna yn ddweud go fawr yn siŵr i chwi; beth oedd i gyfrif. O, dyma'r esboniad: "Efe yn caru yr eiddo y rhai oedd yn y byd, a'u carodd hwynt hyd y diwedd."

Pwy yw beirniaid mwyaf eglwys Iesu Grist heddiw? Pobl y byd? Pobl tu allan nad ydynt yn arddel unrhyw berthynas â hi. Nage'n wir. Ond y bobl hynny sy'n honni eu bod o'i mewn hi ac eto heb gydymdeimlad na chariad tuag ati, nac yn fodlon gweithio drosti. Mae gan eglwys Iesu Grist ateb i bobl y byd: mae rhain yn faes i'w chenhadaeth hi. Melltith oedd dyfodiad yr eglwys i'r byd, medd rhai am yr eglwys fore. "Creu cynnwrf." "Gwyrdroi y byd y mae". Diau fod yna lawer yn credu felly o hyd. Nid o safbwynt y byd mae adnabod eglwys. Mae'n werth i ni weithiau geisio edrych ar yr eglwys o safle'r Nefoedd, edrych arni o gyfeiriad Duw. Mae'n rhaid mai edrych arni o'r safbwynt yna yr oedd Paul gan ei fod yn canmol cymaint arni. Wrth fynd ar ei liniau i weddïo drosti y cafodd yr olwg hon arni. Dyna oedd i gyfrif am y canmol. O'r cyfeiriad hwnnw gwelwn wir werth yr eglwys. Calfaria sy'n dangos ei phris. Beth oedd y pris hwnnw a dalwyd? "Eglwys Dduw yr hon a bwrcasodd Efe â'i briod waed ei Hun."

"Ni wybu neb ond Ef ei Hun
Anfeidrol werth fy enaid cu."

"Yr uniganedig oddi wrth y Tad, Hwn oedd o'r dechreuad gyda Duw a thrwyddo Ef y gwnaethpwyd pob peth," medd Ioan.

"Os edrych wnaf i'r dwyrain draw,
Os edrych wnaf i'r de,
Ymhlith a fu neu ynteu ddaw,
'Does debyg iddo Fe."

Yr Anghymarol

Ie, creadigaeth Duw ydyw'r eglwys. Efe pia hi. Efe yn anad neb yw ei chynhaliwr hi, ac eto credwn ein bod yn gyson â'r Testament Newydd wrth ddweud mai Ei ewyllys Ef yw gwneuthur dynion fel chi a finnau yn gyfranog yn ei chynnal hi. A dyma'r uchel-alwedigaeth y'n galwyd ni iddi. Heb Grist yn y canol, nid oes eglwys; digon gwir, ond nid oes eglwys chwaith heb y dau neu dri wedi ymgynnull "yn Fy Enw I." Y mae pawb ohonom, felly, yn gyfranog yn y gwaith o Efengyleiddio a chenhadu.

'Does dim angen i mi danlinellu'r ffaith mai priod waith yr eglwys heddiw fel ym mhob oes yw cenhadu. I hyn y'n galwyd, cenhadaeth yr eglwys yw pregethu Crist, onid dyma'r comisiwn a dderbyniodd yr apostolion yn llyfr yr Actau, "Ewch a phregethwch yr Efengyl." Mae yna fwy nag un cyfrwng i wneud hyn.

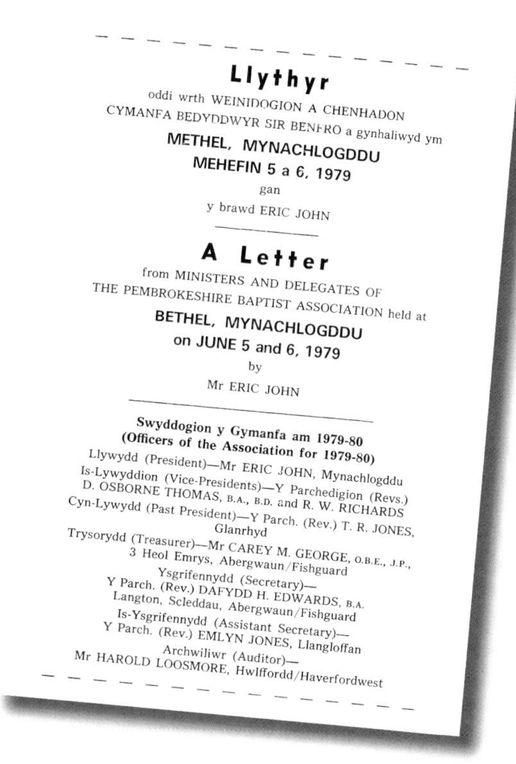

Llythyr
oddi wrth WEINIDOGION A CHENHADON
CYMANFA BEDYDDWYR SIR BENFRO a gynhaliwyd ym
METHEL, MYNACHLOGDDU
MEHEFIN 5 a 6, 1979
gan
y brawd ERIC JOHN

A Letter
from MINISTERS AND DELEGATES OF
THE PEMBROKESHIRE BAPTIST ASSOCIATION held at
BETHEL, MYNACHLOGDDU
on JUNE 5 and 6, 1979
by
Mr ERIC JOHN

Swyddogion y Gymanfa am 1979-80
(Officers of the Association for 1979-80)
Llywydd (President)—Mr ERIC JOHN, Mynachlogddu
Is-Lywyddion (Vice-Presidents)—Y Parchedigion (Revs.) D. OSBORNE THOMAS, B.A., B.D. and R. W. RICHARDS
Cyn-Lywydd (Past President)—Y Parch. (Rev.) T. R. JONES, Glanrhyd
Trysorydd (Treasurer)—Mr CAREY M. GEORGE, O.B.E., J.P., 3 Heol Emrys, Abergwaun/Fishguard
Ysgrifennydd (Secretary)—
Y Parch. (Rev.) DAFYDD H. EDWARDS, B.A.
Langton, Scleddau, Abergwaun/Fishguard
Is-Ysgrifennydd (Assistant Secretary)—
Y Parch. (Rev.) EMLYN JONES, Llangloffan
Archwiliwr (Auditor)—
Mr HAROLD LOOSMORE, Hwlffordd/Haverfordwest

(a) Fe ellir cenhadu drwy gysylltiad llafar. Fe ddywedir amdanom fel Bedyddwyr ein bod yn perthyn i'r Traddodiad Ymneilltuol, a phwyslais y traddodiad hwnnw yw pregethu. Nid allor ac offeiriadaeth sydd i fod yn ganolbwynt eglwys i ni, ond Pulpud, ac os yw'r Bedyddwyr am fyw ymlaen i'r yfory rhaid i ni adfer ein cred mewn pregethu, ac efengylu a chenhadu. "If the church won't learn to go out, she will very soon pass out." Pregethu'r efengyl yw un o'r moddion arbennig a drefnwyd gan yr Arglwydd Iesu i gyhoeddi'r gwirionedd, ac fe all hynny fod yn waith annerbyniol ac amhoblogaidd iawn yn ein dyddiau ni. Mae'r gwir yn aflonyddu, ac yn gallu rhannu cymdeithas; mae'n waith anodd, ac i dalu'r pris am hyn fe gawn ein hunain yn cerdded llwybr unig yn y byd sydd ohoni.

Bellach yng Nghymru nid ystyrir yr efengyl yn anghenraid, ac nid yw'r eglwys i lawer ond rhyw weddill o gymdeithas nad yw'n perthyn i'r oes hon.

Pwy ohonom nad yw wedi clywed llawer iawn o bobl yn dweud fod dydd pregethu wedi darfod. Dyna i chi arwydd trist, dim eisiau pregethu. Eto, rwy'n amau a yw'n dristwch i lawer. Yr uchel-alwedigaeth wedi mynd yn ail i rywbeth arall.

Rwy'n ysgrifennydd Cwrdd Adran Gogledd Penfro ers pum mlynedd ar hugain bellach. Yn y blynyddoedd cyntaf dyma oedd y drefn: Oedfa'r bore, cyfeillach, trafod rhyw bwnc arbennig; cynhadledd prynhawn, a dau bregethwr i oedfa'r hwyr. Erbyn hyn mae'r gyfeillach wedi peidio â bod, ac aeth y ddau bregethwr yn un ers llawer blwyddyn — ond cadwyd y gynhadledd fel cynt. Mae rhywbeth allan o le ar ein gwerthoedd ni. Pan mae eglwys am gael gweinidog dyma ddywedir, "Nid pregethwr sydd ei angen arnom, ond bugail." Dyna i chi adlewyrchiad o'n hoes ni 'mhobl i. Onid pregethu cryf wedi'r cyfan yw'r wir fugeiliaeth.

Os gall yr eglwys hon ymffrostio mewn rhywbeth, fe all ymffrostio yn ei gweinidogaeth gyfoethog. Fe gefais i yr uchel fraint o gael fy nwyn i fyny dan gyfaredd pregethu grymus ac adeiladol. I'r gwron hwnnw a safodd yn y pulpud hwn fel llys-gennad i Grist am bedair blynedd a deugain nid oedd pregethu yn dod yn ail i ddim arall ganddo. Holl bwrpas pregethu'r Crist iddo Ef oedd adeiladu a pherffeithio'r saint yng ngwybodaeth ein Harglwydd Iesu Grist a chyflwyno neges fawr Duw i ni: "dyfod Crist Iesu i'r byd i gadw pechaduriaid", ac mae'r angen hwnnw gymaint heddiw ag erioed.

(b) Cenhadu drwy gysylltiad gweithredol.

Ni fu erioed fwy o angen i ddilynwyr Crist weithredu'r comisiwn a roddwyd unwaith i'r saint. Nid cymdeithas i Grist weithio ynddi yn unig yw'r eglwys, ond cymdeithas iddo weithio drwyddi.

Mae ysgwydad llaw ambell un yn siarad cyfrolau. Mae natur gwaith rhai pobl yn gyfle braf i dystio mewn osgo, gair a gweithred dros y Meistr mawr. "Chwi a fyddwch dystion i mi." Os bu yna gyfnod yn hawlio pendantrwydd yn ein tystiolaeth dros achos Iesu Grist, ein cyfnod ni yw. Mae Crist yn wynebu llys barn yng Nghymru heddiw a 'does neb ond yr eglwys i amddiffyn Ei gymeriad gerbron y byd.

Soniais ar y cychwyn ei bod hi'n ddyddiau o argyfwng ysbrydol, ond faint o ymdeimlad o argyfwng ysbrydol sydd ? Mae yna rhyw jicosrwydd diofal yn y mwyafrif o'n heglwysi. Mae popeth a wnawn fel pe wedi ei gynllunio i gadw'r Achos i fynd, cael pethau i dician trosodd. Oes sy'n gwadu ei hegwyddorion sylfaenol yw hon; rhyddid wedi mynd yn ben-rhyddid. Ofnwn disgyblu rhag digio rhywrai a cholli mwy. Onid yw'n hen bryd i ni edrych arnom ein hunain a dechrau efengylu o fewn yr eglwys. Mae angen adfer ymddiriedaeth yng ngweinidogaeth yr eglwys o fewn yr eglwys os ydym am fyw a chenhadu yn effeithiol i'r dyfodol.

Ond, a yw'r sefyllfa yn anobeithiol ? DIM O GWBWL. Os ydym yn aelodau o fudiad sydd yn y lleiafrif, os taw llef y lleiafrifoedd ydym fel y clywsom mor fendigedig yn y gymanfa llynedd, cofiwn fod eglwys Crist yn fudiad nerthol, a chanddi rym brwydro rhyfeddol o hyd. Hwyrach mai ni sydd yn methu ffrwyno'r nerth hwnnw a'i gyfeirio i'r sianelau iawn. Rydym ni yn rhy barod i roi fyny pob gobaith, a siarad ein hunain i gyflwr o ddirywiad a methiant. Nid hon yw'r oes dywyllaf yn hanes dynoliaeth. Ganwyd yr Eglwys Gristnogol mewn dyddiau fel hyn. Oni chredwn fod nerth anfeidrol tu ôl i ni a bod gan Dduw gynllun a bwriad tu ôl i'r greadigaeth honno? Duw sydd wedi cychwyn y broses o achub yr hen fyd yma. 'Does neb synhwyrol yn dechrau ar unrhyw waith heb feddwl ei orffen. Pan mae'r adeiladydd yn mynd ati i adeiladu tŷ mae ganddo blan sy'n dangos y tŷ gorffenedig cyn ei fod wedi cychwyn.

Os yw yn gweithio felly gyda dynion, peidiwn â dychmygu'n wahanol am y Duw Holl-ddoeth. Allech chi feddwl amdano Fe yn creu unrhyw beth yn ddibwrpas?

"Cyn llunio'r byd, cyn lledu'r Nefoedd wen,
Cyn gosod haul na lloer na sêr uwchben,
Fe drefnwyd ffordd yng nghyngor Tri yn Un,
I achub gwacl golledig euog ddyn."

Yr oedd ym mwriad Duw i greu eglwys gref, fel na fedrai pyrth uffern eu gorchfygu hi, ac nid yw wedi gwneud chwaith, oherwydd mae Duw ei Hun yn gweithio oddi fewn i hon. Dyna ei ffordd Ef o weithio drwy'r cread i gyd — gweithio oddi fewn. Poeni rydym ni am yr allanolion, rhif yr aelodau yn mynd lawr, capeli yn cael eu cau, yr achos yn dirywio, prinder gweinidogion, a dim trefn na chynllun i ddosbarthu y rhai sydd gyda ni yn ôl ein gweledigaeth dreiddgar ni — gormod o weinidogion yn Sir Benfro, a rhannau helaeth o'r wlad heb yr un. Rhaid cael gwell 'organisation', medda ni ... "Mae'r gwynt yn chwythu lle y mynno."

O na chredwn fod gan Dduw ei fwriadau grasol mewn perthynas â'r byd a grewyd ganddo, a digon o adnoddau yn ei feddiant i'w dwyn i ben. Ni sydd yn dechrau pethau â chynlluniau ardderchog gennym, ond yn methu gorffen. Nid felly Duw.

Fethodd E' wrth greu ? Dim ond tryblith oedd yma pan ddechreuodd Ef: "A'r ddaear oedd afluniaidd a gwag", ond buan y daeth y tryblith i drefn. A oes gyda ni le i gredu Ei fod yn mynd i fethu wrth greu cymdeithas newydd, Dynoliaeth newydd o Saint?

"Fy Eglwys." Na, mae'r gorchwyl yma wedi costio mwy o waith meddwl a chynllunio Iddo nag adeg y creu — ffrwyth meddyliau'r pen oedd y creadigaethau hynny. Meddyliau Ei galon yw y gwaith hwn. Nid dweud am Dduw y mae hon, ond dweud yr hyn yw Duw: Ei ddaioni, Ei gariad, a'i Ras. Peidiwn ofni a phryderu yn ormodol am yr eglwys, os ydyw yn tynnu yma i lawr mae'n codi draw. Ei waith Ef ydyw hi.

Mae'r gallu i gwrdd ag angen gan yr eglwys o hyd beth bynnag y bo. Ond nid yw'n ddigon i ni gredu fod gan Dduw Ei fwriadau a'i gynlluniau heb gofio hefyd fod ganddo ddigon o ymddiriedaeth ynom ni, i'n gwneud yn rhan ohonynt. Daw'r alwad atom, felly, o'r newydd i wneud ein rhan i'w helpu Ef i sylweddoli Ei fwriadau.

Gweddïwn fwy dros yr eglwys. Cenhadwn yn ei henw hi, a thystiolaethwn iddi.

The following is the gist of the above address given by Eric John, a local lay preacher, at the Pembrokesire Baptist Association's annual get-together held at Bethel, Mynachlog-ddu, in June 1979. The translation was provided by the Rev. Dafydd H. Edwards and included in the published version of the President's address.

"Our high calling to be Church members"

Eric John

These are days of crises, political, moral and religious, and the leaders in each of the three fields paint a very gloomy picture, and that our age is worse than any that has preceded it.

The trend is to ignore the small unit and to amalgamate to form larger and larger units, thus killing many valuable qualities. This attitude has reached the Church, measuring its value by its numerical or financial strength. But two or three gathered together in the name of Christ is the greatest majority the world has ever seen. There is a dearth of conviction, not of capital.

Four hundred years ago Elizabeth I maintained that a strong Church could only come about by means of a strong government enforcing uniformity of worship, but moral unity cannot come from enforced uniformity. Paul stressed the role of the home in Church growth, creating a moral compulsion that emanates from God the Father. The most perfect machinery cannot sustain Church life. It is not machinery but Messiah that brings the Church to life, and then it cannot but grow and increase. The Power that brought Christ from the dead on Easter Morning can resuscitate His Body today. The Church is dead because it had become an Institution and not a Fellowship. The Church has become a building rather than a body of believers. The leaders of secular movements think they can be Church leaders also, because they regard the Church as just another society to be run on the same lines as secular societies. One can be a Chapel member without being in the fellowship of believers. The Church is a fellowship and one cannot be a member of it without contributing to it.

I love Paul's Epistle to the Phillipan Church. This was a Church that displayed love and compassion towards one another. Paul writes from prison in Rome; many of the Church leaders at this time were in captivity and Paul prays not for himself but for the Church, the Fellowship. And having prayed for it he praises it; prayer and praise come in that order! That is why we hear so many criticise the Church today; it is because there are so few praying for it. At the farewell meeting between Jesus and His disciples He has no harsh words for them: "You are clean through the Word I spoke to you." The explanation is, "and He loved His own that were in the world ... and He loved them to the end."

It is not the outsiders that criticise the Church, but the members of the Church who proclaim they are in the Church but have no feeling or love for its mission. We cannot see the Church properly from the standpoint of the man of the world, because for him it is but a nuisance, having come to "turn the world upside down" as the people of Thessalonica complained. It is from the standpoint of Heaven that we can see the Church in all its glory. Its price is Calvary purchased by the blood of the "only begotten of the Father full of grace and truth."

The Church

"It is His new Creation

By water and the world."

Without Christ in the centre, there is no Church. True. However, let us always remember that there is no Church except where "two or three are gathered together in My Name."

The task of the Church is to evangelise. The commission the Apostles received was to go and preach the gospel to the whole world. There are many ways of achieving this:

(a) By verbal contact.

The focal point in our Chapels is the pulpit not the altar. Our minister is not a priest but a preacher. "If the Church will not learn to go out she will soon pass out." We must adhere to our preaching.

It is often said that the days of preaching are over. I have had the privilege of being Secretary to the North Pembs. District Meeting for 25 years. When I started the pattern was: we met in the morning for fellowship and debate on a topic, conference in the afternoon, and in the evening two sermons. By now, the fellowship in the morning has been dropped, the afternoon conference remains but the two sermons in the evening have been reduced to one.

When a Church seeks a Minister, we hear the cry, "It's more important for him to be a good pastor than a good preacher." What a reflection on our age. Bethel, Mynachlog-ddu, can be proud of a long tradition of powerful preaching. I grew up under the ministry of that advocate of the Gospels who occupied this pulpit for 44 years. For him, preaching the Word was paramount and by means of this he sustained his people through difficult days.

(b) By personal contact.

The Church is the Body of Christ and it is by means of the Church that He works in the world. We witness for Him when we extend the hand of friendship and serve the brother in need. These are challenging days and yet a debilitating complacency has overcome us. Is the situation hopeless? NO. The Voice may be a Voice crying in the wilderness, but it has the Power of God. He would never have started a task that would be left unfinished. As the skilled builder can visualise the completed building by reading the architect's plans, so can we if we heed His Word. God is the same God from the beginning of time:

"Before the hills in order stood
Or earth received her frame,
From everlasting Thou art God
To endless years the same."

God created a strong Church, "and the gates of hell shall not prevail against her." We are concerned that our organising is failing, but nothing can thwort His plans. Before He created there was chaos; His New Creation "by water and the Word" is also chaos without His presence. The Church may be in decline in our part of the vineyard, but the "wind bloweth where it listeth" and He is winning souls by the million in other parts.

God has His plans for us and He would entrust us with them if we allow Him to use us.

Let us pray for the Church, and work in its name by word and deed.

The Parker Clan

Keith Parker

The Parker Clan moved to Maenclochog in 1950 – Garth, Joy and Keith to Pen-nebo, grandparents George and Daphne to Pisgah and uncle Glynn and Auntie Pia to Pengawse. Prior to this, Grandad was farming in the Cotswolds and my parents had been living in Devon; Glynn and Pia were in Wincanton, I believe.

Pen-nebo farmyard in the 1950s

I was hardly one year old, so my early memories are a bit vague; there were cows and chickens of course, a Standard Fordson tractor and a series of old cars that always smelt of wet leather and made me car-sick whenever we ventured further afield than Clunderwen.

I spent many happy hours roaming around, building dams across the small stream that ran through the farmyard and, best of all, sitting on the big wide mudguard of the tractor while father ploughed, harrowed, mowed and pulled large rocks out of the fields with wire ropes and chains.

At this time there was no electricity at Pen-nebo and, therefore, entertainment was via a battery-powered radio. *Journey into Space* was a favourite and, on Sunday at lunchtime, *Two Way Family Favourites*. To this day I still associate that theme tune with the aroma of a Sunday roast! Drinking water came from a deep well at Pisgah – a 10-gallon milk churn would be filled and kept in the pantry – in effect, a water cooler way before the Americans invented them!

We didn't seem to shop much. A great event was the arrival of J. K. Lewis' travelling grocery van – a veritable Aladdin's cave. The baker would leave loaves in an empty milk churn on the stand at the bottom of our lane and my sister and I would tear off small morsels to eat on the journey back up to the house. In those days Maenclochog was a veritable metropolis, with Mr and Mrs George's store, Howells' shop further up the street, the chemist (for fishing permits), and two garages, a hairdresser, a hardware store and three pubs.

Our nearest neighbours were Gilbert Williams and his sister, Gladys. Down the road were Dai and Mattie John at Pantygwynfyd, and even closer to Maenclochog were Dan and Phoebe James and their son, Gwynfor, at Galchen-fawr. I always remember being very impressed that Phoebe James wore wooden clogs! At the Rhos-fach post office were Mr and Mrs Hampton, and next door to them Vic and Edith Rees and their son, Derek.

Keith as a young man feeding the steer.

Over the mountain at the back of Pen-nebo we had some English neighbours – John and Rosemary Hislop at Portis Pant. I'm not sure how John earned a living – but it certainly wasn't from agriculture! Portis was a gloriously ramshackle place and one day a large Bugatti car appeared. It never moved again, as I recall, and James (the son) and I used it for our gangster games as it slowly rusted away. One day the Hislops disappeared and we never saw them again. In a small cottage opposite the common at Rhos-fach lived Jack and Mary Mathias. My mother often took me visiting there, and one day I was presented with a toy carpentry set that became my pride and joy for years after. I always thought that the common was huge and the perfect playground. However, when I visited recently it looked rather small.

School was at Nant-y-cwm Primary for me, Maenclochog for Christine, my sister, who appeared in 1953. I travelled to school by van, usually driven by Ivor Absalom out of his garage in Llangolman. I remember he sold hand-pumped Regent petrol and would give you a badge if nagged enough! The road home from school was steep and we often had to get out and push that van up the worst inclines. Miss Davies and Miss Eynon did the teaching and a cook provided the dinners. The sponge with strawberry jam and thick synthetic cream was particularly memorable. There were only about 20 of us – and I guess we all learnt something!

Nana and Grandpa Parker lived at Pisgah – a much bigger house than ours – and when we moved to Pisgah in 1961 they moved to Brynllechog and Les and Mavis Bourton from Swindon moved to Pen-nebo. All of a sudden we had electricity and telephone and I found myself at Ysgol y Preseli, that was quite a shock after Llan-y-cefn. The years spent at Preseli were pretty special and got better as we progressed from raw first formers to Sixth Form prefects. So many people that I have fond memories of and surprisingly few that I'd prefer to forget. And such lovely girls! Why was I such a shy spotty oik ... but then perhaps we all were?

Ysgol Llan-y-cefn 1958; Elonwy Thomas, Y Felin; Delma a Louvaine Thomas, Iet-fawr; Keith Parker, Pen-nebo; Cyril Owen, Troed-y-rhiw; Gethin Thomas, Iet-fawr; Dyfrig John, Rhiwe.

The 1960s may not have swung quite as much in Maenclochog as in London, but change was certainly in the air. The farming was more intensive; we had a lot more milking cows and, therefore, having to provide more hay, kale and silage. I loved the life, but I also loved the new-found worlds of chemistry, physics and mathematics, not to mention the bright lights glimpsed on trips to Cardiff to see Wales pulverising England at rugby.

To earn a bit of extra spending money I spent one summer working with Les Bourton cutting pit props on an old piece of woodland at Llanglydwen. This was with petrol driven chain saws – I'm surprised we managed to keep all our limbs intact on considering the amount of laughing we did. Perhaps it's better to draw a veil over one's social activities from 1967 to 1968. Suffice to say that on a Saturday night we could get from the Castle Hotel in Maenclochog to Haverfordwest in a little over 15 minutes – slightly less if we commenced our evening's activities at the New Inn!

In 1968 we sold the farm to a New Zealander called Angus Nicholson (now sadly deceased) and the family moved south to Haverfordwest, where my mother lives to this day, not far from my sister.

I graduated from UCW Cardiff in 1975 with a BSc and PhD in Steelmaking Technology, and then on to Leeds University where I spent three years as a research fellow in the Department of Metallurgy. Following my exile in the north I took up gainful employment with a company based at Leicester called Thorn Lighting, which then became GE (USA) Lighting in 1991. My early specialisation was in film studio and theatre lighting – but now I work in a European team that manages the company's numerous manufacturing sites. I have one Leicester-born son (Thomas Hywel – aged 27) and I currently live in a very rural locality near Melton Mowbray.

I sometimes help our farming neighbour at weekends; nothing much has changed apart from the size of the tractors!

Scot y Ferlen Felen a Finne

Cerwyn Davies

Cymuned yw Mynachlog-ddu yn hytrach na phentref oherwydd i fod yn bentref mae'n rhaid wrth dri sefydliad, sef eglwys, swyddfa bost a thafarn. Roedd yr ardal yn brin o'r trydydd angenrhaid tan yn gymharol ddiweddar pan roddwyd trwydded i Barc Carafanau Gwyliau Tre-fach i werthu diodydd a gwirodydd. Ond, serch hynny, mae'n bosib bod yna ambell dafarn smwglyn yn yr ardal slawer dydd yn gwerthu cwrw yn anghyfreithlon.

Roedd Mynachlog-ddu yn gymuned hunangynhaliol am gyfnod helaeth am fod crefftwyr lleol yn gyfrifol am gyflenwi gofynion yr ardal. Roedd seiri coed a maswniaid yn byw ym Mhen-rhiw a Thycanol, gofaint ym Mhenrallt, melinydd yn Felin-dyrch ac roedd yna ffatri wlân yng Nghwmisaf. Amaethyddiaeth oedd prif fasnach y plwyf ar ffurf magu stoc ar y llethre caregog a'r tir comin a thyfu cnyde ar y perci brasach.

Llwm iawn ar y cyfan oedd bywoliaeth y plwyfolion oherwydd surni'r pridd a chydnabuwyd plwyfi Mynachlog-ddu a Llangolman fel y plwyfi mwyaf llwm yn Sir Benfro ar un adeg. Yng nghanol y bedwaredd ganrif ar bymtheg agorwyd Cware Tyrch ym Mynachlog-ddu a Chware Gilfach ym mhlwyf Llangolman ac roedd dysgu sgiliau'r chwarelwr yn fodd i'r tyddynwyr ychwanegu at eu hincwm prin.

Cafwyd chwyldro yn gynnar yn y 1930au pan ffurfiwyd y Bwrdd Marchnata Llaeth i roi sefydlogrwydd i'r diwydiant amaethyddol a phris teg a gwarantedig am gynnyrch. Cyn hyn troi'r llaeth yn gaws a menyn a'u gwerthu'n lleol neu eu danfon o orsaf rheilffordd Clunderwen i ardaloedd poblog y wlad a wnâi deiliaid rhai o'r ffermydd mwyaf. Ar fy nhaith foreol i Ysgol y Preseli ar ddechrau'r 1960au o Sgwâr y Cnwc i Grymych roedd pob fferm, ac eithrio Llether-mawr, yn gosod 'tshyrns ar ben y stand la'th'.

Yn ystod yr un cyfnod yn y byd amaeth disodlwyd y ceffyl gan y tractor. Pleser o'r mwyaf i fi yn blentyn oedd cynorthwyo wrth y cynhaeaf gwair ar ffermydd cyfagos a chael cyfle i yrru tractore megis yr hen Fforden Fach, y Ffyrgi Fach ac yn ddiweddarach y Massey Ferguson coch.

Cychwynnodd fy atgofion o'r ardal yn y 1950au wedi i mi weld gole ddydd ar dyddyn Penrallt a arferai fod yn efail. Fy nhad-cu, Morris Davies, oedd y gof a thyrrai pobl yr ardal yno i bedoli eu ceffyle a thrwsio eu hoffer haearn. Bu Waldo Williams yn ymwelydd cyson â'r efail er mwyn rhoi'r byd yn ei le pan oedd yn ymgartrefu drws nesaf ym Mryncleddau gydag E. T. Lewis, y 'sgwlyn', a'i briod Peg, a modryb i Peg, sef Jane Griffiths, gweddw'r Parchg William Griffith, gweinidog cyntaf Bethel. Cyfeiriai Waldo at Jane Griffiths fel 'brenhines y lamp' ond stori arall yw honno.

Pan ymddeolodd fy nhad-cu daeth teyrnasiad yr efail i ben. Trowyd yr efail yn lowty i glymu naw o wartheg a chafwyd peiriant i'w godro. Roedd patrwm bywyd beunyddiol yn troi o gwmpas y fferm a phrydau bwyd yn glwm wrth amserlen y fferm. Yn ogystal â'r gwartheg godro roedd gan fy rhieni ddiadell o ddefaid yn pori ar Talmynydd, Berthwên a Fwêl Cwm Cerwyn. Y cneifio a'r cynaeafu oedd yr achlysuron pwysicaf yng nghalendr y flwyddyn.

Cerwyn ar gefn Scot, y ferlen.

Pan oeddwn yn ddeng mlwydd oed profais wefr newydd sbon. Cefais ferlen tua deuddeg llaw o daldra, eboles o eiddo caseg y byddai fy nhad yn ei marchogaeth, i'w thorri mewn a'i marchogaeth. Ni chefais feic newydd erioed ond yn hytrach merlen felen gyda dau smotyn gwyn ar ei hwyneb o'r enw Scot. Datblygodd perthynas agos iawn rhyngddom tan iddi gael ei gwerthu yn 1981 a hithe dros ei hugain oed ym mart Cymdeithas Merlod a Chobie Mynydd Preseli yn Aberteifi. Mae arogl y cyfrwy newydd o weithdy Huw'r 'Saddler' yn Llandysilio yn dal yn fy ffroenau.

Rwy'n cofio'r daith at Albert y gof yn Y Mot, yr ochr draw i Faenclochog, i'w phedoli am bris o wyth swllt a chwe cheiniog yn yr hen arian. Arwydd o lonyddwch yr hewlydd yr adeg honno oedd bod bachgen deg oed yn hollol gyffyrddus yn teithio deg milltir heb unrhyw ofid nac anhawster. Byddai marchogaeth i moyn neges o siop y Cnwc neu hala'r gwartheg o'r clos i barc Weun-fawr Maes-yr-ŵyn heibio Bryncleddau, Brynhyfryd a Phen-rhiw yn bleser pur.

Dwi'n cofio un achlysur arbennig pan ofynnodd fy nhad i fi fynd ar gefn Scot o'r lloce dethol defaid yng Nglynsaithmaen i fwthyn Carnabwth gerllaw pan oeddwn i'n 11 oed yn 1962. Wrth ddod at ddrws y bwthyn i gyhoeddi'r neges clywais Job Evans yn gofyn i'w wraig, Maud, "Pwy sy na?" "Mab Lloyd, Cerwyn, yn gweud bo na ddefed i ni yn lloce Glynsaithmaen wedi'u dethol o'r Fwêl," medde Maud. Gwaeddodd Job, "gwed wrtho ddod miwn". Roedd Job yn ei lesgedd yn methu symud o'i gadair ar bwys y tân. Atebais inne,"Ma'r poni da fi wrth y drws." A dyma Job yn gweiddi, "Dere miwn â honno 'fyd i fi gal i gweld hi". A dyma fi'n mynd mewn heibio'r seld a'r llestri â'r pedole'n glyndarddan ar y fflagie glas. Trwy lwc ni wnaethpwyd dim difrod.

Carnabwth, wrth gwrs, oedd cartre' Tomos Rees, arweinydd terfysg y Beca yn 1839. Am fod pridd yr ardal mor sur roedd angen calch i'w felysu ac roedd angen cyrchu hwnnw o'r Eglwys-lwyd ger Arberth a thalu'n ddrud wrth ei gludo trwy sawl tollborth. Y wasgfa ariannol honno oedd y rheswm penna dros y gwrthryfel ac mae'r cof amdano'n dal yn fyw. Fe fyddai Rees Davies, Atsol-wen, a fu farw yn 1970, yn sôn am ei dad, John, yn disgrifio angladd Twm Carnabwth yn gynnar ar fore Sul pan oedd yn 15 oed yn 1876. Bu ynte farw yn 1948. Dyma enghraifft o hanes yn cael ei gadw'n fyw ar lafar gwlad ac yn cael ei drosglwyddo o genhedlaeth i genhedlaeth.

Daeth newid i'r bywyd sefydlog a chyffyrddus a barodd am yn agos i ddeng mlynedd pan anwyd fy mrawd, Dyfed, yn 1960. Tua'r un adeg fe symudon ni fel teulu o Benrallt i Fferm y Capel. Fe fu cyffro wrth symud o dyddyn 30 erw i fferm 200 can erw gyda'i holl ddyletswydde newydd a heriol. Gan fod y ddau le'n ffinio agorwyd bwlch rhwng Parc Pigfain a Pharc Uwchlaw'r Gelli a symud y gwartheg godro rhyw brynhawn Sadwrn i'w lle newydd. Ni fu ffwdan mawr a buan daeth y drefn newydd yn ail natur. Un broblem bersonol oedd dyblu'r daith i gwrdd â'r bws ysgol ar Sgwâr y Cnwc.

Golchi defaid ym Mhantithel ym 1976

O ran ffermio defaid collwyd gafael ar Fwêl Cwm Cerwyn wrth symud y ddiadell i bori ar Fwêl Dyrch ar bwys Fferm y Capel. Cynyddodd y pwyse gwaith yn sylweddol wrth i niferoedd y stoc, a'r gwartheg godro yn bennaf, gynyddu. Buddsoddwyd mewn nifer o beirianne newydd i hwyluso'r gwaith o ddydd i ddydd. Yn fynych wedi ymweliad gwerthwr peirianne deuai tegan newydd i'r fferm ac mae 'na ddywediad sy'n dweud mai'r gwahaniaeth rhwng bechgyn a dynion yw prishe eu tegane! Yn bersonol roeddwn wrth fy modd yn trin a thrafod y peirianne newydd ac roedd y gwaith o'u cynnal a'u cadw yn her newydd.

Gwartheg oedd yn mynnu'r sylw pennaf yn ystod misoedd y gaeaf a braf fyddai eu gweld yn taflu eu tinau a champro yn benrhydd i gyhoeddi eu rhyddid pan ollyngwyd hwy mas i'r perci ym mis Mai. Byddai'r defaid yn edrych ar ôl eu hunen yn y gaeaf ond roedd tasgau dibendraw i'w cyflawni yn y gwanwyn a'r haf. Cyfnod prysur oedd cyfnod yr wyna ond eto i gyd yn rhoi boddhad mawr am fod y dydd yn agor mas. Ar ôl i'r defaid wyna byddai rhaid mynd ati i nodi, sbaddu a marcio. Nes ymlaen yn y tymor, adeg Gŵyl Alban Hefin, byddai'r gymuned fynyddig yn dod at ei gilydd i olchi a chneifio'r defaid. Erbyn heddiw does neb yn golchi'r defaid cyn eu cneifio.

Wedi'r gaeaf caled a'r lluwchfeydd eira yn 1947 gwelwyd newid ar fyd. Cafwyd colledion enbyd ddechrau mis Mawrth pan orchuddiwyd y defaid mewn eira a hwythe eisoes wedi bod yn raddol wanhau trwy'r gaeaf. Yn dilyn deddfau amaeth 1947 i sicrhau cyflenwad digonol o fwyd wedi'r Ail Rhyfel Byd bu dylanwad W. H. Jones, un o swyddogion yr NAAS (*National Agricultural Advisory Service*) yn Hwlffordd, yn allweddol i fugeiliaid y Preseli. Tynnodd eu sylw at chwe mil o erwau o dir o dan ofal y Swyddfa Rhyfel yng Nghastellmartin yn ne Sir Benfro a oedd yn segur gydol y gaeaf.

Wedi trafod telere a chytundebe cyrhaeddodd y llwyth cyntaf o ddefaid o'r Preseli y maes tanio ddechre mis Rhagfyr 1950 pan aeth fy nhad â llond lori o Lynsaithmaen, cartref ei fagwraeth. Mae'r arferiad yn parhau hyd heddiw. Yn y blynyddoedd cynnar roedd nifer fawr o borwyr yn ymarfer yr hen draddodiad o hafod a hendre ond erbyn heddiw dim ond dwsin o borwyr sy'n symud eu defaid i Gastellmartin.

Rhamant pur oedd mynd i fugeilio, dethol, symud a chorlannu'r defaid ar yr arfordir yng Nghastellmartin pan oeddwn yn dal yn ddisgybl ysgol. Un o'r atgofion pennaf oedd yr archwaeth at ginio wedi bore o waith yn awel y môr. Rwy'n cofio agor y bocs bwyd gyda brwdfrydedd a chael yr hyn roedd fy mam yn ei alw ar y pryd yn frechdan 'wy fflat'. Ga' i esbonio mai omlet mewn bara oedd y frechdan 'wy fflat'. Wrth gyd-fwyta byddai seiat frwd rhwng y bugeiliaid – Jac y Fronlas, Dan Iet-hen, Ianto Garnmenyn, Len Glynsaithmaen a Rowland Llain-wen. Croesdoriad o ddynion a chroesdoriad o sylwade o'r digri i'r lleddf a adawodd gryn argraff arnaf ym more oes.

Er bod y diwrnode'n hir a'r gwaith yn galed wrth drin y defaid yng Nghastellmartin mae'n amlwg fod y tirlun a'r golygfeydd wedi fy ysbrydoli gan i mi lunio englyn i Lyn Frainslake sydd yn llechu gerllaw adfeilion Ffarm Brownslade.

Yn gynnar yn y gwanwyn – toddai'r rhew,
Tyddai'r cawn a'r rhedyn.
Mae'r gwres yn gwneud lles i'r llyn
A mil o flodau melyn.

Mae'r tirwedd yn para o genhedlaeth i genhedlaeth a gwaith beunyddiol yn mynd yn ei flaen yn unol â newidiade tymhorol. Para i fugeilio a gofalu am ein hetifeddiaeth a wna pawb sy'n dibynnu ar y tir am eu bywoliaeth. A chyda threigl amser bydd bugeiliaid newydd ar yr hen fynyddoedd hyn.

Cerwyn Davies notes that Mynachlog-ddu is a community rather than a village because traditionally it did not possess the three ingredients essential to the makeup of a village – a church, post office and a pub. The licence given to Tre-fach Caravan Park to sell alcohol is a relatively recent development, though he does not doubt the presence of a few illegal pubs in the distant past.

For a long period the community was well served by local carpenters, builders, a smithy, a miller and a woollen mill. Because of the poor quality of the land the parishes of Mynachlog-ddu and Llangolman were regarded as the poorest in the county. Stock was kept on the craggy slopes and common land and crops grown on the more arable land. Thus employment at local quarries supplemented the meagre earnings of the smallholders.

The formation of the Milk Marketing Board in the early 1930s provided a guaranteed income and by the 1960s the milk churns at the end of every farm lane, waiting to be collected, was a familiar sight each morning as Cerwyn travelled by bus to Ysgol y Preseli at Crymych. It was around the same time that tractors took over from horses and Cerwyn relished the experience of driving the Fergie and the Massey Ferguson on neighbouring farms during the haymaking season.

When his grandfather, Morris Davies, retired, the smithy at Penrallt became redundant and was turned into a cowshed tying nine cows and provided with a milking machine. When he was ten years of age Cerwyn was given a chestnut pony measuring around 12 hands that became his pride and joy. When other boys of the same age rode their bicycles, Cerwyn rode Scot all the way to New Moat to be shod for the grand price of eight shillings and six pence. He can still inhale the distinct aroma of the saddle bought at Llandysilio. Cerwyn and Scot were seldom separated.

He remembers one particular occasion when he was sent on an errand on horseback from Glynsaithmaen sheepfold to nearby Carnabwth. Job Evans was confined to his chair and insisted that both Cerwyn and Scot entered the cottage, which they duly did without causing any damage to the dresser or the crockery. Carnabwth, of course, was the home of Thomas Rees, the famed leader of the Rebecca rioters in 1839. Cerwyn relates how Rees Davies of Atsol-wen, who died in 1970, would relate his father's description of Twm Carnabwth's funeral early one Sunday morning towards Bethel chapel in 1876, when he was a fifteen-year-old lad. Such oral history is still handed down from one generation to another.

In the early 1960s the family moved from the 30-acre Penrallt smallholding to the adjoining 200-acre Fferm y Capel and faced new challenges as the stock was increased and various agricultural implements were bought. This meant a longer journey to catch the school bus at Cnwc Square beyond the bridge at the centre of the scattered community.

The winter months were mainly spent attending to the cattle, as the sheep were able to look after themselves. There was no better spectacle than the joy of the cattle as they scampered and threw their hind legs in the air when sent out to graze in the lush grass of May. But then the sheep required attention in late spring and through the summer as the new born lambs had to be tagged and marked and the males spayed along with the annual dipping and shearing. Today the sheep are never washed before shearing.

Following the hard winter and heavy snowdrifts of 1947, when almost entire flocks were lost, an arrangement was made to winter the Preseli sheep on the 6,000 acres of military land in the south of the county at Castlemartin. The arrangement continues to this day, though the number of shepherds who annually transport their flocks has almost halved to around a dozen.

To the young schoolboy the trek to Castlemartin was full of romance as he listened to the shepherds, namely Jac Fronlas, Dan Iet-hen, Ianto Garnmenyn, Len Glynsaithmaen and Rowland Llain-wen, trade stories during their lunch-breaks close to the sea air. The landscape even awakened the muse as Cerwyn penned an 'englyn' to Frainslake Lake, located near Brownslade Farm.

Cerwyn concludes by stating that the landscape will remain unchanged from one generation to another in unison with the changes of the seasons. All those whose livelihood depends on the land will look after their heritage and with the passing of time shepherds anew will be the guardians of the mountain.

Seven Ways to Look for Rhos-fach

Richard Cook

Between the Bridges

On the edge of St Mary's Green, Maenclochog, the sign points eastward towards Rhos-fach and Llangolman. You go that way, passing the post office and community hall, then down the hill. Just after the first bridge is an unmarked lane to Llangolman, but you carry on over the second bridge and up another hill. Here at the top, just between the cattle crossing and the turning to Brynmorris, land and sky unfold and open wide to the north. Somewhere up there, out of sight, is the Golden Road – the old route from Ireland to Wessex – now passing between Pantmaenog Forest and Glynaeron Woods.

The lane narrows again, closing down at a cluster of cottages, Pantygwynfyd and Brynllechog, before winding between stone banks, scraggly hedges and wire fencing, past farm tracks and field gates – Blaenllechog, Pisgah, Pen-nebo – until you reach the little crossroad. You slow down and stop here, having gone exactly two and a half miles. Now this crossroad is our compass.

Just east of this junction is a broad half mile downhill run. A buzzard sits on his telegraph pole watching for vehicles. Finally free of the risk of close encounters with a lorry, fuel tanker or tractor, most drivers recklessly speed along, unless they spot a stray sheep, rider or jogger up ahead. This bird knows that the fruits of road-kill are considerable here, offering up the occasional stoat or hedgehog, polecat, weasel, magpie, wood mouse, rabbit, fox or badger.

Occasionally a vehicle will slow down to throw unwanted rubbish out onto the road. A few others take the turning left to Pont Mynachlog-ddu and Crymych, but most continue down the last steep plunge of the lane, towards Pont Hywel and the Eastern Cleddau. When they have reached either bridge, they will have passed through Rhos-fach.

The Hem

At the field gate back at the crossroads the southern prospect stretches to the pale blue-grey ridge on the horizon – a view hardly glimpsed until now. Behind you, except for the crest of Foel Cwm Cerwyn, the Preselis are hidden by Mynydd Bach – that inverted shallow bowl of land looking modest and independent against the dense uniformity of the Glynaeron Woods plantation behind it. The top of Mynydd Bach is nearly a thousand feet above sea level, but only two hundred and fifty feet above where you're standing.

Mynydd Bach looks a bit scruffy on this side, some of the land still divided into a patchwork of strips or shares within larger open-fields, rough hedges and dense common moorland set between them. Several farms skirting the hill make confident incursions up its flanks. A scattered herd of black and white cattle often browse along its brow, and sometimes horses are enclosed down closer to the lane.

The narrow lane to the north passes isolated cottages, a roadside farm and tracks leading up or down to others. A mile along you join the scenic route across the foothills towards Rosebush. This side of Mynydd Bach looks well-groomed and fertile, with a proud dairy farm set on its spur. The fields are more regular here compared to the southern slopes. Sheep graze over the west of the hill. Another lane, straight as a line – Feidr Gwrês – takes you back to the junction where, turning left, you will arrive back at the crossroads.

Looking Back

The only building visible from the crossroads is the long white cottage with red trim, its several extensions stretching back from the road: Swyddfa'r Post. The post office itself is long gone, so this is a domestic property, as it was for generations – back to its modest origins as a tŷ unnos; a cottage built in one night. It must have been a strong squatter's arm that threw his axe to claim all this land – deep behind the cottage and to both sides.

No post office and no shop either, but some years ago there was a little tin hut of a shop where local children bought their sweets. It stood diagonally across the junction from Swyddfa'r Post, just back from the corner. But there has never been a chapel, church or pub. So, are there any signs of a community here in Rhos-fach? A community: not simply a group of people living in a particular place, but neighbourliness and sharing as well.

Take the rough track just up from Swyddfa'r Post, where the bridleway fingerpost points south into the common. There's a slate sign for Pengawse: the head of the causeway. Usually the gully running parallel to this track holds little more than the runoff from the lane, but in the wettest weather its catchment is too much for it, and the track itself becomes a stream, powerful enough to dislodge stones and carry them some distance.

A spur of bridleway branches left into overgrown scrub and virtually disappears, so most riders follow the track the short way to the bottom, where it meets Pengawse at the culvert.

Consulting the map, the way should continue for another mile or so, to Fagwyr Owen and beyond, but it now peters out long before that. Owens once owned a good deal of the land here, from Pengawse to Fagwyr Owen, much of it bordering the little stream that flows to the wooded valley below Llandeilo. This bourne rises as a spring in the middle of a Pengawse field and flows into a deep oval pool; it fills a pond and then disappears into marshland before re-emerging at Meini-hirion. Remarkably, Pengawse and Meini-hirion farmsteads are on record from the 16th century. They lie within a system of small enclosures, unlike most of Rhos-fach, which remained unenclosed until a much later date.

Pengawse still lives, but Meini-hirion is now a sad ruin. Even its long stones lie impotently on the bankside.

Stones

Back at the top of the track, walk the first snaking curve of the lane in the direction of Maenclochog, to the first farm gate on the left. On the brow of the hill sits Castell Pengawse – also known as Castell Llangolman or Castell Blaenllechog. This site is on private land, a scheduled monument protected by law, so you must look from here. The castle is a small, oval ringwork, ditched and banked, its ramparts enclosing what might be a tiny courtyard. A medieval hillfort, built as a defence by the local community in troubled times? It is possibly much older: just a field away, on the southeast slope, is a distinct field system – a solidly banked rectangle of raised strips that could date back to the Iron Age or even earlier. None of this has been excavated, so it's difficult to be confident of anything other than that sometime in the distant past, when most of this area was open moorland pasture, there was a tradition of neighbourliness and sharing here – a community.

You will find bluestones everywhere in Rhos-fach, naturally weathered so smoothly it's impossible for a layman to know if they lie randomly where the great motions of ice finally dropped them, or if they were deliberately placed where you find them. Did some of the taller, tapering ones once stand upright and eventually fall, or get knocked down and pushed to a corner where they now recline, earthfast, having had to make way for tractor and plough?

Not many years ago archaeologists found evidence of a much older Rhos-fach community. Opposite Swyddfa'r Post, somewhere behind the dense spread of Japanese knotweed and gorse, lies Parc Maen. Nothing is to be seen there now, but when the site was uncovered it revealed an extraordinary place of ritual. It probably began in the late Stone Age, with a burial and the erection of a standing stone. Later, a cairn was built over it and pits dug around it. Over many generations this site was returned to and reused, or elaborately extended. Further urn burials were made; standing stones and posts positioned; pits dug and filled with charcoal or soil. This ritual activity continued for nearly a thousand years – neighbourliness and sharing.

Neighbours

A community can also be defined as a body of people living in the same locality, having a common language or interest. Most people living in Rhos-fach inhabit the dozen or so farms around Mynydd Bach, and some are Welsh-speaking. The rest are either artisans or professional people or artists – musicians, painters, and writers. They have chosen to live here for reasons other than growing field crops, managing dairy herds, raising livestock or poultry. These incomers have had the advantage of mobility – are less dependent upon the hazards of climate, season and weather for their existence than those who are unequivocally rooted in this land. The majority have at least a basic understanding of the Welsh language, but know they could do better. It might be argued that they appreciate Rhos-fach more aesthetically and make different, creative uses of it than their neighbours. But it is the farmer and the farming tradition that have created, cultivated and shaped this beautiful countryside.

Junctures

There are some moments in every day when Rhos-fach is completely silent. Then the soft landscape of farmland, winding lanes, patchy common land and moorland below Mynydd Preseli is like an image that suddenly comes sharply into focus. In times of flooding, blizzards and frozen lanes these silences extend, but during the seasons of slurry spreading, haymaking and prolonged gales, the noise is almost continuous. Aside from traffic passing on the lane, other ordinary background sounds are present: the ubiquitous barking of neighbourhood dogs, the distant complaints of geese, crowing cockerels, bleating sheep, the occasional calling of carrion crows or buzzards overhead; and activities on the land – in the milking parlour, barn and stable yard. Like the weather, sound seems to travel downhill here, and a conversation up on the lane can be heard word for word half a mile away; the buzz of a chainsaw or a hammer pounding on metal from a mile or more. And at times the sudden terrifying roar of a fighter jet, barely skimming the top of Mynydd Bach, hurtles overhead, unnerving every living creature for a moment, or intermittently for a whole day or succession of days.

For much of the night there are long silences. But, of course, there are foxes with their full repertoire of seasonal calls, screams, barks and howls; Canada geese at Brynllechog and overhead during winter months; the occasional barn owl calling, awaiting a reply; a solitary heifer complaining on the hill; the dogs. In stillness the other senses surface and come sharply into focus as well. Here below the hills, on a clear night the huge sky is so black and so full of stars there seems an incredible clarity over Rhos-fach, and a deep mystery that is all ours.

Just a Moment

Now we must step back, not in time or distance, but in ourselves. On foot here in any season or weather, at any time of day or night, on one of these lanes or tracks around Rhos-fach you will sometimes experience one of those daytime moments of stillness: unexpected, fleeting moments that bring you a sense of being here and being now and belonging. In February it might be the sudden murmuration of starlings settling to roost early in an ash tree. In mid-March, maybe a single primrose in the bank, just as you're noticing that the blackthorn still only holds tiny salmon-coloured clusters of beads for buds. Or in April, fountains of fiddleheads are bursting through moss, uncurling their fawn locks. You might later encounter the silent busyness of low-flying bats, working the dark green and laburnum-gold tunnel between Spring Cottage and Pen-morgan at dusk. In July, you will experience willow-herb blooming with gorse in the common; one early September day, a wake of buzzards circling high overhead or in October jays eating hazelnuts and a high-gliding kite… and then another one. All these – and you yourself – belonging.

Envoi

The charming landscape which I saw this morning is made up of some twenty or thirty farms. Harries owns this field, Nicholson that, and Absalom the woodland beyond. But none of them owns the landscape. There is a property in the horizon which no man or woman has except he or she whose eye can integrate all the parts.

Adapted from Ralph Waldo Emerson

Goidelic Speech and Invasions

Whoever were the first people to establish a defended site on Foel Drygarn, there is some historical basis ascribing its strengthening to the Irish tribe of the Desi, who, in all probability, established themselves here in the third century, the largest migration, according to the Annals, being about 270 A.D.

Nowadays, few West Wales people settle in Ireland, but at various times during the past thousand years settlement was frequent. During the first centuries of our era, invasion of West Wales from Ireland was not an isolated event. The Goidels had their particular traditions and the early Christian monuments in Wales are ascribed to their influence; it appears that memorial stones with Ogam inscriptions were used in Ireland in pagan society. During this time, it is fairly certain that Goidelic speech prevailed here, but that the later progress of Cunedda and his Brythonic followers from a northerly direction in the seventh and eighth centuries obliterated many linguistic features.

A few peculiarities in place-names may, in part, be attributed to these invasions. The names Foel Drygarn and Crugiau Dwy are superficially easy to explain by with a fair knowledge of the language, but there are certain linguistic reasons for rejecting the obvious explanations, for the former could mean the township of the carn, while the latter probably implies the cairns of the goddesses. From a linguistic standpoint, the Foel Drygarn district bears a resemblance to an area around the Din Sylwy hill fort in Anglesey. Some physical similarities, rather than linguistic, could be found in a hill fort in Tre'r Caeri in Caernarvonshire and in the Isle of Aran.

E. T. Lewis *Mynachlog-ddu - A Guide to its Antiquities*

Dathlu'r Calan yn y Fro

Lyn Lèwis Dafis

Lyn Dafis

Yn draddodiadol mae cyfnod y Nadolig a'r Calan wedi bod yn amser o letygarwch ac o ddathlu. Mae'n ddigon posib fod hynny'n draddodiad sy'n ymestyn yn bell yn ôl i hanes ac yn arfer hyd yn oed i'r rhai a gododd y meini hirion y cawsom y fraint o fyw yn eu plith. Yn bendant roedd ein cyndadau Cristnogol yn gweld y cyfnod fel un o ddathlu gan iddynt lenwi eu calendrau â gwyliau o Ddygwyl Domos (21 Rhagfyr) hyd at yr Ystwyll (6 Ionawr) a'u cysylltu gyda lletygarwch. Dyma gyfnod pan fyddai pobl yn ymuno ym mintai'r Fari Lwyd ac yn mynd o dŷ i dŷ yn canu a phrofi croeso twymgalon a diod a bwyd ar bob aelwyd. Dyma hefyd gyfnod gwaseila pan fyddai torf yn cario ffiol yn llawn diod o ddrws i ddrws fel rhan o'r dathlu a chyfle pellach i fwyta ac yfed a mwynhau.

Daeth nifer o'r arferion hyn i ben oherwydd i ddynion y plwyf, fel mewn llawer man arall ar draws ein gwlad, fynd i feddwl yn fwy difrifol am bethau wrth iddyn nhw fynd yn fwy difrifol am eu crefydd ond hefyd oherwydd penderfyniad y llywodraeth i chwarae o gwmpas gyda'r calendr. Yn 1752 penderfynodd yr awdurdodau ei bod hi'n rhaid i galendr y Deyrnas Gyfunol gyd-fynd â'r calendr oedd yn cael ei ddefnyddio'n gyffredin yn Ewrop. Golygai hynny fod yn rhaid colli un ar ddeg o ddiwrnodau. Teimlai'r werin bobl eu bod wedi colli un ar ddeg o ddiwrnodau o'u bywydau ac ar adeg y Nadolig a'r Calan doedd neb yn rhy siŵr pryd oedd pryd. Nid oedd rhai yn fodlon derbyn y newid hwn o gwbl, rhai fel dynion Cwm Gwaun; roedden nhw'n teimlo mor gryf am y cam a wnaed â hwy fel eu bod hyd yn oed heddiw heb faddau i'r llywodraeth a'r awdurdodau ac yn dal i gadw'r Hen Galan ar 12 Ionawr.

Dwi'n falch o gael dweud ei bod hi'n ymddangos nad yw trigolion Mynachlog-ddu cweit mor benstiff â rhai Cwm Gwaun a'u bod yn fodlon maddau bai yn y pendraw. Oherwydd ar 1 Ionawr y byddwn ni'n dathlu'r Calan. Er rhaid imi gyfaddef ei bod hi'n demtasiwn i droi cefn ar fasnachgarwch ein hoes ar brydiau a dilyn yr hen galendr oedd mor annwyl gan ein cyndadau a dathlu Nadolig ar 6 Ionawr unwaith eto!

Os oedd y calendr wedi newid ac os oedd llawer o'r hen wyliau eglwysig wedi'u hanghofio gan blwyf oedd yn gynyddol droi at y Bedyddwyr, fe wnaeth un peth aros trwy'r cyfan, sef yr elfen o letygarwch, croeso a haelioni oedd yn nodweddu'r cyfnod. A'n ffordd arbennig ni o gadw hynny'n fyw oedd trwy'r arfer o hela calennig. Fel cenedlaethau o'm blaen fe ddysgais fod yn rhaid codi yn gynnar i fynd i gasglu calennig yn llwyddiannus ac wrth godi'n gynnar hefyd fe wnes i ddysgu llawer am yr haelioni a'r croeso oedd i'w brofi ar aelwydydd y plwyf.

Ychydig yw'r plant sy'n hela calennig erbyn hyn hyd yn oed yn yr ardaloedd mwyaf gwledig; a rhyw hela calennig dethol ydyw fel arfer – bydd plant yn galw gyda pherthnasau a chyfeillion yn unig. Diflannodd yr elfen gymunedol i raddau helaeth iawn, ac mae'n rhaid esbonio yn aml iawn beth oedd yr arfer. Ond pan oeddwn i'n grwt bydden i'n mynd o gwmpas o dŷ i dŷ ar fore dydd Calan gan ddymuno blwyddyn newydd dda i'r preswylwyr. Y cynharaf i gyd y gorau i gyd, oherwydd roedd yn rhaid bod gyda'r cyntaf – yn arbennig os yn fachgen – ac roedd yn bendant rhaid galw cyn canol dydd. Wedyn roedd hi'n rhy hwyr. Gallech chi ganu cân neu garol yr oeddech chi wedi'i dysgu ar gyfer y Cwrdd Nadolig rhyw wythnos neu ddwy yn gynt. Ond roedd 'na ganeuon traddodiadol ac un o'r rheiny oedd y pennill hwn a ddysgais gan fy mam a'm mam-gu, er fy mod yn deall bellach ei fod yn cael ei ganu yn gyffredinol ar draws Ceredigion a Sir Gaerfyrddin.

Fe ddaeth dydd Calan eto
i dorri ar eich traws,
i ofyn am y geiniog
neu glwt o fara 'chaws.
O peidiwch bod yn sarrug
na newid dim o'ch gwedd,
cyn daw dydd Calan eto
bydd llawer yn y bedd.

Ar ôl canu byddai dyn yn gweiddi "Blwyddyn newydd dda" nerth ei ben ac yn disgwyl i weld y drws yn agor a gwraig y tŷ gan amlaf yn dod â rhywbeth i'w fwyta – cacen, cnau neu losin – a hefyd ei phwrs hollbwysig er mwyn ein gwobrwyo'n ariannol am inni fynd i'r holl drafferth er mwyn dod â lwc iddi dros y flwyddyn oedd i ddod.

Roedd hi'n dipyn o waith i blentyn o dan ddeg oed i fynd o ddrws i ddrws oherwydd nid 'pentref' oedd Mynachlog-ddu ond yn hytrach ardal neu blwyf, gyda thyddynnod a ffermydd wedi'u gwasgar ar hyd-ddo. Golygai tipyn o daith ar droed neu ar gefn beic er mwyn cyrraedd pob drws cyn deuddeg o'r gloch. Roedd pawb yn disgwyl ichi alw, ac felly roedd yn rhaid bod yn ofalus wrth drefnu eich ymdaith drwy'r plwyf eich bod yn cyrraedd y llefydd lle'r oedd disgwyl ichi gyrraedd ar amser.

I fi y lle pellaf o Llainrhosbica roedd yn rhaid mynd iddo oedd Waun-lwyd a oedd yn teimlo i grwt fel fi bron â bod mor bell â cherdded i Grymych; wel, roedd e bron hanner ffordd yno beth bynnag. Roedd yn rhaid mynd yno gan fod modryb yn byw yno ac roedd hi'n disgwyl yn eiddgar am ei hymweliad Calan. Dwi'n cofio unwaith bod mewn dau feddwl a fyddwn i'n mynd i'r drafferth o gerdded yr holl ffordd, ond yn y diwedd yn mentro gan wybod faint o siom fyddai i Anti Nan o deimlo nad oedden i wedi trafferthu gwneud y daith. A beth a gefais i fel gwobr? Hanner coron. Dwi'n credu taw dyna'r unig dro imi fel plentyn fod â darn hanner coron yn fy llaw gyda'r penrhyddid i'w wario fel y mynnwn. Roeddwn i'n falch iawn fy mod wedi mynd i Waun-lwyd i gasglu calennig y dydd Calan hwnnw.

Fel arfer byddai rhywun yn rhoi'r gorau i gasglu calennig wrth gyrraedd ei arddegau. Byddai'r arfer yn troi o fod yn ddathliad i fod yn fwy o gardota petai rywun hŷn yn ei wneud. Ond trwy Aelwyd yr Urdd Mynachlog-ddu fe gefais i'r hawl i barhau i gasglu calennig a hynny'n ymhell i mewn i'r arddegau. Pan oeddwn i'n ifanc yr Aelwyd oedd un o'r sefydliadau hynny a oedd yn cynnal cymuned a chymdeithas yn y plwyf. Dwi ddim yn credu i mi werthfawrogi ar y pryd cymaint yr oedd gweithgaredd yr aelwyd yn cyfoethogi ein bywydau a chymaint o fraint oedd hi i fod yn rhan o'r holl beth.

Erbyn hyn dwi'n siŵr y byddai'r rhai sydd yn eu harddegau heddiw yn edrych gyda gwên lydan ar ein diniweidrwydd ni. Ond roedd yn golygu lot fawr o sbort. Un flwyddyn, tua 1973 neu 1974, dwi'n cofio i'r Fari Lwyd ddod ar ymweliad â'r Aelwyd a bod y cyfan wedi'i ffilmio ar gyfer Ffilm yr Urdd. Y noson honno dwi'n cofio inni alw heibio i ffarm Capel a chael croeso tywysogaidd gan Lloyd a Bet a lot fawr o sbort, a dwi'n credu taw o'r ymweliad hynny y tyfodd y syniad y gallai aelodau'r Aelwyd barhau i fynd rownd y plwyf yn casglu calennig, ond bellach ar gyfer achosion da.

Pwy oeddem ni bryd hynny? Wel, dwi'n ofni fod henaint wedi fy ymlid ac mae'n anodd cofio pob enw a phob un fu'n cadw'r hen draddodiad yn fyw. Ond yn bendant roedd Dyfed Capel yn un ohonyn nhw a Huw Craiglea. Roedd Wendy Cnwc gyda ni a'i brawd, Aled, dwi'n siŵr. Credaf fi fod rhocesi'r Clun gyda ni hefyd – Meinir a Barbara. Beth wedyn am Huw Penrallt a Susan Tynewydd? Dwi ddim yn cofio'n iawn pa achosion da oedd yn derbyn ein rhoddion chwaith. Er dwi'n siŵr fod y cartref preswyl i'r henoed yng Nghilwendeg ym Moncath wedi derbyn y calennig a gasglwyd gennym un flwyddyn. Ond am yr elusennau eraill dwi'n ofni eu bod nhw'n angof bellach.

Dwi ddim yn cofio'n iawn ond dwi'n credu taw dyna'r adeg hefyd y daeth y Parchg Olaf Davies yn weinidog i gapel Bethel ac fe ddechreuodd arfer newydd o gynnal gwylnos weddi nos Galan. A phenderfynwyd taw'r cynllun fyddai mynd i'r cwrdd gweddi a dechrau ar gasglu calennig wedi'r cwrdd ddibennu. Doedd hynny ddim yn torri unrhyw 'reol' – doedd dim byd yn dweud pryd yr oedd hi'n iawn i ddechrau, dim ond fod yn rhaid dod i ben ganol-dydd.

Roedd y daith rownd y plwyf yn teimlo'n hir bryd hynny; mae'n ymddangos yn hirach erbyn heddiw. Roedd 'na gylch naturiol o ddilyn yr hewl i lawr heibio Tyrch i'r Dref ac yna yn ôl am y Cnwc. Ond wedyn roedd 'na ffyrdd yn arwain oddi ar y ffordd gylch - ffordd i'r Ynys-fawr, un arall i Bantrithel a Glynsaithmaen, un arall i Waun-lwyd a Llwyn Banal, ac un arall eto heibio

Dole-isa, a Dolaunewydd i Benddafe. Ac ar ben hynny i gyd roedd feidr hir i'w thramwyo i gyrraedd rhai o'r ffermydd hynny a rhai eraill. Dwi'n cofio yn aml iawn byddai'n rhaid penderfynu a oedd dyn yn mynd i fynd i bob fferm ai peidio. Ond fel arfer yr oedd pawb yn teimlo rhyw reidrwydd i wneud gan byddai peidio â gwneud yn cael ei weld bron â bod fel sarhad cymdeithasol. Felly, yng nghwmni dwsin neu fwy fe dreuliwyd rhyw chwe awr a mwy – trwy'r nos – yn gwneud ein taith araf o aelwyd gynnes i aelwyd gynnes yng nghanol oerfel gaeaf yn cadw'r traddodiad o letygarwch a dathlu'r flwyddyn newydd yn fyw.

Roedd casglu calennig yn beth mawr ym Mynachlog-ddu, yn ddigwyddiad arwyddocaol yn y calendr cymdeithasol fel y Gymanfa Bwnc, y Gymanfa Ganu, y Cwrdd Diolchgarwch, y Llwyn Nadolig a'r Cwrsin Cŵn. Roedd pawb am fod yn rhan ohonynt, rhan o ddathlu pwy a beth oedden ni. Felly, er efallai ei bod hi'n bosib fod rhai yn ystyried y peth yn ymyrraeth ac yn drafferth i gael yr holl blant a'r bobol ifanc yma yn galw heibio yn canu ac yn mynnu eu calennig, roedd yn hytrach yn rhywbeth a oedd yn cael ei werthfawrogi. Roedd pobol, ar y cyfan, am eich gweld chi'n galw heibio ac yn cael eu siomi os nad oeddech chi'n gwneud.

Ond wrth inni yn yr Aelwyd ddechrau creu ein traddodiad newydd o fynd i gasglu calennig chwap wedi canol nos, roedd arwyddion hefyd yn dod i'r amlwg fod yr hen ffordd o wneud pethau yn dechrau diflannu. Efallai nad oedd hynny'n gwbl amlwg i ni'r ifainc ar y pryd, ond wrth fynd o dŷ i dŷ ac o ffarm i ffarm roedden ni'n sylweddoli fod y rhwydwaith Cymraeg a chymdeithasol oedd wedi cynnal arferion fel calennig yn dechrau dadfeilio. O flwyddyn i flwyddyn byddai'r cwestiwn yn codi a fydden ni'n mynd i'r fan a'r fan eleni gan fod newydd-ddyfodiaid o Loegr a thu hwnt yn byw yno. Nid nad oedden ni am ddymuno blwyddyn newydd dda iddynt hwy fel pawb arall, ond y cwestiwn mawr yn ein meddyliau ni oedd a fydden nhw'n deall beth roedden ni'n ei wneud. Neu a fyddai'n wastraff amser ac yn achos penbleth iddyn nhw i gael rhyw ddwsin a mwy o ddynion ifainc yn sefyll tu fas y drws am hanner awr wedi un y bore yn canu yn dramgwydd. Dwi'n cofio unwaith inni geisio chwarae'r ffon ddwybig a chanu ein cân a gweiddi yn Saesneg *"Happy New Year"*. Dwi ddim yn siŵr a wnaeth hynny weithio ai peidio.

Dwi'n credu mai Calan 1978 oedd y tro diwethaf imi fynd i gasglu calennig, a hynny yng nghwmni'r Aelwyd. Ond erbyn hynny roedd pethau wedi newid. Yn y lle cyntaf roeddwn i wedi newid ac ar fin troi'n oedolyn ac yn fwy ymwybodol o'r newidiadau cymdeithasol a oedd yn trawsnewid plwyf Mynachlog-ddu a rhaid imi gyfaddef fod hynny wedi bod yn brofiad eithaf poenus i mi. Fel arfer hen bobol sy'n rhyfeddu at newid ac yn ei chael hi'n anodd ymdopi gyda'r peth nid pobol ifanc. Ond nid oes neb yn dygymod â newid fel y profwyd bryd hynny yn hawdd iawn, hyd yn oed os ydych chi'n ifanc. Yn raddol fe droes dathliad a ddylai fod yn bleser ac yn sbort i fod yn rhywbeth a oedd â blas ychydig yn fwy sur arno. Mae'n siŵr taw fi oedd yn llawer rhy sensitif a hunanymwybodol ar y pryd, a buasai rhywun 'normal' ddim yn meddwl am bethau fel hyn.

Efallai taw dim ond am ryw dair neu bedair blynedd yng nghanol y 1970au y bu'r Aelwyd yn gwneud hela calennig, ond dwi'n cofio'r profiad o hyd fel un melys. Weithiau byddaf yn ceisio ail-fyw'r daith o gwmpas y plwyf yn y cof a phwy oedd yn byw ymhob tŷ. Byddaf weithiau yn llwyddo i gofio ond bryd arall mae'r cyfan yn mynd ar goll yn niwl y gorffennol wrth i fi fynd yn hŷn. Yn union fel mae'n cof cyffredin a'n hadnabyddiaeth fel cymuned yn pylu wrth i bawb ddarparu ei adloniant unigolyddol ei hun trwy gyfrwng teledu, cyfrifiadur ac X-box a pha gyfrwng bynnag arall fydd yn mynd â'n bryd yn y dyfodol.

Lyn Lèwis Dafis refers to the New Year festivities in the Mynachlog-ddu of his boyhood and youth in the 1960s and 1970s, when collecting 'calennig' was always the highlight of the first day of the year. He traces the tradition of providing hospitality on every hearth back to the pre-Gregorian calendar days of wassailing and the Mari Lwyd. In such a scattered community the earlier a start was made on New Year's Day the better, if they were to visit every homestead to wish the occupants a Happy New Year and collect the 'calennig' before mid-day. A posse of cyclists was usually seen tooing and froeing, endeavouring to collect as much money as possible along with culinary treats. Carols learnt in Sunday School were usually sung outside every household, along with a traditional calennig song handed down from generation to generation. Lyn recollects debating with himself whether he should visit Auntie Nan at Waun-lwyd, which was almost half way to Crymych from Llain at Rhos-fach. But the effort was well worthwhile when he received the grand sum of half a crown.

During his teens collecting 'calennig' became a social occasion as members of the Aelwyd would organise the tradition and most of the money received would be given to charity. A dozen or so participants would start their trek soon after midnight and take almost six hours to complete the task, as hospitality had to be accepted on most hearths. Residents would be disappointed if they did not receive a visit as it was all as much a part of the yearly social calendar as the Pwnc Festival, the Cymanfa Ganu, the Thanksgiving Service, the Christmas Tree and the Sheepdog Trials. However, with the passing of the years an often asked question would be 'should we call at such and such a place?' as they did not know the occupants and queried whether the social custom would have to be explained and then perhaps not appreciated. Lyn recalls those occasions with affection but at the same time harbours the sense of foreboding he felt as he witnessed a distinct social change. He often traces those itineraries in his mind recalling who lived in all the homesteads, though he admits, as he grows older, all the memories are lost in the mist of time.

Close to Paradise

Val Kirby

Blaencleddau farmhouse in the shadow of Garnmenyn

Blaen Cleddau – the source of the Cleddau – where little springs bubble out of the peaty land and trickle into streams which eventually join up and become the Eastern Cleddau – is situated below Crug yr Hwch and between Foel Drygarn and Foel Dyrch on the eastern slopes of the Preseli Mountains.

The traditional stone farmhouse, built in 1895, is situated on the lower part of the 100 acre farm. With slate-roofed barns on each side of the yard the house faces south-west towards distant Milford Haven where the now mighty Cleddau, having joined the Western Cleddau, reaches the sea in one of the most beautiful natural harbours in the world.

Carn Meini's rocky outcrop is silhouetted against the sky line on the hills to our west, like the head of a sleeping dragon waiting for Merlin's magic. The three stone cairns and battlements of Foel Drygarn loom to the northwest of the farm and speak of ancient history, when the hillsides were covered in oak forests, and high land meant safety from your enemies for our Iron and Bronze Age ancestors.

Our land rises from about 230 to 280 metres and consists of sheep pasture, hay meadows, rough rushy grassland with low-lying mossy bogs. To the south stretches Waun Cleddau – a wild soggy area of rushes, sedges, bog bean, cotton grass, sundew, fast-spreading willows, heather and many other plants and flowers – including devils bit scabious, the food plant of the caterpillar of the

Marsh Fritillary butterfly, now an unusual sight, though one year we saw over 100.

From April onwards the cuckoo calls across the moor grass and gorse. Although happy to hear that evocative sound, I feel sorry for the little birds whose eggs will be turfed out by the cuckoo's hatchling. Untamed by man, this area of common grazing is home to many rare plant species and is, like much of the farm itself, in a Special Area of Conservation.

Due to the extremely wet nature of the land, no one now takes up their common grazing rights on this particular stretch, known as CL43. For a few years we kept nine cattle on Waun Cleddau and nearly lost a large cow in the peaty mire. It was touch and go whether she could struggle out of the viscous black mud into which she had sunk up to her belly, and we stood helplessly waiting for her to recover enough strength to flail her way out of the syrupy peat onto dry land.

Luckily, after a rest to get her breath and the offer of an enticing bucket of sugar beet shreds, the mighty animal, with a gargantuan struggle, heaved herself onto dryish land and tucked into her reward, muddy flanks heaving from her exertions, and we made our way back through the murky, misty rain to the warmth of the farmhouse. We only kept cows to honour our environment agreement but, not being experienced in the art of bovine care, we reluctantly sold the cattle after a few years. Trying to get hold of a bull was always a problem.

Once we were able to borrow a bull in exchange for grazing for the owner's cows, but then he entered a scheme to keep his herd free of Johnes Disease, which meant he had to keep his bull at home. Then we resorted to hiring a bull from a cheerful gentleman who hired out bulls as a business. It was fine when the bull arrived – the cows were pleased to see him and vice versa – but getting the bull to leave was a different matter.

One day the bull master arrived in his lorry to collect his bull, job done, from our three meadows by the road. The man was looking decidedly worse for wear, having just returned from Ireland where he had been attending the singles event they have there yearly. Hopeful, unattached people attend in great numbers, make merry and hope to meet the partner of their dreams – a sort of marriage broker's fair! Our man certainly seemed to have had a good time, judging by his bloodshot eyes and dreamy smile.

I pointed out one of the two gates which led out of the field containing the cattle, and when he had parked his lorry next to it he lowered the ramp. By the time the decidedly dazed man had climbed the gate, the cows and bull had moved to the next field, so he had to make his way there. Somehow he managed to separate the young bull from the cows and drive him out of the other gate further down the road from the lorry. The bull was persuaded to walk the 50 yards or so towards the parked lorry, but it being the young Welsh Black bull's first 'assignment' he was very reluctant to leave his harem.

On seeing the gate into the adjoining field next to the lorry's ramp, he made a sharp left turn and effortlessly crawled over it like a furry black caterpillar, in one agile movement, whilst we gaped in astonishment. There is a 'V' in that gate to this day, where the top bar buckled under his weight. I think he might have still been there by nightfall if two good farming neighbours from Llethr Isaf, Patrick and Gini Waller, had not been driving past on their tractor, and seeing the man's predicament they gallantly leapt to the rescue – literally. As Patrick jumped from the bank his foot caught in the barbed wire fence and he executed a perfect somersault landing in the meadow by the startled cows! Out-numbered, the bull eventually lumbered up into the lorry and went off, bellowing his protests!

Connemara ponies grazing with Foel Drygarn in the background

The next bull would not be caught at all, so we had to bring him back to the farm with the cows and somehow separate him from them – a difficult job for two townies, but we managed - and once we got him into the trailer, Ed, my husband, set off for Kilgetty before the angry beast could wreck it!

It's fine grazing cattle on the boggy areas of the farm in the summer, but in the winter the grass has no goodness so they either had to kept nearer to home – where they stood around the hayfeeder consuming vast quantities of haylage and creating a sea of deep mud – or they were left down on the common where every morning and evening Ed would take them feed. He loved seeing the young calves rushing in from all directions when he called them, nimbly jumping water ditches and swerving round shrub willows and grassy tussocks to reach the rolled barley and sugar beet shreds.

The farm has two bridleways, and as I walked down one of them, enjoying the primroses, violets, woodruff, celandine and countless other wild flowers, I realised that it was exactly 13 years since I first set eyes on Blaencleddau, on May 22nd, 1997 – a perfect day like this one, with cobalt blue skies and sunshine. Spring was well advanced that year and in my wonder at the orchids and yellow rattle flowering in the haymeadows, I failed to notice the rusty broken down fences and the degraded hedge banks. I did notice the overgrazing and blue twine lying buried in the grass. Once it had been a model farm, according to a neighbouring farmer. When he was a lad he used to visit the farm regularly, and he said that everything was spick and span with fences and gates in good repair. Now it was a sorry sight, neglected, with black plastic and rusty metal lying around. The barn roofs were full of holes and the dutch barn was only held up by the lean-to shed propped against it!

After major renovations to the house and barns, we moved into the farmhouse in April 1998, bringing with us several horses and our small flock of sheep. Since leaving Suffolk in 1986 we had farmed 35 acres at Craig-y-fuwch near Newcastle Emlyn. Blaencleddau was already in two environmental agreements – one with the National Parks and it also had an Environmentally Sensitive Area agreement. The departing farmer, as part of his agreement, belatedly fenced off what we now call the Western Pastures.

At first sight the land on the western boundary of the farm was overgrazed on the higher areas before sloping gently to a boggy rushy area at the boundary stream – the infant Cleddau. Leaving that area ungrazed was a revelation, and soon the tussocky meadows were studded with orchids and pignut, whilst the wetter areas suited ragged robin, bog pimpernel, bog asphodel, cotton grass and many varieties of sedge and rush that flourish in the blanket bog, which bounces when walked on! One friend, from Llethr Isaf, sank up to her armpits in that area – luckily in the presence of her husband and son and so was quickly rescued.

Tormentil, eyebright, spearwort, bird's foot trefoil and other flowers are scattered amongst myriad grasses – fescues, bents and sweet vernal, meadow foxtail, yorkshire fog, to name a few. Blue sheeps bit and yellow hawkbit crowd the grassy stone-walled banks with the starry white flowers of fen bedstraw and the odd foxglove, and remnant walls of a long gone homestead lie tumbled in amongst the blackthorn suckers. The crowning glory, after the pig nut have set seed, is the Whorled Caraway. Its thin ferny leaves are visible now in the short grass, and soon its white umbels (like hedge parsley) will be dancing in the wind with the pinky red sorrel – a magical sight.

Two healthy sheepdogs amidst Whorled Caraway flowers.

If this land had not been saved by an environmental agreement (now Tir Gofal) it would have been lost as a treasure trove of rare plants and become just another piece of overgrazed grassland. Once a farm is re-seeded with rye grass and clover it loses wonderful diversity, and it has been proved that animals do better on a sward containing many different varieties of plants.

Since we have farmed Blaencleddau we have been able, thanks to Tir Gofal (soon to be replaced by another environmental agreement, Glas Tir), to double-fence most of the boundaries, and we have planted metres of hedging – hawthorn, hazel, rowan, blackthorn, ash, oak and many other native plants, creating wildlife corridors for wildlife to flourish in. Gradually other fields have been double-fenced as the years have marched on, and most of the new hedges are thriving, though there are bare patches due to rabbits and poor rocky planting situations.

Several field corners have been fenced off and native trees planted – oak grown from acorns are now taller than I am and I should love to be able to see how all the trees have grown in fifty years time. As I type this the cuckoo is calling on Waun Cleddau, swallows are swooping in and out of the barns, filling the air with their joyful chatter, and a garden warbler is singing its heart out in the wild-garlic-filled spinney next to the barns, drowning out our normal songster, a blackbird who serenades us from the top of a sycamore tree.

In the interests of sustainable farming, we have reduced our sheep flock to 120 because so much of the land has to be left ungrazed – either to grow hay or to conserve threatened flora and fauna. The boggy low-lying areas have before now created a liver fluke problem for us. One year several ewes gave birth without producing any milk, due to chronic liver fluke. As the shed filled with a total of eight demanding bottle-fed lambs, I was driven to distraction by their constant hungry bleating, and one night found myself trying to feed them in the dark with no light and no way of knowing who had been fed and who had not.

The only way to keep the already fed lambs – still yelling for more – away from the unfed ones was to pop them into an empty tea chest where they

Sheep waiting for their winter fodder

couldn't wrestle the bottles away from the other lambs. Early the next morning I went to the Co-op in Crymych and purchased two small hurdles, a rectangular blue tank with four red teats with hanging brackets and a large bag of ewes' milk replacer. The instructions said that the milk could be fed cold, ad lib. No more four times a day bottle-feeding with body-warm milk. One was assured that the lambs would not gorge on cold milk – they never normally know when to stop!

I put up the hurdles in the doorway, having long since learnt the golden rule of rearing lambs – keep them at arm's length and well contained – as molly lambs have one purpose in life and that is to ambush you wherever you are, having eaten your rosebuds on their way to the kitchen. I then mixed a gallon of milk, hung the blue lamb feeder with the red teats over the hurdle in the doorway and poured in the cold liquid. It took the bleating lambs some time to realise what the red nipples were, but once four did they latched on, sucking ravenously, tails wagging. I was well pleased to start with, but my initial satisfaction turned to horror.

They hadn't read the blurb on the bag about not gorging. They kept drinking and drinking, causing air bubbles to rise in the milk, until their little bellies were so distended that they looked like woolly white balloons, and then the next four did the same. I thought they would all explode and die, but luckily they soon learnt that there was always milk in the bucket just like there would have been if they had been with their mothers; and they stopped looking like cuddly footballs on legs and turned into sleek well-covered undemanding lambs.

After 12 years we feel we have improved the farm by careful grazing management with sheep and horses – we bought in Connemaras from Ireland as we thought they wouldn't mind bogs! The years pass with the first big date being shearing, when all the sheep are herded into the big barn to wait for Jimmy and Clive James who come to shear, with Islwyn to wrap the fleeces. They work fast and joke a lot, but the sheep hate the whole business and do their best to avoid climbing the ramp onto the shearing platform. The transformation is amazing – a well clad matronly ewe becomes a strange naked being in a few minutes, keen to leap away from the shearer and glad that the ordeal is over for the next 12 months. My job is to take out cold drinks and biscuits and to provide lunch, over which there is much laughter and local gossip.

The most stressful event in the farming year for us is haymaking. For the last two summers it has rained continuously and many farmers did not get their hay in. This is a disaster as it is our winter feed. We have gritted our teeth and waited through July and August, watching the hay grow past its best as the rain teems down, only to eventually strike lucky in September and harvest it in the one dry week!

We make haylage – a forage drier than silage but moister than hay, with better feed value. It is hard making haylage in September, as the ground doesn't dry with heavy morning dews, so there is much lifting and turning and rowing up before it is pronounced ready to be baled and wrapped. Plastic wrap has to be one of the best inventions for farmers. Once the haylage is baled and wrapped it is then safe and edible for years, unless it is holed by seagulls or rats.

We are always on the lookout just after wrapping when the birds appear from nowhere and perch on the bales with their sharp talons. Then it is time to patch the small holes they make with their feet or beaks with specially made bale patches. If this is not done, then the bale can be ruined and become mouldy. The bales need to be kept airtight. It must have been so much more difficult in years past, before plastic wrap made it possible to make haylage. Then the hay crop had to be bone dry to be harvested; and how, I wonder, did they keep it from getting damp and mouldy in this climate?

There is a marvellous feeling of relief when the contractor's huge machine arrives on the farm after a week of mowing and turning and starts baling and wrapping. Then we can rest in peace, knowing that we have enough to feed the animals for the winter ahead. The fragrance of well-made haylage is the best scent in the world!

In a few generations will the fences have been torn down or kept in good repair? Will the trees be ripped up or will they be tall and strong, as they promise to be now? Will the cuckoo still call for its mate from April onwards, and will the swallows keep returning? Only time will tell. Today, living on this farm is close to being in paradise.

Wild and Woolly

Rhian Field

I am Rhiannon Naomi and I came to live at Cysgod-y-garn, near the old school in Mynachlog-ddu, in 2002 with my husband, Mike, and our two children, Eleanor and William, having moved from Rhyd-y-gorwen in Hebron, just six miles away.

Welsh language dwindled within my late father's family by the days of my grandfather, which was always a source of deep regret for my father, William H. B. Thomas, who struggled throughout his life to support and promote the Welsh language. It was important to us, therefore, that Eleanor and William were given the opportunity to attend Ysgol y Preseli in Crymych, along with my sister Derri's daughter Rhoanna, – known as Annie.

I have 'a book-full' of links with this area of West Wales, and believe I may have many ancestral ghosts within Pembrokeshire, including William John Bowen who was known to be a cattle dealer and butcher with a shop in Nunn Street, St Davids in the 1860s. There are certainly plenty of engravings on gravestones and names in the Censuses that tie my family to Pembrokeshire, the closest connection to Mynachlog-ddu being traced to Maenclochog. Most of us would agree that chasing gravestones is not the most cheerful of pastimes and only serves to remind us of our own mortality.

My personal affinity with Mynachlog-ddu takes me back to my early days, which were usually very cold and wintry, when my father would drive me, my mum and my siblings upwards towards the Preselis and along the windy lanes to the moors. He would pull over into the side and we would all climb out to explore the frozen brooks and springs, amongst the sheep. It stirred in me, even from a young age, a sense of timelessness and mystery.

As a talented man, both artistically and intellectually, my father, known as Bill, was destined to instil in his family a deep appreciation of nature and the environment. The only activity that would eventually keep him in school in Letterston back in the late 1920s was being allowed to draw in class. Teachers nicknamed him 'Billy Poultice' because he was always 'drawing'.

As a teenager he won a scholarship to art school but was encouraged by his father, W. John Thomas, to make a living with his hands, just as he had done. Which leads me on to mention that this same grandfather of mine, along with his father, Daniel Thomas, who were Master Builders, built the doors of St Davids Cathedral, as well as the timber-work for many chapels, reputedly at least 37 of them, within Pembrokeshire, including the rebuild of Jabez Chapel in the Gwaun Valley.

Dad left school at 14 years of age and by 17 he was joining the RAF as a Trainee Flight Engineer for the final couple of years of World War II, during which time he 'fell on his feet' as they say, and met my mum, Ruby Anne Wish, a Teleprinter Operator who was to be promoted to Corporal with the WAFs.

Today, as one of five children, with two brothers – David and Graham living in Cardiff and Abergavenny respectively, big sister Dianne recently settled in Templeton, little sister Derri-Anne living in Clunderwen and fun-to-be-with Mum living at the other end of the village, – I share Mynachlog-ddu with Mike, my husband of almost 25 years, and two young adult children who already understand that the 'Heart is in the Home'.

Dad, having passed away in 2006, left me with art materials and a feeling of family obligation to continue some sort of creative legacy. He was a self taught artist, having turned down his scholarship, but went on to teach his own children and grandchildren how to look, see and draw, and indeed, think for themselves. I am now fulfilling a commitment to myself to use his art materials and paint at my workshop here at home.

My baby sister, Derri, however, has also carried on Dad's artistic talents with a landscape design business based in Clunderwen, and found herself graduating at St Davids Cathedral in 2007 with an HND in Architectural Technology. It was a poignant occasion that I am convinced was being witnessed on the day by our ancestors. Derri is a weekly visitor to Mynachlog-ddu and was responsible for producing the planning drawings for our house extension last year. I followed in her footsteps to St Davids Cathedral when I graduated with a BSc (Hons) in Coastal and Marine Environment Studies.

Despite my affinity with Mynachlog-ddu, which is often confused with Maenclochog, but in name only and thus remains a mystery to many, I never thought I would find myself living here. I like to think that what is an adventurous and daring day out for the lowlanders of Pembrokeshire is in fact my sanctuary, and I don't mind being called 'wild and woolly' one little bit!

Potsiers Cleddau Ddu

Ap Cleddau

Perthyn rhamant i'r darlun o herwheliwr hyd ei fogel mewn dŵr oerllyd ar ganol afon yng ngole'r lleuad ar noson aeafol yn codi samwn deg pwys a mwy â'i dryfer wrth i wdihŵ hwtian uwchben. Ond fel 'ni oedd hi ar hyd Cleddau Ddu tan yn gymharol ddiweddar. Bydde'n frwydr barhaus rhwng y potsiers a'r beilïaid i dwyllo ei gilydd. Ysywaeth, mae'r genhedlaeth olaf o bysgotwyr anghyfreithlon wedi cyrraedd oed yr addewid. Segurdod yw hanes y dryfer a'r gaff.

I bob cenhedlaeth o fechgyn a adawai'r ysgol i weithio ar ffermydd tan tua diwedd y 1960au roedd samwnsa yn rhan o dyfu fyny. Ar ryw olwg, gorau oll pe caech eich dal – unwaith – am y bydde hynny'n gyfystyr â bathodyn i ddangos eich bod yn perthyn i giwed ddrygionus a oedd yn barod i herio awdurdod ar sail traddodiad a ymestynnai nôl ymhell cyn bod yna'r un rheol yn gwahardd neb rhag codi pysgodyn yn ôl mympwy. Byddai'r 'troseddwr' yn sicr o'i le yn oriel anfarwolion llên gwerin yr ardal. Roedd yna barch i'r potsiwr diniwed a ddaliai eog i blesio ei hun a'i deulu.

Doedd yna neb balchach na Hywel John, Tycwta, Mynachlog-ddu, o'r ddirwy o £9 a gafodd yn Llys Ynadon Cemaes, yn Eglwyswrw, pan oedd yn ugain oed am fod â gaff, tryfer a gole yn ei feddiant gyda'r bwriad o gymryd samwn o'r Cleddau Ddu yn anghyfreithlon ym mis Tachwedd 1969. Hwyrach bod Brian Morgan, un o feilïaid mwyaf nodedig Afon Cleddau, wedi cydio yng ngwar Hywel y noson honno ond ni wnaeth hynny ei rwystro rhag codi degau o eogiaid o'r afon wedi hynny. Mater o fod yn fwy gofalus oedd hi wedyn.

Hywel Tycwta yn dal samwn.

Dim ond agor drws Tycwta oedd ei angen yn ystod y blynyddoedd diwethaf ac fe welai'r llygaid craff fod gaff yn gorwedd o dan y gadair oedd yn eich wynebu. Ond tystiai'r llwch a'i gorchuddiai na fu mewn defnydd ers oes pys. Serch hynny, roedd ei phresenoldeb mewn man mor amlwg yn dystiolaeth o ymlyniad Hywel, hyd at y diwedd, i un o grefftau cynharaf y ddynolryw. Ac roedd gan Hywel ambell stori i'w hadrodd wrth hel atgofion. Bu ond i ddim iddo gael ei ddal droeon.

Cofiai amdano'n samwnsa wrth ymyl Pont Bethel pan glywodd sŵn car yn y pellter. Aeth i gwato o dan y bont. Prin fod angen iddo blygu am ei fod yn ddigon bychan. Wir i wala, fe oedodd y cerbyd a daeth dau ddyn ohono. Fe fuon nhw'n fflachio eu goleuade oddi ar y bont ar hyd yr afon i'r ddau gyfeiriad ond nid o dan y bont. Mae'n dda na wnaeth Hywel dwsial.

Tystia ei frawd, Leonard, fod yr un dwymyn wedi cydio ynddo ynte yn ei ugeinie cynnar. Ni fedrai gwpla godro'n ddigon cynnar ambell noson pan wyddai fod yna samwn yn gorwedd mewn ceulan yn yr afon a redai trwy eu tir. Roedd rhaid mynd i'w godi. Ond pylodd y brwdfrydedd wedi dioddef ambell godwm a gwlychad.

Rhwng dyweder Pont Cwmisaf o dan Eglwys Mynachlog-ddu a Phont Hywel ac oddi yno i Langolman a Rhydwilym fyddai tiriogaeth amlycaf y potsiers – a'r beilïaid. Gŵyr Hywel Evans, Blaen-sawd, a thri photsier arall hynny'n dda, am iddyn nhw gael eu dirwyo £5 yr un, ynghyd â'u gorchymyn i dalu £2 yr un o gostau, gan Lys Ynadon Cemaes ym mis Mawrth 1965 am fod â phum samwn yn eu meddiant yn ogystal â'r offer arferol yng nghyffinie Pont Hywel. Ond ni ddaeth y mater i ben y diwrnod hwnnw am i Hywel benderfynu dwyn achos sifil yn erbyn y ddau feili, Brian Morgan a George Lewis, yn y Llys Sirol yn Hwlffordd, gan fynnu iawndal am y modd roedd yn honni iddyn nhw ymosod arno. Penderfynodd George Lewis ddwyn yr union un cyhuddiad yn erbyn Hywel Evans. Doedd dim modd dwyn achos troseddol am nad oedd yr heddlu wedi'u galw i ddelio â'r digwyddiad.

Dywedwyd wrth y llys fod tri o'r potsiers – tri brawd-yng-nghyfraith – Roslyn Gibby, Glyn Gibby a Graham Davies – wedi diengyd pan ddaeth y beilïaid ar eu traws ar Dachwedd 24, 1964. Dim ond ar yr ail gynnig y daliwyd Hywel Evans. Mynnai fod Brian Morgan wedi'i ddal yn holbidag yr eildro tra bo George Lewis yn ei daro yn ei wyneb â'i ddwrn droeon nes iddo gwympo ar ei bengliniau. "Wêdd y ddou yn eitha crac ch'wel achos mod i fyti jengyd liweth a wên nhw wedi bod yn agos i'n dala ni sawl gwaith o'r blân ond wedi ffaelu," meddai Hywel wrth edrych nôl o hirbell ar noson yr holl gyffro.

Cynrychiolwyd Hywel gan fargyfreithiwr o Abertawe, Alan Coulthard, a'r tyst cyntaf i'w holi oedd y meddyg teulu, Dr Peter Williams a welodd wyneb Hywel trannoeth y digwyddiad. Cydsyniodd fod yr anafiade – y cleisie a'r llygad dde wedi chwyddo – wedi'u hachosi yn ôl pob tebyg gan ddwrn ond wrth gael ei groesholi cytunodd y gallai'r anafiade fod wedi eu hachosi mewn nifer o ffyrdd. Roedd George Lewis hefyd yn un o'i gleifion ac roedd wedi bod yn ei drin am anaf i'w benelin ar y pryd.

Croesholwyd Hywel Evans gan H. J. B. Hammond ar ran y beilïaid ac awgrymodd fod ei dystiolaeth yn ffrwyth dychymyg pur. Mynnodd Hywel nad oedd wedi taro George Lewis ond mai ef ei hun oedd wedi cael ei daro gan Mr Lewis. "Dwi'n dweud y gwir," meddai, "nid mater o ddialedd yw hyn". Esboniwyd bod Hywel wedi torri'n rhydd o grafange George Lewis a cheisio dianc yr eilwaith pan fu'n rhaid i'r beili arall ei lorio â thacl rygbi. Roedd Brian Morgan yn labwst o ddyn cydnerth a oedd yn hen gyfarwydd â chaeau rygbi gan iddo chwarae dros Llanelli, Abertawe a Hendy-gwyn yn ei ddydd.

Galwyd Glyn Gibby i roi tystiolaeth a dywedodd i'r beilïaid ddod ar eu gwarthaf yng nghyffinie Hen Ficerdy, Mynachlog-ddu ond ei fod ynte wedi llwyddo i ddianc a chuddio mewn llwyn drain. Dywedodd iddo glywed Hywel yn ochain wrth iddo gael ei daro a bod yr anafiade i'w gweld yn amlwg ar ei wyneb am fis wedi hynny. Ond mynnai Brian Morgan nad oedd Glyn Gibby wedi gweld na chlywed dim am iddo ddianc oddi yno "nerth ei draed bach i lawr y gwaered. Bucs i'n ei gwrso nes iddo fynd o'r golwg," meddai.

Tystiodd Graham Davies iddo weld Hywel yn cael ei daro droeon gan George Lewis tra roedd ynte'n cwato mewn llwyn drain arall gerllaw. Pan gafodd ei holi pam na fyddai wedi mynd i gynorthwyo Hywel pan welai hyn yn digwydd dywedodd eu bod wedi penderfynu na fydden nhw'n defnyddio trais pe baen nhw'n cael eu dal. "Pa siawns fydde gen i beth bynnag yn erbyn dau ddyn mor fowr?" meddai.

Gwadodd George Lewis ei fod wedi taro Hywel Evans ond esboniodd fod eu pennau wedi taro yn erbyn ei gilydd a bod Hywel wedi'i daro ar ei wegil gyda'i law wrth iddo golli gafael arno. Amheuai hefyd bresenoldeb Glyn Gibby gerllaw am ei fod wedi chwilio'r llecyn yn drwyadl. Gwadodd iddo ddweud wrth Hywel am beidio â bod 'yn rhy lawdrwm yn y llys' ac i beidio â sôn iddo ei daro â'i ddwrn.

Penderfyniad y Barnwr Trevor Morgan oedd gwrthod y ddau achos gan ddweud nad oedd amheuaeth fod Hywel Evans wedi dioddef anafiade ond nad oedd wedi'i argyhoeddi gan y dystiolaeth mai George Lewis oedd wedi'u hachosi. Dywedodd fod y beilïaid yn cyflawni eu dyletswyddau wrth arestio Hywel Evans a phe bai wedi diengyd fe fydden nhw wedi gallu ei arestio, ynghyd â'r lleill, rhywbryd trannoeth beth bynnag.

Nid yw Hywel yn dal dig ond deil i gredu fod ganddo achos cadarn, a hwyrach y byddai'r dyfarniad yn wahanol pe bai'r mater wedi ei glywed gan reithgor mewn llys troseddol. Nid oedd y profiad yn ddigon i Hywel roi'r gorau i godi ambell samwn na chwaith i ddifaru am yr holl botsian roedd wedi'i wneud cynt. Roedd potsian yn y gwaed.

"Dwi'n cofio fy mhrofiad cynta' o fynd ar yr afon yng nghwmni Albert Fron (Llewelyn). Cario'r gole wên i'n neud. Ffagal wêdd hi pwrny. Wêdd rhaid arllwys tamed o baraffin ar yr hen glwte a'i gynnu wedyn dim ond yn ddigon hir i Albert ddallu'r samwn a'i ddala. Wêdd sach fowr 'da fi wedyn i fogi'r ffagal rhag bod hi'n llosgi. Pren hir yn dala'r ffagal ch'wel a twein yn sownd wrth hwnnw wedyn. Erbyn bydden i'n cyrraedd getre fe fydde'n wmed i'n ddu i gyd. Ond, wsgwrs, wedyn, nes mlân, bydde lamp carbeid yn ca'l ei defnyddio. Tipyn llai o drafferth," meddai.

Cafodd Hywel, yn union fel potsiers eraill ei genhedlaeth, eu codi yn sŵn a swae y traddodiad. Bron y gellid dweud bod codi eich samwn cyntaf yn gyfystyr â defod roedd rhaid ei chyflawni cyn cefnu ar blentyndod a chyrraedd oedran gŵr.

"Dwi'n cofio cymeriade fel Dafi'r Weun (David Edwards) a Jac Owen, Troed-y-rhiw, yng Nghwm Rhydwilym – dou botsier mowr. Dwi'n cofio mynd mas i godi samwn yn weddol gynnar rhyw nosweth a Dafi'n anfolon bo ni wedi gwneud. Wêdd e wedi llygadu'r un samwns ch'wel ond ddim yn golygu mynd mas nes bod hi bwti deg o'r gloch. Mae'n debyg fod Dafi wedi ca'l ei ddala pan wêdd e bwti pedwar ugen wêd. Fe a'th miwn i'r llys ar bwys ei ffôn ac am ei fod mor ffaeledig a byddar doedd neb yn credu y gallai fynd yn agos i'r afon. Gollyngwyd yr achos yn ei erbyn.

"Os bydde Leslie, crwt Jac Troed-y-rhiw, yn dod i'r ysgol yn Nant-y-cwm â'i ana'l yn drewi o wynt samwn wedyn wên i'n gwbod fod ei dad wedi bod mas ar yr afon. A sdim byd ffeinach na chig samwn pinc yn ffres o'r môr. Fydde'r samwn wêdd wedi bod yn yr afon am sbel ddim yn blasu cystel. Saethu cwpwl o gwningod wedyn a gwneud stiw ohonyn nhw; wel, doedd dim gwell pryd i ga'l os bydde dynion diarth 'da chi.

"Gesum i a Glyn Gibby ein magu'n weddol agos i'n gili ch'wel – fe lawr yn Dolfelfed fan 'na – a bydden ni'n mynd mas ar yr afon da'n gili'n amal. Dwi'n cofio gadel y motobeics ar glos Felin Llwydiarth un nosweth a mynd lan yr afon o Bont Rhydwilym gan feddwl dala cwpwl o sewins. Fe glywes i sŵn cangen yn torri. Wêdd rhaid bod beili 'na yn cwato rhywle. Dyma wasgu'r diwben i ddiffodd gole'r carbeid a cwato'r tŵls. Lan â ni trwy'r allt wedyn a chroesi'r perci nôl uwchben Troed-y-rhiw a cherdded nôl lawr y rhiw. Pwy dda'th mas o'r clawdd ar ein penne ni ond Sidney Taylor a Jim Rees, a oedd yn digwydd bod yn wncwl i fi. Wêdd e wedi ca'l sawl samwn da fi 'fyd. 'Olreit, olreit, sdim ishe rhegi, i ni ar ein ffordd draw at Sara Byngalo i brynu sigarets' mynten ni. A fel'ni buodd hi'r nosweth honno o fish Medi. Dwi'n cofio dala samwn 28 pwys – y mwya ddales i eriôd – lawr yn Pwll Dan-y-coed o dan Gelli, rhyw dro arall wedyn," meddai Hywel.

Fuodd y profiad o gael ei gwrso gan Brian Morgan ddim yn fodd i Glyn roi'r gorau i samwnsa ar unwaith chwaith er iddo, flwyddyn ynghynt yn 27 oed, gael ei ddewis yn Ysgrifennydd Capel Llandeilo a dal y swydd honno am chwarter canrif yn ogystal â bod yn athro Ysgol Sul a rhannu'r Sêt Fowr gyda Hywel Evans. Ond pan gafodd ei wneud yn Ynad Heddwch yn 1989 roedd wedi hen benderfynu mai doethach fyddai codi trwydded er mwyn pysgota gyda gwialen a hynny o fewn terfyne'r tymhore. Penderfynodd hefyd na fyddai'n eistedd ar yr un fainc pe bai'n wynebu achos o botsian. Ni chododd Hywel leisens pysgota erioed er iddo ddefnyddio gwialen yn achlysurol. Cofia Glyn yn dda am wefr y dyddie cynnar ar yr afon:

"Mae'n siŵr fy mod i wedi dechre pysgota pan wên i'n bump wêd. Torri gwialen o'r clawdd a mynd draw at Sara Byngalo i brynu bache a llathed o gyt a hithe'n mesur o blân ei thrwyn hyd at ei bys. Poeni'r hen fois wedyn i ga'l tamed o bast – neu jam – fel y bydden nhw'n galw'r deunydd fydde wedi'i wneud o bys y samwn fenyw. Nhw'n gyndyn i roi dim i fi ond o'i gael a'i roi ar y bachyn fe fydde'n denu'r brithyllod a'r sewin. Wi'n credu mai'r helfa fwya gesum i o'dd codi 60 mewn noson o Bwll y Wrach ar bwys Llwyndŵr.

"Wêdd tipyn o grefft i ddefnyddio'r gaff a'r dryfer wedyn. Pishyn o harn ar ffurff y rhif whech gyda bachyn llym ar ei flaen yw gaff. Bydde rhaid ei ddodi yn y dŵr o dan dagell y samwn a'i godi'n sydyn. Bydde rhaid ei ddala o fewn hyd braich wedyn neu os bydde cwt y samwn yn taro yn erbyn eich corff gallai hynny olygu y deuai'r samwn yn rhydd. Gofied fydde'n gwneud gaffod a thryferi. Gore gyd os oedd y dryfer yn weddol llydan a chwech neu ragor o bige iddi er mwyn brathu gwar y samwn. Bydde cwês go hir iddi wedyn a bydde'n bosib tynnu'r gwês bant yn sydyn a bod angen. Bydde rhai'n clymu llinyn wrth y gwês wedyn a falle'n ei tharo i'r dŵr o ben craig.

"Cofiwch, os gwelen ni samwn ar y lan wedi'i fyta a dim ond ei ben ar ôl, doedd dim pwynt mynd i bysgota wedyn. Wêdd hynny'n golygu fod dwrgi yn y cyffinie a bydde'r samwns wedi'u cynhyrfu. Wedyn, wêdd lot o drics yn y busnes. Os bydde beilïaid o bwtu'r lle fe fydden nhw, goleuo'r afon am sbel tra bydde'r potsier dim ond cynnu gole am ychydig eiliade. Wêdd rhaid cadw llygad i weld a wêdd y beilïaid wedi cwato'r fan yn rhywle. Bydde'r gwragedd yn dda â phethe fel'ni nawr. Fe fydden nhw'n canu corn falle i'n rhybuddio os bydde angen ac yn dod i'n codi o'r fan a'r fan erbyn rhyw amser. Doedd dim ishe hala mwy o amser nag oedd raid ar yr afon.

"Cofiwch, bydde rhai o'r hen fois wedyn yn maglo'r samwn o dan y ceulanne. 'Na chi Beni Howells, Dandderwen, Llangolman nawr na chafodd ei ddala eriôd. Bydde fe'n eu dala nhw liw dydd tra bydde ei wraig, Florence, yn cadw golwg. Dwi'n meddwl iddo fe orfod cwato o dan clawdd yr ardd sawl gwaith s'ach ni. Fe wasgarwyd ei lwch e ar Afon Cleddau. Mae'n rhaid ei fod e'n meddwl tipyn o'r afon wedyn. A buodd yr afon yn dda iddo ar hyd ei oes sdim dowt," meddai Glyn.

Cadarnheir ymlyniad a chariad Beni at yr afon gan ei ferch a'i fab-yng-nghyfraith, Mwynlan a Hedley Evans.

"Dwi'n cofio mynd mas dag e unwaith neu ddwy. Y peth o'dd yn rhyfedd fe fydde fe'n gweld samwn yn yr afon pan welen i ddim byd er bod pysgodyn o dan fy nhrwyn falle. Wêdd ffordd dag e o goglis y samwn mas o dan y cerrig a miwn i'r magal. Wêdd e yn ei ddala fe'n lân wedyn heb ddim niwed fel byse'n digwydd gyda gaff neu dryfer falle.

"Dwi'n cofio beili'n dod heibio 'fyd. Fi o'dd yn cadw llygad a fe glywon ni sŵn sbaniel yn dod yn nes. Towlodd Beni'r magl i ganol y trash fan ni. *'What did you chuck?*,' medde Lewis y beili. *'Nothing'*, medde Beni. A'th e i whilo fan'ni wedyn. Whilo am gaff wêdd e ch'wel. Wên ni'n gallu gweld y twein melyn wêdd yn sownd wrth y magal yn eitha plaen yng nghanol y llwyn ond hano hwnnw'n golygu dim byd i Lewis.

"Wêdd prynwr gyda Beni i'r holl samwns lan yn Aberteifi. Wêdd rhaid neud ambell drip lan ffor' ni wedyn. Wêdd hwnnw'n cadw llond bath ohonyn nhw ac yn gwerthu nhw fel *smoked salmon.* Ma' rhaid gweud wêdd Beni'n un glew. Wêdd ffordd dag e o gwato yn yr afon nawr fel broga a prin y gwelech chi bod e 'na," meddai Hedley.

Beni Howells – y potsier penna. Ni ddefnyddiodd y wialen erioed!

"Fydde 'nhad byth yn bragan fod e'n dala samwn. Ele fe ddim miwn i dafarn nawr a gweud bod e wedi dala rhyw grugyn rhyfedda ohonyn nhw. Ond fe fydde fe byth a hefyd yn yr afon. Nele fe ddim hyd yn oed cerdded nôl trw'r pentre â samwn o dan ei gesel. Bydde rhaid mynd yn y car i'w moyn e wedyn. Yng ngole ddydd fydde fe wrthi ch'wel. Wêdd ddim ishe mynd mas â lamp ganol nos. Pan ddechreuodd e fynd yn glymhercyn wedyn a ffaelu mynd draw i'r afon we' chi'n gweld ei fod e'n gweld ei hishe hi'n fowr. Ei ddymuniad e wêdd gwasgaru ei lwch wrth y garreg lle treuliodd e gwmint o'i amser ar lan yr afon. A fel' ni buodd hi'n gynnar yn 2002 wedi iddo farw trannoeth y Nadolig yn 87 wêd," meddai Mwynlan.

Yn rhyfedd iawn cafodd chwaer Mwynlan ei dal â gaff yn ei meddiant yr unig dro iddi fynd i botsian. Roedd Rose yng nghwmni ei gŵr, Gerwyn James, pan ddaeth George Lewis a Charles Llewellyn ar eu traws yn hwyr ar brynhawn Sul ym mis Rhagfyr 1960. Yn ogystal â'r arf roedd lamp a samwn deg pwys yn eu meddiant hefyd. Rhoddwyd cyfanswm dirwy o £16 i'r ddau yn Llys Ynadon Cemaes. Amheuwyd yn gryf y diwrnod hwnnw nad oedd menyw wedi'i herlyn am samwnsa erioed cynt. Roedd Gerwyn wedi ymddangos gerbron Ynadon Hendy-gwyn y mis Ebrill cynt i wynebu cyhuddiad o fod â gaff yn ei feddiant.

Ym mhen uchaf plwyf Llangolman nid nepell o Lynsaithmaen roedd Alun Gât yn byw. Fyddai'n ddim i Alun Davies fynd draw i Afon Wern ben bore i ddal brithyllod i frecwast. Cofia ei ferch, Daisy, yn dda am awch ei thad am botsian.

"Dwi'n cofio ar un adeg wêdd 28 o samwns yn hongian ym mhendraw'r llaethdy 'da ni, wedi'u dal dros gyfnod o wythnos siŵr o fod. Wêdd rhaid tynnu'r wye o'r rhai fenyw wedyn er mwyn gwitho past. Dyna le fydden ni am orie yn troi a throi'r past o flaen tân nes bod e'n drichyd fel marmaled. Wedi'u botrelu fe wedyn bydde fe'n ca'l i werthu i bysgotwyr lawr sha Penfro a Aberdaugledde ffor'na. Bydde tamed o'r past ar fachyn gwialen bysgota yn shwr o dynnu'r pysgod mân. Lawr ffor'ny fydde lot o'r samwns yn ca'l eu gwerthu 'fyd er bydde W. R. Evans yn gwsmer da 'fyd.

"Ele nhad mas bob nos ch'wel os cai gyfle. Os na fydde Edwin Carnabwth neu Emlyn, fy ngŵr, ar ga'l i fynd dag e bydde rhaid i Eirwen, fy whâr, i fynd dag e wedyn i ddala'r lamp. Wêdd Edwin yn gliper arni 'fyd a fe welodd Emlyn e'n dala dou samwn yn gorwe gyda'i gily gyda'r un gaff un nosweth. Pidwch â sôn, synna i am weld samwn byth to. Cofiwch, chas mo nhad ei ddala eriôd. Synna i'n siŵr os wêdd 'da hynny rhywbeth i wneud â'r ffaith fod cender mam – un o fois Tafarn Newy - yn un o'r beilïod a falle'n rhoi siawns iddo jengyd weithie," meddai.

Un a deimlodd grafange'r beilïaid ar dri achlysur yw Oliver Phillips, Troed-y-rhiw, Rhydwilym. Profodd ei ymddangosiad olaf gebron Llys Ynadon Dinbych-y-pysgod ym mis Mehefin 1999, ac ynte'n 72 oed, yn go ddrud iddo am iddo gael dirwy o £350 a gorchymyn i dalu costau o £1,414 wedi iddo bledio'n ddieuog i gyhuddiad o fod ag arf anghyfreithlon yn ei feddiant i gymryd samwn o Afon Cleddau yn gynnar gyda'r nos ym mis Ionawr. Pan glywodd Oliver y beilïaid yn gweiddi arno a'i rybuddio fod ganddyn nhw gi, tynnodd y gaff yn rhydd o'r pastwn a'i daflu. Ceisiodd yntau hefyd fynd i gwato ond gyda chymorth y ci daethpwyd o hyd iddo ynghyd â'i bastwn a'r gole y bu'n fflachio ar hyd yr afon pan dynnwyd sylw'r ddau feili. Daethpwyd o hyd i'r gaff ymhen cetyn ond gwadai Oliver fod a wnelo ddim ag ef.

Yn y llys mynnodd Gwynne Thomas a Peter Kircup iddyn nhw weld Oliver yn chwilio'r mannau lle fyddai'r eogiaid wedi claddu eu hwyau. Yn ddiarwybod i Oliver roedd ganddyn nhw oleuade cryf oedd yn eu galluogi i weld yn y tywyllwch a rhoddwyd fawr o goel gan yr ynadon i'r esboniad mai archwilio'r afon er diogelwch ei ddefaid oedd ar y gweill ganddo. Doedd dim defaid ar y ddôl meddai'r ddau feili ond dadleuai Oliver mai mynd yno i wneud yn siŵr nad oedden nhw ar y ddôl oedd ei fwriad. Ar ben y ddirwy drom a chostau'r llys bu rhaid iddo dalu £2,400 i'r bargyfreithiwr oedd yn ei gynrychioli wedi iddo apelio yn erbyn y ddedfryd a cholli'r dydd yn Llys y Goron, Caerfyrddin.

Yn Arberth ym mis Ebrill 1980 y cafodd Oliver Phillips ei flas cyntaf o flaen llys ar fater o botsian pan gafodd £100 o ddirwy am fod â gaff a gole yn ei feddiant y mis Ionawr cynt gyda'r bwriad o gymryd eog yn anghyfreithlon o'r Cleddau Ddu ger Rhydwilym. Ond ymhyfryda na chafodd erioed ei ddal â samwn yn ei feddiant yn ystod chwarter canrif o botsian. Ond roedd olion gwaed ar y gaff pan gafodd ei ddal yn 1980. Dro arall, yn 1986, llwyddodd i hau digon o amheuaeth ym meddyliau'r ynadon nes i'r achos yn ei erbyn gael ei ollwng. Roedd y defaid yn wyna ac roedd angen y gole arno wrth reswm ac roedd y fforch ganddo er mwyn taflu'r brych i'r afon meddai. Rhoddodd hynny cryn bleser iddo ac yn arbennig pan fu'n rhaid i Brian Morgan ddychwelyd y gole a'r fforch iddo i ddrws y tŷ.

Oliver Phillips – ni chafodd erioed ei ddal â samwn yn ei feddiant.

Cyfaddefa fod potsian yn ei waed a'i fod fel cyffur na allai adael llonydd iddo. Mae'n amlwg na wna Oliver Phillips anfon cerdyn Nadolig at yr un beili mewn ysbryd o frawdgarwch a dyw hi ddim y tu hwnt iddo bryfocio'r beilïaid pe gwyddai eu bod yn y cyffine trwy droi goleuade pwerus arnyn nhw ar hyd y gelltydd. A does dim pall ar y straeon sy'n adrodd goruchafiaeth dros y beilïaid.

"Ma' 'na sôn ch'wel am dri potsier yn yr ystafell ffrynt fan hyn yn Nhroed-y-rhiw pan wêdd beiliff yn y gegin yn holi hanes potsiers wêdd wedi jengyd o'i olwg e. Wêdd hynny, cofiwch, cyn i ni symud 'ma. Y gofid penna o'dd y bydde un o'r tri'n peswch neu dwsial. Wêdd stori arall wedyn am gnoc yn y drws a'r beiliff am ddod miwn. Wêdd y bachan newydd dowlu'r samwn lan lofft o'r golwg a hwnnw'n dal i fflapan ei gwt. 'Hei, blant, byddwch dawel', mynte'r bachan a wêdd dim plant i ga'l 'da'r teulu. Glywoch chi am y ddou botsier gas ffein go drwm yn Llys Hwlffordd wedyn a'r bachan ar y fainc yn gofyn iddyn nhw 'faint o amser i chi moyn i dalu?' a nhw'n ateb 'o, rhowch nosweth neu ddwy i ni'.

"Wedyn wêdd Lassie'r ci o'dd 'da ni'n gliper am fynd ar ôl samwn. Bydde hi'n rhedeg trw'r afon a hala'r samwn i'r dŵr bas nes ei fod yn moelyd ar ei ochr ar y graean mân. D'odd hi ddim yn anodd i fi eu dala nhw wedyn. Ond weda i wrthoch chi, wnes i ddim gwerthu samwn eriôd ond fe roies i ddwsine bant. A welodd ddim un beiliff samwn yn fy nwylo eriôd," meddai Oliver yn fuddugoliaethus. A deil y straeon.

"Dwi'n cofio mynd mas rhyw nosweth i whilo'r minc wêdd wedi lladd rhai o'r ffowls. Fe neidies i ben clawdd a beth weles i'n gorwe yn y gwter yr ochor draw ond dau feiliff. Dwi'n cofio galw gyda Dafi'r Weun wedyn wedi addo cymryd tipyn o hen bethe oddi ar ei ddwylo a wêdd bachan o'dd yn deall antîcs

’da fi. Bob hyn a hyn bydde Dafi’n dod â jwg neu rhyw gelficyn o’r ystafell arall. Ond bydde fe’n cau’r drws bob tro. Dyma’r bachan o’dd gyda fi’n penderfynu ei ddilyn wedyn a phan welodd ddau samwn ar y ford yn yr ystafell drws nesa wêdd e’n deall pam o’dd Dafi’n cau’r drws bob tro. Sai’n gwbod p’un o’r ddou gas y syndod mwya. Ond gwithodd pethe mas yn olreit achos fe brynodd y bachan, ma un o’r samwns ...”

Perthyn yr hwyl, y rhamant a’r perygl o botsian ar hyd glannau Cleddau Ddu i’r gorffennol. Pylu wnaeth yr elyniaeth rhwng y potsier a’r beilïaid. Cafwyd cyfnod pan oedd yna brinder samwn a’r ychydig a ddeuai i fyny’r afon yn aml yn dioddef o glefyd fel na ellid eu bwyta. Rhoddai rhai’r bai ar biswail ffermydd yn rhedeg o’r nentydd i’r afon. Credai un wag o hen lanc mae’r cemegolion yn y bilsen atalcenhedlu a ddefnyddid gan wragedd oedd y drwg. Ond wedyn gyda hwylustod rhewgelloedd a digonedd o bysgod parod o bob math ar werth yn yr archfarchnadoedd, disodlwyd yr arfer o ddal pysgod yn anghyfreithlon oherwydd angen a marchnad barod gan bysgota cyfreithlon o ran pleser a hamddena.

Mae’r eog erioed wedi crefu am ddŵr hallt y môr ac ymweld â’r afonydd dros dro a wneir i genhedlu. Mae’n rhaid i hynny ddigwydd o hyd oherwydd mai dyna yw greddf y samwn gwyllt; dychwelyd i’r union afon lle’r oedden nhw’n wyniaid. Dyna chi *sat nav*. Arferid credu mai ymhen saith mlynedd y maen nhw’n dychwelyd ond credir erbyn hyn y dychwel rhai ymhen blwyddyn a’r cyfnod hwyaf cyn dychwelyd yw pedair blynedd.

Bydd y gwryw yn ceiliogi trwy orwedd ar ben y fenyw mewn cwâl nes ei gorchuddio â’i leithder a’i gorfodi i agor ei philen a dodwy’r wyau a hynny mewn man tywodlyd yn ystod yr hydref. Rhaid gorchuddio’r wyau â graean mân wedyn rhag bod brithyllod yn eu bwyta. Yn ystod y gwanwyn canlynol y gwna’r wyau ddeor yn silod gan aros yn y graean nes tyfu’n frithyll brych yn flwydd oed wedi’u cuddliwio a gall gymryd at dair blynedd cyn y byddan nhw wedi tyfu’n wyniaid yn barod i fentro i ddŵr hallt y môr. Gan amlaf bydd y gwryw a’r fenyw yn trengi’n fuan wedi cenhedlu gan mai eithriad yw’r rhai sy’n llwyddo i ddychwelyd i ddŵr hallt. Rhyfeddol. A hwythe heb unrhyw inclin am na gaff, tryfer na magl na bachyn pysgota cyfreithlon o ran hynny.

Mae’n werth nodi hefyd fod gan yr eog le amlwg mewn mytholeg oherwydd yn *Chwedl Culhwch ac Olwen* yr hynaf o’r holl anifeiliaid yw Eog Llyn Llyw. Am na wyddai’r un anifail arall ble roedd dod o hyd i Mabon ap Modron cafodd Cai a Bedwyr, dau o wŷr y Brenin Arthur, eu cludo ar gefn Eog Llyn Llyw at furiau carchar Caerloyw lle daethpwyd o hyd iddo a thrwy hynny gyflawni un o’u tasgau. Awgryma’r stori honno fod yr eog hwnnw yn byw rhywle ar hyd Afon Hafren. Gwnâi les i bob potsiwr a physgotwr gofio fod y samwn yn chwedloniaeth Celtaidd yn cael ei gysylltu â gwybodaeth a doethineb. Cofiwn hefyd fod llethrau’r Preselau yn leoliad i helynt y Twrch Trwyth sydd yn rhan o *Chwedl Culhwch ac Olwen* o’r *Mabinogion*.

Yr un modd cofiwn ninnau fod yna aml i chwedl wedi'i nithio mewn llys barn pan ymddangosai potsiers lleol gerbron yr ynadon. Arglwydd Merthyr, cadeirydd y fainc yn Llys Ynadon Arberth, a ddywedodd yn 1959 fod llawer o anwiredd bob amser yn cael ei ddweud mewn achosion o botsian. Roedd newydd wrando ar dystiolaeth beili yn dweud iddo weld y cyhuddiedig mewn wellintons hyd at ei forddwydydd ar ben coeden uwchben Cleddau Ddu yn dal gaff yn sownd wrth linyn a'i fod wedi ei daflu i'r llawr. Gwadodd y cyhuddiedig fod ganddo'r fath arf a'i fod ar ben coeden am ei fod yn gweithio yn y cyffiniau ac wedi gweld samwn trig o dan garreg. Awgrymodd fod y beili wedi gadael y gaff yn y glaswellt. Cafodd ddirwy o £5 ond gollyngwyd yr achos yn erbyn y ddau arall a welwyd yn gorwedd ar eu boliau yn y glaswellt. Mae'n rhaid eu bod nhw'n cael napyn amser cinio os oedden nhw hefyd yn gweithio yng nghyffinie Pont Llandre ym mis Awst.

Ac o gofio bod nifer o botsiers a'u cydnabod yn chwarae rygbi dros Arberth roedd yna awch a chynnwrf arbennig mewn ambell gêm yn erbyn yr hen elyn, Hendy-gwyn, pan fyddai Brian 'Mogs' Morgan yn chwarae i'r gwrthwynebwyr. Byddai'r gwrthdaro yn fwy ffyrnig nag arfer wrth i aml i bwyth gael ei dalu. Ond stori arall yw honno.

Ap Cleddau refers to the age-old tradition of poaching along the Eastern Cleddau and the long-standing enmity between poachers and bailiffs. However, the last active generation of illegal fishermen are now well into they're seventies and the pronged spear and gaff, used to catch salmon, are redundant. At one time poaching amongst youngsters brought up on farms was seen as a sign of maturity, and to be caught – once - was almost a rite of passage. A bona fide poacher was revered within the community and the exploits of such a 'criminal' would become part of folklore.

Hywel John, Tycwta, Mynachlog-ddu, would gladly show his summons to appear at Cemaes Magistrates Court, Eglwyswrw, when he was caught in November 1969 with a gaff, a spear and a lamp in his possession with the intent of taking fish illegally from the river that flows through his farmland. The £9 fine he received when 20 years of age did not deter him from poaching. He just had to be more alert for the presence of bailiffs from then on.

The stretch of the Cleddau from Cwmisaf Bridge down as far as Rhydwilym, with its numerous deep pools, was the regular haunt of poachers – and bailiffs. Again at Cemaes Magistrates Court, in March 1965, Hywel Evans, Glyn Gibby, Graham Davies and Roslyn Gibby were fined £7 each. They were caught with five salmons in their possession, as well as the usual implements, by bailiffs Brian Morgan and George Lewis. As a sequel, Hywel Evans brought a civil case of damages against George Lewis for alleged assault whereupon George Lewis made a counter claim for damages against Hywel Evans. The judge found there was no case to answer and dismissed both claims.

Both Hywel and Glyn relate their poaching exploits; Hywel once caught a 28lb salmon and Glyn caught as many as 60 sewin in one particular pool. Both agree that one of the most successful poachers in the area was Beni Howells, who was never caught and who, unusually, would only use a snare. He would, therefore, not require someone to hold a lamp when he speared a salmon, as was the usual practice. Beni would usually poach in daylight and would only require a lookout, usually his wife, Florence. His ashes were finally strewn on the riverbank at Llangolman, according to his wishes, following his death at 87 years of age on Boxing Day 2002.

Another notorious poacher who was never caught either was Alun Davies who lived at Gat near Glynsaithmaen. It would not be unusual for him to cross over to the Wern to catch a few trout for the family breakfast. He had a ready market for the multitude of salmons he caught, in Milford and Pembroke, as well as the 'paste' he would make from the female eggs which, though illegal, was a sure bait to catch smaller fish.

Oliver Phillips, Troed-y-rhiw, Rhydwilym, was caught on three occasions but never in possession of a salmon. One case against him was dismissed when he argued that he had a fork and lamp in his possession on his own land because he was attending to his sheep at lambing time. The fork was required to throw the afterbirth into the river he told the magistrates. But he was fined £100 in 1980 for being in possession of a lamp and gaff with the intention of taking salmon illegally, and in 1999, when 72 years of age, he was fined £350 and ordered to pay costs of over £1,000 after he unsuccessfully took his case to appeal at the Crown Court.

Oliver, like most other poachers, pays homage to Dafi'r Weun (David Edwards) who would not allow many salmons to slip past him along the Cleddau near Rhydwilym. He was once caught when in his eighties, but managed to cast enough doubt in the minds of the magistrates to dismiss the case against him. He limped into court heavily dependent on a walking stick and was so hard of hearing that it was clearly thought he was incapable of poaching.

No wonder Lord Merthyr, the chairman of the Narberth magistrates, once said that a great deal of lies is often said in poaching cases. At the time he was presiding over a case of a poacher who had been seen perched on a tree, wearing waders, in clear daylight, with a gaff in his hand that he duly threw away when approached by bailiffs. He insisted that he was working in the area and was on his lunch break when he noticed a long-dead salmon underneath some stones. He suggested it was one of the bailiffs who had left the gaff in the grass. He was fined £5 but the case against two others who had been seen lying on their bellies in the long grass at Llandre Egrmwnt was dismissed. Presumably they were having a nap during their lunch-break.

And did you hear the one about the two poachers who were heavily fined and when asked how long they required to pay, nonchalantly replied, 'Oh, it shouldn't take us more than two nights ...'

Samonsa

Drama un act gan E. Llwyd Williams

Cymeriadau: Wil, Marged, Ned a Mr Lewis, y pregethwr

WIL: (Yn paratoi'r dryfer ---sŵn durlif [rasp] ar ddur.)

MARGED: (Sŵn clocs ar y llawr). Wil! Gad 'rhên sŵn 'na ar unweth – mae fe'n mynd trw' nannedd i.

WIL: (Yn aros). Mynd trw' dy ddannedd di? Paid a gweyd dy gelwi, Marged, 'synno'r sŵn 'ma yn mynd trw' dy ddannedd di, ta beth, — oblegid dannedd dodi sy 'da ti.

MARGED: Dannedd dodi neu beido, Wil; chredu di ddim fel ma'r sŵn 'na yn mynd trw'r gums te ... mae e'n hala isgrid wêr trwyddo'i gyd ... ma' asgwrn 'i nghewn i yn datod i gyd yn 'rhen sŵn 'na.

WIL: Alla'i ddim stopo, Marged, fe fydd ishe'r dryfer 'ma cyn bo hir 'to. Synnot ti'n gwbod pryd daw samon bach i'r pwll dan yr ardd neu bwll y felin, a bydd yn druenu i adel i fynd 'nol i'r môr heb gâl ergyd ato. Rhaid iti stwffo gwlan yn dy gluste a rhoi siol am dy ben. (Sŵn durlif yn ddychrynllyd).

MARGED: (Yn gweiddi). Stop, Wil, stop! Wy' jwst a mynd yn ddwl: Rho'r hen ddryfer 'na i gadw. Dim ond samonsa sy ar dy feddwl di, a dyna i gyd yw'r siarad yn y tŷ 'ma ... samonsa wrth frecwast ... samonsa wrth gino ... samonsa wrth dê ... samonsa wrth swper ... a samonsa miwn breuddwyd wedyn ar ôl mynd i'r gwely. Bydd yn rhaid iti gâl mish o shâl (*Jail*) cyn gadewi di 'rhen afon 'na.

WIL: (Yn fwyn). Marged! Fydda'i ddim yn hir nawr ... cer mâs am dro bach i weld a odi'r geir wedi'u cloi, a cher i weld a wês llygod yng nghafan y mochyn, ac os wês e, gosod drap bach 'na. ... Ma' dou drap ar y dowlad yn y gegin mâs.

MARGED: Wês rhaid iti gadw'r holl sŵn 'ma 'te?

WIL: 'Drych 'ma, Marged. Wyt ti'n cofio'r samon bach diwetha 'na geso ni? Wel, mi fwres y dryfer yn erbyn carreg wrth i frathu e', ti'n gweld, a ma'r pige dipyn yn bwt oddiar hynny ... a dim ond rhoi tipyn o flân ar y pige wdw' i.

MARGED: O! Wyt ti'n meddwl mynd mâs ar yr afon heno 'to, wyt ti?

WIL: Nadw, nadw, Marged. Dim ond rhoi'r dryfer yn barod wdw' i. Mi fydde lle mowr 'da ti, pe bydde samon yn yr afon a dim dryfer i gal i frathu e.

MARGED: Na fydde, wir, Wil. Ma'r hen beth wedi mynd yn rhy ddansheris ... ma ofon arna'i bob tro y byddi di'n mynd mâs. Ma un o chi yn siwr o gâl i'ch dala un o'r dwarnode 'ma ... a chofia di nawr fod y bailiff wedi bod ffor' hyn heddi.

WIL: We, we, we'r bailiff ffor' hyn y bore 'ma. Whare teg iddo, Marged, am ddwad yn y bore, — yn y nos ma' dala potsiar — a samon. Whare teg i'r bailiff am ddeall i waith ... pe bawn i'n gwbod ble mae e'n byw, fe halwn i samon bach iddo erbyn dydd Sul. Synno fe'n gynddrwg bachan. *(Sŵn durlif — sŵn clocs — Marged yn mynd allan — sŵn durlif yn fwy fyth). (Cnoc wrth y drws ... cnoc arall yn uwch — sŵn y durlif yn tewi).*

WIL: (Yn ateb) Dere miwn, wy'n nabod dy gnoc di, Ned. (Y drws yn agor a chau).

NED: We'n i ddim yn leico dwad miwn heb gnoco, oblegid we'n i'n clwed sŵn fel mashîn 'ma, a we'n i'n meddwl falle fod dynion dierth 'ma yn gneud rhwbeth â mashîn.

WIL: Dim ond y fi sy 'ma, Ned.

NED: Ie, ac yn i chanol hi, Wil.

WIL: Wdw, yn i chanol hi, Ned, yn hogi tipyn ar y dryfer 'ma fel bod e'n mynd trw' gewn y samon nesa' wela'i fel cylleth miwn menyn. *(Sŵn durlif eto ac yn gorffen yn sydyn).* Dyna'r raspad ddiwetha' iddo, Ned.

NED: Wyt ti'n gofalu'n dda am y dryfer, Wil.

WIL: Ma' rhaid, Ned bach.

NED: We Twm Dyffryn-ucha' yn gweud wrtho'i ma gyda ti we'r dryfer gore yn y cylchoedd 'ma.

WIL: Wedd e' siŵr o fod yn reit hefyd. Edrych arno nawr.

NED: Mae e'n un da hefyd Wil

WIL: Dere 'ma ag e', nawr te, i fi gâl i roi e' i gadw cyn daw Marged yn ôl ... 'dyw hi ddim yn leico'i olwg e! *(Sŵn cerdded)*

NED: Ble ma' Marged 'te?

WIL: Mae' mâs yn drychid ar y ffowls a'r mochyn ... we' sŵn y durlif yn mynd trw'i phen hi, ti'n gweld ... a falle bod hi wedi mynd ymhellach ... ie, sanai'n gwbod, cofia di ... dim ond meddwl wy' i. Weles ti ddim ohoni wrth ddwad miwn 'nawr?

NED: Naddo i.

WIL: O, fe ddaw 'nôl nawr ... ar ôl i phen hi wella ... fel 'na ma'r menŵod ma, ond dyna fe, wyt ti, Ned, yn gwbod dim amdani. *(Ned yn chwethin).*

NED: Shwt cwmriff hi'n neges i 'te, wn i?

WIL: Pam? Be sy 'da ti?

NED: O, dwad lan i weyd we'n i fod samon bach yn Llyn Diferion – gweles e' wrth hôl y da gynne fach.

WIL: Beth ma'r diawch!

NED: Wes wir, wedd e'n whare ar y rhyd pan we'n i'n hôl y da.

WIL: *(Yn wyllt).* S'neb arall, s'neb arall wedi weld e', wes e? ... We neb ar yr afon nawr, wedd e?

NED: Na wes, s'neb arall wedi weld e'. Weles i neb wrth mod i'n dwad nawr a we dim gole i weld ar yr afon yn unman.

WIL: Wel, nawr amdani 'te, Ned. Cynta i'r felin bia'r fâl ... a chynta i'r afon bia'r samon. *(Sŵn clocs – y drws yn agor a Marged yn dychwelyd).*

NED: Shwt mae heno, Marged?

MARGED: O, ti Ned, sy 'ma. Mi glwes i sŵn rhywun yn dwâd tua'r tŷ.

NED: Ie, Marged, fi sy 'ma heno 'to.

MARGED: *(Yn wawdlyd).* Wedi gweld samon yn rhwle, debyg iawn.

NED: Wel ie, Marged, 'na'r gwir. Fe ddylech fod yn falch bod un bach arall i gâl, a hwnnw'n weddol gyfleus.

MARGED: Yn falch, yn wir! Wyt ti siŵr o fod yn gweld samons yn dy gwsg fel ma'r sêrs obiti ymhobman yn yr owyr ... A gwath na hynny, mae'n rhaid iti ddwâd ffor' hyn i dynnu Wil i'r afon bob nos ... Daw ddim siap arnoch chi cyn bo chi yn hanner boddi ... neu yn cael mish o shâl!

NED: Whare teg, nawr, Marged ...

WIL: Ned! Paid â dadle â meniw 'chan. Pe byddet ti wedi priodi Leisa Cwmbach, mi fyddet wedi dysgu i beidio dadle â meniw 'chan.

MARGED: Ma lot o waith dysgu 'da ti 'te.

NED: Ie, ond Marged, gadewch i fi gwpla'r stori nawr ... Dim ond dŵad lan i weyd bod samon bach yn Llyn Diferion wnes i ... mae e' na nawr yn shiglo'i gwt ar y rhyd ... Ofynes i ddim i Wil ddŵad mas i'r afon ... Naddo i!

WIL: Ond ma Wil yn mynd mas nawr i shiglo'i gwt bach e' am y tro diwetha.

MARGED: *(Yn frawychus)* Ond ewch chi ddim i'r afon heno?

NED: Pam te?

MARGED: Beth ma'r bailiff obiti 'ma trw'r dydd!

NED: O, hen foi yn iawn yw e', a phebae e' fel arall, bydde ishe llyged cath arno i ddilyn Wil a fi heibo'r felin a rownd Llyn Diferion.

WIL: Dere, Ned. Paid dadle â meniw 'chan! Ma'r ffagal a'r dryfer 'da fi. Caria'r sach 'na, nei di?

NED: Aros funud, Wil, i fi gal gweyd stori Dai'r Dre ar yr afon wrth Marged *(Holi Marged)*

WIL: P'un? Stori Dai a'r bailiff?

NED: Ie.

WIL: Paid bod yn hir 'te.

NED: We'r bailiff gyda cwpwl o fois yn y "Ram", ichi'n gweld, Marged, a Dai wedi gweld dou samon yn yr afon. Y tric wrth gwrs, wêdd cal gwared y bailiff o'r ardal, a dyma beth nath Dai. Fe halodd Jim i fab ar i feic i Llanboidy i weiro a gofyn i'r bailiff ddwâd 'na ar unwaith. Dyma'r bailiff yn ca'l y weier a bant ag e' i Llanboidy, a thra wedd e'n i baglan hi, we Dai yn codi'r ddou samon. *(Chwerthin)*.

WIL: Dere nawr 'te.

MARGED: Ie, cerwch nawr, a pheidwch bod yn hir. *(Sŵn haearn – y dryfer ... y drws yn agor a chau ... sŵn cerdded ar y ffordd)*.

WIL: Dere miwn dros ben y claw' fan hyn. *(Sŵn gwrysg yn cyffro ... tawelwch am eiliad ... sŵn afon a gwrysg yn symud eto)*.

NED: Dyma ni ar y feri spot, Wil. Mae e'n siŵr o fod fan hyn nawr.

WIL: *(Yn dawel)*. Rho dipyn o oil ar y ffagal a chyn hi. *(Sŵn matsen yn cael ei thanio)*. Reit! ... cer lan ffor' na ... Nes i'r afon ... dal hi'n uwch ... dere 'nôl damed bach ... nage, nage. *(Yn gweiddi)* ... AROS! AROS!

NED: *(Yn gweiddi)*. Co fe te, Wil! Co fe! *(Sŵn gwrysg yn cyffro ... sŵn cerdded mewn dŵr ... sblais ar y dŵr)*. ARDDERCHOG WIL! Jawch, go dda 'chan'.

WIL: *(Yn gweiddi)* Mae e'n saff i wala, Ned. *(Sŵn cyffro a cherdded yn y dŵr ... wedyn twrf ar y borfa fel dwrn yn taro clustog)*. Cic i ben e'. Cic i ben e', Ned. *(Sŵn fel cicio pel droed)*.

NED: Dyna fe. Mae e' mor farw â phost iet.

WIL: *(Yn ocheneidio)*. Odi ... un braf hefyd ... Diffod y ffagal, Ned ... 'sdim ishe i bobun i'n gweld ni.

NED: *(Yn gyffrous)*. 'Sdim un arall 'na?

WIL: Na wes. Diffod y ffagal. Dyma bartner yr un geso ni nos Sadwrn ddiwetha ... mwgyn bach nawr te ... tipyn o John Ringer i ddathlu'r fuddugoliaeth!

NED: Ie, a Wdbein i fi. *(Chwerthin)*. Glwest ti, Wil, hanes y scwffwl a fuodd gyda Dan a Jac yn dala'r samon mowr ar weun y Graig?

WIL: Naddo i. Gwed hi ... mae siŵr o fod yn dda.

NED: We'r ddou mas ar yr afon wedi'r llif mowr ac fe welw'd samon braf ar bwys y bont ar waelod y weun. Dyma Dan yn mynd miwn i frathu e', a wedd e' lan hyd i geseile yn y dŵr. Llwyddodd i frathu e'n iawn, ond dyma'r samon yn dechre springo nes troi Dan bob siap yn y dŵr. Ath Jac miwn i helpu ac fe gwmpodd y ffagal i'r dŵr gydag e', a dyna lle wêdd y ddou yn swmpo a pwlffagan yn yr afon, a'r samon ar fynd mas o'u gafel nhw. Ond diawch! Fe gafodd Jac weledigeth. Wyt ti'n gwbod am y strapen 'na sy gydag e' am i fola? Wel, mi dynnodd honna lawr a'i rhoi ym mhen y samon nes i arwain e' mas fel mochyn i gal i ladd. Wêdd e'n samon wyth pownd ar hugen!

WIL: Jawch! Go dda! *(Chwerthin)*. Rhaid fod Dan wedi frathu ormod 'nôl, ti'n gweld, a we'r samon wedyn yn galled iwso swing i gorff i gyd yn y dŵr. *(Chwerthin eto)*.

NED: *(Yn wyllt)*. Hei! Wil! Wil! Beth yw'r gole 'na yn y cwêd?

WIL: Ie, jawch! O, bachan, motor yw e' 'chan. Ie, ie, a'r gole yn bwrw o riw Glanrhyd. *(Sŵn motor ... canu'r corn ... sŵn yn tewi)*.

NED: Edrych! Edrych! Mae e' wedi aros o flan tŷ chi!

WIL: Odi, ma e' 'fyd chan. Beth all e' fod 'te?

NED: Bailiff! Ie, Wil!

WIL: Nage. Ond gistal i ni symud hi o fan hyn. Dere â'r tŵls gyda ti.

NED: Reit.

WIL: Awn ni ddim 'nôl 'run ffordd nawr. Dere dros yr hewl. *(Sŵn cerdded ar y ffordd)*.

NED: Ma'r motor 'na o hyd ... Hisht! ... *(Sŵn motor)* ... Na, mae e'n mynd. *(Sŵn y motor yn marw yn y pellter)*.

WIL: Trw' fod e' wedi mynd nawr, gelli di fentro ma'r bailiff wedd e', wedi dwâd i holi a wêdd tamed o samon ar werth 'co. *(Chwerthin)*.

NED: Paid cellwer, Wil! Beth os wês rhywun yn y tŷ nawr? ... yn dishgwil amdano ni?

WIL: Well i ti fynd mlân, 'te Ned, er mwyn ca'l bod yn siŵr.

NED: Na, na i. Fe awn gyda'n gili, ac os wês dala i fod, i ni'll dou yn y trap. *(Cyrraedd y tŷ)* ... Ma Marged ar y drws, Wil! ... Ma siŵr fod rhywun yn y tŷ!

WIL: Wel os wês e, rhed miwn i'r twlc mochyn!

MARGED: *(Yn hanner gweiddi).* Gesoch chi rwbeth?

WIL: Wel, do, Marged fach, neu fydde ni ddim 'nôl mor glou;

MARGED: O, da iawn, wir. Fe weles i ole'r ffagal ond we'r cwêd yn i'ch cuddio chi, a galle ni ddim gweld mwy.

NED: Beth ... beth we'r car 'na wedd man hyn nawr fach?

MARGED: O, bachan yn casglu wye.

NED: O, y boi 'na o Maenclochog.

MARGED: Ie.

NED: Reit 'chan.

WIL: Rho'r samon ar y ford — paid a'i ddala fe yn dy law man 'na fel ta ge yn mynd i redeg bant. *(Sŵn samon yn cael ei osod ar y ford).*

MARGED: Weloch chi ddim y bailiff 'te?

NED: Naddo, ... mae e' yn i slippers heno yn darllen y Teligraff a hanes y bois 'na gas i dala yn saethu'r pwlle lawr sha'r Gelli.

MARGED: Paid â bod yn rhy siŵr, Ned. Wêdd e'n siarad â'r scwlyn am bump o'r gloch, a phan ath e' bant, ath e' ddim am y stashion.

WIL: *(Yn wenwynllyd).* Ma' rhywun pwysicach na'r bailiff ma nawr. Cofia mod i wedi gwlychu ... Marged! ... Dere â throwser i fi ... a sane ... a phans.

MARGED: *(Yn gwta).* Iwsa dy lyged, 'nei di? Ma'r trowser ar y lein uwch dy ben di ... a ma'r pants a'r sane yn y ffwrn ... A 'sdim ishe iti fod mor ddihidans obiti'r bailiff – ti fydde'r cachgi penna' pebae'r bailiff ddim ond yn gweud "Shwt ichi heddi?" wrthot ti ar hyd dydd gole ... Fe redest getre pentigili pan welest ti ddyn dierth yn cered ar lan yr afon bythewnos 'nôl.

WIL: Marged! Rho'n 'sgidie i naill ochor nawr te ... dyna ferch fach dda ... a phaid â dannod rhyw bethe dwl nawr ... cofia, dyna beth achosodd "lock-jaw" i Mari Penrhiw ... a ... a mae' gên hi ar dro byth.

MARGED: Ti fydd y cynta i ga'l loc-jaw yn y tŷ 'ma – mae dy wmed di yn mynd mas o siap i gyd wrth siarad a chnoi baco.

NED: Beth am bwyso'r samon, Marged?

WIL: Ie, pwyswch e'.

MARGED: Reit, cydia yn y dafol, Ned. *(Sŵn cadwyni'r dafol)*

NED: Diawch! Dyw e' ddim yn ddeunaw pownd.

WIL: Faint yw e' te?

MARGED: Pwmtheg a hanner.

WIL: Ie, ’na fe.

NED: We ni’n meddwl fod e’n rhagor ’fyd.

WIL: Ma tipyn o dwyll yndi nhw. Bydd yn rhaid iti gynnu sawl ffagal ’to cyn geso pwyse samon yn iawn. Ma’ tipyn o dwyll yn y boi, yn enwedig os byddi di wedi gario fe am sbel.

NED: Mae’n dda i gal un pwmtheg a hanner.

MARGED: Ma’ samon bach yn neisach na samon mowr.

WIL: Tor e’n i hanner, Marged, a paca hanner Ned, iddo gal mynd ag e’ gydag e’ ... Falle fod ishe hogi tipyn ar y gylleth, rho’r garreg i Ned, fe wneith e’ ’ny. *(Sŵn hogi cyllell).*

NED: Dyma hi, Marged, ma’ digon o awch arni i hollti blewyn.

MARGED: Diolch. *(Sŵn cerdded yn dyfod at y tŷ).*

WIL: Jawch! Ma’ rhywun yn dwâd ... Hisht! ... Cwata’r samon, Marged ... Cer ag e’ i’r gegin gewn. *(Sŵn cnoc wrth y drws)* ... Pasa’r llyfr emyne o’r ffenest, Ned.

(Wil yn treio canu ... “Calon lan yn llawn daioni” Cnoc wrth y drws eto).

WIL: Cer i’r drws, Marged, ma’ ... ma’ rhywun ’na. *(Wil yn mwmian eto).*

MARGED: Hylo. Shwt ichi heno?

Mr LEWIS; Shwt ichi ’ma heno, Mrs Williams?

MARGED: O chi Mr Lewis sy ’ma. Dewch miwn. Dewch miwn. Mr Lewis y Gweinidog sy ’ma. *(Wil, Ned a Marged yn chwerthin).*

Mr LEWIS: Shwt ichi ’ma i gyd? Gwelaf eich bod yn hapus iawn yma beth bynnag. Beth yw’r hwyl?

WIL: Shteddwch, shteddwch, Mr Lewis. I ni’n falch i’ch gweld chi ... ie’n falch mai chi sy ’ma. Weda’i wrtho chi ’nawr shwt mae wedi bod ... ma’ Ned a finne wedi bod mas ar yr afon ar ôl samwn bach, a ma’r bailiff obiti ’ma heddi. Pan glywson ni’r gnoc ar y drws, gesso ni dipyn bach o ofon ... we ni’n meddwl mai fe wêdd e’, falle. Dyna pam we cwmint o wylltu ’ma. Ond ma popeth yn reit nawr trw ma’ chi sy ’ma. *(Y pedwar yn chwerthin).*

Mr LEWIS: Falle wir. Ond pwy oedd yn ceisio canu ’ma? *(Chwerthin eto).*

WIL: O, fi wêdd yn treio tiwno tipyn. Pebae’n digwydd mai’r bailiff we wrth y drws, we ni yn mynd i weyd wrtho bod i wedi bod man hyn trw’r nos yn dewish tone at y Gymanfa Ganu. *(Chwerthin).*

Mr LEWIS: Da iawn, yn wir.

MARGED: Da iawn yn wir, Mr Lewis. Meddyliwch am y ddou ffŵl ma yn canu 'Calon lân' , a'r Llyfr Emyne gydag e ... a 'dyw Calon Lân ddim yn y llyfr o gwbwl.

WIL: Ie, ond Sais yw'r bailiff, Marged, a bydde fe ddim yn gwbod y gwahaniaeth rhwng Calon Lân a Glanwydden.

NED: Wel, bachan, dyna beth od. Dyna beth od iti sôn am y dôn Glanwydden nawr. Dyma'r dudalen, a beth wyt ti'n feddwl yw'r air sy o dani ... "Ar lan yr afon rhodio'r wyf, Gan geisio lle i'w chroesi".

Mr LEWIS: Falle wir, William. Trawiadol iawn. Mae llawer o bethau rhyfedd mewn bywyd ... Feddylies i erioed fod gwaith bailiff mor anodd. 'Rwyn dychmygu fod dal eog yn dipyn o gamp, ond wir, mi welaf fod dal potsiar yn fwy anodd byth.

WIL: Fuoch chi yn treio dala samon erioed, Mr Lewis?

Mr LEWIS: Naddo, William, ond rwy' wedi codi ambell frithyll.

MARGED: Naddo, sownd. Beth wyt ti'n feddwl yw pregethwr, Wil?

WIL: Ie, ond ma'r Beibl yn gweyd mai pysgota yw'i gwaith nhw, Marged.

Mr LEWIS: Cywir, William, ond does dim hawl defnyddio dryfer chwaith.

WIL: Fydd hi ddim yn ddrwg i iwso dryfer at ambell un chwaith.

Mr LEWIS: Wel wir, William, dyna'r unig ffordd i gael gafael ar ambell i hen wag.

WIL: Wnewch chi ddim gwrthod sleishyn o samon, Mr Lewis?

Mr LEWIS: Na fuaswn, na fuaswn siŵr, William.

WIL: Cer i baco sleishyn bach o'r samon 'na heno i Mr Lewis, iddo ga'l brecwast yn iawn bore fory.

MARGED: Reit.

Mr LEWIS: Diolch yn fawr. Fe fydd blas tipyn o ramant annisgwyl arno hefyd, oblegid digwydd galw wnes i ar y ffordd o bwyllgor y "Nursing Association". *(Sŵn hogi cyllell).*

NED: Hei, Marged, torrwch sleishyn o'n hanner i hefyd, er mwyn iddo ga'l 'i flas e'n reit.

Mr LEWIS: Peidiwch â bod yn rhy hael nawr.

NED: Popeth yn iawn, Mr Lewis.

MARGED: Wel, dyma fe, Mr Lewis, bydd yn bryd bach teidi ichi a Mrs Lewis.

Mr LEWIS: Diolch yn fawr. Fe gaiff Mrs Lewis ddiolch i chi eto ... Rhaid imi fynd nawr ... Diolch yn fawr ... Nos da.

WIL: Stymog dda, nawr te, Mr Lewis.

Mr LEWIS: Ie wir.

NED: Fe ddawai i gyda chi hefyd, Mr Lewis.

MARGED: Dyma dy hanner samon di, Ned.

NED: Fe geith hwn fynd o dan y got 'ma nawr ... Nos da.

WIL: Wel, nos da i'ch dou ... a diolch am alw, Mr Lewis. *(Y naill yn cyfnewid nos da a'r llall ... a sŵn cerdded ... y drws yn cau.)*

MARGED: Dyn bach neis yw Mr Lewis, mae e'r un peth bob amser.

WIL: Odi, whare teg iddo ... O ie, Marged, p'un hanner o'r samon roiest ti i Ned?

MARGED: Hanner y gwt, wrth gwrs. Pam?

WIL: Popeth yn iawn, Marged fach ... Dere â swper nawr 'te ... ma' twll yn y stymog ma ... fe allwn i fyta samon cyfan heno.

DIWEDD

The above is a one act play titled 'Poaching' written by the Rev E. Llwyd Williams in the local dialect.

Marged derides her husband, Wil, as he forever sharpens his pronged spear ready to go poaching. The sound grates her teeth and she warns Wil that the bailiff had been seen in the area earlier in the day. Ned, the neighbour, calls and beckons Wil to accompany him to catch a salmon he has just seen in the river nearby. Off they both go despite Marged's protestations. They can then be heard off-stage spearing a salmon. A light is seen in the distance and fearing it might be the bailiff both are careful not to be seen. The light turns out to be that of a van which call's at Wil's home. When they arrive at the cottage Wil ventures in first to find out whether the caller was the bailiff. When told it was only the egg collector he summons Ned in with the 15½lb salmon. The sound of approaching feet can be heard outside. The salmon is hidden and the two poachers start singing hymns. The visitor turns out to be the preacher. Following some discussion the Rev Lewis leaves for home with half of the caught salmon in his possession.

We do not know whether the drama was ever produced when it was written but it was performed on two occasions fairly recently by Clychau Clochog Drama Company when a real spear and a real salmon were, of course, used as props. The drama reflects how integral a part of life poaching was along the Eastern Cleddau until the latter part of the last century.

Siop Wil Kings a Diwrnod Dyrnu

Islwyn John

Bob bore yn ystod yr wythnos wedi iddo ddibennu godro ym Mhlas-y-blode bydde Wil Phillips yn mynd draw i'w siop ar Sgwâr Kings Cross, Rhos-fach, whap wedi wyth o'r gloch i agor ei siop. Roedd y siop rhyw ergyd carreg o'r efail a'r post. Yn ei hymyl roedd sied flawd Wil George, y masnachwr o Faenclochog, yn ogystal â garej Tom Jones, Pengawse, a ddefnyddiai ei lorri i gludo cerrig i stashon Maenclochog cyn i'r dirwasgiad gau chwarel Llandeilo yn y 1920au. Roedd yna dipyn o brysurdeb ar y sgwâr a hwyrach mai dyna pam y'i gelwid yn Kings Cross – roedd Charing Cross wedyn draw yn Llangolman.

Sied sinc oedd siop Wil Plas-y-blode, wedi dod o Lanelli yn ôl pob tebyg, ag iddi un ystafell yn y tu blaen wedi'i hastellu i ddal nwydde angenrheidiol cefn gwlad. Roedd wyau a menyn wedyn yn cael eu cadw yn yr ystafell gefn, wedi'u casglu o'r ffermydd cyfagos, yn barod i'w gwerthu mlân i ardaloedd y gweithfeydd yn ôl pob tebyg. O bryd i'w gilydd deuai'r sipsiwn ar eu tro gan godi eu haelwyd ar gornel y rhos. Byddai'r sgwâr wrth reswm yn fan cyfarfod i'r gymdogaeth gyfan er mwyn cyfnewid newyddion y dydd a chwedleua. Adwaenai Wil ei gwsmeriaid yn dda cyn belled â phen y Fwêl a hynny'n cynnwys eu ffaeledde yn ogystal â'u rhagoriaethe. Gwyddai pa rai o blith y gwragedd na ddeuai i fyny i'r marc am eu bod yn prynu 'bara parod' yn hytrach na phrynu hanner sach o gan a berem a bwrw ati i bobi getre. Fel y deuai'r cwsmeriaid at y drws tebyg y gwyddai'n union beth fyddai eu negeseuon bob tro.

Un o'r cwsmeriaid mwyaf rheolaidd oedd Morys Davies a hynny bob yn ail fore i moyn ei owns o faco. Mewn tyddyn bach o'r enw Trafel gerllaw roedd e a'i wraig, Lis – whâr Wil Glynsaithmaen – yn byw ond byddai Morys fynychaf yn croesi'r weun at ei hen gartref, fferm Y Dyffryn, cyn diwedd y bore i roi help llaw. Pleser oedd ei weld yn cyrraedd y siop am y gwyddai pa gwsmer arall fyddai yno ar yr un pryd y cai glywed rhyw sylw athronyddol neu stori sbagal. Bydde Wil yn rhoi'r owns o faco ar y cownter.

"Shwt ma Lis 'da ti heddi?" fydde'r cyfarchiad.

Ychydig ynghynt fe fu Lis yn yr ysbyty ar ôl iddi dorri ei braich a doedd yr asgwrn ddim wedi setlo cystal â'r disgwyl. Sychodd Morys ei swche â chefen ei law.

"Wel, wyt ti'n gwbod Wil, ti'n cofio'r flwyddyn honno pan gwmpes i oddi ar gewn y gaseg a thorri nghwês yn ddrwg, wel, synni hi wedi bod yn iawn ers 'ni. A synnon ni'n dou wedi ca'l fowr o lwc yn yr hen fyd 'ma. Cheson ni ddim plant t'wel. I ni wedi ca'l dou pen llinyn ynghyd, fel wyt ti'n gwbod. Ond ma ngwês i'n gwynegu o hyd pan ma'r towy yn troi. Ond gofyn am hanes Lis oet ti wsgwrs, wel, cas hi nosweth ofnadw neithwr. Fel na ma hi t'wel pan fydd y towy'n codi fel ma hi bore ma wrth i'r tarth godi oddi ar y Fwêl. Ond wedyn t'wel ceson ni ddigon o fwyd a baco a bywyd yn hapus ddigon o ystyried yr hyn sy 'da ni. A wyt ti'n gwbod Wil, rhwng y ddou o ni, i ni'n gwbod yn iawn beth yw'r towy i ddod t'wel".

Ymhen blynyddoedd, wedi i Lis fynd i'w bedd, fe gwrddais â Morys wrth ymyl y Gors Fowr. Erbyn hynny roedd wedi dychwelyd i'w hen gartref yn Y Dyffryn. Er ychydig yn llesg, daliai ei ysbryd yn ddireidus ddigon. Poni oedd ei gwmni a hwnnw'n pori ger y ffos yn jycos ddigon yn disgwyl gorchymyn ei feistr i fynd sha thre.

Dathlu coroni'r brenin yn Rhos-fach ym 1911

“Y’ch chi’n gweld Cerrig y Marchogion ar frig y gorwel draw Morys? Ma nhw’n gweud fod Arthur wedi towlu’r rheina o glos Y Dyffryn i fan draw,” myntwn wrtho.

Cydiodd Morys yn ffrwyn a chwilio am dwmpath er mwyn codi ei hun ar ei fol ar gewn y poni a thowlu ei goes drosti cyn cynnig sylw.

“Y gwir yw t’wel, towle fe ddim plisgyn wy t’wel.”

Gyda hynny rhoddodd sawdl i’r poni gan ddymuno ‘noswaith dda’ a bant ag e i’r cyfnos wedi dweud ei farn yn ddiflewyn ar dafod am gampau honedig y Brenin Arthur.

Celebrating the king’s coronation at Rhos-fach in 1911

Gofid pob amaethwr pan fydd yn codi yn y bore yw hynt y tywydd. Pan mae'r rhagolygon yn dweud y bydd hi'n sych, wel, mae'n haws mynd ati i dorchi llewys. Doedd gwaith yr hydref ddim yn eithriad a'r gobaith oedd cael diwrnod tawel a golau ar gyfer y ddefod o ddyrnu ŷd.

Gan fod y peiriant dyrnu wedi'i osod wrth y rhic lafur y noson gynt nid oedd gormod i'w wneud yn y bore. Rhaid oedd tynnu'r fantell gynfas a oedd yn cadw'r peiriant Clayton yn ddiddos a thynnu'r sypynnau gwellt a fyddai'n gwneud cefn i'r fantell a goledd i'r dŵr glaw ymadael. Byddai angen diferyn o sâm ac olew ar y peiriant o amgylch y troellau a fyddai'n gwneud i'r dyrnwr droi ac yna fflangelli, ysgwyd a dawnsio'r cnwd i gasglu'r grawn wrth y gwelltyn. Wedyn rhaid i'r peiriant wyntyllu'r tsiaff wrth yr us ac wedyn rhannu'r us wrth y grawn.

Cyn naw o'r gloch byddai'r strapen yrru yn cysylltu'r International â'r dyrnwr a phob peth yn barod ac yn araf droi. Dyma'r peiriant a ddisodlodd yr hen injan stêm - *y traction engine* - y byddai angen ei fwydo â choed a glo a dŵr a chodi'n fore i gynnau'r tân a chodi'r dŵr yn stêm cyn dechrau ar unrhyw waith. Pan gollwyd yr injan stêm fe gollwyd hefyd yr arogl arbennig oedd yn gysylltiedig â hi. Cawsech yr un arogl hefyd wrth ymyl 'steam roller' neu'r trên pan fyddai'n sefyll wrth y stesion i'w lenwi â dŵr. Yn fwy na dim collwyd yr hwter stêm a daenai neges ar draws y fro yn cyhoeddi fod y gwaith ar fin dechre gan alw'r tîm at eu gwaith. Byddai cân yr hwter ar y gwynt yn swyno'r fro.

Y ffermwr fydde'n rhannu'r dyletswydde rhwng y cymdogion a'u trefnu at beth a beth. 'Ewch chi at y sgube' a gwae'r pitsiwr na fydde'n gosod bôn yr ysgub at y bocs bwydo a hwyluso torri'r gorden a'r tywys i'r drwm.

'Gewch chi'ch pedwar fynd i ben mashin.'

'Ewch chi'ch pedwar ifanc, cryf, at y pitsio gwellt.'

'A'r tri hynaf wedyn i ben y rhic wellt bois.'

Hen foi henach wedyn oedd yn cael gofalaeth am y rhic a'i thrwsio a gwneud yn siŵr y bydde'n sefyll heb wyro. Pe bai'r rhic yn digwydd syrthio chese fe byth glywed diwedd y stori drallod.

O ben arall y peiriant deuai'r grawn wedi ei stwmpio a'i nithio a'i lanhau ac wedyn ei arllwys i sache. Rhaid oedd cael pedwarawd cryf o gorff i drafod y rhain – pedwar winshin i bob sach o geirch yn pwyso can pwys a hanner a'u cario ar draws y clos ac i'r llofft storws dros risie o gerrig dwfn. Roedd yna ddefod ynghylch cludo'r us – sef y deunydd ysgafn o gymharu â'r gwellt a oedd yn dipyn trymach – ac ni fyddai neb ond y ffermwr a'i deulu yn ei gludo. Byddai yna ddywediad ar lafar gwlad fod hwn a hwn wedi dod mas gyda'r us a fyddai'n cyfleu'r un ystyr â'r dywediad fod hwn a hwn heb fod i bendraw'r ffwrn. Cedwid at yr hen ddefodau hyn.

Bydde'r gwaith yn dechre chwap wedi naw pan fydde'r criw wedi crynhoi ynghyd. Wrth godi cyflymdra'r strapen bydde'r International yn rhoi peswchad gref drwy'r bibell wrth ymateb i'r gwaith a 'bant â'r cart' fyddai hi wedyn. Clywid sŵn hwmial y gwynt yn llifo trwy'r siaceri a'r gwagre ac yna'r sgube'n newid ychydig ar y cywair wrth iddyn nhw ddisgyn i'r drwm.

Bydde'r dyrnwr yn ymweld â phob un o'r ffermydd yn eu tro a'r cymdogion yn sicrhau y byddai yna ddigon o ddwylo wrth law i hwyluso'r gwaith caled. Bydde'r gwragedd yn paratoi cinio o gig, erfin, tato a grefi a photen reis i ddilyn a digonedd o de. Roedd yn ginio dydd Sul o bryd ond heb swancyn yr ystafell fwrdd. Ond os nad oedd digon o ddwylo ar gael i gadw'r dyrnwr i droi dros gyfnod y cinio, bernid na fydde'r diwrnod yn llwyddiant felly.

'A eiff eich hanner chi nawr i ginio 'te bois,' fydde'r gri.

Mae llawer heddi'n clodfori'r dyddie cymdogol ac yn hiraethu amdanyn nhw o sylweddoli eu bod wedi diflannu am byth. Onid pob un â'i gryman yw hi nawr neu yn gywirach pob un â'i matbro?

Islwyn John yw'r baban yng nghôl ei dad. Y Parchedig Thomas Phillips, Bloomsbury, Llundain, yw'r gŵr sy'n gwisgo coler a thei. Mae'r criw wedi ymgynull yn Rhydiau-bach, Llangolman, ar adeg cynhaeaf gwair.

Islwyn John remembers the hustle and bustle at Kings Cross on Rhos-fach Square in the 1930s. 'Kings' was in fact a zinc shed where Will Phillips, Plas-y-blodau, kept a shop selling all the wares required in a country area at that time. There was also a smithy and a post office within a stone's throw, as well as a flour store owned by Will George, a Maenclochog merchant, and a garage where Tom Jones, Pengawse, kept his Model T Ford lorry, which he used to carry stones to Maenclochog station prior to the closure of Llandeilo quarry in the 1920s. This is where the folk of the area would meet on a daily basis to exchange news and gossip, and perhaps that is why it was known as Kings Cross. Down the road in Llangolman the square was known as Charing Cross.

Will Kings invariably knew what his regular customers would buy as they walked through the door. One of those was Morys Davies, Trafel, who would call for his ounce of tobacco every other morning, and invariably engage in conversation with whoever was to be seen. Islwyn remembers engaging him in conversation when he told him that the stones of Cerrig y Marchogion had allegedly been thrown onto the mountain from Dyffryn farm nearby, which was Morys' family home. Morys caught hold of his pony's reigns and clambered onto her back before venturing his reply – 'The truth is he wouldn't have thrown an egg shell,' and thus debunked the myth about King Arthur's local exploits in one short quip.

Islwyn John had a threshing machine up until the late 1950s and he relates the preparations for the threshing day, when all the neighbours would give a helping hand on each farm in turn. The thresher would be in place the previous evening so that an early start could be made in the morning, soon after nine o'clock, when the host farmer would designate various jobs. Islwyn laments the demise of the old traction engine in use previously that had to be fed with wood, coal and water, and whose hooter would be heard for miles around, and would produce a distinctive smell. The women would provide a hearty lunch and if there wasn't enough manpower to keep the thresher turning during the lunch-break it would not be judged to be a successful day. Woe betide the person in charge of the corn-rick, if for some reason it capsized, as he would never hear the end of the calamity.

The Red Phone Box and the Sharkey Chapbook

John Sharkey

Some time back when British Telecom announced it wanted to cull thousands of public kiosks I kicked up a fuss. I argued that the red box located between Waun-lwyd and Nant-y-coi was part of the architecture of the road and was used by cyclists and walkers. Furthermore, the area was a black spot for mobile phones. Now it no longer takes coins but has an e-mail facility. According to the internet, some similar kiosks have become rather iconic; one with a library in it, a 'green' kiosk, a Banksy graffiti kiosk, and Tom Jones stepping out of one next to his pool in Bell Aire, California – so we are quite fortunate in Mynachlog-ddu to be in such company.

When friends want to visit, or if driving from further afield and needing directions, I often say, "Pull into the lay-by at the red phone box on the mountain road below Carn Meini." For those into archaeology or Welsh prehistory I might mention Stonehenge, for they can see the possible site where the 'bluestones' originally came from. Clearly visible from the road is the largest of three distinctive stony hilltops that look like squashed current buns. And since much of the intervening conifer forestry has been cut down during the past few years, it might appear to be an easy walk to the top of the ridge.

However, to avoid damaging fences or trekking across peoples' land, the best way up is nearer to Mynachlog-ddu itself. An easy bridle path takes you from Maes-yr-efydd through three or four gates, past Carn Arthur on your left, and a final stroll up to the mountain. Close to, it looks as if the entire Carn Meini site has been blasted outward by a major earth upheaval. There are enough stones lying scattered here to give rise to the idea that they were simply collected by ancient Britons and taken by rafts to Stonehenge. Brian John in a recent book, *The Bluestone Enigma*, opts for the alternative explanation of them being carried to the West Country by the effects of ice.

My own opinion is a mixture of both; that the stones were trapped below here during a cold pre-glacial era and were later covered by the more recent Ice Age and when it finally melted, the reformed land, which is roughly as we see it now, left a gully marked on the map as Rhestr Gerrig – the Way or more aptly the River of Stones. Often covered by water spreading south to the edge of the village, vast numbers of suitably shaped and smooth dolerite blocks are visible.

Completely by accident, as I skipped and jumped over this stretch of water, the fact that there were so many 'bluestones' still readily available in one place immediately answered a conundrum I had in relation to the massive internal disturbance of Carn Meini itself and the obvious difficulty of gathering such stones from what was probably then a densely wooded hillside. Since the 1920's the coarse grained dolerites have been geologically pinpointed to here, while the Carn Alw tor on the north side is composed of rhyolite, a finer grained volcanic rock. Both types of stone were incorporated into the original Stonehenge monument. This scenario was the culmination of a film script I wrote called *Rays of Light* and based on the sacred prehistoric landscapes of Britain, with Adrian Wagner of Cenarth who directed and wrote the music.

I have been scouting this area for over twenty years, first living at Glan-rhyd, near Nevern, and more recently here at Nant-y-coy stone cottage, but to describe what it is that holds me here is beyond words. Perhaps it is the nearest place to the Ireland where I was born and left as an adult. And what I found here in West Wales is the same 'look' of the landscape; the 'feel' of the language and an imaginative grasp of unseen realities. For each time I begin a new book or do a 'walk', it is almost as if the land itself has undergone subtle and marked changes while I have been away from it.

Writing for me is a physical activity to keep in touch with this natural world, whether on foot or listening to local stories or delving into old books. With my first book hereabouts, exploring what remains of the old pilgrim paths, I began it with all kinds of received ideas as well as the sort of book it was going to be. After spending some years tramping about, as I realized then, just getting to know the area, but without interest from established publishers, I thought that if it was going to be a self-publishing job, different from previous books such as *Celtic Mysteries* that was translated into many languages, even Japanese, then I could do it in whatever form or style I wanted.

All writers at some stage have the problem of the monkey on the shoulder, whispering loudly that this is the right and proper mode to follow. Since I don't write fiction there were no prizes or big money to think about, yet allowing this strange and often troubled land to be a guiding principle was a hard path to follow. *The Pilgrim Ways* that eventually emerged in 1994, under its sub-title of the grand pilgrimage to St. Davids, was a handbook with delightful drawings by Elizabeth Cox. It was only later I realized that the extent of the region involved, from the Teifi estuary to St. Davids itself, enclosed by the range of the hills and the surrounding sea, was roughly the size of some of the islands I got to know in the Outer Hebrides. So in a sense I had carried a prototype of an ideal landscape in my head, one that continues to peep through much of my life here up to the present.

I have always been a city person, but I realize that I have spent most of my time in the western hinterlands of Britain, from Cornwall to the Orkney Islands, in part due to the rhythms of language, but mainly it was an intense interest in what we have lost of our ethnic history that spans thousands of years. I looked at the old stories, the ancient myths, folklore, standing stones and holy wells. My interest in Celtic crosses and earlier megalithic arts were explored in two later works published by Gwasg Carreg Gwalch and helped by the design work and photography of Maura Hazelden.

However, to reach the estranged echoes of language in the head, precisely in the most direct and imaginative way possible, often takes years of round-and-about effort. *The Medicine Tree*, published in 2009 by Llanerch Press, is a case in point. I had been working on it during my travels around Britain long before I got to Mynachlog-ddu. Wherever I stopped for a while I would check out the local library with its often unread book journals and quaint histories, especially of the old healing arts. It was never a systematic business but rather a matter of just filling in notebooks with whatever I thought was interesting. Later on I began to see the close connections in terms of medicine between different areas and over long periods of time.

Yet, it was difficult to make sense of so much arcane information that often appeared to be just a mad crazy time-wasting private exercise, especially when trying to write the books that could be described as more mainstream. Occasionally I did manage to interest some editors with different scenarios under the general headings of Celtic, Scottish, Anglo-Saxon, Irish and even Welsh healing; but all to no avail, for I was trying to make a continuous historical and medical scenario out of the bits and bobs I had collected for so many years. The breakthrough came when, in effect, I had given up.

In 2007 I was checking on the visits of the 17th century botanist, Edward Lhuyd, to Glasgow and Edinburgh when I came across some chapbooks in the museum. It was a popular form of a people's book with woodcuts prior to the 16th century in Germany and later on in America. I also picked up a little book by Isabel Cameron on the 'Chapbook Man', Dougal Graham, who was a peddler, a printer and a journalist who had followed the army of Bonnie Prince Charlie. His own chapbook on this historical disaster was a best seller and so he became a pioneer of the cheap literature movement in Scotland at that time. When I got back home I found a Christmas card from my publisher cancelling an agreed biography on Lhuyd. After I got over that shock I began to realize that the knowledge I had collected all these years could be turned into a modern chapbook.

It became, in fact, a Sharkey chapbook of Welsh traditional medicine from pre-history to the present, covering the plagues of the early to late Medieval period, the healing powers of Welsh saints associated with sacred sites as well as sections on spells, herbs, wizardry, cancer cures and the relation of medicine and law. As a different kind of history of Wales, *The Medicine Tree* provides an insightful glance into the lives of its people. Packed with fascinating detail, it is both an enjoyable read and a scholarly work, with substantial notes that includes as an appendix, the original plant and herb list reproduced from the 1861 edition of *Meddygon Myddfai*, the natural remedies of those physicians from Myddfai near Llandovery.

O Gaerdydd i Fynachlog-ddu

John Davies

Ym mis Ebrill 1990 symudodd fy ngwraig, Valmai, a finnau o Gaerdydd i Fynachlog-ddu. Roedden ni wedi prynu tŷ yn y pentref o'r enw Maes-yr-efydd, tŷ hen ffasiwn, traddodiadol gyda gardd a pharc bach ar bwys. Adeiladwyd y tŷ gan saer o'r enw Dai Lewis. Fe oedd y 'Lewis' yn y cwmni adeiladu lleol 'Young Brothers and Lewis'. Ei weddw, Martha Jane, a oedd yn cael ei hadnabod fel 'Anti Bash', oedd yn gwerthu'r tŷ am ei fod yn rhy fawr i fenyw yn ei hwythdegau ac fe symudodd hi i fyw mewn byngalo yng Nghrymych

Codwyd Maes-yr-efydd yn y 1930au ac roedd ei gynnwys yn adlewyrchu ffordd o fyw a oedd yn prysur ddiflannu erbyn y 1990au. Roedd llefydd tân agored ymhob ystafell, Rayburn yn yr ystafell gefn a'r sinc, lle fyddai Anti Bash yn golchi llestri, mewn *lean-to* bach wrth y drws cefn wedi ei adeiladu o sinc, ac roedd rhaid mynd trwy'r ystafell fach hon i fynd mas trwy'r drws cefn. Doedd dim digon o le i fwy nac un person ar y tro i sefyll yn y *lean-to* ond dyma oedd yr unig sinc lawr llawr yn y tŷ.

Wrth ymyl y tŷ roedd gweithdy Mr Lewis gyda thomen o lo mewn un cornel a phentwr o goed mewn cornel arall. Sylwais ar siâp rhyfedd y darnau pren a sylweddoli eu bod yr un siâp â chaeadau eirch. Dyma lle fyddai Dai Lewis yn gweithio eirch i bobl y pentref. Un peth arall dwi'n ei gofio am y sied oedd y darn mawr o goncrit ar y llawr ar bwys y drws gyda dau fachyn cryf o haearn yn sownd ynddo. Roedd pwmp llaw yn arfer sefyll ar y darn o goncrit ac yr oedd hwn yn cael ei ddefnyddio i bwmpio dŵr o'r ffynnon oedd ar ochr draw'r heol. Roedd y dŵr yn cael ei dynnu i danc oedd yn nho'r tŷ ac roedd pibell hir yn rhedeg o'r tanc trwy wal gefn y tŷ a'i phen yn dod mas uwchben yr ardd. Pan oedd y sawl oedd yn tynnu'r dŵr yn gweld y dŵr yn dod mas trwy'r bibell roeddynt yn gwybod bod y tanc yn llawn ac roedd hi'n bryd stopio pwmpio.

Roedd olion hen dwlc yn y parc bach a hefyd hen gwt ffowls oedd wedi mynd â'i ben iddo. Roedd garej fach sinc yn y parc â siâp rhyfedd arni, rhywbeth yn debyg i siâp tanc rhyfel. Dywedwyd wrthyf fod Mr Lewis wedi cael gafael ar un o'r bocsys mawr yr oedd yr Americanwyr yn eu defnyddio i ddod â'u tanciau draw i'r wlad hon yn ystod yr Ail Ryfel Byd ac wedi ei addasu i gadw ei gar. Bu miloedd o filwyr America yn ymarfer ar lethrau'r Preselau mewn paratoad am *D Day* ac mae eu hôl i'w gweld o hyd. Deuthum o hyd i hen siel danc yng nghlawdd Maes-yr-efydd, – darn o hanes y fro.

Fe aethon ati i newid y tŷ yn ôl ein mympwy ein hunain. Fe dynnon ni'r hen *lean-to* i lawr ac adeiladu cegin newydd, fe roddon ni wres canolog yn y tŷ ac fe adeiladon ni siediau newydd. Roeddwn ni fel newydd ddyfodiaid yn newid yr hen dŷ.

Wrth edrych y tu hwnt i gloddiau Maes-yr-efydd roedd yn debyg bod yr ardal yn profi newidiadau hefyd. Pan gyrhaeddon ni roedd yr ysgol yn dal ar agor ond roedd llai a llai o blant yn mynd yno ac o fewn ychydig o flynyddoedd caewyd ei drysau am y tro olaf. Bu pobl y pentref yn cyfeirio at 'Siop y Cnwc' fel canolfan bwysig yn y pentref ond roedd hi wedi cau erbyn i ni gyrraedd ac yn dŷ preifat. Am rai blynyddoedd roedd swyddfa bost yng nghanol y pentref yn gwerthu rhai nwyddau ond caeodd honno hefyd ar ôl ychydig o flynyddoedd. Mae'r siopau agosaf bellach naill ai yng Nghrymych neu Glandy Cross, tua thair milltir i ffwrdd.

Roedd economi'r plwyf yn seiliedig ar amaethyddiaeth ac mae'r newidiadau yn y ffordd o amaethu wedi effeithio'n fawr ar y gymdeithas. Ar un adeg roedd llawer o ffermydd bach yn cadw gwartheg godro, efallai cyn lleied â hanner dwsin o dda, a'r rheiny'n cynnal teuluoedd oedd yn eu tro yn cynnal y gymdeithas wledig. Pan gyrhaeddon ni'r pentref roedd tair neu bedair fferm yn parhau i odro yn cynnwys Tycwta a Glandy-bach ond bellach does dim un fferm yn y plwyf yn godro. Mae rhai o'r ffermydd bach wedi cael eu gwerthu i bobl o'r dinasoedd ond er eu bod nhw'n gartrefi hyfryd does dim modd gwneud bywoliaeth ohonynt trwy ffermio yn y ffordd draddodiadol. Mae'r stondinau llaeth sydd ar ben bron pob feidr yn sefyll fel tystion mud i ffordd o fyw ac i gymdeithas sydd wedi diflannu.

Ond yn rhyfedd, er bod sylfeini amaethyddiaeth yn edrych yn simsan, mae prisiau'r ffermydd fydd ar werth yn llawer rhy uchel i bobl ifanc lleol eu prynu. O'r herwydd mae oedran y ffermwyr sy'n dal ar ôl yn mynd yn hŷn o flwyddyn i flwyddyn. All hyn ddim bod yn beth da o safbwynt dyfodol y gymdeithas wledig. Rydym yn colli'r clytwaith o ffermydd bychain a fu'n fagwrfa i'r hen gymdeithas wledig, Cymraeg ei hiaith.

Mae sawl un o hyd yn y pentref sydd yn cofio'r hen ffordd o fyw. Cofiaf Trefor Evans, Clun, yn disgrifio sut fydden nhw'n casglu'r defaid o'r mynydd pan oedd e'n ifanc wrth iddo garlamu ar hyd y llethrau ar gefn ei boni. Pryd hynny roedd y diwrnod dod â'r defaid i lawr o ben y mynyddoedd yn ddiwrnod mawr, diwrnod y 'stra'. Byddai'r bugeiliaid a'r ffermwyr yn dod at ei gilydd i ddidoli'r defaid a nodi eu clustiau gyda'u marciau eu hunain. Pan gyrhaeddon ni Fynachlog-ddu ym 1990 dim ond bugail Glynsaithmaen, Len Jones, oedd yn dal i fugeilio ar gefn ceffyl ac y mae e bellach yn gorffwys gyda'u dadau. Mae'r ffermwyr heddiw yn defnyddio eu cwads sydd efallai yn fwy ymarferol na cheffylau ond . . .

Cyn i ni symud i Fynachlog-ddu roeddem wedi clywed am Waldo ac wedi darllen ei gerdd 'Cofio' ond wyddem ni fawr ddim am ei hanes. Fuon ni ddim yma'n hir cyn i ni ddysgu llawer mwy am y bardd a'i gysylltiadau agos gyda'r ardal. Mae'r garreg ar y rhos yn gofeb iddo ac mae'n lleoliad cyfareddol, yng nghanol y bryniau a oedd mor bwysig i Waldo. Pan fyddwch chi'n crwydro'r tir neu'n dringo i ben Caermeini mae'n hawdd dychmygu eich bod chi'n dilyn ôl traed Waldo. Mae'r bobl leol yn dal i gofio amdano. Mae Eric John, Dolaunewydd, yn cofio am Waldo yn dysgu dosbarthiadau nos yn ysgol y pentref. Yn ôl Eric fyddai Waldo weithiau'n siarad yn huawdl ac yn ysbrydoledig ond weithiau byddai'n siarad â'r bin papur yng nghornel yr ystafell a bron yn anwybyddu'r dosbarth.

John Davies yn yr Ysgol Sul

Un o sefydliadau'r pentref dwi wedi ei werthfawrogi yw'r Ysgol Sul yng nghapel Bethel. Mae Llinos Penfold a Jill Lewis wedi gwneud gwaith gwych gyda phlant y pentref ers i ni fod yma. Rydw i'n bersonol yn arbennig o ddiolchgar i'r criw bach o oedolion yr Ysgol Sul sydd wedi bod mor oddefgar ohonof ac wedi bod mor fodlon i gynnwys rhywun o bant sy'n arddel cymaint o syniadau gwahanol yn eu trafodaethau. Efallai y byddai rhai yn meddwl am anghydffurfwyr Cymreig fel pobl gul sydd yn ofni wynebu sialensiau'r byd modern. Nid felly Ysgol Sul Bethel, gallwch ofyn unrhyw gwestiwn ar unrhyw bwnc a chewch drafodaeth ystyrlon a difyr. Dydyn ni ddim yn dod i gytundeb bob tro ond rydym yn gwyntyllu pob math o sefyllfaoedd ac yn dysgu llawer yn y broses. I Eric John, ei wraig, Megan, Hefin Parri-Roberts, Wyn Owens ac Elfair Jones y mae'r diolch fy mod yn mwynhau fy moreau Sul yng nghapel hardd Bethel.

Fel ymhobman arall yng Nghymru bron mae dylanwad y capel wedi lleihau dros y blynyddoedd. Pan oedd pawb yn y plwyf yn siarad Cymraeg a doedd dim setiau teledu ymhob tŷ, y capel oedd canolbwynt naturiol yr ardal. Erbyn heddiw mae'r siopau yn y trefi mawr ar agor ar ddydd Sul ac mae pobl yn gallu mynd unrhyw le y mynnent yn eu ceir ac yn sgil hyn mae llai o bobl yn mynychu'r capel.

Er hynny mae'r capel yn dal i fod yn elfen bwysig ym mywyd y pentref. Un o'r arferion sydd wedi goroesi hyd yn hyn yw'r Gymanfa Bwnc. Mae'r gymanfa hon yn unigryw i ogledd Sir Benfro. Mae Capel Bethel, Capel Rhydwilym a Chapel Login yn dod at ei gilydd adeg y Sulgwyn i gynnal y gwasanaeth. Diben y gwasanaeth yw trafod darn o'r ysgrythur sydd wedi'i ddewis gan y gweinidog ac aelodau pob un o'r tri chapel yn eu tro yn adrodd rhan o'r darn dewisedig. Mae Capel Bethel a Chapel Login yn adrodd eu darnau yn uchel o'r cyfieithiad newydd ond mae Capel Rhydwilym yn llafar ganu eu rhan o'r hen gyfieithiad mewn ffordd draddodiadol nad yw wedi newid ers canrifoedd. Bydd sŵn y llafar ganu yn atseinio'n hudolus trwy'r capel.

Ar ôl i'r capeli adrodd a llafar ganu mae'r gweinidog, y Parchg Eirian Wyn Lewis, yn arwain y drafodaeth gan roi cyfle i bawb sydd yn bresennol i gyfrannu. Mae rhai yn cyfrannu mwy na'r lleill ac mae rhaid i fi gyfaddef fy mod i'n tueddu i agor fy mhig yn eithaf cyson. Rydyn ni'n paratoi dwy gân i ganu yn ystod y

Pwnc ac er fy mod i'n mwynhau canu mae gennyf gywilydd nad ydw i'n gallu darllen sol-ffa a chadw at ran y baswyr. Rydw i'n ceisio sefyll ar bwys un o'r baswyr gorau, Dyfed Davies, Pantithel, a'i ddilyn ef gan obeithio nad ydw i'n ei faglu ef gyda fy nghamgymeriadau mynych.

Mae'n wir fod natur y gymdeithas wledig yn newid ymhobman a phobl yn gresynu gweld cymaint o hen draddodiadau ac arferion yn diflannu. Efallai bod hi'n anorfod bod hyn yn mynd i ddigwydd ond hoffwn weld Mynachlog-ddu yn cerdded ymlaen yn hyderus i'r dyfodol heb anghofio ei orffennol. Mae band eang yn y pentref heddiw a dydyn ni ddim mor ynysig ag y bu'r pentref hanner can mlynedd yn ôl. Mae llawer o bentrefwyr yn gorfod teithio i drefi fel Hwlffordd a Chaerfyrddin i weithio ac mae nifer fawr ohonom wedi bod dramor ar wyliau. Rydw i'n croesawu ehangu gorwelion ond un peth rydw i'n gresynu yw'r ffordd y mae'r iaith Gymraeg yn gwanhau o flwyddyn i flwyddyn yn yr ardal.

Mae llawer o'r bobl sydd yn symud i mewn i'r ardal heb unrhyw ddiddordeb yn yr iaith na pharch tuag ati. Er bod y rhan fwyaf o blant yr ardal yn mynychu ysgolion lleol ac yn derbyn eu haddysg trwy'r Gymraeg, pan fyddwch chi'n eu clywed nhw'n siarad â'i gilydd yn y siopau lleol yn anaml iawn y clywch nhw'n siarad Cymraeg. Bu ymgyrch pan symudon ni i Fynachlog-ddu i ddynodi Ysgol y Preseli yng Nghrymych fel ysgol ddwyieithog. Llwyddodd yr ymgyrch ond ers hynny mae'n amlwg nad ydy'r ysgol 'y mur' yr oeddwn i'n gobeithio y byddai i warchod y Gymraeg fel iaith gymunedol. Er hynny dwi'n gwybod am un o ffrindiau fy merch, Branwen, a oedd yn dod o gartref hollol Saesneg a aeth i Ysgol y Preseli ac sydd heddiw yn magu ei phlant trwy'r Gymraeg. Dydi hi ddim yn amhosibl ennill tir dros y Gymraeg ond mae rhaid i ni sydd yn caru'r iaith ei chefnogi ymhob ffordd posib.

Erbyn hyn rydym wedi symud o Faes-yr-efydd i dŷ mwy modern gyda llai o ardd, Golwg-y-grug, sydd wedi'i leoli rhyw chwarter milltir yn agosach at ganol yr ardal ger yr hen ysgol. Pâr ifanc brynodd Maes-yr-efydd, y ferch yn dod o Landysilio a'i gŵr yn dod o Aberdâr, ac maen nhw wedi gwneud eu newidiadau nhw i'r tŷ yn eu tro. Mae ganddyn nhw blentyn erbyn hyn ac unwaith eto bydd Cymraes fach yn cael ei magu ar aelwyd Maes-yr efydd.

Rydw i'n un o'r ffoaduriaid o'r dinasoedd mawr. Ces i fy magu ym Mhort Talbot ac roedden ni'n byw yng nghanol Caerdydd cyn i ni symud i Fynachlog-ddu. Efallai oherwydd hynny rydw i'n gwerthfawrogi'r tawelwch a'r awyr lân. Rydw i'n cofio un tro, pan oeddwn yn gweithio yng ngardd Maes-yr-efydd, clywed sŵn adenydd brân yn hedfan yn araf rhyw bum deg troedfedd uwch fy mhen. Fyddech chi byth wedi clywed y sŵn hwnnw yng Nghaerdydd neu Bort Talbot uwch dwndwr y traffig. Mae Mynachlog-ddu yn lle arbennig. Dwi'n ei theimlo hi'n fraint i gael byw yma.

John Davies moved to Maes-yr-efydd, with his wife, Valmai, from Cardiff in April 1990. They bought the property from an octogenarian widow, Martha Jane, known to all as 'Auntie Bash', who moved to a smaller bungalow in Crymych. The house had been built in the 1930s by Dai Lewis, her husband, who was a carpenter by trade, and many of the features – such as the open fireplaces in most rooms, a Rayburn and a washing sink in a zinc lean-to, built near the back-door – were by now outdated. Alterations had to be made – the lean-to was dismantled, a new kitchen built and central heating installed.

On inspecting the workshop John found a mound of coal in one corner and a pile of wood in another corner which, on closer inspection, he realised were mostly coffin covers. There was also a large concrete slab that used to hold a pump that would extract water from the well across the road to fill a tank, located underneath the eaves inside the house from which a pipe ran through the back wall to the garden. Whenever water came through the pipe it was the telltale sign that the tank was full and the pumping had to cease. Another unusual feature was the garage made from a tank-carrying carriage used by the United States Army to transport their tanks when they trained on the local mountain slopes during World War II.

It did not take John long to immerse himself in the life and history of the area. He laments the closure of the primary school within a few years of his arrival and even the stores at Cnwc, which had actually closed before his arrival. He saw a distinct change in the farming pattern, which has seen the demise of the milking industry locally when, at one time, even the smallest of farmsteads would keep half a dozen cows and eke a living to provide for the families, though probably compensated by working elsewhere as well. The empty milkstands are now a silent reminder of a far more busy lifestyle and of a community that has disappeared. Despite the precarious state of the farming industry, the asking price of the farmsteads when placed on the market are far above what local young people can afford, and as a result the average age of the remaining farmers becomes older year by year. John says the patchwork of small farms that was the backbone of the rural Welsh speaking community is being lost.

John treasures the memories shared by Trevor Evans, Clun, about the old ways and the annual sheep-gathering from the mountain when all the shepherds would be on their ponies. Alas, with the death of Len Jones, Glynsaithmaen, the last of the pony riding shepherds was lost and the quad riding shepherds took over, which was probably more practical than rounding up the flocks on horseback but ...

Another plus on moving to Mynachlog-ddu was the information gathered about the poet Waldo Williams, with whose poem 'Cofio' they were familiar. They imagined treading in his footsteps as they walked the wild moorlands and climbed Caer Meini. They listened intently to Eric John's reminiscences of attending the lectures delivered by Waldo locally, when sometimes he would be totally exhilarating but at other times he was so lacklustre it seemed as if he was lecturing to the waste paper basket.

John notes his debt to the Sunday School at Bethel, which he attends every Sunday morning, and marvels at the breadth of the debates, which reach a climax at the annual Whitsun Cymanfa Bwnc when the members of Bethel, Calfaria and Rhydwilym, each in turn, recite a chosen chapter before they are quizzed on its contents by the presiding minister. He commends Llinos Penfold and Jill Lewis for their work with the children and his fellow Sunday School stalwarts for putting up with his often idiosyncratic views. His efforts at singing the hymns or anthems at the Pwnc festival, as he cannot read sol-fa, depend entirely on standing next to a steady baser such as Dyfed Davies.

John accepts that the way of life is bound to change as traditions and habits disappear. Broadband means that the community is not as isolated as it was previously. The inhabitants inevitably travel to work to the more urban areas and spend their holidays abroad. He welcomes the widening of horizons but at the same time laments the gradual demise of the Welsh language. He cites that many of the people who move to the area have neither an interest nor respect for the language. Though most of the children attend schools where they are taught through the medium of Welsh, he hears little Welsh spoken by them when conversing with each other. He fears that Ysgol y Preseli has not proved to be the 'rampart', referred to by Waldo, that will ensure the future of Welsh as a community language. Though, at the same time, he accepts there is hope, because one of his daughters' friends, brought up in a non-Welsh speaking home, is now rearing her children through the medium of Welsh. He also cites the fact that the family who bought Maes-yr-efydd when he and his family moved to nearby Golwg-y-grug are also Welsh-speaking.

As he was brought up at Port Talbot and having lived in Cardiff, John appreciates the tranquility and clear air of Mynachlog-ddu. He well remembers the occasion when he was working in the garden and could hear a crow flapping its wings some fifty feet above, which would never have been possible at his previous abodes, where the sound of traffic was all-pervading. He concludes by stating that Mynachlog-ddu is a very special place where he is privileged to be setting down roots.

Dwalin and the Lost Dog Drama

Lloyd Mingham

30 DECEMBER 1994

Walked down the road to the quarry at 11 a.m. to find our locked gate taken off its hinges and thrown down on the driveway. I took the numbers of three vehicles parked nearby and then went on down to see if anyone was about and also to feed my black hen. No one was visible and no obvious footprints to be seen, so I came back up thinking I should phone the police, but I met a chap outside in the road who said they were looking for a lost dog since yesterday. I told him off for throwing the gate down and left him to his business.

Returned about 4 p.m. to find the gate back on and propped on the inside to keep it closed, went down across the road to the quarry pool. In the far corner a group of men were digging in the dark and they must have started yesterday by the amount of soil and rock moved. They didn't take any notice of me so I thought I must get down there in daylight tomorrow to warn them about the danger to children.

31 DECEMBER 1994

Up at 9.15 a.m. just in time to see a rain-coated figure at the door, his hood stood up in a tall peak and with his short stature and rain-beaten face I thought he looked like a dwarf, so I decided to call him Dwalin from the *Hobbit* story penned by J. R. Tolkien. He explained what they were doing and asked if they could carry on with the job. After breakfast I went down to see what they were doing on our side of the road. The entrance to the 9" pipe is located about 20 feet back from the end of our old engine house. They had already cleared an amazing amount of soil and rock.

Dwalin called at the house about 1.00 o'clock to say they had been unable to locate the dog, which had been chasing a fox, so they were going to contact a drainage firm to come and use a television camera in the pipe. Weather atrocious, heavy showers and occasional snow flurries. At 4.15 p.m. the drain-clearing van is parked down in the quarry, a portable generator is running and the cables string out in the tangle of briars and blackthorn. The camera has been propelled up the pipe for 42 metres under the road. Back in the van we have a picture on the screen of the back-end of the little dog crouching in the pipe. The dog does not appear to be injured or weak, although he has had no food or drink for three days. The diggers are quite unable to locate the other end of the pipe across the road, and there is some talk of pulling the camera out and sending it back in with some food taped on it. So I left them in the dark at 5.30 p.m.

1 JANUARY 1995

Very cold wind, sunny – light snow on the hills. No developments today with the lost dog drama.

2 JANUARY 1995

Walked down to the quarry about 9.45 a.m., met Dwalin and Lloyd Davies, Penrallt, walking up. I went on down to feed my hen and have a look at what, if anything, had been happening behind the old engine-house on our side of the road. They had brought a large wire mesh fox trap already baited with a grubby set of lights, and also they had assembled a quantity of drain rods, some of which were in the pipe.

I returned about 12.00 o'clock. Dwalin's car was parked down in the quarry outside the engine house and in the back were his two daughters, one about nine and the other perhaps twelve. He was sat in the front, waiting for his mates to bring some more drain rods. I asked the girls if they were happy; the young one said 'yes' and carried on colouring her book. The older one said she was bored and I reckoned she slept mostly, but they were remarkably well behaved.

Went down the road after lunch. Dwalin's car was now parked near the top just outside the gate; the girls were still cheerful. The men were working across the road near the quarry pool, quite near the steep bit under Bryn Arthur, and they had dug out quite an impressive amount of soil and rock trying to locate the exit to the pipe near the pool.

The little dog is called 'Gripper'. He has a transmitter fixed to his collar which sends out a constant bleep that can be picked up on a small adjustable receiver – to give a bearing on where the dog is trapped. The fox is also in the pipe but nearer to the diggers, and the little dog moves occasionally, making location yet more frustrating.

Dwalin owns the Bedlington terrier, apparently. Dwalin is a self-employed forester living at Nantgarw near Caerphilly, one and a half hours' drive away, but the other diggers come from far and wide on their life-saving mission.

I scrambled down to the diggings at two-hour intervals in case anything was needed. The men were working in their vests and old trousers with leggings, their skins scratched with briars and sharp slate stones, dirt falling on their hair, and they are plastered with mud as they take it in turn to lie flat in the diggings with their head in the crevices trying to locate the elusive pipe, occasional mini-avalanches of rubble bouncing off their backs and legs.

Quite dark at 5 15 p.m. when I came up again. I spoke to the girls in the car, offered some cocoa which they declined, and did not seem unhappy or scared sitting there in the dark on top of a quarry.

Back down in the hole the men had located two lots of pipes, both extensively damaged. They were working by the light of two dim torches on the edge of a deep pool. I had our torch, that made theirs look like glow-worms as they burrowed like moles, willing themselves to find the actual pipe, sweat trickling down their necks in the cold night air.

Three times I was astonished to find myself scrambling down and up the slippery rocks with my torch. I had made coffee for them, laced with whiskey, and some mince pies. They didn't talk a great deal and the darkness soon became intense low down, and as there was no moon they decided to pack up at 5.45 p.m. Those girls had been in the car since before eight this morning and by the time they got home it would be eight o'clock again. I watched as Dwalin opened the boot of his car and got out his mobile phone. Soon he could hear the small voice of his wife as he reassured her and said the girls were as good as gold; they were kneeling up on the back seat in the faint light of the boot lamp, listening with big eyes focused on their father, listening to their mother's voice out there in space. The diggers agreed to start again early in the morning; some of them are taking days off work it seems.

3 JANUARY 1995

They had started by 8.45 a.m. Extra diggers arrived from far and wide by 9 o'clock on a frosty morning in a bitter north wind.

Some went straight down to the quarry pool to see how things were shaping and others went down to the pipe entrance behind the engine house, where they pulled out the rods and attached a brand new transmitter to the end of the rods, on a different frequency to the dog's transmitter. The rods were pushed back in until they met resistance. Over the road the new transmitter gave a lead where to dig in the confusion of rock and broken pipe on the edge of the pool.

The work was now quite dangerous, with hefty lumps of the embankment threatening to collapse on top of the tunnellers. Dwalin lay on his stomach with just his legs showing as he probed and hacked at concrete and pipes while some kept guard on him, watching for a fall. The others explored other bits of pipe or cleared away behind Dwalin.

The men are all subdued in the still icy air. Then a faint movement and murmur and a funny face appeared among the rubble. Dwalin growled, "Got him, come here Grip, you've been in there long enough," and passed him to the nearest digger.

The dog was silent, blinking in the morning light. Everybody was smiling now as the pressure had eased. Grip was passed from man to man, each giving the dog an affectionate squeeze, and the last man stuffed the dog under his coat and scrambled off up the path to the road. It was just 9 45 a.m. I followed and watched as Grip was set down on the grass verge and the man fed him with small pieces of meat torn off a cooked turkey leg. "Nothing but the best for a hero," he said as he poured out a dish of hot thick soup. "We'll let that cool a bit and then see what else we've got," he told the dog. Grip finished the soup with a spoonful of whisky stirred in and then had a dish of milk, but by now his little legs were crumbling after so long in the icy tunnel.

The men picked up Grip, not much bigger than a small cat, and gently popped him into a transit cage in the car boot. The cage had just been vacated by a similar small terrier, so Grip had a warm bed, and the chap said he would give him a good bath when they got home and then let him lie under the infra-red lamp for a day or so.

The rest of the diggers had all come up by now, bringing the fox with them. It was dead but not injured. "Well there's the difference you see, old Grip there would stick it out for a month but a fox has got no heart or courage – he's a sneaky thief." They left the fox on the other side of the road while they gathered around Grip's cage and had breakfast – thick cheese and pickle sandwiches and lumps of pork pie washed down with tea and whisky and coffee and whisky while they discussed in low voices the rest of Gripper's family line and how each pup was worth anything up to £200 apiece.

They took the fox back down to the diggings and buried him as they tidied up and made it all safe in case of children playing about down there.

Lloyd and Margaret Mingham lived at Tyrch, Mynachlog-ddu. Both died in a car crash in 1999 at 77 and 67 years of age respectively. This six-day drama witnessed by Lloyd Mingham was probably associated with badger-baiting, as men would often descend on the area from the Valleys with terriers at around that time.

Cartrefu yn Llangolman

Ian Davies

Llangolman? Pam Llangolman? Mae sawl un yn gofyn beth yn union a'n harweiniodd ni i'r llecyn tawel hwn o ddaear Cymru.

At ei gilydd, hap a damwain a barodd i ni brynu byngalo yno, Ger-y-cwarre yn 2001. Gan mai brodor o Forgannwg ydw i doedd dim rheswm o gwbl pam y dylai'r enw Llangolman groesi fy ngorwelion. Ar y llaw arall, nôl tua 1970, roedd fy ngwraig a minnau a'n merch flwydd oed, Katrina, wedi mentro yn ein car cyntaf o Dalacharn, lle ro'n ni'n byw'r adeg honno, i ardal Abergwaun a cholli'r ffordd yn y nos a'r niwl rywle rhwng Maenclochog a Llandysilio. Mae gen i lun a dynnwyd ar y daith ddirgel hon o hen arwyddbost gyda'r arysgrif 'Maenclochog' arno, gydag un o fryniau'r Preselau yn y cefndir. Mae'n ddigon posib mai Llangolman oedd y llecyn diarffordd hwnnw. O edrych nôl mae'n rhyfedd sut y gall ein dyfodol gael ei ragfynegi – hap a damwain neu ryw arfaeth tu hwnt i'n hamgyffred, efallai?

Wrth ddweud hyn, mae'n rhaid i mi ddatgelu nad hollol wrthrychol oedd dewis Sir Benfro fel lle delfrydol i brynu tŷ haf. Mae cysylltiadau teuluol cadarn yn naear Sir Benfro ar ochr fy rhieni. Cafodd fy hen dad-cu ar ochr fy nhad ei eni ar fferm Bayvil ar bwys Nanhyfer, a dim ond ychydig filltiroedd i ffwrdd y gwelodd fy hen dad-cu, ar ochr fy mam, olau dydd ym mhlwyf Llanwnda ochr draw i Fae Abergwaun. Ond fel lluoedd o drigolion Cymru wledig tua diwedd y bedwaredd ganrif ar bymtheg cafodd y ddau ohonynt eu denu i gymoedd y de. Un o Ben-y-bont ar Ogwr ddiwydiannol ydw i, felly, ond un sydd â gwreiddiau dwfn yng Ngogledd Sir Benfro a Sir Drefaldwyn – roedd un o deulu fferm Bayvil wedi bwrw prentisiaeth fel saer coed a mentro mor bell â Llundain, lle priododd fy nain, a hithau wedi dod o Lanfair Caereinion i'r brifddinas i weithio 'mewn gwasanaeth'.

Yr arwydd a arweiniodd Ian a Wenche Davies i brynu cartref yn yr ardal.

Prin iawn oedd y cyfleoedd pan oeddwn yn byw ym Mhen-y-bont i ymweld ag aelodau o'r teulu ar wasgar yn Sir Benfro. Fodd bynnag, unwaith eto fe'm cefais fy hun ar goll rywle rhwng Maenclochog a Threfdraeth ym mis Tachwedd, 1999, ar y ffordd i angladd fy hen fodryb, Vida Davies. Mae'r ffaith bod perthnasau nad o'n i wedi cwrdd â nhw o'r blaen wedi gohirio'r gwasanaeth nes i ni gyrraedd yn dystiolaeth o garedigrwydd cynhenid pobl Trefdraeth.

Ond yna, ychydig fisoedd wedyn, a thrwy gyd-ddigwyddiad llwyr yng nghwmni ffrindiau o Ben-y-bont, a oedd wedi ymgartrefu yng Nghlunderwen, y daeth yr agoriad llygad cyntaf. Adeg honno roedd yr hen reddf anniddig i feistroli iaith fy nghyndeidiau wedi dod i'r wyneb ac ro'n i wedi ymrestru ar gwrs gradd allanol yn y Gymraeg ym Mhrifysgol Aberystwyth er 1996. Ro'n i'n ddigon cyfarwydd eisoes â cherddi E. Llwyd Williams a Waldo a *Storïau'r Tir* D. J.Williams ac wedi hen ildio i swyn ac urddas soniarus y Gymraeg.

Ond dyna oedd y tro cyntaf i mi ddarganfod drosof fy hunan gyfaredd y dirwedd hudolus a'r ffermydd a phentrefi hynafol a ysbrydolodd gwŷr llên mawr Sir Benfro. Am y tro cyntaf dechreuais werthfawrogi cyfaredd yr hen enwau mor amrywiol eu harwyddocâd hanesyddol – Mynachlog-ddu, Efail-wen, Glynsaithmaen, Maenclochog, Rhydwilym, Llan-y-cefn – heb sôn am enwau'r ffermydd, yr un mor bwysig ag enwau'r pentrefi.

Croesi Pont Hywel i wlad yr addewid, felly, oedd y cam naturiol nesaf, a phrynu tŷ gydag arian a etifeddwyd wrth un o ddisgynyddion fy hen daid o Nanhyfer. Rywsut, dyna oedd y peth cywir i'w wneud – ail-fuddsoddi, fel petai, a chyflwyno'r teulu i'w hen gynhysgaeth – peri i'r teulu cyfan ailddarganfod eu hunain yn eu cyd-destun daearyddol a hanesyddol priodol, fel petai.

Ond fy ngwraig, Wenche, a wnaeth y cyfraniad mwyaf, gan ddefnyddio arian a ddaeth i'w rhan yn sgil gwerthiant tŷ haf hudolus ei theulu hi ar arfordir ei gwlad enedigol yn Norwy. Traddodiad teuluol Sgandinafaidd ydy cadw tŷ haf syml ar yr arfordir neu yn y mynyddoedd er mwyn bwrw'r Sul gan ddianc rhag cymhlethdod bywyd y ddinas a chadw cyswllt â byd natur. Dyna oedd ei ffordd hi o sicrhau y byddai ei thraddodiadau hithau'n parhau ym muddiannau'r pedwar plentyn sydd gyda ni.

Ro'n i'n gobeithio hefyd y byddai argaeledd hwylus tŷ haf ym mherfeddion Sir Benfro yn annog y plant i ddysgu Cymraeg ac yn atgyfnerthu eu teimlad o berthyn, ond nid yw'r freuddwyd hon wedi'i gwireddu eto o bell ffordd; cleddyf daufiniog yw uchelgais. Maent i gyd wedi ymsefydlu yn Lloegr i frwydro am gymwysterau a gwell cyfleoedd, gan arddel eu Cymreictod yn ddi-baid ond yn gaeth i anghenion eu hamgylchiadau newydd – gwraig neu ŵr estron, iaith estron, yn magu plant sy'n rhan o gefndir cymysg ei draddodiadau; nid peth newydd mohono oherwydd dyna'r union beth ddigwyddodd yn ein hachos ninnau.

Yn ddeunaw oed ro'n i fy hun yn cefnu ar Gymru a chyfnewid Pen-y-bont am brifysgolion Caergrawnt a Grenoble, ac yn ddiarwybod i mi roedd merch deg oleuwallt wedi gadael un o ddinasoedd mwyaf ffyniannus Ewrop ar arfordir Norwy i feistroli'r Saesneg yng Nghaergrawnt, lle cwrddon ni ein gilydd a phriodi erbyn Pasg 1969. Patrwm digyfnewid sy'n ailadrodd ei hun o genhedlaeth i genhedlaeth – mae'r cywion yn lledu eu hadenydd ac yn hedfan o'r nyth wrth blygu i drefn natur. Allforio pobl ddawnus fu hanes ardaloedd gwledig Cymru erioed. Ond *pour revenir a nos moutons* – yn ôl at ein defaid, yng ngeiriau hen ddywediad Ffrangeg.

Wenche Davies yng nghwmni ei chymydog, Vernon Gibby.

Y bwriad oedd gyrru'r saith deg milltir i Sir Benfro ac encilio i loches y bwthyn bob haf a phob penwythnos yn ystod y tymhorau eraill, gyda'r nod o ymdrwytho yng Nghymreictod yr ardal. Ro'n i'n dychmygu hefyd y byddai pob sgwrs â'r trigolion lleol yn cael ei gynnal yn gyfan gwbl yn Gymraeg – yn y dafarn, yn y swyddfa'r post, yn yr orsaf betrol lleol a byddai pob siop yn atseinio ag acenion y Gymraeg. Byddai'r awyrgylch cwbl Gymreig yn hwyluso'r gwaith caled o ddarllen nofelau a barddoniaeth Gymraeg a lliniaru ar effeithiau diwylliant iaith fain y de-ddwyrain.

O'r safbwynt ymarferol byddai Llangolman yn fan cychwyn delfrydol i ymgymryd â'r daith fisol i'r Sadyrnau dysgu yn Aberystwyth. Doedd dim dwywaith amdani, – yn llygad fy nychymyg byddai pawb ar bob stryd o Hwlffordd i Aberystwyth yn deall ac yn siarad Cymraeg safonol a graenus; byddent yn fodlon trafod gweithiau mawrion llenyddiaeth Gymraeg hyd yn oed – a rhoi minnau ar ben y ffordd a arweiniai at y radd. Yn fras, byddai trigolion a thirlun Sir Benfro wledig yn adlewyrchu'r delweddau du a gwyn o fywyd delfrydol cefn gwlad Cymru ro'n i wedi eu hedmygu gymaint o flaen set teledu fy ewythr Gwyn yn y 1950au pell.

Wrth gwrs, nid dyna oedd y realiti. Anodd yw anghofio fy siom ysgytwol wrth ofyn i rywun yng nghanol pentref diarffordd ar y ffordd i Dyddewi: "Esgusodwch fi, ble mae'r blwch post, os gwelwch yn dda?". *"Sorry, mate – we don't speak that round here"*, oedd yr ateb yn acen Canolbarth Lloegr. Neu, yn waeth fyth, gofynnais unwaith i berchennog siop sglods ar y ffordd yn ôl o Aberystwyth un nos Sadwrn mewn ymdrech i gymdeithasu: "Dych chi'n brysur heno?". Heb edrych arnaf gofynnodd yn uchel i ferch oedd yn clirio'r byrddau: *"Wot's 'ee sayin' then?"*. *"He wants to know if we're busy tonight"*, oedd ei hateb. Trodd yntau ataf o'r diwedd a dweud: *"I'd have understood if you'd asked me in English"*.

Diolch byth mae dwy ochr i bob ceiniog. Penderfynais na ddylwn ddigalonni oherwydd mân ddigwyddiadau o'r fath. Fel ieithydd wrth fy ngalwedigaeth gwyddwn mai iaith hynod anodd i'w dysgu oedd y Gymraeg ac na ddylid disgwyl i bob dieithryn yn yr ardal siarad yr iaith yn rhugl – ond peth arall ydy camynganiad esgeulus o enwau lleoedd, rhaid i mi ddweud! Gwyddwn hefyd o brofiad ar y cwrs gradd i lawer o bobl ddawnus o'r tu allan i Gymru feistroli'r iaith Gymraeg i'r fath raddau fel eu bod nhw'n darlithio yn Gymraeg.

Ro'n i'n gwybod mai un o'r cadarnleoedd cryfaf y diwylliant Cymraeg oedd Gogledd Sir Benfro, a phenderfynais beidio â chael fy nigalonni gan ddigwyddiadau o'r fath. Cafodd un o'n ffrindiau pennaf, Eirianwen Stanford (gynt Thomas), sy'n byw gyferbyn â ni ym Mhen-y-bont, ei magu yn Efail-wen. "Yn Llangolman rwyt ti wedi prynu tŷ? Dw i'n nabod pobl yn Llangolman ..." ac yna daeth rhestr gyfan o enwau ... "ro'n i yn yr ysgol gyda Denley ... mae Brian Dandderwen yn byw tu ôl i'th dŷ di ... a Vernon Gibby drws nesaf ..." ac yn y blaen.

A dyna oedd fy nghymhelliad cyntaf i alw heibio a chael nabod pobl a oedd wedi byw yn yr ardal ers blynyddoedd, pobl a oedd yn nabod hanes cymdeithas yr ardal yn well na neb. Pobl a berthynai i deuluoedd oedd wedi trin y tir a gweithio yn y chwareli am genedlaethau lawer. Pa ffordd well i ymgyfarwyddo ag ysbryd a hanfod yr ardal? Yn sydyn, yn ogystal â rhestr ddarllen y gwaith gradd, roedd cymaint o bosibiliadau cymdeithasol a diwylliannol newydd ar fin agor.

Gŵyr pawb mai rhywbeth arbennig ac eithriadol yw tirwedd y Preselau a chymeriadau eu cymunedau craidd. Pwy all beidio ag edmygu gorwelion meddal a thirion Foel Eryr a Foel Cwm Cerwyn ac amrywiaeth a cheinder eu lliwiau unrhyw adeg o'r flwyddyn? Ceir mynyddoedd mewn mannau eraill o Brydain ac mae'u huchder a'u maint nhw'n rhagori ar eiddo'r Preselau – ond prin iawn yw'r rhai sydd wedi chwarae rhan mor hanfodol yn hanes a diwylliant llafar ac ysgrifenedig eu hardaloedd.

Does dim angen mwy nag edrych ar enwau'r mynyddoedd a llysenwau'r creigiau sy'n britho eu llethrau – Foel Eryr, Cerrig Lladron, Bedd Arthur, Carn Ingli – hen, hen enwau sy'n ymestyn yn ôl i fore'n hoes ni, ymhell i mewn i gyfnod pan oedd storiwyr crwydrol yn dychryn cynulleidfaoedd hawdd eu hargyhoeddi gyda chwedlau am y Twrch Trwyth a'r Brenin Arthur cyn i'r un gair gael ei roi ar bapur; llefydd a ysbrydolai, yn ystod y canrifoedd i ddod, unigolion mor wahanol eu cefndir â Chrwys, Waldo a W. R. Evans. O ran diwylliant, buaswn i'n dweud nad oes unrhyw le yng Nghymru a allai ddathlu cyfoeth cynnyrch ei gwŷr llên gymaint â Gogledd Sir Benfro.

Anghofiaf byth mo'r croeso a gefais gan y trigolion lleol yn ein dyddiau cynnar yn Llangolman. Dyma Brian a Gwen Williams yn cynnig pob math o gymorth – dim ond Brian a dorrai'r cloddiau lleol bryd hynny â theclyn ar ei dractor gwyrdd, a byddai Gwen yn rhoi rhifau ffôn pwysig y seiri, yr adeiladwyr, y plymwyr a'r trydanwyr lleol i ni, yn ogystal â phaneidiau di-ri; cymeriadau lleol eraill oedd Vernon Gibby a'i chwaer, Gwyneth, – yntau'n grefftwr hyd at fêr ei esgyrn a aeth ati i weithio tair canhwyllbren arbennig i goffáu genedigaeth ein hŵyr a'n hwyresau. O fewn dau gan metr roedd garej Denley, a ddangosodd ei hun yn barod i helpu bob amser gyda phroblemau cyflenwad nwy i'r gegin, heb sôn am ei gyngor ynghylch y ceir.

O ran gwaith cynnal a chadw a gwaith adeiladu ar y tŷ, mawr yw ein dyled i Dyfrig a Huw, Glandy Cross; Euros Mynachlog-ddu, Wyn Tŷ Mawr; Dai John, Rhos-y-bwlch a Keith Phillips, Glandŵr, am oriau o chwerthin a difyrrwch. Ffraethineb, hawddgarwch a hiwmor oedd yn nodweddu ymweliadau'r bobl hyn, heb sôn am newyddion a chlecs diweddaraf yr ardal – y cyfan, wrth gwrs, drwy gyfrwng Cymraeg mwyn ardal y Preselau â'i goslef fywiog unigryw.

Does dim dwywaith amdani – ers i rai o'r rhain ein gadael ni am byth, mae cymeriad cymdeithas yr ardal wedi newid. Pan fydd siaradwyr brodorol y Gymraeg yn mudo o unrhyw ardal yng Nghymru'r dyddiau 'ma, byddant yn gadael bylchau yng ngwead y gymdeithas. Ychydig iawn o'r bylchau hyn sy'n cael eu llenwi gan bobl sy'n siarad Cymraeg. Mae'n rhyfedd sut mae clywed acenion ac iaith ddieithr yn nhawelwch y cefn gwlad Gymreig yn gallu effeithio ar y ffordd mae rhywun yn canfod naws yr ardal o hynny ymlaen.

Mae cydbwysedd cymdeithasol y gymuned yn newid, a disodlir y gymdeithas organig fu'n esblygu dros ganrifoedd o gyd-fyw a chydweithio mewn cytgord yn ôl rhythm y tymhorau gan bobl sy wedi dod at ei gilydd drwy hap a damwain, fel petai, y mwyafrif llethol ohonynt yn bobl ddi-Gymraeg, sy wedi dod i Gymru o lefydd gannoedd o filltiroedd i ffwrdd. Daeth y rhain i Sir Benfro i dreulio gweddill eu hoes mewn lle neis i fyw ynddo, ond heb yr un cyswllt teuluol neu ieithyddol. Does 'na neb a fyddai'n eu beio nhw am chwilio am fywyd gwell, ond yn ddi-os fe grëwyd gan y broses hon ffenomen newydd sy'n codi pryderon ynghylch tranc neu oroesiad y Gymraeg fel iaith yn ogystal â natur cymdeithas y Gymru wledig.

Felly, mae'n rhaid crafu o dan harddwch wyneb y tirlun a cheisio dygymod â chyfansoddiad newydd y gymdeithas. Bydd rhaid i'r ddwy ochr gyfaddawdu, wrth gwrs, ond sut mae rhannu'r cyfrifoldebau? Yn sicr, mae'n rhaid i'r newydd-ddyfodiaid gydnabod bodolaeth yr iaith Gymraeg nid yn unig yn yr ardal hon, ond, yn hanesyddol, dros ran ddeheuol yr Ynysoedd Prydeinig ers cyn cof. Prin iawn bydd y bobl hyn (neu'r rhan fwyaf o Gymry, hyd yn oed!) yn gwybod mai dim llai na'r geiriau 'Dwfr', 'Moel Wern', 'Hen Lys', 'Mynydd' a 'Tafwys' yw hen enwau Dover, Malvern, Henley, Minehead a Thames.

Mae'u diffyg gwybodaeth yn ddealladwy – rwy'n gwybod o brofiad nad ydy'r system addysg yn Lloegr erioed wedi cydnabod yr angen i gynnig math yn y byd o gyflwyniad i hanes yr Alban, hyd yn oed, heb sôn am Gymru ac Iwerddon. Pe gellid argyhoeddi pobl o bob tras mai rhywbeth hollol gyffredin oedd y Gymraeg ar draws rhannau helaeth o Loegr a'r Alban ar un adeg, byddai hanner y frwydr ddiwylliannol drosodd. Byddent yn fwy tebygol, o bosib, o ymagweddu at y Gymraeg fel rhan o'u traddodiad eu hunain – man cychwyn delfrydol, felly, i gofleidio'r Gymraeg fel iaith sy'n werth ei dysgu. Mae'r teimladau o berthyn ac o berchnogaeth yn hollbwysig i bob copa walltog, lle bynnag maen nhw'n byw.

Ond cyfyd pwynt pwysig yma oherwydd mae'n rhaid cydnabod fod etifeddiaeth Gymreig y di-Gymraeg yr un mor ddilys ag etifeddiaeth y Cymry Cymraeg. Daw i'r meddwl enwau fel Dylan Thomas, Vernon Watkins, Richard Llywelyn a Richard Hughes. Ni ellid gwadu bod eu cyfraniadau nhw i etifeddiaeth y genedl – yn iaith y mwyafrif – yn ddigamsyniol bwysig; Cymry i gyd oedd y rhain bob wan jac ac nid Cymry 'anghyflawn' mohonynt oherwydd diffyg gwybodaeth o'r iaith. Gellid dadlau y byddai wedi bod yn afresymol disgwyl i'r rhain ddysgu Cymraeg pan oeddent yn byw mewn ardaloedd Saesneg o Gymru. Felly, sut mae cyfiawnhau gorfodi pobl ddi-Gymraeg o'r tu hwnt i Glawdd Offa i ddysgu'r iaith?

Proses gywrain a chyfrwys o argyhoeddi yw'r allwedd – dim gorfodaeth. Pob clod i'r sawl sydd wedi derbyn yr her ac sy'n gadael eu marc ar y cymunedau lleol o ddydd i ddydd gan siarad Cymraeg rhugl a graenus – haedda pob un ohonynt fod yn destun edmygedd, a cheir enghreifftiau disglair yn yr ardal hon.

Ond erys y ffaith mai teg a rhesymol yw disgwyl i bob newydd-ddyfodiad feistroli o leiaf sut i ynganu enw'r lle mae e'n byw ynddo. Rhaid i mi gyfaddef mai hawdd yw colli amynedd gyda mewnfudwr sy'n dal i gam-ynganu'r "Ll" yn "Llangolman" neu "Llan-y-cefn" ar ôl blynyddoedd o fyw yma, neu gyda'r rhai sy'n rhy swil, yn rhy hunanymwybodol neu'n rhy styfnig i dynhau ei wddw i ddweud yr "ch" yn y gair "Maenclochog" neu "Mynachlog-ddu" yn lle "k". Nid oes esgus yn y byd dros ddweud "l" yn lle "ll" os yw'r unigolyn yn meddu ar set gyflawn o ddannedd. Wedi'r cyfan, does neb yn dweud 'Johann Sebastian Back' yn lle 'Johann Sebastian Bach' yn y wlad hon, beth bynnag yw ei gefndir ieithyddol. I fi, mae esgeulustod cam-ynganu o'r fath yn dangos amharch, a dweud y lleiaf. Tybed a oes yna le i drefnu dosbarthiadau yn gwneud dim mwy na dysgu sut i ynganu holl enwau lleoedd yr ardal mewn ffordd dderbyniol?

Y cam nesaf, efallai, fyddai dadelfennu'r enwau hyn er mwyn cyfleu eu hystyr a'u harwyddocâd nhw yng nghyd-destun eu cysylltiadau hanes, chwedlau, tirlun ac anheddau Gogledd Sir Benfro. Ni fyddai'n rhaid i neb ysgwyddo'r baich o geisio meistroli cymhlethdod gramadegol iaith newydd i gyflawni hyn ond byddai eu dealltwriaeth ddiwylliannol o'r ardal wedi'i chyfoethogi. Awgrymaf restru enwau tai, tafarndai a ffermydd i'w dadansoddi a'u gwerthfawrogi yng nghwmni gwirfoddolwyr o Gymry Cymraeg.

Weithiau mae'r enwau hyn yn cynnwys cliwiau daearyddol-hanesyddol ynghylch sut y cafodd y ffermydd hyn eu sefydlu – er enghraifft, Glynsaithmaen, Rhydiau Bach, Cwm Garw, Dandderwen, Ffynnon Samson a Phlas-y-blodau – enwau sy'n cynrychioli o bosib ganolfannau cymdeithasol lle ceid difyrru, dadlau a chwerthin yn yr oes a fu, ymhell cyn dyfodiad unrhyw neuadd pentref. Gallai dim ond palu ychydig dan wyneb yr enwau ddatgelu cyfrinachau annisgwyl, heb fod pobl yn teimlo eu hunain dan orfodaeth i ddysgu iaith gyfan. Yn sicr, gallai taflu ffrwd o olau ar darddiad enwau tai, tafarndai a ffermdai helpu i sicrhau na chaiff y llefydd hyn, mor arwyddocaol yn eu cyd-destun lleol, eu hailfedyddio ar fympwy ag enwau estron.

Does dim pwynt gwylltio pan gaiff y bluen ei chwythu'n ôl gan wynt dideimlad ac amhleidiol; mae'n rhaid wynebu realiti Cymru fel y mae yn yr unfed ganrif ar hugain. Nid ydy'n bosib troi llif yr amser yn ôl, ond trwy ddulliau cyfrwys a thirion, mae'n bosib tynnu sylw at rai elfennau o'n hetifeddiaeth ddiwylliannol mewn ffordd gymharol syml. Anymarferol yw'r syniad o droi pawb yn siaradwyr rhugl; mae hyn yn freuddwyd amhosib i'w gwireddu.

Mae'r darn yma o'r ysgrif 'Cymru'r Dyfodol?' a ysgrifennwyd gan Urien Wiliam yn 1978, wedi iddo ymweld â Chernyw, yn berthnasol i'r cwestiwn hwn:

> *Bellach mi wn fod Dyfed cyn hardded â Chernyw bob tamaid a gallaf gynnig Dinbych-y-pysgod i ateb St Ives, Saundersfoot i ateb Falmouth, afon Cleddau i ateb Carrick Roads, a Phentwyn i ateb Pentawan. Gwn hefyd fod y Gymraeg wedi cilio o'r mannau hyn ganrifoedd cyn i'r Gernyweg ddirwyn i ben yn ystod y ganrif ddiwethaf a'r ofn sydd arnaf heddiw yw mai cilio a wnaiff ryw ddydd o Grymych, o Nanhyfer, o Faenclochog ac o Langrannog hefyd. Ac eto rwy'n ffyddiog na ddigwydd hyn yn fy Nghymru i, lle mae'r ymwybyddiaeth genedlaethol ar gynnydd ar ôl canrifoedd o nychdod, a hyd yn hyn nid hiraeth am y gorffennol sy'n gyfrifol am yr enwau Cymraeg ar gartrefi Cymru ac ar arwyddion ffyrdd.*

Ni allaf beidio â rhannu optimistiaeth Urien Wiliam a hyderaf na ddigwydd ffawd Cernyw i Grymych, Nanhyfer a Maenclochog, chwaith.

Os na allwn ni i gyd fynd mor bell ag uniaethu â'r cysyniad o ymwybyddiaeth genedlaethol, erys y ffaith fod ymwybyddiaeth ddiwylliannol o fewn cyrraedd pawb sy'n byw yn ein cymunedau ni; addysg ddwyieithog y plant, ewyllys da, sensitifrwydd, a pharch ar y ddwy ochr yw'r cynhwysion hanfodol. Gwrandewch ar hyn: *"If speaking fluent French is not a prerequisite to retiring in France, a willingness to learn is important: the better you can communicate, the more easily you will form friendships"*

(Cyngor i fewnfudwyr o Brydain sy'n ymddeol i Ffrainc, yng nghylchgrawn *Living France*, Mawrth 2007)

Mae'r hen iaith y cyfeiriwyd ati gyda'r geiriau "the Senior Language of Britain" gan neb llai na J. R. Tolkien – Athro Saesneg ym Mhrifysgol Rhydychen, ieithydd o fri ac awdur *Lord of the Rings* – yn haeddu'r un parch Ond mae'n rheidrwydd arnon ni'r Cymry hefyd i estyn pob cymorth i'r rhai sydd yn awyddus i gyfranogi o gyfoeth ein treftadaeth – treftadaeth gyffredin sy'n perthyn i bawb o Gaergaint i Gaergybi – yn dibynnu, wrth gwrs, ar y man cychwyn yn hanes yr Ynysoedd hyn.

I gloi, mae'n werth dyfynnu ymateb rhai o'm myfyrwyr: *"Wow – I never thought of it like that ... I thought it was just a Welsh thing!"*

Ian and Wenche Davies live in Bridgend but Ian has family ties with Pembrokeshire; his paternal great-grandfather was born at Nevern and his maternal great-grandfather was born at Llanwnda. They bought a bungalow at Llangolman, Ger-y-cwarre in 2001 with the avowed intention of spending as much time as possible there. Indeed, they both felt they had a premonition that they would one day strengthen their ties with the area when they became lost in the mists and nightfall of the area in 1970. Presumably found themselves in Llangolman on that occasion.

The opportunities to visit Pembrokeshire were few and far between when Ian was a child. It was only when he enrolled on an external Welsh degree course at Aberystwyth in 1996 that he turned his sights to his roots, partly as a result of immersing himself in the writings of such luminaries as E. Llwyd Williams, D. J. Williams and Waldo Williams. Thus the journey past Pont Hywel became a regular occurrence once Ger-y-cwarre had been bought with money inherited from a family member of the Nevern branch and the proceeds of his Scandanavian wife's family summer house in Norway. An added incentive was to entice their children to learn Welsh, as their sense of belonging would surely be enhanced on spending time at Llangolman. That dream has not been fulfilled as yet as all four are currently pursuing their own careers in various parts of England, thus reflecting Ian and Wenche's own life pattern.

Ian admits his early expectation of spending quality time in an area where he expected everyone, without exception, to be able to speak Welsh was soon shattered in a series of perfunctory experiences. On exercising his Welsh to ask for directions to the postbox he received a reply in a distinct Midlands accent, "Sorry mate – we don't speak that round here" and on venturing a comment in a chip shop, on the way home from Aberystwyth, 'that they seemed very busy', he heard the fryer asking his assistant, "Wot's 'ee sayin then?" and then being given the reply, "I'd have understood if you'd asked me in English".

On absorbing the reality check, Ian, as a professional linguist, realised how difficult it can be to learn Welsh and that proficiency is unattainable for many people. However, he feels there is no excuse for mis-pronouncing placenames, since no English person pronounces the name of the composer Bach as 'Back'. He pays tribute to the members of the close-knit community at Llangolman who gave him and his family such a warm welcome, and the presence of various craftsmen was always a social occasion, and without exception the banter was through the medium of Welsh. He laments the possible demise of such people, who are the product of several centuries of organic evolution within the community, when faced with a deluge of settlers who have no family or linguistic ties with the area.

However, he suggests that once the beauty of the area has become ingrained the underlying features of the community should be explored and an effort made to embrace the Welsh language as the historic language of this area as well as the whole of southern Britain since time immemorial. Ian cites the original names of Dover, Malvern, Henley, Minehead and Thames as 'Dwfr', 'Moel Wern', 'Hen Lys', 'Mynydd' and 'Tafwys'. Most people's ignorance is understandable since the English educational system does not see fit to offer any information about the history of Wales, nor Scotland and Ireland for that matter either. If people knew that Welsh at one time was spoken across large swathes of England and Scotland, the cultural acceptance would probably have been gelled and Welsh accepted as part of their own tradition as well.

At the same time he does not marginalize the contribution of non-Welsh speaking writers such as Dylan Thomas, Vernon Watkins, Richard Llywelyn and Richard Hughes to the Welsh tradition. They should not be regarded as 'incomplete' Welshmen because of their inability to write in Welsh. It could be argued that it was impractible for them to learn Welsh when they lived in Anglicised areas. Therefore, why should one expect people from the other side of Offa's Dyke, who have moved to the Llangolman area, to learn Welsh?

Well, it's a matter of persuasion and conviction and not compulsion. Congratulations to those who have succeeded and can be heard speaking the language to a high degree of fluency. And there are glowing examples of such people.

Surely, it is only fair and reasonable that everyone can pronounce the name of their newly adopted home village, i.e. the 'll' in Llangolman or Llan-y-cefn and the 'ch' in Maenclochog or Mynachlog-ddu with ease. If one has a full set of dentures there should be no problem. An exploration of the meaning of various names such as Glynsaithmaen, Plas-y-blodau, etc. would further enhance their cultural appreciation of the area without necessarily learning the language, or it might even prove to be an incentive to master the language.

A suggestion seen in a magazine called 'Living France' is just as pertinent to Living Wales: "If speaking fluent French is not a prerequisite to retiring in France, a willingness to learn is important: the better you can communicate, the more easily you will form friendships".

Ian tells us to think of the response of some of his students when they were told that our heritage can be shared with all people from Hartlepool to Holyhead; – 'Wow, I never thought of it like that ... I thought it was just a Welsh thing!"

Literacy and Language

Reverting to the parish church registers for pointers towards literacy, it was observed that for the period 1837-1967 there were 59 marriages. It was the custom when the contracting parties could not sign their names, for them to enter a cross instead of their signature on the register. The first twenty entries 1837-42, reveal an illiteracy of 87% and for the period 1837-60 it was 70%.

The language normally spoken is, of course, Welsh. In 1911, there were about 28 children under the age of two. Of the remaining 358, 164 expressed a familiarity with Welsh and English; 187 with Welsh only; 1 with English only. In the later 1960s about one-sixteenth of the population can be deemed to be English speaking.

By the 1960s the nineteenth century pattern has been much modified, and one visible part of the process of change is the growing attraction of the county for tourists. The parish is not entirely devoid of facilities in this respect, for Drefach Manor, at one time the home of a quarry owner, is now a guest house and caravan park.

E. T. Lewis *A Historical Survey of the Last Thousand Years*

Growing Up in Mynachlog-ddu

Gwendoline Watson

When she heard I was moving to Wales permanently, my schoolteacher took me aside and imparted some valuable knowledge. "You will need to know some important words to get by in Wales", she explained. "*Bore da*, means 'good morning'. You should say this to everyone you meet."

Bo-re-da, I rolled my tongue around the strange sounds. Good morning. What was this strange language that they spoke?

"And '*mochyn*' means pig. You never know when you might need it."

Turns out they were the only two words she knew, but those two words were to become the humble beginnings of my second language. I was transported at the ripe age of six from Wickford, Essex, to Mynachlog-ddu. A land far, far away from the concrete and traffic I'd been used to, and far harder to pronounce. My grandparents had moved to Wales three years earlier. Being from Cardiff, my granddad wanted to retire in Wales, and decided to spend his early retirement money on a guesthouse in Pembrokeshire. What he ended up with was an old people's home called Tre-fach in Mynachlog-ddu, which they later converted. Little did he know that his decision would shape my life forever.

After spending all my earlier holidays in Mynachlog-ddu, hanging out with the old people and getting to know fields and animals, I finally became part of the village when we moved there in 1982 and I joined Mynachlog-ddu school. Apart from two brothers, Sam and Tom Burson, my sister Mary and I were the only 'Saeson' in the school. In fact one boy, Aled Jones, couldn't speak a word of English. Later that changed when one day he uttered the words 'paper towel' and his transition to bilingualism began. Quickly my sister and I soaked up this strange language, and pretty soon we could read and write Welsh as well as those who'd lived there all their lives.

I loved Mynachlog-ddu school. There were 18 pupils and two teachers, Tonwen Adams and Eilyr Thomas. They were fair but firm teachers. Eilyr's favourite phrase was '*Nefi Piws!*' and I remember Tonwen pulling down James Rostance's pants and standing him on the table in front of the whole class when he'd done something wrong. It was an effective deterrent, as I swear we were one of the most well behaved schools in Dyfed.

In those days we'd drag old milk churns to the middle of the schoolyard for cricket stumps. We'd hang off the old school metal climbing frame, and amuse ourselves for hours playing 'British Bulldog' and 'Mob 1, 2, 3'. By the time I reached the juniors, I was the only girl in my class. I got used to mucking about with the boys, sweet talking them to get out of having my arm twisted, and learning swear words I dared not repeat until many years later.

My fondest memories of being at school were of course the nights when the doors would be flung open for the whole village. Our Christmas party was the highlight of the year. The school would be packed, there'd be music and chatting and nibbles as the excitement built. Then we'd all pile outside and await the arrival of Santa. There was nothing more exciting in a young child's life than seeing Santa arrive in the bucket of a JCB and discovering that he not only knew the names of every kid in the village, but that he had a present for each and every one of them too. I treasured the gifts I received on those nights, and later the Siop Sian vouchers. Spending Siop Sian vouchers was an integral part of growing up in Mynachlog-ddu!

My other favourite social event was Cawl Evening. We'd all turn up with our own bowl and spoon, pay 50p and receive cawl, bread and cheese. These social occasions were special and each time brought the whole village together. As a result, everyone knew everyone else. I remember our school cook, Mrs Bronwen Williams, ladling out the steaming cawl into our bowls. In my young mind she was the best cook in the world, and her pear halves in chocolate custard would still be my favourite dessert if she made it for me today.

At an early age my sister and I were packed off to Sunday School at Bethel. We weren't brought up to be religious, but the beautiful colour picture Bibles that we pored over each week were like rare, precious storybooks that we treasured. From the weekly classes in the Festri, to *Cymanfaoedd Canu*, the trips to Pendine Sands, there was never a dull moment at Sunday school. The *Cymanfaoedd Canu* saw us visit all the chapels in the surrounding villages. The rehearsal days were usually long and boring, though thankfully rewarded by Madeira cake and tea in the Festri afterwards, but from an early age I knew nothing beat the sensation of being joined by the adults on 'performance' day. I loved the men's voices in particular. I'd sing at the top of my lungs, but instead of watching the conductor I'd be gazing at all the grown-ups singing at the top of their lungs. To this day I get goose bumps and tears in my eyes when I watch a Welsh male voice choir. I'd give anything to be that child again.

One of my favourite memories was singing a duet with Sarah Palmer in front of a packed congregation in Bethel. We were singing 'While Shepherds Watch their Flocks', and I had the part of the narrator. I'd been singing the 'wash their socks' version all week in the build up, and my mother warned me to stop or I'd sing the wrong version on the day. Sure enough, I stood up there and sang at the top of my pure angelic voice 'While shepherds watch their socks by ni...'. I gasped and covered my mouth in horror. Tonwen abruptly stopped playing and I swear the clock stopped ticking. My parents and friends nearly fell off their pew in the back row laughing while rows of shocked villagers stared at me. Sarah was in tears laughing, but one look at a stony-faced Tonwen made me clear my throat and start again from the beginning. Twenty years on, people still remind me of that day, and I can still see Tonwen's face.

When Tonwen Adams died, it was my first real experience of grief. I was at Ysgol y Preseli at the time, but I'd been brought up being taught by Tonwen at school and at Sunday School. As an older child she'd let me come round and hoover her home and would pay me in handfuls of 2p coins. To me that was a windfall. Tonwen was more than our schoolteacher, she was our guardian. She knew every child in the village. Sometimes she could be too strict, like when she'd catch us cycling on our own at weekends and send us back home, but when she was killed, it was as if the heart of the area was killed with her. She was the corner-stone of every child's life in Mynachlog-ddu. The first thing I did when I returned to the village as a 34 year old was visit Tonwen's grave. To this day hers was the biggest funeral I've ever been to. I was very fortunate to have been taught by her, and to have had my life touched by her.

As an adult, I realise that I was blessed to grow up in Mynachlog-ddu. I spent my childhood riding ponies over every inch of the Preseli Hills. I visited all the neighbouring villages to sing in their chapels. I was taught in a school with a teacher/pupil ratio parents could only dream about nowadays. And we had everything we needed within walking distance. I walked our dog to the post office every night. I was taught to play the piano by Cymraes Davies at Craiglea, I went to the weekly doctor's surgery at Ger-y-nant, and used to visit the café behind the petrol station in the centre of the village to play in their tree house. In addition to the school being the social hub, we also had an active social calendar at Tre-fach Pub. Quizzes, discos, bingo, there was something on every week and the bar would always be brimming at the seams with familiar faces. I knew every song on the jukebox and every face in the bar.

Growing up in Mynachlog-ddu was to grow up in a real community. Moving back here as an adult, it feels different. Of course there's still the community around the chapel, but the tight-knit network that grew out of the school and the pub disappeared when they closed, and there's no more post office, doctor's surgery or petrol station either. It's the same place, but very different. I can't help but feel that the children growing up here nowadays have a completely different experience. I am fortunate and grateful for spending my formative years here in one of the most special places on earth at a very special time.

Diolch Mynachlog-ddu am bopeth.

Bluestone Lunacy and Vandalism

Twm Menyn

The bluestone leaving Mynachlog-ddu on its intended epic journey.

At the turn of the millennium one of the oldest inhabitants of the area became embroiled in controversy and scandal that lasted for several months and even received worldwide publicity. The above title taken from the Letters Page of the *Western Telegraph* in March 1999 sums up the debacle concerning a certain three-ton bluestone that had lain for centuries in the vicinity of Carn Meini. The editorial of the same paper sums up the initial reaction of most folk to the news of her proposed venture: "the Bluestone journey is at best a curiosity that will add nothing to Pembrokeshire's heritage and take place mainly outside the county."

The bluestone was to be taken on a 240 mile-long trek, at a cost of £100,000, to Stonehenge. There it would join many of its friends who had also, reputedly, been taken to Salisbury Plain either by a natural phenomenon such as an ice glacier, or possibly by a form of crude man-made transport. Menter Preseli, an organisation that has now disbanded, were the organisers who were keen to emulate what they thought was the most likely form of transportation to have been used previously over two millennia ago. Well, it would not be practical to emulate the ice glacier theory.

Thus, as a means of celebrating the arrival of a new millennium, volunteers were recruited to drag the stone on a specially made raft with plastic netting along country roads, and another specially made raft attached to two curraghs, on its then proposed journey by sea to the mouth of the river Avon. It was never really explained how the £100,000 of Heritage Lottery money was to be spent. The bluestone's journey was certainly not to be a luxury cruise, though.

However, calamity befell the hapless stone from day one, on St David's Day 2000. A German TV film crew, who had been hoodwinked to believe the venture was to be a triumph of superhuman endeavour, was expected to transmit regular live reports to their German audience of the bluestone's progress on her anticipated epic journey from the foothills of the Preseli hills. They soon realised they had little of note to report for their hourly bulletins, as movement was more inch by inch rather than yard by yard. Manoeuvring was difficult. Hands were soft and the volunteers were thoroughly untrained volunteers. In desperation the TV crew downed tools and aided the forlorn pullers and pushers between transmissions, but to little avail; their viewers were still confronted with the same background views on every transmission. Needless to say, the Germans were not seen during the following days.

Progress was painstakingly slow. One is tempted to say that a fleet of snails overtook the stone on several occasions. Reasonable progress was usually made in the mornings, but after hearty lunches of umpteen beef-burgers provided by a Haverfordwest butcher for free – courtesy of the hefty grant presumably – the volunteers would mysteriously disappear to attend phantom dental appointments and hastily convened family funerals in the afternoons.

Threats were made to hijack the stone from its overnight resting places with the aid of farm implements so that it could be returned to the mountain slopes. It's surprising what a Manitou can do. The organisers had to be adept in blocking such possible escapades. The stone would thus be left in the most obvious public location. However, when the journey had reached Blackpool Mill, pranksters hid the wooden sledge overnight in woodland nearby. Further problems were encountered at the water's edge, as the stone, when about to sail, had to be lifted from the river and retied before eventually sailing along the Cleddau.

The mother of all calamities then happened as the stone began its sea journey when a rope between the two curraghs snapped. The passenger landed in 16 metres of water some four miles off the coast of Dale. A specialist winching boat provided by the Royal Navy had to be used to recover the stone, which was then left to brood on dry land at Milford Docks for several months while the organisers pondered what to do next. A new safety boat would have to be commissioned, and thought was given to hiring professional naval rowers in order to complete the journey. However, the whole venture was finally abandoned, and rather than return the bluestone to the Preseli hills and face further ridicule, it was found a new home at the National Botanic Gardens at Llanarthne in the Towy Valley where, given pride of place, it rests to this day. It was taken there on the back of a lorry so as to avoid any further mishaps.

Below are some of the letters regarding the controversy, published in the *Western Telegraph* months prior to the journey's start, with contributors supporting and ridiculing the idea of such a millennium celebration as well as pontificating on the age-old debate regarding the actual transportation method of the original Stonehenge bluestones:

Sir, - Mr Malcolm Calver (Letters, March 17th) has rightly drawn attention to the utter waste of money involved in the proposed transfer by Menter Preseli of a 'bluestone' from the Carn Meini to Stonehenge for which they will receive a lottery grant of £100,000.

They state that the project has 'the serious scientific purpose of showing that Stone Age man was capable of making such a journey and showing the way in which he could have done it.'

The practicability of moving a stone was demonstrated by Professor R. J. C. Atkinson in 1954, and by others since, and so there is no point in showing that Stone Age man was capable of doing so.

To talk of transporting it over a countryside that has changed so much since Neolithic time, from its sources to Stonehenge in the manner employed by Stone Age men, is a mixture of vandalism and lunacy, unless one is prepared to ravage the hedgerows and tear the tarmac and cause traffic chaos the like of which has not been seen this century.

We know that this will not be allowed to happen and Menter Preseli know that they cannot do it, and that they do not propose to do for they already have a stone that has already been removed from Garn Meini by helicopter, and they confess that they will use a crane to place the stone on a raft, which will make the venture void of any credibility.

The project is a waste of time and effort and money that could be better used for serious archaeology.

That the Heritage Lottery Fund should have granted £100,000 for such a dubious folly raises serious doubts regarding the competence of its administrators.

Dillwyn Miles, Hendre, 9 St. Anthony's Way, Haverfordwest.

FLOGGED ENOUGH ALREADY

Sir, - Some of your readers will know that I have been deeply involved in Bluestone research for many years and I must, therefore, endorse wholeheartedly, the criticisms by Mr Dillwyn Miles (Letters, March 24th) and others, of this latest Bluestone proposal.

The Bluestone trek has been flogged enough already; moreover, no scientific purpose can be served by 'transporting of the Bluestone by raft' ('Western Telegraph', February 24th) whether part of the Celtic Voyage 2000 or not, unless it be to indicate that modern man is more stupid than those who carried out the original – stupendous – achievement. For Neolithic man would not have used a raft; his seamanship was far ahead of that primitive technology!

Regarding the Heritage Lottery funding, I, too, am disgusted at this apparently irresponsible hand-out. As a prehistorian I can think of several ways in which such a fund could be used to enhance our knowledge of the economic and cultural reasons behind the original event, which is what we really need to know.

This proposal can only become a weak tourist promotional stunt that, for Pembrokeshire, will sink before it reaches Bristol, let alone Stonehenge. And I seriously think the administrators of the fund should reconsider their decision.

R.A. Kennedy, Former County Curator, 78 Pill Road, Hook.

SPLENDID CELEBRATION

Sir, - Although as a publisher of a novel entitled 'Preseli Bluestones' I could be accused of bias, personally I find it rather bizarre that Menter Preseli should come under considerable local criticism for developing a Millennium project to transport a Bluestone from the Preseli Mountains to Stonehenge. Especially since at the end of the day what they have obtained could be quite truthfully described as a £100,000 marketing grant for the Pembrokeshire tourism industry, which is after all Pembrokeshire's biggest employer.

Menter Preseli is a department of Pembrokeshire County Council charged with bringing economic development to Pembrokeshire. So since the county council obviously believes that successful marketing requires publicity, then surely they are in line with mainstream thinking of the world in which we live, hence all the adverts on TV, magazines and newspapers including the 'Western Telegraph'.

Other initiatives include the Pembrokeshire Produce scheme of which my company is a member. Again bias? But surely the county council should be attempting to promote local small businesses and so bring them to the tourists' attention?

Rosie Swale, of Tenby, is training for a long distance running expedition in Iceland and while there intends to explore Pembrokeshire's Viking links. Her initiative illustrates the richness of Pembrokeshire's history, if that history is interpreted from a Pembrokeshire perspective or viewpoint.

So I for one think that the county council has come up with a splendid way of celebrating the Millennium locally through the celebration of Pembrokeshire's history.

There will always be a 'Doubting Thomas' in the academic world, but then that is one of the roles which academics have in our society; to challenge accepted thinking and come up with new ideas, the concept of academic freedom which translates to freedom of speech for the rest of us. I have no idea if the project will be successfully completed, but then surely that is one of its attractions; that, like a rugby match, nobody knows the outcomes in advance.

But the fact remains that people worldwide learn in school about the Preseli Bluestones, and to capitalise on that it is intended that the project be marketed worldwide on the Internet with the assistance of Tenby's w.ww.atlas-links.com internet marketing company, who will also be featuring it at their Saundersfoot Expo 99 in August.

As someone who is Pembrokeshire born and bred I am immensely proud of our epic history. Are you?

John Fish, Garthowen, Serpentine Road, Tenby

COMPELLING EVIDENCE

Sir, – Contrary to John Woodward's belief (Letters, March 31st) the idea that the Preseli Bluestones were transported by glaciers from Pembrokeshire to Stonehenge is far from new.

It was first suggested more than a century ago; was revived by geologist G. A. Kellaway in 1971; dismissed by fellow geologist C. P. Green in 1973 (papers in 'Nature' of September 3rd and May 25th of those years); and then revived again by a team led by the late Dr Richard Thorpe of the Open University in 1990.

But it never made much sense. There is no evidence that glacial ice ever reached Wiltshire during any glacial epoch. It barely reached the Preselis during the last Ice Age or in any other glacial episode since 250,000 years ago. And at any time when a glacial ice sheet might have picked up Preseli Bluestones world sea levels would have been several hundred metres lower than now, with the River Severn joining the sea south of Swansea. To deliver Bluestones anywhere near Wiltshire a glacier would have had to emerge from the Preselis, turn its back on the sea and instead roll inland up what would then have been a dry Severn estuary valley.

Add to that the fact that the only Bluestones and Bluestone fragments ever found in Wiltshire have been found associated with the works of our prehistoric ancestors, and the evidence in favour of them and not glaciers moving them, really is compelling.

David Green, Rhyd yr Harding, Castlemorris.

IN THE STONEHENGE GROOVE

Sir – For several weeks I have been reading the letters published regarding the chunk of Bluestone that Menter Preseli's Heritage Group wish to move to Stonehenge. I would like to add my voice to all the others who say 'what a waste of money'. What do they intend to do with this stone when it arrives at Stonehenge? Will it be added to the monument – I think not!

The reason I write, apart from complaining about the terrible misdirection of charity money, is to point out that around 1967, while working at A & AEE Boscombe Down, I was chatting to the crew of a Victor aircraft in the photographic role.

While on a routine training flight, during a particularly dry spell of weather, they had run the cameras from Stonehenge towards the coast. There was a groove evident running from Stonehenge towards the south coast. On later flights they followed this indentation to the coast, then popped down here and found similar indentations from the Preseli Hills to the Cleddau.

It transpires that when the ground is disturbed in this way, the evidence will stay visible for quite some time. I find it hard to believe that anyone now has managed to justify requesting money to prove something that has already been proven. Surely, those people interested in the archaeology of Stonehenge must know this fact?

Is it not time these groups were taken to task for wasting charity money? More to the point, should we be looking at the groups who allocate these funds, for their suitability to choose sensible projects to fund?

Alan Thomas, 4 London Road, Pembroke Dock

JOB NEEDS NO DUPLICATION

Sir, – The proposed transfer by Menter Preseli of a 'Bluestone' from the Carn Meini to Stonehenge, for which they will receive a grant of £100,000, beggars all belief.

If one wants to know how such a feat was accomplished one should read Gerald S. Hawkin's book 'Stonehenge Decoded', published by Rantdana-Collins, in addition to Isabel Hill Elder's book 'Celt, Druid and Cauldee'.

Quoting Hawkins: 'The episode of Stonehenge and the IBM computer is one of the most bizarre and unexpected in science. But the computer and Professor Hawkins have shown that they possessed constructional and astronomical skills of a very high order'.

As such, therefore, one can assume that whatever knowledge or experience was available to the proponents of such awesome feats, the past, in effect, is the past, and the job needs no duplication. If, therefore, Preseli Menter needs to justify its very existence, it certainly needs to come up with far more sensible ways of spending public money.

R. Jones Pugh, 41 St Brides View, Roch

JEREMIAHS AT WORK!

Sir – I see the Jeremiahs are at work again in North Pembrokeshire. May I put the moving of a 'Bluestone' into a different perspective?

Two years ago various community groups in North Pembrokeshire came together to find ways of promoting this beautiful area in order to encourage sustainable tourism, in the hopes that the resulting increase in prosperity would benefit the younger members of our community.

From within these community groups came the proposal that we work towards promoting North Pembrokeshire as the 'Bluestone Country', emphasising the links between the beautiful, unspoilt Preseli Hills and the inner circle of Stonehenge.

With very little funding available to get this promotion off the ground, we were ecstatic to hear of Menter Preseli's successful bid for Millennium Lottery funding.

We will now obviously be the beneficiaries of the resulting massive publicity which this venture will engender around the world. I understand that already TV and film companies from as far afield as America and Australia are anxious to record this event.

'But the money could have been more usefully spent' – say the Jeremiahs! We can argue the rights and wrongs of Millennium spending 'ad infinitum' but the fact remains that this money is only available for projects which happen to appeal to the Millennium committee. Many 'worthy' projects have been refused funding already.

North Pembrokeshire is about to benefit from that funding because the moving of a 'Bluestone' is seen as an imaginative, fun venture which will involve the participation of many young volunteers from the UK and from other countries.

During their time together they will undoubtedly gain incidental insights into some of the obstacles which may have faced Neolithic Man but, more importantly, they will gain valuable insights into one another's cultures, hopes and aspirations for the future. That, I believe, can only be viewed as advantageous.

At no time has Menter Preseli viewed this project as having merely a narrow, serious scientific purpose.

Do I now hear the old gambit – 'Tourism doesn't provide proper jobs?'

Tourism is a major industry in Wales and the revenue into Pembrokeshire is considerable. Perhaps the anti-tourism lobby should take a look at the benefits which have accrued to Ireland thanks to their serious intent to benefit from a well-organised tourism industry.

Of course, if you are one of those Jeremiahs who would prefer that nothing happen in North Pembrokeshire, then you will, of course, view any efforts, in whatever context, to promote this outstandingly beautiful area and subsequently to improve the future prospects for our youngsters, as being a waste of time!

I sincerely hope that all your negative comments during the past weeks does not result in the Millennium funding being withdrawn. If it does, then I hope you will have an alternative to offer us.

Ann Jones, Secretary Bluestone Country Group, Parc Glas Bach, Newport.

STAGING FALSE EXPLOITS

Sir, – In her letter 'Jeremiahs at work!' (April 7th) Mrs Ann Jones states that 'at no time has Menter Preseli viewed this (Bluestone) project as having merely a narrow, serious scientific purpose.'

The spokesman of that organisation stated, however, that the project had 'the serious scientific purpose of showing that Stone Age man was capable of making such a journey and showing the way in which he could have done it,' which prompted historians and archaeologists to point out its absurdity, especially as it was stated at the same time that modern implements would be used.

Mr Jones, with tourism in mind, refers to the 'massive publicity' the project will engender. That it is doing so already is exemplified in a scathing letter in 'The Times', which referred to it as 'no more than 'It's a Knockabout' in woad and woolly knickers,' and the county will be exposed to further ridicule as the already dubbed 'Fred Flinstone look-alikes' progress on their sham journey.

This is hardly the sort of publicity that is likely to bring visitors to Pembrokeshire.

As the Jeremiah who founded the Pembrokeshire Tourist Association more than 50 years ago and has endeavoured to promote the county, and particularly north Pembrokeshire even longer, I am aware of the difficulties in attracting people to enjoy its tranquil beauty.

What Pembrokeshire really needs is a means of extending its all too short holiday season and all efforts should be concentrated on achieving this end.

It will not be attained by staging false exploits or by concocting misleading promotions like 'the Preseli Coast' or the 'Bluestone Country.'

Dillwyn Miles, Hendre, 9 St Anthony's Way, Haverfordwest

STONE SHOULD REMAIN HERE!

Sir, – May we, members of the Archaeology and Local History Group, which meets regularly at the Community Education Centre in Crymych over the winter months, note our utter disgust at the wasteful way Menter Preseli's Heritage Group intend spending the £100,000 grant which they have been allocated by the Millennium Heritage Lottery.

We understand that Menter Preseli intend to remove a four ton Bluestone from the Preseli mountains and to transport it to Stonehenge, with the idea of proving that it was physically possible for man to have done so some 4,000 years ago. Very commendable, but the truth is that even if they succeed it will not prove or disprove the fact and it will be of no practical use to the local community or the country.

Evidence has come to hand recently that a quarry discovered in close proximity to Stonehenge has outcrops of spotted dolerite identical to the stones that make up Stonehenge; therefore, it is even more open to conjecture whether the Bluestones actually came from the Preselis at all.

We believe that the money could have been better used in the community to:

- *Ensure an obvious attraction for future generations depicting the way of life in Pembrokeshire in the last century or even the preceding Millennium.*
- *Providing jobs for the people of Pembrokeshire into the next century.*
- *Set up a trust to finance, on an annual basis, a course at Coleg Penfro to study local history or tourism etc.*

We wholeheartedly support Conrad Bryant and Plaid Cymru's stand on this matter. And we strongly believe that the Preseli Bluestone is part and parcel of our local heritage and should remain here.

The Millennium hype will come and go but we want our stones to stay and continue to be part of our rich history.

Elizabeth Wilband, John Watkin, Olwen Bowen,
Heather Toms, Elaine Lloyd, Ffynnon-Owen, Eglwyswrw, Crymych.

MODERN EQUIPMENT MAKES IT POINTLESS

Sir, – I have been reluctant to enter the discussion upon the 'Bluestones' but, as an archaeologist, I think I should add something.

Professors Piggott and Atkinson in the 1950's demonstrated that a six-ton replica could be floated and manoeuvred in remarkably shallow water by a maximum of four people in fairly turbulent water. However, no extensive sea trials were undertaken.

For a modern experiment to have any validity, or serve any useful purpose, the journey needs to be undertaken by people using a replica raft constructed using ancient technology and propelled by ancient methods.

This will not be without its hazards as in excess of a hundred miles of sea have to be covered before reaching the Bristol Avon.

It is not a short trip, as it will be necessary to beach at night, and for the most part ride up on the flood tide.

Using modern equipment renders it a weak and pointless publicity stunt.

A question therefore, is this project the best use of scarce financial resources? – I think not.

The archaeology and history of Pembrokeshire would be better served for the Millennium by some major and important project such as the excavation of a major site.

M.B. Owen, 46 Prospect Place, Pembroke Dock

STUDENTS DID IT THE HARD WAY

Sir, – Any claim that the project will usefully show how the stones might have been originally carried is weak, because that's been done already.

As I recall, the late Professor Glyn Daniel and a group of his Cambridge archaeology students did it in about the mid 1950s or early 60s, mainly using rafts. Only a fairly small one is needed to tow a Bluestone from the bank along a narrow stream, and the stone would weigh much less if carried actually in the water, slung under a raft or between a pair of boats.

While that may have been known in prehistoric times, I think the Cambridge party assumed it was not and did it the hard way, carrying the stone on top, on streams from the lower slopes of the Preselis to the Eastern Cleddau and the Haven, on the Bristol Channel's strong flood tides and up the Bristol Avon and thence, on streams to Salisbury Plain.

Rollers and sleds were used down from Carn Meini and on the other surprisingly short overland portages needed, and I think it was suggested these might originally have been traversed in winter, when sledging would be easiest and spare manpower available.

This student exercise, under expert direction, showed the journey could be done by simple prehistoric methods, and almost certainly at much less cost than Menter Preseli's.

What their repeat performance will do for local tourism also seems debatable, compared with the direct advertising that could be bought for £100,000.

George Yeomans, Oakfield Lodge, Poyston Cross, Haverfordwest

BLUESTONES: FACTS AND THE FANTASIES

Sir, - It is one of life's little pleasures to exchange a 'Western Telegraph' letter or two with David Green on some matter of local concern. On this occasion David is intent upon demonstrating the inadequacy of the 'glacial transport' hypothesis with respect to the Stonehenge Bluestones.

A few points need to be made in reply. First of all, Chris Green is (like myself) a trained geomorphologist and not a geologist, and his 'dismissals' of the glacial transport idea are opinions and not proofs. David says that the glacial transport idea 'never made much sense' and he supports this statement with some pretty weird statements about glacier behaviour.

First, glaciers have over-ridden Mynydd Preseli on at least one occasion during the Quaternary Ice Age. Second, sea level has very little influence on the behaviour of large glaciers, and David's absurd points about glaciers emerging from the hills, turning their backs on the sea and rolling up a dry Severn estuary suggest that he should settle down and read a glaciology text book or two.

The field evidence shows that during one or two of the early glacial episodes the Irish Sea glacier, behaving according to all the rules of physics, came in from the north-west, overrode the whole of Pembrokeshire (including all the Bluestone outcrops on the top of Preseli) and then flowed across the Bristol Channel and across the coasts of Avon, Somerset, Devon and Cornwall. There are glacial deposits in the Bristol area and on the Isles of Scilly, and glacial deposits on all of the coasts of the South West Peninsula.

The question is not whether the ice reached these coasts after travelling across Pembrokeshire, but thus how far inland around the flanks of the Mendip Hills did the ice extend?

Some earth scientists believe that the ice carrying Preseli erratics extended all the way to Salisbury Plain, but I do not think the evidence for this is particularly strong at present.

The case for the glacial transport of Preseli Bluestones to the Bristol-Bath area, if not to Wiltshire, is pretty sound, and it is not at all diminished by the fact that some earth scientists happen to disagree with Geoffrey Kellaway, Olwen Williams Thorpe and myself. I am still waiting for somebody to produce some evidence in support of the 'human transport theory', and I remind David Green and Robert Kennedy that there is no unanimity among archaeologists on this either.

Stephen Briggs and Aubrey Burl have both highlighted the lack of archaeological evidence for the 'Bluestone expedition' supposedly undertaken by Neolithic tribesmen, and have opted for the glacial theory instead.

That having been said, I cannot understand those who have written to this newspaper complaining about the £100,000 awarded to Menter Preseli's Bluestone project. Clearly there is no real scientific justification for the exercise, and clearly we all have thoughts on what could have been done instead with this substantial sum of money from the Lottery's Millennium fund. But the money could not have been used for schools or hospitals or local infrastructure.

This is simply an imaginative £100,000 marketing exercise which will raise the profile of Pembrokeshire throughout the world. The Bluestone journey will be an amusing and entertaining event with wide media coverage. Let's all get involved and cheer it on, and congratulate Menter Preseli on its skill in winning the grant, its sense of humour, and its initiative in the marketing of Bluestone Country.

Brian John, Trefelin, Cilgwyn, Newport.

OPINION AND NOT PROOF IS ALL ANYONE CAN OFFER

Sir, - Given more precision and less in-house geomorphological blather, Brian John's riposte to my letter (April 7th) might have added something of general interest to the Bluestone saga.

For example, instead of referring to the Quaternary Ice Age he might have referred to the period of the last 2.5 million years and mentioned that as a result of deep ocean core oxygen isotope analysis we now know that those years have been studded with dozens of glacial episodes of varying intensity.

Instead of saying that glaciers have over-ridden Mynydd Preseli on at least one occasion during the Quaternary, he might have said if that was the one around 250,000 years ago to which I referred – and if so how it was that Preseli Bluestones then hung handily around on the surface of Wiltshire for a quarter of a million years so that our Neolithic ancestors were still able to find them 4,000 years ago.

And he might also have said something about the remarkable selectivity of his glaciers. How they managed to pick up all four of the distinct types of Bluestone which outcrop together on Carn Meini (and separately in one or two other places in our county), and then deposit only such quantities of them in Wiltshire that all four types are found at Stonehenge, one type was found in the Neolithic Boles Barrow and none have been found anywhere else in central southern England.

Finally, instead of simply dismissing the views of those who reject glacial movement as 'opinions and not proofs' he might have acknowledged that opinion and not proof is also all those who favour it (including him) have to offer. But of course he would then also have had to admit that all anyone can go by is the weight and extent of circumstantial evidence. And that would rather spoil his narrow academic game.

As a lawyer, I'm better equipped and trained to weigh polydisciplinary circumstantial evidence than he is.

David Green, Rhyd yr Harding, Castlemorris.

The Bluestone Journey that never was became known as one of the greatest of millennium follies. We may laugh and wince a wry smile in retrospect, but whatever were the pros and cons of the venture, one lesson to be learned so as not to repeat such a monstrous flop in the future, is that such escapades should always bring benefits to the area. For far too long the gullibility of the inhabitants has been taken for granted and authorities have invariably taken from the area rather than given. No meaningful dialogue was held locally to discuss the flawed idea. No input was asked for from the local inhabitants.

At the time the local monthly newspaper, *Clebran*, joined the spirit of the frivolity by suggesting the 80 bluestones already taken to Stonehenge, over 2,000 years ago, should now be brought back, courtesy of Mansel Davies Transport for a fraction of the £100,000 available. Furthermore, it was suggested that an annual rent fee should be imposed and then used to enhance the bluestones as a tourist attraction in their very own habitat. And if retrospective rent was to be received as well, it could be a tidy sum to set up a worthwhile venture for the benefit of the local community.

Who knows, the bluestone might be returned one day – as a celebratory gesture come the next millennia – but then that surely depends entirely on lunar influences.

Y Fronlas a'i Phobol

Meleri a Leah Jenkins

Byddai John Jenkins, neu Jack y Fronlas (dad-cu), wedi dathlu ei ben-blwydd yn 100 oed ar y 10fed o Ionawr 2010, a dyna a wnaeth inni feddwl ychydig am hanes ein cyndeidiau yn ffermio'r Fronlas ar lechweddau'r Preselau o fewn golwg i Garn Afr ers ail hanner y bedwaredd ganrif ar bymtheg.

Jack a Letitia ar stepen sied yn y Fronlas yn 1978 gyda Nani'r afr a Mitch a Nel, y cŵn anwes a Meleri a Leah ar y sach wlân yn 1983

Yn ôl cyfrifiad 1871, yr oedd y penteulu, sef John Jenkins – ein hen-hen-dad-cu ynghyd â'i wraig Elizabeth a'u mab William yn ffermio 140 o aceri, ac mae'r cyfrifiad nesaf yn 1881 yn datgan ei fod ef a'i briod, Elizabeth, yn byw yno gyda'u plant - William, Jane, John, Stephen, Margaret a Lizzie. Maent oll ag eithrio Margaret wedi'u claddu ym mynwent Capel Llandeilo. Mae olion yn rhai o'r tai mas ar y clos yn dynodi mai yno y safodd y tŷ gwreiddiol. Adeiladwyd y tŷ presennol yn 1896, ac er nad yw'n wybyddus pwy oedd yr adeiladwr, wrth osod to newydd i'r tŷ yn 2010, daethpwyd o hyd i ddarn o bren â'r geiriau 'Benji Jenkins, Mynachlog-ddu, 12th June 1897' mewn pensel arno.

Ein hen-dad-cu oedd Stephen Jenkins, mab John ac Elizabeth Jenkins, a'i wraig, sef ein hen-fam-gu oedd Ann Pritchard, Tŷ-llosg, merch Hugh a Martha Pritchard. Cafwyd ychydig o hanes y teulu Pritchard gan Peter Denzil Edwards, Hwlffordd, yn ddiweddar, sydd hefyd yn un o ddisgynyddion y teulu hwnnw. Dywedodd i William Pritchard gael ei eni yn Llandwrog, Sir Gaernarfon yn 1809 ac iddo weithio fel chwarelwr ym mhentref Trefor yng nghysgod mynydd yr Eifl. Yna, yn 1840, oherwydd y sefyllfa wael yn chwareli'r gogledd, hwyliodd i borthladd Porth-gain i chwilio am waith yn chwareli llechi gogledd Sir Benfro.

Priododd William yn Eglwys Prendergast, Hwlffordd, ym mis Tachwedd 1840 â Martha Lewis o'r dref honno, ac erbyn cyfrifiad 1841 yr oeddynt yn byw yn Nhŷ-llosg ym mhlwyf Nanhyfer.

Mae'n wybyddus i William weithio fel rheolwr yn chwareli Sealyham, Porthgain, Cronllwyn a Rosebush, yn ogystal â ffermio Tafarn Newydd (Nant-y-ddwylan) erbyn 1851. Ganwyd chwech o blant i William a Martha, a Hugh, y pedwerydd plentyn, oedd tad Ann, sef ein hen-fam-gu. Roedd hithau yn un o saith o blant, a bu un ohonynt, sef Evan, farw yn 1918 ar faes y gad yn ystod y Rhyfel Mawr a'i gladdu yn Hermies Hill yng ngogledd Ffrainc yn 35 mlwydd oed. Mae nifer o aelodau teulu'r Pritchard wedi'u claddu ym mynwent Eglwys y Santes Fair, Maenclochog.

Wedi marwolaeth John Jenkins, y penteulu, yn 1906, ac Elizabeth, ei briod, yn 1915, William, y mab hynaf, ynghyd â John (Johnny) ei frawd, sef brodyr Stephen, ein hen-dad-cu, oedd yn ffermio yn y Fronlas – y ddau ohonynt yn ddibriod. Daeth Jack, ein tad-cu, a oedd felly'n nai i'r ddau frawd, atynt yn llanc ifanc i weithio gyda'r defaid tua 1922. Bu farw William yn 1923 a Johnny yn 1952, ond erbyn hynny yr oedd dad-cu wedi priodi â Letitia, a hanai o ardal Llys-y-frân ac a ddaeth i wasanaethu yn y Fronlas yn 1944, wedi i'r efeilliaid Esther ac Elizabeth Phillips, merched Jane Jenkins, briodi. Ymgartrefodd un ohonynt ym Mhen-feidr, Llandysilio, a'r llall yn Wernlygoes, Llanfallteg.

Pan ddaeth Letitia, ein mam-gu, i'r Fronlas, roedd yno gar mawr du, ond doedd neb yn medru ei yrru. Felly, cydiodd hi yn yr olwyn, a hi fu'n gyrru'r hen Johnny a Jack i bob man. Hi fu'n gyrru cerbydau'r Fronlas drwy gydol ei bywyd priodasol, gan na ddysgodd Jack yrru erioed. Yn wir, roedd gyrru yn un o hoff bethau mam-gu, hyd nes iddi orfod rhoi'r gorau iddo yn 2005 wedi strôc greulon. Bu farw hithau yn 2008 yn 87 mlwydd oed.

Un stori ddiddorol am gyfnod mam-gu yn y Fronlas oedd adeg yr Ail Ryfel Byd pan laniodd awyren ar y mynydd-dir gerllaw gan anafu dau o'r Americanwyr oedd ynddi. Fe'u cariwyd i lawr i'r tŷ fferm, lle bu mam-gu'n trin eu hanafiadau hyd orau y medrai, a pharatoi te cryf â lot o siwgr ynddo i'r ddau. 'Cofiwch, roedd siwgr yn brin yn ystod y rhyfel', oedd ei geiriau wrth adrodd y stori. Deallwyd wedyn fod un o'r Americanwyr hynny wedi marw.

Ganwyd John Denzil, sef dad, ychydig o flynyddoedd wedi diwedd y rhyfel, yn unig blentyn i Jack a Letitia ar y 30ain o Awst 1948. Yn ôl yr arfer yn y cyfnod hwnnw, ganwyd ef gartref yn y Fronlas, gyda nyrs Victoria yn cynorthwyo fel bydwraig, a hynny gan fod Maria, bydwraig enwog Pen-rhos, yn y Mans yn cynorthwyo gyda genedigaeth un o feibion y Parchedig a Mrs Moelwyn Daniel, sef Emyr Daniel, y darlledwr.

Bu farw dad-cu yn 1987 yn 77 mlwydd oed, ac ar ddydd ei angladd yng Nghapel Llandeilo, cyfeiriodd ei weinidog, y Parchedig D. Gerald Jones, at y ffaith nad yw'n bosibl corlannu rhai pobol, a heb os roedd Jack y Fronlas yn un ohonynt. Fel y dywedodd Gerald Jones yn ei englyn coffa i dad-cu:

Gŵr o ruddin gwerinol – a hynaws
Ei anian hamddenol,
Un â lilt yn ei lais di-lol
A seriws ei air siriol.

Dyna ddisgrifiad digon teg ohono, yn ôl y rhai a oedd yn ei adnabod yn well na ni'n dwy. Yr oedd iddo ryw synnwyr digrifwch unigryw, a chofir ei ddywediadau bachog hyd y dydd heddiw. Yn wir, cyfeiriodd Dai Jones, Llanilar, at un o'i ddywediadau'n ddiweddar ar un o'i raglenni teledu, pan ddywedodd mewn sgwrs – 'Fel y dywedodd un o fugeiliaid ardal y Preseli rywdro: "Alli di ddim cadw whishgers a siafo glei"', hynny yw, ni allwch chi bori parc a disgwyl i'r borfa dyfu ar yr un pryd. Yna, os fyddai rhywun braidd yn fipslyd yn gofyn iddo yn y gwanwyn faint o borfa oedd ganddo gartref ar ôl gaeaf hir a chaled, ei ateb oedd – 'O, digon, dim ond 'i fod e'n fyr.'

Stori arall oedd honno pan ddaeth Jim a Mairwen Williams i fyw drws nesaf i fferm Bwlch-pant yn ystod y 1960au. Roeddynt yn flaengar yn eu dull o amaethu ac yn defnyddio tipyn o wrtaith nitrogen a'r dulliau diweddaraf o dyfu cnydau. Pan ddaeth hi'n amser cynhaeaf, sylw dad-cu oedd – 'Roedd y beler yn crynu wrth fynd miwn drw'r bwlch wrth weld faint o grop wêdd yn Bwlchpant!' Sylw digon teg siŵr o fod o ystyried sŵn y beler wrth boeri'r bêls bach mas.

Sylw arall ganddo wrth glywed ambell i siaradwr yn traethu'n gall a hirwyntog ar ryw fater neu'i gilydd oedd – 'S'dim cymaint â hynna o wirionedd i ga'l yn y byd 'ma.' Yna, ar ôl clywed am farwolaeth ryw berson a ystyriwyd yn ei farn ef braidd yn ddioglyd a diwerth, ei sylw fyddai – 'Mae e wedi marw ers slawer dy', ond wedd e heb gwmpo'. Un arall o'i ddywediadau oedd: 'Dyweda di gelwydd ddigon amal ac fe ddei di i gredu i fod e'n wir yn y diwedd'.

Cafodd dad blentyndod hynod o hapus yn cael marchogaeth gyda'i dad ar y poni gwyn ar ôl y defaid, neu ddilyn Phil Rowlands, Mynydd Crwn, neu Lloyd Perkins, y Ddôl, o amgylch y clos neu yn y lloc wrth odre Garn Afr. Pan ddaeth yn ddigon hen i farchogaeth poni ar ei ben ei hun, byddai'n dianc i'r mynydd ac i Garn Afr, gan ddychmygu ei fod ar y paith yn y Gorllewin Gwyllt, gan gysgodi rhag y glaw yng nghrombil y graig. Pan oeddwn i (Leah) ryw chwech neu saith oed, gofynnais yn daer i dad a fyddai'n bosibl imi etifeddu Carn Afr ar ôl ei ddyddiau ef. Mae'n amlwg fod rhamant a dirgelwch y graig a'i olion hynafol yn cydio yn y rheini sy'n ddigon ffodus i gael eu magu yn ei chysgod.

Dilyn 'cwys fel cwys ei dad' oedd unig uchelgais dad, a byddai ton o hiraeth yn llifo drosto'n fynych wrth wylio o iard Ysgol Maenclochog y defaid yn dod lawr o'r mynydd, a byddai'n dyheu am fod adref yng nghanol bwrlwm y diwrnod cneifio neu olchi. Gan fod dad yn cael ei ben-blwydd ddiwedd mis Awst ac yn fach o ran maint corfforol (fel y mae hyd y dydd heddiw!) nid oedd athrawon Ysgol Maenclochog wedi sylweddoli yn 1959 y byddai'n rhaid ei drosglwyddo i'r ysgol uwchradd yng Nghrymych ym mis Medi. O ganlyniad, tymor yn unig a dreuliodd yn y *top class* gyda'r prifathro Titus Lewis. Nid oedd yn hoff o waith ysgol, ac roedd y gwaith cartref yn fwrn arno, ac felly nid oedd dim amdani ond rhedeg lawr i'r Ddôl at Lloyd, a oedd wedi bod yn y Cownti Sgŵl yn Arberth, a chael ei help i orffen y gwaith. Serch hynny, derbyniodd ganlyniadau Lefel O digon canmoladwy, ond dod adref i'r Fronlas i ffermio oedd y cam naturiol nesaf, er iddo gyfaddef iddo ddifaru'r penderfyniad droeon dros fisoedd oer a chaled y gaeaf cyntaf hwnnw wedi iddo adael yr ysgol.

Wedi gorffen y cynhaeaf gwair 1978. (Chwith i'r dde) Rhes gefn – Glyndwr Thomas, Brynberian; Letitia Jenkins. Rhes ganol – Phil Rowlands, Mynydd Crwn; Peter Edwards, Bryngerwyn; Gwynfor James, Galchen; Benji Llewelyn, Castle. Rhes flaen – Berwyn Williams, Caerlydd; Denzil Jenkins, Dai John, Pantygwynfyd a Heather Jenkins.

Fodd bynnag, buan y newidiodd pethau, a dysgodd sgiliau'r bugail megis 'sbaddu ŵyn o dan gyfarwyddyd Lloyd Lewis, Stepin, ac adnabod nodau clust pob tyddyn a fferm ar y mynyddoedd. Trist yw meddwl na fydd fawr o bwrpas i neb eu hadrodd mewn byr o amser gyda dyfodiad y tagiau plastig a'r tagio electronig. Beth sydd bertach i'r glust na 'Gloifi'r dde lan, bwlch plyg arno, twll yn yr aswy', sef nod y Fronlas hyd heddiw?

Yn 1975, priododd Denzil â Heather Thomas o Frynberian. Dechreuodd y ddau eu bywyd priodasol ym mhentref Maenclochog, cyn symud yn ôl i'r Fronlas yn 1977 a dechrau ffermio ar eu liwt eu hunain. Symud i Fynydd Crwn Bach, dau led parc i ffwrdd, i ymddeol a wnaeth Jack a Letitia, gan gadw rhyw 70 o ddefaid magu, yng nghwmni Bob a Bet, y cŵn defaid ffyddlon.

Bugail craff yw dad sydd, yn ôl ei gyffesiad ei hun, wedi mwynhau'r hyn y mae wedi llwyddo i'w wneud i'r eithaf. Wedi iddo ef a mam gymryd yr awenau yn 1977, maent wedi parhau â'r traddodiadau o ffermio tir mynydd, gyda'r defaid yn dal i fynd i faes tanio'r fyddin yng Nghastellmartin ar gyfer y gaeaf. Fodd bynnag, dechreuwyd hefyd yr arfer o'u gaeafu ar ffermydd cyfagos ym mhlwyfi Llandeilo a Llangolman, yn Llwyncelyn gyda theulu'r Vaughaniaid, a chyda Wyn Williams, Tŷ-mawr, ym mhlwyf Llandeilo. Dysgodd dad y grefft o gneifio pan oedd yn un ar bymtheg oed, ac yn cael pleser pur wrth gyflawni'r gwaith. Felly ef, ac nid contractwyr, sy'n gwneud y gwaith hyd heddiw, gyda mam wrth ei ochr yn pacio a llenwi'r sachau gwlân.

Pan oedd yn ifancach, byddai'n mynd i gneifio i ffermydd eraill yn Sir Benfro, gan fynychu ffermydd llawr gwlad y sir a chwrdd â thrigolion unigryw de'r sir. Yr oedd yn mwynhau'r profiad hwnnw, oherwydd fel y mae pob ffermwr yn gwybod, gall ffermio fod yn fywyd unig, gyda sawl un yn gweld neb o un dydd i'r llall. Mae dad yn credu'n gryf ym mharhad y farchnad da byw, nid yn unig fel lle i werthu neu brynu cynnyrch, ond hefyd o ran yr elfen gymdeithasol o gwrdd â phobol. Felly, pan fydd tymor y gwerthu ŵyn yn dechrau, mart Aberteifi ar ddydd Llun, neu Crymych bob yn ail ddydd Mercher, fydd cyrchfan ffermwyr yr ardal.

Vincente a Carla Evans, Trefelin, Patagonia yn y Fronlas.

Yn 1991, cynhaliodd Parc Cenedlaethol Arfordir Penfro, ar y cyd â'r Mudiad Ffermwyr Ifanc ac Undeb Cenedlaethol yr Amaethwyr, yr NFU, ddiwrnod agored ar y fferm, a mynychodd llu o drigolion lleol ac ymwelwyr y diwrnod arbennig hwn.

Diwrnod arall i'w gofio oedd hwnnw pan ddaeth Vincente Evans, a'i wraig, Carla o Drefelin, Patagonia, i ymweld â'r Fronlas yn 2009. Noson fythgofiadwy oedd honno ym mis Gorffennaf, gyda'r haul yn disgleirio, a Vincente ar ben ei ddigon yn gyrru dros y perci ar y cwad, ac yn siarad Cymraeg gyda'r acen hyfrytaf, a minnau (Meleri) yn cyfathrebu gyda Carla yn Sbaeneg, gan nad oedd hi'n medru'r Gymraeg.

Yn ystod y 1990au cynnar, dechreuodd dad gymryd diddordeb yng ngwleidyddiaeth ffermio, gan ddechrau mynychu cyfarfodydd yr NFU. Yn sgil hynny, yn 1992 cafodd ei ethol yn gynrychiolydd Sir Benfro ar Bwyllgor Rhanbarthol y Bwrdd Marchnata Gwlân, ac y mae'n parhau i gynrychioli cynhyrchwyr gwlân y sir arno. Ar ôl cyfnodau o fod yn gadeirydd Pwyllgor Tir Uchel a Da Byw yr Undeb yn y sir, a chynrychioli'r sir ar Bwyllgor Tir Uchel yr Undeb yn Llundain am nifer o flynyddoedd, fe'i hetholwyd yn gadeirydd Undeb Cenedlaethol yr Amaethwyr yn Sir Benfro yn 2000. Yn 2009 fe'i hetholwyd yn is-gadeirydd Bwrdd Tir Llai Ffafriol yr NFU yng Nghymru. Yn ogystal, mae wedi bod yn aelod a chadeirydd Cyngor Cymuned Llangolman a Mynachlog-ddu am flynyddoedd lawer. Fodd bynnag, yr hyn sydd o bwysigrwydd personol mawr iddo yw ei swyddogaeth fel diacon ac ysgrifennydd ariannol Capel Annibynwyr y Tabernacl, Maenclochog, er 1976.

Nid yw mam wedi bod yn segur 'chwaith. Yn ogystal â bod yn gefn i dad a chyflawni amrywiol ddyletswyddau ar y fferm, mae wedi cyfrannu i sawl mudiad. Roedd yn aelod o'r pwyllgor a fu'n ymgyrchu dros gael ysgol ddwyieithog i ardal y Preselau yn ystod y 1980au, yn ysgrifenyddes a thrysorydd y gangen leol o Ferched y Wawr, yn drysorydd rhanbarth y mudiad hefyd, yn un o sylfaenwyr ac arweinydd Adran yr Urdd yn y pentref am saith mlynedd, ac yn aelod o gorff llywodraethol Ysgol Maenclochog ers 1988. Bu'n ysgrifennydd Eisteddfod Gadeiriol Maenclochog am ugain mlynedd, ac yn parhau ei chysylltiad â'r eisteddfod fel ysgrifennydd yr adran lên. Mae'n gweithio fel cynorthwyydd yn Ysgol Maenclochog er 1998, er yn rhan-amser bellach.

Cafodd y ddwy ohonom ein haddysg yn ysgolion Maenclochog a Phreseli, cyn symud i'r Brifysgol yn Aberystwyth – Meleri yn gyntaf yn 1998 i astudio Sbaeneg a Hanes Cymru, ac wedyn Leah yn 2000 i astudio Cymraeg a Hanes. Fel un o'r disgyblion cyntaf a gerddodd i mewn drwy ddrysau'r ysgol ddwyieithog yn 1991, mae Meleri bellach yn athrawes Ieithoedd Modern yn Ysgol y Preseli. Mae Leah wedi ymgartrefu yng Nghaerdydd, ac wedi cyfnod yn gweithio fel is-olygydd yng Ngwasg Prifysgol Cymru, mae bellach yn gweithio fel Golygydd i Gofnod y Trafodion, Cynulliad Cenedlaethol Cymru, ym Mae Caerdydd. Fodd bynnag, er bod y ddwy ohonom bellach wedi gadael y Fronlas, ac wedi ymsefydlu yn ein cartrefi ein hunain, bwrw'n ôl i'r Fronlas a wna'r ddwy ohonom o hyd.

Meleri and Leah Jenkins have traced their ancestry at Fronlas on the Preselau slopes within view of Carn Afr to the mid-nineteenth century when their great-great-grandfather, John Jenkins, farmed the 140 acres. The 1881 census mentions that John and Elizabeth had six children on the hearth – William, Jane, John, Stephen, Margaret and Lizzie, all of whom, except Margaret, have been buried at Llandeilo cemetery. The sisters' great-grandfather was Stephen, who married Ann Pritchard, Tŷ-llosg, whose own grandfather, William Pritchard, had moved from North Wales at a time of depression in the slate industry to seek similar work in Pembrokeshire. He was 31 years old when he sailed into Porth-gain in 1840, married Martha Lewis at Haverfordwest before the end of the year and finally became employed as a manager at Rosebush quarry – whilst farming at Nant-y-ddwylan as well. Many of the Pritchard family are buried at Maenclochog church cemetery.

Following the deaths of John in 1906 and Elizabeth in 1915, the eldest son, William, with his brother, John, both bachelors, then farmed Fronlas. Their nephew, Jack, Stephen's son and Meleri and Leah's grandfather, joined them on the farm around 1922. When Jane's twin daughters, Esther and Elizabeth, later married, a maid was employed in 1944 and Letitia, from Llys-y-frân, subsequently became Jack's wife and the daughters' grandmother. Their father, Denzil was born in 1948. Their grandfather died in 1987 and their grandmother 21 years later in 2008.

Letitia was the sole car driver at Fronlas, as Jack never learned to drive. However, he was known for his quick wit and one of his regular comments was quoted by Dai Jones on one of his S4C programmes recently when he attributed a well known saying to the Preselau shepherds – "You cannot grow a beard and shave at the same time," – that is to say you cannot graze a field and expect the grass to grow at the same time.

Denzil never queried for a single moment that he would one day follow his father and grandfather and great-grandfather as the custodian of the mountain. Attending school was always a hindrance when he knew sheep were being washed or shorn. When his parents retired to Mynydd Crwn Bach nearby in 1977 he was joined at Fronlas by his wife of two years, Heather Thomas from Brynberian. Denzil is in his element when attending to the needs of his flock, whether wintering down at Castlemartin or meeting likeminded shepherds at the lamb sales.

Since the early 1990's Denzil has represented the interests of the NFU on various committees, served as a member of the local community council and carried out his duties as a deacon and financial secretary of Tabernacl Congregationalist chapel at Maenclochog since 1976. Heather was in the vanguard of the efforts to establish a bilingual secondary school at Crymych and has been involved with the Urdd and Merched y Wawr locally as well as serving as secretary of Maenclochog Eisteddfod for 20 years.

Both Meleri and Leah received their higher education at the bilingual Ysgol y Preseli. Both took degrees at Aberystwyth University. While Meleri has returned to her former school as a modern languages teacher, Leah currently works as an editor of the Record of Proceedings at the National Assembly in Cardiff. Though both have set up their own homes they still gravitate back to Fronlas as often as possible.

Lloyd Capel

(1925 – 2006)

Y Parchg Eirian Wyn Lewis

Lloyd Capel yn ei gynefin ymhlith y defaid.

Os bu cysylltu enw person â lle yn addas erioed, roedd e'n gwbl addas yn hanes Lloyd Capel. Dyna fel y deuthum i'w adnabod wrth ddod yn weinidog ifanc, dibrofiad i Sir Benfro, yn syth o'm hastudiaethau yng Ngholeg y Bedyddwyr, Bangor, i gyflawni holl ofynion y 'barchus arswydus swydd', gan feddwl fod y 'Capel' oedd yn dilyn ei enw yn golygu capel Bethel a'm gwahoddodd, ynghyd â Horeb, Maenclochog, yn fentrus iawn i'w bugeilio. Ond dysgais mai un o arferion hyfryd yr ardal oedd cyfeirio at gartref y person yn hytrach na rhoi iddo ef neu hi eu cyfenwau priodol. Arferiad werth ei arddel yw hynny yn fy ngolwg i, yn llawer mwy cartrefol a phersonol ac yn llai ffurfiol o lawer na galw rhywun yn Mr neu Mrs

Cysylltir Glynsaithmaen a Phenrallt ag enw Lloyd yn ogystal, ond bod hynny cyn i mi ddod i'r fro yn 1979 i wasanaethu fel gweinidog ac i adnabod yr ardal. Fe'i ganed yn Nan-garn a'i fagu wedyn yng Nglynsaithmaen yng nghysgod Foel Cwm Cerwyn ac wedi priodi Beti Penrallt, o ben arall y plwyf, ymgartrefu ar yr aelwyd honno a magu dau o fechgyn, Cerwyn a Dyfed. Mae'r ddau wedi dilyn ôl troed eu tad yn eu galwedigaethau ac yn eu cefnogaeth i weithgareddau'r ardal, ac yn arbennig yn eu cefnogaeth i'r achos ym Methel. Symudodd y teulu cyfan yn 1963 nid nepell o Benrallt i Fferm y Capel gerllaw a dyna'r eglurhad am yr enw Lloyd Capel.

Beili'r mynydd – Dyfed Davies, mab Lloyd Capel.

Arferai'r diweddar Barchedig R. Parri-Roberts, yn ôl y sôn, gyfeirio mewn ambell wasanaeth angladd, wrth dalu teyrnged i'r ymadawedig, bod 'cadernid hen fynyddoedd y Preselau yn amlwg iawn yn eu cymeriadau.' Talu gwrogaeth y byddai wrth wneud hynny i bersonoliaeth a chefnogaeth y sawl y byddai'n ei goffáu gan nodi bod cadernid yn rhinwedd gwerthfawr. Ac un o rinweddau niferus Lloyd Capel yn ddi-os oedd cadernid. Gall cadernid o'i gam-ddefnyddio yn haearnaidd wrth gwrs, fod yn rhwystr ac yn ffwdan. Ond nid felly yn hanes Lloyd Capel.

Byddai ei gyfraniad mewn cyfarfod neu bwyllgor yn adeiladol a'i ddymuniad bob amser oedd gweld unrhyw achos teilwng yn llwyddo. Er iddo fod yn aelod amlwg a gweithredol ar nifer o bwyllgorau amrywiol ym myd amaethyddiaeth ac addysg, yn lleol ac yn sirol, nid oedd dim yn bwysicach iddo na bod yn ddiacon ac yn ysgrifennydd yr eglwys ym Methel. Gwasanaethodd yn ogystal fel Ynad Heddwch ar y fainc yn Eglwyswrw am ugain mlynedd, gan ddelio mewn ysbryd teg a chyfiawn â'r troseddwyr yn y gobaith y byddai'r gosb yn eu galluogi i fod yn well dinasyddion wedi'r drosedd.

Gweld parhad y gwaddol a etifeddwyd gennym gan ein cyndeidiau oedd ei freuddwyd fwyaf ac fe wnaeth ei orau glas o fewn ei filltir sgwâr i sicrhau hynny. Bu ar wyliau yn yr Iwerddon ac yn yr Alban, ond, ni chwenychodd fynd ymhellach na hynny. Cafodd fodlonrwydd yn nhawelwch y Preselau a'i phobl a oedd yn cyfrif gymaint iddo. Bu'n gysylltiedig â'r Cwrsin Cŵn pan oedd hwnnw yn ei anterth yn yr ardal a byddai pob menter gyffelyb yn sicr o gael ei gefnogaeth.

Pleser pur iddo oedd llunio *Llyfr Nodau Defaid y Preselau*, ar ran y bugeiliaid, gan gredu bod gosod ymadroddion megis 'cilhollt', 'prenllunswch' a 'gloifi'r aswy', ar gof a chadw, yn werthfawr i'r oesoedd a ddêl. Gwelir ei ymlyniad i'r fro yn ei eiriau o gyflwyniad: "Fe gymerodd y gwaith o'u trefnu dipyn o amser ond os bydd y llyfr o wasanaeth i'r bugeiliaid sydd heddiw yn bugeilio ar yr hen foelydd hanesyddol hyn teimlaf fod bob munud o'r amser wedi bod o werth. Cefais lawer o fwynhad hefyd wrth wneud y gwaith hwn."

Un hawdd iawn i gydweithio ag ef bu Lloyd Capel ar bob adeg. Pan fyddai achos i geryddu, nid yn gyhoeddus y byddai hynny yn digwydd, ond yn y dirgel, pan fyddai'r cyfle i wneud yn esgor ar drafodaeth synhwyrol.

Bu'r cysylltiad rhyngddo â'r achos ym Methel yn un agos anghyffredin a'i ddymuniad mawr oedd gweld llwyddiant a pharhad y dystiolaeth. Bu'n ddiacon am 31 mlynedd ac yn Ysgrifennydd yr achos am 21 mlynedd. Mae'n dda tystio bod eraill o'r un anian heddiw fel o'r blaen sydd yr un mor awyddus i gynnal y dystiolaeth Gristnogol. Byddai hynny wrth fodd calon Lloyd Capel.

Englynion Coffa i Lloyd

Ym Methel fel amaethwr – drwy ei oes
Bu'n driw i'w Greawdwr;
O Sul i Sul cadwai'n siŵr
Ei dyddyn fel Bedyddiwr.
Wyn Owens

Ym Methel bu'n amaethu – eu herwau
Â chariad bu'n llyfnu;
Ei ddôl oedd Mynachlog-ddu
A'i dalar oedd ei deulu.
Eifion Daniels

Ei nef oedd gyda'i ddefaid – ar y Foel,
Ar ei faes yn enaid
I ddal sylw ei ddeiliaid
O'i stad bu'n dad ac yn daid.
Cerwyn Davies

The Rev Eirian Wyn Lewis pens a warm tribute to Lloyd Capel, as he was known by all and sundry. The Rev Lewis praises the habit of referring to a person by the name of his abode rather than his surname. It was one of the unusual traits of the area which he soon appreciated when appointed pastor of Bethel in 1979. Lloyd was born at Dan-garn and brought up at Glynsaithmaen but moved to the other end of the parish when he married Beti Penrallt – another name to whom the usual surname tag does not apply. With their sons, Cerwyn and Dyfed, they moved to Capel nearby in 1963, and hence the handle that is applied. One of the Rev Lewis' predecessors, the Rev R. Parri-Roberts, would often refer in his funeral orations to the deceased as one who possessed the mettle associated with the Preselau, and that, undoubtedly, was one of the overwhelming strengths of Lloyd Capel.

Lloyd Capel's contributions in all public discussions would be positive and constructive. This was because he was keen to see all worthwhile causes flourish. He played a prominent part as a member of various agricultural and educational committees and served as Justice of the Peace for twenty years. His abiding passion was to safeguard what had been inherited for the next generation. Though he travelled extensively he never sought to spend time far from his beloved and familiar Preselau. Preparing the 'Ear Mark Book', denoting the earmarks of all Preseli sheepowners, gave him much pleasure. He provided translations of all the unusual terms, such as 'chimney pot notch', 'knife nick' and 'swallow tail cut'.

Eirian Wyn Lewis praises his mentor's easy-going manner as a chapel elder who would find a quiet corner if a word of rebuke was required, which would then be followed by a rational discussion. Bethel was close to his heart. He served as a deacon for 31 years and Secretary for 21 years. Nothing would give him more pleasure than knowing that his chapel still upholds the Christian testimony.

LLYFR NODAU

PRESELI, FRENNI a CHARN INGLI

CASGLIAD O NODAU DEFAID YN ARDALOEDD

MYNACHLOGDDU, BRYNBERIAN, TAFARN NEWYDD,

TREFDRAETH a'r FRENNI FAWR

Wedi eu casglu gan fugeiliaid yr ardaloedd

ac wedi eu trefnu gan

D. Lloyd Davies, Capel, Mynachlogddu

EAR MARK BOOK

of

PRESELI, FRENNI and CARN INGLI

A COLLECTION OF SHEEP EAR MARKS

PRESENTLY IN USE IN THE

MYNACHLODDU, BRYNBERIAN, NEW INN

NEWPORT and FRENNI AREAS

Collected by shepherds from each area

and put in order by

D. Lloyd Davies, Capel, Mynachlogddu

Y TORIADAU A'U HENWAU

VARIOUS CUTS (NAMES TRANSLATED)

Aswy Left — De Right

1—Torri Blaen — Square Tip

2—Cwart — Quarter Cut

3—Gwennol — Swallow Tail Cut

4—Gloifad — Lance

5—Bwlch Tri Thoriad — Three Way Cut

6—Bwlch Plyg — Thumb Notch

7—Cilhollt — Slit

8—Bach — Hook

9—Hollti — Split

10—Twll — Hole

11—Picwarch — Fork

12—Prenllunswch — Chimney Pot Notch

13—Llun yr Allwedd — Key shaped Notch

14—Rhic — Knife Nick

15—Careion — Boot Lace Slit

Nodau'r defaid / Sheep ear marks

Rhai o nodau bugeiliaid ardal Mynachlog-ddu a'u perchnogion fel y cawsant eu nodi gan D. Lloyd Davies, Capel:

1— Torri blaen y dde a thwll ynddo. Cilhollt dan yr aswy. Bwlch plyg arno
Lloyd Davies, Capel

2— Torri blaen y dde. Hollti'r bôn. Twll yn yr aswy
T. D. Lewis, Llethr Isaf

3— Torri blaen y dde. Hollti'r bôn. Gwennol yn yr aswy. Bwlch plyg dano
Idwal G. Jenkins, Tycanol

4— Torri blaen y dde. Hollti'r bôn. Cwart o dan yr aswy.
Llun yr allwedd dano *Dyfed Davies, Capel*

5— Torri blaen y dde. Hollti'r bôn. Bwlch plyg ar yr aswy.
Bwlch tri thoriad dano *David G. Lewis, Glynaeron*

6— Torri blaen y dde. Cwart dano. Gloifi'r aswy lan.
Bwlch plyg arno a thwll ynddo *John Jenkins, Fronlas*

7— Torri blaen y dde. Bwlch plyg arno. Bwlch trithoriad dano.
Bach dan yr aswy *John Jenkins, Fronlas*

8— Torri blaen y dde. Bwlch plyg dano. Bwlch plyg dan yr aswy
Gwynfor Owen, Llwyn-drain

9— Torri blaen y dde. Bwlch plyg oddeutu iddo. Bwlch plyg oddeutu'r aswy
Mandy Davies, Rhos-fach

10— Torri blaen y dde. Bach dano *Danny Griffiths, Penddafe*

11— Torri blaen y dde. Cilhollt dano. Cilhollt ar yr aswy
Rhys John, Pant-y-rhug

12— Torri blaen y dde. Cilhollt dano. Gwennol yn yr aswy.
Bwlch trithoriad dano *D. B. Thomas, Tynewydd*

13— Torri blaen y dde. Hollti'r aswy. Bwlch tri thoriad dano
Lloyd Davies, Pantithel

14— Torri blaen y dde. Bwlch tri thoriad arno. Gwennol yn yr aswy.
Bwlch plyg arno *Eirwyn Williams, Waun-lwyd*

15— Torri blaen y dde. Bwlch tri thoriad dano. Twll yn yr aswy.
Dyfrig Griffiths, Blaendyffryn

16— Torri blaen y dde. Bwlch tri thoriad dano, Cilhollt ar yr aswy.
Bach dano *M. M. Griffiths, Ffynnon-wen, Mynachlog-ddu*

Casglu'r Stra

Mae diwrnod casglu'r defaid stra yn ddiwrnod mawr ar Fynydd y Preselau. Bydd pob ffermwr yn casglu ei ddefaid ei hun o'r mynydd erbyn diwedd mis Gorffennaf er mwyn eu cneifio. Ond mae yna wastad nifer helaeth o blith y miloedd y mae'n amhosib eu corlannu. Mae'n ofynnol wedyn i drefnu i bawb ddod at ei gilydd i gasglu'r rhai sy'n weddill cyn diwedd yr haf. Beili'r Mynydd, sydd yn un o swyddogion y Cwrt Lît hynafol, sy'n gyfrifol am drefnu diwrnod y Stra. Y Cwrt Lît sy'n llywodraethu'r mynydd ar ran Arglwydd y Faenor. Hawliau pori yn unig sydd gan y ffermwyr. Beili Maenor Mynachlog-ddu pan dynnwyd y llun ym 1999 oedd Sid Jenkins, Llainbanal. Ei ragflaenwyr oedd Glanville Davies, Caermeini Uchaf; John O. Llewellyn, Trallwyn a John John, Tycwta. Dyfed Davies, Pantithel, yw'r beili ar hyn o bryd.

O'r chwith –Haydn Parry, Eirwyn Griffiths, Eurig Evans, Iwan Ward, John Thomas, Dyfrig Griffiths, Danny Davies, Lloyd Davies, Cerwyn Davies, Sid Jenkins, Meurig Rees, Ken Davies, Dyfed Davies.

Arglwydd y Faenor wedyn yw gŵr o'r enw David Williams sy'n byw yng Ngwlad yr Haf a fydd yn cadeirio pob cyfarfod o'r Cwrt Lît. Y drefn bellach yw dechrau casglu yng nghyffiniau Carn Meini gan ddefnyddio lloc Clawdd Du ac yna ar draws i Tal Mynydd a llocio'r defaid ar glos Pantithel. Arferid gwneud hyn ar gefn coben ond bellach mae'r motor beic pedair olwyn yn cael ei ddefnyddio i ddilyn y cŵn. Rhaid bydd astudio'r nodau clust wedyn a didoli'r defaid i'w perchnogion am yn ail â chwedleua am yr hen fugeiliaid megis John Rees, Penanty; Dafi Rees, Ddolgam a William John Evans, Eisteddfa, i enwi rhai o fois ochr Brynberian o'r mynydd.

The gathering of the stray sheep on Preselau mountain is one of the few social occasions when the mountain shepherds come together these days. The task is carried out once the shearing has been completed. Though every individual shepherd will have gathered his own flock to be sheared there are always some sheep who will have eluded the sheepdogs. The four wheeled bikes rather than ponies are used these days to instruct the sheepdogs. Once the sheep are brought down and penned the ear marks must be inspected in order to return them to their rightfull owners. The gathering is organised by the mountain bailiff namely Dyfed Davies, Pantithel. The shepherds, in accordance with ancient custom, also meet in a Court Leet chaired by the Lord of the Manor to discuss various issues pertaining to the mountain. The current Lord of the Manor, David Williams lives in Somerset.

The Court Leet

While the old custom of perambulating the boundaries proved in a sense a casualty of the First World War, the Court Leet remains a virile institution. Yet though called by that name, it actually performs the functions formerly done by the Court Baron. Below is a copy of a notice sent by the steward to the Bailiff in 1905.

"These are to will and require you to summon and give notice to the several and respective tenants and persons concerned to make their appearance at a Court Leet and Court Baron to be held for the Lords and Ladies of the said Manor for their said Manor of Monachlogddu at Glanrhyd within the said Manor on Wednesday the 25th day of October instant at the hour of one o'clock in the afternoon and for your so doing this shall be your sufficient warrant".

The phrases point to an institution with a long past, they convey a sense of a larger field of jurisdiction and it is clear that by this time at least, Court Leet and Court Baron had coalesced. During the past thirty years G. E. E. George of Cardigan has acted as Steward of the manor while John John, Tycwta, and John Llewellyn, Trallwyn, have successively acted as Bailiffs.

The manorial courts now deal with all disputes relating to the mountain pastures. The Baronial Court meets four times a year, while the Court of the manor of Mynachlog-ddu meets twice a year, normally in July and October at Mynachlog-ddu. The place of meeting favoured is Glanrhyd. It is presided over by the Steward of the Manor and there is a jury normally composed of twelve homagers. The method of dealing with stray sheep is also associated with the organisation of the manor. Strays are taken to the bailiff who is appointed by the Lord of the Manor.

The first stray day (*stra*) occurs generally during the last week in June, that is, as soon as the shearing season is over. The second is known as the lambs' stray (*stra ŵyn*) and is usually held towards the end of October. 'Stra' on the northern flanks of Preseli at Brynberian is held about a week later than at Mynachlog-ddu.

The main occasions for sheep-collection are for the purpose of washing at the end of June and a few days later they are collected for shearing, the lambs being also ear-marked at the same time. About the middle of August all Preseli sheep are collected for dipping. Another collection at the end of August is for the purpose of drafting the sheep for sale. Sheep are not the only animals that graze on the hills for in recent years hill ponies have also become more renumerative, and so have cattle, for the internal-combustion engine has meant easy transport of milk to the Whitland factory.

E. T. Lewis *A Historical Survey of the Last Thousand Years*

A House with a Heart
The Story of Glanteilo, Llandilo

Derek Webb

In the 1901 census taken on 31st March, there is an entry for 'Blaen-pant', a cottage of just three rooms, which stood where the present Brynteilo stands next to the chapel at Llandilo. Living there was William Morris, described as a 'teamster in quarry', with his wife Mary, a native of Llanboidy, described as a dressmaker. He was 36 and she was six years older.

The entry after Blaen-pant is 'Housebuilding, not yet inhabited'. Glanteilo, where we now live, was therefore built in 1901, far later than we once imagined. The house felt and looked to our inexpert eyes as typical mid-Victorian with its sash windows – more of which later – and short plank doors inside. The fact was, of course, that house design changed remarkably little for half a century and fashions took far longer to reach this far west corner of the UK.

The house was built by George and John Muscott of Dandderwen, Llangolman, and they also lent their name to nearby Muscott Terrace. They hailed from the Birmingham area. George was the owner and John, the manager of the quarry. John died in 1908 and the quarry suffered a strike in 1914. The quarry was reopened in 1919 by George Muscott, by now aged 85, who carried on working until 1926 when in May that year, he died.*

Not only built of slate, Glanteilo is also, as we were to discover, simply sitting on the spoil from the slate quarries the Muscott brothers owned. When my office was built, replacing the existing but now derelict stable/garage, the building inspector insisted on a massive concrete 'raft' to be laid first instead of conventional footings. The reason was plain to see. The 'ground' beneath the house was no more than piles of irregular lumps of slate: good for drainage, but not exactly up to present day building standards!

Originally the land behind the house had sloped gently down to the river below. Now there is a steep escarpment, down which we have built steps, to get to the river some 30 feet below. This is the result of years and years and tons and tons and tons of spoilt slate being dumped from a tramway that ran across a bridge from Llandilo North quarry to the land on which the house now stands. Gradually the once gentle slope became built up as ton upon ton of broken slate was dumped from the slate wagons, pulled along the tramway by a horse. Our son, Matthew, at one time had a display case with 'finds' from around the house, including a section of tramway, coins, boot soles and other items. We also rescued an iron slate shovel and various jugs and bottles that once contained beer and ginger ale to keep the workers' thirst slaked.

The Muscott brothers developed the northern quarry in 1895, having bought the land from the Melchior family who lived at Llandilo Isaf farm in that year.

The abstract of title dated 31st December 1895 shows the sale was for £3,600 and was to include 'the greater part of a farm called Upper Llandilo Farm site in the parishes of Llandilo and Llangolman in the County of Pembroke contg 94 acres 1 rood and 14 perches or thereabts.' It included in fact several cottages and gardens as well as the quarry land. The South Llandilo quarry had been operating since about 1870 and was taken over in 1891 by William Melchior who continued to run it, trading as Llandilo Green Slate quarries*

The Melchior family themselves were very important in the district owning both Upper and Lower Llandilo farms. And several members of the family are buried in the now derelict St Teilo's Church. The family was also for many years guardian of the famous 'Skull of St Teilo' (now in Llandaf Cathedral), which was supposed to effect a cure for whooping cough if water from St Teilo's Well, in the grounds, was drunk using the skull as a vessel!

Glanteilo sometime in the 1920s

When we moved to Glanteilo in 1999, it immediately felt warm, forgiving and welcoming. We suspect and, from what we know of others who have lived before us in the house, it exuded the same qualities to them.

The building's slate construction was masked when we bought it by a stucco render – a treatment that trapped water behind it and made the house, along with the leaking roof, intolerably damp. The roof was also slate – delightful diamond-shaped slates of Llangolman green slate. Sadly these were in such parlous a state that the roof had to be replaced with far inferior looking, but infinitely more practical, imitation slates. Much more work was to be done over the coming months.

Ripping up the damp carpets in the room nearest the road, we discovered damp lino, which broke into pieces as it was lifted. Below that, more often than not, was another layer of lino. And – lo and behold – beneath it all were huge slate flagstones! Raised and re-laid with a damp proof course under them, they ensured that this room was to be christened 'The Flagstone Room'. Remarkably the rest of the ground floor also yielded its flagstones from beneath layers of carpets and lino – none as large as the Flagstone Room's but beautiful nevertheless.

And this is one of the most pleasing aspects of the house: very little has substantially changed. The room configuration, doors and windows are all much as they were when built. The only changes were inappropriately modern (for the time); doors inserted in the 1960s when what had been two houses were converted into one. A shorter plank cottage door now replaces the downstairs one.

The fact that Glanteilo was originally No 1 and No 2 Glanteilo means that we still have two staircases and two water systems and there were even two electricity supplies for a while. This has great advantages for modern living. It means that our teenage son is able to enjoy his own living area independent of us if he wishes, while we have the 'parlour' at the other end of the house, with the kitchen as a convenient, central communal area. The old derelict stable/ garage has since been replaced by my office with a dressing room above, but we have, we believe, otherwise kept the layout as it existed in 1901. Some time in the past, what had been a small box room in No 2 had been enlarged into a bathroom by stealing space from the bedrooms on either side, and a kitchen which extended from the back of the house was demolished. Where the entrance to that had been we inserted a small window to let more light into the room.

The discrepancy in the sizes of flagstones on the ground floor could be explained by the fact that perhaps what is now the Flagstone Room could originally have been an outside shed, perhaps for animals. The door connecting it to the rest of the house, while looking like it had always been there, in fact shows evidence of being a later addition. And upstairs in the loft, the stonework of the end gable (pine end) is neatly pointed, pointing to the fact that this was once a single story building.

The upper storey appeared to be simply butted on to the rest of the building and the whole having a decidedly drunken aspect. So much so that the downstairs window had assumed more of a diamond than rectangular shape. Like all of Glanteilo's windows this was a sash style. Sash windows, we later found out, became more popular and readily available with the coming of the railways in the mid 19th century. Mass production and relatively cheap transport made this new style of window affordable even in the most remote of country places.

But this it seemed was only the beginning of the economies made – which was something my wife, Briony, discovered to her cost. In an attempt to let some air in not long after moving in, she had released the catch on the top sash. The full weight of it promptly fell, trapping her hand between the two sashes. Our conclusion that the sash cord had broken was wrong. It seemed, unbelievably to us, that Pembrokeshire sash windows were often installed at the time without cords or weights – an economical way to achieve a stylish new look presumably, simply relying on a stick to prop up a sash if required!

So, if the Flagstone Room and bedroom above were not part of the original building, this means that No 1 Glanteilo would have consisted of no more than what are now our kitchen and the bedroom above. Possibly the small rooms would have been further divided by wood partitions. The fact that the original stairwell can be seen in what is now the kitchen, immediately behind the now blocked off front door, seems to confirm this configuration.

The first occupants of this new house appear to have been William Morris and his wife who moved across the road from Blaen-pant. Next door, by 1905, we find Henry Cheetham and his wife Martha. Henry, like his next-door neighbour, was also employed as a quarry worker in one of the Llandilo quarries.

Both families are then recorded in the 1911 census. William and Mary Morris have been married now for 17 years but have no children. William is described as '*llafurwr mewn chwarel lechen*' – a slate quarry labourer. A previous census – 1881 – shows that William was a 'farm servant – inside' at Llangolman Farm with Daniel John and his wife, Sarah, when he would have been 18 years old. And, despite the obviously cramped accommodation, they appear to have taken in a lodger: Levi Owen is a 32 year old widower, a native of Newport, who is also employed at the slate quarry and described as a 'crugiwr'.

The Cheethams next door have by now been married ten years. Henry is 32, a native of Derby and bilingual, and a Slate Examiner, while Martha is two years younger and spoke only Welsh. The following year they have a son, Harold. When the quarry closed during the First World War, the family moved to Goodwick where another son, John Wycliffe, was born in 1917.

Wycliffe Cheetham, who was 93 years old when I spoke to him, said the family lived in both halves of Glanteilo: No 1 before the war and No 2 when they moved back. His mother Martha, before she married, lived in what is now the last thatched cottage in Pembrokeshire, Pen-rhos; now a museum administered by the County Council. Wycliffe said his mother used to clean the chapel across the road, Capel Llandeilo, a task she did for 60 years or more. He also gave us a copy of the old photograph of Glanteilo shown here and says of it: "The old lady in the door having a natter is from the bungalow next door to the chapel and the three girls were Catherine, Phoebe and Olive from the quarry cottage down below. The stable at the end was for the horse from the quarry. They used to bring it up at night and take it back down in the morning."

By 1923 No 1 Glanteilo is occupied by Sydney and Phoebe Chard who, six years later, negotiate to buy the house from their landlords, the Muscotts. In a contract dated the 26th March 1929, Homer Muscott, son of George, now living in South Yardley, Birmingham, agreed with Rowland Muscott and Ada Mole to sell No 1 Glanteilo to their tenant, Sydney Frank Chard, quarryman, for the princely sum of £80 freehold, having put down £8 deposit. The same year Henry and Martha Cheetham next door also purchase No 2 from the Muscotts for £125.

Both families continued to own Glanteilo for another 30 years until, in 1960, Sydney Chard, by now living in Tenby, sold to Glyn Gibby of Efail-wen. And

Martha Cheetham, by now widowed, passes the property to her son, Wycliffe and his wife, Gwendoline.

Glanteilo is sold once again in 1962. Dennis Lewis buys No 1 and Norman and Maureen Davies buy No 2. About this time the house was to benefit at last from an electricity supply. Oil lamps were the order of the day until then it seems.

Llandilo quarrymen 1910.

A year later, Dennis Lewis also sells No 1 to the Davies', who now converted both houses into a four-bedroom home. Thankfully, their 'modernisation' consisted of little more than putting interconnecting 1960 glass doors in. They were to own the property for just two years before selling it on profitably in 1965 to Stephen Brown, a farmer from Newbury, who viewed Glanteilo as a get-away-from-it-all retreat and a home for his brother-in-law, Mr McLennan. No doubt many readers of this article will remember 'Mac'. We never of course met him, having bought Glanteilo after his death in 1997.

But we were recipients of his legacy. He appeared to stock up with enough blankets and loo rolls for a siege, together with a huge pile of *National Geographic* magazines. He had an obvious passion for labelling everything too; perhaps his time spent in the army in India might explain that. Padlock and cupboard keys, for example, were carefully labelled. There were envelopes on which he had carefully written 'ball-cock washers'; and others of 'curtain hooks', '13A fuses' and 'screw eyes'. He also left a wonderful collection of tradesmen's phone numbers annotated with such remarks as ‘Good’ or ‘Not reliable – don’t use’.

Stephen Brown wrote to us not long after we had moved in. In the letter he says: ‘The house has been occupied by an old brother-in-law of mine ... who was no gardener, hence the overgrown hedges and the brambles in the allotment across the road ... I hope you will be very happy at Glanteilo. It has served us well for 34 years and my family have had nothing but happy times there with few problems and little expense.’

Wycliffe Cheetham too had very fond memories of the house, and so it seems does everyone we have met who has lived in Glanteilo or known someone who has lived here. It is indeed a very simple, warm and forgiving house. We have enjoyed all the time we have been here and hope we will continue to enjoy it for a great many years to come.

* Source: *The Slate Quarries of Pembrokeshire* by Alun John Richards

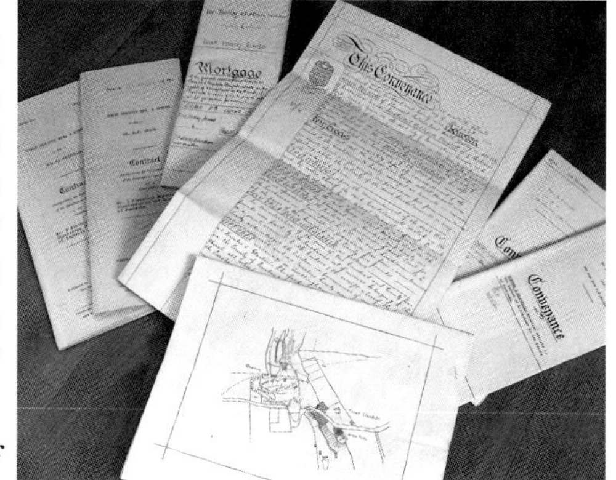

Some of the deeds we inherited, dating back to 1929.

The slate shovel and bottles found in the river.

Pawb â'i Grwman

Wyn Owens

Peth penna yw dileit ondife? Peth mwy rhifedd wedyn lwêth yw câl mwy nag un, credwch fi! Fidde dim llefeleth da fi shwd se'i arna i miwn bowyd heb gâl diddordebe. I un sy ddim wedi bod miwn swydd amser llawn ariôd, ma nw wedi cadw fi i find a wdw i'n dala i bedlo arni a châl mwy o flas o ddydd i ddydd wrth i fi fwrw mlân a colli 'mhen indi nw a aros ar ddihun his riwbridodd wrth banso da rhyw bennill neu'i gili. On na fe, pawb â'i grwman yw hi in ir hen fyd 'ma a sim un wan Jac oheno ni'n gwirioni'r un fath' os gwedo rhiwun slawer dy', a diolch byth am 'ny weda i no!

Ma dileit wedi bod 'da fi miwn geire ddar wen i'n sbwtyn bach am wn i. Wdw i'n cofio fel se'i dwê am in fang-gu, mam in fam, Mam Glandy-bach fel i galwe ni ddi, a hithe'n gweud wrth 'i chwmwdog 'reit iw âr te!' wrth ffarwelio ag e in nrws i gegin, a finne'n gwbod in iawn na wedd 'whâr' dag e, a na lle fidden i'n pwslo'n jogel pwy wedd i 'whâr' hon orie in ddiweddarach. Rhaid diall na wedd 'Right you are!' ir iaith fain in rhan o ngeirfa i'r diddie 'ny. Wdw i'n cofio bryd arall am riwun in galw heibo a finne'n dachre cownto sawl gwaith i bidde 'i'n gweud 'twel' ar ddiwedd pob brawddeg. Ma'r pethe rhifedda a mwya od in minnyd cwalo ing nghwtsh i co. On wdw i'n credu bod ir atgofion bach, on clir fel gwidir 'ma, in aros 'da chi fel se nw'n pwynto mlân i'r hyn sy miwn stôr ar ich cifer in i difodol, wath pam cofio pethe mor sidan a ciffredin w?

Weles i ariôd o Waldo, os na weles i fe un diwarnod in mind heibo'r tŷ wrth bedlo gered ar i feic in i shorts a hithe'n pigo glaw mân. Ond wrth gofio'r amser hales i'n grwt lawr ar ffarm in famg-gu a'n wncwl, ma 'Galw'r Gwartheg' un o bishis Waldo in minnyd codi i'r meddwl fel ir hufen miwn tshyrned o lâth. Fe fidden i'n enwi'r rhebest sydd in i pishyn wrth i finne find i hôl i da o'r weun neu o fanc i ffatri. We disgu pishis in rhan fowr o'n fagwreth a'n addysg ginnar a wedyn wêth in Ysgol i Preseli in ddiweddarach wedi meddwl. Wena i'n ganwr o fath in i byd, sach bo itha ddileit 'da fi i rondo ar gerddorieth, canu gwerin in benna. Ond we 'da fi riwfaint o gof da perny bown o fod, achos fi fidde wastod in câl pishyn i ddisgu ar ing nghof ar gifer gwanol gwrdde a eisteddfode, er na enilles i ond unwaith pan wen i'n ifanc iawn in un o'r rheini.

Wrth sôn am in niddie cinnar in isgol fach Minachlog-ddu in whedege'r ganrif ddwetha, alla i ddim peido â enwi Tonwen sy'n hawlo'i lle in in atgofion cinara'n deg. Mrs Davies wedd hi bob bidyn i ni'r plant a bidde ni'n grondo arni 'da pharchedig ofon, er na sena i'n cofio iddi godi'i sgôl ar ir un oheno ni ariôd, cwmint wedd 'i rheoleth arno ni'r sgadan ifanc fel we ni. Wedd hi'n dîtsher plant bach bob whithrin oheni. Wedd hi'n disgu i fyw a byw i ddisgu. Wedd hi'n hawlo parch am 'i bod in heiddu parch. Pan wdw i'n gweld car mini obiti'r lle (ir hen deip, dim i mêc newi sy mas nawr) fe fydd dou berson in dwâd i'r meddwl – Cliff Young, Brynarthur, un o gimeriade gwreiddol i gimdeithas fel wedd hi perny, a Tonwen. Wedd i ddou in debyg i gili miwn un ffor, we 'da'r ddou 'u ffor 'u hunen o ddreifo'u ceir. Bidde Tonwen yn llwytho ni'r plant i'r mini, llawer mwy na ddile ni fod in ôl safone a cifreth heddi a refo'r car in ir ail ger wrth inni find ar en jant.

Bidde Tonwen in carto ni blant i plwy nôl a mlân o'n cartrefi i'r isgol neu'r tŷ cwrdd i'r practisis di-ben-draw fidde'n câl 'u cinnal ar gifer i Cwrdd Diolchgarwch a'r Cwrdd Nadolig a eisteddfode'r Urdd. Wath dim dim ond titsher naw i bedwar wedd hi. Hi wedd in en disgu ni in ir Ysgol Sul, bob dy' Sul o'r flwyddyn 'fyd, heblaw am gifnod i Pwnc. Rachel Owen, Iet-hen wedd in neud 'ny a'n Wncwl Jack, Gilfach cyn 'ny. Ond sôn am bractisis! Fe fidde ni'n pwlffagan gida'r disgu wsnothe cyn i cwrdde, nes we ni wedi hen alaru a danto mwy neu lai. So plant heddi in gwbod 'u geni, wâth we ni'n gorffod disgu rhebeste o bishis a caneuon ar en cof, lle we dim iws darlimpo drost i geire heb sôn am 'u anghofio nw. On na fe, we neb oheno ni wedi profi dim gwanol, wâth na'r gimdeithas we ni wedi câl en codi indi.

Wen i'n grwt isgol digon jocôs ond un peth wena i'n galled i haru pan wen i in ir isgol fach wedd i 'Gân Actol'. Wdw i'n cofio un in enwedig pan gorffo ni wishgo lan fel brodorion o'r Alpe in 'u 'lederhosen' – enw swanc am drowser byr a tyn. In gopsi ar i cwbwl, ma ffoto in i tŷ i'n atgoffa o'r digwiddiad nath godi gwmint o gas ar ddyn. Ond whare teg, nâth Tonwen diwarnod da o waith gida'r Eilwd a'r Adran a beth benna we mlân in i plwy. Fe weithodd in galed i hifforddi dege o blant ar gifer eisteddfode'r shir a Eisteddfod Genedleuthol ir Urdd a câl llwyddiant mwy nag unwaith 'fyd. Wedd hinny'n dipyn o blufyn in 'i chapan, wâth nifer fach o blant we 'da ddi o dan 'i gofal ar unrhyw un adeg. Câth ardal gifan glatshen ofnadw pan ddâth bowyd Tonwen i ben mor greulon o sidan ing Glandy Cross in 1990. Un ffordd o wmedu'r golled i fi wedd reito cifres o englinion milwr er cof amdani.

In rhifedd iawn, sena i'n cofio rhyw bwêr am E. T. Lewis, Bryncledde arno ni fel mishtir, inte wedi neud gwaith i rifeddu drost i plwy gida'r Eilwd a'i lifre ar hanes ir ardal a'i ffiddlondeb i'r achos in tŷ cwrdd Bethel. Ond wdw i'n 'i gofio'n iawn fel un o hen stejers i gimdeithas, un o'r bobol 'ny wdw i'n falch ofnadw bo fi wedi câl i fraint o'u nabod ac un o'r rhei sen i'n leico meddwl sydd wedi shapo ir hyn wdw i heddi. Sena i'n cofio rhyw bwêr am i Parchgedig R. Parri Roberts whaith ond wdw in cofio'n iawn bod in i stydi fe unwaith a'r rhŵm in llawn smel baco a llifre. Buodd Ben Williams, Isfoel in fishtir arna i am ryw ddwy fline wedi i E. T. Lewis riteiro ond ma 'da plant ar in hôl i fwy o atgofion am Mr Williams na fi wrth gwrs. Wrth feddwl am im mhlentindod daw llwyth o bobol o genedleth in fang-gu i ware'u part ar stêj i co. Coffa da amdeni nw i gyd.

Cwlffyn tew, tawel wen i'n grwt, in gwbwl wanol i'n frawd wedd in fwy rheibus, gida mwy o find indo, a'r ateb ffrâth a parod wastod ar flân 'i dafod. Mae'n debyg bod un o eilode Bethel wedi gweud 'tho un dy Sul na wedd e'r eilod wedi gweld i'n frawd in i cwrdd i dydd Sul hwnnw. Ateb clou a sidan in frawd wedd "Weles i mo chi in ir Isgol Sul in i bore whaith!" Pwy ateb gwell? Dro arall, ar un o drips ir Isgol Sul a'n frawd ar lan i môr in Tembi a eiscrîm in 'i law, dima un o wragedd parchus Bethel in gweud 'tho "Ma eiscrîm braf da ti man 'na." "Ichi ishe lap?" minte fe glatsh a dima pawb in wherthin am ben 'i gwestiwn sidan. Ond wedyn wena i'n unan imhell ar 'i hôl hi i ginnig ateb weithe. Fel pan welodd un o'r deiaconied finne un bore dy' Sul in potshan a whare in i pishtill goddereb â'r tŷ. "Seno ti'n mind ir Isgol Sul heddi te?" minte fe, a dima fi'n ateb glatsh "Nadw, dw i'n sâl!" Celwi gole diniwed, clo! Dro arall dima un o'n whiorydd, we'n beder ôd ar i pryd in rhuthro miwn i'r tŷ fel cwthwm wedi bod in ir Isgol Sul gan weud a'i gwynt in i dwrn "Dw i wedi'i weld e! Dw i wedi'i weld e!" "Gweld pwy?" minte Mam. "Iesu Grist ar ben postyn letric". Un o fois i letric sdim dowt, ond wedd hi ddim i wbod 'ny, wedd hi? Ma hyn i gyd in dangos dilanwad ir isgol a'r Isgol Sul arno ni blant in i diddie pell 'ny.

Wrth feddwl am Glandy-bach wdw i'n cofio 'fyd cal sgap fach weddol amal ar gopi o *Blodau'r Ffair*, cilchgrawn o storie birion a barddonieth isgawn. We'r whant arna i hydnod in i diddie cinnar 'ny i reito pishis fel wedd in i cilchgrawn 'ny. On we ddim clem 'da fi shwd i find obiti ddi, wâth we neb in i tilwth in dileito in i pwnc, na neb in i gwmdogeth whaith, cyn belled â wen i'n gwbod. Parodd i dileit in Isgol i Preseli, on wrth adel ir isgol honno, wen i wedi danto gida'r reito, a troies i'n feddwl in grwn at dinnu llunie a peinto. Bues i'n ffodus i gal mind miwn i Goleg Celf Dyfed ing Ngharfwrdding. Wedyn i goleg arlunio Epsom a wedyn weth i Goleg Brenhinol y Celfiddide in Llunden. In istod in amser in i tri coleg, in Gwfwrddin, Epsom a Llinden, nes i ddim reito dim onibai am amell i lithir getre, a wen i'n gorffod pwlffagan in jogel 'da rheini.

Gwaith ofer yw difaru minte nw, on wdw i in difaru bo fi ddim wedi cario mlân â reito in istod diddie coleg. Falle, o ddrichid nôl, busen i wedi bod in fwy jocos in fyd sen i wedi ffeindo'r allwe i agor i drws wedd wedi cadw'r peil o deimlade wedd inda i miwn o'r golwg, fel ir hireth imbed wedd arna i am Gimru a minidde'r Preseli a'r Gwmrâg a'r gwmdogeth we'n bodoli perny ffor 'yn.

Sach hinny i gyd, wdw i'n sobor o falch bo fi wedi câl i cifle i ddilyn in nileit in tinnu llun a peinto. Wrth ddrichid nôl 'na gifnod mwya bishi'n fowyd i. Ces brofiad o fyw miwn llefydd we'n hollol ddierth i fi ac ing nghanol pobol we'n fwy dierth lwêth. Wdw i'n meddwl bo fi'n fwy jocôs in fyd in byw 'ma in Minachlog-ddu ddar'ny, wedi câl i profiade hinny. We whant arna i, a finne in arddege, i gâl jengyd o'r plwy. On wedi neud 'ny wena i'n galled aros i ddwâd nôl 'ma.

Ma'r deileit miwn arlunio wedi mind law in llaw gida' 'nileit miwn geire. We neb mwy jocôs ar wmed deiar na fi pan gethen i lifir lliwo a pacyn o greions neu focs paint in in nwylo ar ddydd Nadolig. Ma 'da fi ryw withrin lleia o gof amdena i'n tinnu llun giâr gloff wedd lawr in Glandy-bach. Rhifedd fel ma'r diddie hales i lawr 'na in minnyd aros mor fyw in i cof. Wdw i'n cofio'r teulu in neud swae am i llun, mae'n rhaid taw in llun cinta i wedd e. In Glandy-bach 'fyd fidden i'n staro ar lunie'r calendar ar i wal, llunie arlunwyr enwog na wedd clem 'da fi beth wedd 'u henwe nw his blinidde'n ddiweddarach in Isgol i Preseli. Ma 'da fi ar glawr his heddi ddou lifir tinnu llunie we 'da fi in ir isgol fach, a wir i chi, ma lot o bethe in i ddou sy'n ddachreuad o bethe fidden i'n neud nes mlân in in fowyd.

Prinawn dy' Gwener we ni'n câl i wers arlunio in ir isgol fach. Hinny yw, os wedd hi'n bwrw a'n rhy ddiflas i fynd mas. Se'i 'n dewi ffein a'n hindda, job i bechgyn we mind mas i balu in ir ardd. Wen i siwr o fod ir unig grwt in ir isgol we'n dimuno iddi bishtillo bwrw i prinawne 'ny. 'Da fi we'r gwaith o neud posteri ar gifer gwanol bethe fidde'n câl in cinnal in ir isgol fel nosweth gawl Dydd Gŵyl Dewi. Parodd i dileit in ir isgol fowr ar draul gwersi erill. Wen i'n gwbod in lled ginnar taw arlunydd wen i ishe bod in i diddie 'ny a wen i mor benstiff â donci i neud beth wen i'n moyn. Bidda i'n ddiolchgar tra bidda i i'n rhieni am adel ifi fwrw mlân â mheinto a rhoi pob cefnogeth i fi gida'r barddoni in ddiweddarach.

Fel wedes i ginne, wen i wedi danto, tam' bach fel rhyw dipyn o fardd wrth adel ir isgol fowr a nes i ddim ail ddachre reito barddonieth his wen i'n ddeg ar hugen ôd. Fydd ena i byth in anghofio'r sgwrs rhint Lyn Llain a fi in dilyn Eisteddfod Genedleuthol Bergweun in 1986 pan roio ni dasg i'n gili i weitho englyn ar i gromlech. Es ati whap a caton pawb, er sindod mowr, mowr i fi'n unan, des i ben â reito whech englyn, wath beth wedd 'u safon. Wrth gwrs, wen i wedi darllen peile o lifre Cwmrâg pan wen i in i colege a wedd ir holl waith wedi shinco miwn rhiwffor neu'i gili bown o fod. Mages i blwc wedyn i find i ddosbarthiade Cerdd Dafod gida Dic Jones in diwtor arno ni. Wedd hinny'n hwb mowr a wdw i'n trisori'r atgofion sy 'da fi o'r dosbarth fel wedd e perny ar ddiwedd ir wythdege ac in istod i nawdege in fowr iawn. Fues i fowr o dro in i dosbarth cyn câl in unan in un o eilode Tîm Beca ar Dalwrn y Beirdd ar i radio. Dachreues gistadlu in ir Eisteddfod Genedleuthol a châl peth llwyddiant a wedyn am gadeire a cistadleuthe'r eisteddfode lleol. Ond sgifarnog arall yw honna.

Bydd i goligydd in direbu glei bo fi'n gwastraffu lle prin fel hyn wrth frowlan gered. On gobeitho sach 'ny, fydd eno chi'n meddwl bod i bregeth ma in rhy biff a gobeitho 'fyd, fydd eno chi'n paso bo ddim ishe rhaffo'r llwyth fel gliwes i ffrind o ardal Llansilio in gweud sdwetha fach. Ta beth, mae'n well i fi find nôl glei at eiriadur Cwmrâg Minachlog-ddu sy da fi ar i gweill os blwyddyn a mwy bellach. Na beth yw dileit!

Wyn Owens writes in dialect as he emphasises a lifelong delight in playing with words and in particular writing poetry, mostly in strict metre 'cynghanedd'. He has always memorised large chunks of poems, often as a necessity when taking part in various school and chapel activities, mainly at the behest of Tonwen Davies to whom Wyn pays a warm tribute to her never-ending generosity and commitment to her pupils.

He was moved to write a series of 'englynion' when he heard of her untimely tragic death.

He refers to several quick-witted answers given by himself and some of his siblings when they were children; his brother once told a chapel member who observed he had not seen him in the afternoon service that he had not seen him in the morning Sunday School either! His sister on another occasion ran into the house from Sunday School adamant that she had just seen Jesus Christ on top of an electric post – such was her imagination on passing an electricity board workman at his job, no doubt.

Wyn spent time as a student at three art colleges, namely Carmarthen, Epsom and the Royal Academy, London, when to his regret he had given up the practice of creative writing save the odd letter he sent home though it would probably have been a much more fulfilling means of expressing his 'hiraeth'. Yet the urge to paint had manifested itself ever since he was a young boy when he drew a much talked about picture of an injured hen at Glandy-bach. The writing bug did not return until he was 30 years of age and in particular in 1986 when he and Lyn Lèwis Dafis set themselves the task of composing an 'englyn' about a cromlech – Wyn managed six. As a result he started attending Dic Jones' classes at Crymych and became a regular member of the local Beca team that competes on the Radio Cymru 'Talwrn' programme and he began winning at local eisteddfodau. He is currently the poetry editor of the local neighbourhood monthly publication, 'Clebran'.

Another never-ending delight is compiling a Mynachlog-ddu dialect dictionary, extracts from which are published at the end of this volume.

Y Got Fach Las

Elin Dafydd

Yr atgof cyntaf sydd gennyf o fy mhlentyndod ym Mhenrallt, Mynachlog-ddu, yw'r orie y byddwn yn eu treulio yn yr ardd yn whare gyda Topsi'r gath ac yn ymdrochi yn y pwll padlo. Wrth edrych nôl rwy'n teimlo fel petai hafau fy mhlentyndod byth yn dod i ben.

I bobl Mynachlog-ddu mae cloncan am y tywydd wedi bod yn rhan annatod o'r ardal ac yn sicr mae'n lle da i weld yr elfenne ar waith! Pan mae'n bwrw glaw mae'n bwrw glaw, pan mae'n bwrw eira mae'n bwrw eira a phan mae'n braf, wel, na'i ddweud yn gwmws fel ma' Dad yn dweud, 'Gwlad yr Hollalluog'.

Dyw hi fawr o ryfeddod felly bod un aelod o'r teulu, fy chwaer, Mari Grug, yn ennill ei bywoliaeth yn dadansoddi data soffistigedig meterolegol cyn cyflwyno rhagolygon y tywydd ar S4C. Er byddai aelod hynaf y teulu, fy mam-gu neu 'Mam-mam' (Beti Capel, mam fy nhad) yn dadle nad oes angen mwy na chnoc fach i'r baromedr yn y gegin bob hyn a hyn i wybod pa fath o dywydd sydd ar y gorwel.

Un stori dal sy'n dal yn fyw yn y cof yw stori'r got fach las. Un diwrnod fe alwodd ffrindie o Gaerdydd i weld ein rhieni ac fe awgrymodd Mam y dylai'r plant fynd mas i whare . Dyma ni'n penderfynu mynd i fusnesa yn y parc sydd rhwng Penrallt a Bryncleddau, sef Parc Bach. Yng nghornel y parc roedd cafan dŵr ar gyfer y creaduriaid. Yn rhyfedd iawn dyma Ifan, un o'r plant o Gaerdydd, yn gofyn i ni beth oedd e. Wel, wrth gwrs, roedd hwn yn gyfle i fi ddefnyddio fy nychymyg a dyma fi'n dweud wrtho mai 'dyma lle roedden ni'n storio'r dŵr ar gyfer yfed a golchi. Do's dim taps dŵr yn gweithio yn y tŷ felly i ni'n gorfod hôl y dŵr mewn bwced o fan hyn'.

Doedd Ifan ddim yn credu hyn, felly, dyma fi'n trio fy ngore glas i edrych fel fy mod yn yfed y dŵr trwy blygu lawr i'r cafan. Yn sydyn reit dyma Lisa, y chwaer ifancaf o'r tair ohonom, yn ymuno yn yr hwyl. Ond yn anffodus rhoddodd Lisa fach ei phen braidd yn rhy agos i'r dŵr a dyma hi'n mynd dros ei phen a'i chlustie i mewn i'r cafan. Tair oed oedd Lisa ar y pryd a ma' Mam yn dal i gofio'r diwrnod hynny pan ddaeth Lisa i ddrws y tŷ â'i chot fach las yn wlyb stecs. Wrth gwrs, pwy gafodd y bai, ond y chwaer fowr!

Rydw i wastad wedi cyfrif fy hun yn berson cyfoethog iawn, nid yn ariannol cofiwch, ond am fy mod wedi fy ngeni a'm magu ym Mynachlog-ddu. Doedd dim prinder llefydd i chwarae ym Mhenrallt ac yn 1990, pan symudodd y teulu o Benrallt i Fferm y Capel, doedd dim diwedd ar ein hanturiaethe wedyn. Yn ystod y gwylie fe fydde Mari, Lisa a fi yn ymgolli'n llwyr wrth chwilio am 'guddfan' newydd yng nghanol y coed a'r drain ac fe fydde Mam druan yn aml yn colli offer o'r gegin gan ein bod yn eu cymryd heb iddi sylwi. Doedd dim byd yn rhoi mwy o bleser i ni nac addurno ein 'palas' yng nghanol y drain ac os nad oedden ni'n chwilota am batshyn bach newydd, fe fydden ni mas ar Foel Dyrch. Wel, nid pawb sydd yn medru dweud bod ganddyn nhw fynydd fel gardd gefn!

Pan oeddem yn byw ym Mhenrallt cafodd y tair ohonom feic yr un ac roeddem yn edrych ymlaen yn fawr i gael mynd am dro i weld y crocodeils yn Cware Tyrch. Fe fyddem yn mynd heibio Bwlch yr Iancs a Huangerdd ac yna oedi ar y bont a dringo i ben y clawdd i edrych lawr ar y llyn yn y cware. Ond yn rhyfedd iawn welson ni fyth yr un crocodeil. Stori gyfleus gan fy rhieni oedd stori'r crocodeils er mwyn codi ofn arnom a'n hatal rhag dringo'r ffens i mewn i'r cware. Credais y stori am flynyddoedd ac roeddwn yn siomedig iawn pan ddeallais nad oedd crocodeils yn byw yng Nghymru.

Er fy mod yn ferch fach ar y pryd mae'n rhyfedd fel y mae rhai cymeriade yn aros yn fyw yn y cof. Fe fydde Mam a fi yn aml yn mynd am wâc i weld Anti Gertie Penrhiw, Anti Pegg Bryncleddau a Mrs Young, Bryn Arthur, sef cymdogion i ni ym Mhenrallt yn ystod yr 1980au. Roeddwn wrth fy modd yn mynd draw i'w gweld oherwydd fe fyddwn wastad yn cael rhywbeth bach i roi yn y cadw-mi-gei.

A sôn am y cadw-mi-gei, roedd hwn yn bwysig iawn ar ddechre'r flwyddyn. Ar fore Calan fe fydde Mam yn ein dihuno'n gynnar er mwyn mynd o amgylch yr ardal i gasglu calennig. Mae'n rhaid i fi gyfaddef nad oeddwn yn or-hoff o'r

Y tair chwaer – Catrin Elin, Mari Grug a Lisa Haf

gorchwyl yma ar y dechre ond wrth i'r blynyddoedd fynd heibio doedd 'Y Driw Bach', y gân fyddwn yn ei chanu, ddim yn gymaint o ben tost, yn enwedig wrth i'r calennig lenwi'r boced. Byddem bob amser yn dechre gyda Mam-mam a Dad-cu yn Capel ac yn gorffen ym Mlaendyffryn gyda Dyfrig a Veronica Griffiths. Nawr, roedd yna reswm pam mai Blaendyffryn oedd yr alwad olaf achos fe fyddai Veronica yn paratoi gwledd arbennig ar ein cyfer o sosej rolls, brechdane a mins peis a dwi'n siŵr bod y gwydred bach o sherri hefyd yn apelio. Rwy'n credu mai'r cyfanswm mwyaf a gasglwyd oedd £90 – £30 punt yr un – a'r amod oedd bod hanner yr arian yn mynd i'r cadw-mi-gei a'r hanner arall i elusen.

Nawr, mae'n amhosib i mi sôn am rai o gymeriade'r ardal heb grybwyll Mrs Tonwen Adams, cymdoges a chyfeilles agos iawn i ni fel teulu. Hi oedd fy athrawes gyntaf yn Ysgol Gynradd Mynachlog-ddu yn ogystal ag athrawes yr Ysgol Sul a'm hathrawes ganu ac adrodd. Doedd dim diwedd i'w thalent. Treuliais orie yn Huangerdd yn ymarfer unawdau, alawon gwerin a cherdd dant. Ond mae'n wir i ddweud ei bod hi wedi cael mwy o hwyl gyda Mari, fy chwaer, na fi.

Er mai menyw fach o ran corffolaeth oedd Mrs Adams roedd ganddi bersonoliaeth fawr. Rwy'n cofio un stori amdani yn yr ysgol sy'n dal i roi gwên ar fy wyneb. Roedd un o'r bois wedi rhegi o flaen y dosbarth cyfan a dyma Mrs Adams yn ei dywys mas trwy ddrws y dosbarth tuag at y cyntedd lle roedd y sinc. Fe ddilynodd y dosbarth cyfan nhw mas fel haid o wenyn. A dyma hi'n gafael yn y sebon a golchi ei dafod sawl gwaith. 'Nawr mae plentyn sydd wedi rhegi angen ei geg wedi ei olchi gyda sebon,' meddai. Cefais fy syfrdanu o weld y fath beth ond dwi ddim yn credu i mi glywed yr un rheg yn y dosbarth fyth wedyn.

Un atgof arall sy`n aros yn y cof oedd amser cinio yn yr ysgol. Nawr, os nad oedd y fwydlen yn siwtio'r daflod fe fyddai'r awr ginio yn troi'n hunllef. Nid oeddwn yn hoff iawn o dato wedi potsio na semolina – ie na chi, y pwdin a oedd yn debyg i uwd gyda llwyed o jam yn ei ganol. Roedd fy nghalon yn suddo pan fyddai hwn ar y fwydlen oherwydd fy mod yn gwybod nad oeddwn yn cael gadael y bwrdd cinio tan fod y fowlen yn wag. Felly, tra roedd y gweddill mas yn whare, fe fyddwn i'n chwysu a'r stumog yn troi wrth i Mrs Adams sicrhau fod pob llwyed yn mynd i mewn i'r geg. Rwy'n medru blasu'r boen nawr wrth i mi ysgrifennu hwn. Mae'n wir i ddweud bod Dad hefyd wedi cael yr un profiad anffodus.

Ond o gas fwyd i rywbeth roeddwn yn mwynhau ei fwyta, sef *cress* neu berw'r dŵr. Bob blwyddyn byddai'r dosbarth yn mynd ati i dyfu *cress* ac fe fyddwn yn cael fy swyno gan y broses. Ond y mwynhad mwyaf oedd cael bwyta'r *cress* mewn brechdane salad yr oedd Mrs Adams yn eu paratoi ar ein cyfer. Roedd yna flas arbennig iawn i frechdane Mrs Adams.

Pan fydda i'n dweud wrth rywun fy mod yn byw ym Mynachlog-ddu, yr ymateb a gaf bob tro yw – 'o'r lle na sy' mas yng nghanol unman'. Mae un peth yn siŵr, yng nghanol unman neu beidio, mae'r ardal wedi cyfoethogi fy ngwybodaeth o fywyd gwyllt. Yn ystod yr haf fe fydde'r ardal yn fôr o liw gyda choed a blode gwyllt yn eu miloedd. Pan oeddwn yn rhyw saith mlwydd oed roeddwn yn adnabod pob blodyn gwyllt a dyfai yn y cloddie o glyche'r gog i fotwm crys ac o clatsh y cŵn i was y neidr. Dwi'n cofio un tro am Dad-cu Lloyd yn dod 'nôl â bwnshyn anferth o flode gwyllt i fi i o Gastellmartin. Fe allech chi feddwl fy mod i wedi cael y moethyn rhyfedda'r diwrnod hwnnw ac oen i'n ffaelu aros i fynd â nhw i'r ysgol i'w dangos i bawb.

Ar ddiwrnod sych a braf o hydref does unman gwell na Mynachlog-ddu. Yn ystod yr adeg yma o'r flwyddyn fe fyddwn i wrth fy modd yn casglu mwyar o amgylch y cloddie, gyda'r nod o ddod getre â llond twb hufen iâ o fwyar duon i Mam ar gyfer gwneud tarten. Mae'r darten fwyar yn dal i fod yn ffefryn, a does dim byd yn well na tharten cartref.

Yn ogystal â'r ysgol roedd Capel Bethel yn bwysig iawn i ni fel teulu, ac yn parhau i fod yn bwysig i ni heddiw, wrth gwrs. Dyma oedd canolbwynt y pentref ac yn frith o weithgareddau trwy gydol y flwyddyn – yr ŵyl rhinwedd a moes, cwrdd diolchgarwch, cwrdd Nadolig a'r pwnc, ac roedd yr Ysgol Sul yn ein cadw ni'n brysur. Mae'n amhosib sôn am yr holl ddigwyddiade a'r profiade rwyf wedi eu cael o'r Ysgol Sul ond rwy'n ddiolchgar iawn i Tonwen, ac yna Jill Lewis a Llinos Penfold am yr holl brofiade hyn. Cefais y cyfle i chwarae nifer o gymeriade o berchennog y llety, Herod, Joseff a'i got amryliw ac Ann Griffiths i enwi ond rhai. Ond ni chefais byth y cyfle i wireddu fy uchelgais o actio rhan Mair 'chwaith!

Fel plentyn fe fyddwn i wrth fy modd yn helpu i addurno'r capel cyn y cyrdde diolchgarwch. Fe fyddai'r capel yn fôr o liw wrth i fenywod yr ardal lenwi pob twll a chornel ohono gyda ffrwythe a llysie. Roedd yr holl gynnyrch blasus yn tynnu dŵr o'n dannedd a dwi'n siŵr i ni, un tro, ddechre bwyta cornelyn bach o fara, a'r menywod yn meddwl bod llygod yn y capel. O wel, dyw hi ddim yn gyfrinach rhagor.

Ar y penwythnose yn ystod yr hydref pan oeddwn yn byw ym Mhenrallt fe fyddwn i wrth fy modd yn mynd gyda Dad am sbin yn y landrofer las lan i Capel i fwydo'r lloi a'r gwartheg. Roeddwn i'n ifanc iawn pan ddechreuais i ddilyn fy nhad ar y ffarm, ac nid wyf wedi newid llawer heddiw, gan fy mod o hyd yn hoffi helpu a photshan. Ar y pryd rwy'n cofio teimlo'n bwysig iawn o gael cymysgu'r llaeth ar gyfer y lloi, er roedd angen tipyn o fôn braich i wneud hyn. Rwy'n dal i gofio arogl y llaeth powdwr yn y shed isha a'r sbort wrth dynnu'r bwcedi oddi wrth y lloi. Cyn mynd adre i Benrallt fe fyddai rhaid i fi fynd mewn i'r tŷ at Mam-mam ar yr amod ein bod yn cael 'cân fach ac ymarfer cadw'n heini'. Dyna lle roedd y ddwy ohonom ar ein cefnau – y fam-gu a'r wyres – gyda'n coesau yn yr awyr ond synno'r coesau byr wedi tyfu llawer ers hynny!

Digwyddiad pwysig iawn i ni fel plant oedd diwrnod cneifio ym Mhantithel. Roedd bechgyn o Seland Newydd, sef Peter Brown a'i griw, yn dod i gneifio atom yn flynyddol. Ond y peth mwya' cyffrous i ni oedd cael bwyd yn y sied, oedd wedi'i haddasu'n gegin dros dro, a'n gorchwyl ni oedd helpu Mam-mam ac Anti Sal, sef Sali Lawrence, i baratoi'r bwyd. Roeddem yn paratoi pedwar pryd, sef brecwast wedi ffreio, cinio twym, te yn cynnwys bara, caws a jam a chacenne, a swper o dato wedi'u ffreio, cig a salad. Dyna beth oedd ffest yn wir.

Bellach rwyf wedi ymgartrefu gyda fy ngŵr, Gwion Dafydd, yn Ystum Taf, yng Nghaerdydd, ac ar hyn o bryd yn mwynhau bywyd y ddinas fowr ddrwg. Ond does dim byd yn well gen i na gyrru nôl ar yr M4 ar nos Wener i Fynachlog-ddu, beth bynnag fyddo ansawdd y tywydd, i lonyddwch y wlad sydd heb os yn 'getre' o hyd. A dwi'n siŵr fod yr un yn wir am Mari a Lisa hefyd sy'n byw yng Nghaerdydd ar hyn o bryd.

Elin Dafydd reminisces about her childhood days at Penrallt, Mynachlog-ddu, in the company of her sisters, Mari Grug and Lisa Haf. Those summer days spent in the paddling pool and playing with Topsi, the cat, in the garden, seemed to be never-ending.

Elin well remembers the occasion when the children of family friends from Cardiff joined them for a romp around the farm fields. On being asked what use was made of a trough in a field corner, rather than explain the obvious, that it was there for the use of the animals, Elin decided to use a little imagination.

She insisted that water had to be carried from the trough to the house in buckets whenever it was required for drinking and washing as the house taps were out of order. As she embellished the story she bent low and made as if to drink the water, at which three year old Lisa did the same and lo and behold fell into the trough. She had to be carried home with her little blue coat thoroughly wet and 'big sister' was given a severe telling off.

One of their favourite pastimes, when the family moved in 1990 from Penrallt to adjoining Capel farm, was building dens in the trees and undergrowth, to which much of the kitchen cutlery would disappear unbeknown to their mother. Other adventures would take place on Foel Dyrch. After all, how many children could boast a mountain as their back garden?

When all three were given bicycles they were keen to explore nearby Cware Tyrch and see the crocodiles. Off they went, parked their bicycles near the bridge, climbed the hedge and looked down towards the lake, but there were no crocodiles to be seen. It was only later they realised that the crocodile story was a ploy hatched by their parents to ensure they did not enter the quarry and its dangerous surroundings.

Visiting neighbours was always a treat, because invariably they would come home much wealthier than when they left, as they filled their moneyboxes. And New Year's Day would provide a bumper collection as they went around singing for 'calennig', with the last call always at Blaendyffryn, where Dyfrig and Veronica Griffiths would provide a feast of sausage rolls, sandwiches, mince pies and a glass of sherry. The most ever collected was £90 – £30 each – of which half was to be kept and a half given to charity.

Elin pays tribute to the multi-talented Tonwen Adams, their schoolteacher, Sunday School teacher and music and elocution instructor. Elin recalls an incident when one of the boys swore in class and was immediately taken by Mrs Adams, with the whole class in tow, to have his mouth washed out with soap. No swearing was subsequently heard in the classroom. Eating semolina was not a joyful school experience for Elin because every spoonful, under the keen supervision of Mrs Adams, had to be eaten before she would be allowed out to play. However, growing cress in the classroom and then being allowed to eat it in the sandwiches provided by Mrs Adams was always satisfying.

Summer was always her favourite season when all the trees and flowers were in bloom, and she knew all their names by the time she was seven years of age. She well remembers 'Dad-cu' Lloyd bringing her a large clump of wild flowers from Castlemartin, and she could not wait to take them to school the following day. Picking a tub-full of blackberries was another favourite pastime in the autumn as there was nothing as succulent as a fresh home-made blackberry tart.

Bethel chapel was the hub of the community and again her debt to Tonwen Adams as well as Jill Lewis and Llinos Penfold is immense, as she took part in umpteen activities. Though she played the part of Herod and Joseph and Ann Griffiths among many others in various productions, her ambition of playing Mary eluded her. However, Elin still revels in those days spent travelling in her father's blue landrover, carrying out various farm chores. She still feels the tugging of the calves as she pulled the milk pails from their nostrils. And in particular she cherishes the ritual of calling with 'Mam-mam' to sing a song and engage in some physical exercise before returning home. Both grandmother and granddaughter would lie on their backs on the floor kicking their legs in the air.

The highlight of the farming year, of course, was the sheep shearing when shearers from New Zealand had to be fed with four meals a day in the corner of the shearing shed that became a makeshift kitchen at Pantithel, and the daughters' culinary help was much appreciated amidst the hustle and bustle. Though all three are now residents of Cardiff they still yearn to return along the M4, whatever the weather, to the solitude of the country because Mynachlog-ddu is still their home.

Excerpt from 'Harvesting Stones'

An unpublished novel by R. D. Cook

Kitto, thirty-three, has returned to Pembrokeshire with his lover Jenna to decide what to do with the smallholding he has inherited from his late wife, Bethan. Hafoty-wen is an unaltered eighteenth century cottage built entirely of white quartz, set in a five acre enclosure at the top of Bronfechan Hill (Mynydd Bach, Rhos-fach). Originally a tŷ unnos – a small cottage built in one night – the quartz used in the building had once completely covered Carn Bodyst, the Bronze Age burial mound set next to it, which is half-encircled by standing stones. Preselau Farm, below Hafoty-wen, is owned by the Bowen's – Enid and Siâms – who were tenants of Bethan's father. On the second day of their visit Kitto and Jenna are invited for supper with Bethan's Aunt Myfi and her husband, Robat Cunnick.

'Where have you been exploring today?' Robat asked Jenna.

'We went to the cottage,' she said.

'Bronfechan! And how are the Bowens? They're a very hard working family.'

'We only spoke to Sîams briefly,' Kitto cut in, 'but we met Gwyneth, out trekking on the lane, and young Mayrid came up to say hello.'

'She gave us a guided tour,' Jenna added. 'Then we did a bit more exploring ourselves on the way back.'

'The view-scapes from everywhere around the Preselis are superb,' Myfi said.

'And Hafoty-wen is an extraordinary place,' Robat said, ponderously. And then, looking forcefully at Kitto, 'I do want to speak with you about your property later, if we find the chance.'

Kitto nodded.

The chance came as soon as supper was over. When Jenna insisted on helping Myfi with the clearing up, Robat tapped Kitto on the shoulder and winked.

'Shall we men retire to the study for half an hour? Brandy, but no cigars, eh?'

Kitto gave Jenna an appealing look, to which she replied, 'I'll join you in a bit, if I may.'

'Certainly,' Robat answered, rising awkwardly to his feet.

His study was a much smaller front room, across the hall from the lounge, and it more than made up for the minimalism of the dining room. Walls lined with books, cabinets and file boxes, framed maps – modern and antiquary – engravings and colour prints depicting castles, cairns and landscapes, surrounded the cramped work space. Kitto took the only comfortable chair while Robat sat on the upright office chair in front of the desk. If Jenna eventually joined them, Kitto realised, they would all be pinched uncomfortably close together.

'Let me say this, first.' Robat said, looking as though he were tasting something that might or might not be palatable. Kitto felt a tightening in his stomach.

'As you may know, I'm an historian and something of an armchair archaeologist. Most of what I've written for publication has been about what you'd call the Dark Ages, which I prefer to call the Early Medieval period. They're only dark because archaeologists have overlooked what's there – searching for Germanic elements, for the most part, rather than the native Celtic ones in the culture. Do you see?'

'Yes, but...'

'Anyway, as Myfi said, we're extremely fortunate to be living where we are. Pembrokeshire's as fertile in its history as it is in its soil, so to speak.'

'Mr Cunnick, sorry to interrupt, but was there something you want to say, or ask me, about Yr Hafoty-wen?'

Robat stared at him momentarily, but his face quickly softened again. 'If I could just conclude this train of thought, Kitto, you'll soon see where I'm going.' He cleared his throat. 'The other dark aspect of the age is due to lack of evidence on the ground. The usual reason given is that metal and stone weren't used in abundance during that period, and the most available everyday materials – leather, wood, fabric – were all perishable stuff, of course. But, anyway, what's clearly not missing is the oral heritage; passed down, recorded, memorised and worked creatively into sagas, poetry and early histories. And then there are the Ogham stones, dating from the fifth and sixth centuries. They've been a passion of mine since boyhood. Inscribed stones, consisting of notches and strokes carved along the edge of a stone; a kind of Irish runic alphabet.' He pointed to a framed print on the wall beside the desk:

'Twenty-six Ogham stones have been found in Wales with Latin inscriptions as well, twelve of these in Pembrokeshire. At least one of them is associated with Arthur. You know that he was an historic figure in the sixth century, don't you, Kitto?'

'King Arthur?'

'He probably left more ciphers of himself here in North Pembrokeshire than anywhere else,' he said, reaching behind him and handing Kitto a paper-bound periodical entitled *Pendragon*. 'That is, if you know where to look for it. We're talking about prehistoric race-memories, not some trumped-up Christian romance.'

Kitto opened to the index inside the front cover and quickly spotted:

Arthur's Witness? Carn Bodyst in Pembrokeshire by Robat Cunnick, MA.

'Carn Bodyst,' Kitto said.

'I've always had the gift of transpicuousness, if you know what that is.'

Kitto slowly shook his head, gazing at the book.

'It's being able to clearly see and deeply understand the milieu and race-memory of that time – its chronology, geography, events, historical figures. I knew intuitively when I first visited Carn Bodyst that there was something there that was more than an unexcavated dolmen. It can't be a coincidence...'

There was a rap at the door. Robat impatiently shouted, 'Come!' Jenna slipped through the half-open door, quickly crouched into a corner and sat on the floor. She ignored Kitto's gesture for her to take his seat, pressing a finger against her lips. Robat continued his lecture without a pause.

'The entire area surrounding Preselau has very strong links with Arthur. On the ridge directly above the farm there's Bedd Arthur – Arthur's Grave – and just below that, Carn Arthur. And barely half a mile from Preselau, at Glynsaithmaen – the glen of the seven stones – you have the standing stones of Cerrig Meibion, The Stones of Arthur's Sons, marking the spot where Arthur's sons were killed. And just above it is Cerrig Marchogion Arthur, The Stones of Arthur's Knights; all killed while chasing a wild boar from Ireland – the Twrch Trwyth.

'From Culhwch and Olwen,' Jenna said in a half-voice.

Robat stared at her, eyes widening. 'My dear, you know the Mabinogion?'

'Not as well as you do, obviously, but I've read it through, and written a poem inspired by Sandde Bryd Angel.'

'Have you, indeed? Then you'll know what I'm talking about: "The boar made off thence to Preselau." I'm not suggesting that this magical tale was factual, but what lies behind it, enigmatically, is the importance of many of these local place-names that existed long before the story was ever told and written down.'

'In some of the stories, including the one you've just quoted, Preselau was a specific place, not just a range of hills.'

'Indeed, that's true!'

'Are they hills?' Kitto asked them both, 'or are they mountains?'

Robat stared at him, bemused. 'Both,' he said, finally. 'The hills are hills – under one thousand feet. The ones over one thousand feet are mountains: Cwm

Cerwyn is the highest point in the range at seventeen hundred and fifty-nine feet. Certainly a mountain.'

'I remember,' Jenna continued, 'in Pwyll Pendefig Dyfed, the wise men gathered at Preselau to advise Pwyll that he should seek another wife.'

'Exactly,' said Robat, picking up the thread again. 'Scholars tell us its location hasn't ever been found. But let me tell you now – you've both been there!'

'Are you suggesting that Preselau Farm is...?' Kitto began to ask.

'Of course it is! There's no doubt in my mind. The hills are named after the place, not the other way round. And the name Preselau derives from the Welsh prysg – meaning woods – and Selau, or Selyf, which is the name for Solomon. So, it's Solomon's Wood.'

Jenna and Kitto caught each other's eye for a moment.

'Those bare hills don't suggest woodland in any way,' he went on, 'except for those hideous blankets of plantation the Forestry Commission stuck up there. All the trees were cleared by early farmers five thousand years ago. And when they finally abandoned the uplands the Preselis became a vast moorland – that was three thousand years ago, for goodness sake!'

'Can I ask,' said Kitto, patiently, 'what you've written about Hafoty-wen? What your interest is in it?'

'Of course you can,' he said, smiling. 'I've already mentioned the Ogham stones...' He turned to Jenna, still smiling. 'You know what they are, my dear?' She nodded, impatiently. 'Then go to pages six and seven in *Pendragon*,' he said, turning to Kitto. My little essay is only a prolegomenon, of course...'

'A what?'

An introduction to the subject – a sort of preface, if you will.'

Kitto opened to the pages and saw two drawing, or possibly grainy photographs, one on each page, surrounded by text. They reminded him of his first attempt at sketching the veins of colour in the piece of quartz, but he could see that this was another type of stone, a roughly dressed surface, into which letters or words had been inscribed.

'You can see from the jagged edges at the bottom of the one on the left and the top of the right one that they were originally one tablet.' Kitto passed the magazine to Jenna. 'At some point the stone – which is hard Ordovician mudstone, by the way, easily found around Carn Menyn and the rest of the range – had been painted with lime-wash. But weathering has eventually flaked most of that away.'

'What has all this to do with Carn Bodyst?' Kitto asked.

‘I’ll tell you now. These stones – or rather, this stone – bears sixth century inscriptions, which have been to some extent lost, unfortunately. But what it says in part, quite clearly, is: *Artognov* – Latin for the English name, Arthnou. Arthur! It’s in Ogham as well: Arthur or possibly Artúur. Also, there is the word *testis*, which is the Latin word for witness.’

‘Where did you find these ... this stone, Robat?’ Jenna asked.

‘Just where it is now. They’re the top and bottom casements of the little window frame in your llaethdy!’

‘My what?’ Kitto asked.

‘The dairy at the back of Hafoty-wen. They were re-used in the building of your cottage, Kitto.’

‘I don’t understand,’ he said, glancing at Jenna, who looked excited by the news. ‘What does Arthur have to do with an old cottage and a prehistoric burial mound?’

‘Bronze age, actually,’ Robat corrected. ‘That is indeed part of the mystery, but there’s no doubting that they are connected. The Welsh words – *carn bodyst* – can, at a stretch, be interpreted as, the witness mound. That’s what it’s always been called locally, but no one seems to know why.’

‘Witness to what?’ Jenna asked.

‘Exactly! Something happened at the top of Preselau, close enough to the burial mound and important enough to warrant an inscribed stone being erected there. It could even be that the mound itself was involved.’

‘How?’

‘There’s really no way of knowing unless the site is properly explored.’

‘By “properly”, you mean, “dug up”. Excavated.’

‘I’m not suggesting that,’ Robat countered quickly.’ You’re rather jumping the gun here, Kitto. In the first place, nothing whatsoever would be done without the full consent of the owner. Yourself.’

‘So, whose consent did you have in the past?’ Kitto asked, coolly.

‘What do you mean?’

Kitto pointed to Pendragon. ‘Permission to do your exploring for that article, and whatever else you’ve been doing up there.’

‘Kitto ...’ Jenna said in a half-whisper.

Robat looked stunned and upset. ‘Your late mother-in-law gave me permission – my late sister-in-law, Sara. And I assumed that Bethan would have been happy for me to visit the site occasionally as well. I hope you don’t think

I'm the sort of person who would trespass and snoop around your property the way that little Bowen girl does. Has she said something about me?'

'Mayrid? No, she hasn't,' Kitto told him.

'Well, I detect some hostility, coming from somewhere.' Robat held out his hand to Jenna, who placed *Pendragon* into it. He dropped it on the desk.

'Robat, could I...' Jenna got his attention. 'Would it be possible to borrow that, just for a day, to read your article?'

He looked surprised, and then shyly returned it to her. 'Yes, certainly, my dear.'

'I hope Kitto doesn't mind my telling you this,' she said, looking down at *Pendragon*, 'but, he's been under a lot of stress since Bethan died, and there's still so much for him to sort out. Tell me if I'm wrong, Kitto,' she continued, looking up at him, 'but I think this weekend hasn't resolved any of the things you came here to deal with. And that's been causing you to feel under even more pressure. Is that right, darling?'

Kitto nodded, staring down at his boots.

'Oh, I am sorry,' Robat said, gently. 'That's the last thing I would have wanted to be a part of. Do forgive me, Kitto.'

The stillness that followed was broken by soft minimalist music coming from the lounge. Myfi must have put on a CD and would be waiting for them to rejoin her.

Derivation of Words

Carnmenin and Caermeini can be taken as alternative names for these carns. The reason for the map-maker's choice of Caermeini are fairly evident and quite praiseworthy for they were quite aware that "menyn" is the Welsh word for butter and that meini implied stones. Naturally, they chose the latter term for these rocks are igneous and are not now buttery in texture or appearance. On the other hand, we must remember that an old Welsh word for stone is meinin and the word Carnmenin was used as far back as the fourteenth century for local farms.

So we cannot be too certain what the word means here; there are so many possiblities far removed from each other. One possible supposition is an association with the name of Maenan, a term now used for a Mediterranean civilisation in remote times. Possibly a far-fetched association but one that should be kept in view. It is also possible that some Mediterranean traders or peoples who had either witnessed or heard of volcanic disturbances and manifestations through lava into rock formations might have spotted a trace of a similar development here. Butter can soften and harden and so can rocks be transformed from the molten state of lava into hard masses.

There is some reason for believing that George Owen, in the sixteenth century called them Mynydd Duw meaning, apparently, the Mountain of God. In view of the discovery that the monument of Stonehenge contains stones that originated in this immediate area, this term may have both meaning and relevance. It appears that among the Indians of Brazil, the term for God the Creator is Monan. Maybe we have found a clue to the riddle and maybe we have not, for etymology is a baffling subject. It is easier to roam around, but a glance at the names of a few of the cairns might be of assistance in understanding the Stonehenge/ Preseli puzzle.

E.T. Lewis *Mynachlog-ddu – A Guide to its Antiquities*

Cymdeithas Aredig Llangolman Ploughing Association

Mae bechgyn teulu'r Bryan, Colman House, Llangolman, yn anodd eu curo mewn cystadlaethau aredig. Uchod, gwelir Brenig yn torri cwys unionsyth arall ac yna, isod, Leighton, ei fab, yn edmygu gwaith ei aradr yntau mewn cystadleuaeth arall. Fe fu Cymdeithas Aredig Llangolman yn trefnu gornestau yn lleol ers y 1980au gan ddenu cystadleuwyr o Orllewin Lloegr yn ogystal ag Ynys Manaw ar un achlysur a phob rhan o Dde a Chanolbarth Cymru.
The Bryan boys, Colman House, Llangolman, always set the standard in ploughing competitions. Above, Brenig has cut another faultless furrow and then, below, Leighton, his son admires the work of his plough in another competition. Llangolman Ploughing Association has organized local ploughing competitions since the 1980s drawing competitors from the West of England, the Isle of Man on one occasion and from all over South and Mid-Wales.

Geiriadur 'Nachlog-ddu *(Detholiad)*

Wyn Owens

brion/prion *(adf)* purion *all right, right*

Ma nw'n dwâd mlân â'r gwaith in brion
Ma nw'n ymdopi gyda'r gwaith yn burion.
The work is coming on all right with them.

bripsin/bripsyn *(eg)* tamaid bach *morsel*

Ga i fripsyn o shwgir in in nhe.
Gaf fi ychydig bach o siwgr yn fy nhe.
May I have a morsel of sugar in my tea.

Weni'n hido mo'r bripsyn i bod hi heb dalu.
Doedd hi ddim yn hidio'r un iot ei bod hi heb dalu.
She didn't worry at all that she hadn't paid.

brist *(eg)* brest/bron *breast/chest*

Mae 'i frist in dynn gida'r pwl dwetha 'ma.
Mae ei frest yn dynn gyda'r pwl diwethaf yma.
His chest is tight after this last attack.

brist i Fwêl bron Foel Cwm Cerwyn
the brow of Foel Cwm Cerwyn

britis *(eg)* trowsus *(Wês, Wês – Shwrne 'To)* *trousers*

britis cul cyfyngder gwasgfa *(WWST)* *distress*

british *(eg)* trywsus yn cau am y pen-glin *breeches (Wês, Wês Pentigily)*

britshin/britshyn *(eg)*

Ma'r britshin in tento/gwasgu.
Mae pethau'n anesmwyth ac yn gwasgu.
Things aren't well

briwsho *(be)* cleisio *to bruise (WWP)*

brochgâi/brachgâi *(be)* arwydd gan fuwch fod angen tarw arni
in heat (of cow)

brod *(ans)* bras huandybus *(WWST)* *conceited*

brog *(eg)* elw *profit (WWST)*

brôtsh *(eg)* brotshis *(ell)* tlws *brooch*

brou *(ans)* brau *brittle tender (meat)*

Ma'r cig ma'n frou neis.
Mae'r cig yn hyfryd o frau.
The meat is tender and nice

mor frou â dom cyn freued â thail (lit) – *as brittle as dung*

teimladwy, hawdd ei dramgwyddo/ frifo

to upset easily fragile thin skinned
Miws ichi weud dim byd wrtho'r dwarnode 'ma, mae e mor frou.
Ni thâl ichi ddweud dim byd wrtho'r diwrnodau hyn,
mae e mor hawdd ei frifo.
You dare not say anything to him these days, he upsets so easily.

browlan *(be)* clebran *to chatter*

brwsh *(eg)* brwshis *(ell)* *brush(es)*

brwsh câns *(eg)*
Brws a ddefnyddir tu fas ar y clos ac yn y glowty.
A brush with hard bristles for the use outside
brwsh danne *(eg)* brws dannedd *toothbrush*
brwsh sgrwbo *(eg)* brws sgwrio *scrubbing brush*
brwsh shafo *(eg)* brws eillio *shaving brush*
brwsho *(be)* brwsio *to brush*
brwsho'r clôs brwsio'r buarth *to brush the farmyard*

brwsyn *(eg)* porfa denau neu arw *(Wês, Wês Wêth)* *fine or coarse grass*

brych *(eg)* *afterbirth (of cow)*

Cer o' ma'r brych! *Get lost! (a term of abuse)*

buddc *(eb)* buddai casgen i wneud menyn ynddi *churn to make butter*

busneslyd *(ans)* busneslyd *meddlesome*

meniw fusneslyd dyn busneslyd *a busybody*

bustach *(eg)* bustechi *(ell)* eidion *bullock*

côr i bustechi
sedd gefn y capel lle byddai'r bechgyn ifanc yn eistedd.
The back pew in the chapel where the young men would sit.

buwch *(eb)* da *(ell)* gwartheg

buwch in drwm o lo cyflo *a cow in calf*

bwa'r a'ch *(eg)* bwa'r arch enfys *rainbow*

Bwa'r a'ch i bore.
Cawedydd in i godre.
Bwa'r a'ch i prinhawn.
Tewi teg a gawn.

bwbach *(eg)* bwgan *bogey scarecrow*

'Rhen fwbach bach ag e!
'Rhen fwgan bach ag e!
The old rascal!

cantrwed *(eg)* cantroed *centipede*

canu *(be)* *to sing*

Seno'n ddim i ganu amdano.
Dyw e'n ddim i'w gymeradwyo.
It's nothing to sing about.

capan cornicyll *(eg)* capan cornicyll *nasturtium*

copa cornicyll blodyn oren *Tropaeolum Majus*

capso *(be)* yn goron ar y cyfan *to cap*

Ac i gapso'r cwbwl gwedodd 'i fod in tinnu'i enw nôl.
Ac yn goron ar y cyfan dwedodd ei fod yn tynnu ei enw nôl.
And to cap it all he said he was withdrawing his name.

caramedd *(ans)* eithafol (gair prin) *(WWST)* *extreme*

caran *(eg)* cerins/ceryns *(llu)* truan   anifail celain marw *pour soul carcass*

'Rhen garan ag e! Y truan bach ag e! *The poor old soul!*
'Rhen gerins â nw! Y trueiniaid â nhw! *The poor old souls!*

Mae e'n drewi fel caran.
Mae e'n drewi fel ffwlbart.
He stinks (like a carcass) to high heaven.

carbel *(ans)* wedi drysu'n llwyr *to be utterly confused*

Mae'n iach o ran 'i chorff ond mae'i meddwl hi'n garbel.
Mae hi'n iach yn gorfforol ond mae wedi drysu'n llwyr.
She is physically healthy but she is utterly confused.

carbeliwns   yn ynfyd   yn gawl *(Cawl Shir Bemro)* *to be mad with rage* carcus *(ans)* gofalus *careful*

Neith i ci ddim cnoi, ond bidda'n garcus.
Gwnaiff y ci ddim cnoi, ond bydd yn ofalus.
The dog won't bite, but be careful.

Carfwrdding *(enw lle)* Caerfyrddin *Carmarthen (place name)*

carlibwns *(ans)* llanastr *a mess*

Cwmpodd i llestri'n garlibwns ar i llawr.
Cwympodd y llestri'n un llanastr ar y llawr.
The dishes fell in a mess on the floor.

car llwye *(eg)* celficyn bychan o bren yn ffurf stâr â thyllau ynddo i ddal llwyau.
a wooden piece with steps and holes to hold spoons.

carreg *(eb)* cerrig *(ell) stone(s) testicle(s)*

carreg ateb *echo stone*

Ma carreg ateb glir iawn ing Nghware Tyrch.
Mae carreg ateb glir iawn yng Nghwarel Tyrch.
There is a clear echo-stone in Tyrch Quarry.

carreg Waldo *(eg)* cofeb Waldo *Waldo's memorial stone*

cerrig moron *(ell)* cerrig mawrion *boulders*

Y clwstwr o feini ar gomin Rhos-fach lle codwyd cofeb Waldo yn 1978.
The cluster of boulders on Rhos-fach common where Waldo's memorial stone was erected in 1978.

carto *(be)* cludo mewn cart *to carry in a cart*

Carto'r gwair o'r parc i'r iglan.
Cludo'r gwair mewn cart o'r cae i'r ydlan.
To carry the hay in a cart from the field to the rickyard.

Ma nw'n câl 'u carto i bobman.
Maen nhw'n cael eu cludo i bobman.
They are being carried everywhere.

cartws *(eg)* un o adeiladau'r tai mas lle cedwir y cart *cart house*

carthad *(eg)* carthiad *a clean out (of dung)*

Ma catsh i lloi wedi câl carthad.
Mae cwt y lloi wedi ei garthu.
The calf pen has been cleaned out.

carthu *(eb)* *to clean out (of dung)*

Fe fidde ni'n carthu'r glowty bob tro wedi godro.
Fe fyddem yn carthu'r beudy bob tro wedi godro.
We would clean out the cowshed every time after milking.

carthu'r gwddwg carthu'r gwddf *to clear the throat.*

cas *(ans)* *nasty*

Câth e hen bwl cas.
Cafodd hen bwl cas.
He had a nasty turn.

dowt *(eg)* amheuaeth *doubt*

Sdim dowt na wedd e'n fusnes pwysig.
Does dim amheuaeth nad oedd yn fater pwysig.
No doubt it was an important business.

drabia/drabit/drabets (ebych) rheg ddiniwed *a harmless swear-word*

Go drabets i blant, be sy mlân 'da chi nawr to!
Yr argain fawr blant, beth sydd ymlaen gyda chi nawr eto!
Drat it all children, what are you doing now again!

drabin *(eg)* darn (o gig) *(CShB)* *a piece (of meat)*

drabŵd *(ans)* diferol *dripping*

Wên i'n whis drabŵd in gweitho in ir houl.
Roeddwn yn chwysu fel mochyn yn gweithio yn yr haul.
I was sweating profusely working in the sun.

draenogllyd *(ans)* pigog croendenau *(CShB)*
irritable thin-skinned

drafensi fach i! (ebych) (*interjection*)

drafio *(be)* difrïo ei dweud hi *(WWP)* *to maligne to scold*

dragŵns *(ell)* geriach trugareddau *trash*

Ma rhyw dragŵns penna 'da nw mas ar i clos.
Mae rhyw geriach rhyfedd gyda nhw allan ar y buarth.
They have so much trash out on the farmyard.

drang *(eb)* llwybr neu ale mewn twnel neu dan do fel mewn archfarchnad. Gwelir un yng Nghlunderwen ac Arberth. *An alley in a tunnel or an interior such as a supermarket. One can be seen in Clunderwen and Narberth.*

drain *(ell)* yn ddrain yn ysu *on tenderhooks (WWP)*

Dramlod (enw lle) Treamlod *Ambleston (place name)*

drân/dreinen *(eb)* drain *(ell)* draenen drain *thorn(s)*

Ma'r ddrân ma sy 'da fi in in fys in pigo fel i jain.
Mae'r ddraenen hon sydd gyda fi yn fy mys yn pigo'n ofnadwy.
This thorn that I have in my finger pinches like heck.

dreifer *(eg)* tryfer bysgota *(WWP)* *gaff*

dreifo/drifo *(be)* gwthio ymddwyn yn afreolus *(WWP)*
to push to behave unruly

dreinog *(eg)* dreinogod *(ell)* draenog(-od) *hedgehog(s)*

drel *(eg)* hurtyn *oaf*

Mae e fel drel, seno'n gwbod beth mae e'n neud.
Mae e fel hurtyn, dyw e ddim yn gwybod beth mae'n ei wneud.
He's like an oaf, he doesn't know what he's doing.

dreni *(eg)* trueni *pity*

Dreni rhifedd na alle nw ddwâd i'r parti.
Drueni mawr na allen nhw ddod i'r parti.
It's a pity that they couldn't come to the party.

drenni *(adf)* drennydd *two days hence two days later*

dribe *(eb)* trybedd *tripod brand iron*

'Tair Cwês y Dribe' (ysgrif gan W. R. Evans) *(CShB)*
Tair Coes y Drybedd.
The three Legs of the Tripod. (Essay by W. R. Evans)

drich/drichid/drychid *(be)* edrych *to look to inspect*

Ma ishe drich i hanes e.
Mae eisiau ymholi ynglŷn ag ef.

One needs to inspect it.
Wedd hi'n drichid draw ar i minidde.
Roedd hi'n edrych draw ar y mynyddoedd.
She was looking towards the mountains.

dringad *(be)* dringo *to climb*

Fe ddringodd i graig in ddigon sgaprwth.
Fe ddringodd y graig yn ddigon sionc.
He climbed the rock quite nimbly.

drinc *(eg)* diod *drink*

Beth am fynd am ddrinc?
Beth am fynd am ddiod?
How about we went for a drink?

drisïen *(eb)* drisi *(ell)* drysu *thorn(s)*

fflatshis *(ell)* plu mawr o eira *large snowflakes*

Buodd hi'n bwrw fflatshis mowr o eira drw'r bore.
Bu'n bwrw plu mawr o eira drwy'r bore.
Large snowflakes came down all morning.

fflipen/fflipsen *(eb)* clowten *flip slap*

ffliwch *(eg)* yn draed moch *muck up bungle*

Ma pethe wedi mynd in ffliwch 'da ni.
Mae pethau wedi mynd yn draed moch gyda ni.
Things have mucked up with us.

Mae'i gwallt yn ffliwch i gyd.
Mae ei gwallt yn anniben.
Her hair is an untidy mess.

fflonsh *(ans)* boneddigaidd balch *(CShB)* *noble proud*

fflŵr *(eg)* can blawd *flour meal*

I ni'n iwso fflŵr i neud bara a i ni'n rhoi blawd i'r da.
Rydyn ni'n defnyddio 'fflŵr' i wneud bara ond rydyn ni'n rhoi 'blawd' i'r da.
We use 'fflŵr' *to make bread but we give* 'blawd' *to the cattle.*

ffocsin/ffocsyn *(eg)* rhywun cyfrwys *a sly person*

Paid tristo fe, hen ffocsin yw e.
Paid ag ymddiried ynddo fe, hen un cyfrwys yw e.
Don't trust him, he's a cunning fox.

ffon *(eb)* ffyn(ell) *stick(s)*

ffon bisgota gwialen bysgota *fishing rod*
ffon fagal *(eb)* ffyn bagle *(ell)* ffon fagl *crutch(es)*

Mae e'n gorffod mind obiti'r lle ar 'i ffyn bagle wedi iddo dorri'i gôs.
Mae e'n gorfod mynd o gwmpas ar ei ffyn baglau wedi iddo dorri'i goes.
He has to go about on his crutches after breaking his leg.

ffor *(eb)* ffordd *way*

ffor o siarad ffordd o siarad *a way of speaking*
ffor o fyw ffordd o fyw *a way of life*

fforc *(eb)* ffircs *(ell)* fforc ffyrcs *fork(s)*

ffor 'co *(adf)* y ffordd acw *that way yonder*

acw yn ein tŷ ni yn yr ardal *in our house in the area*

Galwch lawr ffor'co pan gewch chi'r cifle.
Galwch lawr acw pan gewch chi'r cyfle.
Call in when you get the chance.

ffor'na *(adf)* y ffordd yna *that way*

Rhaid malu'r pridd in fân, ffor'na.
Rhaid malu'r pridd yn fân, y ffordd yna.
You must ground the earth finely, like that.

ffor'on *(adf)* y ffordd hon *this way*

Etho nw heibo'r ffor' on pum minid nôl.
Aethon nhw heibio i'r ffordd hon bum munud yn ôl.
They went past this way, five minutes ago.

ffor'yn *(adf)* y ffordd hyn yn yr ardal hon *this way in this area*

Seno wedi bod ffor' yn os amser jogel.
Dyw e ddim wedi bod yn yr ardal ers amser maith.
He hasn't been in the area for a long time.

ffors *(eg)* nerth *force*

We gormod o ffors 'da'r dŵr in i taps.
Roedd gormod o nerth gan y dŵr yn y tapiau.
There was too much force with the water in the taps

fforsis *(ell)* ymdrech galed â'i holl gorff *physical effort might*

We fforsis mowr da'r crwt i godi'r sached o dato.
Ymdrechai'r bachgen yn galed â'i holl gorff i godi'r sachaid o dato.
The boy lifted the sack of potatoes with all his might.

fforso *(be)* gorfodi *to force to compel*

We rhaid fforso'r plentyn i find i'r isgol.
Roedd rhaid gorfodi'r plentyn i fynd i'r ysgol.
The child had to be compelled to go to school.

ymdrechu'n galed yn gorfforol *to use bodily force*

ffowlin/ffowlyn *(eg) chicken (cooked)*

I ni'n bwydo'r ffowlsin ond in bita'r ffowlin.
Rydyn ni'n bwydo'r 'ffowlsyn' ond yn bwyta'r 'ffowlyn'.
We feed the *'ffowlsyn'* but eat the *'ffowlyn'*.

ffowls *(ell)* ffowlsin/ffowlsyn *(eg)* ieir cyw *chickens chick*

Âth y cadno miwn i'r shêd ffowls a'u lladd nw i gyd.
Aeth y cadno i mewn i'r cwt ieir a'u lladd nhw i gyd.
The fox went into the chicken shed and killed them all.

ffralog *(ans)* nwyfus 'Wil ffril ffralog' (hen bennill) *(CShB) robust lively*

lleitho'r lloi *(be)* rhoi llaeth i'r lloi *to give milk to the calves*

llester *(eg)* llestri *(ell)* llestr *vessel*

Llestri gwag sy'n cadw sŵn......
Mwya'u trwst llestri gweigion.
Empty vessels make the most noise (prov.)

llestriach *(ell)* mân lestri *vessels*

lletwarded *(eg)* llond lletwad *a ladleful*

Coda letwarded o gawl i'r basin.
Cwyd llond lletwad o gawl i'r basn.
Lift a ladleful of broth into the basin.

lletwart *(eb)* lletwad *ladle*

lletwith/lletwhith *(ans)* lletchwith *awkward clumsy offhanded*

Se'i 'n lletwith inni beido â mynd i'r angla.
Byddai'n lletchwith inni beidio â mynd i'r angladd.
It would be offhanded of us not to go to the funeral.

llether *(eb)* llethre *(ell)* llethr(-au) *slope*
(enw gwrywaidd yn enwau lleoedd)
Llether-bach = Llether isha
Llether – mowr
Llether – canol
Llether – ucha
Blaenllether = Mwntan

llewirchin/llewyrchyn *(eg)* ychydig o olau/dân *a little light/flame*

Seno'r tân wedi diffod in llwyr, ma llewirchin o dân in dala ar ôl.
Dyw'r tân ddim wedi diffodd yn llwyr, mae fflam fechan yn dal ar ôl.
The fire isn't completely out, there's still a little flame left.

llewish *(eb)* (gweler/*see llawes*)

llibyngi *(eg)* yn ddirmygus, dyn gwannedd *(WWST)* *derogatory a weakling*

llidan *(ans)* llydan *wide*

Seno'r feidir gul in ddigon llidan i'r garafán.
Dyw'r lôn gul ddim yn ddigon llydan i'r garafán.
The narrow lane isn't wide enough for the caravan.

llidanu *(be)* llydanu *to widen*

Ma ishe llidanu'r pishyn cul 'ma o'r ffordd in drenus.
Mae eisiau llydanu'r darn cul hwn o'r ffordd yn druenus.
This narrow strip of the road needs widening terribly.

llideini *(be)* lledaenu *to spread, to circulate*

Llideinodd i stori fel tân gwyllt drw'r ardal.
Lledaenodd y stori fel tân gwyllt drwy'r ardal.
The story spreaded like wild fire through the area.

llidrew /llydrew *(eg)* llwydrew *hoarfrost*

We'r llidrew'n wyn drost ir ardd peth cinta'n i bore.
Roedd y llwydrew'n wyn dros yr ardd yn y bore bach.
The hoarfrost was white over the garden in the early morning.

llidrew'r Iorddonen y gwallt yn gwynnu *the hair greying*

llidrewi *(be)* llwydrewi, barugo *to cast hoarfrost*

Buodd hi'n llidrewi'n galed in istod i nos.
Bu'n llwydrewi'n galed yn ystod y nos.
It cast a hard hoarfrost during the night.

llifin *(ans)* llyfn *smooth even level*

Ma ishe neud i pâm in llifin.
Mae eisiau gwneud y gwely (yn yr ardd) yn llyfn.
The garden bed needs levelling out.

llifino *(be)* llyfnhau *to smooth, to level*

llifir/llifyr *(eg)* llifre *(ell)* llyfr(-au) *book(s)*

lliffan tafod llyffannwst afiechyd dan dafod gwartheg a cheffylau *(WWST)*
disease under tongue of cattle and horses

lligad *(eg)* lliged *(ell)* llygad llygaid *eye(s)*

i ddou ligad y ddau lygad *both eyes*

Wdw i'n nabod llaish dinion ond in lliged i sy'n dewill.
Rydw i'n adnabod llais dynion ond methu gweld ydw i.
I recognise people's voices but not being able to see is my worry.

Shoni lligad i geinog Sion llygad y geiniog *miser*

lligad llygad (am rwyd bysgota) *mesh (WWP)*

lligadin *(eg)* llygedyn *a wink*

Chisges i ddim lligadin.
Chysgais i ddim o gwbwl
I didn't sleep a wink

pennu *(be)* (gweler/*see 'bennu'*)

Penno nw bant (am flodau wedi gwywo).
Gwywon nhw.
They withered away (of flowers).

pennu'n lân *(be)* wedi ymlâdd *to be dead tired to wear oneself out*

pensel *(eb)* pensilion *(ell)* pensil(-iau) *pencil(s)*

Mae e'n weddol drwm ar 'i bensel.
Mae'n codi'n weddol ddrud am ei wasanaeth.
He charges quite a sum for his service.

Ma ishe blân ar i bensel.
Mae eisiau min ar y bensel.
The pencil needs sharpening.

pensych *(ans)* hawdd didrafferth *(WWST)* *easy*

penstiff *(ans)* ystyfnig *stubborn*

Nei di ddim byd ag e, mae e mor benstiff.
Wnei di ddim byd ag e, mae e mor ystyfnig.
You'll do nothing with him, he's so stubborn.

pentigili /pentigily *(adf)* bob cam *all the way*

Cerddes i getre pentigili o Crimich.
Cerddais adre bob cam o Grymych.
I walked home all the way from Crymych.

penwast *(eg)* ffrwyn o raff i arwain anifail *halter (WWW)* penwendid *(eg)* gwendid meddwl diffyg deall *feeble-minded*

Ma penwendid rhifedda ar rai in codi 'u plant heb ir iaith a nhwthe'n Gimry Cwmrâg.
Mae gwendid meddwl ar rai yn codi eu plant heb yr iaith a hwythau'n Gymry Cymraeg.
Some are feeble-minded in raising their children without the language while they themselves are Welsh-speaking.

penwinne *(ell)* syniadau hurt *strange ideas*

Ma rhyw benwinne arni byth a hefyd.
Mae rhyw syniadau hurt ganddi yn wastadol.
She has strange ideas always.

perfe *(eg ell)* perfedd *entrails*

Wedd e fel cifreithwr in holi 'mherfe i.
Roedd fel cyfreithwr yn fy holi'n astud.
(lit) He was asking me like a lawyer with all his questions.

pernu *(be)* prynu *to buy*

Pernodd hi'r car am brish rheswmol iawn.
Prynodd hi'r car am bris rhesymol iawn.
She bought the car at a very reasonable price.

perny/pyrny *(adf)* pryd hynny *that time*

We nw da chi perny te.
Roedden nhw gyda chi pryd hynny ynte.
They were with you at that time then.
Perny standes i bo fi ddim wedi gweu 'tho ti.
Pryd hynny sylweddolais nad oeddwn wedi dweud wrthot ti.
It was then that I realized that I hadn't told you.

persen *(eb)* pêrs *(ell)* pêr(-en) gellygen *pear(s)*

perswâd *(eg)* *persuasion*

Cîsh berswâd dag e i ddod 'da ni.
Ceisia ei berswadio i ddod gyda ni.
Try and persuade him to come with us.

perswado *(be)* perswadio argyhoeddi *to persuade*

Perswades i ddi i beido mind.
Perswadais i hi i beidio â mynd.
I persuaded her not to go.

pert *(ans)* prydferth da *pretty good*

pert aflan yn dda dros ben *exceedingly good*

Ma'r dillad in sichu'n bert aflan in i shed.
Mae'r dillad yn sychu'n dda dros ben yn y sied.
The clothes are drying very well in the shed.

pert ofnadw yn dda iawn *very well*

Ma'r gwaith in dwâd i ben in bert ofnadw.
Mae'r gwaith yn dod i ben yn dda iawn.
The work is getting done very well.

peth ifed *(eg)* diod gadarn *alcoholic drink*

Leice ti beth ifed ar gifer ir annwid 'na?
Hoffet ti rywbeth i yfed ar gyfer yr annwyd yna?
Would you like a drink to relieve that cold?

pewpan *(be)* tafodi cadw stŵr *(WWP)* *to scold*

satan *(eg)* satan

Hen satan o feniw slei yw hi.
Hen satan o fenyw gyfrwys yw hi.
She's a sly old devil of a woman.

sawl un *(rhag)* *several*

Ma sawl un in credu'r un peth.
Mae sawl un yn credu'r un peth.
Several believe the same thing.

sawlgwaith *(rhag)* *many times*

Ma nw wedi neud na sawlgwaith in barod.
Mae'n nhw wedi gwneud hyn'na nifer o weithiau eisoes.
They have done that many times already.

sbaddu *(be)* disbaddu *to castrate*

sbagal *(ans)* anniben *untidy*

Na beth yw reitin sbagal!
Dyna beth yw ysgrifen anniben!
What untidy writing!

sbage *(ell)* pigau *(CShB)* *spikes*

sbaglog *(ans)* gwael *poor*

Gweddol sbaglog wedd 'u Cwmrâg.
Roedd eu Cymraeg yn weddol wael.
Their Welsh was rather poor.

sbagog *(ans)* rhyfedd od *strange*

Wedd geire sbagog iawn 'da fe.
Roedd ganddo eiriau rhyfedd iawn.
He had very strange words.

sbarblyn *(eg)* llanc hunandybus *(WWW)* *conceited youngster*

sbarcen *(eb)* merch fywiog, ddireidus *a lively girl*

Ma hi'n sbarcen o ferch.
Mae hi'n ferch fywiog.
She's a lively girl.

sbarcin/sbarcyn *(eg)* bachgen bywiog, direidus *a lively boy*

sbâr *(ans)* rŵm sbâr ystafell drugareddau *box room*

sbario *(be)* gadael i rywun gael rhywbeth *to spare*

Allech chi sbario pownd o shwgir i fi?
Allech chi adael imi gael pwys o siwgr?
Could you lend me a pound of sugar?

sbarion *(ell)* gweddillion bwyd *left overs (of food)*

Dydd Llun i ni'n câl sbarion dy' Sul.
Dydd Llun rŷn ni'n cael gweddillion bwyd dydd Sul.
On Mondays we eat Sunday's left-overs.

sbarioni *(be)* gwastraffu (bwyd) *to waste (food)*

Miws i ni sbaroni a pobol in i byd in llwgu.
Ddylen ni ddim gwastraffu bwyd a phobl yn y byd yn newynu.
We ought not waste food while there are people in the world starving.

sbarwigad *(eg)* dirgryniad *convulsion (WWW)*

sbarwigan *(be)* ysgwyd (y corff) *to convulse*

Wedd e mor grac, âth e i sbarwigan.
Roedd e mor flin roedd ei gorff yn ysgwyd i gyd.
He was so cross that he was convulsing.

sbathru *(be) (WWW)* tasgu (am ddŵr) *to spray (of water)*

sbectol *(eb)* *spectacles*

sbel *(eg)* sbele *(ell)* ysbaid *a spell*

Wedd hi sbel cyn dino.
Roedd hi ychydig o amser cyn dihuno.
She was a while before waking up.

ar sbele ar adegau ar brydiau *at times*

Ma gwres rhifedda 'da'r houl ar sbele.
Mae'r gwres rhyfeddaf gan yr haul ar adegau.
It is scorching hot in the sun at times.

Ma'r gwinie'n wâth 'da fi ar sbele.
Mae'r crudcymalau yn waeth gen i ar brydiau.
The rheumatism is worse with me at times.

sbilbo bach *(eg)* enw anwes ar blentyn bach
a term of endearment in addressing a child

sbinen *(eb)* sbinod *(ell)* hesbinen *(eb)* hesbinod ŵyn fenyw blwydd
yearling ewe(s)

shibigir *(eb)* yswigw; am ferch, pwten ffraeth ei thafod, fusneslyd *(WWST)*

shibwchlyd/shabwchlyd *(ans)* anniben *untidy*

Ma golwg weddol shibwchlyd arno.
Mae golwg weddol anniben arno.
He looks very untidy.

shibwns *(ell)* shibwnsin *(eg)* wynwyn bach *small onions*

shifi gochon *(ell)* mefus gwyllt *wild strawberries* (Henllan Amgoed)

shifo *(be)* crebachu gwaethygu mewn golwg *to shrink*
to get worse in appearance

Sdim golwg dda o gwbwl arni, mae wedi shifo'n ofnadw.
Does dim golwg dda o gwbl arni, mae wedi gwaethygu'n ofnadwy yn ei golwg.
She doesn't look well at all, she seems to have shrunk.

shifflad *(eg)* eiliad *an instant*

mewn shifflad mewn eiliad *an instant*

shifflincit *(ans)* distadl dibwys *(WWW)* *insignificant*

shiffto *(be)* ymdopi gwneud y tro *to manage to make do*

“Beth sy ’da ti i gino heno?” “Sa i’n siŵr, ond fe shiffta i glei!
“Beth sydd gyda ti i ginio heno?” “Dw i ddim yn siŵr ond rwy’n siŵr o ymdopi sbo!”
“What have you got for dinner this evening?” “I’m not sure but I’ll find something!”

Fe shiffte ni’n brion se ni’n câl awr fach ’to.
Ymdopen yn o lew petaen ni’n cael awr fach eto.
We’d manage all right if we had another hour.

shigandod *(eg)* maldod *(WWW)* *pampering*

shigen *(eb)* cors mignen *bog quagmire*

tir corsog lle ma’r ddeiar in shiglo odano ti.
a boggy land where the ground moves under you.

shiglad *(eg)* ysgydwad ergyd *a shaking a blow a knock (of feeling)*

Se chi’n câl shiglad nethe chi ratlan siŵr o fod.
Petaech chi’n cael ysgydwad fe wnaech ratlo debyg iawn.
(Sôn am rywun sy’n cymryd tabledi di-ri)
If you were given a shake you’d probably rattle (said of someone who takes many tablets.)

Câth ardal gifan shiglad gâs pan getho nw’u lladd.
Cafodd yr ardal gyfan ergyd gas pan lladdwyd hwy.
The whole area was shaken when they were killed.

shiglo *(be)* siglo *to shake*

Ma côs i ford in shiglo fel cwt i fuwch.
Mae coes y bwrdd yn siglo fel cynffon y fuwch.
The table leg is unstable.
(lit) The table leg shakes like the tail of a cow.

Sdim fowr o amser ar ôl ond rhaid shiglo arni.
Does fawr o amser ar ôl ond rhaid bwrw ymlaen â’r gwaith.
There’s not much time left but we must carry on with the work.

shiglo’n wagal *(be)* siglo’n ôl ac ymlaen *to shake to and fro*

shigo *(be)* ysigo *to sprain*

Sa’i’n moyn cered ar i cerrig, falle shigen i ’migwrn arni nw.
Dw i ddim am gerdded ar y cerrig, efallai ysigwn i fy migwrn arnyn nhw.
I don’t want to walk on the stones, I might sprain my ankle on them.

shigwdad *(eb)* ysgydwad *a shake*

Ma ishe shigwdad dda ar i crwt am fod mor ddiwardd.
Mae eisiau ysgydwad dda ar y bachgen am fod mor ddrwg.
The boy needs a good shake for being so mischievous.

shigwdo *(be)* ysgwyd *to shake*

shigwti *(ebg)* sigl-i-gwt *wagtail*

ladi fach sy'n cerdded yn fân ac yn fuan *a little madam*

shilblens *(ell)* llosg eira *chilblains*

shilfoch *(eb)* ceg *(CShB)* *mouth*

ta wâth/waeth (rhag) fodd bynnag *anyhow*

Ta wâth, ddetho ni ben a dwâd trw'r eira.
Fodd bynnag, fe lwyddon ni i ddod trwy'r eira.
Anyhow, we managed to come through the snow.

table *(ell)* tablau lluosi *multiplication tables*

Wên i'n casáu gorffod disgu'r table pan wên i'n fach.
Roeddwn i'n casáu gorfod dysgu'r tablau pan oeddwn yn ifanc.
I hated having to learn the tables when I was young.

tablen *(eb)* cwrw *beer*

tablen sêr yn feddw gaib *blind drunk*

Wê nw'n dablen sêr in dwâd mas o'r tafarn.
Roedden nhw'n feddw gaib yn dod allan o'r dafarn.
They were blind drunk coming out of the pub.

tablenna *(be)* yfed cwrw *to drink beer*

tac *(eg)* tacle *(ell)* dyn(-ion) gwael ac amharchus *a bad sort scum (of people)*

Hen dac cas yw e wedi bod ariôd.
Dyn gwael ac amharchus fuodd e erioed.
He has always been a bad sort.

Ma rhyw dacle diwardd wedi rhacsan i lle.
Mae rhyw wehilion wedi distrywio'r lle.
Some rascals have trashed the place.

tac defed tac *(ell)*

Defaid un ffermwr a roir i bori ar dir a berchnogir gan rywun arall.
The sheep of one farmer that has been put to graze on the property of another.

tacen *(eb)* tace *(ell)* hoelen esgid *boot-nail(s)*

tace mân hoelion bach gyda phennau crwn *small nails with round heads*

taclu *(be)* gwisgo paratoi *to get dressed to prepare*

We rhaid iddi daclu cyn meddwl am find mas.
Roedd rhaid iddi wisgo a pharatoi cyn meddwl am fynd allan.
She had to get dressed and prepare herself before thinking of going out.

ta-cu *(eg)* tad-cu *grandfather*

ta chiffra i (hen lw) *(CShB)* *(an old oath)*

tafodi *(be)* ceryddu *to reprimand*

tafodi fel tincer dweud y drefn *to reprimand terribly*

tafol *(eb)* dail tafol *dock leaves (Rumex acetosa)*

Defnyddir y dail i leddfu pigiadau gan ddanadl poethion.
Used to alleviate the stings of nettles

tagu *(be)* *to choke*

Brawd tagu yw mogi.
Chwech o un a hanner dwsin o'r llall.
Six of one and half a dozen of the other.

tanglan *(be)* poeni *annoy*

Ma'r ddou in tanglan â'i gili byth a hefyd.
Mae'r ddau yn poeni ei gilydd yn wastadol.
The two of them are forever annoying one another.

tai mas/teie mas (ell) tai allan *outbuildings*

tâl *(eg)* *payment*

Cei di lawn dâl am ddwâd ma heno.
Cei di dy dalu'n llawn am ddod yma heno.
You'll be fully paid for coming here tonight.

talcen *(eg)* wyneb *forehead*

Fe fwrodd e'n in nhalcen beth we da fe i weud.
Trawodd yr hyn oedd ganddi ei ddweud yn fy wyneb.
What she had to say hit me in the face.

haerllugrwydd effrontery *impudence*

Ma digon o dalcen da'i i wmed-weud.
Mae digon o haerllugrwydd ganddi i ateb yn ôl.
She has enough impudence to answer back.

Na dalcen sy dag e!
Dyna un haerllug yw e!
What an impudent fellow!

taleri *(ell)* talar *(eb)* *headbands*

Mae e yn rhedig i taleri.
Mae e'n aredig o gwmpas ymylon y cae.
He is ploughing around the edges of the field.

taliedd *(ans)* taliaidd penuchel *haughty*

Mae'n cered in ddigon talïedd.
Mae hi'n cerdded yn ddigon penuchel.
She walks quite haughtily

whingil *(ans)* ansefydlog *unstable*

Mae e'n weddol whingil ar 'i drâd.
Mae e'n weddol ansefydlog ar ei draed.
He's quite unsteady on his feet.

whilan *(eb)* whilanod *(ell)* gwylan(-od) *seagull(s)*

Na dderyn herllug ichi yw'r whilan.
Dyna aderyn haerllug ichi yw'r wylan.
The seagull is such a bold bird.

whîl *(eb)* whîls *(ell)* olwyn(-ion) *wheel(s)*

Ma' i'n siarad Cwmrâg fel whîl.
Mae hi'n siarad Cymraeg yn rhugl.
She speaks Welsh fluently.

whilber *(eb)* whilberi *(ell)* berfa berfâu *wheelbarrow(s)*

whilen *(eb)* chwilen *beetle*

Ma rhyw whilen wedi codi i'w ben e.
Mae ganddo rhyw chwilen yn ei ben.
He has a bee in his bonnet.

whilgrwt *(eg)* whilgrwts *(ell)* glaslanc *teenager(s) youth*

whilibawan *(be)* segura *to dawdle*

"Beth i chi'n whilibawan fel hyn? Taclwch inni gâl mind."
"I beth rych chi'n segura fel hyn? Paratowch inni gael mynd."
"*Why are you dawdling like this? Get dressed so that we can go.*"

whilio *(be)* chwilio *to search*

Whiliodd hi bob twll a cornel ond ffeilodd ffindio'r arian.
Chwiliodd hi bob twll a chornel ond ni lwyddodd i ddod o hyd i'r arian.
She searched every nook and crany but she didn't manage to find the money.

whilio hanes

Rhaid i fi find i whilio hanes i plant 'na.
Rhaid i mi fynd i weld beth mae'r plant yna yn ei wneud.
I must go and see what the children are up to.

whîlo *(be)* gyrru ar olwynion *to drive*

whin/whyn *(eg)* chwyn *weeds*

whindrew/windrew *(eg)* ewinrhew *frostbite*
(gweler/*see wyndrew*)

whindrewi *(be)* cael ewinrhew *to be frostbite*

whinfforch *(eb)* (gweler/*see winfforch*)

whinnu *(be)* chwynnu *to weed*

whipir-wil *(eg)* y dyn a gasglai'r plant oedd yn chwarae trwant o'r ysgol
whipper-in school attendance officer

whipet *(eg)* milgi *whippet*

Ma'i'n rhedeg obiti'r lle fel whipet.
Mae hi'n rhedeg o gwmpas y lle fel milgi.
She runs about the place like a whippet.

whiret *(eb)* whirets *(ell)* bonclust *box on the ears*

Cei di wiret 'da fi os na watshi di.
Cei di bonclust gen i os na wyli di.
You'll have a box on the ears if you don't watch it.

whirn/whyrn *(ans)* chwyrn *rapid*

whis/whys *(eg)* chwys *sweat*

Wen i'n whis pys. Roeddwn yn chwysu'n ddi-baid
I was sweating heavily.

whisg /whishg *(eg)* (Tufton) trafferth *trouble*

whish-git! (ebych) gair i yrru cath ymaith
(interjection) a word to send a cat away

whisl /whît *(eb)* chwisl chwibanogl *a whistle*

golchi'r whît cael diod *to have a drink*

whit-what (gweler/*see wit-wat*)

whith *(ans)* chwith *left*

Trowch i'r whith a'r whith wêth.
Trowch i'r chwith ac i'r chwith drachefn.
Turn left and left again.

whith corn/gwlith corn (eg) gwe pryf copyn *cobweb(s)*

gweld i whith digio *to take offence*
Gwelodd hi'r whith in ofnadw pan na châth hi wahoddiad
Digiodd yn ofnadwy pan na chafodd hi wahoddiad
She took offence when she was not invited.

The Twentieth Century

The First World War began a period of general disillusionment following the liberal optimism of the first decade. The parish itself had no serious casualty, but Daniel Davies of Glynsaithmaen just across the parish boundary met his end. The Second World War had greater repercussions, for British and American troops were here stationed in large numbers and the American Tank Brigade met with heavy casualties during the Normandy landings. Some aircraft failed to negotiate the hills and two American aeroplanes crashed with the loss of life.

The year 1947 must also be included as unusually laden with fateful possibilities. A few dilettantes at this point will view these words as the utterances of a partisan. Nevertheless anyone who studies the past has some responsibilities regarding the future. While the district is primarily agricultural the hills can and should attract tourists. Had a plan hatched in 1947 come into full fruition it is very unlikely that much of the former industry could have survived, and the consequent rubble would not have appealed over-much to tourists. For in all probability the site would have been discarded after a brief spate of destruction. When the livelihood of scores in the district was threatened by this plan to acquire thousands of acres on Preseli, there were very few dissentient voices to a campaign to thwart it.

Many well attended meetings were held in this parish and later at Maenclochog. A central committee under the chairmanship of Rev. Mathias Davies attracted financial and spiritual support from influential people of various political views and from a wide area. Following concerted action on the part of representatives of the many parishes affected and those co-opted, the government of the day, under Mr Attlee, wisely and happily realised that such demands on the part of the military were inordinate.

It is hoped that owners and occupiers will preserve their sense of social responsibility and make easy access to the hills a primary consideration. With government from a distant centre pushing its tentacles with increasing alacrity, a measure of obstinacy in the people driven is not altogether to be deprecated.

E. T. Lewis *A Historical Survey of the Last Thousand Years*

Aelodau Cangen Merched y Wawr Mynachlog-ddu yn 1983.
Ffurfiwyd y gangen ym 1974 ac erbyn heddiw mae yna 20 o aelodau.

Members of the Mynachlog-ddu branch of Merched y Wawr in 1983.
The branch was formed in 1974 and today has 20 members.

Côr Cymysg Taf a Chleddau o dan arweiniad Jim Jones, Fferm Llangolman,
a oedd yn fuddugol yn Eisteddfod Genedlaethol Abergwaun 1936.

Taf and Cleddau Mixed Choir led by Jim Jones, Llangolman Farm,
won its competition at the Fishguard National Eisteddfod 1936.

Twm Carnabwth (Beca)

W. R. Evans

Wên i'n mynd fel ffŵl, rhyw nosweth,
A nhrŵed i'n fflat ar i sbardun,
Ar hyd yr Em Ffôr,
Pan weles i'n sidan, giffile in croeshi o mla'n,
A miniwod blagardus wêdd in 'u brichgáu.
Fe weles "Carnabwth" in cau 'i ddwrne
I fwgwth wrth fynd o'r golwg,
A gweiddi fel dyn cindeirog.
"Rhowch girch i'ch peirianne, bois bach,
A wadwch bant fel infidion,
Ond tinnwch miwn, amell waith, bois bach,
I glaish ir hewl am bum munud,
I gofio am Efel-wen."

Rhestr o lyfrau a fu'n ddefnyddiol wrth baratoi'r gyfrol hon ac a fyddai o fudd i'r darllenydd bori ymhellach ynddyn nhw.

A list of books that proved useful when preparing this volume and would be of benefit to the reader to thumb through them.

Cofiant y Parchg Wm. Griffith: W. D. Griffith (1908)

Rhamant Rhydwilym: John Absalom / Y Parchg E. Llwyd Williams, Gwasg Gomer (1939)

Hen Ddwylo: E. Llwyd Williams, Llyfrau'r Dryw (1941)

Crwydro Sir Benfro Cyfrol I a II: E. Llwyd Williams, Llyfrau'r Dryw (1958, 1960)

Caneuon Hen Lidiart: Rachel Owen

Mynachlog-ddu Pembrokeshire, A Guide to its Antiquities : E. T. Lewis (1967)

Mynachlog-ddu, A Historical Survey of the Past Thousand Years: E. T. Lewis (1968)

Rhydwilym 1668-1968 Dathlu'r Tri Chanmlwyddiant: Gwasg Gomer (1968)

Ffarwel i'r Brenin, Cyfrol Deyrnged R Parri Roberts: Gwasg Tŷ ar y Graig (1972)

Fi Yw Hwn: W. R. Evans, Gwasg Christopher Davies (1980)

Eglwys y Bedyddwyr Bethel, Mynachlog-ddu 1794-1994: Golygwyd gan Wyn Owens, Eirian Wyn Lewis ac Eifion Daniels (1994)

The Slate Quarries of Pembrokeshire: Alun John Richards, Gwasg Carreg Gwalch 1998

Meini Nadd a Mynyddoedd: Eirwyn George, Gwasg Gomer (1999)

Stories in Stone: Anthony Bailey, Preseli Heritage (2000)

Y Patshyn Glas: Wyn Owens, Cyhoeddiadau Barddas (2005)

Mam-gu, Siân Hwêl a Naomi / Grandma, Vicar Howells and Madame Tussauds: Hefin Wyn, Clychau Clochog (2006)

Brwydr y Preselau / Battle of the Preselau : Hefin Wyn, Clychau Clochog (2008)

Llyfr Nodau (Defaid y Preselau) / Ear Mark Book (Preseli Sheep): Lloyd Davies

Mam-gu, Siân Hwêl a Naomi: Hanes a Hudoliaeth Bro Maenclochog

Mae'r hen chwedlau ar sodlau'i gilydd ar lethrau Presely a'r oesoedd wedi'u plethu'n un cawdel o reffyn. A dyna'n hetifeddiaeth ni yn y profiad o fyw o dan gysgod y bryniau hen.

E. Llwyd Williams

"Mae'r gyfrol hon, gwaith nifer o awduron ac unigolion a olygwyd i'r safonau golygyddol uchaf, yn arbennig o drawiadol a chynhwysfawr. Ceir o fewn y gyfrol clawr caled, hardd ei diwyg, amrywiaeth rhyfeddol o ddiddorol o gerddi, ysgrifau, rhyddiaith, atgofion personol, ac astudiaethau mwy ysgolheigaidd ac academaidd eu naws ... Ceir o fewn y gyfrol hon batrwm a chynllun delfrydol ar gyfer cyhoeddi llyfrau pellach am wahanol ardaloedd yn y dyfodol agos. Mawr hyderaf y bydd gan haneswyr lleol eraill yr awydd a'r ynni i fynd ati i bortreadu a chyhoeddi cyfrolau pellach ar ein cyfer."

Dr J. Graham Jones

Grandma, Vicar Howells and Madame Tussauds Past and Present Magic of Bro Maenclochog

The old tales are on each other's heels on the Presely slopes and the ages intertwined in one mixed lanyard. And this is our heritage as we experience life under the shadow od the old hills.

E. Llwyd Williams

'A template for future local history books in Wales.'

Dr J. Graham Jones

'Marvellous, magical volume, so diverse and rich. I wish every Welsh parish could produce one.'

Jim Perrin

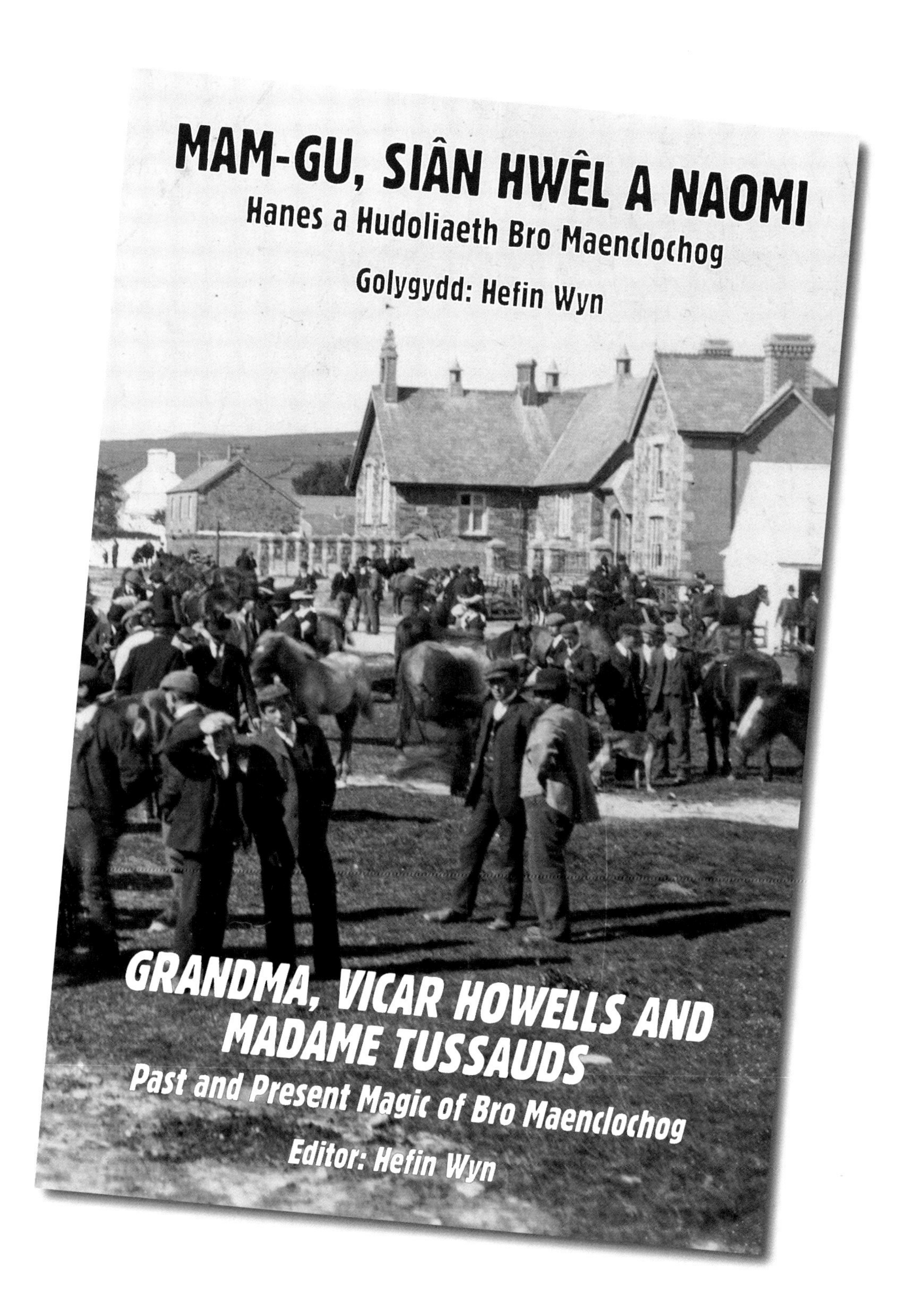
MAM-GU, SIÂN HWÊL A NAOMI
Hanes a Hudoliaeth Bro Maenclochog
Golygydd: Hefin Wyn
GRANDMA, VICAR HOWELLS AND MADAME TUSSAUDS
Past and Present Magic of Bro Maenclochog
Editor: Hefin Wyn

BRWYDR Y PRESELAU
Yr ymgyrch i ddiogelu
bryniau 'sanctaidd'
Sir Benfro
1946–1948
Hefin Wyn

BATTLE OF
THE PRESELAU
The campaign to safeguard
the 'sacred' Pembrokeshire hills
1946–1948
Hefin Wyn